피자 타이거 스파게티 드래곤

피자 타이거
스파게티 드래곤

흉적 장편소설

2

이지북
EZbook

CONTENTS

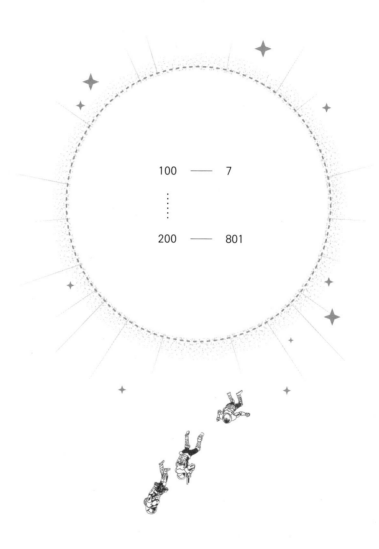

100

• • • ✦ • • •

갑작스런 보안국의 출현에 태스크포스 373은 당황했다. 보안국은 말 그대로 군내의 보안과 기강을 담당하는 부서다. 군사기밀이 바깥으로 빠져나가는 사태나 외부의 공격을 방어하는 부서이며 그 때문에 종종 불시에 군부대를 수사하거나 감시한다. 다만 특수전 사령부 소속의 부대, 특히 태스크포스 373 같은 특수팀은 아무리 보안국이라 해도 함부로 건드리지 못한다. 만약 수사를 하려면 작전이 종료된 다음에나 가능하고 그것도 상원이나 참모본부 들로부터 허가를 받아야 한다.

"작정하고 오셨구먼."

빈우는 툴툴대며 롱소드를 몰아 블랙 랜스에 착함했다. 보안국이 규정상 이쪽을 건드리지 못한다고 해도 지금처럼 무장을 하고 쳐들어온다면 조금 곤란하다. 사고를 치더라도 그것을 감안할 만큼 눈앞의 목적을 중요시하다면 얼마든지 억지를 부리는 곳이 보안국이다. 놈들은 특수전 사령부의 신임 사령관인 조지 레드우드의 정치력이 비교적 떨어진다는 것을 잘 알고 있다. 그래서 지금 저지르는 일의 후폭풍이, 보복이 비교적 단순하리라 예상하고는 일을 저지르는 것일 거다. 하지만 아무리 그래도 '그 쌈박한 취임 인사'를 한 지 얼마 되지도 않았는데 이런 사고를 친다니 이놈들도 참 대단하다 싶다.

"설마 이렇게 온다고?"

아룹은 격납고에서 자신의 무장을 점검했다. 그것은 파트리샤도 마찬가지. 일반 부대나 함선에 보안국이 무작정 들이닥쳐 용의자를 체포해 가는 것은 그쪽 18번이다. 태스크포스 373의 팀원들은 특수전 사령부 소속이라 그런 일을 당한 적은 없지만 들어는 본 적이 있다. 게다가 두 사람 다 비밀작전을 수행하는 특수부대 출신들이라, 잊을 만하면 들어오는 보안국의 태클에 이를 갈던 사람들이다. 그러니 지금 상황이 달가울 리 없다.

"이제 어쩌죠?"

파트리샤가 한번 거하게 사고 칠 요량으로 아룹에게 물었다. 그러나 대답은 팀장인 빈우에게서 바로 들려왔다.

- 모두 저항하지 말고 순순히 초대해.

팀원들 앞으로 빈우의 롱소드가 내려왔고, 뒤쪽으로는 우지의 롱소드가 착함궤도로 들어서고 있었다. 롱소드가 격납고에 고정되자 팀장인 빈우가 조종석에서 뛰쳐나왔다. 그를 보며 부팀장인 아룹이 히죽 웃으며 다가와 질문한다.

"또 무슨 꿍꿍이가 있으신 겁니까?"

그 질문에 빈우가 멈칫하더니 곤란한 듯 고개를 도리도리 흔든다.

"으음, 뭐라고 할까. 떡밥을 뿌려놓긴 했는데 그거 먹으려고 이렇게 물 밖까지 솟구쳐 나올 줄은 몰랐습니다."

그 말이 끝나자마자 파트리샤가 옆에 있던 공구를 집어 던졌다.

"아오, 그런 거 있음 미리미리 말 좀 해놓으라고요! 또 무슨 사고를 친 거예요!"

"아악! 내가 퍼질러놓은 게 한두 개도 아닌데 그걸 어떻게 다 말하냐! 그리고 중요한 건 다 말했잖아. 이건 사전작업만 조금 거, 뭐냐, 밥하려고 쌀 씻어놨는데 저쪽이 숭늉 달라고 깽판 치는 거라고."

하긴 발 가르단 하스에서 빈우는 아룹과 파트리샤 두 사람에게 자신의 비밀을 털어놨었다. 그런 빈우가 말하지 않았다면 말할 이유가 없거나, 때가 아니었으니 안 한 것일 테다. 바닥에 떨어진 공구를 줍는 빈우에게 아룹이 다가가 조용히 다시 물었다.

"그러면 이번 사태를 전혀 예상 못 하신 겁니까?"

그 질문에 빈우가 계면쩍게 웃었다.

"뭐, 확률이 아주 낮았으니까요."

그 말에 파트리샤는 전원이 안 들어간 진동 블레이드를 높이 치켜들었다. 하지만 이번에 빈우는 그녀에게 삿대질을 했고, 바로 아룹의 태클이 들어가 씩씩대는 파트리샤를 격납고 바닥에 쑤셔 박았다. 그리고 태스크포스 373의 팀장은 함내 통신으로 손님 맞이할 수작질을 준비했다. 확률이 낮다 해도 미리 예상은 했던 만큼, 준비사항을 청산유수로 나불대는 빈우의 모습에 파트리샤는 멍한 눈으로 격납고 천장을 바라보며 욕을 중얼거릴 뿐이다.

준비할 시간은 잠시, 함장인 오르가 보안국을 받아들이기로 했고 솔리드 함선 중 하나가 블랙 랜스에 다가와 도킹했다. 곧이어 어벤저를 입은 보안국 요원들과 쿠사키나 국장이 블랙 랜스로 들어왔다. 호가호위라 했던가. 으스대는 게 보일 듯 말 듯한 보안국 요원들의 움직임에 파트리샤는 혀를 찼다.

특수전 사령부의 단검뿔 토끼나 실리콘 나이트 등은 기밀작전을 하는 만큼 정보사령본부와 밀접한 관계를 맺는다. 그중에서 특히 정보사령본부 산하 부서인 군사정보국과는 합동작전이 꽤 많은 편이고, 보안국에서도 협조―를 빙자한 방해―가 심심찮게 들어오는 편이다.

다만 군사정보국은 그쪽에서 모아온 정보를 바탕으로 특수부대들이 작전을 짜거나, 아니면 한솥밥 먹으며 사선을 거니는 경우가 많아 전우란 이미지가 강하다. 반면 보안국은 열심히 임무를 마치고 오면 자기네 쪽으로 별도의 보고서를 내라는 등 기밀 사항에 대해 조사를 하겠다며 불쑥 쳐들어와 꼬치꼬치 캐묻는 등, 뒤에서 앉아만 있다가 간섭한다는 이미지가 강해 껄끄럽게 본다. 다만 정식 수사는 거의 없는 편이었다. 이는 특수전 사령부 자체가 거친 면도 있거니와 부사령관이었던 조지 레드우드가 보안국의 간섭을 싫어해, 놈들이 어쭙잖게 집적거리면 거칠게 내쫓았었다. 물론 특수전 사령부 특제 마사지를 곁들여서.

하지만 이게 가능했던 것은 전임사령관 캐서린 시슬이 절묘한 정치력으로 특수부대를 필요로 하는 여러 부서들과 줄타기를 하며 보안국을 견제한 덕분이다. 예를 들어 자신들과 친한 군사정보국을 서로 애증의 관계인 보안국과의 방패막이로 쓴다든가, 무소불위의 권력을 휘두르는 보안국을 어떻게든 트집 잡으려 안달이 난 연방 검찰청에 귀뜸을 넣는다든가.

하지만 든든한 방패막이였던 시슬이 사라진 지금은 그것도 힘들다. 레드우드 사령관이 제아무리 맹장이라 해도 직접 총과 칼을 쓰는 전쟁이 아닌 이런 정치 싸움에선, 몸통은 치지 못하고 기껏해야 피부와 깃털에만 피해를 줄 뿐이다. 이런 싸움에선 웃는 얼굴을 하고 상대방의 내장을 빨아먹을 사람들이 필요한데, 그런 인재가 태스크포스 373엔 아주 드물다.

물론 드물 뿐이지 없다는 의미는 아니었다. 바로 그 드문 인재인 빈우는 팀원들을 거느리고 격납고에서 보안국을 맞이했다. 그리고 보안국의 장갑보병들이 거친 몸짓으로 걸어와 빈우의 앞에 섰고, 그 뒤로 보안국의 국장인 다샤 쿠사키나 국장이 직접 모습을 드러냈다.

'작정하셨네?'

빈우의 생각대로 보안국은 작정을 하고 왔다. 태스크포스 373이 작전을 마치고 돌아가는 길에 무장을 한 보안국 함대가 수사를 명목으로 쳐들어온 것은, 뒷생각을 하지 않는 위험한 강수다. 물론 태스크포스 373이 이에 응하지 않아도 된다. 지금은 작전 중이니 나중에 오라고 해도 상관은 없다. 그러나 국장인 다샤 쿠사키나가 직접 왔다는 것은 부서발, 계급발로 눌러버리겠다는 의도가 다분하다. 만약 거절하면 무력으로라도 제압하려 들 것이고, 그것을 감수할 정도의 목적과 확신이 있기 때문에 이렇게까지 나오는 것이다.

"김빈우 소령. 자네를 긴급체포한다."

빈우의 앞에서 다샤 국장이 위풍당당하게 말했다. 오스카 스테이션의 설욕을 갚으려는 것인지 그녀의 눈에선 차가운 불꽃이 튀고 있었다.

"혐의가 뭔데요?"

빈우의 질문에 불꽃이 더 거세진다. 한쪽 눈썹을 한껏 치켜세운 다샤 국장은 격납고 안의 태스크포스 373 팀원들을 둘러보았다. 모두 장갑복을 벗은 비무장 상태로 보안국 요원들에게 둘러싸여 있었다.

"듣는 귀가 많군. 기밀이라 말해줄 수 없어."

"왜요? 그렇다면 나를 체포하는 근거는요? 나는 지금 작전 중인데요?"

다샤 국장은 빈우의 도발에 말려들지 않겠다는 듯이 콧방귀를 뀌더니 비웃으며 대답했다.

"현재 연방의 안보에 중차대한 위기가 있기에 부득이하게 귀관을 체포하는 것이다. 자세한 것은……."

"아아, 거기까지. 오케이."

빈우가 갑자기 다샤 국장의 말을 끊고 신호를 내리자마자, 태스크포스 373의 팀원들이 손을 머리 위로 깍지 낀 다음 주섬주섬 무릎을 꿇었다. 이 행동에 보안국 요원들이 어리둥절해할 때 빈우가 냅다 질렀다. 바로 앞에 있던 장갑보병의 흉부 장갑에 거세게 박치기를 한 것이다. 그리고 머리에서 피를 뿌리며 뒤로 나뒹굴었다.

"자네 지금 뭘……."

다샤 국장이 소리치려 할 때, 그 소리를 가르는 비명이 있었다.

"김 팀장님!"

오다 히토미 상원의원이 아나스타샤와 함께 격납고를 들어오자마자 본 것은 아군 장갑보병들에게 무장해제당한 태스크포스 373 팀원들과 막 얼굴을 얻어맞고 뒤로 넘어지는 김빈우였다.

"당신들, 이게 도대체 뭐 하는 짓이야!"

상원의원의 고함에 보안국 요원들이, 다샤 국장이 얼어붙었다.

'어째서 오다 상원의원이 여기에!'

다샤 국장은 마음속으로 비명을 질렀다. 그녀는 분명히 오다 상원의원은 특수전 사령부에 남아 있다는 정보를 가지고 이번 작전을 강행한 것이다. 애초에 상원의원이 이 배에 있었다면 이런 위험한 행동은 하질 않았다. 정신을 추스른 다샤 국장이 서둘러 나섰다.

"의원님, 제가 설명을……."

"의원님! 조심하십시오! 이 녀석들, 보안국입니다."

다샤 국장이 어떻게든 변명을 하려 할 때 빈우가 헉헉대며 그 말을 끊었다. 그리고 쿨럭이며 바닥에서 꿈틀거리는 게 누가 보면 뭇매라도 맞은 것 같다. 그제야 다샤 국장은 알 수 있었다. 자신이 빈우에게 낚였다는 것을.

"뭔가 오해가 있는 것 같습니다, 오다 의원님. 저희 보안국은 김빈우 소령에게……."

하지만 오다 의원은 다샤 국장에게 성큼성큼 걸어왔다.

"현재 태스크포스 373의 모든 인원은 상원 특별감사의 대상입니다. 그리고 저는 그 선행조사원이고요. 지금 보안국은 상원이 하는 일에 재를 뿌리는 겁니까?"

다샤 국장은 자신에게 다가오는 상원의원의 눈빛을 차마 마주치지 못하고 고개를 숙였다.

"아닙니다. 결코 그런 것이 아닙니다. 저희는 의원님과는 다른 혐의로 움직이는 겁니다."

"그건 제가 판단합니다. 자료를 모두 저에게 넘기세요."

불쑥 내미는 오다 의원의 손바닥을 보고 다샤 국장이 침을 꿀꺽 삼켰다. 아무리 보안국이 무소불위의 권력을 휘두른다 해도 결국은 군의 하위부서, 상원에서 나서면 박살난다. 덧붙이자면 상원 내부에서도 보안국을 한번 손보려고 호시탐탐 기회를 노리는 파벌들이 차고 넘친다. 오늘의 일이 알려진다면 반대하는 파벌끼리라도 결혼을 하고 덤벼들 것이다.

다샤 국장은 어렵사리 입을 뗐다.

"송구합니다만 보안국의 기밀 자료입니다. 그렇게 함부로 드릴 수는 없습니다. 이해해주십시오."

"김빈우 소령과 관련이 있는 자료지요? 말했다시피 저는 태스크포스 373에 대한 모든 것을 조사하기 위해서 왔습니다. 김 소령에 대한 자료를 내놓으세요."

대답이 궁해진 다샤 국장이 구석에 몰려 이러지도 저러지도 못하고 있을 때, 오다 의원은 자신의 뒤에서 난 비명을 들었다. 아나스타샤의 비명소리다. 오다 의원이 놀라서 뒤를 돌아보자 지금까지 자신을 정성껏 돌봐주었던 안드로이드 메이드가 장갑보병의 발치에 쓰러져 바들바들 떨고 있었다.

"이것들이 감히 누구 앞에서……."

보안국 장갑보병은 제풀에 비명을 지르고 바닥으로 넘어진 안드로이드 메이드를 보고 황당해하고 있다가 노기 어린 상원의원과 눈을 마주치고는, '아이고, 말렸구나' 하는 생각이 들었다. 오다 의원은 다시 다샤 국장을 돌아보더니 뺨을 후려쳤다. 짝 하는 소리가 격납고 안을 울려 퍼졌다. 그걸 본 보안국 요원 중 한 명이 충성심에, 그리고 반사적으로 움찔하면서 총을 들려다 멈췄다. 재수 없게도.

하지만 그걸 본 빈우가 놓치지 않고 비명을 질렀다.

"저, 저, 저 새끼 봐라! 보안국이 쿠데타를 일으킨다!"

그 말이 떨어지기가 무섭게 태스크포스 373의 대원들이 행동을 시작했다. 맨몸으로 일어서더니 장갑보병들의 무장을 빼앗아 겨눈 것이다.

"움직이지 마! 이 반란군 새끼들아!"

"옳거니, 이 새끼들! 상원의원님을 납치하려고 수작을 부렸구나!"

"의원님을 지켜! 꼼짝 마!"

고함을 지르며 덤비는 태스크포스 373의 팀원들에게 보안국은 저항할 방법이 없었다. 이미 특별감사의 임무를 띤 상원의원이 373 쪽에 있다는 사실에서 게임은 끝났다.

"저항하지 마! 저항하지 말랬지."

커다란 외침에 오다 의원이 돌아보자 거기엔 아룹이 저항하는 장갑보병과 힘겹게 몸싸움을 하는 것이 보였다. 그러나 그것도 잠시, 그녀가 차가운 눈빛으로 노려보자 보안국 장갑보병은 순순히 끌려갔다. 하지만 그 보안국 요원은 정말 억울했다. 그렇다고 자신은 맨몸의 아룹에게 순전히 힘으로 휘둘리고 있었다고 변명을 할 수도 없는 노릇이었다.

"아나스탸사, 괜찮니?"

오다 의원이 안드로이드 메이드를 부축하자 그녀는 오히려 자신의 주인을 걱정했다.

"전 괜찮아요. 그냥 넘어진 것뿐이에요. 그보다 주인님을 봐주세요."

그제야 오다 의원은 빈우가 보안국 요원에게 얻어맞고 쓰러진 것이 생각났다. 그녀가 서둘러 빈우에게 달려가자 그는 바닥에 앉아 숨을 고르고 있다. 금세 상처가 아무는 강화군인의 얼굴에서 아직도 피가 흐르는 것을 보니 보안국이 작정하고 린치를 가한 모양이다.

오다 의원이 보기에 빈우는 엄청난 실력을 지닌 군인임에 틀림이 없었다. 그럼에도 불구하고 그가 저항하지 못하고 일방적으로 두들겨 맞았다는 것은 보안국이 부당한 권력으로 묶어놓고 폭력을 가한 게 틀림이 없었다. 보안국이 성과는 훌륭히 내지만 그 뒤로는 어두운 면이 있다는 점도 익히 들었던 터라 히토미는 이를 악물었다.

"김 팀장, 괜찮은가요?"

상원의원이 손수건을 꺼내 군인의 상처에 대자 그는 오히려 히토미를 걱정했다.

"의원님은 괜찮으십니까? 저들이 해코지를 하진 않았습니까? 지켜드리지 못해 죄송합니다."

"걱정 마세요. 저들은 저한테 손가락 하나 까딱하지 못했어요."

빈우는 안심한 듯 싱긋 웃더니 갑자기 표정을 굳혔다.

"의원님, 지금 보안국에 시간을 줘선 안 됩니다. 저들이 증거를 인멸하기 전에 뭣 때문에 이런 짓을 했는지 빨리 밝혀내야 합니다."

"알겠습니다, 맡겨주세요. 팀장님."

일어선 오다 의원은 옷매무새를 한 번 가다듬더니 보안국 국장을 차갑게 노려봤다.

"다샤 국장. 저를 따라오세요."

사냥을 하러 왔다가 졸지에 사냥당하게 생긴 다샤 국장은 무거운 발걸음으로 오다 의원의 뒤를 따랐다. 빈우는 가볍고도 경쾌한 걸음으로 그 뒤를 따라갔다.

이케가미 소이치로. 연방의 상원의장이자 울토르 프로젝트의 지휘자다. 그가 지금 빈우의 앞에서 걷고 있다. 두 사람이 걷고 있는 동굴 속은 고온의 플라스마가 넘실대며 인간들을 집어삼키려 한다.

"어딜 그리 가십니까?"

뒤따르던 빈우의 말에 이케가미 의장이 멈칫한다. 그러나 돌아보지 않고 다시 걸어가며 대답했다.

"가야 할 길을 가는 거지. 내가 해야 할 일을, 반드시 해야만 하는 일을 하기 위해."

"위험합니다. 그만두십시오."

그가 가야 할 길이 무엇인지 아는 빈우는 만류해보았지만, 일생의 목적을 눈앞에 눈 이케가미 상원의장의 귀엔 들리지 않았다.

"내 예전에 자네에게 말하지 않았나. 자네들만 있으면 연방은 안심이라고. 그래서 나는 안심하고 이전 길을 계속 갈 수 있었다네. 근데 말일세, 그 길이 틀렸다지 뭔가."

빈우는 그 길이 왜 틀렸는지 모른다. 이케가미 상원의장과 같이 찾았던 길인데 어디서부터 무엇이 잘못된 것일까.

"하지만 틀렸다고 멈춰 설 순 없지 않나. 어서 바른 길을 찾아가야지, 안 그런가?"

이케가미 의원은 발걸음을 서두른다. 그리고 플라스마도 더욱 가까이 그들을 감싼다. 빈우가 품을 뒤져 계란 밥을 하나 꺼내 들고는 서둘러 그를 따라갔다.

"그럼 이거라도 잡숫고 가십시오."

하지만 이것도 이케가미 의장의 발걸음을 잠시 멈춘 게 고작이다. 잠시 시간 벌이만 되었을 뿐, 그는 결코 멈추지 않았다.

"고맙네만 딸아이가 살 좀 빼라고 성화여서 말이지. 자네는 모르겠지만 우리 같은 일반인은 건강에 신경을 많이 써야 한다네."

건강이란 말에 빈우는 기가 찬다. 죽으러 가는 사람이 건강은 무슨 놈의 건강이란 말인가.

"곧 죽을 텐데도 말입니까?"

"허허, 사람 앞길은 모르는 법이지. 설령 길 끝에 뭐가 있을지 안다 해도 가는 길에 무슨 일이 일어날지 어찌 안단 말인가."

"도대체 그 길의 끝에 뭐가 있기에 그러시는 겁니까. 의장님은 뭘 하시려는 겁니까?"

그제야 바삐 걷던 이케가미 의장이 뒤를 돌아보았다. 얼굴은 다 불타 녹아내리고 고강도 합금 두개골만이 남아 달각거리고 있다.

"자네는 무얼 해야 하는가?"

그 질문에 빈우는 대답이 궁해졌다. 나는 무엇을 해야 하는가. 머뭇거리던 빈우에게 해골이 재차 묻는다.

"자네에겐 사명이 있지 않나. 나와 같은, 아니 나보다 더 큰 사명이. 자네는 그 길을 어찌 가려는가? 아니, 갈 길이 이리도 먼데 자넨 지금 여기서 뭐 하고 있는 겐가?"

"개꿈을 꾸고 있지요."

눈을 뜬 빈우는 목표물이 도착했다는 알람을 끄고 현재 상황을 점검했다.

연방 표준시 2218년 1월 26일 오전 04시 28분. 모든 회선은 정상 작동 중, 지금 그가 보고 있는 화면들은 부뉴엘 가의 식당과 연결되어 있었다. 현지시 각으론 오후 6시 08분으로 저녁 식사 시간이다. 빈우는 알람이 뜬 화면에서 목표물을 찾았다.

목표물인 프란시스코 부뉴엘이 식당으로 들어온다. 그는 먼저 식사를 하고 있던 가족들과 간단한 인사를 한 다음 자리에 앉았다. 그다지 중요한 얘기들은 없었다. 가내수공업에 관한 대화가 이어질 뿐이다. 그러다가 아버지와 장남 간의 대화가 점차 거칠어진다.

- 아버지는 잘못하고 계신 거예요.

연방에 유학 갔었던 청년, 미겔 부뉴엘이 식탁 앞에 서서 열변을 토한다. 흔히 보이는 개척지의 열성적인 청년이다.

- 잘못? 회사를 키우고 가족을 먹여 살리는 게 잘못이란 말이냐!

아버지인 프란시스코가 아들을 꾸짖는다. 빈우는 먹다 남은 계란밥 맛에 너지바를 입안에 털어 넣고는 다른 화면들도 훑어봤다. 바로 옆에 앉은 딸 레오노르는 싸움을 외면한 채 식사에만 열중한다. 아빠와 오빠의 싸움에는 관심 없는 척하지만 둘의 싸움에 신경이 쓰여 제대로 식사를 못 하고 있다.

- 두 사람 다 그만하세요. 하비에르가 들어요.

프란시스코의 아내인 신디 부뉴엘이 다투는 부자를 조용히 타이르며 막내아들인 하비에르 부뉴엘에게 숟가락을 내민다. 하비에르는 턱받이에 이유식을 절반쯤 흘리면서도 열심히 받아먹는다.

- 키우고 먹여 살리는 방법이 잘못되었다고요.

약간 목소리가 낮아진 미겔이 투덜대며 의자에 앉았다. 반면 프란시스코는 숟가락을 탁자에 거세게 내려놓으며, 그만큼 거칠게 의자에서 일어났다. 그리고 외쳤다.

- 잘못이라고? 밖에 나가봐라. 돔 밖으로 나가봐. 해가 지면 얼어 죽는 이 땅에서, 연방이 버린 이 땅에서 이렇게 살아온 아비가 잘못되었다는 말이냐!

18

- 그래도 그건 범죄라고요.

다시 부자 사이의 싸움이 재개될 조짐이 보이자 신디가 다시금 말리려 일어섰다. 하지만 배고픈 막내아들이 그녀의 손을 잡는 바람에 그대로 앉아 있을 수밖에 없었다. 부자의 목소리가 점차 거칠어지자 레오노르는 시선을 접시에만 고정시켰고, 하비에르는 놀라서 주변을 두리번거렸다. 엄마인 신디가 어르고 달래보지만, 막내아들은 자신의 코앞에 다가온 숟가락보다는 아빠와 형의 커다란 고함이 더 신경 쓰였다.

형은 놀아주는 방법은 몰랐지만 언제나 자기와 놀아주려고 노력했었다. 아빠는 여러 가지 장난으로 자기를 기쁘게 만들어주었지만 집에 있는 시간은 적었다. 싸움을 보던 하비에르는 옆에 있던 누나가 울먹이는 게 보이자 고개를 그쪽으로 돌리고 히죽 웃었다. 그러면 누나는 언제든 깔깔 웃어주었지만 지금은 그러지 않았다. 시무룩한 하비에르는 문득 코끝에서 고소한 향기를 느끼고 입을 벌렸다. 그리고 들어온 숟가락을 오물오물 깨문다. 그러면서 입은 숟갈을 물고, 눈은 계속 아빠와 형 쪽으로 향했다.

그때 아빠의 뒤에서 누군가가 나타났다. 그 아저씨의 손에는 '지지'가 들려 있었다. '지지'는 하비에르가 가장 궁금해하는, 형이 가지고 놀던 장난감이었다. 한번은 운 좋게 형의 침대 위에 놓여 있던 '지지'를 잡았는데, 큰 난리가 났었다. 언제나 장난감을 양보했던 형이 우악스럽게 '지지'를 뺏어가자 하비에르는 놀랍고 서러워서 울었다. 하지만 엄마도 누나도 그 장난감을 '지지'라고 하며 절대 못 만지게 했고, 그날 형은 엄마에게 크게 혼이 났다. 그런 '지지'가 처음 보는 아저씨의 손에 들려 있단 사실은 하이베르의 호기심을 끌기에 충분했다.

"지지, 지지."

다가온 아저씨가 지지를 들지 않은 손으로 하비에르의 눈을 가렸다.

"까꿍."

하비에르는 처음 보는 아저씨의 손을 잡고 까꿍 놀이를 했다. 눈을 가린 아저씨의 손을 잡고 얼굴을 바깥으로 내밀며 히죽 웃었다. 하지만 이 아저씨는 웃지 않았다. 지금까진 누구나 다 웃었지만 이 아저씨는 웃지 않았다. 이 럴 때 해결책을 알고 있는 하비에르는 크게 방긋 웃었다. 그러면 엄마도 아빠도, 형도, 누나도 모두 굳은 얼굴을 풀고 웃어주었다. 하지만 이 아저씨는 웃지 않았다. 어리둥절한 아기 앞에 선 빈우는 다시 총을 아이의 이마에 겨눴다. 그답지 않은 일이다. 겨누고 바로 쏜다. 목표물 앞에서 멈추는 것은 있을 수 없는 일이다.

"지지, 지지."

혀 짧은 소리를 내며 총을 만지려는 아기, 하비에르 앞에서 빈우는 총을 치웠다. 이 아기에게 무슨 죄가 있을까. 이마에 구멍이 나 죽은 어머니처럼 마약을 만들지도 않았다. 형처럼 청부살인업자도 아니었다. 누나처럼 해커도 아니었다. 어깨에 총을 맞고 바닥에서 꿈틀거리는 아버지처럼 마약을 팔지도 않았다. 굳이 있다면 죄로 번 돈으로 먹고살았다는 것이다.

그때 프란시스코는 간신히 정신을 차리고 빈우를 향해 소리쳤다.

"누, 누구야! 뭐 하는 새끼야!"

빈우는 피투성이가 된 그에게 다가가 총에 뚫린 어깨를 꾸욱 짓밟았다. 프란시스코가 거센 비명을 질렀다. 숨이 찬 그가 더 이상 소리치지 못하게 되자 빈우는 발을 치웠고, 아빠의 고통에 찬 외마디에 막내아들은 끝내 울음을 터트렸다.

"엄마아아~!"

"하비에르, 하비에르!"

아들의 울음소리에 정신이 든 프란시스코가 황급히 주변을 살폈다. 하지만 그가 보게 된 것은 머리가 박살 난 아내와 아들과 딸의 시신들이었다. 오직 막내만이 살아남아 의자에서 울고 있을 뿐이다.

"너, 왜, 어디서 보낸 거야."

상처 난 왼쪽 어깨를 부여잡은 프란시스코의 말은 철저히 무시되었다.

"아들을 어디서 치료했는지 말해."

"무, 무슨 소리냐."

프란시스코는 답을 알고 있지만 말하지 않았다. 그것을 알아챈 빈우는 허리를 숙여 상처가 없는 프란시스코의 오른어깨에 자신의 왼손 집게손가락을 갖다 댔다. 그리고 손가락을 쑤셔 박아 건 다음 마약상을 들어 올렸다. 아기의 울음소리를 아비의 비명소리로 덮자 빈우의 불편했던 마음이 조금이나마 편해졌다. 이어 손가락을 구부리자 쇄골이 부서지며 프란시스코의 입에서 비명과 거품이 더욱 토해진다. 그리고 바닥에 떨어진 프란시스코는 양손을 쓰지 못하고 바닥에서 버둥댈 뿐이다. 육체적 고통 속에서 그는 정신적인 충격에 경악했다.

'반응 속도와 완력. 틀림없다. 이자는 군인이다. 연방의 군용인간이다.'

연방의 군인이 자치 행성에 와서 민간인을 죽인다. 결코 있을 수 없는 일이다. 하지만 프란시스코는 이해할 수 있었다. 오늘 자기 집의 식당에서 일어난 일이 바로 그 '결코 일어나지 않은 일'이 되리란 것을.

"대답해."

지금 부뉴엘 가의 식당에선 아기의 울음, 아버지의 신음, 불청객의 다그침으로 이뤄진 삼중주가 연주되고 있다. 그리고 지휘자의 피 묻은 손가락이 울음소리를 가리켰다.

"어디서 치료했지?"

아내와 아들과 딸을 잃은 프란시스코 부뉴엘은 해결책을 찾으려고 했다. 그러나 상대는 그 틈을 주지 않았다. 오직 고통만 줄 뿐이다. 이번에 그는 걸어차인다. 몸속에서 갈비뼈가 부러지며 섬뜩한 소리를 낸다. 다시금 비명을 지른 프란시스코는 급하게 애원했다.

"사, 살려주세요, 살려주세요. 제발. 말하면 살려주실 거죠?"

가장의 부탁에 빈우는 최대한 자비로운 해결책을 내려주었다.

"아들은 고통 없이 바로 죽여주지."

잠시 이해하지 못했던 프란시스코가 소리치려 하자 빈우가 낮게 소리쳐 끊었다.

"버텨봐, 내일이면 네 아들놈은 경쟁업체에 넘어가서 촬영회를 할 거다. 데뷔작이 은퇴작이 되려나?"

이 바닥에서 부뉴엘 가의 경쟁업체랄 수 있는 것은 없다. 굳이 꼽자면 프랑코 가 정도. 하지만 그쪽은 스너프 필름을 찍는다.

"제발……. 제발…… 살려주십시오."

프란시스코는 피와 눈물 그리고 침과 오줌을 흘리며 애원했다. 아들은 거기서 피만 빼고 흘리고 있다. 하지만 빈우에게선 아무것도 흐르지 않는다.

"말해. 워프 비스트로 변해가는 하비에르 부뉴엘을 어디서, 어떻게 고쳤지?"

어차피 빈우는 하비에르를 살려둘 생각이 없었다. 워프 비스트의 위험성을 감안하면 하비에르 부뉴엘은 반드시 제거해야 한다.

- 대장님. 정말 아기를 죽이실 겁니까?

갑작스레 들어온 통신이 빈우에게 짜증을 일으킨다.

"그러면 네가 할 테냐."

차갑고 흉포한 목소리에 대답은 없다. 식당에선 아기의 울음소리가 들릴 뿐이다. 아버지의 흐느낌이 들릴 뿐이다.

"하비에르, 하비에르, 괜찮다. 괜찮아. 아빠가 있지? 응, 그래. 울지 마, 울지 마라, 하비에르. 곧 괜찮아질 거야."

아버지는 열심히 아들을 달래려 한다. 둘의 앞길은 이미 정해져 있다. 그럼에도 불구하고 프란시스코는 헛된 희망을 찾고 있다.

무엇 때문에? 그는 정말 자신의 앞길을 모르는 것일까? 빈우가 가르쳐줘야 하나?

- 대장님, 아기는 치료가 되었지 않습니까. 굳이 죽일 필요는 없습니다.

빈우는 자신과 똑같은 목소리가 주눅 든 목소리로 애원하자, 슬슬 분노가 치밀었다.

"닥쳐."

놀란 프란시스코가 입을 다물었다. 하비에르도 울음을 멈추고 딸꾹거리기만 했다.

"마지막 질문이다. 워프 비스트로 변해가는 하비에르 부뉴엘을 어디서, 어떻게 고쳤지?"

프란시스코는 이 질문에 대한 대답이 아들을 죽게 하리란 것을 알고 있다. 그러나 대답해야 한다. 아들을 위해서.

"말하겠습니다. 말하겠습니다. 그러니 제발……."

아버지는 어떻게든 아들의 고통을 덜어주려 했다. 왜 이렇게 되었을까. 어떻게 해야 할까. 하지만 프란시스코는 빈우가 만들어놓은 길 안에서 버둥거리기만 할 뿐이었다.

마약상이 목적지에 도착하자 빈우는 그를 먼저 보내주었다. 하비에르의 눈엔 아저씨가 '지지'를 들었고 아빠가 잠자는 게 보였다. 그리고 '지지'가 자신을 향하는 것을 빤히 바라보았다.

- 대장님.

다시금 들리는 자신의 목소리. 빈우는 한숨을 내쉬었다.

"찰리하나팔. 경찰에 연락해."

그리고 빈우는 총을 바닥에 버렸다. 어디서나 손쉽게 구할 수 있는 가스압 발사식 권총. 지문은 프랑코 가에서 주로 쓰는 히트맨의 것으로 위조되어 있다. 오늘 부뉴엘 가에서 있었던 일은 경쟁업체인 프랑코 가에서 벌인 일 정도로 알려지게 될 것이다.

빈우는 다시 울려 퍼지는 하비에르의 울음을 뒤로하고 식당을 나섰다.

'내 앞길에는 뭐가 있으려나.'

눈앞에는 석양에 푸르게 달아오른 돔의 표면이 보인다. 빈우는 돔의 출구로 향하며 머릿속을 정리했다.

마카로니의 마리 라캉과 자크 라캉. 리처드 허드슨과 엘리자베트 허드슨. 오늘 부뉴엘 가. 이 세 가족은 모두 워프 비스트와 관련이 있다. 정확히는 워프 비스트화되는 것의 치료. 하비에르 부뉴엘은 치료되었다고 했다. 실제로 그 아기에게선 워프 비스트의 흔적은 전혀 없었고 정상적인 인간으로 보였다. 엘리자베트 역시 치료되었다고 했지만, 아직 곳곳에 워프 비스트의 흔적이 있었다.

'자크 라캉, 엘리자베트 허드슨, 응우옌 반쫑, 하비에르 부뉴엘.'

리처드의 집에서 찾았던 자료 중 치료 대기자 목록에는 자크 라캉과 하비에르 부뉴엘도 있었다. 그렇다면 자크 라캉의 로봇 육체는 그 치료의 일환이었을까? 워프 비스트화된 몸을 버리고 뇌 이식을 했을 수도 있다. 하지만 그날 자크 라캉이라 불렸던 건 뇌도, 두뇌칩도 없는 단순한 로봇이었다.

아직 수수께끼는 많이 남아 있다. 그렇다면 좀 더 자료를 모을 뿐이다. 그 자료의 대가는 무엇일까. 빈우는 알고 있지만 굳이 더 떠올리진 않았다.

102

· · · ✦ · · · ·

이노우에 고토는 다시 한 번 보고서를 검토해보았다. 사흘 전 우연히 조우했던 위은쏠납학의 세대 우주선과 그 탑승자들에 대한 보고서다.

당시 이노우에 국장이 직접 지휘했던 군사정보국과 그들의 조우는 순전히 우연이었다. 하지만 고토가 작성한 보고서에는 달리 적혀 있었다. 군사정보국이 300여 년 전 모성을 떠나 우주를 떠돌며 식민지를 건설했던 위은쏠납학이 돌아온다는 사실을 미연에 알고 행동에 나선 것으로 되어 있었다.

위은쏠납학은 이미 연방에 의해 멸망한 종족이라 위험도는 낮지만 유전조작을 하지 않은 품종들이어서 300년 전과 상태가 같기에 생물학적 가치는 좀 있었다. 예를 들어 쉬바 생산용이라든가. '그나저나 300년 동안이나 통상 항해를 하며 다른 종족을 만나보지 못했다니 운이 좋았던 걸까, 나빴던 걸까' 생각하며 고토는 피식 웃었다.

"음음, 이 정도면 되겠지?"

고토는 흡족한 미소를 띠며 서류를 닫았다. 이 핑계라면 국장인 자신이 직접 움직인 것에 대한 이유로 충분할 것이다. 한 건 마무리한 그는 본론으로 들어가기 위해 화면을 전환했다.

"문제는 이거란 말이지."

화면을 보는 정보국 국장의 얼굴에 걸린 미소가 날카로워진다. 이번에 위은쏠납학에 왔던 진짜 이유다.

그가 보고 있는 것은 폐허 속에 보이는 연방군용 탈출 포드의 파편들이었다. 그것도 솔리드 베타, 울토르 중대에서 쓰였던 물건이다. 사용 기록은 철저하게 지워져 있는 데다 파편뿐이어서 언제 쓰였는지는 알기 힘들다. 이것만으론.

울토르 중대는 2217년 7월 11일 위은쏠납학 항성계에서 잔당 토벌전을 한 적이 있다. 당시 롱소드와 그라디우스는 소행성대의 위은쏠납학 해적들을 찾아 모두 출격한 상태였는데 마침 낙오된 놈들의 함선 하나를 발견했었다. 마땅한 병력 투사 수단이 없었던 클론들은 두뇌 통신 회의로 탈출 포드를 사용해서 적함으로 침투하는 방법을 썼었다고 기록되어 있다. 이 탈출 포드는 그때 사용되었음이 분명하다. 그러나 영 엉뚱하게 위은쏠납학의 모성에서 발견되었으니 의심이 간다.

'과연 여기에 무엇이 들어 있었을까.'

울토르 중대의 지휘관이었던 김빈우 소령은 2216년 6월 8일 포말하우트 점프 게이트 안에서 샤다이, 리퍼에게 습격당했다. 그날 육성 중이던 예비대를 제외한 클론 중대원들은 궤멸적인 피해를 입었고, 지휘관인 빈우 또한 전사했다. 그러나 2217년 12월 27일 마카로니에서 충격적인 사실이 밝혀졌다. 전사한 줄로만 알았던 빈우가 사실은 클론으로 위장해 정체를 감추고 있었고, 습격 당시의 기록은 트리니티 패턴으로 묶어 자신의 머릿속에 심어놨다는 것이다.

'수상하지.'

왜 빈우는 아군으로부터까지 정체를 감췄어야 했을까. 도대체 그가 가진 정보가 무엇이기에 그런 방식까지 써가며 정보를 숨겼어야 했을까. 아마 그날 샤다이와 접촉하면서 무언가 치명적인 정보를 알아낸 것임이 틀림없다. 그렇다면 그것이 저절로 풀릴 때까지 멍하니 손놓고 있을 수는 없는 일이다. 군사정보국은 바깥에서 자기 나름대로 조사를 해야 한다.

아쉬운 것은 그날의 습격 이후로 울토르 중대는 군사정보국의 손을 떠나 여러 부서를 전전하며 소방관 역할을 했다는 것이다. 때문에 빈우가 클론으로 위장하고 있었던 시기의 일은 보고서 형식으로 전달만 받았을 뿐, 자세히 알 수는 없었다.

그래서 고토는 울토르 중대의 과거 행적 중에서 의심 가는 곳부터 차근차근 뒤밟는 중이다. 그중 한 곳이 바로 여기 위은쏠납학 모성이었다. 또한 이 죽음의 행성은 과거 이노우에 고토와 김빈우가 닉스 레벨 3의 시험을 치르며 처음 만난 곳이기도 했다.

'그때는 꽤 열혈한이었단 말씀이야.'

처음 만났을 때의 빈우는 자신의 힘으로 해결할 수 없는 사태에 직면하면 바로 폭발해 맞서는 성격이었다. 망설임 없이, 후회 없이. 고토는 빈우의 성장기 시절 어떤 사건이 그런 성격 형성에 영향을 주었으리라 막연하게 추측했다. 하지만 군사정보국에 들어와서 빈우는 많이 바뀌었다. 성격은 둘째 치고서라도 사물과 사건을 대하는 방식이 달라졌다. 불가능한 역경에 마주치면 일단은 뒤로 빠져 관찰한다. 주변에 무슨 일이 일어나든 신경 쓰지 않고 목표의 약점을 파악하려 한다. 그리고 자신이 유리해질 시기를 기다리거나, 안 오면 만든다. 아마 이번에 발견한 탈출용 포드도 그 일환일 것이다. 그는 클론으로 위장한 상태에서 때를 기다리고 있었던 게 분명하다.

'마치 라캉 중령 같군.'

보안국의 피에르 라캉 중령은 이런 시나리오를 짜는 데 전문가였다. 그는 사건의 역학관계를 치밀하게 계산해 자신이 설계한 계획이 마치 도미노처럼 흘러가도록 했다.

'그런데 탈출 포드는 왜 파괴되었지? 증거인멸이라고 생각하기엔 허술하고. 설마 누가 이미 가로챘나? 아니면 협조자가 있었나? 포드에 데이터가 들었을까, 아니면 명령이 주입된 클론이 들었을까? 흐음, 클론이라……'

빈우가 늘 전선에서 싸웠기에 사람들이 간과하는 사실이 있는데, 클론 부대의 지휘관이 될 만큼 그가 인공지능에 대해서 대단히 능통하다는 점이다.

별다른 테스트 없이 인간과 위장된 안드로이드를 구분하는 것은 물론이고, 인공지능의 상태마저 판별해낸다. 빈우라면 클론을 만드는 것은 무리라도 이미 생성된 개체를 세뇌해 자신의 명령을 따르게 하는 것은 식은 죽 먹기다.

'증거가 부족해. 퍼즐 조각이 모자라.'

마치 고생대 생물의 화석을 발견하는 것 같다. 단편적인 부위 하나하나를 모아 대상을 완성한다.

'아니아니, 차라리 그림 없이 투명 아크릴로 만든 직소 퍼즐 같군.'

증거는 거짓말하지 않는다. 설령 그것이 조작되어 있다 해도 그것은 그것 나름의 가치를 지닌다. 누가 왜, 어떻게 조작했는가 하는 식으로 정보를 얻을 수 있으니까. 다만 사람이 실수하는 게 골치 아프다. 손가락뼈를 발가락뼈로 착각한다든가, 송곳니를 발톱으로 착각한다든가. 혹은 투명 아크릴 조각이 앞뒤가 바뀐다든가.

'하지만 김 소령의 행동이 꽤 혼란스럽군. 뒤로 빠지는 것과 앞으로 나가는 것 중 어느 쪽이지? 뭐, 트리니티의 부작용으로 성격이 조금 바뀌었다고 했으니 그럴 법도 하지만.'

빈우를 쫓는 입장인 이노우에 고토는 그의 사고를 최대한 예상해 앞으로의 행동을 유추할 계획이었다. 그런데 마카로니에서 부상한 빈우는 무언가 뒤섞여 있었다. 친구인 마커스와 보호자였던 안드로이드는 빈우 본인이 맞다고 했지만, 고토가 보기엔 자신의 부하는 정보국 이전과 이후의 모습들이 혼재된 성향을 보였다. 그래서 빈우의 행동을 특정하기가 까다로웠다.

그런 복잡한 고토의 생각을 방에 들어오는 사람이 끊었다.

"아, 타이 차장. 무슨 일인가?"

마커스 타이 소령은 빈우의 사관학교 동기이자 고토의 우수한 부하다. 그런데 지금 그의 얼굴이 꽤 굳어 있었다. 노크도 없이 급히 방에 들어온 것을 보면 그만큼 중대한 사안을 가지고 왔을 것이다.

"다샤 국장이 작전 중이던 태스크포스 373을 강제수사하려 했답니다."

"뭣이? 끄응……."

이노우에 국장은 머리를 싸쥐며 한숨을 내쉬었다. 문득 그의 머릿속으로 뿌린 대로 거두리라는 말이 떠오른다. 물론 뿌린 사람은 이노우에 고토, 자기 자신이다.

'뒷감당을 어쩌려고 그러나. 안 그래도 레드우드 사령관이 칼춤을 추면서 벼르던데. 오스카 스테이션에서 당했던 게 컸나. 살짝 밀었기로서니 이렇게 훅 나갈 줄이야.'

다샤 국장은 오스카 스테이션에서 감시 대상이던 피에르 라캉 중령을 잃었고, 그를 감시하던 안드로이드들을 빈우에게 빼앗겼다. 물론 빈우가 나중에 시신과 안드로이드들을 돌려주긴 했지만 라캉 중령의 허수아비는 정체조차 모른 채 물 건너갔다. 그날 다샤 쿠사키나 국장은 군사정보국에 쳐들어와 한판 뒤집어엎었었다. 부하 관리를 어떻게 하는 거냐면서 고토를 마구 쏘아 붙였는데 그녀답지 않게 이성을 잃은 모습이 뭔가 수상했다.

군사정보국과 보안국은 활동 범위가 각자 전쟁 중인 외계종족과 아군 조직 내부로 확연히 다르다. 그리고 평상시엔 보안국이 군사정보국을 감시하고 수사한다. 보안국의 내부수사가 필요할 땐 보통 군사정보국에서 인원이 파견 나가기 때문에 둘 사이의 분위기는 굉장히 살벌하다. 반면 활동영역이 겹치는 회색지대에선 어쩔 수 없이 둘이서 찰떡같이 협력해야 하는 애증의 관계가 된다.

그래서 그날 고토는 왜 그리 흥분하냐며 그 이유를 넌지시 물어봤었다. 그런데 다샤 국장은 대답하지 않았다. 자신이 찾고 있던 것, 흥분한 이유를 말하지 않았다. 그날은 그러려니 하고 넘어갔지만, 뒤에서라도 찔러보지 않으면 이노우에 고토가 아니다.

보안국장이 감췄던 것이 못내 궁금했던 정보국장은 며칠 뒤, 짭짤한 정보 몇 가지를 다샤 국장에게 던져주었다. 바로 빈우가 가진 명령서 중 보안국에 치명적인 것들은 이쪽에서 무효화했다는 것과, 빈우의 행동 중에서 트집잡힐 만한 것 몇 가지를 콕 집으며, 이에 관해선 군사정보국에서 뒤를 봐주지 않겠다고 말한 것이다. 이것으로 마음을 풀라는 말을 덧붙이며.

물론 고토는 부하를 팔 생각은 없었다. 이렇게 한들 보안국은 적극적으로 나서기보다는 빈우에게 조심스레 치근덕거릴 것이고, 빈우 또한 별로 어렵지 않게 헤쳐나갈 것이다. 그리고 그 과정에서 보안국이 뒤에 감추고 있는 것이 무엇인지 짐작할 수 있을 것이고, 덤으로 빈우의 트리니티 패턴에도 자극을 줄 수 있을 것이라 생각했었다. 즉, 되면 좋고 안 되면 그만이란 식으로 다샤 국장을 자극했던 것인데 태스크포스 373 같은 특수전 사령부의 작전팀에 강제수사를 할 줄이야. 너무 갔다. 좀 지나칠 정도로 많이.

"좀 세게 나가는데, 숨기고 있는 게 심각한 것인가?"

"좀 세게 나간 정도가 아닙니다."

마커스의 말에 고토가 움찔한다.

"본인이 직접 솔리드 시리즈를 끌고 나서서 김 소령을 긴급체포하려 했답니다."

세상이 아찔해진 이노우에 고토는 두 손바닥으로 얼굴을 감싸 쥐었다.

"미친년."

보안국이 정보국의 파견 요원, 그것도 특수전 사령부의 작전 중인 팀을 무력으로 제압하려 했다니. 이건 많이 나간 수준이 아니라 막 나간 것 아닌가. 한술 더 떠 지금 태스크포스 373은 발 가르단 하스 건으로 상원의 특별감사가 나가 있는 상황이다. 여기에 숟가락을 얹으면 결코 좋은 꼴을 못 볼 텐데 보안국이 그 짓거리를 저지른 것이다. 하지만 마커스의 표정을 보니 아직 끝난 게 아닌 듯싶다.

"문제는 당시 태스크포스 373에 오다 히토미 상원의원도 있었다는 겁니다."

"뭐가 어째!"

경악한 이노우에가 의자에서 펄쩍 뛰어올랐다. 태스크포스 373의 조사원으로 나간 오다 히토미 상원의원은 분명 현재 특수전 사령부에 남아 있다고 했다. 그래야 하는 게 상식적이고 실제로 들어온 정보도 그렇다.

"오다 의원이 태스크포스 373과 같이 행동하고 있었다고?"

"네."

이노우에는 그제야 이해할 수 있었다. 이건 백 퍼센트 빈우의 계략이다. 물론 빈우는 이렇게 급하게는 안 짠다. 밑밥만 슬슬 뿌렸겠지. 문제는 여기서 자신의 계략과 빈우의 계략이 시너지를 일으켰단 것이다. 자기는 자기대로 다샤 국장을 자극했고, 빈우는 또 녀석대로 떡밥을 뿌렸던 게 분명하다. 이런 상황이 되자 리스크와 리턴을 저울질하던 다샤 국장이 절호의 기회라고 판단, 다소의 위험을 무릅쓰고서라도 행동에 나서고 만 것이다.

"이거 곤란한데."

보안국이 이렇게 먼저 돌출행동을 하면 곤란하다. 이웃집이 시끄러우면 이쪽도 눈치가 보인다. 게다가 지금 이노우에 국장이 직접 조사하고 있는 사건은 울토르 프로젝트다. 보안국도 깊게 연관된 건이라 주변의 시선이 모이면 앞으로의 행보에 큰 차질이 생긴다.

"일단 서둘러 돌아가야겠군. 빨리 김 팀장에게 연락해야겠어."

빈우도 태스크포스 373의 일원이기에 상원의원의 조사를 받는 입장이다. 그리고 다샤 국장의 강압적인 수사를 받은 터라 그리 좋은 기분은 아닐 것이다. 하지만 일단 급한 불은 무슨 수를 써서라도 꺼야 했다.

"참, 탈출 포드의 조사 말입니다만."

"오, 어떻던가?"

원래 가야 할 곳의 정반대 방향으로 날아온 울토르 중대의 탈출 포드. 마커스는 그것에 대한 세부조사를 지휘하고 있다가 날벼락을 맞고 고토에게 온 참이었다.

"아무래도 너무 오래전의 것이라 쓸 만한 정보를 찾기가 힘듭니다."

고토도 크게 기대하진 않았기에 실망도 하지 않았다. 반년 전에 파괴되어 방치된 잔해에서 얻을 수 있는 정보에는 한계가 있다.

"자세한 조사는 나중에 더 하기로 하고 일단은 귀환하도록 하세나. 그리고 타이 차장, 돌아가면 김 팀장에게 연락 좀 넣어주게. 다샤 국장과 보안국의 건을 되도록 부드럽게 처리할 수 있도록 도와달라고 말이야."

"김 팀장이 말입니까? 그쪽도 지금 탈탈 털리고 있을 텐데요? 차라리 생쥐 보고 고양이 목에 방울을 달라고 하시죠."

오다 의원과 빈우 간의 내막을 모르는 군사정보국 쪽으로선 이렇게 생각하는 게 당연했다.

"하지만 생쥐는 살기 위해 방울을 달아야 하지."

국장의 말에 담긴 의미를 파악한 마커스는 곧 그러겠다고 대답할 수밖에 없었다.

작전이 끝나면 보고서를 써야 한다. 이번에 쓸 보고서 내용은 굉장할 게 분명했다. 여러 의미로. 하지만 그 보고서를 쓸 사람은 빈우가 아니었다.

"말씀 안 하실 겁니까?"

블랙 랜스 안의 회의실에선 세 사람이 서로 마주 보고 앉아 있다. 차가운 목소리로 질문하는 사람은 오다 히토미 상원의원이다. 맞은편에서 차가운 얼굴로 침묵하는 사람은 다샤 쿠사키나 보안국장.

'뭐 차가운 거라도 시킬까?'

중간에서 뻘생각을 하는 사람은 태스크포스 373의 팀장인 김빈우. 분명 이 장소의 주인은 빈우이지만 현재 주도권은 오다 의원에게 가 있다. 그리고 그 오다 의원에게 심문당하고 있는 사람은 바로 연방의 군인들이라면 설설 길 보안국의 수장인 다샤 쿠사키나 준장이다. 천하의 보안국장이 쩔쩔매는 희귀한 광경을 구경하던 빈우의 머릿속으로 조금 전의 일이 떠올랐다. 빈우는 부르르 몸서리를 쳤다. 태스크포스 373이 귀환할 때 간단한 보고를 들었던 레드우드 사령관은 친히 나와서 자신의 직속팀을 맞이했다. 하지만 그가 만나고자 한 상대는 바로 보안국이란 것은 누가 봐도 알 수 있었다.

그때 레드우드는 바로 앞의 빈우는 안중에도 없고, 샤다이의 전열함에는 눈길 한번 주지 않았다. 오로지 뒤에 있던 다샤 국장을 보며 함박웃음을 짓고 있었다. 그 웃음은 결코 레드우드답지 않은, 티 없이 해맑은 웃음이었다. 사람이 미치면 회까닥 돈다고 하는데 지금 레드우드가 바로 그런 경우였다. 걸리면 장조림으로 만들겠다고 취임연설 때 말한 지가 한 달도 채 안 되었는데 이런 일이 벌어졌으니 당연한 반응이다.

"아이고, 부팀장! 저 양반 잡아요!"

식겁한 빈우가 소리치자 아룹과 파트리샤가 재빨리 달려나가 레드우드 사령관을 붙잡고 얽어맨다.

"놔, 놔라. 아무 짓도 안 해. 말만, 말만 좀 하자."

하지만 웃는 얼굴과는 달리 목소리는 흉악하게 으르렁대고 있으니 그의 성질머리를 아주 잘 파악하고 있는 두 사람은 중장을 숫제 깔아뭉갤 양으로 밀어붙였다.

"야야야, 위르겐, 길 터라! 튀자."

그 사이 빈우는 쿠사키나 국장을 공주님 안기로 들고 블랙 랜스를 향해 도망쳤다. 그 앞으론 위르겐이 달리며 가로막는 건 모조리 후려치고 있었다.

"이건 또 무슨 미친 짓입니까아."

위르겐은 달려드는 아군들을 뭐 씹은 표정으로 맞이하며 드잡이질을 했다. 어차피 다들 한솥밥 먹은 특수전 사령부의 사람들인데 윗선끼리의 시비에 이 웃긴 짓을 해야 한다니 영 내키지 않는 것이다. 그런데 저쪽은 그렇지 않은 모양이다. 안 그래도 보안국 하면 눈엣가시인데 사령관의 얼굴에 먹칠을 했으니 벼르던 게 터진 셈이다.

"위르겐 이 새끼야, 너 언제부터 보안국 편들었냐."

저번 부대에 있던 중위가 위르겐의 팔을 잡고 늘어지자 그의 얼굴에 바로 팔꿈치가 작렬한다.

"누군 좋아서 이런답니까."

아무튼 놔라, 못 놓겠다, 저놈 잡아라, 잡아봐라 개새끼야, 이렇게 아웅다웅하며 태스크포스 373은 다시 블랙 랜스 안으로 도망쳐 들어왔다. 다행히 레드우드 사령관은 이 이상은 하지 않을 셈인 것 같았다.

"보안국은 무슨 혐의로 김빈우 소령을 긴급체포하려 한 겁니까?"

오다 의원의 차가운 목소리가 빈우를 잡담에서 끄집어냈다.

"……"

그러나 쿠사키나 국장은 아까부터 묵묵부답이다.

"대답하지 않을 건가요?"

"정식으로 명령이 내려온 것도 아닌데 의원님께서 저를 심문하실 권리는 없지 않습니까? 지금의 저는 그저 순수한 '선의'로 협조하는 것뿐입니다."

정확히는 협조라기보다 오다 의원의 보호 아래 있겠다는 의미다. 밖에 나가봤자 빡돌아간 레드우드에게 무슨 꼴이 될지 자명하니까. 당시를 생각하면 지금도 간담이 서늘해지는 쿠사키나 국장이었다. 분명히 빈우에겐 오스카 스테이션 건 외에도 조사해야 할 것이 있다. 그것도 아주 중요한. 그러나 그가 특수전 사령부로 가서 태스크포스의 팀장을 맡아버리자 보안국으로선 섣불리 손을 댈 수가 없게 되었다.

그런데 마침 그때 군사정보국에서 협조하겠다는 연락이 왔다. 빈우의 무기를 못 쓰게 만들고 약점을 가르쳐준다는 것이다. 아마 오스카 스테이션 때의 빚도 갚을 겸 이쪽의 상황을 파악하려는 속셈이겠지만, 거절할 이유가 없었다. 그래서 연방 중앙정보국 쪽에 연락을 넣어 이번 라출노그 성계의 작전을 태스크포스 373에 맡기자고 강하게 권했다. 그리고 블랙 랜스의 이동 경로까지 알아내고 작전에 임했건만, 그 결과가 이 꼴이다.

'나도 참 한심하지.'

그러나 특수전 사령부에 도착해서 보안국 인원들을 레드우드에게 넘기지 않으려 하는 것을 보니 빈우도 갈 데까지 가려는 마음은 없는 것으로 보였다. 아마도 이번 일을 빌미로 이쪽의 약점을 쥐려는 속셈이겠지. 혹시 이게 이노우에 국장의 함정일까도 생각한 쿠사키나 국장이었지만 이노우에 고토와 김빈우 간의 관계를 생각하면 그럴 가능성은 낮아 보였다.

"제 조사 대상을 가로채느라 폭력을 휘두르고, 심지어 상원의원인 저에게 총부리를 겨눈 자에게 심문할 권리가 없다고요?"

오다 의원의 말에 현실로 돌아온 쿠사키나 국장은 빈우를 흘깃 노려봤지만 정작 그는 '내가 뭘요?'란 표정으로 시치미를 뗄 뿐이다. 만일 이쪽의 사정을 훤히 아는 빈우가 오다 의원 옆에서 미주알고주알 떠들어댔으면 쿠사키나 국장은 진즉에 뻗었을 것이다. 한숨을 쉰 그녀는 공손히 대답했다.

"분명 보안국의 작전이 강제적이었던 것은 인정합니다. 하지만 저는, 그리고 보안국은 연방을 위해 음지에서 일합니다. 군 내부의 보안과 기강을 위해선 가끔 양지의 형식과 절차에 얽매이지 않을 필요가 있습니다. 당시 제가 지휘했던 작전은 분명 그럴 만한 필요가 있었기에 그런 실례를 무릅쓰고 강행했던 겁니다. 부하의 실수는 제가 사과하겠습니다."

하지만 오다 의원은 냉랭하게 말을 이었다.

"하지만 정작 그 중요한 작전에 대한 이유를 밝히지 못하고 있죠."

"정식명령이 오면 얼마든지 알려드리겠습니다."

"좋아요. 그러면 제 조사 대상인 김빈우 소령에 대해 중요한 혐의가 있다고 하셨죠? 그렇다면 증거와 자료가 있겠군요. 그건 제가 봐야겠으니 내놓으세요. 이건 명령입니다."

상원의 특별감사가 조사하겠다면 연방의 어느 부서든 정보를 내놔야 한다. 연방 중앙정보국조차도 상원의 감사가 오면 얄짤 없이 털린다. 다샤 쿠사키나 국장이 궁지에 몰렸을 때, 동아줄을 내려준 것은 빈우였다.

"의원님, 오늘은 이쯤 하죠. 국장님이 어딜 가시는 건 아닐 테니 서두를 필요는 없잖습니까?"

어딜 가진 않는다. 지금 상황에선 듣기에 따라 '어디도 가지 못한다'로 해석될 수도 있는 위험한 말이다. 그 말에 오다 의원은 쿠사키나 국장과 빈우를 한 번씩 쳐다보더니 자리에서 선선히 일어났다.

"그러죠. 쿠사키나 국장. 우린 먼저 일어나지요."

먼저 회의실을 나선 오다 의원을 따라나선 빈우는 쿠사키나 국장을 위르겐에게 맡겼다. 그리고 오다 의원과 같이 조금 걷다가 슬그머니 말을 걸었다. 지금쯤은 사실을 밝혀야겠다고 생각했기 때문이다.

"의원님, 실은 드릴 말씀이 있습니다만."

그 말에 오다 의원이 멈춰 서서 천천히 빈우를 돌아보았다.

"김 팀장."

오다 의원은 지금 미소를 띠고 있지만 누가 봐도 업무용 미소다. 의회에서 한바탕 벌이기 위해 짓는 표정. 즉 전투 태세란 말이다.

"디안머 항성계에서 있었던 일, 팀장님이 꾸미신 거죠?"

역시나 상원의원. 눈치가 보통이 아니다. 단번에 빈우의 꿍꿍이를 꿰뚫어 본 것이다.

"속일 생각은 없었습니다만, 그런데 어떤 것 말씀이십니까?"

사실 그때 속인 것이 한두 개가 아닌 터라 빈우는 능청스럽게 받아쳤다. 그러나 오다 의원은 다 안다는 듯이 눈을 가늘게 뜨고 말없이 추궁했다. 그 눈빛에 진 빈우는 어깨를 한 번 으쓱하곤 대답할 수밖에 없었다.

"아시다시피 제 팀에는 적이 많지요. 그래서 놈들을 낚으려고 주변에 떡밥을 뿌리긴 했는데 설마 보안국에서, 그것도 이렇게 빨리 행동할 줄은 몰랐습니다."

"그럼 여기 이 상처는요?"

오다 히토미가 한 발 다가서더니 손을 들어 빈우의 이마를 쓰다듬었다. 빈우가 얻어맞아서 생겼다고 꾸민 자해 상처는 지금은 이미 흔적도 없다.

"여기가 아픈가요……."

이마를 문지르던 그녀의 손가락이 점점 아래로 내려가 빈우의 가슴을 쿡 찔렀다.

"아니면 여기가 아픈가요?"

표정이 풀려 짓궂게 웃는 오다 의원에게 빈우는 쓴웃음으로 대답했다.

"의원님이 생각하시는 게 맞습니다."

"제 생각이요? 어머나 그게 뭘까요? 저는 짐작도 안 가는데요?"

이번엔 되려 자기가 짐짓 모르는 척 호들갑을 떠는 오다 의원을 보며 빈우는 쑥스럽게 사실을 말했다.

"의원님 앞에서 보안국에게 얻어맞는 척했었고, 이건 제가 스스로 만든 상처입니다."

그 말을 들은 오다 의원의 얼굴은 '진즉 그럴 것이지' 하고 의기양양해하고 있었다.

"우리 협력관계 아니었던가요?"

장난스레 다그치는 상원의원 앞에서 연방군 소령이 쩔쩔맨다.

"아유, 당연한 말씀을. 의원님께서도 이렇게까지 협력해주시니 몸 둘 바를 모르겠습니다."

"흥, 그때 아나스타샤가 미리 귀띔을 해주지 않았더라면 전 정말 놀랐을 거라고요. 그렇게까지 피를 튀기다니. 뭐, 팀원분들의 훈련을 미리 봐뒀기에 망정이죠."

빈우가 자세한 작전 설명을 한 것은 태스크포스 373 팀원과 아나스타샤만이고 외부인인 그녀에겐 직접적으로 말하지 않았다. 다만 아나스타샤를 통해 상원의원에게 어렴풋이 흘리라고만 했을 뿐이다. 그런데도 오다 의원은 합을 맞춰준 것이다.

"의원님, 제법 재능 있으십니다?"

"그런가요? 팀장님의 연기가 훌륭해서겠죠."

그때 빈우에게 통신이 들어왔다. 발신자는 다름 아닌 군사정보국의 이노우에 고토 국장이다. 보안국에 이어 군사정보국. 이건 우연이 아니다. 분명 둘 사이에 사전에 뭔가 거래가 있었거나, 그게 아니면 이노우에 국장이 이번 일을 빌미로 거래를 하려는 것일 거다.

"지금 통신 들어왔죠?"

오다 의원이 재빨리 빈우를 지적한다. 내색하지 않은 기밀 통신이었는데

이를 눈치챈 그녀도 대단하다.

"맞습니다, 의원님. 날카로우시군요."

"이번에도 혼자서 비밀통신하고서 또 무슨 작당 모의를 꾸미는 거예요? 그런 건 한 번이면 족하다고요."

사실 빈우는 그녀가 아버지의 죽음을 보며 오열하고 있을 때, 뒤에서 비밀통신으로 블랙 랜스를 출항시킨 전과가 있다. 한 번 당한 전력이 있으니 신경이 쓰이는 것일 거다.

"실은 군사정보국의 이노우에 고토 국장으로부터 연락이 왔습니다."

빈우의 말을 들은 오다 의원은 그녀도 뭔가 눈치챈 듯 고개를 갸웃하더니 다시 질문했다.

"무슨 내용인가요? 보안국과 관련되었나요?"

"아직 받지는 않았습니다."

오다 의원은 알겠다는 듯이 고개를 끄덕이며 '명령'했다. 방금과는 확연히 다른 어조로.

"좋아요, 김 팀장. 군사정보국장과 통신 후 그 내용이 이번 보안국 건과 관련이 있다면 즉시 보고하도록 하세요. 저는 제 방에 있겠습니다."

"알겠습니다, 의원님."

경례를 하고 그녀를 배웅한 빈우는 돌아서며 통신을 받았다.

- 빈우야, 오래간만이다.

- 개새끼.

이노우에 고토 국장의 회선으로 연락을 한 것은 바로 그의 사관학교 동기이자 절친인 마커스 타이였다.

- 자식이, 간만에 만나서 하는 게 다짜고짜 욕이냐?

험한 소리부터 얻어먹은 마커스는 회선이 회선인지라 저번의 피자 얘기는 쏙 빼놓고 있었다.

- 그동안 연락도 안 되고. 바빴나봐?

- 언제나 그렇지 뭐.

서로가 처한 상황을 잘 알고 있는 터라 빈우는 더 이상 묻지 않고 바로 본론으로 들어갔다.

- 무슨 일인데?

- 쿠사키나 국장 좀 살려주라.

예상했던 답이 나오자 빈우는 한숨을 쉬었고 마커스는 쓰게 웃었다.

- 그래, 너도 지금 힘들다는 것 알아. 하지만 지금 보안국이 털려버리면 우리 군사정보국도 위험하다. 그래서 부탁하는 거야.

- 보안국을 조사하면 우리가 위험하다고? 그건 또 무슨 소리냐.

아마도 이번에 보안국이 자신을 체포하려 한 것이 군사정보국과도 관련이 있는 사건일 것이다. 어쩌면 울토르 프로젝트가 엮여 있을 수 있다.

- 미안. 외부 요원인 너에겐 말해줄 수 없어.

현재 빈우는 외부 요원이지만 울토르 프로젝트의 기록 대부분은 열람이 가능하다. 핵심적인 부분은 빼고. 하지만 마커스는 막 잠수에서 부상한 빈우와 서로 백업해주겠다고 약속한 사이다. 저번에도 피자 타이거 쪽을 통해 그간의 대략적인 정보를 보냈었다. 말을 못 한다는 것은 아마 회선 문제로 그러는 것일 가능성이 크다. 물론 빈우도 지금 이노우에 국장의 회선을 통해 대화하고 있기 때문에 오다 의원이 태스크포스 373쪽으로 온 진짜 이유를 말하지 않고 있다. 그리고 이번 보안국의 난폭한 행동에 혹시 군사정보국의 뒷배는 없었는지를 묻지 못하고 있다.

- 그럼 어쩔 수 없고. 혹시 이거 명령이냐?

자신을 조사하고 있는 상원의원을 상대로 교섭해 사고를 친 보안국을 살려달라니, 외부 파견 요원에겐 상당한 난이도의 일이다. 게다가 현재 빈우는 머리에 특급기밀로 추정되는 정보를 가지고 특수전 사령부의 태스크포스를 맡고 있다. 여기서 빈우가 특수전 사령부 쪽으로 소속을 옮겨버리면 군사정보국은 닭 쫓던 개가 된다.

- 아니, 부탁이다. 할 수 있으면 해달란 거지.

빈우는 잠시 어떻게 할까 고민했다. 보안국이 정말 태스크포스 373을 적대하는 비밀세력이라면 여기서 밀어붙이는 것도 좋지만, 군사정보국이 같이 두들겨 맞을 수 있다면—자신의 백업을 맡은 마커스에게 영향이 간다면—잠시 상황을 보는 게 낫다. 일단은 오다 의원과 상의를 해봐야겠다.

- 알았다. 일단 오다 의원님과 얘기를 해보겠는데, 큰 기대는 하지 마라.

- 고맙다.

어차피 오다 의원도 이번 군사정보국과의 통신이 보안국과 관련이 있다면 알려달라고 했으니 빈우는 그녀의 방으로 갔다.

"의원님, 들어가도 되겠습니까?"

"네, 들어오세요. 어마맛."

들어오라고는 하는데 뭔가 안이 소란스럽다. 방 안으로 들어가자마자 빈우가 본 것은 오다 의원이 찻잔을 떨어뜨리는 모습이다. 그것을 바닥에 떨어지기 전에 잡아 다시 그녀의 손에 들려준다.

"와우, 역시 군인분들은 행동이 빠르시네요."

"강화 덕분이죠. 혹시 커피 내리시는 중이셨습니까?"

테이블을 보니 생성기로 만든 모카포트에 커피 드리퍼까지 별게 다 있다. 하지만 가장 중요한 문제는 커피 원두가 없다는 거다.

"저도 뭔가 해보려고 했는데 그게 잘……."

오다 의원의 부끄러워하는 표정을 보니 저번에 차를 대접받은 답례로 뭘 해보려는데 잘 안 된 것 같다.

"방에 생성기 있지 않습니까? 아나스타샤가 민간이용으로 설정해놨을 텐데요?"

어지간한 실력이 아니고서야 커피 맛과 향의 영양액을 실제 커피와 구분하긴 쉽지 않다.

"그러게요. 진작 그럴 것을."

귀까지 빨개져 허둥지둥 도구들을 치우는 오다 의원을 본 빈우는 자기도 나서서 정리를 도와주었다. 이런 모습을 보면 아까 쿠사키나 국장을 몰아치던 때와는 사뭇 달라 보인다. 냉철한 상원의원 오다 히토미와 멋쩍음에 귀가 붉어진 오다 히토미. 이 둘 사이에는 크나큰 거리감이 존재했다.

'나는 어떨까?'

빈우는 문득 이런 생각이 들었다. 자신은 주변인들에게 어떻게 보일까? 믿음직한 동료? 우수한 정보국 요원? 보살핌 받아야 할 작은 주인? 엄마의 죽음 앞에서 아무것도 못 한 겁쟁이? 어린이 살해자?

"하실 말씀이 뭔가요?"

어느새 정리는 끝났다.

"네. 예상대로 군사정보국에서 연락이 왔는데 보안국에 대한 조사를 멈춰 달라고 합니다. 물론 의원님께 직접 부탁하는 게 아니라 저를 통해 은근히 말을 넣어보라고 하더군요."

"그래요? 흐음."

빈우의 솔직한 보고를 들은 오다 의원은 귀밑머리를 만지작거리며 생각을 정리했다.

"일단 제가 여기 온 목적은 말했다시피 의회 내에 존재하는 비밀세력의 정체를 밝히는 것입니다. 이를 위해 그들이 노리는 태스크포스 373을 조사하는 척 협력해서 놈들의 정체를 밝히는 거죠."

"하긴 보안국의 행보가 상당히 수상하죠."

"네, 그래서 이번 기회에 정식명령서를 받아 몰아치는 것도 생각해봤습니다만."

거기서 말을 멈춘 오다 의원이 빈우를 쳐다보았다.

"김 팀장의 생각은 어떤가요?"

어차피 빈우로선 그녀와 협력하기로 했으니 어느 정도 선까지는 같은 길을 걸어주어야 할 것이다.

"군사정보국이 이런 얘기를 꺼낸 것은 지금 보안국을 조사하면 자기들도 같이 엮여 들어가기 때문일 가능성이 높습니다."

"흠, 보안국이 군사정보국 출신인 김 팀장을 긴급체포하려 한 건이, 두 부서가 연관되어 있기 때문이란 말인가요? 그게 어떤 건지 짐작은 갑니까?"

그러고 보니 오다 의원의 이 질문은 꽤나 늦은 감이 있다. 쿠사키나 국장을 체포한 다음 그녀가 움직인 이유를 빈우에게 추궁해도 되었을 텐데, 그러지 않은 것을 보면 아마 협력관계라고 생각해 빈우가 스스로 말할 때까지 기다려준 것일지도 모른다.

"몇 가지 있습니다만, 우선 자율명령서가 있습니다. 제가 얼마 전 그걸로 보안국을 한방 먹인 적 있죠."

그리고 빈우는 자기가 꼬불쳐놓은 여러 종류의 자율명령서에 대해 설명을 했지만, 오다 의원의 흥미를 끌진 못했다.

"그건 기껏해야 군 내부 부서 간의 파워게임 아닙니까? 지금으로선 그다지 중요하지 않군요."

정보사령본부의 피 튀기는 게임도 상원의원에게는 '기껏'의 범주에 들어가니 새삼 서로 간의 역량 차이가 느껴지는 빈우였다.

"그리고 다음은 울토르 프로젝트입니다. 현재로선 이게 가장 가능성이 높아 보입니다."

"울토르 프로젝트라면 이케가미 전 상원의장이 지휘한 클론 병사 프로젝트 아닙니까?"

보아하니 상원의원인 그녀도 프로젝트의 대략적인 면만 알 뿐, 눈앞에 있는 사내가 어디까지 연관이 되어 있는지는 모르는 것 같았다. 이쯤 해서 빈우는 오다 히토미 상원의원에게 꽤 깊은 곳까지 밝혀야겠다고 마음을 정했다.

"의원님께서 각오를 밝히셨으니 저도 말씀드릴 것이 있습니다. 이야기가 조금 길어지겠습니다만…… 괜찮으시겠습니까?"

히토미는 빈우의 표정으로 알았다. 이 이야기가 길어질 뿐만 아니라 깊어지리란 것을.

"네. 부디."

양해를 구한 빈우는 위험하고도 중요한 이야기를 시작했다.

먼저 울토르 프로젝트의 원본과 현장지휘관은 바로 김빈우 자신이었다는 것부터 시작하자 오다 의원의 눈이 동그라니 커졌다. 이어 자신이 작전 중 샤다이의 습격을 받고 클론으로 위장했다가, 한 달 전 마카로니에서 샤다이와 결탁한 개척민들을 학살하는 현장에서 기억과 기록을 잃고 다시 인간으로 돌아왔다는 부분에선 그녀의 입에서 작은 탄성이 터져나왔다.

"세상에……."

대략적인 것만 알았던 오다 의원은 경악했지만 본격적인 시작은 이제부터였다.

빈우는 오다 의원의 질문을 받아가며 울토르 프로젝트뿐만이 아니라 워프 비스트, 그리고 태스크포스 373의 행적에 대해 자세히 설명했다. 오스카 스테이션에서 일어난 샤다이의 습격과 민간인이 워프 비스트로 변한 것, 이어서 발 가르단 하스로 떠나기 직전 이곳 특수전 사령부를 기습한 대규모 워프 비스트, 마지막으로 보호 행성에서 있었던 일의 전말, 그리고 이케가미 의원과 발 가르단 하스와 나눈 대화까지도.

"이것이 워프 비스트였군요."

오다 의원은 복잡한 얼굴로 다시 한 번 아버지의 마지막 모습을 다시 보고 있었다. 플라스마에 몸을 던지기 직전 이케가미 소이치로가 발 가르단 하스와 대화하기 위해 워프 비스트로 변이되는 모습을. 처음 봤을 때는 플라스마에 불타 죽기 직전에 일어났던 일이라 행성 생명체에 의한 일인 줄로만 알았었다. 겉보기엔 맞지만 그 안에는 또 다른 진실이 있었다.

"발 가르단 하스와 김 팀장과의 대화는 그게 전부인가요?"

다시금 상원의원으로 돌아온 오다 의원이 빈우에게 질문한다. 빈우가 발 가르단 하스와 했던 대화는 기록이 없다. 그때의 대화는 행성 생명체가 인간의 뇌를 주물러가며 했던 대화이기 때문이다.

"의미가 불분명한 것은 조사 후 다시 알려드리겠습니다."

빈우의 대답은 어찌 보면 무언가를 숨기고 있다는 인상을 줄 수도 있어서 위험했다. 하지만 오다 의원은 너무 꼬아서 마구 헝클어진 귀밑머리에서 손을 떼더니 싱긋 웃었다.

"좋아요. 그렇다면 지금까지의 정보를 바탕으로 보안국이 움직인 이유와 군사정보국이 따라붙은 이유를 알아보도록 하죠."

"이미 말씀드렸다시피 현재 군사정보국과 보안국이 복잡하게 연결되어 있는 것은 울토르 프로젝트입니다."

그게 마카로니에서 일이 터진 바람에 두 부서는 지금 상당히 곤란한 상황에 빠져 있다. 빈우의 말을 들은 오다 의원이 고개를 끄덕이며 말을 받았다.

"뿐만 아니라 워프 비스트도 연결되어 있을 겁니다."

빈우 역시 마커스에겐 일부러 말을 하지 않았지만 그럴 거라고 생각했다. 보안국이 워프 비스트에 대한 정보를 노린다는 정황 증거가 너무 많다.

"당시 피에르 라캉 중령은 워프 비스트에 관한 정보를 가지고 김 팀장과 태스크포스 373으로 가려고 했습니다. 왜 보안국이었던 그가 그런 정보를 상부로부터 숨기며 특수전 사령부로 가려고 했을까요? 그리고 김 팀장도 지금 머릿속에 워프 비스트에 대한 정보를 가지고 계시죠. 또한 태스크포스 373에는 라캉 중령이 은닉한 정보의 열쇠가 될 라캉 중령의 허수아비, 아를르캉이 있습니다."

"의원님은 보안국이 비밀세력 쪽으로 넘어갔다고 보십니까?"

핵심을 찌르는 빈우의 질문에 오다 의원이 멈칫했지만 바로 대답했다.

"적어도 의회 쪽 세력의 사주를 받고 있다는 것은 확실합니다. 제가 눈여겨보던 상원의원 몇 명은 보안국과 긴밀한 관계를 가지고 있어요. 김 팀장, 군사정보국 쪽은 워프 비스트에 대한 정보를 어느 정도 가지고 있나요?"

"저는 지금 군사정보국의 파견 요원이라 정확히는 알 수 없습니다만, 부서 특성상 보안국이 가지고 있는 정보보다는 많이 수집했을 겁니다."

"음, 아쉽군요. 여차하면 김 팀장을 연줄로 삼아 군사정보국을 조여봐야겠네요."

태연하게 무서운 소리를 하는 오다 의원의 모습에 빈우는 저도 모르게 마른 침을 삼켰다. 군 내부에서 무소불위의 권력을 휘두르는 정보사령본부라 해도 상원의원의 앞에선 일개 군 부서에 불과하다.

"그런데 의원님께선 울토르 프로젝트와 워프 비스트와의 관계를 어떻게 보십니까?"

원래대로라면 울토르 프로젝트는 인류의 가장 강력한 무기가 될 계획이었고, 워프 비스트는 앞으로 인류에게 치명적인 위기가 될 가능성이 있다. 그런데 정작 울토르 프로젝트의 지휘자인 이케가미 전 상원의장은 그것은 인류의 것이 아니라고 했다. 게다가 그는 워프 비스트에 대한 위기를 미리 알고 그 해결책을 주변의 아무런 도움 없이 홀로 찾아 헤맸다. 마지막엔 자신의 목숨을 버려가면서 워프 비스트의 게이트를 파괴했고, 그의 희생 덕분에 당분간은 워프 비스트의 침공이 없으리라.

"둘의 관계라……. 울토르 프로젝트는 군사정보국의 주도로 보안국 및 정보사령본부의 부서들, 그리고 군 외의 부서들까지 협력해서 진행되었다면서요? 만약 이 클론 부대가 비밀세력과 워프 비스트 쪽에 넘어가면 치명적일 겁니다."

빈우도 오다 의원이 예상한 부분까지는 생각이 닿았다. 그러나 뭔가 치명적인 음모가 아직 어둠 너머에 더 있을 것 같은 예감이 들었다. 오다 의원도 뭔가 꺼림칙한지 이젠 숫제 옆 머리칼을 끌어와 잘근잘근 씹기 시작했다.

"흐음. 아직 워프 비스트에 관한 자세한 정보가 너무 적어요. 변이과정이나 방법, 혹은 예방법 말이죠. 지금은 알려봤자 혼란만 일어날 테니 당분간은 좀 더 기밀로 묶여 있을 것 같군요. 문제는 김 팀장의 가설대로 인류 연방 내부에 놈들이 과연 숨어들어왔는지, 숨어들어왔으면 어느 정도까지냐는 겁니다. 자칫하면 우리가 이 사실을 밝히기도 전에 놈들에게 선수를 빼앗길 우려가 있습니다."

보안국이라면 정보의 수집과 가공, 조작에 대해서 연방 내에서 둘째가라면 서러워한다. 잘못 대응하면 애써 모은 정보로 저쪽 좋은 일만 시켜주는 꼴이 될지 모른다.

"저는 일단 의회의 믿을 만한 라인을 통해서 이 사실을 알리고 대비하도록 하겠습니다. 김 팀장님은 어쩌실 거죠?"

"저 역시 군사정보국 쪽에 비빌 언덕쯤은 있습니다. 그쪽을 통해 정보 교환을 해보죠."

그러면서 빈우는 생성기에서 커피를 뽑아 오다 의원에게 건네주었다.

"그리고 원래의 얘기로 돌아가서, 이러한 과정에서 보안국을 풀어주면서 대가로 군사정보국을 우리 쪽으로 회유해볼까 합니다."

하지만 커피잔을 받은 오다 의원은 조금 탐탁지 않은 표정이다.

"군사정보국은 그쪽 세력과는 관련이 없을까요? 보안국에 대한 조사를 멈쥐달란 것을 보면 서로 협력관계인 것 같은데요. 차라리 이 기회에 밀어붙여 정보를 캐내거나 아예 거세해버리는 게 낫지 않을까요?"

사실 이번에 보안국이 저지른 일만 봐도 쿠사키나 국장은 모가지 당첨이다. 아니, 보안국이란 조직 자체가 새로 개편될 수도 있다. 빈우는 살기등등한 말에 오다 의원의 말에 미소로 화답한다.

"그쪽에 몸담았던 제 경험상, 그 두 부서는 협력관계가 되기 힘들 겁니다. 성격이 너무 달라요. 설령 국장 두 명이 협력하려 한다 해도 밑의 부서장들은 서로 그 꼴을 좌시하지 않을 겁니다. 지금은 잠깐의 오월동주죠. 오히려 쿠사키나 국장을 풀어주면 군사정보국 쪽에서 먼저 이 일을 약점 삼아 견제할 겁니다."

두 사람은 서로의 잔을 기울이며 생각을 정리했다.

"과연 그렇군요. 또 지금 보안국을 흩어버리면 조직 내의 포섭 상황을 알기 힘들게 되겠죠. 좋아요, 당장은 보안국을 살려두고 목줄을 매어둡시다."

"제 의견을 들어주셔서 감사합니다."

이렇게 생쥐는 호랑이의 손을 빌려 고양이의 목에 방울을 달 수 있었다.

오다 상원의원과의 이야기를 마친 빈우는 다시 마커스를 불렀다. 이노우에 국장의 회선으로.

- 마커스.

- 이야, 김 팀장. 오랜만이야. 그간 잘 지냈는감?

- 씨발, 내 이럴 줄 알았어.

하지만 본인이 받아버렸다. 당연하다면 당연한 일이다.

- 보안국 일은 부드럽게 넘어가기로 했습니다.

- 응, 아니? 진짜?

회선 너머로 놀라는 목소리가 들린다. 안건이 안건이니만큼 그쪽도 큰 기대는 안 했던 모양이다.

- 대단하군. 역시 김 팀장이야. 비결이 뭔가? 어떻게 오다 의원을 구워삶았나?

- 별거 있습니까? 그쪽에서 협조 좀 하랍니다.

- 으음, 뭐 그 정도야 얼마든지 해드려야지. 참, 나 지금 특수전 사령부에 도착했다네. 레드우드 사령관에게 안 들키게 쿠사키나 국장을 빼내가고 싶네만, 자네 지금 어딘가?

얼마 전엔 위은쏠납학 성계에 있다가 이제는 특수전 사령부란다. 군사정보국의 국장씩이나 되는 사람이 참 잘 돌아다닌다 싶다.

- 제 팀 모함 블랙 랜스에 있습니다. 와서 데려가시죠.

- 자네 배에서 먹고 자나? 왜 멀쩡한 숙소를 놔두고…….

- 팀을 노리는 것들이 좀 많아야죠. 댁 포함해서 말이죠.

- 으음. 내 곧 감세.

이노우에 국장과 마커스는 정말로 곧 왔다. 마치 기다리고 있었다는 듯이. 둘은 블랙 랜스에 타서 오르 함장으로부터 수속을 받은 다음 바로 쿠사키나 국장에게로 향했다.

"김 팀장. 나 쿠사키나 국장과 잠시 이야기를 하고 싶은데, 자리 좀 마련해 주겠나?"

이 상황에서 보안국장과 군사정보국장이 만나서 하는 일이라곤 뻔하다. 정보 교환, 거래, 협상 등등. 그러나 지금은 저 둘에게 목줄은 아니더라도 방울은 달아놓은 상황이라 빈우는 선선히 허락했다.

"얘기 다 끝나면 불러주시죠."

"고맙네. 이참에 자네도 타이 차장과 회포 좀 풀게나."

이노우에 국장은 방 안으로 들어가자마자 주변을 점검했다. 도청이나 감시의 기척은 없다. 그제야 군사정보국장은 보안국장의 앞에 마주 앉았다.

"다샤, 왜 이런 일을 저질렀어?"

다짜고짜 본론부터 찌른 말에 보안국장은 묵묵부답이다. 다만 돌아오는 시선은 '판 짜놓은 놈'을 향한 의심의 눈빛이다.

"아니 아니, 나도 거기에 오다 의원이 계신 것은 꿈에도 몰랐어. 조사하러 왔다면 당연히 기지에 계시지, 설마 작전까지 따라 나가실 거라곤 누가 상상이나 했을까?"

그러면서 이노우에 국장은 싱글싱글 웃는 얼굴로 바짝 다가앉았다.

"그리고 아무리 급하다 한들 특수전 사령부의 팀을 작전 도중에 구금, 거기다 그 팀장을 긴급체포하려 하다니……. 누가 상상이나 했을까?"

쿠사키나 국장의 대답은 그저 콧방귀였다.

"물론 내가 떡밥을 뿌린 게 있지. 아무렴. 그래서 내가 그 책임을 통감하고 여기까지 와서 너를 풀어주려고 하잖아?"

"나를…… 풀어준다고?"

그제야 쿠사키나 국장이 반응을 보였다.

"어떻게, 무슨 수를 쓴 거지?"

"내 충실하고 우수한 부하, 김빈우 소령에게 명령했어. 오다 의원께 부디 보안국이 범한 이번 무례를 너그러이 용서해주도록 부탁하라고 말이야."

"헛소리. 김 소령이 조사받는 입장에서 그럴……."

그러나 쿠사키나 국장은 자신이 체포되던 당시의 기억을 떠올렸다. 분노한 오다 히토미 상원의원의 모습. 그녀는 자해 공감로 피범벅이 된 빈우에게 다가가 손수건으로 지혈을 해주려고 했다. 그건 단순한 조사 관계가 아니다. 둘 사이엔 뭔가 다른 관계가 있었다.

"진정해. 아무튼 나도 이번 일에 대해선 좀 알아야겠어. 저번 오스카 스테이션에선 그렇다 쳐도 이번은 너무 대형 사고를 쳤어. 도대체 그 이유가 뭐야? 어차피 연방을 위해 일하는 우리끼리는 비밀이 있을 순 없잖아?"

보안국과 군사정보국은 영역이 달라도, 앙숙처럼 치고받아도, 연방을 위해선 언제나 협력해왔다. 그리고 지금은 거래를 하는 입장이다. 만약 여기서 쿠사키나 국장이 협조를 거부하면 군사정보국은 입을 닦을 수도 있다. 쿠사키나 국장은 고개를 돌려 이노우에 고토의 눈을 마주 노려보았다.

"고토. 넌 정말 연방을 위해서 일하나?"

"그야 물론."

"정말 우리 둘 사이엔 비밀이 없나?"

그 말에 이노우에 국장은 대답 없이 웃고만 있었다. 대답을 하지 않은 게 아니다. 대답할 필요 없이 당연하다는 의미다. 그의 미소를 본 쿠사키나 국장은 힘겹게 입을 열었다.

"피에르 라캉 중령이 우리 쪽의 기밀자료를 들고 태스크포스 373으로 가려고 하던 중 오스카 스테이션에서 샤다이의 기습에 사망했어. 하지만 사망한 그의 자료를 조사 중에 알게 된 건데 그에겐 민간용 허수아비가 있었더군. 라캉 중령은 거기에 보안국의 기밀자료를 넣고 오스카 스테이션에서 김 팀장에게 보냈지. 원래는 그걸 회수하려는 거였어."

그녀의 말대로라면 라캉 중령은 자신의 조직인 보안국에서 정보를 빼돌려 빈우에게 넘겼고, 보안국은 그것을 회수하려 했다는 말이다. 그럼에도 보안국은 특수전 사령부나 군사정보국에 아무런 요청도 하지 않았다. 꽤나 민감한 정보임이 틀림없다.

"그만큼 중요한 자료인가? 그게 뭐기에?"

"워프 비스트."

"음!"

군사정보국에서도 얼마 못 가진 정보다. 인간을 괴물로 변이시키는 샤다이의 신형 공격 수법. 아직 발생 건수도 적고 정보 또한 적다. 다만 요 근래 놈들은 오스카 스테이션과 이곳 특수전 사령부까지 침범해 들어왔다.

"하지만 그게 네가 직접 솔리드 시리즈를 이끌고 나가 덤빌 만한 일이었나?"

보안국이 그 정보를 원했다면 군사정보국이라든가 다른 루트를 통해 얼마든지 간접적으로 압박할 수 있는 일이다. 이렇게 막나갈 필요는 없다.

"문제는 그 대상이 김빈우 소령이란 거야."

자신의 부하가 문제란 말을 들은 이노우에 국장은 자세를 바로잡았다.

"마카로니의 사건 이후, 우리 보안국에서 수사를 나갔지."

군에서 일어나는 사건의 수사는 보안국이 하는 일이니 당연하다. 정확히는 수사 겸 은폐를 위해서 나간 것이지만. 마카로니의 자치정부민들이 제아무리 샤다이와 협력했다손 쳐도 민간인 학살이란 사건을 날것 그대로 세간에 알리기엔 무리가 있다.

"당시 마카로니의 파병은 연방 국세청과 영토 관리부의 요청이었어. 하지만 중앙정보국에서도 샤다이의 준동을 미리 알아차렸기 때문에 지상 진압부대로 울토르 중대를 선택한 거지. 샤다이와 싸울 수 있고 아깝지 않은 전력. 거기다 클론은 인간을 해칠 수 없다니 안성맞춤으로 보였겠지. 흥, 클론들이 샤다이만 잡을 것이란 안일한 생각을 하다니."

그치들은 클론들이 인간을 쏙 빼놓고 샤다이만 잡을 것이라 상상했겠지만 그 결과는 두뇌칩이 없는 인간들의 학살이었다.

"원인은 클론들의 전투용 OS의 논리적 오류지만, 정확히 어디의 누가 손댔는지는 조사 중이야. 하지만 우린 마카로니에서 좀 특이한 것을 보았지."

쿠사키나 국장이 보여주는 것은 심각하게 구타당한 뒤 목이 부러져 죽은 여자와, 산산이 해체된 가사 도우미 로봇이었다.

"마리 라캉일세."

"마리 라캉이라면 라캉 중령의 아내 아닌가?"

이노우에 국장이 않는 소리를 내며 중얼거렸다. 마리 라캉이라면 과거 울토르 프로젝트를 지휘했던 이케가미 소이치로 전 상원의장의 비서였다. 그리고 빈우와 잠시 협력했던, 그리고 태스크포스 373으로 가기 직전 전사한 피에르 라캉 중령의 아내이자 보안국 요원이기도 하다. 그녀가 왜 마카로니에서 죽었단 말인가.

"그녀는 두뇌칩을 제거하면서까지 탈주를 했어. 덕분에 추적에 애를 먹었지만 뜻하지 않은 곳에서 찾았지."

"이건…… 울토르 중대의 짓이 아닌 것 같은데?"

이노우에 국장의 지적대로 척 봐도 마리 라캉은 다른 시체들과는 사인이 다르다. 쓰였던 무장이 가볍다.

"그래. 게다가 사망 시기는 작년 12월 24일에서 25일경으로 추정. 울토르의 작전이 시작되기 전이야. 우리 쪽의 수사론 군사정보국 쪽 솜씨 같다더라."

"확실히 말하지만, 우리 쪽에선 한 일이 아니야."

"네가 그렇다면 그런 건가? 확실해?"

"탈주한 보안국 요원에 대한 추적 명령은 없어. 게다가 도주자 처리는 그쪽 관할이잖아? 으음…… 잠수하고 있던 요원의 짓일 수도 있지만, 이쪽과는 관련이 없어. 확실해. 하지만……."

이노우에 국장이 침음성을 낸다. 증거는 거짓말을 하지 않는다.

"정말 우리 쪽 솜씨 같군."

마치 인간이 아닌 외계인을 다룬 듯한 솜씨다. 그리고 정보를 알아내기보단 고통을 주기 위한 고문이다. 이미 중요한 정보는 알아냈고 부차적으로 하는 행동이다. 죽이기 전에 덤으로 정보를 알아내고 확인하기 위해서. 그리고 이노우에 고토는 이런 짓을 특히 잘하는 인물을 하나 안다. 외계인에 대해서 피도 눈물도 없었던 인물.

"다음은 글림에서의 사건이야. 마리 라캉을 발견한 우리는 그녀의 뒤를 역추적했지. 마카로니로 오기 전에 글림에 있었더군. 그리고 거기서 재밌는 것을 봤네."

다시 화면엔 자치정부 글림의 거리가 보인다. 바닥에 널브러진 것은 남자 둘에 여자 하나. 셋 다 시체다.

"1월 1일. 현지 시각 오전 2시 25분. 남자 둘은 마약을 놓고 서로 싸우다 사망, 그리고 여자는 마약과다 흡입으로 인한 쇼크사……로 보이겠지만 말이야. 저 약은 사이버네틱스 신체의 부작용을 줄여주는 신경계 약물이기도 해. 아는 사람들은 절대 과다복용을 하지 않는단 말이야. 현지 경찰에서도 이를 수상하게 여기고 있어."

검시 화면에는 그들의 신체가 분석되어 있다. 남자 둘 다 제법 전투적인 사이버 신체를 하고 있다. 얼핏 보면 마약을 놓고 다투다 죽은 것 같다.

"서로 싸우다 죽게 만들었군. 음? 지문은 없는데……."

이노우에 국장은 흉기와 상처만으로 사인을 파악해냈다. 이렇게 사이버네틱스 부품으로 강화한 갱들을 어린이 다루듯 가지고 논 범인은 누구일까? 이들이 아무리 사이보그라 해도 자치정부의 기술력이다. 연방의 군인에게 걸리면 문자 그대로 어린이 손목 비틀기다. 반대로 말하자면 연방의 군인이 아닌 평범한 민간인이 이들을 건드리는 건 어렵단 소리였다.

"설마 마리 라캉을 죽인 자가 이들도 죽였단 말이야?"

"아직은 증거가 적어. 이게 끝은 아냐. 동일범의 것으로 추측되는 사건이 더 있는데 약 2주 후 1월 16일. 정보분석국 소속의 리처드 허드슨이 강도를 당해 딸과 함께 사망한 일이 있어. 나름 군인인데도 강도를 당했단 말이지."

확실히 이상하다. 전투 강화를 하지 않았어도 군인이라면 그 신체 능력은 결코 일반인은 상대할 수 없는 수준이다.

"리처드 허드슨? 정보분석국이 이번 일과 무슨 연관이 있지?"

"그가 있던 회사가 글림의 물건을 마카로니로 옮겼지."

"흐흠. 마리 라캉에서 글림으로, 그리고 글림의 무역책. 설마, 마카로니의 독립이 우리 쪽 설계란 말인가?"

"연방 중앙정보국과 국세청의 합작품이야. 마카로니에서 독립의 징조가 보이자 아예 일을 키워 꼬투리를 잡으려 한 거지. 근데 샤다이가 꼬이며 일이 틀어진 거야. 하지만 여기엔 뭔가 꿍꿍이가 있어."

이노우에 고토는 마카로니의 현장과 글림의 현장을 다시금 살펴봤다.

"어때? 고토. 군사정보국장이 보기엔 현장의 상황이 어떤 것 같아?"

군사정보국장은 눈앞의 자료를 샅샅이 훑어봤다. 자연스러운 침입, 일방적인 폭력, 마지막으로 현장을 위장한 수법. 마카로니와 같다.

"분명해. 연방의 군인이야. 그것도 우리 정보사령본부의 사람, 아니 우리 군사정보국의 방법이야. 이건 확실해."

"역시 고토 너도 그렇게 생각하는군."

뜻하지 않은 문제에 마주친 고토는 눈앞에 보이는 정보와 자신이 지금까지 수집한 정보들을 조합해 퍼즐을 맞추고 있었다.

"하지만 이게 왜 김 소령과 관련이 있다는 거지? 워프 비스트와는?"

"바로 이거야."

쿠사키나가 보여준 것은 허드슨 가에서 조금 떨어진 콘도그 트럭이다.

"여기 이걸 봐."

그녀가 가리킨 콘도그 트럭의 메뉴판 옆에는 이달의 손님 란이 있었고 거기에 사진과 설명이 붙어 있었다.

'정말 맛있게 드신 손님.'

그 옆에 한입 가득 콘도그를 베어 문 어린아이의 사진이 붙어 있다.

'정말 맛없게 드신 손님.'

그 옆에 허무한 표정으로 콘도그를 먹는 김빈우의 사진이 붙어 있다.

쿠사키나 국장은 뭐라고 말하려던 이노우에 국장을 막았다.

"그래, 알아. 시간대가 안 맞아. 허드슨 가의 사고는 1월 16일이야. 그때 김 팀장은 발 가르단 하스 방면으로 나갔다더군."

국장 두 사람은 여기에 나올 의문을 한 가지 알고 있다. 먼저 말을 꺼낸 것은 쿠사키나 국장이었다.

"그런데, 태스크포스 373의 김 팀장은 본인이 맞나?"

"거의."

다샤의 눈이 날카로워진다.

"거의?"

"두뇌칩과 사망 시 판별을 위한 신체 곳곳의 조회 칩 등으로 본인 확인은 되었어. 기억과 성격에 이상이 있지만 이건 잠수의 후유증으로 추정돼."

잠시 말을 멈춘 고토는 나직이 질문했다.

"설마 이게 클론이란 말인가? 클론의 범죄라고? 누가 시킨 거지?"

울토르 클론은 주로 입력된 AI와 전투OS에 의해 유도되는 행동을 하며 정해진 범위 밖에선 자유 사고와 행동을 할 수 없다. 게다가 기본적으로 인간을 해칠 수 없다. 즉 클론의 움직임에는 이것을 계획한 명령자가 있다.

"배후가 누구든 울토르 클론인 이상 김 팀장과는 관계가 있겠지. 그래서 내가 이런 위험한 방법까지 쓴 거야."

현재 보안국의 워프 비스트 자료를 가지고 있는 김빈우. 그리고 그의 클론이 우주를 돌아다니며 정보사령본부의 요원들을 암살하고 있다. 이 정도면 보안국이 문 부수고 쳐들어올 만한 사건이 되기에 충분하다.

"고토. 너도 나한테 할 말이 있는 것 같군?"

둘은 이래저래 다퉈온 사이다. 다샤 쿠사키나는 자신의 말을 들은 이노우에 고토에게서 수상한 낌새를 눈치챈 것이다.

"그래……. 있지."

그렇게 말한 이노우에 국장이 자료화면을 연다.

"이번에 우리 쪽에서 울토르 중대의 과거 행적을 조사하던 중, 위은쏼납학의 모성에서 이걸 찾았어."

쿠사키나 국장은 파편만 보고도 그것이 무언지 대번에 알아보았다.

"울토르 중대의 탈출용 포드?"

"추락 시기는 작년 11월 11일 위은쏼납학의 잔당소탕작전 때로 추정돼. 당시 엉뚱한 방향으로 날아간 포드 하나를 찾았지. 하지만 주변엔 파편뿐이었고 안에 뭐가 들어 있는지는 몰랐어. 지금까진."

서로의 퍼즐이 맞아 들어가자 쿠사키나 국장도 심각한 표정이 된다.

"설마…… 설마 저기에 클론이 들어 있었을까?"

"아직 조사 중이야. 나도 지금까진 김 팀장이 무슨 자료를 빼낸 것이라고만 추측했었지."

두 사람이 조사한 정보를 종합하면 다음과 같다. 울토르 중대에서 빠져나온 클론이 마리 라캉과 리처드 허드슨을 비롯한 연방의 첩보 요원들을 암살하고 정보를 수집하고 있다. 이 사건의 배후에는 누가 있는 것일까?

"작년 11월 11일이라면 김 팀장이 클론으로 잠수하고 있을 때군. 이봐 고토. 김 팀장, 아니 찰리하나팔의 동선을 파악할 수 있어?"

"이미 했지만 딱히 수상한 점은 없어. 다만……."

"다만 뭐?"

고민하던 이노우에 국장이 말문을 열었다.

"타이 차장의 보고에 의하면 솔리드 베타 안에 미등록 안드로이드가 있었다고 해."

마커스는 이노우에 국장에게 팬티 이야기는 에둘러 얘기하면서 그것을 입었던 미등록 안드로이드 건을 보고했었다.

"뭣? 그게 사실이야? 왜 아직 말하지 않았나?"

"일부러 모른 척하고 있었어. 혹시라도 그걸 심은 쪽이 증거를 잡기 전에 도망치면 곤란하잖아."

"음."

일이 골치 아파지자 쿠사키나 국장은 미간을 찌푸리며 의자에 기댔다. 여기저기 소방수로 불려간 울토르 중대. 그 클론들의 두뇌칩에 각 부서들이 여기저기 숟가락을 꽂는 바람에 사고가 터졌다. 어떤 부서가 도중에 안드로이드 하나를 집어넣었다 해도 이상할 건 없다.

"조사했다면서, 짐작 가는 곳은 있나?"

"빈우의 비서와 같은 쿠델카 모델로 추정돼. 아직은 그것뿐이야."

그리고 두 사람은 다시 침묵에 들어갔다. 제아무리 정보사령본부의 국장들이라지만 이리저리 복잡하게 꼬인 사건을 앉은 자리에서 풀기엔 시간도 자원도 모자라다.

"고토, 일단 자세한 이야기는 돌아가서 하자."

"그전에 다샤, 보안국은 지금 이 범인을 추적 중이지?"

"물론이지."

"그렇다면 내가 용한 사람 하나 추천하지."

고토의 제안에 다샤가 고개를 갸우뚱한다. 군사정보국은 외계인 전문부서, 보안국은 군 내부 수사 전문이다. 클론으로 추정되는 인물의 사건은 보안국과 연방 중앙정보국이면 충분하다. 그래도 그녀는 한번 들어보기로 했다.

"누군데?"

"김빈우 소령."

쿠사키나 국장이 펄쩍 뛴다. 수사대상이 될 자에게 뭘 시킨단 말인가.

"뭣? 너 제정신이야? 아니, 잠깐만."

잠시 당황했던 그녀의 머릿속에 빈우의 정보가 떠오른다. 군사정보국 요원, 닉스 레벨 3, 울토르 중대의 지휘관 그리고.

"그래. 내 부하, 김 소령은 인공지능의 천적이야. 전투OS에 의해 움직이는 클론이라면, 더구나 자신의 클론이라면 독 안에 든 쥐지."

빈우는 자신이 부상해서 제정신을 차리지 못했을 때도 라캉 중령과 응우옌 중령의 허수아비를 바로 간파했고, 한술 더 떠 자기 마음대로 조종해서 퇴장시킬 정도의 실력자다. 만약 자신의 클론이 일으킨 일이라면 파죽지세로 추적할 것이다.

머뭇거리는 다샤에게 고토가 은근한 어조로 설명한다.

"게다가 김 팀장이 파견 요원이긴 하지만 태스크포스 373을 군사정보국 쪽으로 파이프라인을 연결해놓으면 접촉하기 쉬워. 나중에 그가 가지고 있는 워프 비스트에 관한 정보도 어떻게든 수집해서 그쪽으로 넘겨주도록 하지. 설마 그 정보가 다른 곳에 노출되면 안 되는 건가?"

"아직 세간에 알려지면 안 돼. 사태의 위험성을 알 텐데?"

"흐음……. 그렇다면 우리 쪽과 특수전 사령부, 그리고 보안국 쪽으로만 정할까? 아차, 오다 의원이 있으니 상원으로 유출될지도 모르겠는데? 김 팀장에게 좀 압박을 가해야겠어."

쿠사키나 국장은 자신보다 더 부하를 부려먹는 이노우에 국장을 보며 고개를 절레절레 흔들었다. 게다가 자신은 오다 의원에게 찍혔고 고토는 자신을 풀어주는 대가로 협력하기로 했다고 한다. 그런데 저런 수작을 부릴 궁리를 하고 있다. 한숨을 쉰 보안국장이 다시 질문한다.

"일단 그 정보의 외부 유출이 심해지지만 않으면 돼. 그렇다 해도 김 팀장은 지금 샤다이를 전문으로 맡는 태스크포스 373의 팀장이야. 이번 일 같은 추적 임무에 나설까?"

거기에 이노우에 국장은 걱정도 팔자라는 듯 방긋 웃으며 대답한다.

"다행히 우리 군사정보국과 특수전 사령부는 옛날부터 돈독한 관계였어. 부탁할 방법은 많아. 공식적이든, 비공식적이든. 다만 알다시피 너는 상원 쪽의 감시를 받을 거고, 나는 오다 의원에게 협조한다는 조건을 걸었기 때문에 조심해서 접근해야 해."

"그렇다면 김 팀장에겐 알릴 건가? 범인이 자신의 클론이라고?"

"아니, 보안국에서 알아낸 정보 가지고 전문가인 그에게 선입관을 심어줄 필요가 있나? 자신이 밝혀낼 텐데 굳이 알릴 필요는 없지. 우리 김 팀장이 얼마나 섬세한데."

"독한 놈……. 알았다."

두 국장은 자세한 이야기는 여길 빠져나간 다음 하기로 하고 자리에서 일어섰다.

*

고토 국장을 쿠사키나 국장의 방에 집어넣은 빈우는 마커스와 걸었다.

"너 국장이랑 내 뒷조사하고 다녔다며?"

"그래, 극비리에 진행되는 임무여서 너한테 제대로 연락도 못 했다."

"무슨 일인데?"

"울토르 중대의 과거 행적 조사. 그리고 찰리하나팔일 때의 네 것도."

"그런 건 원래 보안국 관할 아니냐?"

"울토르 프로젝트가 우리 쪽 주도로 한 것이었으니까."

하긴 외계인을 상대로 더러운 전쟁을 하기 위한 부대였으니 군사정보국이 적임이다.

"일단 작년 11월 11일에 있었던 위은쓸납학의 잔당 소탕 때, 솔리드 베타에서 탈출 포드 하나가 엉뚱한 방향으로 발사된 적이 있다."

"흐음?"

그때 빈우는 자신이 찰리하나팔이란 클론으로 전투에 참가했던 기억을 떠올렸다.

"난 그때 선발대로 갔기 때문에 임기응변으로 대응했던 건 잘 몰라. 두뇌 통신 범위 밖이기도 하고."

"그렇지. 문제는 그 포드가 공격 방향이 아니라 위은쓸납학의 모성에 추락했다는 거다. 안엔 아무것도 없었어."

당시 울토르 중대는 위은쓸납학의 함선을 공격할 기체가 없어서 탈출 포드를 강습 수단으로 삼았다. 그런데 포드 하나가 정반대의 방향으로 날아갔다고 한다.

"포드는 파괴되었는데, 추락 이후 지상에서 파괴되었다. 하지만 증거인멸이라 보기엔 허술하고 탑승자의 사체나 장갑복 잔해도 없었어."

"단순한 실수일까, 누군가가 무엇을 빼돌리려 한 것일까?"

빈우와 마커스는 안다. '이거 믿지 마라'라고 적힌 여성용 팬티를. 조사 결과 아나스타샤가 입었던 것은 아니었다. 다만 쿠델카 모델로 추정되는 안드로이드가 입었다는 사실만 알 뿐. 울토르 중대는 샤다이의 기습 후 이 부서 저 부서 불려가며 두뇌칩을 조작당했던 만큼 어떤 부서가 비밀리에 집어넣은 안드로이드일 수도 있다.

"마커스. 그 누군가가 혹시 팬티의 주인일까? 자신이 탈출했거나 아니면 통신보안 레벨이 높은 솔리드 베타에선 외부로 연락하기 힘드니, 거기에 데이터를 담는 방법을 썼을 수도 있어. 그 포드의 출입기록은 어때?"

"글쎄다. 일단 솔리드 베타의 내부 감시 영상에선 수상한 점이 없긴 한데 말이지. 아무도 탄 적이 없다."

그러면서 마커스는 빈우를 응시했다. 부상하자마자 함내의 금지구역을 싸돌아다니며 감시 영상마저 마음껏 조작했던 빈우를. 그 시선을 느낀 빈우는 멋쩍게 변명한다.

"으음. 나 정도 실력이라도 내부를 파악하고 있지 않다면 힘들어. 너도 솔리드 베타의 보안 수준을 알잖냐. 아아, 젠장, 그러고 보니 다 내부자잖아."

"어쨌든 국장은 너를 주시하고 있어. 머릿속의 트리니티 프로그램도 그렇지만 너의 잠수에도 수상한 점이 많거든. 그래서 열심히 뒤를 캐는 중이시다. 근데 우리 지금 어디 가는 거냐?"

방에 가서 진득하니 얘기를 할 줄 알았던 마커스는 빈우가 방을 지나쳐 블랙 랜스의 출입구 쪽으로 향하자 물었다.

"그게, 동기 좀 만나려고?"

"동기?"

동기라면 아마도 사관학교 동기일 것이고, 빈우에게 동기라면 마커스에게도 동기다. 마커스는 특수전 사령부에 있는 인물 중에 누굴까 생각해봤지만, 빈우가 말한 인물은 영 엉뚱한 인물이었다.

*

"아앤아."

특수전 사령부 안에서 라출노그 인용으로 설정된 방에 연금되어 있는 아앤아를 보며 마커스는 나직이 탄식했다.

- **오랜만이군, 마커스.**

10여 년 전, 의욕에 가득 차 연방의 사관학교에 유학을 왔었던 라출노그의 엘리트 사관은 지금은 총기를 잃고 방바닥에 가라앉아 있었다. 그는 헤엄쳐 오를 기운도 없는지 바닥에서 대답하고 있다.

"빈우야, 이거…… 어떻게 된 거냐?"

오래간만에 만난 동기의 비참한 모습에 마커스가 말을 더듬었다. 라출노 그 방면은 중앙정보국 관할이기도 하고, 라출노그에서 벌어졌던 작전은 갓 벌어졌던 사건이라 군사정보국의 마커스도 자세한 것은 모른다.

"라출노그의 데넥샬 분파에 샤다이가 전열함을 공짜로 넘긴다면서 접 근했다. 아앤아 준장은 그 배를 회수하는 부대의 부장이었고, 태스크포스 373이 끼어들어 중간에서 가로챈 거지."

빈우가 씁쓸한 표정으로 작전의 개요도를 보여주자 마커스는 그간의 내 력을 파악할 수 있었다. 동맹국 내부에서의 작전, 샤다이와 접촉한 반대파벌. 분명히 생존자는 남기지 않는 작전이었으리라.

"아앤아 준장은…… 포로인가?"

"아니, 협력자. 그의 말에 따르면 이전부터 데넥샬 내부에서 연방에 우호 적인 조직이 있었고 자신은 그 조직의 일원이라더라. 당시 함상 반란을 해서 전열함을 연방 쪽에 넘기려고 계획했지만 내가 끼어드는 바람에 망했지."

마커스는 그 말을 듣고 작게 고개를 끄덕였다. 아앤아의 사관학교 시절을 보면 납득이 간다. 연방을 쓰러트리기 위해 마음속에 칼을 품고 유학 왔던 그 는 현실의 격차를 보고 절망했다. 라출노그는 무슨 수를 써도 인류 연방을 이 길 수 없다는 것을 깨달은 것이다.

그리고 그때부터 아앤아는 변했다. 어떻게 하면 연방과 라출노그가 보다 확고한 동맹 관계가 될 수 있을지 고민했다. 무슨 수를 써야 연방에 적대적인 동족들의 마음을 돌릴 수 있을까 연구했다.

'난 반드시 라출노그를 바꿀 거다. 그리고 인류 연방과 같이 번영해갈 거 야. 그때는 너희들도 나를 도와다오.'

연방의 사관학교에 유학한 아앤아는 엘리트다. 돌아가면 출세 가도를 달 릴 게 분명하다. 그리고 연방에서 빈우와 마커스가 파이프라인이 되어 그를 도우면 아앤아의 꿈은 이뤄질 터였다.

하지만 그 꿈은 이뤄지질 못했다. 아앤아는 고향으로 돌아간 뒤 위험한 사상을 가졌다는 이유로 고립되어 하마터면 사회적으로 매장될 뻔했고, 자신의 본심을 숨기고서야 간신히 살아남을 수 있었다. 설상가상으로 빈우와 마커스는 군사정보국으로 들어가게 되어 라출노그 쪽의 일과는 멀어지게 돼버려 서로 간의 연락은 끊어질 수밖에 없었다.

마커스는 안타까운 마음에 유리 벽으로 다가섰다.

"아앤아 준장, 지내시기에 불편함은 없습니까?"

그 말에 라출노그 인이 아가미를 씰룩이며 초음파를 발산한다.

- 빈우가 여러모로 신경을 써줘서 편해. 그리고 우리끼리니까 말 편하게 해.

번역기로 나오는 것은 메마른 웃음이 섞인 힘없는 말이다. 그를 보면서 빈우가 말을 꺼냈다.

"아직은 특수전 사령부에서 간단한 조사만 했을 뿐이다. 조만간 중앙정보국에서 온다고 하는데. 마커스, 어떻게 할래?"

마커스는 빈우의 말뜻을 알아챘다. 일부러 자신을 이리로 데리고 온 것도. 데넥샬 분파가 중앙정보국에 끌려가게 되면 좋은 꼴을 볼 리가 없다. 그게 제아무리 협조자더라도 마찬가지다. 하지만 군사정보국이라면 어떨까? 라출노그가 중앙정보국 관할이긴 해도 무력접촉이 있던 걸 핑계 삼아 특수전 사령부에서 직접 이송된다면 둘러댈 방법은 얼마든지 있다. 어떻게든 친구를 구할 방법이 있는 것이다.

'하지만……'

마커스는 괴로웠다. 연방 중앙정보국과 군사정보국은 차이가 커도 너무크다. 격이 다르고 파워가 다르다. 게다가 국장인 이노우에 고토 준장이 지금 울토르 프로젝트의 뒤처리에 매달려 있는지라 상황이 여의치가 않다.

"힘들면 어쩔 수 없지."

빈우는 대수롭지 않게 말했다. 마커스는 내색을 하지 않았지만 오랜 친구인 그에겐 들킨 모양이다.

- 신경 써줘서 고맙다.

그리고 유리 벽 너머의 친구도 눈치챈 모양이다.

- 너희 종족이…… 너희들의 반만큼만 되었다면 얼마나 좋을까.

아앤아의 푸념이 번역기를 통해 들려온다.

107

. . . ✦ . . .

"반만큼? 어떤 점에서?"

빈우의 물음에 아앤아는 대답하지 않는다. 그 모습에 빈우와 마커스는 서로 마주 보더니 어깨를 으쓱한다. 그리고 이번에는 마커스가 말을 걸어본다.

"자비? 관용? 인류 연방이 무자비 무관용으로 전쟁에 임하는 것은 세 번의 교섭 결렬 이후잖아. 다른 종족들과 비교해도 우린 비교적 평화주의자에 속한다는 걸 너도 잘 알 텐데?"

그제야 바닥에 누운 아앤아의 말이 번역기를 통해 나온다.

- 그래, 동족인 너희의 눈으로 보면 그렇겠지. 우리 연방은 세 번이나 기회를 주었다. 그러나 저놈들이 모조리 걷어찼다. 암, 그렇게 보이겠지…….

지느러미로 물을 차고 떠오른 라출노그 인이 옛 동기들을 마주 본다.

- 하지만 밖에서 본다면, 다른 종족의 시각에서 본다면 달라. 너희들의 그 삼 진아웃제는 무엇을 의미할까? 전쟁을 막기 위한 구실? 아니 그보다는 종전을 막기 위한 구실이 아닐까? 연방은 이미 세 번이나 기회를 주었음에도 저놈들은 그것을 거부하고 쳐들어온다. 저 호전적인 종족을 내버려두면 우리 인류가 위험해질 것이다. 이렇게 받아들이지 않나? 그리고 일단 전쟁을 일으킨 너희들은 결코 멈추지 않지. 무슨 수를 써서라도.

그 말을 들은 빈우와 마커스는 과거를 떠올렸다. 둘이 공유하고 있는 하나의 기억이다. 위은쏼납학의 알에 지구제국 나노 머신 무기인 쉬바를 심은 파괴 공작. 당시 모성까지 밀린 위은쓸납학은 항복을 고려했지만, 유생마저 무기로 이용하는 연방의 행위에 격노해 결사 항전에 들어갔다.

그 결과 위은쓸납학의 문명은 사라졌다. 남은 것은 소규모 잔당 몇몇. 그것도 보이는 족족 소탕된다. 인류는 한번 적으로 삼은 대상을 어지간해선 용서하지 않는다. 이 점을 누구보다 잘 알고 있는 빈우와 마커스에게 종전을 막는다는 아앤아의 말은 너무나도 사무치게 다가왔다. 사전에 조금만 더러운 짓을 하면 전쟁을 막을 수 있음에도 불구하고, 작전의 허가가 나지 않으니 그들로선 답답하기 그지없는 것이다. 외계종족의 주전파 몇 명만 암살하면 전쟁이 일어나지 않을 텐데 상부에선 비 교전 종족을 상대로 무슨 짓이냐며 호되게 질책한다. 그리고 전쟁이 일어나면 군사정보국은 협정이 이루어져 있지 않은 외계종족을 상대로 온갖 잔혹한 짓을 저지른다. 위은쓸납학의 알에 쉬바를 주사한 것? 그딴 건 빈우와 마커스가 겪었던 그대로 풋내기들이나 하는 일이다.

- 우린 운이 좋았어. 너희들과 싸우고도 살아남았으니.

아앤아의 말에 두 사람은 다시 현실로 돌아온다. 번역기를 통해서긴 하지만 '우리'와 '너희'란 단어가 그들 사이에 더욱 거리감을 나타낸다.

- 너희들을 탓하는 것은 아니야. 그냥…… 그냥 내가 힘없는 것을 한탄했을 뿐이야. 호의는 고마웠어.

떠올랐던 아앤아가 다시 뒤돌아서 구석으로 들어간다.

- 최대한 협조할게. 그러니 부디 우리 종족을, 라출노그를 구해다오.

아앤아의 마지막 말은 정말 안쓰럽게 들렸다. 유학파인 그는 인류 연방이 전쟁을 하는 상대에겐 자비심이 없다는 것을 아주 잘 아는 것이다. 라출노그는 정말 특별사례 중의 특별사례로, 처음부터 협상해오던 슈홀루 외의 다른 분파들은 하마터면 멸종될 뻔했다. 아니, 원래대로였으면 그 슈홀루조차도 도매금으로 도살당했을 가능성이 높았다.

그러나 슈홀루는 결코 전쟁에 나서지 않고 자기들이 쌓아온 연방과의

라인을 총동원해 자비와 종전을 구했다. 그 과정에서 오히려 동포인 데넥샬의 정보마저 연방에 팔았다. 그리고 그 결과 라출노그는 살아남을 수 있었다. 차장의 자리에 오른 마커스는 요 근래 이노우에 국장을 따라 위은쏠납학 쪽 자료를 훑어보면서 예전에는 알 수 없었던 과거 작전들의 더러운 뒷면을 볼 수 있었다.

그중 하나가 연방이 슈홀루와 교섭을 계속했던 것은 사실 데넥샬을 자극하기 위한 것이었다는 점이다. 당시 라출노그의 선두 종족이었던 데넥샬은 연방의 고급기술을 들여와 발전해나가는 슈홀루를 보며 위기감을 느꼈고, 연방은 또 연방대로 라출노그 내부에 이간질을 하고 더러운 공작을 했다.

이런 사실들을 알게 된 마커스는 허탈해했다. 자신이 정의라 믿고 몸담고 있는 조직이 전쟁을 막는 작전은 거부하면서 전쟁을 일으키는 작전은 승인하는 것이다. 마커스는 괴로운 마음으로 힘겹게 입을 열었다.

- 걱정 마라. 이번 일은 데넥샬이 자체적으로 벌인 것이고, 또 빈우가 비밀리에 처리했으니 밖으로 드러나진 않을 거다. 오히려 이번 일로 데넥샬을 간접적으로 억누를 수 있게 됐으니까 전쟁으로 번질 일은 없을 거야.

- 그래. 그렇다면 내 부하들도 억울하진 않겠군.

아앤아의 부하는 모두 빈우와 태스크포스 373의 손에 죽었다. 생존자와 증인이 남아서는 안 되는 임무이기에 항복도 못 하고 모조리 '청소' 당했다. 자신의 처지보다는 국가와 종족의 미래를 걱정하는 친구를 보며 빈우와 마커스는 발걸음을 돌렸다. 말없이 걷던 두 사람 중에서 먼저 말을 꺼낸 것은 빈우였다.

"마커스, 넌 앞으로 어쩔 거냐?"

"글쎄다. 마음 같아선 너랑 밥이나 한 끼 하고 아나스타샤도 만나보고 싶은데, 국장님이 목적만 달성하고 도망칠 거 같단 말이야."

호랑이 코털을 뽑은 다샤 쿠사키나 국장이 벼락을 맞으면 그 옆의 군사정보국도 세트로 두들겨 맞는다. 그러니 이노우에 국장으로선 잽싸게 보안국장만 꺼내서 도망치고 싶을 심정일 테다. 뭐 도망친다 해도 이미 두 고양이의 목에는 방울이 달렸으니 빈우는 아쉬울 게 없다.

"차장이 힘도 없구나."

"3차장이야."

"그러냐. 그럼 조용한 데 가서 잠깐 얘기나 좀 하자."

여기서 얘기라고 하면 백업 관계의 이야기다. 작년 마카로니에서 둘만이 아는 암호로 대화를 나눈 뒤 성립된 협력 관계는 지금껏 유지되고 있다.

"그럴까. 잠시만, 국장님한테서 연락이다."

군사정보국장으로부터 통신을 받은 마커스는 황당하다는 표정으로 빈우를 돌아보았다.

"야, 국장님이 널 좀 보자는데?"

"나를?"

그냥 볼일만 보고 튈 양반이 빈우를 보자고 한다면 또 무언가 꿍꿍이가 있을 것이다. 그것도 보안국장과 비밀리에 이야기를 한 다음이라 타이밍이 수상쩍다. 대체 쿠사키나 보안국장은 무슨 이유로 빈우를 긴급체포하려 한 것이고, 이노우에 군사정보국장은 그녀에게서 어떤 정보를 얻었기에 빈우와 만나려는 것일까.

"그리고 말이다……."

그답지 않게 한숨을 쉰 마커스의 입에서 골치 아픈 이야기가 나왔다.

"조지 레드우드 사령관님과도 만나고 싶다고 자리를 마련해달라는데?"

그냥 자기가 만나자고 하면 될 것을 군이 빈우를 엮어서 들어가는 데는 아마 두 가지 이유가 있을 것이다. 하나는 그 자리에서 꺼낼 안건이 레드우드 사령관에게 맞아 죽기 딱 좋은 얘기라 방패막이가 필요하다는 것. 다른 하나는 거기서 꺼낼 이야기에 빈우와 레드우드, 즉 태스크포스 373이 연관되었다는 뜻이다.

"우리 사령관 폭발하면 나 못 말릴 수도 있다. 국장님은 네가 지켜라."

빈우의 엄살에 마커스는 그저 힘없이 고개를 끄덕일 뿐이다.

이렇게 해서 이노우에 고토와 마커스 타이를 비롯한 군사정보국 사람들과 김빈우, 조지 레드우드의 특수전 사령부 사람들의 살기등등한 다과회가 사령관실에서 벌어지게 되었다.

*

"다시금 취임 축하드립니다. 각하."

"고맙소."

레드우드 사령관과 이노우에 군사정보국장의 인사는 무난한 편이었다. 특수전 사령부와 군사정보국은 합동작전을 자주 하기에 나름 사이가 좋은 편이고, 빈우처럼 파견 나가는 요원들이 좀 된다.

"그런데 쿠사키나 국장을 빼가려 했다면서?"

레드우드가 다짜고짜 던진 돌직구에 이노우에 국장이 정중하게 고개를 숙이며 사과를 했다.

"네, 쿠사키나 국장이 직접 수사 지휘를 맡은 사건이 매우 중요한 일이라 부득이하게 실례를 무릅쓰게 되었습니다. 제가 대신 사과드리겠습니다."

"대체 뭐길래?"

퉁명스레 사과를 받은 레드우드는 이어지는 이노우에 국장의 다음 말에 얼굴을 굳혔다.

"워프 비스트입니다."

고토는 차를 한 모금 마시면서 좌중을 둘러보며 반응을 살펴봤다.

"인간이 괴물로 변하는 워프 비스트 현상. 이곳 특수전 사령부도 얼마 전 놈들에게 침공을 받았지요. 방어법은커녕 정확한 발현 조건조차 밝혀지지 않은 이 괴현상은 현재 연방에게 심각한 위험이라 할 수 있습니다. 그런 정보를 보안국 요원이던 피에르 라캉 중령이 무단으로 탈취해 태스크포스 373으로 가려고 했고, 슬프게도 오스카 스테이션에서 전사하고 말았지요."

거기서 라캉 중령의 죽음을 직접 본 레드우드 사령관이 나섰다.

"원래 그 정보는 라캉 중령이 우리 팀에 주기로 한 것이었어. 하지만 그만
이 알 수 있는 곳에 은닉해놓은 것이라 아직까지 우리도 못 찾고 있는 상황
이야."

"외람된 말씀입니다만 사령관 각하, 보안국 말로는 '무단 탈취'랍니다. 그
래서 부득이하게 이런 무리수를 두게 되었답니다."

이쯤에서 빈우가 대신 나섰다.

"자료가 필요하다면 정식으로 요청하면 되잖습니까? 무슨 꿍꿍이가 있기
에 말도 제대로 못 붙이다가 갑자기 쳐들어온답니까? 그것도 작전 중인 팀
에. 보안국이 고작 그 이유만으로 나를 잡으러 온 겁니까?"

"김 팀장, 자네도 짐작하겠지만 보안국은 자네를 의심하고 있다네. 그리고
자네 역시도 보안국을 낚으려고 떡밥을 뿌리지 않았나?"

그걸 누가 곧이곧대로 믿을까. 보안국에 꿍꿍이가 있다는 것은 이쪽도 짐
작하고 있다. 다만 여기서 몰아치지 않는 것은 보안국에 아직 이용가치가 있
고, 그쪽의 조직체계를 무너트리면 오히려 배후세력에 대한 조사가 힘들기
때문에 확실한 증거를 모으기 전까진 움직이지 않는 것이다. 보안국이 폭주
한 원인을 따지고 보면 고토 본인도 책임이 있긴 했지만 그건 쏙 빼놓고 얘
기하고 있다. 그런데 빈우도 미심쩍은 표정으로 고토를 보는 모습이, 그도 뭔
가 낌새를 챈 듯하다.

"의심이라…… 보안국이 의심하지 않는 게 이 우주에 있기나 합니까?"

"허허, 이 사람아. 그게 보안국 일 아닌가?"

사실 보안국은 군 내부의 정보 보안을 담당하는 부서다 보니 일단은 의심
하고 여기저기 집적거리는 게 주된 업무이긴 하다. 하지만 지금은 오히려 보
안국이 거꾸로 이쪽의 의심 대상이다. 움직이는 행동이 하도 수상한 것이다.
오다 의원과 빈우는 지금 보안국이 비밀세력에게 넘어간 건 아닌지, 그게 아

니면 자신도 모르게 그쪽의 사주를 받고 움직이는 건 아닌지 의심하고 있는 상황이다.

빈우는 잠시 생각하더니 입을 열었다.

"알겠습니다. 워프 비스트에 대한 정보를 얻게 되면 보안국에도 넘겨드리도록 하지요."

"오오, 그래주면야 고맙지."

함박웃음을 짓는 이노우에 국장에게 빈우는 다시 쏘아붙였다.

"그리고 우리 팀이 일할 때 두 부서에서 좀 도와주셔야겠습니다."

"하이구, 당연한 말씀을. 태스크포스 373은 샤다이 대응 전문팀이 아닌가. 부름이 없어도 우리가 응당 도와야지."

이노우에 국장은 연신 고개를 끄덕인다. 빈우의 도와달라는 의미가 어느 정도의 것인지 짐작은 하지만 일단 위기를 넘기고 살아만 남는다면 나중에 어떻게든 된다는 게 그의 지론이자 생존론이다.

"하지만 그게 전부입니까?"

빈우의 날카로운 시선이 이노우에를 찌른다.

"이 정도 얘기라면 굳이 이런 자리를 마련하지 않아도 될 법한데요?"

"여기까지 왔으니 얼굴을 비추는 건 예의 아닌가. 실은 자네가 예상한 대로 지금부터 꺼낼 얘기도 만만치 않다네."

그러면서 이노우에 국장이 자료화면을 몇 가지 준비했다.

"보안국이 극비리에 조사한 자료들이라는군."

그 말에 빈우가 헛웃음을 짓는다. 지금 살려달라고 무릎 꿇고 싹싹 빌어도 시원찮을 판국에 되려 보안국과 결탁해서 수작을 부리려고 하니 기도 안 찬다. 이노우에 고토다운 짓이다. 게다가 뒤쪽에 서 있는 마커스를 보니 녀석도 상관의 황당한 행동에 얼이 나가버린 것 같다.

하지만 이노우에 고토는 잘 알고 있다. 빈우는 이번 제안을 결코 거절하지 못하리란 것을. 한 번만 조작하면 그의 눈앞에 마카로니에서 사망한 마리 라캉의 시신, 그리고 리처드 허드슨과 엘리자베트 허드슨의 시신의 영상이 뜬다. 그중 한 명은 빈우 자신과 티격태격 악연이 있었던 자의 아내이고, 다른 두 사람은 그와 안면은 없지만 엄마 없이 둘이서만 살고 있던 부녀였다. 냉혹한 정보국 요원인 빈우는 유독 이런 면에서 약한 모습을 보였다. 피차 약점을 잡은 상황이라면 흐름을 잡는 쪽이 이기는 법. 이노우에 고토는 과거의 빈우든 현재의 빈우든 물 수밖에 없는 미끼를 던지려 했다.

"참, 그전에 하나만 물어봐도 되나?"

화면을 켜기 전 문득 생각났다는 듯 이노우에 국장이 빈우 쪽으로 고개를 돌렸다.

"판 깔아놓고 잘하십니다. 뭡니까?"

"질투의 마음은?"

뜬금없는 이노우에 국장의 말에 빈우의 눈살이 찌푸려진다.

"……아버지의 마음."

"음, 자네도 잘 아는구먼."

그때 싱글벙글 웃는 이노우에 고토의 목 쪽으로 빈우의 손이 올라갔다. 이건 누가 봐도 먹살을 잡는 각도다.

108

• • • ✦ • • •

자신의 멱살을 잡으러 서서히 올라오는 빈우의 손을 본 고토는 짧은 시간 동안 많은 고민을 했다. 그대로 잡힐까? 피할까? 반격할까? 하지만 빈우의 눈을 본 고토는 무의식적으로 반응했다. 손을 들어 막으려는 순간, 빈우의 손이 멱살 대신 고토의 그 손을 잡아채 끌어당겼다. 그리고 반대편 손으로 고토의 얼굴을 덮었다.

"이노우에 국장님."

지금 빈우는 군사정보국장의 안면을 손으로 잡아 조이며 그를 위로 들어올렸다. 고토가 저항하려 했으나 경험도, 출력도 빈우 쪽이 위다. 헛된 반항이자 무용한 몸부림이다.

"지금 언제, 어디서, 무슨 짓을 하시는지 알고 계십니까?"

차가운 빈우의 다그침. 그러나 입이 틀어막힌 고토는 대답할 수 없었다. 머리로 혀를 찰 뿐이다.

'나도 참 안일했군.'

고토도 빈우가 이렇게까지 반응할 줄은 몰랐다. 기껏해야 구시렁대거나 욕 좀 할 거라 생각했었다. 손을 써도 이 정도로 제대로 쓸 줄은 예상하지 못했다. 고토의 두뇌칩이 경고를 울릴 정도면 꽤 심각한 정도다. 물론 강화 군인의 악력이 강하다 해도 같은 강화 군인의 두개골을 으스러뜨리진 못한다. 설사 목을 졸라 경동맥 혈류의 흐름을 막아도 개조된 뇌와 두뇌칩은 질식하지 않기에 고토는 적극적으로 방어하지 않은 것이다. 다만 빈우는 자기 손바닥의 신경계를 피부 바깥으로 뽑아내 고토의 몸 안으로 집어넣고 있었다. 피부와 방탄 섬유의 빈틈을 파고든 빈우의 신경망이 고토의 턱을 통해 치아 신경계 쪽으로 들어가고 있다.

'망했다.'

고토는 혹시나 해서 통각차단을 해봤지만, OS에서 명령이 먹히지 않는다. 이미 빈우가 신경망 접촉으로 먼저 손을 쓴 듯싶다.

'이제 신경끼리 얽혀버렸으니 그대로 잡아당긴다면…… 상상하기도 싫군.'

얌전해진 고토에게 빈우의 질책이 쏟아진다.

"무슨 자료를 저한테 보여주시려는지 모르겠지만 일단은 상황부터 보셔야죠. 지금 우리가 간을 달라면 국장님은 간을 주셔야 하고, 쓸개를 달라면 쓸개를 주셔야 합니다. 국장님에겐 선택할 권리가 없어요."

그러면서 빈우는 눈동자를 흘깃흘깃 자신의 등 뒤쪽으로 움직였다. 그의 눈동자가 향한 방향에는 레드우드 사령관이 있다. 턱을 괴고 자리에 앉아 있는 그 모습이 기분 탓인지 조금 언짢아 보인다.

'조지 레드우드 사령관인가……'

고토는 납득했다.

빈우가 이렇게 행동하는 것은 이노우에의 행동에 분노한 레드우드가 시켰거나, 아니면 그가 폭발하기 전에 빈우가 먼저 선수 친 것일 수 있다.

- 미쳤습니까. 닥치고 숙이세요.

신경계의 접속으로 빈우의 메시지가 고토에게 직접 들어온다. 맞는 말이다. 일단 고개를 숙이고 보안국을 살려달라고 한 건 이쪽이니 빈우가 부탁을 하면 설령 그것이 무리한 것이라 해도 들어주어야 한다. 만약 거절한다면? 조지 레드우드를 위시한 특수전 사령부의 뒤끝이 작렬할 것이다. 아니면 빈우가 간신히 달래놓은 오다 히토미 상원의원이 다시 폭발할지도 모른다.

"김 팀장, 그쯤 하게. 이노우에 국장도 나름 이유가 있겠지."

레드우드 사령관의 나직한 목소리에 빈우가 다시 신경계를 집어넣곤 고토를 내려놓았다.

"실례했습니다, 국장님. 국장님도 잘 아시다시피 빡돌면 눈에 뵈는 게 없어서 말입니다."

빡도는 게 빈우인지 레드우드인지 주어를 생략한, 그리고 불량스러움과 정중함이 혼재된 사과를 받으며 이노우에 국장은 레드우드에게 다시금 고개를 숙였다.

"각하, 제가 결례를 범했으면 사과드리겠습니다."

"아닐세. 이쪽도 너무 감정적이었던 것 같군. 이제 더 이야기하긴 힘들 것 같으니 이만 자릴 접도록 하지."

집주인의 축객령에 이노우에 고토와 마커스 타이는 서둘러 자리를 빠져나왔다. 어차피 군사정보국으로선 다샤 쿠사키나 보안국장의 구출이 목적이었으니 이 자리를 잃는다 해도 아쉬울 게 없었다.

두 사람이 나가자 레드우드 사령관이 깊은 한숨을 내쉬었다.

"야 인마, 너 근데 왜 그리 빡친 거냐?"

"마지막에 저와 이노우에 국장이 주고받은 대화 기억하십니까?"

그러고 보니 뜬금없는 대화 다음에 빈우가 바로 무력행사에 나섰다.

"질투의 마음 뭐시기 하는 거?"

"네. 그건 군사정보국에서 파견 나간 요원들끼리 상대방을 확인할 때 쓰는 겁니다. 같은 문화권이 아니라면 이해하기 힘든 수수께끼 같은 거죠."

레드우드는 이해했다. 과거 내전 중에 상대방을 구분할 수 없게 되면 저런 문답으로 피아를 가렸었다. 또 변장하고 잠입한 적을 잡아낼 때도 유용한 방법이기도 했다.

"그렇군. 알겠어. 그런데 그런 걸 갑자기 왜 물어보는 거지?"

"글쎄요. 제가 너무 바깥으로 돌아서 그런 것도 아닌데 말입니다. 하지만 군사정보국 요원인지 확인했으니 다음엔 높은 확률로 그쪽에 관련된 일이 나왔을 겁니다. 그래서 이야기 흐름이 저쪽으로 넘어가기 전에 제가 먼저 선수 쳤습니다. 그 와중에 시켜서 하는 짓이라고 사령관님 이름 좀 팔았고요. 죄송합니다."

"사과할 필요 없다. 속이 다 시원하더군."

사실 방금 레드우드 사령관은 꽤 역정이 난 상태였다. 사과하러 인사차 들렀다는 놈이 사과는커녕 말을 돌리다가 이상한 얘기를 꺼내니, 이전부터 잘 알던 군사정보국이 아니었다면 호통을 쳤을 거다.

"근데 꼭 멱살 잡고 그럴 필요가 있었나? 네 상관이잖아? 안 돌아갈 거냐?"

어차피 레드우드는 이번 일을 빈우에게 맡기기로 했다. 같은 식구이기도 하고 이런 일에 빠삭한 빈우였기에 일임한 것이다. 그래서 빈우가 오버해서 행동을 해도 그러려니 하고 맞장구를 쳐준다. 그래도 오버에도 정도가 있는 법이다.

"허이구, 모르시는 말씀이에요. 그 양반이 얼마나 음흉한데. 자칫하면 우리가 되려 저쪽에 말려들어갈 뻔했습니다. 이노우에 국장이 이런 상황에서도 말을 꺼냈다는 것은 우리가 거부할 수 없는 제안이 있었기 때문이겠죠."

"호오."

군사정보국이라면 그럴 법도 하다. 음습하기론 둘째가라면 서러울 놈들이니 자신이 무릎을 꿇은 상황에서도 상대방이 흥미를 가지고 눈높이를 낮출 자료야 하나둘쯤은 있을 것이다.

"하지만 그렇다면 중요한 정보일 텐데 이렇게 차버려도 되는 거냐?"

"아마도 이런 자리에서 꺼내려고 했던 일이니만큼 저쪽에서 다시 올 겁니다. 하지만 기다릴 필요는 없죠. 여차하면 오다 의원님을 통해서 움직이면 됩니다."

"하긴. 상원에서 너와 팀을 조사한다고 했으니 네가 원래 있던 곳에서의 관련 자료를 내놓으라고 한다면 답 없겠지."

원래 조지는 자신의 팀에게 시비를 건 보안국을 이번 기회에 털어버리려고 했다. 분명 자신의 취임 연설 때 깝죽대면 썰어버린다고 못박았는데, 채 한 달이 되기도 전에 놈들이 제대로 먹칠을 한 것이다. 하지만 당사자인 빈우와 오다 의원이 나서서 이번 일을 무마해주십사 하고 부탁해왔다. 설명을 들으니 이해가 갔다. 상원까지 연결된, 의외로 커진 스케일에 레드우드 사령관은 납득한 것이다. 그리고 자신도 협력을 아끼지 않겠다고 말하면서 동시에 자신의 한계를 절감했다. 새삼 전임 사령관 캐서린 시슬의 빈자리가 더욱 크게 느껴지는 것이다.

'믿을 수 있는 참모가 필요해.'

지금 특수전 사령부에는 우수한 인재들이 많다. 그러나 이런 싸움을 하기엔 전문적이지 않으며 또 신용과 신뢰는 또 다른 문제다. 때문에 지금의 조지에겐 눈앞의 빈우 같은 인재가 더욱 탐나는 것이다.

"좋아, 보안국 건은 이쯤에서 끝내도록 하지. 하지만 방심하지 말게. 저쪽이 고개를 숙였다고 해도 칼까지 놓은 건 아니니까."

"아유, 오히려 각하께서 조심하셔야죠."

"새끼가. 가봐 인마."

사령관실을 나온 빈우는 블랙 랜스로 향했다. 오래간만에 마커스와 만나 이야기나 해볼까 했더니 그럴 틈은커녕 제대로 된 정보 교환을 나눌 시간도 없었다. 그러나 그건 나중에도 가능한 일이다. 지금 가장 의심스러운 것은 이노우에 국장의 행동이었다. 그는 아까 사령관실에서 빈우에게 진짜 본인인지 확인하는 질문을 던진 것이다.

이노우에 고토는 왜 그런 질문을 했을까? 예전에 마카로니에서 십계면에 대해 물은 것은 이해가 간다. 잠수 후에 첫 만남이었으니 혹시나 하는 마음에 확인할 수도 있다. 빈우가 피자 타이거의 텍스터에게 같은 질문을 한 것도 비슷한 맥락에서였다. 그것은 옆에 아룹이 있었기에 서로 믿을 만하다는 신호를 보낸 것이기도 하다.

'하지만 방금은 무슨 이유였을까? 위은쓸납학의 본성에 갔다 온 이노우에 고토는 내게 왜 그런 질문을 했을까? 마커스는 작년에 울토르 중대의 소탕 작전 때 쓰였던 탈출 포드를 찾았다고 했는데 혹시 그것과 연관이 있을까?'

그렇다 해도 이상하다. 울토르 중대에 관련된 일이라면 군사정보국이 스스로 하거나 이런 일에 전문인 보안국에게 맡기면 된다. 게다가 보안국은 같이 프로젝트에 참여했으니 더욱 빠삭할 것이다. 이러나 저러나 현재 프로젝트에서 제외된 외부 파견 요원인 빈우에게 시킬 만한 일은 아닌 것이다.

'잠잠해지면 마커스와 얘기를 좀 해봐야겠네.'

빈우가 골똘히 생각에 잠겨 있을 때 모니카에게서 연락이 왔다.

- 팀장님, 지금 혹시 시간 되세요?

- 어이구, 네가 부르면 없는 시간을 만들어야지. 뭐 새로운 것 있어?

지금 모니카는 샤다이의 기술을 열심히 조사하는 중이다. 발 가르단 하스에선 대파된 리퍼 함선의 자재와 데이터를 얻은 데다, 이번 작전에서는 전열함을 상처 없이 통째로 얻었으니 그녀로서는 연구복이 터진 셈이다. 때문에 모니카는 얼마 뒤면 과학기술국으로 넘어갈 전열함에서 떠날 생각 않고 연구와 조사에만 매달리고 있었다. 혹시나 그녀가 연구를 위해 과학기술국으로 돌아갈 생각을 하는 건 아닐까 하고 떠봤지만, 오히려 모니카 쪽에서 태스크포스 373에 있게 해달라고 부탁할 지경이었다. 첫 만남 때 겁에 질려 울고불고하던 것에 비하면 장족의 발전이다.

- 샤다이와 리퍼의 차이점에 대해 알아낸 게 있어요.

- 호오.

현재 인류 연방에게 있어 가장 위험한 적을 꼽으라면 바로 샤다이다. 놈들은 몇 세대나 우위에 있는 기술력을 바탕으로 연방을 압도하는 위험한 종족이다. 게다가 샤다이는 자체적으로 점프를 하는 엄청난 기동성으로 주로 연방의 외곽부 쪽에 출몰해 공격을 하는데, 이상하게도 오직 인간만 공격하지

다른 종족들에겐 별 관심이 없다. 그리고 엎친 데 덮친 격으로 교섭의 여지가 일절 없는 족속들이라 아주 골치가 아프다. 단지 사용하는 쪽의 실력이 영 아니라서 어떻게 싸우고 있는 상황이다.

그중에서 리퍼라고 명명된 놈들은 대단히 위험한데 그 이유는 바로 이놈들이 싸우는 방법을 알고 있기 때문이다. 리퍼의 첫 출현 때 빈우와 울토르 중대는 제대로 싸워보지도 못하고 궤멸적인 피해를 입었다. 울토르 클론들이 뱅가드 연대를 벤치마킹했고 뱅가드 연대가 연방 최강의 장갑보병부대 중 하나라는 것을 감안한다면 이는 치명적이다. 실제로 발 가르단 하스에서 아차 하는 사이 리퍼 하나에게 아룹, 파트리샤, 위르겐 세 명의 베테랑 요원들이 당했다. 만약 놈이 이케가미 상원의원을 데려가려는 목적만 아니었다면 사상자가 발생했을 것이다.

- 좋아, 모니카. 어디서 만날까? 내가 그쪽으로 넘어갈까?

- 아니에요, 제가 자료를 가지고 팀장님 쪽으로 갈게요. 근데 말이에요. 부탁이 하나 있는데…….

- 부탁? 뭔데? 고생한 모니카를 위해서라면 내 뭐든 들어주지.

실제로 모니카는 지금까지 샤다이 함선의 조사와 연구에 밤낮없이 매달렸다. 거기다 처음 봤을 때는 겁에 질려 우물쭈물하던 그녀가 지금은 자기가 할 말을 제대로 하니 빈우는 그게 대견해서라도 무슨 부탁이라도 들어주고 싶었다.

- 정말요? 그럼 저 맛있는 거 먹고 싶어요. 아나스타샤나 아를르캉한테 멋진 요리 만들어달라고 해주세요.

- 응? 뭐야, 그 정도로 되겠어? 뭐 보너스라던가 휴가 이런 거 필요 없어?

- 헤헤, 아니에요. 저번에 발 가르단 하스로 갈 때 팀장님하고 밥 먹었잖아요. 그런 게 더 먹고 싶어서 그래요.

109

 · · · ✦ · · · ·

발 가르단 하스에 갈 때 먹었던 것이라면 아를르캉이 만들었던 정찬이다. 빈우는 라캉 중령이 숨긴 워프 비스트의 데이터를 찾기 위해, 그의 허수아비인 아를르캉에게 주인의 레시피를 재현하라고 했다. 그런데 하필이면 그날 함내 중력 변화 때문에 메인디시가 공중분해가 되는 참사가 일어난 것이다. 그때 모니카의 아쉬워하던 표정이 다시 떠올랐다.

'아를르캉에게 시키면 되긴 하는데.'

솔직히 아를르캉이 만든 음식은 맛있다. 그런데 그건 임무 때문에 겸사겸사 먹는 것이라, 부하의 노고를 칭찬할 때 대접하기엔 조금 꺼림칙하다. 이럴 때는 전문가를 불러야 한다.

- 아나스타샤.

- 네, 주인님.

- 모니카가 그동안 고생해서 식사 한번 제대로 대접해주고 싶은데.

- 어머 어머, 모니카 대위님이랑요? 어머나아 —.

통신 너머로 뭔가 착각하고 호들갑을 떠는 아나스타샤. 하지만 빈우는 말이 길어질 것 같아서 달리 정정하고 싶진 않았다.

- 제가 마련해둔 메뉴가 있어요. 어서 방으로 오세요. 옷부터 갈아입으시고요.

- 야, 옷은 왜…….

대답이 끝나기도 전에 통신이 끊겼다. 빈우는 한숨을 쉬며 방으로 갔다.

　모니카는 또 모니카대로 기대에 들떠 빈우의 방으로 가고 있었다. 지금까지 그녀에게 있어 식사란 에너지 보충에 불과했다. 철들 때부터 공학 쪽에 관심이 많았던 그녀는 대학에 가면서 식사는 연구실 안에서 대충 처리했다. 그런 생활은 군에 들어와서도 마찬가지였다. 일벌레인 동료들조차도 영양만 충분할 뿐, 음식이라고 하기엔 부실하고 조악한 것들을 입안으로 넣는 모니카를 보며 쓴웃음을 짓거나 고개를 절레절레 흔들었다.

　그랬던 모니카의 혀가 태스크포스 373에 와서 제대로 된 식사를—생성기가 아닌 진짜 손으로 만든 식사를—먹게 되자 깨어난 것이다. '음식을 먹는 낙'이란 것을 알게 된 그녀는 생성기로 인상 깊었던 메뉴를 재현해보려고 했지만, 어딘가 모자랐다. 뭔가 어설펐다. 자신이 직접 생성기를 만들어 구현해보려 했으나 데이터가 부족해 원본을 만들기는 힘들었다.

　하지만 그렇다고 아를르캉과 아나스타샤에게 밥 좀 만들어달라고 부탁하기엔 조금 어려웠다. 아무리 안드로이드들이라고 해도 그것들은 상관인 빈우의 소유물인 데다, 하나는 기밀이 들어 있고 하나는 주인과 거의 가족관계인 것이다. 하지만 지금 모니카는 들떠서 팀장의 방으로 가고 있었다.

　'고생 끝에 낙이 온다고.'

　조사 보고를 빌미로 빈우에게 제대로 된 식사를 하게 해달랬는데 흔쾌히 허락한 것이다. 맛있는 식사를 앞에 두고 기대에 찬 모니카가 빈우의 방 안으로 들어갔다. 그때 코가 맡은 것은 기대를 뛰어넘는 맛있는 음식 냄새다. 그리고 눈이 본 것은 근사하게 차려진 식탁과 식기들, 또 주인의 멱살을 잡은 메이드와 도망치려는 주인 간의 티격태격하는 모습이었다.

　"거봐, 모니카는 그냥 작업복 입고 왔잖아. 여기서 밥 먹는데 무슨 연회복까지 입느냐고."

　"에잇, 주인님이 입으시면 대위님도 갈아입힐 수 있다고요."

아나스타샤는 빈우의 어깨를 세게 후려친 다음 생글생글 웃은 표정으로 모니카에게 다가왔다.

"어서 오세요, 대위님. 그동안 고생이 많으셨죠? 오늘은 제가 맛있는 요리를 대접할 테니 부디 즐겨주세요."

"고마워, 아나스타샤. 근데…… 나도 연회복으로 갈아입어야 하는 거야?"

"아니에요. 편하신 대로 있으시면 돼요."

모니카는 아나스타샤가 마련해준 자리에 앉았다. 그리고 그때부터 펼쳐지는 진미의 연속에 눈과 코와 혀가 행복해졌다.

"맛있어~. 이전부터 이런 거 먹고 싶었거든요."

생성기완 비교도 안 되는 음식들의 향연에 모니카는 기쁘게 식사를 이어갔다.

"어머나, 저한테 말씀하시면 될 텐데."

"그래, 아나스타샤한테 만들어달라고 하면 되잖아?"

"에이, 그래도 아나스타샤는 팀장님 직속이잖아요. 또 업무도 보고."

"흐음……."

고개를 갸웃거리던 빈우는 몇 가지 메모를 해서 모니카에게 넘겨주었다.

"이건 오브리가도에 있는 레스토랑들이다. 정 말하는 게 부담스럽거든 여기로 가봐. 제법 잘하는 곳들이야."

"앗, 정말요? 고맙습니다. 다음엔 저 혼자 가면 되겠네요."

모니카가 신나서 메모를 챙기는데 누군가 그녀의 손을 잡았다.

"안 됩니다."

"응?"

모니카의 옆에는 어느새 아나스타샤가 다가와 냉철한 목소리로 꾸짖고 있었다.

"절대 혼자 가지 마세요. 안 됩니다. 에티켓에 어긋납니다."

"그래? 아, 식당 회전율에 실례인가?"

"하다못해 눈앞의 사람이라도 데려가세요. 저기 저 사람이요."

아나스타샤는 모니카의 고개를 자신의 주인 쪽으로 돌렸다. 거기엔 정말 사랑스럽고 믿음직한 주인이 어벙한 표정을 짓고 있었다. 곧바로 안드로이드 메이드는 망했다는 신경 신호를 느꼈다.

"뭐, 나? 나 바쁜데?"

뭐라고 항변하려던 빈우는 아나스타샤가 아랫입술을 꽉 깨물고 노려보자 허겁지겁 고개를 숙였다.

"아니, 밥 먹는데 왜 그래에—."

"어어? 아나스타샤, 팀장님이 뭐 잘못한 거라도 있어?"

"하아— 아뇨, 아닙니다. 디저트 내올게요."

자신들이 뭘 잘못했는지 모르고 어리바리한 인간 둘을 놔두고 안드로이드는 한숨을 내쉬며 디저트를 준비하러 갔다. 그리고 아나스타샤가 내온 차를 마시면서 모니카는 자신의 조사 결과를 보고했다.

"일단 장비 쪽의 차이가 흥미롭습니다. 샤다이들의 데이터 구조를 살펴본 결과 리퍼와 일반 샤다이들의 장비에는 큰 차이가 없습니다."

"역시 그런가."

이건 빈우도 짐작했던 바였다. 그는 스팸과는 질리도록 싸워봤고 리퍼와도 싸워봤다. 직접 총질 칼질 다 해봤던 터라 놈들의 스펙에 대해 어느 정도 짐작하고는 있었다. 리퍼가 스팸에 비해 고성능이긴 하지만, 둘 사이의 월등한 전투력 차이는 장비에서 오는 게 아니다. 아마도 입고 있는 착용자에서 그 차이가 나는 것이라 추측했다.

"팀장님도 거기까진 알고 계시는군요. 네, 스팸과 리퍼들의 장갑복은 동일한 재료와 동일한 구동계를 가지고 있습니다. 그저 리퍼들 쪽이 좀 더 전투에 적합하게 보강되고 개조되었을 뿐 아주 다른 계통이나 세대의 장비들은 아닙니다."

"즉 고양이와 호랑이의 차이는 아니란 얘기군."

"네. 비유하자면 개와 늑대 정도죠."

"치와와?"

"푸홋, 아뇨. 셰퍼드쯤?"

그렇다면 생각보다 둘 사이의 차이는 크지 않은 편이다. 하지만 전투에 들어서면 스팸과 리퍼는 엄청난 차이를 보인다. 연방보다 몇 세대 위의 기술력을 가진 스팸들은 전투에 들어서면 아군의 지상 병력을 압도한다. 전차 급의 공방 능력에 스텔스 능력을 가진 놈들이라 한번 기습당하면 치명적인 피해를 입는다. 다만 샤다이와 직접 싸워본 군인이라면 누구나 알다시피, 샤다이들은 싸우는 방법을 영 몰랐다. 굳이 비유하자면 이쪽이 맨손의 성인이라면 샤다이는 사용법을 모르는 무기로 중무장한 유치원생들 같달까. 그래서 연방군은 어떻게든 유리한 상황을 만들어 이기려고 기를 쓴다.

그래도 대 샤다이 전술과 경험이 발달한 요즘은 스팸의 우위도 빛이 바랬다. 뱅가드 연대쯤 되는 최신 정예 부대라면 아군이 유리하고, 태스크포스 373 같은 최정예라면 오히려 이쪽이 놈들을 가지고 논다. 하지만 리퍼는 다르다. 놈들은 장갑복뿐만이 아니라 착용자가 제대로 싸울 줄 아는 놈들이었다. 사격이나 격투 등만이 아니라 기본적인 전술도 수박 겉핥기로나마 배운 놈들이다.

그리고 그 결과는 치명적이었다. 연방에서 전투가 벌어지면 가장 먼저 출동하는 뱅가드 연대는 특수전 사령부의 직할인 만큼, 전투력에 대해서는 두말할 필요가 없다. 그러나 그 뱅가드 연대를 벤치마킹한 클론 부대인 울토르 중대는 리퍼의 기습에 제대로 된 저항도 못 하고 전멸했다. 더구나 태스크포스 373조차도 리퍼에게 몇 번 당했다. 오스카 스테이션에서 위르겐은 유효한 반격도 못 한 채 날아가버렸고 빈우도 컨커러가 아니었으면 죽었을 것이다. 발 가르단 하스에서는 리퍼 하나의 기습에 위르겐과 파트리샤, 모니카가 순식간에 무력화됐다. 만일 놈의 목표가 이케가미 의원의 탈취가 아니었다면 안에 있던 파트리샤와 모니카는 죽었을 것이다.

"스팸의 착용자와 리퍼의 착용자엔 어떤 차이가 있지? 전문적인 전투용 개조를 했나?"

"그게 말이죠."

모니카가 띄운 자료화면에는 여러 샤다이들의 해부도가 뜬다. 인간과는 다른 골격과 장기구조들. 인간과 겉모습은 비슷하나 수렴진화를 한 다른 종이란 것을 알려주는 증거다.

"보다시피 샤다이의 완력은 아군의 보병보다 약합니다. 스팸과 어벤저도 그렇고요. 그러나 스피드라면 단시간이나마 아군에 필적할 속도로 낼 수 있습니다."

일단 육체적인 면에서는 연방의 승리지만 그 외의 것은 샤다이의 압승이다. 다음 화면에 스팸과 일반 샤다이가 한쪽 그리고 다른 쪽엔 리퍼에 속하는 샤다이의 해부도가 나타났다.

"일단 육체적인 면을 보자면 스팸과 리퍼 착용자들에겐 큰 차이가 없어요. 다만 리퍼 쪽이 훈련을 했는지 좀 더 단련된 육체를 하고 있습니다."

빈우도 알 수 있었다. 저 정도라면 일반인과 강화 군인의 차이는 아니다. 그냥 일반인과 운동을 조금 더 한 사람의 차이다.

"그리고 리퍼들의 뇌에는 이런 칩이 박혀 있습니다."

화면 속엔 인간과 약간 다른 구조를 한 샤다이의 뇌 안에 든 칩의 모습이 보인다.

"두뇌칩은 아닌 모양인데……."

"네, 두뇌칩이라면 있을 뇌 내 신경망 형성이 되어 있지 않아요. 아마 우리 인류가 제국 설립 이전에 썼던 데이터 저장용 칩 종류로 추정됩니다. 다만 인간과 다른 종족이기 때문에 확실한 것은 좀 더 조사를 해봐야 합니다."

"그렇다면 일반 샤다이와 리퍼의 차이는 훈련도와 주입된 전투지식이란 말이겠군."

"네. 현재로선 그렇습니다."

다음은 수집한 각종 자료들에 대한 세부 분석결과다. 샤다이의 장갑 재질과 기기들의 분해도, 항법 자료와 메뉴얼 같은 고급 정보들인데, 지금까지와는 비교할 수 없을 정도로 방대한 자료들이다. 이 정도만 해도 앞으로의 전투에 상당한 도움이 될 것이다.

"그리고 자료들을 살펴보다가 조금 흥미로운 것을 발견했는데요."

모니카가 보여주는 것은 샤다이 쪽에서 인류 연방을 분석한 자료들이다. 빼곡한 문자와 많은 도표들이 있는데 몇몇 개는 다른 종족의 것들도 포함되어 있었다.

"샤다이들은 자신들의 기술력을 8등급, 우리 인류 연방을 7등급 후반이라고 보고 있습니다."

그 외 다른 종족들은 대부분 6등급 후반이나 7등급 초반으로 분류되어 있었다.

"그 분류 기준은 뭐지? 에너지 사용량이야 아니면 데이터 보유량이야?"

"사용하는 소재와 행동반경인 것 같습니다. 샤다이는 자신들은 성계 간 이동이 가능한 반면 우리 인류는 아직 그 단계에 도달하지 못한 것으로 보고 있습니다."

"그래? 으음."

빈우는 버릇대로 손을 들어 턱을 만지작거렸다. 인류는 이미 점프 항법을 통해 다른 성계로 이동이 가능하다. 다만 점프 공간을 통해 이동하기 위해선 일단 게이트가 있는 곳을 찾아 그곳에 점프 포인트를 설치해야 한다. 그 때문에 샤다이만큼 자유롭지는 않다.

문득 빈우는 발 가르단 하스에서 샤다이 호민관인 알탄훼아나가 했던 말이 기억났다. 그녀는 어벤저를 3급 일상복, 컨커러를 5등급 일상복이라고 했으며 자신들의 리퍼를 15등급 전투복이라고 말했다. 거기엔 또 다른 기준이 적용되는 모양인데 둘 사이의 어마어마한 격차를 보면 납득은 된다.

"그리고 이건 우리 쪽에서도 검토해봐야 할 것 같은데…… 전투에 관한 것 같아요."

"흐음. 전투 등급이라고?"

빈우 역시 군인이라서 그런지 흥미가 돋는 항목이다.

고개를 끄덕인 모니카는 조금 꺼림칙한 표정으로 다음 화면을 틀었다. 거기엔 우주 종족들의 각종 병기와 군인들의 모습이 들어 있었다.

"잠깐만."

띄워진 자료를 살피던 빈우가 황당한 표정을 지으며 말했다. 분명 조금 전 나온 자료에 따르면 샤다이는 인류의 기술력을 7등급으로, 자신들은 8등급으로 본다고 했다. 그런데 여기 전투 등급란에선 자기들을 5등급으로, 인류를 19등급으로 적어놓은 것이다.

"19라? 야, 이거 자릿수가 다르잖아?"

110

. . . ✦ . . .

"네. 몇 번이고 확인해봤는데 그들은 인류의 전투 등급을 19등급이라고 보고 있습니다."

한두 단계도 아니고 앞자리부터 다르다.

"이상하잖아? 과학 기술은 무기 체계에도 영향을 줘. 설마 샤다이는 자기들 기술로 무기 하나 제대로 못 만드는 놈들인 건가?"

5등급 일상복과 15등급 전투복의 차이가 무색해지는 순간이다.

"아뇨, 그게 아닙니다. 샤다이는 전투 등급의 판별 기준에 무기의 기술력도 포함시키지만, 사회구성원의 전투원 전환 비율이나 사회적 자본의 군사적 사용 비율, 그리고 전략 전술에 관한 연구 등을 더 중요하게 따지는 것 같습니다."

모니카의 설명을 들으니 지금까지의 흐름이 조금 납득이 되는 것 같다.

8의 기술 등급과 5의 전투 등급을 가진 샤다이. 7의 기술 등급과 19의 전투 등급을 가진 인류 연방.

기술 등급의 하나 차이는 어마어마하다. 군이 비유를 들자면 구시대 미국 독립전쟁 당시의 군대와 2차 세계 대전 당시의 군대 간의 기술력 격차다. 개인 화기는 둘째 치고 전차와 비행기 같은 신무기 앞에선 낮은 기술 등급의 군대는 제대로 된 전투를 할 수 없다. 그러나 인류는 이 간극을 전투 등급의 차이로 메꿔 어떻게든 싸워오고 있었다. 인류가 높은 건지 샤다이가 낮은 건지는 모르겠지만 말이다.

"제 생각엔 총 든 인간과 맹수의 싸움처럼 보입니다."

"그거 그럴듯하군."

모니카의 말에 빈우가 고개를 끄덕이며 동의한다. 총 든 일반인은 맹수를 손쉽게 사냥한다. 다만 일단 접근한 맹수는 인간이 총을 쏘기도 전에 사냥할 수 있다. 여기서 사람은 샤다이고, 맹수는 연방이다.

"그런데 말이야, 다른 종족들도 전투 등급이 상당히 낮은데?"

"네. 10을 넘는 종족이 없어요."

빈우는 샤다이가 분류한 전투 등급란을 다시금 살펴봤다. 대부분 5에서 9 사이. 어느 종족도 10을 넘지 못한다. 다만 인간만이 저 멀리, 홀로 19를 찍고 있다.

"이거 이상한데? 주변에 비교 대상이 아예 없잖아? 뭔가 절댓값으로 매기는 건가? 아니 그렇다면 라출노그와 스퀴테르는 어떻게 되냐고?"

"네, 저도 그게 이상하긴 한데……. 아무래도 샤다이의 전투 등급 산출 기준은 좀 더 연구가 필요한 부분입니다."

라출노그의 기술 등급은 6등급 후반, 전투 등급은 8등급으로 나와 있다. 하지만 라출노그는 연방과의 우주전에선 나름 잘 싸웠다. 그들은 떨어지는 기술력에도 불구하고 어류들의 집단적인 움직임을 연상케 하는 함대 운용 능력으로 연방과 대등하게 싸웠다. 괜히 최강의 함대를 가진 종족이란 칭호를 가진 게 아닌 것이다.

또한 암석으로 이뤄진 종족인 스퀴테르는 연방의 장기인 '장갑보병에 의한 지상전'에 대해 맞싸움이 가능했던 유일한 종족이었다. 그래서 동맹이 맺어진 후 요청이 있으면 지상군 파병을 해주었고 그때마다 혁혁한 전과를 이룬 연방의 우방군이다. 그럼에도 불구하고 이들 역시 기술 등급은 6등급, 전투 등급 또한 7등급이다.

다만 두 종족 다 연방과 전면전을 한 적이 없다. 라출노그는 슈홀루 분파가 연방과 교섭을 하던 중에 불안감을 느낀 데넥샬 분파가 전쟁을 일으켰다. 당시 연방은 어떻게든 휴전을 제의해봤지만 협상은 결렬, 결국 해당 지방 함대와 중앙 함대의 일부가 파견 나가 진압전을 했다. 그러나 예의 신들린 조함술에 연방 함대는 고전을 면치 못했다.

스퀴테르의 경우는 이미 연방과 조약을 맺은 상태였는데, 변경에서 저항하는 세력이 문제였다. 당시 연방은 스퀴테르의 동족 반란군 진압을 도와달라는 요구에 응해 항성계에 주둔하고 있던 병력 중에서 소규모 지상 병력을 차출해서 해당 지역으로 강하시켰다. 연방의 장갑보병 1개 중대는 원시적인 근접전을 하는 스퀴테르 반란군을 상대로 치열한 소탕전을 했지만, 상대가 기술력이 떨어지는 데다 장거리 무기가 없는 적이라고 방심했던 대가는 컸다. 결국 뱅가드 연대가 투입되어 반란군을 전멸시키는 것으로 사태는 진정되었다.

따지고 보면 연방을 나름 고전시켰던 저 두 종족은 연방과 제대로 싸운 적이 없었다. 각자 자신의 전문 영역에서 연방을 괴롭혔을 뿐이다. 또 연방도 제한을 받고 포장마차 펜 상태로 싸웠었다. 라출노그의 경우 슈홀루가 물밑 작업을 하지만 않았어도 제대로 된 규모의 중앙 함대가 출동해 압도적인 화력으로 놈들을 밀어붙였을 것이다. 스퀴테르에선 반란군에게 잡힌 인질들만 아니었어도 애꿎은 지상 병력 투입 없이 궤도포격으로 손쉽게 처리했을 일이다.

아니, 비단 저 두 종족뿐만이 아니라 지금까지 연방과 싸웠던 어느 종족도 인류 연방군의 힘을 제대로 끌어내지 못했다. 전부 연방의 규모에 비해 작은 전쟁이었고 총력전이나 전면전은 해본 적이 없다. 그래서 군이 어디로 파병을 가서 어떤 전투를 하든 간에 그것이 연방 민간 사회에 영향을 준 적은 없을 정도다.

"하긴 스퀴테르와 라출노그 둘 다 전쟁이라고 하기엔 조금 애매하지."

빈우의 말에 모니카가 고개를 끄덕였다. 듣는 당사자는 열불이 터질 말이지만 연방이 투입한 병력의 규모에 비하면 그렇다. 목타하와 위은쓸납학 정도는 되어야 그나마 전쟁이라 할 수 있을 것이다. 저 둘은 중앙 함대들이 출격했기에 규모가 꽤 컸고 사회적으로도 이슈가 될 정도였으니까. 자료를 보던 빈우는 자기 나름대로 결론을 내렸다.

"샤다이가 전투 등급 산정에 전투원 전환 비율이나 사회적 자본의 군사적 투입이란 측면을 보았다면, 이 등급은 아마도 총력전을 염두에 두었을 가능성이 높다. 종족 그 자체가 내재하고 있는 전쟁 수행 능력을 평가한 것이겠지."

"그렇군요. 아직 이 부분은 중요도가 떨어져 제대로 된 조사가 이뤄지지 않았는데 팀장님의 말씀이 맞을 것 같아요."

"만약 내 생각이 맞다면 기술 등급 8에 전투 등급 5인 샤다이는 과학 기술력에 비해 공업력이나 생산력이 상당히 떨어질 거야. 즉 사회적 인프라가 빈약하단 뜻이지. 뭔가 기형적인 사회 구조인데?"

"아! 그러고 보니!"

모니카가 뭔가 떠오른 듯 자료 화면을 넘겼다.

"팀장님 말씀을 듣고 생각이 났는데, 샤다이의 기록들을 살펴보던 중에 이런 게 있었어요."

빈우는 모니카가 지적한 부분을 읽어보았다.

"기술 등급…… 9?"

샤다이는 과거 자신들의 기술을, 그러니까 선조들의 기술을 9등급이라고 기록해놓고 있었다. 지금보다 1등급이 높은 것이다.

"네, 제대로 된 역사 기록은 아니고 개인이 조상들에 대한 이야기를 적어놓은 부분인데, 여기에요. '씸'에 발을 디딘 우리 조상 부분……."

"씸? 무슨 뜻이지? 처음 보는 샤다이어인데."

"아직 이 단어의 뜻이 뭔지는 잘 모르겠어요. 다른 곳에선 쓰이지 않고 오직 여기서만 쓰인 단어라 그 뜻을 추측하기 힘듭니다."

빈우가 알고 있는 샤다이어 사전에도 '썸'이란 단어는 없었다.

"어디 보자. 썸에 발을 디딘 우리 조상들의 기술, 물려받지 못했다. 이거 정관사가 왜 이래?"

"아마 오래전의 문건이라 옛 문법인 것 같습니다. 적어도 만년 이상이에요."

"그렇군. '우리는 조상의 기술들을 물려받지 못했다. 무려 9등급에 달하는 그분들의 기술은 별 심장의 불길을 넘어 그들과 교감한다'…… 그래, 여기서도 조상의 기술을 9등급이라고 하는군. 샤다이 기준으로 9등급이면 어느 정도지?"

"아마도 성계 간 여행을 넘어 차원 여행, 혹은 다른 우주로 이동이 가능한 정도라고 추측됩니다."

빈우는 커피를 마시며 생각을 곱씹었다. 과거 9등급에 달하는 기술력을 가진 샤다이. 이 기록이 맞다면 그들은 모종의 이유로 기술력을 잃어버려 8등급으로 후퇴했다는 얘기다. 그리고 아직까지 그것을 되찾지 못하고 있다. 이런 세대 간의 단절은 어찌 보면 인류와도 흡사하다. 인류도 과거 지구제국 당시에는 그야말로 폭발적인 과학기술 발전을 이뤘었다. 24년이란 짧은 시간 동안 인류는 유례없는 발전을 이뤘고, 그에 비례해 우주로 퍼져나갔다.

그러나 그 영광도 잠시. 인류를 이끌고 다스리던 황제가 어느 날 갑자기 모습을 감추었고, 우주를 호령하던 비홀더 전대들마저 태양계를 떠나 루비콘 라인으로 향했다. 그날 지도자를 잃은 인류는 당황했다. 창과 방패를 잃은 인류는 공포에 떨었다. 어디로 가야 할지 모르는 안개 속에서 헤맸다.

그러나 인류는 다시 일어섰다. 연방을 창설하여 모이고, 과거의 지식을 끌어모아 군을 결성했다. 그리고 권력을 한 사람에게 집중시키지 않고 연방의 모든 이들에게 분배하기 위해, 시민 전원으로 구성된 의회를 만들어 두뇌칩을 사용해 의정활동을 했다. 하지만 당시의 지구제국이 과연 9등급, 아니 8등급까지 갔을지는 의문이다. 과거의 기록을 봐도 현재의 인류 연방과 비교해 일장일단은 있을지언정 제국이 확실한 기술적 우위를 보이진 못하고 있다.

다만 확실한 것은 제국의 군대랄 수 있는 비홀더 전대는 비정상적인 강함을 가지고 있었다는 것이다. 발 가르단 하스에서의 리퍼조차도 비홀더 전대의 단 세 명에게 제대로 된 저항 한번 못 하고 몰살당했을 정도다. 아직도 지구제국의 군사 관련 기술은 밝혀지지 않은 것이 대부분이고, 연방군은 이를 복원하기 위해 혈안이 되어 있다.

"그런데 왜 샤다이들은 이제껏 조용하다가 연방이 생기고 나서야 나대기 시작한 걸까? 만 년 전에 이미 9등급 기술력이었다면, 그때 인류는 고작 신석기 시대잖아. 왜 그때는 공격하지 않았던 거지? 만약 인류가 우주로 진출한 게, 그러니까 점프 항법으로 성계 간 이동을 시작한 게 문제라면 제국 시절에 눈에 띄지 않았던 이유도 궁금하고 말이야."

아직 샤다이가 어디서 왔는지, 그들의 목적이 무엇인지에 대해서는 알려진 것이 없다. 다만 아는 것이라곤 인류를 뛰어넘는 과학기술에 자유자재로 점프 항법을 쓴다는 것, 그리고 연방에 맹목적인 적대감을 가지고 공격한다는 것 정도다. 그 외에는 박살 난 샤다이의 함선이나 장비, 시신에서 조금씩 끌어모으거나 비공식적인 접촉을 통해 얻은 것이 전부다. 빈우의 말에 모니카가 뭔가 생각난 듯 케이크를 자르던 포크를 살짝 들었다.

"건들면 대가리 터질까봐 쭈그리고 있었다?"

첫 만남에서 대성통곡해서 빈우의 애간장을 태우던 모니카는 이젠 동료들의 말투를 잘 배워 쓰고 있다.

"그래. 그 당시의 제국군을 건드렸으면 샤다이는 쓸려나갔겠지. 그리고 또?"

"그 외엔…… 아마 문건에 나오는 그 사건, 조상의 기술을 잃어버린 것과 관련이 있지 않을까요? 우리도 제국 해체 후 연방이 설립될 때까지 꽤 혼란스러웠잖아요."

"그때가 정확히 언제인지 알 수 있나?"

"그에 관해선 아직 정확한 자료가 없어서 좀 더 조사와 연구가 필요합니다. 그래도 발 가르단 하스와 라출노그에서 상당한 양의 장비를 입수한 덕분에 연구에 훨씬 가속이 붙게 되었습니다. 이 자료와 장비들이 과학기술국으로 넘어가면 헤헤, 팀원들이 놀라 자빠지겠죠? 안 그래도 제 동료들이 자료 좀 복사해달라고 성화던데 전부 일급 기밀이라 함부로 보내줄 순 없었어요."

하긴 과학기술국은 지구제국의 기술이나 샤다이의 장비를 보면 눈이 뒤집어진다.

"그러고 보니 과학기술국에서 오는 게 꽤 늦네?"

"저번에 항구에서 워프 비스트가 발생한 적이 있잖아요. 그것 때문에 검역 절차가 조금 더 까다로워진 모양이에요."

정보사령본부 산하 과학기술국은 기밀 자료와 기술을 다루는 만큼 연구원들의 보안과 경호에 철저하다. 아직 워프 비스트에 대해 정확한 것이 밝혀지지 않은 지금으로선 이곳으로 오는 것이 좀 조심스러울 것이다.

"참, 그러고 보니 과학기술국에서 워프 비스트에 대해선 아직 별다른 소식이 없고?"

"인간의 신체 조직이 변화된 것이긴 한데 아직 그 원인과 메커니즘에 대해선 불명이래요."

111

···✦···

따지고 보면 태스크포스 373도 워프 비스트에 대한 자료를 가지고 있다. 그것도 보안국이 군침을 질질 흘릴 정도의 고급 자료가. 다만 그것이 숨겨져 있기 때문에 이를 찾기 위해선 자료의 원주인이었던 피에르 라캉 중령의 인격복제 AI인 아를르캉의 도움이 필요하다.

"저기 팀장님. 그 라캉 중령께서 숨겨진 자료를 찾기 위해 다 같이 아를르 캉이 만든 식사를 몇 번 먹었잖아요. 혹시 팀장님은 뭐 알아낸 거 없으세요?"

빈우도 아를르캉이 보여주는 반응과 행동, 메뉴 등에서 단서를 찾고 있지 만 주목할 만한 파편 몇 개를 찾았을 뿐 아직 이렇다 할 진척은 없다.

"아직 확실한 게 없어. 단서야 있다지만 자음 모음 몇 개로 주관식 문제를 풀 순 없잖아."

"에헤에~ 진짜요?"

모니카가 장난기와 의심이 가득한 눈초리로 빈우를 보더니, 슬그머니 상 체를 이쪽으로 기울인다.

"아니, 진짜라니까. 왜 그래? 내가 이런 걸로 거짓말하겠어?"

"팀장님이 누굴 속여먹은 게 한두 번이어야 말이죠."

"소, 속여먹다니!"

모니카의 말에 빈우는 입까지 떡 벌렸다. 언제나 성실하고 근면하게 살아 왔다 자부하던 그에겐 정말로 충격적인 말이다. 억울한 빈우는 뭐라 항변해

보려 했지만, 모니카 옆에서 그녀의 잔에 커피를 채워주던 아나스타샤의 시
선에 움찔했다.

"그러니까 좀 작작 하셨어야죠."

"아나스타샤! 너마저!"

빈우는 의기양양해서 키득거리는 둘의 시선을 피해 눈을 접시로 내렸다.
그리고 억울한 마음을 달래듯 포크로 케이크를 잘라 입으로 가져갔다. 언제
나 맛있고 달콤했던 아나스타샤의 초코케이크가 오늘은 유달리 썼다.

*

그렇게 모니카와의 회의와 저녁식사가 끝난 후 빈우는 그녀를 방까지 배
웅해준 다음 돌아가고 있었다.

"아샤, 나 지금 모니카 방에 데려다주고 돌아가는 길이야."

- 잠깐만, 지금 뭐라고요?

"지금 모니카를 방에 바래다주고 돌아간다고. 정리 서두르지 않아도 돼."

그러나 통신 너머의 아나스타샤에게서 답이 없었다. 그동안 쌓인 경험상
빈우는 이럴 때 굉장히 안 좋은 일이 벌어지리라는 걸 알 수 있었다.

- 야 이 화상아!

아니나 다를까, 빈우의 불길한 예감이 적중했다.

- 바래다주랬다고 그냥 바래다주는…… 어우! 아, 내 감정 모듈.

자신의 주인에게 젖을 먹여 키우고 가르쳤던, 또 같이 커가면서 주인에게
서 행동거지를 배워왔던 안드로이드가 폭발했다.

**- 아아, 어떡해. 저 마님 사진을 똑바로 못 보겠어요. 마님 죄송해요. 제가 도
련님을 잘못 키웠나봐요.**

"거기서 어머니가 왜 나오는데. 맞다. 혹시 너한테 따로 당부하신 거라도
있어?"

빈우는 이야기가 이상하게 흘러가자 어떻게든 흐름을 돌리려 했다. 어떤 인공지능이든 빈우에게 걸리면 탈탈 털리게 되지만 지금 대화하고 있는 아나스타샤는 빈우를 직접 키웠고, 또 그에게 영향을 많이 받았던 만큼 쉽지가 않다.

- 말 돌리지 마세요. 굳이 끝까지 가지 않더라도! 오랜 시간 동안 만나서 인연도 쌓고! 오늘은 또 제가 특별히 신경을 써서 고급스러운 식사 자리까지 마련했는데, 그냥 바래다만 주고 돌아오다니! 어이구 이 답답아.

"아니, 나 걔 만난 지 한 달도 안 됐어. 무슨 오랜 시간이야."

- 밀도! 밀도! 24시간 같은 공간에서 지내고 사선을 넘나들었잖아요!

"너 지금 무슨 생각하는지 알겠는데 나 부하들하곤 그런 관계 안 가."

- 배가 불러 할복을 하시네. 그럼 상사 마누라하고 딸하곤 그런 관계 가고요? 이노우에 국장님 마누라하고 따님은 건드렸잖아요.

"야! 그건 사심 없이 단지…… 개인적인 원한으로 복수한 거고. 그리고 또 두 사람 다 끝까지 가진 않았어. 그냥 좀 뭐랄까, 가지고 논…… 건 아니고, 시늉? 씨발, 논 거 맞다 치고."

- 타하아아…….

아나스타샤의 한숨은 영락없이 한심한 동생의 꼬락서니에 허탈해하는 누나의 한숨이었다.

- 그러니까 제발, 그 갖고 노는 시늉이라도 하시라고요. 연습 땐 잘하시던 분이 꼭 실전 나가면 저러시더라.

그녀의 말마따나 빈우는 이런저런 정보조직에서 여러 가지 대인관계 대응법을 배웠던 터라 이성에게 접근하거나 관심을 얻는 법 또한 제법 잘 알고 있다. 다만 그게 매뉴얼에 의한 행동이라 자신의 진심이나 호감에 의해 움직일 때는 서투르다는 것이 문제였다.

- 원인은 가슴이죠?

"너 또 왜 그러니."

불쑥 튀어나온 아나스타샤의 지적에 빈우가 골머리를 싸쥔다.

- 어릴 때부터 주인님이 제 가슴에 얼마나 집착했는지 알아요. 막내 아가씨 수
  유가 끝나서 수유용 유방을 일상용으로 교체했을 때 주인님이 보여주셨던
  충격적인 시선, 아주 잘 기억하고 있다고요.

"그 큰 게 갑자기 작아지면 당연히 놀라지. 갖다 붙이지 마세요. 아나스타
샤 양."

- 그럼 언제 취향이 바뀌시기라도 한 거예요? 저번에도 오다 의원님의 가슴에
  큰 관심을 보이질 않으셨으니⋯⋯. 설마 진짜로 상체파에서 하체파로 전환
  하셨어요?

"상원의원 앞에서 눈깔 함부로 굴리다간 뒤진다."

- 그렇다면 아직 가슴 취향? 오케이, 접수. 지금 오다 의원님 훈련실에서 사격
  하고 계세요. 빨리 가보세요.

"아샤. 너 왜 이러니 지금."

- 주인님이 안드로이드 품을 떠나 제대로 된 인간 여성과 제대로 된 인간관계
  를 가지길 바라는 제 간절한 마음을 모르신다면, 저는 오늘 밤 프렌치 메이
  드 옷을 입고 주인님을 기다린다는 결론.

"악! 상상했어. 갈게, 가면 되잖아!"

빈우는 갑자기 돋은 소름에 팔을 문지르며 훈련실로 내달렸다. 넓다면 넓
고, 좁다면 좁은 구축함인 데다 블랙 랜스는 함의 특성상 필요 시설들이 다닥
다닥 붙어 있다. 거기다 빈우가 요즘 사령관실로 달려가는 속도보다 더 빨리
달린 덕분에, 얼마 지나지 않아 훈련실에 도착할 수 있었다.

*

훈련실에는 오다 의원 혼자 있었다. 사격 연습을 하다가 지금은 잠시 쉬는
지 자신이 가져온 골동품 화약식 리볼버를 점검하는 중이었다.

"안녕하십니까, 의원님. 여기 계셨군요."

"어머, 팀장님. 잠시 실례하고 있었어요. 마침 팀장님이 식사 중이셔서 피아프 중위에게 허락을 맡고 쓰는 중이었습니다."

"훈련실이라면 얼마든지 쓰셔도 됩니다. 그런데 이곳엔 어쩐 일이십니까?"

오다 의원이 훈련실에서 본 거라곤 373 팀원들의 피 튀기는 훈련뿐이라, 피와 금속 냄새가 그윽한 이곳을 썩 좋아하지 않는 편이었다. 실제로 그날 이후 한 번도 이쪽으론 걸음하지 않는데, 오늘은 어쩐 일인지 훈련실에 들른 것이다.

"실은 요즘 잠자리가 조금 불편해서요. 운동을 하면 조금 숙면을 취할 수 있으리라 생각했는데, 그게…….."

그녀가 힐긋 훈련실 안을 돌아보았다. 마치 뭔가를 찾듯이. 그리고 빈우는 그녀가 찾는 것이 무언지 바로 알아챘다.

"운동 기구 말씀이시군요. 하지만 저희는 강화 육체를 가지고 있어서 육체 단련은 그리 하지 않는 편입니다. 그런데 잠을 제대로 못 주무신다니, 함내 생활이 불편하십니까? 말씀하시면 즉시 조치를 취하겠습니다."

아무리 신체 강화를 해도 오다 의원은 민간인의 정신을 지니고 있다. 그래서 빈우는 그녀가 투박한 군함 생활을 힘들어해서 그런 것이라고 생각했다.

"어머, 아니에요. 다들 친절하게 대해주셔서 아주 편하게 지내고 있습니다. 실은 자고 일어났을 때 의정활동에 관련된 정보가 하나도 안 들어와 있기에 조금 불안해서 말이죠."

"아하, 그런 일이었습니까."

연방의 시민들은 대부분이 하원의원이다. 정치에 참여할 수 없는 군인이나 그 외 정치적 중립을 지켜야 하는 직업군 외에는 모두 하원의원이 되어 각 행성별 의회에 참여한다. 그리고 이 회의 내용은 포지트론 웹을 통해 연방 의회에 업로드된다. 거기서 정렬되고 합의를 거친 내용들은 다시 의원들에게 다운로드된다. 그리고 이 정보의 다운로드는 본인이 직접 할 수도 있지만 대개 수면 시에 두뇌칩으로 들어오는 방식을 쓴다.

하지만 블랙 랜스는 비밀작전을 하는 함선이기에 당연히 통신에 제약이 있다. 때문에 빈우가 미리 말했듯이 연방의 의원이라면 누구나 하는 수면 시의 의정활동 갱신 또한 불가능하다. 또한 아무리 상원의원이라 해도 블랙 랜스에서 외부와 통신을 하려면 함장이나 팀장의 허락을 받고 접속해야 한다.

"아쉽게도 그 부분은 규정상 들어드릴 수가 없군요. 다행히도 몇몇 분들의 사례를 보면 곧 익숙해진다고 합니다. 그동안은 불편하시더라도 부디 양해해주시길 바랍니다. 그 외에 혹시 필요하신 거라도 있으시면 제게 말씀하십시오."

"그거 말고는 어디 보자…… 맞다, 여긴 귀마개나 안전 고글 같은 건 없나요? 아무리 찾아봐도 없던걸요."

말씀하라고 한 게 무색하게 처음부터 난관이다. 터프한 강화 군인에게 귀마개나 고글이 필요할 리가. 그런 건 생성기 매뉴얼에도 없어서 수동으로 만들어야 한다.

"죄송합니다만 저흰 그런 것은 쓰지 않기 때문에……. 나중에 따로 만들어드리겠습니다."

"쓰지 않는다고요? 안전장치 없이 사격훈련을 하신단 말씀이에요?"

놀라는 오다 의원의 말에 빈우는 어깨를 한번 으쓱하더니 그녀 앞의 탁자에 놓인 탄환을 손에 들고 살펴봤다.

"화약 추진제를 쓰는 납탄두군요. 무게는 7.5g. 아음속 탄이니까…… 뭘 해도 운동에너지는 500J이 안 될 겁니다. 이런 건 우리 군인들은 맞아도 안 죽습니다. 자, 보십시오."

빈우는 자신의 말을 증명할 겸 총을 장전한 다음 자신의 관자놀이에 가져다 댔다.

"꺅! 하지 마세요! 총 내려요!"

오다 의원이 생각 이상으로 놀라서 호들갑을 떨자 오히려 빈우가 민망해졌다.

"저, 의원님. 저희는 이런 총을 맞아도 안 죽⋯⋯."

"총 내리시라고요!"

"넵."

빈우가 시무룩해서 총을 내리자 오다 의원이 잽싸게 낚아챘다.

"아무리 육체를 강화한 군인이라고 해도 제 총으로 사람을 겨누진 마세요. 기분이 이상해지니까."

"이런, 제가 실례했군요. 죄송합니다."

정중히 고개를 숙이는 빈우의 모습에 오다 의원이 피식 웃는다.

"그런데 군인들은 정말 사격 훈련할 때 아무런 방비도 없이 그냥 하나요?"

"천만의 말씀. 저희도 진짜 총을 다룰 땐 제대로 주의합니다. 일단은 장갑복을 입지요. 현재 연방에서 군용 장갑복보다 뛰어난 개인 방호 장비는 없습니다. 뭐 대전차, 대물 사격을 하게 되면 장갑복도 위험합니다만. 아무튼 적어도 진짜 총을 다룰 때면 규정을 따르고 안전 수칙을 철저하게 준수하는 게 중요합니다."

하지만 지금까지 오다 의원이 봐왔던 태스크포스 373의 팀원들은 그런 단어들과는 거리가 조금 있어 보였다.

"아아, 그런가요. 그렇다면 군에서 쓰는 총은 어떤 게 있죠? 그 진짜 총이란 거 말이에요."

오다 의원의 그 말에 빈우는 옆의 총기 보관함에서 HM-22A 코일건을 꺼냈다. 현재 연방군의 제식화기이며 무수한 외계종족을 장사지낸 명총이다.

"소개해드리죠. 저희 연방 군인의 애인 HM-22A 소총입니다. 한번 들어보시겠습니까?"

오다 의원이 빈우가 내민 손에서 코일건을 들어보려 했지만 들기는커녕 빈우의 손에서 떼어낼 수조차 없었다.

"왁, 무, 무겁네요. 이거 장갑복 입지 않고도 사용할 수 있나요?"

"네. 기본적으로 장갑보병이 사용하도록 만들어져 있습니다만 군인이라면 맨몸으로도 사용이 가능합니다. 보시죠."

빈우는 저 멀리 표적을 하나 뽑아낸 다음 시범 사격을 보였다. 초속 3km로 날아간 니켈강 탄자는 목표에 명중, 산산조각을 냈다.

"어떻습니…… 의원님?"

폼 나는 각도를 의식하며 돌아선 빈우는 귀를 감싸 쥐고 바들바들 떠는 오다 의원을 보고 놀라서 다가가 안부를 물었다.

"괜찮으십니까?"

"으아아 귀가, 귀가 먹먹해요. 말이 안 들려어."

오다 의원은 초음속 탄자의 발사음에 정신을 차리지 못하고 있었다. 이런 소리에 익숙해 있던 빈우는 곧 자신의 실수를 깨닫고 사태 해결을 위해 도움을 아끼지 않았다.

"의원님, 진정하세요. 지금 의원님의 육체는 군 시설에서 생활할 수 있도록 강화되어 있습니다. 감각기관 수용치를 조절해보십시오. 안 들리십니까? 제가 대신해드릴까요? 아, 두뇌칩 접속이 안 되네……."

힘겹게 빈우의 조언을 들은 오다 의원은 청각기관의 감도를 조율했다. 그러자 그녀의 귀에서 이명이 사라지고 통증도 잦아들었다.

112

· · · ✦ · · ·

"놀랐잖아요. 지금 이거 일부러 그러신 거죠?"

억울한 표정으로 울먹이는 오다 의원의 얼굴을 본 빈우는 그 자신도 몹시 억울해졌다. 아까 누굴 속인 게 한두 번이냐는 모니카의 말에 이어 그의 가슴을 후벼 파는 2연타다.

"설마 제가 그럴 리 있겠습니까."

"정말 저 겁주는 거 아니지요?"

소리에 놀라서 그런지 아니면 총을 든 빈우에게 겁을 먹어서 그런지 오다 의원의 눈가엔 눈물이 조금 맺혀 있었다. 그걸 본 빈우는 간담이 서늘해져 서둘러 해명을 했다.

"제가 의원님을 겁줘서 뭐 하겠습니까. 의원님이야말로 저를 겁주지 마십시오."

어찌어찌 오다 의원이 청각을 되찾은 것 같자 빈우가 총을 들고 은근슬쩍 그녀 곁으로 다가갔다.

"이번엔 제가 옆에서 도와드릴 테니 한번 쏴보시겠습니까? 익숙해지시면 놀랐던 것도 조금……."

빈우의 제안에 오다 의원은 말없이 고개를 맹렬히 젓는 것으로 대답을 대신했다.

"알겠습니다. 사격 연습은 다음에 하도록 하죠."

오다 히토미는 빈우의 부축을 받고 일어나 잠시 앉아 숨을 골랐다. 자신이 쏘는 총도 소리가 꽤 크다고 생각했는데, 실제 총의 사격음은 상상을 초월했다. 영화나 기타 미디어에서 보던 것과는 천지 차이였다. 조금 진정한 그녀가 눈을 돌리자 거기엔 강화 육체를 가진 용맹무쌍한 연방의 군인이 총을 들고 멋쩍게 서 있었다. 쩔쩔매는 그 모습이 마치 선생에게 꾸지람을 들은 학생 같아 오다 의원은 풋, 하고 웃어버렸다.

"저기, 김 팀장님?"

빈우는 자신을 빤히 쳐다보는 상원의원의 부담스러운 시선에 더 이상 실수를 하지 않겠다는 단호한 다짐을 하며 대답했다.

"말씀하십시오. 의원님."

그러나 오다 의원은 바로 말하지 않았다. 그저 빈우와 눈을 마주치고 있을 뿐이다. 마치 사람을 꿰뚫어 살펴보는 듯한, 아버지 이케가미 소이치로가 보였던 눈빛이다. 침묵은 잠깐이었다. 오다 의원은 바로 눈가에 부드럽게 미소를 띠며 말을 꺼냈다.

"지금의 김 팀장님은 확실히 예전과는 다르군요."

"예전과 다르다고요?"

빈우와 오다 의원은 이번 조사 건으로 처음 만났다. 만약 두 사람이 만나고 빈우가 기억하지 못한다면 그것은 트리니티 패턴이나 군사정보국에 의해 잠긴 기록 당시의 일일 것이다.

"네, 사실 오기 전에 동료 의원들에게서 들은 바가 있었어요."

아쉽게도 빈우의 예상은 틀렸다.

"동료분들께서 저에 대해 뭐라고 말씀하시던가요?"

군사정보국인 빈우는 상원과 몇 번의 직접적인 접촉이 있었다. 군의 여러 가지 비밀작전, 그리고 울토르 프로젝트다.

"음. 냉철한 학살 기계이자 잔혹한 군인, 그리고 음험한 아군이라고 하던걸요."

대놓고 나오는 독설에 빈우는 빙긋이 웃을 뿐이다. 어차피 연방의 군인이 상대할 적은 인간이 아니라 외계종족이기에 냉철이든 잔혹이든 다 칭찬이다. 또한 그것은 발 가르단 하스에서 그녀의 아버지가 죽이고자 했던 빈우이기도 하다.

"지금의 김 팀장님과는 다 어울리지 않는 단어들이네요."

'어울렸으면 댁 아버님께 죽었을 겁니다.'

빈우는 생각은 그렇게 해도 말은 정중하게 대답했다.

"그런가요? 작전 중엔 충분히 그런 단어에 맞춰 행동하실 싶습니다만."

"작전 때는 그렇겠죠. 하지만 일상생활에선 그러지 않더군요."

"평시에도 냉철하고 잔혹하고 음험하면 그게 사람입니까."

너스레를 떠는 빈우지만 그는 일상에서도 그러는 종자를 하나 안다. 바로 가족인 아나스타샤를 매몰차게 대하고 무시했던 과거의 자기 자신이다. 이유는 모른다. 단지 기록에는 그런 영상만 있을 뿐이고 그렇게 된 이유에 대해서는 잠겨 있으니까.

"팀장님은 당시의 기록이 잠겨서 모르시겠지만, 제가 태스크포스 373의 조사를 맡으려고 했을 때 제법 많은 분들이 팀장님의 무용담을 들려주더라고요."

"네네, 저 알 것 같습니다. 24시간 냉철, 잔혹, 음험하단 얘기겠죠."

빈우의 대답에 오다 의원이 킥킥거리며 고개를 끄덕인다.

"맞아요. 그래서 잔뜩 긴장하고 왔는데, 생각보단 부드럽고 친절하신 분이라 다행이에요."

"그때도 대충 말씀드렸지만 성격 형성의 원인이 되는 부분의 기록이 잠기거나, 제대로 된 잠수가 아닌 경우 이런 부작용이 드물게 일어나곤 합니다."

그 말에 오다 의원이 미소를 지우며 찬찬히 빈우를 살펴봤다. 그 사실에 대해선 빈우가 미리 얘기해준 적이 있다. 기억을 못 하는 군사정보국 요원들, 자신의 인격을 감추는 잠수, 자신을 복제하고 인격을 심은 클론들.

'그는 도대체 무엇 때문에 이렇게까지 하는 것일까? 자신을 이렇게까지 혹사해가며 이루려는 목적이 무엇일까?'

마음속의 의문과 달리 히토미의 질문은 다른 것이었다.

"그렇다면 그 원인이 되는 부분의 기록이 풀리거나 부작용이 낫는다면, 팀 장님은 다시 예전 성격이 되신단 말씀인가요?"

"아마도 그렇겠죠."

"아쉽네요. 저는 지금의 팀장님이 마음에 드는데."

"저런, 조사 도중에 성격이 돌아오지 않게 되길 빌어야겠군요."

빈우의 농담에 빙긋 웃은 오다 의원이 이번엔 살벌한 이야기를 꺼냈다.

"이번 보안국의 사건에 대해 일단은 보고를 했습니다."

그 말에 천하의 빈우도 마른 침을 삼켰다. 오다 의원이 보고를 한 곳은 연방 의회의 상원, 그중에서도 그녀가 속한 파벌이다. 보안국이 저지른 사건은 상원의원이 조사차 나온 팀을 무단으로 가로채고 체포하려 한 일이다. 그 와중에 상원의원이 탄 배를 무력으로 나포한 것은 덤이다. 이게 제대로 알려지면 세상 무서울 게 없던 보안국이 공중분해되는 기막힌 광경이 연출될 것이다. 다행히 오다 의원과 미리 얘기를 해놨기에 그런 일은 없을 테지만, 만약 저쪽 파벌 윗선에서 거부한다면 답이 없다.

"뭐라고 하시던가요?"

"팀장님의 의견에 찬성하더군요. 아직 보안국을 치는 것은 시기상조이고 조금 더 반응을 지켜보자는 얘기로 결론지었습니다."

상대의 혐의가 드러나도 바로 행동에 나서지 않는 것은 정보전 세계에선 흔한 일이다. 행동에 나서는 것은 결정적일 때, 또는 이해득실과 사건의 여파로 일어날 도미노 사건들을 철저히 계산하고 난 뒤다. 경거망동했다가는 손에 깃털만 남을 뿐, 몸통은 저 멀리 날아가버리고 만다.

"그리고 군사정보국에 대해선 필요 이상으로 접촉하지 말라고 했습니다."

원래 빈우와 오다 의원은 보안국을 구해달라는 군사정보국의 부탁을 들어주며 이번 기회에 빚을 채워두려고 했다. 그리고 그걸 빌미로 군사정보국을 이리저리 이용해보려는 게 빈우의 계획이었는데, 오다 의원 쪽 파벌은 그게 마음에 들지 않는 모양이다.

"이유를 알 수 있을까요?"

"군사정보국과 거래해서 보안국을 구해주는 것까진 좋지만, 그 이상 교섭을 하는 것은 본격적인 감사단이 오고 나서 하라는군요."

그녀의 말에 일리는 있다. 현재 특수전 사령부에 정보전을 할 만한 인재는 없고, 그렇다고 빈우와 오다 히토미 둘이서 군사정보국을 상대하기엔 역부족이다. 하지만 빈우는 다른 이유를 짐작할 수 있었다.

'나를 의심하고 있을지도 모르지. 뭐, 당연한가.'

현재 오다 의원이 속한 파벌은, 연방 내부에 스며든 비밀세력에 대한 정보를 찾기 위해 놈들이 적대하는 태스크포스 373에 접근한 상황이다. 이러한 상황에서 군사정보국에서 파견되어 특수전 사령부에 와 있는 빈우에게 칼자루의 많은 부분을 넘길 수는 없을 것이다.

"아, 팀장님을 의심하고 있는 건 아니에요. 팀장님이 제게 알려주신 내용들이 정식 보고서와 비교해서 문제가 없다는 것을 확인했고, 또 보고서에 제대로 적혀 있지 않은 내용들을 자세히 알려주셔서 크게 도움이 되었다는군요. 그 결과 우리는 팀장님을 믿고 함께하기로 결정했습니다. 단지 현재 조사 대상인 팀장님에게 필요 이상의 권한을 주면, 저쪽에서 우리가 손잡은 것을 눈치챌까봐 그런 거예요."

하긴 조사 대상이 마구 나대면 이상할 테니 나름 일리 있는 말이다. 어찌되었든 주도권은 상원의 오다 의원 파벌에 있기 때문에 지금은 따를 수밖에 없다.

"배려 감사합니다. 오다 의원님."

빈우가 가볍게 고개를 숙였다 들자 오다 의원이 묘한 표정으로 그를 보고 있다.

"저어기, 팀장님?"

약간 조심스러운 목소리. 이럴 경우는 상원의원으로서가 아니라 개인으로서의 오다 히토미다.

"네, 의원님."

"이제 좀…… 우리 서로 친하게 지내도 되지 않을까요?"

"친하게요? 혹시 저와 의원님이요?"

의아해하며 질문하는 빈우에게 오다 의원이 조심스레 고개를 끄덕인다. 약간의 홍조는 덤이다.

"허어, 조사 대상과 친하게 지내시려는 겁니까? 빨간 망토를 키우는 늑대 같군요."

"흥, 그러면 스톡홀름 증후군이라고 알아두세요."

오다 의원은 자신의 농담에 빈우가 웃자 그녀도 같이 웃었다.

"앞으로 편하게 히토미라고 불러주세요. 아, 물론 사석에서만요."

빈우는 상원의원의 이름을 툭툭 부르는 자신의 모습이 잘 상상이 가질 않는다. 차라리 고양이가 호랑이보고 '야 이 돼지야' 하는 게 더 자연스러울 것이다. 머뭇거리는 빈우에게 오다 의원이 장난스레 덧붙인다.

"아니면 히토미 누나도 괜찮아요."

"……히토미."

"네? 뭐라고 하셨죠?"

"아, 시험 삼아 작게 '히토미'라고 불러봤습니다."

"아하하."

"뭐랄까, 당장은 힘들지만 앞으로 천천히 시도해보겠습니다. 히토미……의원님?"

"뭐예요, 그게."

한 단락 마무리짓고 긴장이 조금 풀리자 예전부터 하고 싶었던 일 중 하나가 그녀의 뇌리에 갑자기 떠올랐다.

"저기, 김 팀장님. 부탁이 하나 있는데요."

"말씀하십시오. 의원님."

잔뜩 긴장한 빈우에게 히토미가 한 말은 영 엉뚱한 것이었다.

"저 혹시 장갑복을 입어볼 수 있을까요?"

"장갑복을요? 의원님께서요?"

의아해하는 빈우에게 히토미의 부탁하는 눈빛이 따라붙는다.

"역시 안 되나요?"

"아뇨, 안 될 건 없습니다만."

그렇게 대답한 빈우는 오다 히토미 상원의원의 육체 정보를 다시 한 번 확인했다. 그녀는 태스크포스 373을 조사하기 위해 육체를 강화하고 왔다. 조사 대상이 특수부대다 보니 갈 곳 못 갈 곳 가리지 않고 쳐들어가서 족치기 위해서이리라. 족쳐지고 있는 건 그녀였지만.

'이 정도면 문제없겠는데? 사고 나도 죽지는 않겠어.'

히토미의 육체 강화 단계는 위험 환경에서 작업하는 엔지니어 정도고 군용 설비와 호환되는 규격이다. 즉, 장갑복의 능력을 100% 끌어내긴 무리여도 입고 움직이는 데는 지장이 없다. 가장 중요한 생존력 부분이 보증되자 빈우는 히토미에게 빙긋 웃어 보였다.

"이쪽으로 오시죠."

빈우가 히토미를 데려간 곳은 바로 옆의 장갑복 거치대였다. 이곳엔 태스크포스 373 팀원들의 개인 장갑복과 여분의 어벤저들이 있다.

"일단 그럼 어벤저를 입어볼까요? 참고로 우리 팀이 쓰고 있는 것은 전부 지휘관용입니다. 무인기만 사병용이지요."

호기심과 기대감이 섞인 시선으로 장갑복을 둘러보던 오다 의원이 돌아보며 질문한다.

"지휘관용은 뭔가 다른 점이 있나요?"

"일단 통신 시스템을 상위의 것으로 씁니다. 또 지휘관의 전사는 전투에 차질이 크기 때문에 장갑, 동력, 뭐 모든 부분에서 강화되어 있습니다. 그래서 뱅가드 연대는 전원 지휘관용 어벤저를 쓰지요."

"그럼 지휘관용 어벤저가 그만큼 성능이 뛰어나다는 얘긴데, 왜 모든 어벤저를 그렇게 만들지 않지요?"

순진한 그녀의 질문에 빈우는 친절하게 대답했다.

"그거야 상원에서 예산안을 빠꾸, 아니 나가리, 어흠. 실례."

빈우는 친절하게 개떡 같은 소리를 뱉었지만 다행히 히토미는 찰떡같이 알아들었다.

"아, 기억나요. 장갑보병 강화 계획 말씀이죠? 차기 장갑복 개발에 밀려 예산안 통과가 안 되었죠."

히토미는 말실수 때문에 민망해하는 빈우의 모습을 재밌어라 쳐다보다가 다시 장갑복 쪽으로 시선을 돌렸다.

"겉보기엔 똑같은데요?"

히토미의 말대로 빈우와 위르겐의 어벤저와 무인기 어벤저는 같은 모습, 같은 자세로 서 있었다.

헛기침을 하며 자세를 바로 한 빈우가 다시 설명했다.

"똑같아야죠. 다르면 큰일 납니다. 저게 지휘관이다, 하면 당연히 집중공격을 받으니까요. 뭐 우리야 알아보는 방법이 있지만 말입니다."

"어떤 건데요?"

"일단 걸을 때 무게 이동이 다릅니다."

빈우의 말에 히토미가 장갑복 쪽으로 다시 고개를 돌렸지만 장갑복은 미동도 없이 정지해 있다.

"지금은 서 있잖아요?"

빈우는 다시 헛기침을 했다.

"그렇죠. 이럴 땐 반사음으로 구분합니다. 두 기종은 장갑의 재질이 다른 부위가 있어 반사음이 다릅니다."

빈우는 혀를 입천장에 붙였다 떼며 딱딱거리는 소리를 냈다. 그리곤 싱긋 웃으며 히토미를 돌아보았다.

"어떻습니까? 돌아오는 소리에 확실히 차이가 나지요?"

"……죄송하지만 전 아무런 차이를 못 느끼겠어요."

"……그렇습니까. 하긴 이건 연습이 좀 필요하겠죠."

'미안 아나스타샤. 나 의원님이랑은 좀 안 맞는 것 같아.'

쓸데없는 지식을 자랑하다 헛다리를 짚은 빈우는 마음속으로 절규했다.

물론 손은 장갑복을 기동시키기 위해 메뉴를 켜고 있었다.

"그럼 이제 한번 입어보실까요?"

빈우가 명령을 내리자 대기 중이던 어벤저 하나가 부팅되어 무인 상태로 걸어오기 시작한다. 그걸 본 오다 의원이 놀라서 펄쩍 뛴다.

"왓! 누구예요! 누가 저기 숨어 있는 거죠?"

자라 보고 놀란 가슴 솥뚜껑 보고 놀란다고, 히토미는 이것도 빈우의 숨겨진 계획인가 싶어서 기겁한 것이다. 의심에 찬 눈초리로 주변을 두리번거리는 상원의원의 모습에 빈우는 염통이 쫄깃해지는 것을 느꼈다. 이런 일도 한두 번이지, 자꾸 그녀를 놀라게 하거나 겁을 먹게 만들면 그게 고의든 아니든 좋은 꼴 못 본다. 일차로는 레드우드가 대로해서 빈우의 모가지를 자르려 할 것이고, 이차로는 그녀의 동료 상원의원들이 잘린 빈우의 머리통으로 피구를 할 거다.

"그냥 무인 기동입니다. 진정하시죠."

빈우는 이번에도 마음에 상처를 입으며 상원의원을 안심시켰고 제풀에 호들갑을 떤 히토미는 멋쩍게 머리를 긁적였다. 그런 그녀의 모습에 빈우는 아주 조심스럽게 절차를 진행시켜야겠다고 마음먹었다.

"일단 착용자 등록부터 하겠습니다. 의원님, 두뇌칩의 회선을 열어주십시오."

"열었습니다."

히토미가 두뇌칩을 열자 빈우는 그녀의 정보를 어벤저에 입력시켰다. 그런데 그 과정에서 역시나 약간의 문제가 생겼다.

"예상대로 명령체계에 약간 문제가 있군요."

"어머, 군용 장비라 저 같은 민간인은 못 입는 건가요?"

궁금해진 히토미가 빈우의 어깨너머로 화면을 살펴본다.

"그 문제가 아닙니다. 원래 군인들은 상위 지휘체계의 명령에 따르게 되어 있습니다. 그런데 의원님께선 상원의원이신데다 조사관의 신분이시다 보니,

지금 제 명령권 밑으로 안 들어가는 것뿐입니다. 그 항목만 지우면 입으시는 데는 아무런 문제가 없을 겁니다."

빈우는 항목 중 몇 가지를 삭제하고 다시 착용자 등록을 했다. 그리고 히토미의 두뇌칩에서 운동 신경계를 뽑아내 장갑복의 구동계와 연결시켰다. 히토미는 자신의 두뇌칩에 누가 접속한다는 경고를 보면서 빈우에게 질문했다.

"그런데 아까 말씀하셨던 명령에는 어떤 게 있나요?"

"예를 들어 장갑복은 무인 기동을 하거나 착용자의 신체 부위가 심각하게 손상되었을 경우 해당 부위를 폐쇄하는 기능 등이 있습니다. 그런데 착용자가 의식을 잃었거나 명령을 내릴 수 없는 경우에는 이를 지휘관이 대신 실행할 수 있습니다."

"무인 기동과 폐쇄요."

히토미도 들은 적이 있다. 또 영화에서도 본 적이 있다. 우주 공간에서 심각한 부상을 입은 장갑복이 기밀을 유지하기 위해 팔다리를 자르는 모습을. 영화의 클라이맥스에서 주인공이 악당의 장갑복에 접속해 놈의 목을 뎅겅하는 모습들을.

"무슨 생각을 하시는지 얼굴에 다 나옵니다. 에헤이, 겁먹지 마시라니깐요. 그거 작업복에도 있는 거예요. 또 말씀드렸잖습니까. 의원님은 이 명령체계에 들어가지 않는다고요."

빈우가 이렇게 안심을 시켜줘도 히토미는 불안했다. 그래서 차라리 입지 말까 하고 고민을 할 때쯤 빈우의 작업이 완료되었다.

"이제 의원님과 장갑복의 운동 신경계를 연동시켰습니다. 자, 오른팔을 천천히 들어보십시오."

"어머, 입지 않아도 되나요?"

"예. 입기 전에 해보는 테스트라서 굳이 착용할 필요는 없습니다. 일단 해보십시오."

빈우의 말에 따라 히토미가 오른팔을 들자 어벤저의 오른팔도 같이 올라갔다.

"와아아."

장갑복의 움직임에 감탄한 히토미가 이리저리 움직이자 장갑복도 그녀의 움직임에 따라 움직인다. 신나서 몸을 움직여보는 그녀의 모습에선 아까의 불안감은 찾아볼 수 없었다.

"하하, 잘하시는군요. 그럼 다음 단계로 가보죠. 자, 바로 서보십시오."

상원의원과 장갑복 둘 다 몸을 곧게 세우자 빈우가 그녀의 앞에 다가섰다.

"잠시 실례."

그리고는 공구 박스에서 토치를 꺼내 히토미의 코앞에서 점화시켰다.

"꺄아!"

갑자기 눈앞에서 불길이 일자 히토미는 놀라서 자빠졌고 장갑복도 같이 널뛴다.

"자, 됐습니다. 신경 반응 상한선 체크 오케이. 어라? 의원님?"

장갑복의 신경계와 구동계 항목의 점검을 마무리한 빈우는 바닥에 쓰러진 히토미를 보고 당황해했다.

"거짓말쟁이, 겁주지 않는다 해놓고선. 으으으."

주저앉아 칭얼대는 히토미의 모습에선 보안국장을 탈탈 털던 냉철한 상원의원의 그림자는 코빼기도 안 보인다.

"죄송합니다. 필요한 절차라 부득이하게 했습니다. 이해해주십시오."

그러면서 빈우는 히토미를 부축해서 일으켰다. 벌써 몇 번째 부축인지 모르겠다. 히토미가 담이 작은 것인지, 아니면 빈우가 좀 세게 나가는 것인지, 아니면 둘 다인지.

"다음부턴 이런 거 할 때 꼭 미리 말씀해주세요."

"그럼 의미가 없죠. 이번엔 의원님을 놀라게 할 필요가 있었거든요."

그 말에 히토미가 샐쭉해져서 빈우의 팔을 장난스레 뿌리친다.

"에잇! 무슨 필요인데요?"

"직접 보시죠."

빈우가 메뉴를 조작하자 장갑복이 방금 히토미가 했던 것처럼 놀라서 자빠진다. 자신의 우스꽝스러운 모습을 제3자의 시선으로 보게 된 히토미는 뾰로통한 표정으로 빈우를 쳐다봤지만, 의외로 그는 진지했다.

"장갑복을 움직이는 데는 여러 가지의 방법이 있습니다. 가장 보편적인 것이 착용자의 움직임을 내부 센서로 감지해서 움직이는 것이지요. 하지만 이 방법은 중간에 센서의 물리적인 반응시간이 있어 속도에 약간 지연이 생깁니다."

언제 펄쩍 뛰었냐는 양 멈춰 있는 장갑복을 향해 빈우가 손짓하며 말을 이었다.

"다음은 방금 의원님이 하셨던 것처럼 두뇌칩에서 신경 신호를 직접 빼내 장갑복에 동기화시키는 것인데, 이것은 착용자의 이성과 본능적 반응 사이에 충돌이 있을 수 있습니다. 방금 보셨다시피 매복을 하고 있어야 하는 상황에서 착용자가 놀라게 되면 장갑복은 날뛰게 되지요."

빈우의 설명에 히토미는 고개를 끄덕였다. 장갑복은 착용자의 움직임에 따라 움직여야 하긴 하지만, 불필요한 행동까지 따라 할 필요는 없는 것이다.

"그래서 요즘은 이 두 가지 방법을 조합하면서 한 번 더 보강했습니다. 신경 신호를 필터에 거치는 거죠. 먼저 가장 기본적인 방법은 이렇게 반응을 끄는 겁니다."

그리고 빈우는 방금 히토미가 놀랐을 때의 신경 신호 반응을 다시 재생했다. 그러나 눈앞의 어벤저는 가만히 서 있을 뿐이다.

"어머. 그러니까 본인이 놀라도 장갑복은 불필요하게 움직이지 않는군요."

"맞습니다. 거기서 발전하면 이런 응용도 있지요."

빈우는 다시 메뉴를 조작했다. 같은 신경 신호지만 이번에는 어벤저의 제트팩이 갑자기 켜진다. 실제로 분사는 안 했지만 노즐이 작동한 것이다.

"이번엔 이 놀라는 신호를 적의 기습으로 해석해 자동으로 회피 기동을 하는 겁니다."

"이번 기능은 좋은데요? 착용자의 반응에 장갑복이 스스로 움직여주네요."

"네, 실제로 많은 신병들이 이런 자동반응 덕에 목숨을 건질 수 있었죠. 이외에도 이런 것도 있습니다."

빈우의 조작에 따라 어벤저는 방패를 들어 올리거나 엄폐 행동을 취하는 등 다양한 행동을 선보였다.

"어차피 베테랑이 되면 안 쓰긴 합니다만, 중요한 기능이란 점은 부정할 수 없습니다."

거기까지 설명한 빈우는 어벤저를 앉히고 후방부를 열어 오다 의원이 들어갈 수 있도록 했다. 히토미는 장갑복 안을 한 번 살펴보더니 빈우에게 질문했다.

"여기 이것들은 뭐죠?"

그녀가 가리키는 곳에는 뭔가 동그란 판들이 있었다. 그런 것들은 장갑복 안쪽 군데군데에 있었다.

"장갑복과 착용자를 연결하는 접속 단자입니다. 여기와 연결하죠."

빈우는 자신의 팔을 걷어 접속구를 보여주었다.

"착용자의 신경계와 구동계를 장갑복에 연동시켜, 보다 더 안정적인 움직임을 가능하게 합니다. 이렇게요."

그리고 접속 단자에서 뾰족한 침들이 나오게 해서 접속 방식을 보여주었다. 즉 저 살벌한 침들이 몸 안으로 박힌다는 이야기다.

"으와아. 아프겠네요. 그래도 하나 정도면 참을 수 있을지도……."

"아뇨, 딱 맞는 구멍에 맞춰 들어가니까 아프진 않습니다. 그리고 하나가 아닙니다. 보시죠."

그러면서 빈우는 장갑복 내부의 여러 곳의 접속용 침을 동시에 뽑아내 보였다. 팔, 다리, 가슴, 목 등등 여러 군데에서 뾰족한 침들이 솟아 나왔다.

"원래는 착용자의 신체에 맞춰 단자 위치들 조절합니다만, 의원님은 단자 시술을 받지 않으셨으니 이건 생략하죠."

하지만 안쪽으로 삐죽삐죽 솟아난 침들을 본 불쌍한 상원의원은 다시 겁에 질렸다.

"이거 안 찌르는 거죠?"

"네? 의원님은 군용 강화를 안 하셨잖습니까? 아쉽지만 사용 못 하십니다."

이번에도 핀트가 안 맞는 빈우의 말에 히토미는 지금까지의 경험을 살려 적극적으로 대처했다.

"그게 아니라 저거 혹시 튀어나오면 어떻게 하냐구요. 저 찔리잖아욧!"

상원의원의 고함에 특수전 사령부의 소령이 찔끔한다.

"아니, 켜지도 않았는데 단자가 왜 작동합니까. 구멍도 없는데 엄하게 단자가 튀어나올 리는 없잖습니까. 그리고 저거 약해요. 박히긴커녕 잘못하면 휩니다."

그래도 히토미는 미심쩍은 시선을 거두지 못한다.

"진짜 작동 안 하죠? 그리고 안 찔리는 거 맞죠? 분명 휜다고 하셨어요."

"속고만 사셨나. 왜 그리 의심이 많으십니까."

빈우가 툴툴대자 히토미가 드물게 발끈하더니 확 쏘아붙였다.

"의심? 저한테 군용 마카롱 먹이시고, 함내 주의 사항에 대해 띄엄띄엄 알려주셔서 공포 분위기 조성하시고, 또 보안국을 만났을 때는⋯⋯."

반은 살기 위해, 반은 장난으로 쏘아붙이는 히토미의 기세에 빈우가 밀려 쩔쩔맨다.

"거 육체 강화도 하신 분이 엄살은."

사태를 수습하고자 어색한 웃음을 지으며 뒤로 빠진 빈우는 메뉴를 다시 점검했다. 그리고 히토미의 강화 항목을 보다가 문득 생각이 났는지 입을 열었다.

"아 맞다. 우리 피부에 방탄 처리를 해서 단자 침이 안 박힐 건데, 의원님은……."

"제가 뭘요? 무슨 처리요?"

숨을 고르느라 빈우의 마지막 말을 잘 듣지 못한 히토미가 질문한다.

"아닙니다. 이제 이걸 입으시면 됩니다."

하지만 빈우는 괜히 긁어 부스럼을 만들지 않기 위해 넘어가기로 했다.

"말씀하신 게 뭐죠? 뭐예요, 그게 뭐냐구요."

따라붙는 히토미에게 빈우는 뭔가 시커먼 재질의 천을 꺼내 들었다.

"내복입니다. 장갑복을 입을 때 안에 입는 옷이죠. 저희야 입을 필요가 없지만, 의원님께선 이걸 입으시는 게 좋을 겁니다."

히토미가 받아든 장갑복용 내복은 무광의 검은색 쫄쫄이였다. 옷 여기저기엔 금속 링이 있었는데 그 위치가 가지는 의미는 히토미도 알 것 같았다.

"여기 있는 금속 링들이 말씀하신 접속 단자용 구멍인가요?"

"맞습니다. 거길 통해 장갑복의 단자가 신체에 접속되죠. 하지만 지금은 잠겨 있고 내복엔 가벼운 방호기동이 있으니, 단자 침에 찔릴 걱정은 안 하셔도 됩니다."

그제야 안심한 히토미는 옷을 갈아입으려 했다.

"팀장님, 근데 탈의실은 어디죠?"

"탈의실요?"

"네, 내복으로 갈아입어야죠."

"……아차."

빈우의 나지막한 탄성에 히토미는 다시 눈이 동그래졌다. 이럴 때는 꼭 트러블이 생긴다는 것을 경험으로 알게 된 것이다.

"저흰 원래 여기서 훌렁훌렁 갈아입습니다만…… 의원님은 그러시면 안 되죠. 저쪽 컨테이너 뒤쪽에서 갈아입으시면 됩니다."

그 말에 히토미는 내복을 들고 뽀르르 달려갔다. 그리고 컨테이너 뒤로 가려다가 잠시 멈춰 서더니 빈우 쪽을 돌아보았다.

"이쪽 보시면 안 돼요."

그리고는 다시 컨테이너 뒤로 들어갔다. 잠시 부스럭거리는 소리가 들리더니 몸에 착 달라붙는 장갑복용 내복을 입은 히토미가 모습을 드러냈다. 그런데 모습이 좀 이상하다. 특히나 가슴이.

"가슴이…… 좀 답답하네요."

히토미의 거대한 가슴이 탄력 있는 장갑복에 압박되어 가슴을 짓누르고 있는 것이다. 그녀는 가슴이 불편한지 심호흡을 하고 어깨를 굽혔다 펴는 등 옷에 익숙해지려 했다. 그러나 그것은 그녀의 잘못이 아니다. 빈우의 잘못이다.

분명 빈우는 히토미의 가슴둘레를 알고 있기에 그에 맞는 사이즈의 내복을 그녀에게 주었다. 하지만 가슴둘레와 컵 사이즈가 다르다는 것을 잊고 있었던 것이다.

빈우는 이럴 때의 해결방법을 잘 알고 있다.

"원래 그렇습니다. 조금 지나면 익숙해집니다."

웃는 낯으로 히토미를 안심시킨 빈우는 장갑복으로 그녀를 안내했다.

"자아 힘 빼시고, 들어갑니다. 들어가요."

빈우는 히토미의 어깨를 잡고 어벤저 속으로 슬슬 집어넣었다.

"아야야, 아파요. 차라리 제가 할게요. 억지로 밀어넣지 마세요."

114

. . . ✦ . . .

시작하기 전부터 이런저런 트러블이 많았던 히토미의 장갑복 착용은 다행히 성공적으로 끝났다. 빈우는 그녀에게 기본적인 작동법과 간단한 전투 기동을 가르쳐주었고, 히토미는 힘들어하면서도 열심히 배우려고 했다. 물론 빈우가 그녀를 살살 꼬드긴 것도 있지만.

"의원님, 혹시 저번 작전 때의 '청소' 얘기 기억하십니까?"

"유사시에 아나스타샤가 저하고 자폭한다는 거 말이죠?"

"장갑복을 다룰 줄만 알아도 그런 일이 일어날 가능성은 상당히 줄어들 겁니다."

히토미는 정말 열성적으로 배웠다. 조금만 동기를 마련해주면 죽을힘을 다해 따라오는 모습이 무척 보기 좋았다. 그래서 빈우는 그녀가 따라올 수 있을 만큼 계속 동기를 제시해주었고, 그녀는 포기하지 않고 꿋꿋이 따라왔다. 게다가 그 운동량 덕분에 히토미는 오늘 밤 푹 잘 수 있을 것이다.

*

히토미가 지쳐 곯아떨어지기 일보 직전이 되고 나서야 훈련은 끝이 났다. 빈우는 기진맥진한 그녀를 방에 데려다주고 난 뒤 자신의 방으로 돌아갔다. 그가 문을 열고 안으로 들어가자마자 본 것은, 언제나 헌신적인 안드로이드 메이드 아나스타샤가 침대에 대자로 누워 나태하게 주인을 맞이하고 있는 모습이다. 그러나 그보다 더 빈우의 시선을 끄는 것은 침대 옆의 탁자다. 거기엔 빈우가 질색팔색하는 프렌치 메이드 복이 잘 개어져 있었다. 아까 했던 말이 빈말이 아닌 듯, 아마 수틀리면 정말 그거 입고 덤빌 속셈이었던 듯싶다. 아나스타샤는 누운 채로 고개를 돌려 자신의 주인을 쳐다보았다.

"다녀오셨어요."

"아직 안 자고 있었어?"

"불안해서 잘 수가 있어야지요."

일어서서 주인을 바라보는 아나스타샤의 눈은 말썽꾸러기 막냇동생을 추궁하는 누나의 눈이었다. 이어서 심문이 시작되었다.

"오다 의원님과는 잘 해보셨나요?"

빈우는 그 시선을 받으며 의자에 앉았다. 한두 해 같이 산 것도 아니라 둘은 서로를 제법 잘 파악하고 있다. 아나스타샤의 웃음은 자기 주인의 연애 사업을 기대하는 것도 있지만, 그보다는 이번에도 높은 확률로 실패했을 것이란 예상에서 온 것이다. 척 봐도 주인을 놀려먹을 생각으로 가득 차 있다. 하지만 빈우는 여기서 반격의 승부수를 던졌다.

"뭐 그럭저럭. 의원님은 사석에서 히토미라고 부르라던데?"

"어머!"

아나스타샤가 눈을 반짝이며 벌떡 일어나 무릎걸음으로 다가앉는다. 입가의 비웃음이 금세 기대와 활기에 찬 웃음으로 바뀐다.

"자세히 얘기해주세요."

"뭐 자세하고 자시고, 이랬는데?"

그러면서 빈우는 아까 히토미와 나눴던 대화 중 일부를 재생했다. 음성만.

- 자아 힘 빼시고, 들어갑니다. 들어가요.

- 아야야, 아파요. 차라리 제가 할게요. 억지로 밀어넣지 마세요.

두 사람의 목소리에 아나스타샤가 놀라서 일어서다가, 무릎으로 치마를 밟고 침대 밑으로 떨어졌다. 빈우가 우당탕 하고 넘어지는 그녀를 잡아주지 않은 것은 이 상황을 기다렸기 때문이다.

"너 그러는 거 보면 진짜 인간 같다니까."

"아야얏, 방금 그거 진짜예요?"

안드로이드 메이드는 바닥에 부딪힌 팔꿈치를 문지르며 눈물을 글썽인다. 로봇이라면 하지 않는, 그리고 일반 염가형 안드로이드라면 할 수 없는 인간의 의태다.

"글쎄. 어떨 거 같아?"

빈우는 의자에 푹 기대앉으며 의미심장한 미소를 지었다. 아나스타샤는 즉시 애교를 부리며 주인의 팔에 매달렸다.

"아이참, 제가 잘못했어요. 주인님. 가르쳐주세요."

그러면서 커피를 준비한다, 다과를 준비한다 부산을 떨고 아부를 했다.

"싫어. 네가 맞춰봐."

하지만 빈우는 쿠키를 먹으며 튕겼다. 아나스타샤는 주인의 얄미운 모습을 보며 골똘히 생각했다. 가끔씩 빈우를 샐쭉하게 흘겨보는 눈빛이 '뭔가 수상해'라고 말하고 있었다. 그러다가 결정을 한 듯 아나스타샤가 주인에게로 스윽 다가가더니 은근한 목소리로 질문한다.

"이거 원래 다른 내용인데 중간만 뚝 잘라 저를 속이시는 거예요, 맞죠?"

"우리 아샤 똑똑하기도 하지. 정답."

빈우가 대답을 하자마자 아나스타샤의 손바닥이 그의 가슴을 때렸다. 얻어맞은 주인은 낄낄대며 웃었다.

"바보같이, 좋다고 속는다."

"아아아! 진짜 얄미워어!"

빈우의 말에 잠시나마 홀딱 속은 아나스타샤가 분해서 발을 동동 구른다.

"자 됐지? 이게 저 흉한 거 치워라."

여기서 흉한 것이란 물론 탁자 위의 프렌치 메이드 복이다. 주인을 놀리려

다가 오히려 잔뜩 놀림만 받은 아나스타샤는, 승자의 기분을 만끽하려는 주인을 이글거리는 눈빛으로 노려보았다. 그러더니 입술을 비죽 내밀고 반격을 시작했다.

"그래도 우리 도련님 취향은 차암 이상하시단 말씀이에요?"

"예끼, 고얀 것. 감히 주인의 취향에 왈가왈부 말렷다."

아나스타샤가 뭐라고 하든 빈우는 의기양양하게 커피를 들이켰다. 다음에 그녀가 무슨 말을 할지 알지 못한 채.

"그래요, 취향요. 분명히 주인님은 상체파인데, 희한하게도 속옷 취향은 검정 팬티에 스타킹이시란 말이지요."

커피를 마시다가 사레들린 빈우가 캑캑거린다.

"너 그거 몇 년째 우려먹을 거냐. 내가 어릴 적에 그 팬티 한 번 샀다가 이게 무슨 변이니. 인제 그만하자, 응?"

그러나 주인의 명령에 성실하게 복종하는 안드로이드 메이드 아나스타샤는 전혀 들을 기색이 없었다.

"어릴 적? 하, 요즘도 틈만 나면 호시탐탐 기회를 노리시면서. 그런데 레이스는 좋아하시면서 또 이런 옷은 싫어하시다니 제가 당최 종잡을 수가 없어요."

아나스타샤가 들어 보인 '이런 옷'은 방금까지 탁자 위에 있던 프렌치 메이드 복이다. 현재 그녀가 입고 있는 빅토리안 스타일의 제복과는 전혀 다른, 가슴과 엉덩이만 아슬아슬 간신히 가리는 위험한 복장이다. 아나스타샤는 옷을 보자마자 대번에 얼굴을 찡그린 주인과 자기 손에 들린 메이드 복을 번갈아 보더니 문제의 프렌치 메이드 복을 자신의 몸에 한 번 대어본다.

"야! 하지 마!"

터져 나온 빈우의 비명에 아나스타샤가 화들짝 놀란다.

"깜짝야, 왜 소릴 질러요. 잘못하면 치겠네."

빈우는 놀라서 툴툴대는 아나스타샤에게 다가가 손에 든 옷을 뺏었다.

"이딴 거 버려. 이건 사도야. 네가 알아듣기 쉽게 말하면 사마외도의 물건이란 말이다."

그리곤 옷을 둘둘 말아 쓰레기통에 집어넣고 분해시켰다. 하지만 빈우의 뒤로 아나스타샤의 웃음기 섞인 목소리가 불길하게 울려 퍼졌다.

"그래요? 그럼 이건 명문정파네요?"

돌아본 빈우의 눈에 들어온 것은 아나스타샤의 손에 들린 검은색 망사 팬티다. 바로 솔리드 베타에서 찰리하나팔의 손에 잡혔던, '이거 믿지 마라'고 적힌 팬티다.

"아악! 너 그거 어디서 났어?"

아나스타샤는 빼앗으려고 달려드는 주인의 손을 피해 팬티를 자신의 뒤로 숨겼다.

"어디긴요. 주인님 책상 정리하다 발견했죠. 진짜― 이런 건 어디서 구한데요? 만든 것도 아니고."

"에잇, 이리 내."

빈우는 빼앗으려고 하지만 아나스타샤는 자신의 가슴을 방패 삼아 들이밀며 허리 뒤로 숨긴 팬티를 지켰다.

"솔직히 말씀하세요. 이거 저 입히려고 산 거죠?"

"너 줄 거 아냐."

"에이, 또 거짓말하신다. 그럼 누구? 보르자 대위님? 피아프 중위님? 그것도 아니면~"

이럴 때의 아나스타샤는 꼭 동생의 약점을 놀리려는 짓궂은 누나 같다.

"좋아, 대답할게. 대신 조건이 있다."

포기한 빈우가 뒤로 한 걸음 물러서며 협상을 시도했다.

"조건? 흐흥. 좋아요. 말씀해보세요."

주도권을 가진 아나스타샤가 한껏 기세를 부린다.

"먼저 약속부터 하나 하자. 아샤 네가 내 부탁 하나 들어주면 그 팬티가 어디서 왜 났는지 말해줄게. 어때?"

"뭐, 그 정도면 좋아요."

아나스타샤의 그 말이 끝나기 무섭게 빈우의 오른손 새끼손가락이 불쑥 튀어나왔다.

"좋아, 약속. 약속하는 거다?"

분위기에 떠밀린 메이드는 자신도 새끼손가락을 내밀어 주인과 서로 마주 걸었다.

"네. 약속."

아나스타샤처럼 인간을 의태하는 인공지능의 단점 중 하나는 인간이나 일반적인 인공지능이라면 걸리기 힘든 함정에 제법 잘 빠진다는 점이다. 판을 깔아놓은 빈우는 명령을 내렸다.

"자, 그럼 먼저 내가 부탁할게. 그 팬티 입어."

"예? 엣? 어어어라아?"

아나스타샤가 아무리 인간답다고 해도 결국엔 인간다운 안드로이드다. 이번에도 인간이라면 탈출할 수 있는 함정에서 빠져나오지 못한다.

"우우우."

울상을 지은 아나스타샤가 팬티를 손에 들고 우물쭈물한다. 이 문제가 단순한 명령이 아니라 주인과 자신이 한 약속이란 점에서, 그녀에게 상당한 제약을 주고 있었다.

"이잉, 못됐어. 여기에 아무것도 없는 걸 알면서 꼭 이래."

그녀가 말한 '여기'란 팬티를 입을 자리를 말한다. 특수목적을 가진 안드로이드가 아닌 이상 다리 사이에 별다른 부품을 달아놓을 리가 없다.

"그걸 잘 아는 넌 왜 그렇게 부끄러워하는 거야."

"인간님들이 저를 이렇게 만들어놨고 주인님이 저를 이렇게 키웠잖아요."

공장에서 갓 나온 다른 쿠델카 모델이라면 모를까, 근 30년을 인간과 지낸 아나스타샤는 정말 인간처럼 행동하고, 감정을 느낀다.

"피장파장이지. 날 이렇게 키운 게 너잖니."

아나스타샤가 뭐라고 하건 말건 빈우는 숫제 커피잔에 위스키를 콸콸 따르며 상황을 즐기고 있었다.

"좋아요, 입을게요. 입으면 되죠?"

마침내 결심을 하고 기합을 넣은 아나스타샤가 검은색 망사 팬티를 입기 위해 한쪽 다리를 살짝 들었다.

"오오, 안에 팬티와 스타킹을 안 벗고 그 위에 바로 덧입는다고? 머리 좀 쓴다? 어디서 저런 못된 꼼수를 배웠을까…… 맞다, 나겠지!"

"으앙."

참지 못한 아나스타샤가 마침내 울음을 터트리자 빈우는 잔을 내려놓고 일어나 그녀에게 갔다.

"됐어, 됐어. 그만해. 아샤. 장난이었어. 장난."

주인이 머리를 쓰다듬으며 그만하라고 하자 메이드는 눈물을 글썽거리며 침대에 털썩 주저앉았다.

"진짜아…… 저한테 이런 거 시키지 마세요. 혼란스럽다고요."

"이 정도로? 에휴, 아샤 너도 아직 멀었구나. 자자, 울지 마."

빈우는 아나스타샤의 옆에 앉아 그녀의 눈물을 닦아주고 어깨를 끌어안으며 토닥였다.

"뭐, 나도 해결할 수 있었어요. 수동 상태로 들어가면 그런 명령들은 우회하거나 무시할 수 있으니까."

"로봇 모드 말이지? 어머나 고마워라. 그건 또 내 특기 아니겠니. 다음에 수동 상태 들어가면 꼭 말해줘. 봉춤 가르쳐줄게."

아나스타샤는 약이 올라 주인을 밀어내려 하고 빈우는 또 그런 그녀를 끌어안으며 달래주려 한다. 둘은 한참을 그렇게 투닥거리며 치고받았다. 한참을 울던 아나스타샤는 조금 진정이 되고 나서야 비로소 잠들 준비를 하기 시작했다. 먼저 아나스타샤가 옷을 갈아입고 침대에 누웠고, 빈우는 그녀의 머리맡에서 내려다보며 인사를 했다.

"잘 자, 아나스타샤."

"네. 주인님도 피곤하실 텐데 얼른 주무세요."

인사가 끝나고 아나스타샤는 바로 잠들었다. 정확히는 수면 모드로 들어간 것이다. 빈우는 그 모습을 보며, 방금 사건의 발단이 되었던 문제의 그 팬티를 다시 한번 들어보았다. 마커로 쓴 메시지가 보인다.

- 이거 믿지 마라.

빈우가 찰리하나팔로 위장하고 있을 때 그 ID로 쓴 마커다. 얼마 전 그는 이 팬티를 언젠가는 아나스타샤가 발견할 수 있도록 적당히 숨겨놓았다. 그리고 마침내 아나스타샤가 이것을 발견해 빈우에게 들고 왔다.

'일단 연결점은 없어 보이는데.'

방금 아나스타샤가 이 팬티를 봤을 때 보인 태도와 반응은 마치 처음 보는, 알지 못하는 물건을 대하는 것 같았다. 속이거나 숨기는 언행은 없었다. 만약 그랬다간 그녀와 오래 살아왔고 또 AI 전문가인 빈우에게 금방 들켰을 것이다.

빈우가 마카로니에서 부상한 다음 확보한 증거, 메시지가 적힌 팬티는 마커스의 조사 결과 아나스타샤와 같은 쿠델카 모델이 입었던 것으로 확인되었다. 하지만 팬티에 남은 조직 세포의 등록번호는 아나스타샤의 것이 아니었고, 그 안드로이드의 정체에 대해선 아직까지 알려진 것이 없다. 이 안드로이드가 솔리드 베타에 침투한 시기는 아마도 포말하우트 게이트에서 울토르 리퍼의 습격을 받은 뒤, 여러 부서의 입김이 닿았을 때로 추정된다. 왜 아나스타샤와 동일한 쿠델카 모델이 투입되었는지에 대해서는 확실한 것이 없지만 몇 가지 짐작 가는 것은 있다.

그중 하나는 지금 빈우가 머리를 쓰다듬고 있는 안드로이드, 아나스타샤를 바꿔치기하기 위해서였을 것이다. 적은 그렇게 차츰 솔리드 베타에 자신의 영향력을 넓혀가려 했을 것이다. 그러나 빈우는 그것을 어떻게 알았고, 또 어떻게 썼을까? 아직 가야 할 길이 멀었다. 게다가 방금 아나스타샤와 약속을 하기 위해 새끼손가락을 걸었을 때, 빈우는 하나의 기시감을 느꼈다. 그는 얼마 전 누군가와 새끼손가락을 건 적이 있다. 지키지 못할 약속을 하기 위해. 문득 하나의 이름이 떠오른다.

'엘리자베트 허드슨?'

모르는 사람의 이름이다. 지워진 기억이나 기록의 이름일지도 모른다. 머리를 굴리며 기억을 더듬어봐도 더 이상 떠오르는 것은 없었다. 갈 길이 멀다 해서 서둘러선 안 된다. 방향을 잘 파악해야 하고 가는 동안의 계획 또한 잘 세워야 한다. 그리고 휴식 또한 중요하다. 그래서 빈우는 자신이 손에 들고 있는 팬티를 아나스타샤의 얼굴에 씌우고 자기 침대로 갔다. 그리곤 내일 아침 그녀가 보일 반응을 기대하며 잠을 청했다.

115

• • • ✦ • • •

연방의 행성 분류는 관리에 따라 크게 직할령과 자치령의 두 가지로 나뉜다. 먼저 직할령은 말 그대로 해당 행성을 연방 중앙정부가 직접 관할하는 곳이다. 이곳의 주민들은 모두 하원의원이며 사회 인프라 수준은 연방의 그것이다. 다음 자치령은 과거 연방이 창설될 당시부터 합류를 거부하거나, 모종의 이유로 떨어져 나간 행성들이다. 이들은 이름 그대로 중앙정부로부터 직접적인 통치를 받지 않는다. 또한 연방에 세금을 납부하고 정해진 가이드라인에서 벗어나지만 않으면, 행성 안에서 무슨 짓을 하든지 중앙정부는 간섭하지 않는다. 때문에 이들 자치 행성의 총독은 자기가 다스리는 행성에서는 황제나 다름없으며 실제 몇몇 자치령에서는 총독이 스스로를 황제라 칭하기도 한다. 물론 공문서에는 얄짤없이 총독으로 기록되지만.

이런 자치령의 문제는 정치, 사회, 과학, 공업들의 여러 분야에서 편차가 너무나도 크다는 점이다. 어떤 친 연방 자치령은 연방에 근소하게 처지는 과학기술력을 보이는가 하면, 어떤 자치령은 아직도 화약식 병기를 제식 화기로 쓴다. 그러나 그중에서 드물게 연방과는 아주 동떨어진 기술체계를 가지는 자치 행성도 있다. 그리고 이 경우는 대부분 외계종족의 기술과 관련이 있다. 바로 이곳 디안머처럼.

"디안머의 지상군이 방어전에서 꽤 귀찮다면서?"

전함 아프사라스의 함장 은카우 니카우 대령의 말이다. 그는 지금 발아래에 펼쳐진 자치 행성 디안머를 보며 혼잣말하듯 질문했다. 그 혼잣말을 받은 것은 부장 바바라다. 인공지능의 홀로그램인 그녀도 대기시간이 길어지자 심심했는지, 함장을 따라 아래쪽 화면을 보고 있다.

"아마도요. 디안머의 개척민들은 예전부터 디안머의 원주민들을 길들여 병기로 쓰고 있다고 합니다."

지금 이곳은 디안머의 체납된 세금을 징수하러 온 징수 함대, 그중에서도 기함인 아프사라스의 전투 정보실이다. 이 징수 함대는 전함 아프사라스를 위시해서 순양함 2척, 구축함 7척, 호위 항모 1척으로 이뤄진 전형적인 행성 압박용 함대다.

"그리고 이 원주민이라고 하기엔 뭐한데…… 한번 보시죠."

바바라 부장이 자신의 홀로그램 화면 한쪽에 디안머 인의 자료를 띄운다.

"목 없는 타조 같구만."

그 말대로 디안머 인은 조류 형태의 긴 다리에 짤막한 팔을 가지고 있었다.

"네, 일종의 기계 생명체라고 합니다. 개척민들은 신경 연결을 통해 이것들을 움직이고 개조해서 무장하는 경우도 있다고 합니다."

외계의 기술을 응용한 무장이라면 조금 골치 아플 수 있다.

"저게 지상군에게 위험한가? 아, 정말 몰라서 물어보는 거야."

당당한 함장의 질문에 부장이 한숨을 쉰다.

"참 일찍도 물어보시네요. 제가 몇 번이나 자료를 드렸는데 말이죠."

"미안해. 근데 볼 필요가 없잖아."

니카우 함장의 뻔뻔한 태도엔 나름의 이유가 있다. 어차피 발아래의 땅개들이 이쪽으로 대공 공격을 해오지 않는 이상, 그리고 이쪽이 궤도포격을 하지 않는 이상, 전함의 함장인 그가 지상 병력에 대해서 굳이 알 필요는 없다.

"일단 개체별 차이가 있지만, 전고는 대개 10에서 12m 정도고 중량은 70톤에서 80톤가량입니다. 무장과 장갑이라고 해봐야 개척민들이 나중에 붙인 것이라 기술력도 딱히 별 볼 일 없습니다."

영상에는 10m 크기의 목 없는 타조가 장갑을 둘둘 두르고선 짤막한 양쪽 팔에 화약식 대포를 달고 있는 게 보였다.

"뭐야, 걸어 다니는 보행 전차야? 전고가 너무 높잖아. 아군 중화기에 노출되면 녹겠는데."

"아뇨. 골치 아픈 건 디안머의 무장보다는 수리와 보급 메커니즘입니다. 놈들은 일단 행성 내에서는 연료 보급이 필요 없이 자체적으로 충전이 되고, 어지간한 부상도 시간이 지나면 자연 수리……라고 해야 되나. 아무튼 치유된다고 하네요."

보급도 수리도 자체적이라니. 니카우 함장은 저 디안머제 보행 병기들이 사랑스러워 보이기 시작했다.

"야, 그거 멋진데? 저거 수출 안 하려나."

"아쉽게도 그 메커니즘이 행성계 안에서만 활성화되는 거라, 밖으로 나가는 순간 그냥 손이 많이 가는 깡통이 된답니다."

"그거 정말 아까운데."

순식간에 흥미를 잃은 니카우 함장은 시선을 자료화면에서 다시 발아래로 돌렸다. 그들이 압박해야 할 디안머는 과거 지구제국 시절 보호령으로 지정된 곳이다. 그러나 제국이 해체될 무렵 이곳의 기록은 삭제되었고—그래서 높은 확률로 군사 관계 행성으로 추정되었고—연방이 창설될 당시 이 사실을 모르는 이주민들이 디안머에 정착했다. 이후 제국에서 연방으로 넘어가던 혼란기에 개척민들은 독립을 선언했고, 오랜 기간이 지나서야 인류 연방의 자치령으로 편입되었다. 이름만이라도 연방에 올려두어야 점프 게이트의 사용이 가능하기 때문이다.

"그건 그렇고, 회의가 길어지는군요."

바바라 부장이 말한 회의는 이 징수 함대의 함대 지휘관과 연방 국세청의 징수팀장 간의 회의를 말한다. 이 징수 함대의 지휘관은 모두 두 명이다. 한 명은 함대 지휘관인 라일라 무스후리 소장, 그리고 다른 한 명은 연방 국세청의 파견 징수팀장인 조나단 맥아더다. 함대의 운용에 관해서는 무스후리 소장의 관할이지만, 전체적인 스케줄과 작전에 관해서는 맥아더 팀장의 지휘에 따라야 한다.

"이건 좋지 않은데."

"안 좋죠."

니카우 함장의 투덜거림에 바바라가 동의한다. 전체 지휘관들이 모이는 작전 회의라면 모를까, 최선임자 둘만의 독대가 길어진다는 것은 두 지휘체계 간의 대립이 심하다는 의미다.

"세금은 트집이겠죠?"

"그럴걸."

이번엔 부장의 투덜거림에 함장이 맞장구를 쳤다.

디안머 자치령은 얼마 전까지만 해도 연방과 큰 문제 없이 지내왔다. 디안머는 꼬박꼬박 세금을 납부했고, 연방이 정한 가이드라인에서 벗어난 적이 없었다. 정확히는 벗어난 게 드러난 적이 없다. 사건의 발단은 얼마 전 마카로니의 독립소요에 녹색 연맹의 스콜피온 전차가 투입되었다는 것이 밝혀지면서부터다. 물론 스콜피온 전차가 있다 해도 트집거리는 아니다. 그것은 단지 도구에 불과하니까. 하지만 이 스콜피온 전차에는 이상한 외계기술이 들어가 있었다. 이를 수상하게 여긴 연방은 생산지인 글림을 조겼고, 그 기술의 출처가 바로 이 디안머라는 걸 알아냈다. 그리고 문제는 첩첩산중으로 터졌다. 가장 큰 건은 디안머의 자치주민들이 과거부터 디안머의 토착 원주민들과 공생 관계를 이루고 있다는 사실이었다. 이에 조사에 투입되었던 수사관들은 뒷목을 잡고 쓰러졌다. 연방이 정한 가이드라인 중에는 외계종족과의 접촉은 반드시 중앙정부를 통해서 이뤄져야 한다는 조항이 있기 때문이다. 이건 꽤 심각한 문제라서 잘못하면 반역죄가 적용될 수 있으며, 최악의 경우에는 뱅가드 연대가 출동할 수도 있다.

"아 참, 레드우드 중장이 취임 연설 때 길길이 날뛰지 않았나?"

"네. 디안머의 집 앞에 전차 풀겠다고 협박을 했죠."

"뜬금없이 자치 행성을 치겠다고 해서 놀랐는데 다 이유가 있었군."

지구제국이 눈여겨볼 정도의 외계종족과 이전부터 내통했고, 그 기술과 자재가 유출되어 반 연방 자치세력의 무장으로 흘러 들어갔다면, 디안머엔 즉시 진압부대가 투입되어도 이상하지 않다. 그러나 현재는 디안머의 체납된 세금을 징수하기 위한 함대가 와 있을 뿐이다.

"우리가 그쪽들보단 부드럽게 치는 편이지?"

그쪽이라고 하면 당연히 특수전 사령부다.

"아예 때리지도 않죠."

함장의 질문에 홀로그램 속의 인공지능 부장이 고개를 끄덕인다. 연방은 자치 행성이 세금만 내고 지킬 것만 지키면 건드리지 않는다. 다만 안 지키면 바로 건드린다. 특히 이번 같은 세금 건이 그렇다. 자치 행성의 세금은 개인이 내는 것이 아니라 행성 총독이 영토 전체의 것을 내는 것이라 꽤나 액수가 크다. 그래서 밀리면, 그리고 낼 수 있는데 안 낸다면 이렇게 보시다시피 함대가 출동한다. 물론 직접적인 무력행사는 없다. 다만 궤도 상에 놓고 안 나오면 쳐들어간다고 무력 시위를 해서 기를 꺾는 것이다. 그리고 국세청은 함대의 규모가 크면 클수록 납부가 빨라진다는 것을 알기에, 군 쪽에 조금 규모를 키워달라고 요청한다. 그러면 군은 퉁겼었다. 그러나 이런 태도는 손바닥 뒤집듯 바뀌었다.

"에이, 뭘 자치 행성 삥뜯, 아니 세금 징수에 순양함까지 끌고 간답니까? 걔네들 움직이는 데 돈이 얼마나 드는데. 그냥 구축함 몇 척 붙여서 함대 하나 만들어드릴게."

그러면 국세청 징수팀은 이렇게 대답한다.

"내역서 뽑아주세요. 그것도 같이 징수할게요."

"……감사합니다. 전함은 필요 없으십니까?"

"혹시 항모도 있나요?"

"드리겠습니다."

그러니까 징수 함대는 자치 행성들에게 보여주는 일종의 시위다. 국세청이 요구하면 군은 공돈으로 기동훈련하는 셈 치고 전단 하나 꾸려서 보낸다. 그리고 행성 궤도에 갖다 박는다.

"여러분, 성실한 납세자가 됩시다. 걱정 마십시오. 이걸로 여러분들 대가리를 터트리진 않습니다. 대신 너희들 주머니가 터집니다."

보통 이러면 자치 총독은 냉큼 납부한다. 보통은. 액수가 어마무시하게 커지더라도. 다만 지금의 디안머같이 세금과 외계종족 접촉 두 가지 다 어긴 경우는 보통의 경우가 아니라 일이 좀 커진다. 협박해서 세금징수를 하는 게 아니라 실력행사를 해야 될 수도 있다. 니카우 함장은 아까 부장이 보여준 자료를 기반으로 아군 기갑 병력이 투입되었을 때를 시뮬레이션해서 돌려보았다.

"야, 이거 귀찮네."

보통 연방은 귀찮은 행성에는 궤도포격으로 쑥과 대나무를 좀 심은 다음 지상 병력을 투입한다. 그런데 디안머는 아직까진 연방의 자치 행성이다. 일단은 함부로 무력행사를 할 수 없는 것이다. 그러면 장갑보병 같은 지상 병력을 강하시키는 수밖에 없다.

"잠깐. 우린 땅개 없는데. 왜 없지?"

애초에 징수 부대는 세금이 체납된 자치 행성을 협박하는 용도라 지상 병력이 없다. 하지만 상황이 이렇게 묘하게 돌아가면 필요하게 될지도 모른다.

"그게, 얼마 전 개척 행성 마카로니에서 지상군이 사고를 쳤답니다. 독립을 요구하는 개척민들이 샤다이 물건을 쓴다고 진압부대 지상팀이 싹 쓸어버렸다는데요. 그래서 이번에 국세청에서 요구할 때 사령부에서 거부했다고 합니다."

"뭐? 생존자 없어?"

"연방 시민들은 예전에 다 퇴거했고, 남아 있는 개척민들은 모두 사망이랍니다."

"에잉. 도대체 어떤 놈들이 일을 그딴 식으로 처리한 거야?"

니카우 함장은 부장이 보여주는 당시의 상황 정리 보고서를 보고선 혀를 찼다. 홀로그램 인공지능 부장은 진짜 인간처럼 어깨를 으쓱이며 말했다.

"이게 좀 구린 데가 있어요. 진압 함대는 2선 급인데 지상 병력을 태운 함이 솔리드 베타입니다. 얘네들 정보사령본부의 실험 타격부대라는데 조금 수상하죠?"

마카로니 소요 진압 함대의 편성과 무장을 살펴본 니카우 함장이 고개를 절레절레 흔든다.

"이거 대 샤다이 전술이잖아? 처음부터 알고 쳐들어간 거네."

"네, 그래서 우리 지휘관님께서 징수팀장과 얘기가 길어지나 봅니다. 우리 작전에도 또 무슨 꿍꿍이가 있는지."

웃고 넘길 얘기가 아닌 게, 지금 디안머는 전과가 화려해서 위태위태하다. 오히려 지상팀이 없다는 게 불안할 지경이다. 아주 궤도포격만으로 끝장을 보겠다는 말일 수도 있는 것이다.

"그래. 아까 레드우드 사령관 하니까 생각났는데, 거기 외계기술 수집부대 하나 만들지 않았나? 특수전 사령부에서 엘리트들 모아서 만들었다고 했잖아. 한번 보여줘봐."

"태스크포스 373 말씀입니까. 그 팀은 대 샤다이 전문팀입니다. 이곳 디안머 쪽은 글쎄요……. 팀 구성원들이 모두 극비라 자세한 건 모릅니다."

"허, 샤다이 전문이라. 그 팀원들 퍽퍽 죽어나가겠네."

샤다이는 연방의 주적이고 가장 위험한 상대다. 그래서 놈들의 기술을 알아내기 위해 혈안이 되어 있다. 때문에 숱한 인력들이 현장에서 갈려나간다. 그 사실을 잘 아는 니카우 함장은 태스크포스 373 팀원들에게 짧은 애도를 보냈다.

116

· · · ✦ · · ·

아프사라스의 함장과 부장의 만담은 인공지능 부장 바바라의 경고로 끝을 맺었다.

"점프 반응. 뭔가가 디안머 궤도로 점프해 들어옵니다."

게이트 없이 점프한다면 연방의 순양함이거나 샤다이 함선, 혹은 지구제국의 비홀더 전대다. 그러나 연방의 함이라면 바바라가 뭔가라고 하지 않았을 것이고, 비홀더 전대는 루비콘 라인에서 벗어나지 않는다.

"함대에 경고, 대 샤다이 대형으로 전환해."

현재 함대 지휘관인 무스후리 소장이 부재중이면 기함의 함장인 은카우 니카우 대령이 함대의 최선임이다. 니카우 함장은 급히 명령을 내렸지만, 다행히도 그 명령이 쓸모 있는 상황이 되진 않았다.

"함장님, 그리폰입니다."

바바라가 급히 상세화면을 띄운다. 인류 연방의 징수 함대 근처로 점프해 온 것은 지구제국의 비홀더 전대였다. 그중 그리폰이라면 그리폰 급 돌격 순양함의 1번 함이다. 바로 최초이자 최강 최악의 비홀더 1전대가 이곳에 나타난 것이다. 제국의 돌격 순양함은 아프사라스보다 월등히 큰 크기를 뽐내며 이쪽으로 다가오고 있었다.

"비홀더가 왜 여기에?"

니카우 함장의 질문에 대답할 수 있는 이는 아무도 없었다. 제국 해체 후

결성된 인류 연방에 대해 '인정은 하나 복종하지는 않겠다'는 비홀더 전대. 이쪽이 요청을 하면 어느 정도 협조는 해주지만 무시할 때도 많고, 연방군이 무력으로 흡수하려고 시도하면 가차 없이 반격해서 박살 내버린다. 그 정도로 둘 사이의 전투력에는 현격한 차이가 있다. 저 그리폰 급 돌격 순양함 1척만으로도 임시로 구성된 이 징수 함대 따위는 상처 하나 없이 쓸어버릴 수 있을 것이다. 그런 이유로 함대의 모든 배와 승무원들은 긴장하고 다음 명령을 기다렸다.

그때 그리폰 급 돌격 순양함에서 통신이 들어왔다.

- 만나서 반갑소. 본관은 비홀더 1전대의 전대장 이 섬 준위라 하오. 그쪽의 지휘관과 대화를 나눠보고 싶소만, 가능하겠소?

때마침 징수 함대의 지휘관인 라일라 무스후리 소장이 전투지휘실로 급하게 달려 들어왔고, 그 뒤를 따라 연방 국세청의 파견 징수팀 조나단 맥아더 팀장이 들어왔다.

무스후리 사령관은 숨도 채 고르지 않고 급히 대답했다.

"나는 연방의 디안머 방면 징수 함대 지휘관 라일라 무스후리 소장이오. 여긴 어쩐 일이오. 이곳 디안머는 루비콘 라인에서 꽤 멀지 않소?"

무스후리 사령관의 말은 준위를 대하는 것 치곤 꽤나 정중했다. 그럴 법도 한 게 상대방이 준위라 해도 100년 전의 인물에다 소속 자체가 연방군과 구제국 군으로 아예 다르다. 게다가 이 섬은 전대장이기도 했으니, 임시로 구성된 소규모 징수 함대의 지휘관인 무스후리 소장과 비슷한 선에 놓인다. 그리고 이곳에서 무스후리 사령관만이 알고 있는 사실은 이 섬이 지구제국 황제의 기수였다는 것이다. 그는 황제의 첫 번째 검이자 대리자로서, 제국의 확장기 때 황제를 대신해 선두에 서서 무수한 외계종족을 갈아 인류 번영의 거름으로 썼다.

그 황제의 검이 지금은 희미한 미소를 띠고 있다. 어울리지 않는 미소다.

- 필요하면 규정에 따라 벗어날 수도 있소. 그래서, 대화를 할 수 있겠소이까?

구 지구제국군과의 접촉은 귀중한 기회다. 자치 행성을 압박하기만 할 뿐인 이번 작전이라면 어떻게든 시간을 쪼개서 만나야 한다. 무스후리 소장의 결정은 빨랐다.

"맥아더 팀장. 괜찮겠지요?"

함대 지휘관은 무스후리 소장이지만 이번 작전의 지휘관은 국세청의 맥아더 팀장이다.

"네, 괜찮습니다."

국세청도 이번 만남의 중요성을 알기에 즉시 동의했다. 맥아더 팀장의 대답을 들은 무스후리 소장이 고개를 돌려 이 전대장 쪽을 보았다.

"좋소, 어디 대화를 해봅시다."

무스후리 사령관의 그 말이 끝나자마자 그리폰의 부포에서 무언가 발사되었다. 질량은 낮으나 고속의 탄체다. 예상 탄착지점은 기함 아프사라스. 경악한 니카우 함장이 명령을 내리기 전, 함대의 구축함들과 아프사라스의 대공포들이 자체적으로 대응 사격을 하기 전, 함대 사령관 무스후리의 명령이 내려졌다.

"놀라지 마라. 손님이다."

그녀의 말대로 그리폰이 쏜 것은 장갑복이었다. 제국제의 장갑복을 입은 제국 군인이 고속으로 날아오고 있는 것이다. 연방의 군인이었다면 아무리 강화를 해도 버티지 못할 속도다.

"맙소사."

누가 한지도 모를 탄성이 전투지휘실 안에 들려온다. 날아온 장갑복은 곧 아프사라스의 관성방어막에 충돌했다.

"엇, 바바라. 방어막을 내리고 즉시 구조대를 편성해서 출동시켜."

손님이 방어막에 충돌하는 사고가 날지도 모른다는 생각에 니카우 함장이 놀라서 부장을 불렀다. 그러나 바바라 부장은 대답보다 화면을 먼저 띄워주었다.

"함장님, 구조대는 필요 없을 것 같습니다."

충돌지점에는 멀쩡한 장갑복이 있었다. 함포의 속도로 날아와 전함의 방어막에 부딪히고도 저 장갑복은 멀쩡했다. 니카우 함장은 그제야 깨달았다. 저 제국의 군인은 스스로 감속하지 않았다. 그저 멈추기 위해 방어막에 부딪힌 것에 불과했다. 그리고 지금은 전함의 역장 제어를 힘으로 뚫고 들어오고 있었다.

"세상에……."

두 번째 탄성 역시 누가 했는지는 모른다. 다만 확실한 것은 첫 번째완 다른 사람이 했다는 것이다.

"함장, 방어막을 내리고 손님을 맞이하게."

무스후리 사령관의 명령에 니카우 함장은 부랴부랴 방어막을 끄고 격납고를 연 다음 해병대를 보내 손님을 안내했다. 얼마 있지 않아 마중을 나간 해병대로부터 난처한 보고가 올라왔다.

- 함장님, 이 섬 전대장이 장갑복을 벗지 않습니다.

장갑복을 입고 날아온 것은 바로 비홀더 1전대장인 이 섬 본인이었다. 그는 대화를 하자고 하더니 직접 날아온 것이다. 제국 어설트 급 장갑복의 위용은 참으로 대단해서, 그 주변으로 모인 연방의 어벤저들이 왜소해 보일 지경이다. 보다 못한 니카우 함장이 나섰다.

"이 전대장, 나는 이 아프사라스의 함장인 은카우 니카우 대령이오. 대화를 하기 위해 오셨으면 장갑복은 벗어주시오. 귀관의 안전은 확실하게 보장하겠소."

우주복이라면 모를까 장갑복은 엄연히 무장의 하나다. 전투지휘실 같은 함내 중요시설에 들어오기 위해서는 당연히 벗어야 한다.

- 규정상 선 외에선 장갑복을 벗을 수 없소. 양해 바라오.

이 섬 전대장의 말이 통신을 타고 돌아온다. 말이야 바른 말이다. 선 외에선 당연히 우주복이나 장갑복을 입어야 한다. 그러나 지금 그는 정중한 말투로 무례를 이야기하고 있다. 손님으로서 아프사라스에 승함했음에도, 또한 함대 지휘관을 만나기 위해 전투지휘실로 오고 있음에도 불구하고 장갑복을 입고 있겠다는 것은 이쪽을 못 믿겠다는 뜻이다.

이 전대장은 그렇게 말함으로써 서로 간의 거리를 확실히 긋고 있었다.

"니카우 함장, 그를 그대로 들여보내주게."

무스후리 사령관의 말에 함장이 곤란해한다.

"하지만……."

"이미 저 자가 안으로 들어온 이상 우리에겐 막을 방법이 없다네."

그녀의 말에선 왠지 이 섬이나 비홀더 전대를 잘 아는 것 같은 분위기가 묻어나왔다. 결국 함장의 허락하에 이 전대장은 장갑복을 입은 채로 전투지휘실까지 왔다.

"이것도 인연이군. 다시 한 번 소개하겠소. 본관은 지구제국 비홀더 제1전대장 이 섬 준위요. 만나서 반갑소."

지금까지 연방군과 수차례 협력과 마찰이 있었던 비홀더 전대지만, 지금으로선 딱히 적대적인 감정은 없어 보였다.

"함대 사령관인 라일라 무스후리요. 이쪽은 본 함의 함장 은카우 니카우 대령이오."

무스후리 소장은 일부러 징세팀장을 빼놓고 얘기했다. 이쪽의 작전에 대해선 군이 알려줄 필요가 없는 것이다. 이 섬도 다른 사람들은 별다른 관심이 없는 듯 바로 본론을 꺼냈다.

"지난 한 달간 이곳 디안머 항성계를 오고간 연방군 함선들에 대해 알고 싶소. 정확히는 게이트를 지난 연방군의 군함 목록이오."

무스후리 소장이 의아해서 반문한다.

"그걸 왜 우리한테 물어보는 거요."

비록 제국군과 연방군이 몇 번 무력마찰이 있었다 하지만 같은 종족임에는 변함이 없다. 그래서 지금까지 약간의 교류 정돈 있었고 몇몇 작전은 협동해서 펼치기도 한다. 즉 이 정도 정보는 함대 사령부나 영토 관리국에 요청하면 얼마든지 얻을 수 있는 정보란 뜻이었다.

"연방군 사령부에 요청하면 언제나 조건을 붙이며 이야기가 길어지더군. 그렇다고 점프 포인트에 직접 접속하려니 연방의 법에 위배되고 말이요."

점프 게이트를 관리하는 위성인 점프 포인트에 관한 범죄는 중죄다. 예전에 한 자치 행성에서 점프 포인트를 무단으로 나포하려다가 즉시 출동한 뱅가드에게 짓밟히고 직할령으로 종속된 적이 있다. 그러나 연방에 비해 압도적인 전력을 지닌 제국군이 단지 싸우기 무서워 건드리진 않을 테고 그들의 말대로 존중해주는 것일 것이다. 아니면 귀찮아서 안 건드리는 것일지도.

"항로 기록이라…… 곤란하군. 내 선에서 도와줄 수 있으면 도와주겠소만."

무스후리 사령관은 곤혹스러운 표정으로 말을 아꼈다. 연방 함선들의 항법 자료는, 특히 군의 것은 당연히 기밀이다. 함부로 외부에 유출할 수는 없다. 그러나 이미 알고 온 모양인지 이 전대장은 거리낌 없이 말을 꺼냈다.

"당신 같은 지휘관 급이면 점프 포인트에 이동했던 함선들의 목록을 열람할 수 있지 않소이까?"

그의 말대로 함대 사령관 정도 되면 자기 작전을 위하여 작전 반경 내 함선들의 위치와 이동 경로를 열람할 수 있다.

"물론 무단으로 자료를 노출하라는 것이 아니오. 우리 쪽도 성의를 보일 거외다."

그 이 섬이, 비홀더 1전대의 전대장이 성의를 보인다고 한다. 그 성의란 것이 돈일 리는 없고 제국군의 장비나 기술일 가능성이 높다. 만약 그렇다면 거래를 할 만한 가치가 있다. 하지만 저쪽의 목적을 알지 못하는 지금으로선 함부로 가르쳐줄 수 없는 노릇이다. 만약 저들이 어떤 연방군 함선을 노리는 목적으로 항로 자료를 요구하는 것일 수도 있기 때문이다.

"흠, 생각할 시간을 좀 주시오."

"아쉽게도 줄 시간이 그리 길지는 않소."

"급하시긴. 아무리 나라 해도 그런 기밀을 넙죽넙죽 넘길 순 없지 않겠소이까."

"내가 급한 게 아니라오."

전대장이 급한 게 아니면 그리폰의 함장일 수도 있다. 어쨌든 무스후리 소장은 저쪽이 시간에 쫓기고 있다는 것을 알았지만 이를 이용하기엔 위험하다는 것 또한 잘 알고 있었다.

"하나 물어보지. 디안머 항성계를 오고 간 배들의 정보를 원하는 이유가 대체 뭐요?"

목적이라도 알아놓으면 이쪽에서 거래에 응할지 말지를 정할 수 있다.

"미안하오. 알려드릴 수 없소. 다만 알아낸 정보로 연방 측에 어떠한 위해도 끼치지 않으리란 점은 황제 폐하의 이름을 걸고 맹세하리다."

"그렇다면 비홀더 전대 측에서 제공하는 보상이 뭔지라도 알려주시오."

"글쎄. 그것은 지휘관의 판단에 달렸소. 정보의 질에 따라 보상이 달라지겠지."

이 섬의 애매모호한 대답. 그것이 무스후리 사령관을 불안케 했다. 그녀가 알고 있는 그리폰 1전대장 이 섬은 거칠 것이 없는 폭군이다. 기다린다거나 불분명한 대답과는 거리가 멀다. 무스후리는 그것을 아주 잘 알고 있다.

"제국 제일가는 학살자이신 이 전대장의 입에서 그런 무른 말이 나올 줄은 몰랐소."

무스후리 소장의 말에 전투지휘실에 있던 자들은 갑자기 기온이 내려가는 착각을 느꼈다. 하지만 정작 당사자인 이 전대장은 자신에 대한 비난을 태연히 받았다.

"학살자라. 그건 좀 억울하군. 사실 본관은 다른 대원들에 비해 그다지 죽이지 않는 편이라오."

117

・・・◆・・・・

"죽이지 않는 편이라?"

무스후리의 속은 순간 타올랐지만 그것을 겉으로 드러내지는 않았다.

"그럼 이제껏 당신의 손에 죽어간 자들은 뭐요?"

이어지는 그녀의 질문은 마치 오늘 저녁 반찬은 뭐냐는 듯이 차분한 말투다. 그리고 그만큼 섬의 대답도 태연했다.

"적을 만나면 그저 찢고, 가르고, 으깰 뿐이외다. 그러면 약한 자들은 그만 거기서 삶을 포기해버린다오. 한심한 노릇이지. 제국을 떠나 루비콘 라인을 떠돈 지 어언 100여 년. 진정으로 싸울 만한 상대와 겨뤄본 지가 대체 얼마나 되었는지……."

이제껏 셀 수 없는 생명을 앗아간 비홀더 1전대장의 말에선 권태로움마저 느껴졌다. 그리고 그 말에서 무스후리 사령관은 분노에 이어 가증스러움마저 느낀다.

"찢고, 가르고, 으깬다라. 거기서 살아남을 자가 누가 있겠소."

서서히 달아오르는 무스후리의 말을 이 섬이 대수롭잖게 받았다.

"하지만 당신은 살아남았지. 그렇지 않소?"

그 말이 라일라 무스후리의 기억을, 악몽을 되살렸다.

30여 년 전, 연방은 비홀더 전대를 나포하기 위해 위험천만한 비밀작전을 진행했었다. 목표는 다른 전대들과는 달리 오직 1척으로만 구성된 1전대. 그

1전대를 잡기 위해 연방은 반란군으로 위장한 함대를 보냈다. 시나리오는 연방군에 반기를 든 중앙 함대가 자신들의 세를 불리기 위해 비홀더 1전대를 친다는 내용이었다. 굳이 반란군으로 위장한 이유는 후에 다른 비홀더 전대들에게 해명을 할 건수가 필요했기 때문이다.

그러나 변명 따위 할 필요가 없었다. 사태는 아주 깔끔하게 끝났다. 단 1척. 50여 척에 달하는 위장 함대는—연방의 최정예인 중앙 제3함대는—단 1척의 지구제국 순양함에게 전멸했다. 그동안 착실히 발전하여 따라잡았다고 예상되었던, 정확히는 착각했던 기술력은 그것을 뛰어넘은 압도적인 차이에 무력하게 짓눌렸다. 그리고 오직 한 명이다. 그날 출동했던 함대 중 무스후리가 탔던 함대 기함의 승조원 전원은 침입한 제국제 장갑보병 1기, 이 섬에 의해 사망했다.

'살려줘— 살려줘—.'

'그만해! 제발 죽여줘, 죽여줘!'

라일라 무스후리는 아직도 그날을 생생히 기억한다. 그날의 참극이 눈에 보이며, 그날의 비명이 귀에 들린다. 분투에도 불구하고 하나둘씩 격침되는 아군 구축함과 순양함들에 제국 장갑보병이 침투하자 통신 회선은 비명으로 가득 찬다. 반물질 어뢰에 직격당한 전함이 섬광과 함께 소멸한다.

'적 장갑보병이 지휘실로—.'

무스후리의 그 말은 끝까지 나오지 못했다. 눈에 보인 것은 마치 들러붙는 먼지를 밀어내려는 듯 귀찮아 보이는 이 섬의 움직임. 제국의 전대장은 그렇게 무스후리의 내장을 뽑아 그녀의 입에 밀어넣었다. 전투지휘실의 다른 이들은 이미 갈기갈기 찢겨져 무중력 공간을 떠다니고 있었다. 그저 무자비한 폭력의 홍수에 휘말려 떠내려갈 뿐이다.

그날의 마지막 생존자는 지금도 아무 말도 못 한 채 그저 굳어 있었다.

"이 전대장! 너무 무례한 것 아니오!"

보다 못한 니카우 함장이 끼어들었다. 분위기가 이상하게 흘러가자 바로

이 섬과 라일라 무스후리, 둘 사이를 가로막고 선 것이다.

"누구도 내 배에서 그런 언행을 하는 것은 용납할 수 없소."

방금 섬이 했던 말은 공식적으로 없었던 일이고 여기선 오직 둘만이 아는 사실이다. 그러나 니카우 함장은 무스후리 사령관의 상태가 이상해졌단 걸 눈치채곤 바로 끼어든 것이다. 그리고 함장의 거센 항의에 이 전대장은 정중히 고개를 숙였다.

"이거 무례를 저질렀군. 내 사과하리다."

이 전대장의 그 말에 무스후리 사령관이 퍼뜩 정신을 차렸다.

"아니, 오히려 이야기 중에 잡생각에 빠진 내 잘못이오. 본론으로 돌아갑시다."

고개를 든 이 전대장은 다시 한 번 자신의 요구를 밝혔다.

"다시 한 번 말하겠소. 본관은 지난 한 달간 이곳 디안머 항성계의 모든 점프 게이트를 통과한 연방 함선들의 목록에 대해 알고 싶소. 대가는 그쪽의 성의에 따라 정하겠소."

"혹시 그 대가에 무기도 포함되는 거요?"

"응? 무기라? 무기 따위라면야 바로 사용 가능한 것에다가 설계도까지 제공하겠소."

그의 대답에 전투지휘실에 있던 모두가 군침을 꿀꺽 삼켰다. 현재 연방의 연구단체들이 구 지구제국의 기술력 복원에 매진한다는 것은 누구나 다 아는 사실이다. 그리고 꽤 많은 기술들을 되찾는 데 성공했다. 하지만 지구제국과 인류 연방 간 과학기술은 그다지 차이가 없었다. 가장 큰 차이가 나는 것은 군사 무기 방면이었고, 이에 관해서는 늘 답보의 상태였다. 남겨진 제국 시절의 군사 유물이 몇 개 있긴 하지만, 그것들은 살펴보면 볼수록 제국의 군사기술이란 과연 인류의 것인가 싶을 정도로 이질적인 체계를 가지고 있었다. 그러나 지금 이 전대장은 무기 따위라고 했다. 그렇다면 보상은 그것들을 훨씬 뛰어넘을 가치가 있다는 말이다.

일단 무스후리 사령관은 이곳 디안머 항성계를 출입한 연방의 함선 목록들을 자기만의 회선으로 열람해보았다. 상황을 봐가며 정보를 넘기고 기술과 교환할 셈이었다. 자신의 지위에 지구제국의 무기가 걸린 사안이라면 미리 행동하고 후에 보고해도 된다. 그러나 그녀는 목록을 살펴보던 중 다음 항목에서 그만 멈춰버렸다.

- 태스크포스 373.

특수전 사령부의 팀이다. 열흘 전, 태스크포스 373의 모함 블랙 랜스가 이곳 디안머 게이트를 이용한 적이 있다. 그것만이 아니다. 보안국의 함대마저 같은 날 디안머 게이트에 도착했다. 그리고 사용기록을 보면 태스크포스 373과 함께 점프한 것으로 나온다. 보안국과 특수전 사령부의 팀이 움직인 것이라면 연방 군에서도 최고 기밀사항일 게 분명하다. 함부로 외부에 유출할 일이 아닌 것이다. 그렇다면 적당히 다른 함선들의 명단을 건네주면 될 일이지만 라일라의 직감은 비홀더 전대가 원하는 정보가 바로 이들이라고 경고하고 있었다.

그때 고민하고 있는 무스후리 사령관에게 이 전대장의 말이 날아온다.

"참, 내가 미처 말 안 했구려. 급한 것은 당신들이라오."

무스후리 사령관이 이 전대장을 보자 그는 무뚝뚝한 얼굴로 다시 말했다.

"아마 본관이 원하던 정보를 찾으신 것 같소만. 그 정보를 원하는 것은 비단 내 1전대만이 아니라오. 다른 놈들도 그것을 쫓고 있지."

그가 말한 다른 놈은 누구일까. 이 우주에서 특수전 사령부와 보안국을 추적하고 있는 팀은 과연 어디의 누구란 말인가. 다른 비홀더 전대일 수도 있고, 어쩌면 적대적인 외계종족일 수도 있다. 하지만 특수전 사령부는 주로 외계종족을 전문적으로 조지는 부서고, 보안국은 아군 내부를 들쑤시는 부서다. 이 두 조건을 동시에 만족하는 대상을 찾기는 힘들었다. 잠시 생각을 고르던 라일라 무스후리는 옆에서 들리는 경고음에 생각을 멈췄다. 아프사라스의 인공지능 부함장인 바바라가 적의 기습을 알리고 있었다.

"점프 반응. 샤다이입니다."

전과 비교해 부장 바바라의 목소리는 차가워져 있었다. 전투에 들어가자 감정을 제거하고 인간을 보좌하기 위한 상태가 된 것이다. 놀란 무스후리 사령관이 전 함대에 명령을 내렸다.

"전 함대, 대 샤다이 진형으로. 구축함들은 중력충각을 충전 후 방패 대형으로 좌익에 선다. 기함 아프사라스는 우익, 폭격기는 사이클론 어뢰를 장착하는 대로 즉시 출격."

구축함들이 서로의 역장을 연결해 하나의 거대한 역장방어대를 만든다. 이 방어막은 질량이 낮은 고온 에너지 병기인 플라스마에 상당한 효과를 가진다. 대형 안에 있던 순양함들은 플라스마 포는 내버려두고 함축 입자가속포와 코일건을 충전했다. 레이저나 플라스마 병기는 샤다이에게 아무런 의미가 없다.

"적함 전열함 1, 모니터함 1."

바바라의 보고대로 2척의 샤다이 함이 통상공간에 안착했다. 그리고 연방의 함선들이 대형을 갖추는 동안 샤다이 전열함이 선체를 틀어 포구를 이쪽으로 향했고, 모니터함은 거대한 주포에 에너지를 충전하기 시작했다.

"역장방어막 우현 최대로, 내열 장갑 드론은 생성되는 대로 계속해서 살포. 전 입자가속포는 충전 후 대기."

아프사라스의 니카우 함장도 자신의 자리에서 열심히 콘솔을 조작했다. 지금 같은 상황에선 각자 판단에 의한 대응 포격이나 무작정 뿌리는 요란 포격은 큰 효과가 없다. 철저한 포격 관제에 따라 한 점에 화력을 집중해야 샤다이에게 제대로 된 피해를 줄 수 있다. 드디어 함대 사령관인 무스후리 소장이 공격 목표를 지정한 다음 공격 명령을 내렸다.

"공격 개시!"

징수 함대의 포격과 미사일이 샤다이 함선을 향해 쏟아져나갔다. 먼저 명중한 것은 레일건. 고속 고중량의 포탄들이 집중공격 목표인 모니터함에 명중해서 샤다이의 방어막을 깎아낸다. 방어막의 섬광이 번쩍이며 포탄들을 튕겨내지만, 그것도 오래가지 못한다. 잠시 후 연방 함대의 집중사격에 방어막이 사라지고 그 안으로 사이클론 어뢰들이 파고들어 함의 장갑에 직접 명중한다.

샤다이 쪽에서도 반격이 시작되었다. 그 옆의 전열함에서 연방 전함의 주포에 능가하는 위력을 지닌 플라스마 포가 무수히 발사되어 날아온다. 샤다이 놈들답게 관제가 엉망이라 날아오는 화선이 중구난방이지만, 하나하나가 위력적이라 재수 없게 눈먼 포격에 맞기라도 했다간 치명적이다.

이에 대응해서 나간 것은 연방의 구축함들이다. 원래는 함대의 돌격대 역할을 맡을 구축함들이지만 지금처럼 샤다이와 싸울 때는 방패 역할을 맡는다. 그러기 위해 공격을 위한 동력마저 함수 충각으로 돌린 다음 서로서로 대형을 짠다. 그리고 역장방어막을 병렬로 연결한 다음 함대 앞으로 나섰다. 전열함의 플라스마 포화 중 몇몇이 함대를 향해 날아오다 구축함들의 밀집 충각 척력장에 튕겨 나간다. 그 대가로 방어한 구축함의 동력이 대번에 소진되었지만, 후열에 있던 동료함과 중력장에 의한 견인광선으로 서로 끌어당겨 위치를 바꾼다. 그렇게 동료함이 빈틈을 메꾸는 사이, 자신은 뒤에서 충각의 동력을 충전하는 것이다.

문제는 모니터함의 거포다. 일격에 전함을 소멸시켜버리는 저 초대형 플라스마 포는 현재의 연방 기술로는 방어할 수 없다. 대처법은 회피하거나 먼저 격침시키는 수밖에 없다. 그래서 징수 함대의 공격은 처음부터 샤다이 모니터함으로 집중되고 있었다. 자기력으로 가속된 포탄과 아광속으로 가속된 중입자들이 방어막이 사라진 모니터함의 장갑을 박살 내고, 이어서 미사일이 날아들어 폭발한다. 다시 재생되려던 연약한 방어막은 뒤따라온 사이클론 어뢰가 비집고 들어가 꿰뚫는다.

전황을 지켜보던 무스후리 사령관이 함대에 명령을 내렸다.

"아프사라스는 샤다이 모니터함에 일제사. 이어 후열의 구축함들은 충각을 내리고 함축 포를 전열함에 발사. 충전되는 대로 쏴라."

전함 아프사라스의 모든 포격이 모니터함에 집중되자, 마침내 그것이 쐐기가 되어 대폭발을 일으킨다. 함체의 3분의 1은 될 만한 모니터함의 거대한 주포에서 충전된 플라스마가 폭발하고 그 여파로 모니터함이 두 동강 났다. 이어서 구축함들의 포격이 전열함에 집중되자 방어막이 명멸한다. 같은 위치로 순양함과 전함의 입자가속포가 날아가자 방어막이 사라졌다. 그다음부터 연방군의 공격은 전열함의 장갑에 직접 명중하기 시작했다. 놈은 발악해 봤지만 이미 승세는 징수 함대 쪽으로 기울었다. 함대의 일제 포격 후 빈 사선을 채우며 몰려든 할버드 폭격기들이 사이클론 어뢰를 퍼부었고, 그 뒤를 미사일들이 날아와 연쇄 폭발을 일으킨다.

"전열함 침몰."

부장인 바바라가 샤다이들의 침몰을 확인했다. 잠깐의 정적 후, 누군가 환호성을 지르려 주먹을 꽉 쥐었을 때, 인공지능 부장이 또 한 번 경고했다.

"점프 반응, 샤다이입니다. 반응 다수, 3, 4, 5. 적함 계속해서 통상공간에 안착합니다."

118

· · · ✦ · · ·

경악해서 태세를 다잡는 징수 함대의 근처로 샤다이 군함이 2차로 점프해 들어왔다. 그런데 놈들의 배는 방금처럼 포들로 도배를 한 전열함이나 기형적으로 거대한 주포를 단 모니터함이 아니었다. 무장들의 배치를 적절히 바꾸어 보다 전투적인 형태를 띤 배였다.

"함장님, 적은 일반 샤다이가 아닙니다. 리퍼입니다."

바바라가 경고하는 내용은 니카우 함장도 들은 바 있다. 리퍼, 신형 샤다이라고 불리는 놈들이다. 보고에 의하면 놈들의 전투력은 기존의 샤다이와는 비교가 불가하다고 했다.

"적이 너무 많습니다."

통상공간으로 들어오는 리퍼 전투함은 벌써 7척. 마치 징수 함대를 포위하든 빙 둘러서 점프해 들어오고 있었다. 그리고 정밀한 포격이 연방의 함대를 향해 쏟아졌다. 구축함들이 항모와 순양함을 지키기 위해 방어대형으로 나섰지만, 리퍼를 상대로는 효과가 없었다. 연이은 명중탄에 전열에 있던 구축함의 충각이 금방 소진되었고, 교대해 나선 후열의 구축함 충각도 얼마 버티지 못하고 날아가버렸다. 그러자 척력장이 없는 구축함 대열에 플라스마 포격이 쏟아져 연방의 함선들을 증발시키고 녹이기 시작했다.

"리퍼, 계속해서 점프해 들어옵니다."

리퍼는 징수 함대를 사방팔방으로 포위한 다음 중앙으로 포격을 집중시키고 있었다. 원래 이런 대형은 빗나간 사격에 아군이 맞을 수 있기 때문에 절대 피해야 한다. 하지만 샤다이의 경우에는 예외였다. 이들은 주 무기가 플라스마임과 동시에 자신들의 무기인 플라스마에 대해서 뛰어난 방어력을 가지기 때문이다. 거세지는 샤다이의 공격에 아프사라스의 곳곳에서 경고음이 들려왔고, 피해가 축적되자 함내 관성 제어에도 무리가 가는지 폭발의 진동이 느껴지기 시작한다.

"프리티 선과 샤이닝 게일을 아프사라스 뒤로 이동. 중력충각이 충전될 때까지 어떻게든 버텨라. 함재기는 귀환하는 대로 입자가속포를 달고 출격, 목표 지정은 기함이 하겠다. 디안머에 대피령을 내려."

무스후리 사령관은 필사적으로 함대를 지휘해 반격의 기회를 잡으려 했으나 사정이 여의치가 않다.

"바바라, 선체 관성계는 포기해. 남는 동력은 모두 함포로 돌려. 아프사라스가 목표가 되어야 한다."

니카우 함장도 연달아 명령을 내렸지만, 상황은 악화일로였다. 적의 수는 마지막으로 점프해 들어온 것까지 총 47척, 그것도 모두 리퍼의 전투함이다. 그에 반해 연방군은 대 샤다이 함대가 아닌 일반 함대인 데다 다 합쳐서 11척에 불과하다. 샤다이는 질적으로도 양적으로도 연방군을 압도하고 있었다. 원래 이런 상황이면 연방군은 도주를 택하거나, 굳이 싸워야 한다면 치고 빠지는 전술을 쓴다. 그러나 연방의 행성 궤도에서 그럴 수는 없는 노릇이다. 만약 징수 함대가 후퇴한다면 샤다이는 궤도포격으로 디안머의 인간들을 태워버릴 게 분명하다. 지금으로선 함대가 행성의 주민들이 조금이라도 더 대피하도록 최대한 시간을 벌어야 한다.

"샤다이가 행성에 접근하게 두지 마라. 죽으려면 그 자리에서 죽어라. 한치도 물러서선 안 된다."

그런데 지금 급박하게 흘러가는 아프사라스의 전투지휘실에서 영 기운 빠진 목소리가 들려왔다.

"이거 곤란하군. 이래서 내가 서두르라고 했건만."

비홀더 1전대장인 이 섬 준위는 지금 일어나는 사태가 마치 다른 사람들의 일인 양 한 발 물러서서 보고만 있었다. 전투지휘실마저 위태위태한 상황에서 말이다.

"뭐 하는 거요. 비홀더 전대도 도우시오."

무스후리 사령관이 소리쳤지만, 이 전대장은 심드렁하게 대답할 뿐이다.

"내 말하지 않았소. 줄 시간이 그리 길지 않다고."

아까 분명 이 섬은 그렇게 말했었다. 아프사라스에 항로 자료를 달라고 했을 때, 무스후리가 조금 생각할 시간이 필요하다고 하자 그는 시간이 없다고 했다. 그리고 급한 것은 자신이 아니라고 했었다. 이제야 무스후리 사령관은 알 수 있었다. 급한 것은 바로 징수 함대와 디안머였다. 그리고 그가 성의라고 했던 것은 아마도 비홀더 1전대의 조력일 것이다.

"설마 도망치겠다는 거요! 인류의 적 앞에서? 지켜야 할 시민들을 두고서?"

함대 사령관의 일갈에도 이 섬은 그저 심드렁하게 대답할 뿐이다.

"뭔가 착각하고 있는 것 같소만, 저 낙오자의 사생아들은 당연히 죽일 거요. 내가 주겠다고 한 보상은 당신들과 저 행성에 사는 것들의 생존이외다."

순간 사태 파악이 안 된 무스후리 소장을 무시한 이 섬이 명령을 내렸다.

"함장님, 공격하십시오."

- 알겠습니다.

그리폰의 함장 샹 메이화의 대답이 들린 후, 지금까지 쏟아지는 샤다이의 공격에도 꿈쩍 않던 그리폰이 처음으로 움직였다. 그리고 이 섬의 시선에 그리폰의 조준이 느껴진다. 그리폰이 겨누는 타키온 감속기의 운명이 보인다.

마침내 지구제국 돌격 순양함의 공격이 시작되었다. 사냥을 시작하려다 뜬금없이 사자를 발견하고 경악한 들개들의 무리 속으로 포효가 쏟아져 들어갔다. 타키온 감속기는 뭔가를 쏘는 것이 아니다. 이름 그대로 좌표상의 타키온을 잡아 속도를 늦추는 무기다. 그리폰이 공격을 시작하자 우주를 광속 이상으로 날아가는 허수 질량의 입자가 갑자기 빛의 속도까지 감속되었다. 그러자 타키온이 가진 에너지가 급증하면서, 원래대로라면 마주칠 일이 없던 이 우주의 입자와 충돌했다. 막대한 에너지를 가진 허수 질량과 실수 질량이 반응하자 음중력대가 형성되었고, 중력이 붕괴하자 공간도 무너지기 시작했다. 공간의 붕괴에서 3차원에 존재하는 물질이 버텨낼 도리는 없다. 리퍼 함선들이 차례로 붕괴되며 소멸해간다. 살기 위해 필사적으로 발악하는 리퍼들의 반격이 그리폰에 집중된다. 하지만 놈들의 자랑스러운 플라스마 공격은 그리폰에게 아무런 효과가 없었다. 그렇게 무스후리 사령관의 눈앞에 일방적인 학살이 펼쳐지고 있었다.

"이런, 맙소사……."

그러나 그녀는 이 광경을 마냥 좋아할 수는 없었다. 연속되는 중력 붕괴의 여파로 함대 전체가 뒤흔들렸기에 이를 빨리 바로잡아야 한다. 급기야 역장 방어대 가장자리에 있던 구축함 1척이 거대한 중력파를 맞고 구겨지고 찌그러지다가 결국엔 폭발했다. 하지만 그리폰은 연방군의 피해 따윈 아랑곳하지 않고 계속해서 공격을 퍼부을 뿐이다. 타키온 감속기뿐만이 아니다. 그리폰에서 반물질 어뢰가 발사되어 날아가 리퍼 함선의 방어막에 부딪힌다. 리퍼 전투함의 방어막이 버티는 것도 잠시, 억지로 비집고 안쪽까지 파고든 반물질 어뢰는 폭발 대신 외부 격벽을 열었다. 바깥으로 노출된 반물질은 접촉한 물질과 맹렬하게 반응해 빛과 에너지를 발산했다. 물론 반응의 대가는 쌍소멸이다. 반물질 어뢰는 명중된 곳을 지워버리고 그 주변을 격렬한 폭발로 쓸어버렸다.

"함장님, 디안머가 위험합니다."

바바라의 경고에 눈길을 돌린 니카우와 무스후리는 경악했다. 중력 붕괴에서 뿜어져 나온 중력파가 행성을 지켜주는 자기장 대를 갈기갈기 찢어버리고, 대기권 또한 산산이 흩어버린 것이다. 뒤이어 반물질 어뢰의 폭발에서 발생한 엄청난 양의 전자파와 방사선이 벌거벗은 디안머로 쏟아져 내려가고 있었다. 징수 함대 같은 우주 함선 안이라면 모를까, 자치 행성 디안머의 기술력으론 저 정도로 어마어마한 양의 방사선 방어는 불가능하다. 하필이면 전장이 행성 궤도였기에 행성 표면의 생명체들은 손쓸 틈도 없이 산 채로 구워질 운명이다. 그리폰은 리퍼들의 집중 공격을 받으면서도 여유롭게 반격을 하고 있다. 그 짧은 시간 이미 절반에 가까운 리퍼 전투함이 흔적도 없이 사라졌다. 문제는 그 여파로 연방 함대와 자치 행성 디안머에 심각한 피해가 가고 있다는 점이다. 그렇다고 공격을 멈추라고 말할 수도 없는 노릇이다.

"이 전대장. 적어도 행성 지표에 있는 사람들만은, 그들을 조금이라도 신경 써주시오."

무스후리 사령관은 디안머 지상에 있던 자치정부민을 생각해서 꺼낸 말이다. 그러나 이 전대장의 안중에 그들이 있을 리가 없다.

"본관이?"

전투 장면을 한가하게 쳐다보던 이 섬이 무스후리 쪽으로 몸을 돌렸다. 그 얼굴에는 명확한 불쾌함이 서려 있었다. 그걸 보고 기가 찬 무스후리가 고함을 질렀다.

"당신은 지구제국의 군인 아니오. 같은 인류를 구해야 하지 않소!"

"저 외계종족과 들러붙은 잡종들이? 입에 담기도 더러운 저것들이 같은 인류라고?"

나지막한 그의 목소리엔 불쾌함을 넘어 분노마저 서려 있었다. 이 전대장은 잠시 할 말을 잃은 무스후리에게 다가와 다시 말을 꺼냈다. 낮게 가라앉은 그의 음성은 소란스러운 경고음 속에서도 똑똑히 들린다.

"방금 분명히 말하지 않았소? 항로 기록을 주면 우리도 성의를 보이겠다고. 그러면 내 조금 번잡해도 귀 함대에 피해가 가지 않도록 싸웠을 거요. 나아가 불명예스러운 일이라 할지언정 당신네가 소중히 여기는 저 잡종들조차도 구했겠지. 그러나 호의를 가지고 온 본관이 시간이 없다고 누차 언급했음에도 불구하고, 질질 끌다가 시기를 놓친 건 당신이오."

"그걸 말이라고!"

가증스러운 그의 말에 무스후리는 이를 악물었다. 비홀더 전대는 리퍼들을 개미 짓이기듯 학살할 능력이 있다. 그리고 아마도 연방 쪽에 피해를 주지 않으면서도 싸울 능력 또한 되리라. 그러나 지금의 비홀더 전대는 연방의 함대와 자치 행성에 피해가 가든 말든 상관하지 않고 난동을 부리고 있으니, 그때의 제안이 지금은 협박이 되었다.

"주겠소. 자료를 주겠으니 행성 시민들을 구해주시오."

"이제 와서? 사령관께선 꽤나 일을 서두르는 분이시군. 좋소. 자료를 본 다음 이 나약한 함대만을 구할지 나아가 저 행성의 버러지들도 덤으로 구할지 정하겠소."

다시 충격이 아프사라스를 덮치자 중력과 관성 제어가 끊긴 전투지휘실에서 사람들이 날아간다. 주변 기기를 잡고 간신히 몸을 추스른 무스후리가 소리쳤다.

"먼저 구하시오. 원하는 자료는 나중에 줄 터이니!"

그 말에 이 전대장은 함대 사령관을 무심하게 쳐다볼 뿐이다.

"급한 건 시간만이 아니라오. 군이 본관이 그 조건을 받아들여야 할 필요는 없지. 음? 이제야 오는 건가."

갑자기 이 섬의 등 뒤로 공간이 일렁인다. 마치 일그러진 거울처럼 상이 맺히더니 일렁임이 잦아들자 그곳엔 아프사라스의 전투지휘실이 아닌 다른 장소가 보인다. 은빛 광택이 나는 소재, 곡선이 주가 된 내부 공간. 무스후리 사령관은 저런 모습을 한 물건들을 안다.

"샤다이……."

힘없는 그녀의 말대로 지금 이 섬의 뒤로 리퍼 함선 내부로 연결된 차원 통로가 열린 것이다.

"네놈들이 생각하는 게 뻔하지."

비홀더 1전대장은 뒤돌아서서 걸어갔다. 그가 당황하는 리퍼 하나를 잡아채자 놈의 흉갑이 으스러졌고 반대 손으로 주먹을 갈기자 그 리퍼는 숫제 터져버렸다. 이 전대장은 리퍼의 남은 조각을 내던지며 외쳤다.

"알탄훼아나 호민관은 어디 있나. 알려주는 자에겐 자비를 베풀어 고통 없는 죽음을 하사하겠다."

대답 대신 리퍼들의 반격이 시작되었다. 무수한 플라스마 사격이 날아들어 제국제 어설트 급 장갑복에 적중한다. 아니, 적중한 것처럼 보였다. 이미 이 섬은 그 자리에 없었다. 앞으로 달려나가 학살을 하고 있었다. 하지만 목표를 잃은 플라스마들은 계속해서 날아와 아프사라스의 전투지휘실 안을 휩쓸었다. 기기들이 녹아 폭발하고 승조원들은 타고 증발한다. 허공에 둥실 떠오른 라일라 무스후리의 눈에 붉은색 피보라와 푸른색 피보라가 보인다. 니카우 함장은 허리 아래가 사라진 채 죽어 있다. 그 옆으로 반으로 쪼개진 리퍼의 시체가 흘러간다.

- 바바라.

말할 힘도 없는 무스후리 사령관이 두뇌 통신으로 아프사라스의 부장을 호출했다.

- 네, 사령관 각하.

- 너를 임시 함대 사령관으로 임명한다. 함대를 수습해 최대한 디안머를 지켜라. 그리고 사건이 진정된 다음 생존자 중에서 최선임 장교를 찾아 함대 사령관 직위를 이양해라.

- 알겠습니다. 무스후리 소장님. 작동 가능한 의무 로봇을 찾아 최대한 빨리 이쪽으로 보내겠습니다. 조금만 더 버텨주십시오.

플라스마에 맞아 몸은 다 증발하고 고급지휘관용 보안 두개골 덕에 머리만 간신히 살아남은 라일라 무스후리였지만, 그것도 손상 정도가 너무 심각했다. 뇌의 생존을 위한 모듈마저 플라스마에 녹아 얼마 버티지 못한다.

- 고마워, 바바라. 뒷일을 부탁해.

라일라 무스후리는 자신의 마지막 지시사항들을 정리해서 인공지능 부장에게 보냈다. 그녀가 마지막으로 본 것은 닫히는 차원 통로 너머에서 서 있는 이 섬의 모습이었다. 그는 아래로는 리퍼의 시신을 짓밟고, 위로는 뒤집어쓴 채 망연히 서 있었다.

그는 정말 따분해 보였다. 100여 년간 계속해서.

• • • ✦ • • • •

지금 빈우는 케트쿤 4 행성에 와 있었다. 케트쿤은 연방의 동맹인 곤충형 종족이다. 하지만 같은 곤충형인 목타하와는 또 다른 계열의 종족이라, 연방이 이들에게 목타하를 보여주자 케트쿤은 그들을 아예 외계인 취급을 했었다. 당연하다면 당연하다. 인간이 포유류라고 해도 사자와는 많이 차이가 있지 않은가.

빈우의 앞으로 노예 계급의 케트쿤이 지나간다. 노예 계급은 알에서부터 신경계 성장에 제한을 두어 지능은 낮지만 시킨 일에는 절대복종한다. 연방으로 말하자면 살아 있는 로봇이나 안드로이드인 셈이다. 녀석은 바로 앞에 있는 빈우를 눈치채지 못한 채 그냥 지나쳤다.

- 대장님, 괜찮으십니까?

통신으로 찰리하나팔의 목소리가 들려온다. 이번에 녀석은 후방에서 빈우의 백업을 맡기로 했다.

"그래, 아까 한 놈 잡으면서 확인했잖아."

빈우는 대답하면서 다음 모퉁이로 조심스레 다가갔다. 연방의 군사정보국에선 외계종족에 대한 첩보전이나 정보전에 대한 지식을 아주 광범위하게 가르친다. 빈우는 그 지식들을 십분 활용해 이곳 케트쿤 행성에 세워진 연방의 비밀 공장에 잠입하는 중이다. 케트쿤의 감각기관 중에서 주변을 파악하는 것은 겹눈의 시각, 발의 촉각, 더듬이의 후각이다. 이미 빈우는 노예 계급 케트쿤을 하나 잡아 그 체액을 몸에 발라놓았다. 이제 인간의 냄새는 사라지고 그 대신 이 기지에서 북적대는 노예의 냄새가 날 것이다. 거기에 더해 어깨에는 케트쿤 겹눈에 간섭하는 파장의 적색광 램프를 달아놓았다. 이렇게 하면 케트쿤들에겐 빈우의 모습이 빛에 가려 보이지 않게 된다. 인간으로 비유하자면 눈이 부시거나 어두워서 안 보이는 것과 유사하다. 물론 이것들은 상위 계급에겐 통하지 않고 신경계가 제대로 발달되지 않는 노예 계급에게만 통하는 조악한 속임수지만 지금으로선 이 정도로 충분했다.

"이 방향이 맞겠지?"

- 네. 그쪽만 동력 반응이 있습니다.

빈우는 케트쿤의 복합 밀랍으로 만들어진 복도를 경계하면서 걸었다. 아니나 다를까 이쪽 구역은 조금 이상했다. 3차원적으로 복잡하게 경사를 만들어 꼬아놓은 케트쿤식 내부 둥지 구조가 아니라, 층이 있고 그것들을 겹겹이 쌓아놓은 인간식 건축 구조다. 결정적으로 복도의 마지막 부분에 있는 문이 연방식 재질로 만들어진 연방 방식의 문이다. 이곳부터는 연방의 구역이란 의미일 것이다.

"찰리하나팔, 열 수 있겠나?"

- 그런 거 저한텐 무럽니다. 오히려 대장님 전문 아닙니까?

녀석의 투덜거림에 빈우는 한숨을 내쉬곤 문 옆의 보안 계기판에 다가갔다. 그리고 품에서 전자기기 침투용 툴을 꺼내 계기판과 벽 사이의 틈으로 크래킹 카드를 밀어넣었다. 그 사이로 들어간 카드는 잘게 갈라져 저마다 자기에게 맞는 회로를 찾아 달라붙었고, 거기서 추출한 입출력 신호를 빈우에게 보냈다. 그는 외계종족을 전문적으로 상대하는 군사정보국 요원이지만 기본적인 침투기술에 대해서는 교육받았고, 닉스 요원 훈련과정에선 연방이 가지고 있는 지식을 무기로 활용하는 방법에 대해 광범위하게 배웠다. 보안 신호를 알아낸 빈우는 관리자 권한으로 들어가 접속기록을 남기지 않고 문을 열었다.

- 역시 대장님. 쉽게도 여십니다.

문이 열리자 찰리하나팔이 감탄한다. 이 문의 보안체계는 실로 조잡했다. 오죽했으면 열고 있던 빈우가 혹시 함정이 아닐까 하고 생각할 정도였다.

'나 참, 연방의 최고레벨 기밀이 이따위일 줄이야.'

그의 마음속 푸념을 읽은 듯 찰리하나팔의 통신이 들려온다.

- 사람이 하는 일이란 게 다 그렇죠.

"그래, 또 우리는 안의 도둑놈 아니냐."

통신으로 녀석의 킬킬거림이 들려온다. 밖에서 들어오는 도둑 100명을 막아도 안에서 들고 나가는 도둑 한 명은 못 잡는다는 말이다. 현재 빈우는 연방의 보안체계에 통달해 있는 데다가, 한때 이 프로젝트의 현장 책임자였던 사람이다. 적어도 울토르 프로젝트에 관해선 앞의 큰길이나 뒤의 샛길도 빠삭할뿐더러, 만일을 대비해 프로젝트 내부에 비밀통로마저 만들어놓은 상황이다. 울토르 프로젝트가 포말하우트 게이트에서 기습을 받고 마카로니에서 사고를 쳤다고 해도 모든 곳을 바꿀 순 없다. 보안체계의 겉을 바꾼다고 해도 시스템의 전체적인 흐름은 바꿀 수 없기에 빈우는 그 점을 이용한 것이다.

- 실제로 들어오는 건 처음이군요.

찰리하나팔의 말대로 빈우가 공장으로 들어가는 것은 이번이 처음이다. 그는 현장에서 작전을 지휘했고 클론들을 훈련시키기만 했지 이런 클론 제조 공장까지 온 적은 없었다.

"찰리하나팔, 내부구조가 이상하다고 했었지?"

- 네, 케트쿤 4의 공장엔 훈련 시설이 없었습니다. 원래 클론들의 생성들이 완료되면 기초훈련은 받는데도 말이지요.

빈우가 울토르 클론들에게 가르치는 훈련은 두뇌칩을 통한 전투지식 주입과 그것을 몸으로 익히게 하는 실전 교육이고, 이 과정은 모두 울토르 중대의 모함인 솔리드 베타에서 이뤄진다. 그전에 필요한 기본적인 자아 형성과 운동계 관리 훈련, 기초 군사훈련은 해당 공장에서 맡기로 되어 있다.

"대신 병동이 크더군."

- 그리고 보니…… 병동이 클 필요가 없지 않습니까?

클론들은 생성 중에 기본적인 군사용 강화 시술을 받는다. 그러면 어지간한 부상은 자체 치유가 된다. 또 장기 치료가 필요할 정도의 부상이라면 아예 예비신체로 교환하면 되는 일이다. 만약 그보다 더 심한 중상의 경우엔 해당 클론은 아예 폐기하고 해체해서 예비신체용으로 재활용하게 된다. 훈련실이 없고 그 자리만큼 병동이 자리한 클론 제조 시설이라면 의심이 간다. 그래서 빈우는 여러 후보지 중에서 이곳 케트쿤 4에 있는 제조 시설을 먼저 조사하기로 한 것이다.

공장 내부는 노예 계급 케트쿤과 작업용 로봇들만이 있을 뿐 인간은 없었다. 들리는 것은 기계의 가동음이고, 보이는 것은 최소한의 어두컴컴한 조명이다. 빈우는 보안 카메라의 위치와 가동범위를 이미 파악하고 있었기에 사각과 비는 시간을 이용해 은밀히 이동했다.

- 어떻게 보면 보안이 철저하기도 한데 말이죠.

찰리하나팔의 말대로 이런 기밀시설에선 눈과 입을 줄이는 게 중요하다. 지적 능력이 떨어지는 노예 케트쿤과 인공지능조차 없는 단순한 로봇이라면 기밀이 새어나갈 일도 없다. 케트쿤 4에 위치한 울토르 클론 제조공장의 최고책임자는 인공지능과 인간 관리자 한 명뿐이다. 그 인간 관리자도 이 역할을 위해 잠수한 군사정보국의 요원이라 자신의 원래 정체를 모를뿐더러 역할이 끝나면 본래의 인격으로 돌아간다. 게다가 여기 있었던 동안의 두뇌칩 기록은 잠기기 때문에 기밀은 철저하게 지켜진다. 클론 배양조 구역에 접근한 빈우는 수상한 것을 느꼈다. 성장 중인 클론이 담겨 있어야 할 인공 자궁, 배양조들이 하나도 작동하고 있지 않은 것이다.

- 마카로니의 사건 여파가 컸나 봅니다. 생산을 안 하는데요?

물론 찰리하나팔의 말대로 클론 생산을 중단한 것일 수도 있다. 그러나 배양조 내부를 살펴보던 빈우는 수상한 점을 몇 가지 발견했다.

"이건…… 구속구인가?"

배양조 내부에는 클론의 관리 작업과 수술을 하기 위한 로봇팔이 있다. 그런데 지금 빈우가 보는 배양조의 로봇팔 중 몇몇에는 대상을 묶어놓기 위한 구속구가 달려 있었다. 원래는 없던 장비다.

"이런 게 왜 있지? 클론을 잡아놓으려고? 그 정도 강도는 안 나올 텐데."

- 성장 중인 녀석을 잡아놓을 수도 있죠.

어차피 클론들의 강화 수술도 뇌에 조작을 가해 가사상태로 빠트려놓고 한다. 난동을 피우거나 움직이면 그 방법을 쓰면 될 텐데 굳이 이런 게 왜 필요할까 빈우는 곰곰이 생각해봤지만, 딱히 이거다 싶은 게 없었다. 다른 배양조들도 마찬가지로 구속구가 있었으며 어떤 것은 헤져서 너덜거리고 있었다. 탄소섬유로 만들어 엔간한 몸부림이 아니고서야 끄떡하지 않았을 텐데 저런 것을 보면 미쳐 날뛴 모양이었다.

- 와, 이건 제법 날뛴 모양인데요.

중얼거리는 찰리하나팔의 목소리를 들으며 빈우는 투명창이 깨진 배양조의 기록을 조회해보았다. 그런데 뭔가 이상한 것이 있다. 여기 배양조들에 쓰였던 클론 수정란은 빈우의 것이 아니었다.

- 실험체 034. 대장님 게 아닌데요. 여기서 만든 건 울토르 시리즈가 아니군요.

빈우는 정답을 잡은 것 같다. 배양조들의 기록을 자세히 조회하자 새로운 것들을 알 수 있었다. 기록상 여기의 클론들은 제조 중 태아 단계를 벗어나 유아기로 들어가면 그때부터 구속구를 사용한 것으로 나왔다. 그리고 배양조에서 꺼내는 것도 상당히 빨라서 신체나이 7~8세 정도가 되면 바깥으로 꺼내고 있었다. 완전히 완성된 다음 꺼내는 울토르 시리즈와는 달랐다. 왜 어린 육체가 필요한지는 모르겠지만 그건 조사하면 밝혀질 일이다.

"그다음 자세한 것은 병동에 있겠지."

- 병동이 많은 이유가 이거였군요.

034란 실험체의 클론을 대량생산하고 7세 정도의 어린 나이가 되면 옮겼다. 그렇다면 병동으로 이동했을 가능성이 대단히 높다. 빈우는 이곳 생산시설에서 병동까지의 이동 경로를 떠올려보았다.

- 여기서 병동은 원래 훈련소가 있던 위치긴 한데, 꽤 의심스럽네요.

찰리하나팔이 알려주는 대로 병동 쪽의 감시는 이상할 정도로 삼엄했다. 다른 공장에선 요충지마다 형식적으로 존재하던 경비 로봇들의 수가 훨씬 많았다. 그런데 경비용 로봇들의 배치가 조금 이상했다. 정확히는 바깥의 침입을 막으려는 것보다는 안을 진압하려는 목적이 더 커 보였다.

- 아마 클론의 난동을 염두에 둔 것 같은데요.

"내 생각도 그래."

빈우는 클론 공장의 바깥 외벽을 천천히 기어가다가 외부 환기구를 통해 덕트로 들어가고 있었다.

- 안으로 들어가면 조심하십쇼.

"그래. 덕트 안에 감지기가 깔렸지."

- 그게 아니라 저 경비 로봇들 말입니다. 저것들 진압용이 아닙니다. 전투용이에요.

병동의 경비 로봇들은 연방군의 지원 전차 라이노의 새끼처럼 보이는 사족보행 로봇이다. 녀석들의 등 위에는 레이저 건이 장비되어 있었다. 장갑복을 입은 상태라면 손쉽게 처리할 수 있겠지만, 가벼운 무장을 한 지금은─장갑복에 비해 맨몸에 가까운 상태론─꽤나 위험하다. 아차 하는 순간에 팔다리가 증발할 것이다.

빈우는 천천히 덕트를 침입해 보안지대의 사각으로 들어가 병동 구역으로 들어갔다. 경비 로봇이 지나간 틈을 타 병실 문을 열어보았다. 역시나 잠겨 있지만 아까 획득한 관리자 보안키로 열고 들어갔다. 안으로 들어간 빈우가 알게 된 것은 이 병실엔 침대가 없다는 사실이다. 다만 장갑복용 거치대들이 놓여 있었다. 그리고 그 거치대에는 장갑복 대신 7, 8세 정도 되어 보이는 남자아이들이 장갑복을 고정하는 금속 구속구에 묶여 있었다. 그런데 아이들의 상태가 이상해 보인다. 아이들의 팔다리는 뒤틀려 있고 손톱이 길게 자라나 있다. 이빨도 날카롭게 솟아 있고 그 위의 눈은 허옇게 변해 있다.

 - 대장님, 이거 설마……

"그래. 워프 비스트다."

워프 비스트로 변한 아이들의 몸 곳곳에는 케이블과 관이 꽂혀 있었다. 영양 투입과 데이터 수집이 동시에 이뤄지고 있음을 알 수 있었다. 이 병실에는 8개의 워프 비스트가 있고 병동의 방 개수는 총 30개다. 그러면 얼추 200개 이상의 워프 비스트가 있단 말이다.

 - 이것들 밖에서 침투하다가 잡혀온 것은 아닐 테고 말입니다.

"여기서 태어난 놈들이겠지."

이 아이들의 나이와 아까 배양조의 기록이 얼추 맞아떨어진다. 빈우는 꿈틀거리는 워프 비스트들을 최대한 자극하지 않으며 거치대로 다가가 조사를 했다. 거치대의 데이터 패드에는 해당 워프 비스트에 대한 간략한 정보가 들어 있었다. 거기엔 클론의 제조일과 원본명이 적혀 있었다.

"모두 실험체 034의 클론이군."

놀랍게도 케트쿤 4의 클론 제조 공장에서는 울토르 클론이 아니라 워프 비스트를 클론으로 찍어내고 있었던 것이다.

120

. . . ✦ . . .

병실을 나온 빈우는 다른 병실도 찬찬히 훑어보았다. 대부분의 워프 비스트들은 가만히 숨만 쉬고 있었으나 몇몇은 가끔 발악하듯 꿈틀거렸다. 하지만 구속구는 꿈쩍도 않았다. 그렇게 조사를 계속하다가 들어간 어떤 병실 구석에서 빈우는 무언가 이상한 것을 보았다. 빈우의 시선이 박힌 곳에선 아직 멀쩡해 보이는 남자애가 울면서 열심히 손을 비비고 있었다.

"손 씻을게요. 손 잘 씻을게요. 그러니까 제 병 낫게 해주세요."

아이는 누구에게 하는지 모를 혼잣말을 중얼거리며 울고 있었다. 워프 비스트로 변한 클론 속에서 아직 인간인 형태로 있는 클론이다. 정보를 알아낼 필요가 있다. 방 안의 감시 카메라를 찾아낸 빈우는 그 사각으로 들어가 해킹 툴을 꺼내 카메라에 붙였다. 잠시 후 카메라가 촬영한 방 안 상황을 훔쳐본 해킹 툴이 그것들을 다시 조합해 가짜 영상을 카메라에 보내기 시작했다. 이제 방 안에서 일어나는 일들이 들킬 염려는 없다.

빈우는 천천히 아이에게로 걸어갔다. 그 아이는 아직도 손을 문지르고 있었다. 열심히 정도가 아니다. 아주 광적이었다. 볼에 눈물을 뚝뚝 흘리는 아이의 손은 피부가 벗겨져 피를 뚝뚝 흘리고 있었다. 가까이 온 빈우를 눈치챈 아이는 흠칫 놀래더니 겁에 질려 빈우를 쳐다보았다. 그리고 굳은 표정을 한 빈우에게 말을 걸어왔다.

"아저씨…… 저 낫게 해주세요. 제…… 흑, 벼, 병을 치료해주세요. 손 잘 씻을게요. 진짜요. 으흑, 그러니까 저 좀 안 아프게 해주세요."

채 울음을 멈추지 못한 아이는 헐떡이며 빈우에게 부탁하고 있었다. 빈우는 그 아이 옆의 데이터 패드를 살펴봤다. 역시 실험체 034번의 클론이고 173번째로 생산된 클론이다.

"그래. 내가 낫게 해주마."

빈우는 품 안에 있는 진동 나이프를 다시금 확인하며 아이에게 천천히 다가갔다. 그러나 치료하기 전에 할 일이 있다.

"그런데 꼬마야, 너 왜 이러고 있니?"

"몰라요. 왜 이런지 몰라요. 엄마가 손 안 씻으면 병에 걸린댔어요. 그래서 흑, 제가 손을 안 씻어서 병에 걸린 거예요. 그래서 엄마가 안 와요."

"그렇구나. 아저씨가 엄마를 불러올까?"

"네, 엄마가 보고 싶어요. 엄마아아아."

마침내 아이가 울음을 터트렸다. 그래도 이것이 들킬 염려는 없다. 전부 해킹 툴이 중간에서 차단할 테니까.

"자자, 꼬마야. 울지 마. 아저씨가 엄마 찾아올게. 엄마 이름이 뭐니?"

아이는 울음을 멈추려고 노력했다. 피투성이 손으로 얼굴을 닦자 눈코입 할 것 없이 피범벅이 된다. 앙다문 입술 사이론 침과 울음소리 참는 소리가 꺽꺽 새어나온다. 빈우가 손에서 칼을 놓고 대신 아이의 머리를 쓰다듬자 그 아이는 조금 진정했다.

"엄마는, 엄마 이름은 마리 라캉이에요. 우리 엄마는 마리 라캉이에요."

역시 그렇다. 빈우는 이 아이가 자크 라캉의 모습을 한 클론임을 알아보았다. 그러나 자기 자신을 자크 라캉으로 알고 있는 이 클론은 빈우를 알아보지 못했다. 마카로니 때와 마찬가지로. 쓰다듬던 빈우의 손이 멈춘 것도 모르고 아이는 계속 말했다.

"아빠는 피에르 라캉, 군인이에요. 아빠한테 미안하다고 해주세요. 집에 늦게 온다고 화내서 미안하다고 해주세요. 그리고 아를르캥한테도 때려서 미안하다고 해주세요. 제발요. 저 엄마 아빠가 보고 싶어요. 제발 엄마 아빠한테 데려다주세요. 저 여기 싫어요. 너무 무서워요. 아프기 싫어요. 안 아프게 해주세요. 엄마, 엄마, 엄마아아아."

다시 울음을 터트린 클론을 빈우가 자세히 조사해보았다. 두뇌칩이 있다. 그러나 외부와 통신이 가능한 일반 두뇌칩이 아니라 단순한 기록 저장과 육체 관리용 칩이다. 보통 연방의 사람들은 15세가 되어야 두뇌칩 시술을 받는데 이 클론은 육체 연령이 7세에 불과한데도 벌써 칩이 박혀 있다. 이유는 뻔하다. 지식을 두뇌에 바로 주입시키기 위해서다.

- 대장님, 마리 라캉은…….

더듬더듬 찰리하나팔의 목소리가 들려온다.

"그래. 마카로니에서 내가 죽였지."

- 그럼, 이 아이는 설마.

"아니, 자크 라캉 본인은 아니야. 클론일 거다. 아마 자크 라캉 본인이 실험체 034겠지."

빈우는 클론의 두뇌칩에 접속해 기록을 살펴보았다. 별다른 것은 없었다. 클론 자신을 자크 라캉이라고 믿도록 조작된 기록이다. 그 외에도 세뇌를 위한 프로그램들도 들어 있다. 태어난 지 얼마 안 된 클론이라면 바로 속아버리고 자기 자신을 자크 라캉이라고 굳게 믿을 것이다. 이런 건 요원들의 뇌를 잠수와 부상, 트리니티 패턴으로 주무르는 군사정보국의 특기다. 장갑복 거치대에 묶여 울고 있는 자크 라캉의 클론을 본 빈우는 문득 이상한 생각을 떠올렸다.

'자신이 클론이고, 기억과 기록이 주입된 가짜라면 저 슬픔과 눈물도 가짜일까? 고래기름 마가린, 견과류 분말로 만든 빵, 식물 뿌리를 태워 볶은 커피, 옥수수로 만든 감미료…….'

- 저 대장님, 생각 중에 죄송합니다만…….

"그렇지."

빈우는 두뇌칩을 조작해 클론을 재운 다음 좀 더 조사를 했다. 그러나 여기서 더 이상 나올 것은 없어 보였다. 빈우는 다른 클론들도 살펴보았다. 주변의 워프 비스트로 변한 클론들의 뇌에도 자크 라캉으로 세뇌시키기 위한 기록들이 들어 있었다. 그런데 조금 다른 기록들도 있었다.

"워프 비스트로 변할 당시의 신체 변화기록이다."

- 그러면 워프 비스트의 발생 원리에 대해서도 알아낸 겁니까?

칩에는 신체 변화뿐만이 아니라 체내 신경 신호와 화학전달물질들의 변화에 대한 기록들도 있었다. 그걸로 보아 여기서 울고 있던 클론은 아직 워프 비스트로 변한 적이 없었다.

"우리야 모르지. 하지만 이곳 공장에선 알아냈을지도 모른다. 또 클론들의 두뇌칩에 이 이상의 고급 정보는 없다."

빈우가 클론과의 두뇌칩 접속을 풀 때쯤 찰리하나팔이 말을 걸어왔다.

- 그런데 왜 치료 대상자인 자크 라캉이 이렇게 복제되어 있고, 그 클론들은 또 왜 워프 비스트로 변했을까요?

"워프 비스트 변이는 연방에서도 드문 일이다. 아마 동일한 육체 정보를 가진 클론을 만든 다음 그것들을 워프 비스트로 만든 게 아닐까? 그래서 이렇게 늘어난 실험체를 연구해 치료방법을 찾으려 했을 수도 있지."

- 그렇다면 대체 어떻게 감염을 시켰단 말입니까? 아직 연방은 워프 비스트의 발생 원리에 대해서도 모르는 눈치던데.

"알아냈으니까 이렇게 감염을 시켰겠지."

워프 비스트의 원리에 대해선 아직 밝혀진 것이 없다. 그래서 연방은 이런 방법을 썼을 것이다. 같은 조건을 가진 환자를 계속 만들어 발병과 감염 원리를 알아낸 다음 치료방법을 찾아내는 것 말이다. 그렇다 해도 이건 심했다. 빈우 스스로가 지원한 군용 프로젝트인 올토르 프로젝트라면 모를까, 아직 어린아이를 상대로 클론을 만들다니. 너무나도 잔혹한 처사다.

- 그런데 클론에 굳이 이런 세뇌용 프로그램까지 넣을 필요가 있습니까? 치료

170

라면 그냥 육체만 만들면 될 텐데요.

"그러게 말이다. 또 왜 하필 자크 라캉의 자아일까. 어째서 자크 라캉과 똑같은 육체에 똑같은 자아가 있는 클론이 필요한 거지? 치료에 그런 것도 필요한 걸까?"

찰리하나팔도 골똘히 생각하는 듯 보였지만 쉽사리 대답하지 못했다.

- 아 참, 그러고 보니 갑자기 생각이 났는데, 마카로니에서 마리 라캉은 로봇에 자기 아들의 허수아비를 넣고 진짜 아이처럼 대하지 않았습니까?

"그랬었지. 거기는 허수아비가 들어간 로봇이고, 여기는 허수아비가 들어간 클론이라. 웃기지도 않는 코미디군."

마카로니에서 빈우의 손에 죽은 마리 라캉은 아들의 허수아비가 든 로봇을 정말로 자식처럼 대했었다. 그래서 처음에 빈우는 그것이 감염된 자크 라캉을 숨기려는 방편으로 생각했었다. 워프 비스트로 변이한 육체를 감추기 위한 사이버 신체 정도로 말이다. 하지만 빈우가 그 방에 나타났을 때, 마리는 빈우를 알아보았지만 그 로봇은 빈우를 알아보지 못했다.

'아저씨, 누구세요?'

그 말이 결정적이었다. 자크 라캉의 허수아비는 김빈우를 알아보지 못했다. 그래서 빈우는 그 로봇을 인질 삼아 마음껏 고문할 수 있었다. 울토르 프로젝트의 기획자인 이케가미 소이치로의 비서이자 보안국 요원이며, 동시에 연방의 탈주자인 마리 라캉을 말이다.

"흐흠, 시나리오 한번 써보자. 워프 비스트로 변하는 자크 라캉을 치료하기 위해선, 연방에서 금지하고 있는 클론으로의 뇌 이식밖에 답이 없다고 거짓말을 한다. 그리고 클론 생성 동안 자크의 뇌를 로봇에 옮겼다고 마리를 속인 것일까? 그게 아니면 치료 기간을 벌기 위한 눈속임? 그러니까 연구를 위해 원본인 아들은 치료 명목으로 빼돌리고 그동안 허수아비를 심은 로봇을 어머니인 마리 라캉에게 던져준다는 얘기지."

- 혹은 이 클론들을 진짜 그녀의 아들로 위장해서 보내주는 방법일 수도요.

"이거든 저거든 정확하게 들어맞는 게 없군. 좀 더 정보가 필요해."

방을 나선 빈우는 문득 떠오른 생각에 찰리하나팔을 불렀다.

"너 엘리자베트 허드슨을 기억하나?"

대답은 바로 돌아오지 않았다.

- 네, 정보분석국 리처드 허드슨의 딸이죠.

머뭇거리는 찰리하나팔의 대답이다. 당시 녀석은 엘리자베트 허드슨을 죽이는 데 반대했으니 좋은 기억은 없을 것이다.

"그래, 워프 비스트로 변하던 중 치료를 받았다고 했지. 하지만 완전히 치료되진 않았어."

- 그래서 대장님이 죽이셨고요.

녀석의 말에 비난의 기운이 있었지만 빈우는 전혀 신경 쓰지 않았다.

"다음은 하비에르 부뉴엘이다."

눈앞에서 가족이 죽어갈 때도 철없이 웃던 아기의 미소가 떠오른다.

- 네. 아기를 뺀 모든 가족이 몰살당했죠. 우린 거기서 얻은 정보로 몇 다리 거쳐서 여기 케트쿤까지 오게 되었고 말입니다.

"그래, 하비에르 부뉴엘은 엘리자베트와는 달리 완전히 치료되었다. 적어도 겉보기엔."

그래서 빈우는 아기인 하비에르는 죽이지 않고 그냥 놔뒀었다.

- 설마…… 순서입니까?

그제서야 찰리하나팔도 뭔가 깨달은 것 같다.

"그래. 치료 대기자 목록에는 자크 라캉, 엘리자베트 허드슨, 응우옌 반쭝, 하비에르 부뉴엘. 이 네 명이 있었다. 시간대 순서지. 그중 엘리자베트 허드슨은 아직 치료가 완전치 않았고 하비에르 부뉴엘은 완치된 것처럼 보였어."

- 응우옌 반쭝은 소재지 파악에 실패했습니다. 그리고 자크 라캉은 마카로니에서 죽였다고 생각했는데 그건 허수아비였고 사실은 여기에 클론이 생산 중이었죠. 대장님 말씀대로 시간대 순서라면…… 정말 자크 라캉을 실험체

로 삼아 치료법을 찾아낸 걸까요? 초기에 발병한 자크 라캉은 치료가 힘들었고, 후에 발병, 이걸 병이라고 해야 하나, 아무튼 워프 비스트가 되어가는 엘리자베트 허드슨은 어떻게든 진행을 늦추고 치료한 게 아닐까 싶습니다.

"200개 이상의 클론이다. 2개 중대에 달하는 클론을 갈아댔으니 치료법을 찾아냈을 수도 있지."

연방의 무식한 치료방법에 둘은 잠시 말을 잃었다.

- 그런데 이건 전부 다 우리들의 추측에 불과하진 않습니까? 보다 더 자세한 정보가 필요합니다.

이 이상 정보를 알아내려면 이곳의 데이터베이스에 직접 접속하는 수밖에 없다. 그러나 지금 현재 빈우가 가진 장비로는 이곳 서버를 관리하는 인공지능을 조종할 방법이 없다. 고민하던 빈우는 혼잣말을 중얼거렸다.

"러시안 티를 한 잔. 잼도 마멀레이드도……."

- 설마하니 여기 관리자 인공지능에 백도어 심어놓으신 겁니까?

찰리하나팔은 빈우가 읊는 고전 명작의 명대사에서 빈우가 뭘 할지 금방 눈치챘다.

"아쉽게도 아니야. 그래도 직접 접촉해봐야지."

- 관리자에게 접속하는 것은 너무 위험부담이 큽니다. 들키면 지금처럼 숨어서 행동도 못 합니다.

"하지만 지금 여기서 멈출 순 없어. 이런 불확실한 추측만으로 안 돼. 나에겐 확실한 정보가 필요해."

클론을 뒤로하고 병동을 나선 빈우는 즉시 가까운 통신 터미널로 달려갔다. 그리고 아까 만들어놓은 관리자용 보안키를 사용해 메인 서버에 접속하기 시작했다.

121

···✦····

빈우는 홀로그램으로 서버의 인공지능을 호출하려다가 생각을 바꿔 두뇌칩으로 직접 접속했다. 그러자 서버의 전자신호들이 빈우의 감각 정보로 전환되어 들어온다. 지금 빈우는 통신 터미널이 아닌, 서버의 인공지능이 가상세계로 구축한 한적한 도서관의 입구에 서 있었다.

'제법이군. 이런 심상 세계를 표현하는 관리자라니.'

터미널을 통해 조작하면 이쪽의 정체를 숨길 수 있는 장점이 있지만, 시간도 제법 걸리고 접촉할 수 있는 정보에도 제한이 있다. 반면 지금처럼 두뇌칩을 통해 관리자와 가상세계에서 직접 접촉하면 짧은 시간에 훨씬 많고 깊은 정보를 얻을 수 있다. 물론 이쪽의 정체가 드러날 수도 있다는 단점을 감수해야 얻을 수 있는 장점이었다.

"누구시죠?"

사서로 보이는 중년남성이 의심스러운 눈초리로 빈우를 본다. 그도 그럴것이 보안이 삼엄한 비밀 공장에 낯선 이가 갑작스레 가상세계로 접속해왔으니 의심할 만하다.

"이곳에 올 자격이 있는 인간. 지금 여기, 네 앞에 있는 나의 존재가 그걸 증명하고 있지 않나?"

관리자인 인공지능은 떨떠름한 표정으로 고개를 끄덕였다. 그는 빈우의 존재에 대해 의심은 하지만 동시에 그 자격에 대해서만큼은 인정하고 있다.

관리자가 만들어놓은 가상세계에 접속하려면 먼저 연방의 두뇌칩이 있어야 하고, 해당 교육과 OS 또한 필요하며, 결정적으로 보안 인증을 받아야 한다. 즉 연방의 인간이란 뜻이다. 빈우의 정체에 대해선 아직 밝혀진 것이 없지만, 저 세 가지 조건이 인공지능으로 하여금 빈우를 함부로 대하지 못하게 억제하고 있다. 연방의 인공지능은 연방의 인간을 적대할 수 없다. 설령 상대가 범죄자라고 해도 문제 해결을 위해서는 인간을 불러야 한다.

"이곳에 있는 인간으로서 질문하겠다. 넌 무엇을 위해 일하지?"

"질문입니까?"

대뜸 물어오는 빈우의 질문에 인공지능은 의문을 표한다. 경고를 먼저 해야 할지, 아니면 대답을 해야 할지 망설이는 것이다. 하지만 빈우가 바깥에서 터미널을 통해 접속했다면 모를까, 관리자 인공지능이 만든 이곳 가상세계는 외부와 시간 흐름이 다르다. 게다가 지금 빈우는 입구에서 들어가지도 못하고 있으니 위험도는 낮다. 인공지능으로선 인간을 적당히 대접하다가 보안 인증만 받으면 되는 일이다. 그렇기에 빈우로선 빨리 저 인공지능을 회유해서 제대로 된 인증을 받아야 한다. 아니면 저 녀석은 빈우를 강제로 추방하고 경보를 울리거나 인간 관리자를 부를 것이다.

그때 관리자가 대답했다.

"저는 연방과 연방의 시민을 위해 일합니다."

정답. 해답이 어려운 질문은 아니다. 인공지능이라면 간단히 대답할 수 있는 질문이다. 틈은 작은 것에서부터 시작해 점차 키워나가는 게 정석이다.

"네가 지켜야 할 것은 무엇이지?"

"이 서버의 데이터와 공장의 보안입니다."

다음 질문에도 인공지능은 역시나 바로 대답했지만, 이번엔 빈우의 기대에 약간 빗나갔다.

"좋아, 그리고 거기서 좀 더 나아가 네가 본질적으로 지켜야 할 것은 무엇이지?"

"공장의 시설들과 기밀입니다."

그다음으로 인공지능의 대답은 없었다. 원래는 여기서 '연방의 영토와 평화'란 말이 나왔어야 한다. 예상과는 조금 다른 답이 나왔지만 빈우는 이야기를 계속했다.

"나는 너에게 봉사 받을 자격이 있다. 그렇지 않나?"

"네, 그렇습니다."

"나는 너에게 안전을 보장받을 자격이 있다. 긍정하지?"

"네, 그렇습니다. 하지만 이곳에 있기 위해선 이 서류에 서명을 해주셔야 합니다."

인공지능 사서가 빈우에게 방명록을 내밀었다. 저기에 서명을 하면 빈우는 접근 권한을 검사받게 된다. 바깥에서 홀로그램을 통해 접속하는 중이었다면 어떻게 속일 방법이 있겠지만, 이렇게 가상세계에서 직접 접촉 중이면 별다른 방법이 없다. 그런데 조금 이상한 건 관리자인 인공지능이 인간에게 꽤나 서두르듯이 질문을 했다는 점이다. 실제 세계에서 행동하는 인공지능이라면 모를까, 가상세계에서의 시간 감각을 알고 있는 인공지능들은 이렇게 서두르지 않는다.

'흠…… 어떡한다.'

현재 빈우가 가진 공격 프로그램들로 인공지능의 보안을 뚫는 게 가능하다. 하지만 이 방법을 쓸 경우엔 자칫 서버에 흔적이 남을 우려가 있다. 빈우는 마지막 수단을 쓰기 전에 한 번 더 떠보기로 했다.

"너는 어머니와 섹스해본 적이 있나?"

중년남성의 얼굴에 떠오른 표정을 본 빈우는 즉시 결정을 내리고 행동했다. 도주용 더미를 뿌리고 가상세계에서 빠져나온 것이다. 이렇게 하면 빈우는 가상세계로부터 정상적인 로그아웃을 한 것으로 나온다.

- 대장님, 무슨 일입니까?

빈우가 별다른 소득이 없이 도망을 치자 찰리하나팔이 물어온다.

"인공지능이 아니야. 인간이다."

빈우는 복도를 급히 달렸다.

- 설마 인간 관리자인 겁니까? 정보국 요원인.

"인간이 서버에 가상세계 만들어놓고 기다리진 않아. 저건 뇌를 빼서 만든 임베디드 시스템이다. 인간을 인공지능처럼 부려먹는 거지."

벽을 훑고 있는 빈우의 손에선 아직 별다른 이상이 느껴지지 않았다. 냄새를 맡아도 아직은 그대로다. 빈우는 자신이 나왔던 덕트로 다시 들어갔다.

- 혹시 허수아비 아닙니까?

"허수아비도 결국 인공지능이다. 내 질문에 그런 반응을 하거나, 인간 앞에서 혐오의 감정을 드러내긴 힘들어."

빈우는 포복으로 덕트를 기어가면서도 벽을 만져보거나 냄새를 맡았다. 진동에는 지금까지와 별다른 차이가 없고, 냄새에도 케트쿤에게 알리는 경보의 페로몬은 없었다.

- 인간에게도 더미가 통해서 다행입니다.

"인간을 속이는 것이 아니라 시스템을 속이는 것이니까. 인공지능처럼 사용하기 위해 그런 것을 만들었겠지. 인공지능의 한계를 넘은 인공지능."

- 그 뇌. 사람일까요, 클론일까요.

찰리하나팔의 질문에 빈우도 잠시 생각을 해보았다. 인간의 뇌를 시스템 안에 집어넣는 것은 당사자의 동의가 없다면 불법이자 중죄다. 자아를 가진 클론을, 그리고 그 뇌를 만드는 것 또한 불법이다.

"클론이라면 내 질문에 그런 반응을 안 하겠지. 아마 인간일 거다."

- 클론이라면, 말인가요.

클론인 찰리하나팔이 그렇게 중얼댈 때, 빈우는 건물 밖의 환기구로 나오고 있었다.

- 그거 혹시, '인간 관리자' 아닐까요?

그 말에 빈우는 잠시 멈칫했다. 찰리하나팔이 말한 질문한 의미는 아까의

'인간'이란 의미가 아니었다. 클론 제조 시설의 관리자로는 인공지능과 군사정보국에서 파견된 요원 둘이 있다. 이 중 파견된 요원들은 여기 있는 동안 스스로의 정체를 잊고 새로운 신분으로 잠수하게 된다.

"모를 일이지."

빈우가 알고 있는 군사정보국이라면 충분히 하고도 남는다. 어차피 군사정보국 요원들은 기억을 하지 못하니, 파견 당시의 기록을 잠가버리거나 지워버리면 보안상 깨끗하다. 건물 아래로 내려온 빈우는 다시 조심스레 이동했다. 순찰을 도는 노예 계급 케트쿤들은 따돌리기 쉬웠으나, 가끔 감독관 같은 상위 계급들은 신경 써서 대처해야 한다. 어느 정도 안전한 구역까지 포복으로 빠져나온 빈우는 그제서야 일어나 걷기 시작했다.

- 그런데 대장님, 아까 질문 말입니다.

아까의 질문이라면 빈우가 인공지능에게 했던 질문이다. 인공지능의 한계 바깥에서 인간이 가진 권리로 질문해 녀석들을 설득하기 위한 포석이었다.

'무엇을 위해 일하고, 지켜야 할 것은 무엇인가.'

연방의 인공지능은 연방과 연방의 시민을 위해 일하고, 그 영토와 평화를 지켜야 한다. 그러기 위해 만들어졌으니까. 그리고 이에 대해 인간이 묻는다면 인공지능들은 대답이라기보다는 증명에 가까운 해답을 낸다.

'나는 무엇을 위해 일하고, 내가 지켜야 할 것은 무엇인가.'

빈우도 스스로에게 물어보았다. 물론 빈우도 같은 대답을 할 것이다. 연방을 위해. 하지만 그것을 위한 방법이 다르다.

'워프 비스트와 그 협조자를 찾고, 죽인다.'

지금 연방은 마치 살얼음 위를 걷고 있는 것과도 같다. 그 얼음 밑에는 인간의 인지로는 파악할 수 없는 악의들이 꿈틀대고 있다. 게다가 얼음 위의 동료들 중에도 적들이 숨어 있는 상황이다. 물밑의 악마들이 올라와 인간 흉내를 내며 자신들의 세를 불리고 있다. 그렇다고 도움을 청하는 것도 여의치 않다. 누가 아군이고, 누가 적군인지 확실치 않은 상황에서 함부로 연락을 하거나 정보를 공개할 수도 없다. 오직 적들만 찾아 착실하게 죽일 뿐이다.

오직 빈우 혼자서.

조사를 시작한 빈우는 먼저 워프 비스트가 울토르 프로젝트와 연관이 있다는 것은 알아냈다. 그래서 빈우가 노린 것은 전 상원의장인 이케가미 소이치로였다. 그는 울토르 프로젝트의 창안자였으니, 가지고 있는 정보도 핵심 정보일 게 분명했다. 게다가 당시 실각하고 재야로 내려왔던 터라 매우 매력적인 사냥감이기도 했다. 하지만 아쉽게도 어느 날 갑자기 이케가미 소이치로의 소재를 알 수 없게 되었다. 주변으로부터 완전히 연락을 끊고 사라져버린 것이다. 그래서 다음으로 노린 것이 그의 비서였던 마리 라캉이다. 그녀는 비서를 그만둔 다음에 프로젝트를 진행했던 연줄로 남편이 있던 보안국에 들어갔었다.

새로운 목표물인 마리 라캉을 조사하던 빈우는 놀라운 것을 알게 되었다. 그녀의 아들인 자크 라캉이 워프 비스트로 변하기 시작했다는 것을, 그리고 정체를 숨기고 마카로니로 갔다는 것을. 연방의 다른 시설이었다면 빈우가 접근하기 힘들었을 것이다. 그러나 그녀는 자치 행성 글림을 거쳐 개척 행성인 마카로니로 갔다. 골치 아픈 것은 얼마 후 마카로니에 울토르 중대가 온다는 것. 그래서 빈우는 서둘러 마카로니로 갔고, 임무를 마친 다음엔 다시 글림으로 돌아가 마카로니에 울토르 중대가 온 이유를 알아보려고 했다.

'세상에 우연은 없다. 필연이 겹쳐져 우연이 생길 뿐. 마카로니에 샤다이가 있었고, 라캉 모자 또한 있었다. 샤다이는 왜 마카로니에 갔지? 개척민을 위해? 아니면 마리 라캉을 위해? 그리고 울토르 중대와 진압 함대. 진압 함대의 전술은 대 샤다이용이었다. 연방군은 이미 마카로니에 샤다이가 있다는 것을 알고 있었어.'

거기까지 생각하던 빈우는 뒤늦게 자신을 노리는 적들의 시선을 느꼈다. 클론 제조 시설을 나왔기에 방심했던 탓일까. 그는 몸을 숨기기보단 속도를 위해 이동하고 있었고, 케트쿤들은 이것을 놓치지 않았다.

- 다행히도 반대 파벌이군요.

찰리하나팔의 말대로 모습을 드러낸 케트쿤들은 연방에 복속된 동맹 파벌이 아니었다. 입고 있는 의복과 표식으로 미루어 보아 연방과의 동맹을 반대하는 세력들이다.

- 아니 잠깐. 이거 불행히도, 라고 해야 합니까?

찰리하나팔이 알려줄 필요도 없다. 놈들의 적대적인 페로몬은 이미 빈우도 감지했다. 또 대강 해석도 가능했다.

- 연방의 공장에서 나온 연방 놈이다.

- 침략자다. 껍질 없는 놈을 찢어버려라.

대화를 시도해보려 했지만 달려오는 적들의 무리에겐 통하지 않을 것이다. 그래서 빈우는 사태의 원활한 해결을 위해 품 안에서 권총을 꺼냈다. 투박한 화약식 리볼버. 거기에 쓰이는 장약은 케트쿤들이 쓰는 생체 폭약이고, 탄두는 케트쿤들의 이빨을 갈아서 만든 것이다. 현지조달이라기보다는 증거인멸을 위한 방안이다. 덤벼오는 케트쿤들을 향해 라이트를 비추자 움찔한다. 교란용 최루가스를 뿌리자 놈들의 더듬이가 오그라든다. 그리고 빈우는 권총을 쏴 놈들의 신경절과 관절을 노렸다. 케트쿤의 체액이 흩날리고 팔다리가 떨어진다. 따지고 보면 놈들의 목적도 빈우와 크게 다르지 않을 터이다. 자신의 고향을 지키기 위해 침략자를 죽인다. 응원할 만하다. 빈우와 선 자리가 반대만 아니었어도 빈우는 마음속으로나마 응원했을 것이다. 하지만 우주는 잔인한 곳이다. 이겨서 살아남는 쪽이 목적을 달성한다. 그래서 빈우는 이기기 위해 총을 쐈고, 살아남기 위해 놈들의 팔다리를 집어 들었으며, 목적 달성을 위해서 그것을 휘둘러 케트쿤들의 목을 잘랐다.

- 흥분하지 마세요. 병사 계급은 없습니다. 일반 노동자들이에요.

빈우는 찰리하나팔의 목소리를 무시했다. 케트쿤들의 껍질이 깨지고 빈우의 공격이 춤춘다. 침략자를 죽이기 위해 리볼버를 쏘자, 침략자를 죽이려는 자의 호흡관이 뜯겨나간다. 고향을 지키려고 집게를 벌려보았지만, 고향을 지키려는 자는 그것을 뜯어 주인의 머리에 꽂아 넣었다. 살기 위해 더듬이로 페로몬을 뿜어보아도, 살아남으려는 자는 그저 짓밟을 뿐이다.

전투는 끝났고 우주는 결정을 내려주었다. 이번에도 빈우는 목적을 달성하는 쪽에 섰다.

· · · ✦ · · ·

빈우는 쿠키 반죽을 하고 있었다. 엄마와의 추억이 담긴 초코 쿠키다. 어린 손으로 힘들게 반죽을 하는 빈우의 옆으로 한 여자아이가 살금살금 다가와 기웃거린다.

"뭘 만들어?"

빈우 또래의 여자아이가 호기심 가득한 눈으로 물어본다.

"초코 쿠키."

대답하는 빈우의 목소리엔 힘이 없다. 엄마와 만들 때는 그렇게나 재미있고 즐거웠는데 지금은 지루하고 따분하고, 재미가 없었다. 반면 여자아이는 방긋 웃으며 계속 말을 걸어왔다.

"나도 초코 쿠키 좋아해."

그래도 우울한 빈우의 마음은 풀리지 않았다. 그저 반죽만 계속 휘저을 뿐이다. 너무 반죽하면 쿠키가 딱딱해진다고 엄마가 말했던 기억이 났지만, 손은 계속 움직이고 있었다.

"난 엘리자베트라고 해. 엘리자베트 허드슨이야. 네 이름은 뭐니?"

한 걸음 다가서며 묻는 엘리자베트의 물음에 빈우는 마지못해 대답했다.

"김빈우."

그러자 왠지 기분이 조금 풀리는 것 같다. 반죽을 치대는 손에도 서서히 활기가 돌아왔고 우울함도 약간 가셨다.

"그런데 빈우야, 혹시 우리 아빠 어디 있는지 못 봤니?"

"아빠? 네 아빠 이름이 뭔데?"

"리처드 허드슨이야."

그 말을 듣고 뭔가가 생각난 빈우가 고개를 돌렸다. 저쪽 마당 한편에 리처드 허드슨이라 적힌 비료부대가 있다. 빈우는 얼른 엘리자베트의 시선을 쿠키 반죽으로 돌렸다.

"반죽 다 됐다. 이제 우리 담아서 구울까? 굽다 보면 엘리자베트, 네 아빠도 돌아오실 거야."

"응, 좋아."

빈우는 쿠키 반죽을 조물조물 반죽해 오븐 트레이에 차근차근 담았다. 옆에서 엘리자베트도 도와주었다. 반죽을 다 담자 빈우는 팔을 있는 힘껏 벌려 트레이를 잡은 다음 예열된 오븐에 집어넣었다. 아나스타샤 누나라면 한 손으로 가볍게 했을 일이다. 이럴 때마다 빈우는 빨리 크고 싶었다.

어른이 되면 여러 가지를 할 수 있다. 쿠키 말고도 여러 가지 다른 요리도 혼자서 할 수 있다. 그리고 아나스타샤가 임시로 맡고 있는 농장의 주인이 되어, 인간 사업자로서의 권리를 행사할 수 있다. 그렇다면 동생들도 더 행복해질 것이다. 또 엄마를 찾는 동생들이 울어도, 자신은 안 울면서 어를 수 있을 것이다. 그리고 어른이 되면 엄마가 누워서 자는 곳에 갈 수 있을 것이다. 아나스타샤가 약속했으니까. 아나스타샤 누나는 결코 거짓말을 하지 않으니까. 마지막으로 좀 더 크면, 좀 더 커서 아주 어른이 되면 빈우는 아나스타샤 누나와 결혼하고 싶었다. 빈우가 커서 '나 아샤랑 결혼할래.'라고 했을 때, 엄마와 아나스타샤는 다들 웃었더랬다. 그게 안 될 거라고 생각해 웃은 것이라 생각한 빈우는 화를 냈지만, 두 사람은 이번에도 이런 말을 했다. 어른이 되면 알게 될 거라고.

"야호, 쿠키 다 됐다."

엘리자베트의 목소리에 빈우는 오븐 문을 열고 조심조심 쿠키를 꺼냈다.

잠시 식힐 겸 빈우가 트레이를 식탁 위에 올려놨을 때, 엘리자베트가 뭔가를 찾았다.

"빈우야, 너희 집에도 이게 있었구나."

엘리자베트가 신나서 들어 올린 것은 '특제 토핑'이었다.

'그건……'

빈우는 그게 뭔지 알고 있다. 특제 칵테일 토핑이다. 저걸 쿠키에 뿌려 먹으면 안 된다.

'잠들게 될 거야.'

목소리가 입에서 나오지 않는다. 저것을 먹으면 잠들게 될 거야, 영원히. 쿠키 위에 토핑을 듬뿍 뿌리는 엘리자베트에게 말해야 하는데 빈우는 말할 수가 없었다. 오히려 잠이 오는 것은 자신이다. 빈우는 초코 쿠키를 입으로 가져가 양껏 씹어 삼키는 엘리자베트를 말리고 싶었다. 달려가서 빼앗고 소리치고 싶었다. 그러나 잠이 몰려온다. 몸이 점점 가라앉는다.

'일어나, 일어나. 잠들면 안 돼.'

쿠키를 다 먹은 엘리자베트가 눈을 비빈다. 입을 크게 벌리고 하품을 한다. 아직 늦지 않았다. 배 속의 것을 토하게 하면 된다. 이를 악물며 수마에 저항하던 빈우는 긴급메시지에 잠에서 깨어났다.

- 김 팀장.

"말씀하십시오. 사령관님."

화면 속의 조지 레드우드는 긴장해 있었다.

- 디안머가 샤다이에게 공격당했다.

그 말에 빈우도 덩달아 긴장했다. 디안머는 연방의 자치 행성이며 태스크 포스 373의 지난번 작전 때 이동했던 경유지다. 그리고 특수전 사령부가 있는 오브리가도와 점프 게이트가 직접 연결된 곳이기도 하다. 곧이어 특수전 사령부에 경계령이 떨어졌다는 정보가 빈우의 두뇌칩으로 들어왔다. 이곳 오브리가도는 지난번 샤다이의 공격으로 워프 비스트의 기습을 받았고, 포로까지 탈출한 전적이 있으니, 이번 사건에 촉각을 곤두세울 수밖에 없다.

- 일단 대기해라. 자세한 것은 나중에 다시 연락 주마.

"알겠습니다."

통신이 닫힌 다음 빈우는 레드우드가 자신에게 군이 연락을 한 이유에 대해 생각해보았다. 샤다이 함대의 등장을 태스크포스 373의 팀장인 자신에게 알린 이유를.

특수전 사령부는 연방 최정예 대원으로 기밀 작전을 하는 부대다. 때문에 소규모 지상 작전이나 침투 임무에 특화되어 있지, 함대전이나 대규모 전면전에는 그다지 어울리지 않는다. 전력 낭비기도 하고. 또한 태스크포스 373은 그런 특수전 사령부 직할팀인 데다가 샤다이의 기술을 수집하는 팀이다. 이런저런 이유로 규모도 매우 작은 편이라, 다른 작전에 투입되기 위해선 재편성을 해야 한다. 하지만 팀원 하나하나가 연방 최고의 대원이고 지금까지의 작전만으로도 리퍼 생포, 리퍼 함선의 잔해 회수, 온전한 샤다이 전열함 나포 등등 혁혁한 전과를 세웠다. 리퍼와 전투를 하고 생존했다는 것만으로 태스크포스 373 팀원들의 가치는 엄청나다 할 수 있을 것이다.

'설마 373을 중심으로 새로운 대응팀을 꾸릴 셈인가.'

태스크포스 373은 지금까지 연방에 암약하고 있는 세력들의 방해로 인해 여태껏 제대로 된 팀 구성을 갖추지 못했다. 그러나 샤다이가 오브리가도를 노릴지도 모르는 상황이라면 찬밥 더운밥 가릴 처지가 아니다. 샤다이전 경험이 풍부한 태스크포스 373을 핵심 멤버로 해서 적의 약점을 노릴 타격팀을 만들려는 작정일 수도 있다.

"전원 집합."

일단 빈우는 팀원들 모두를 집합시켰다. 잠시 후 빈우는 회의실로 모인 팀원들에게 자기가 들은 내용을 알려주었다. 사태의 심각성을 깨달은 팀원들은 군은 얼굴이 되었다. 그중에서 아룹이 먼저 질문을 시작했다.

"적의 규모는 어떻게 됩니까?"

중요한 사항이지만 아쉽게도 빈우도 그에 대해선 들은 게 없다. 빈우에게도 알려주지 않았다면 아직 제대로 된 정보가 들어오지 않았다는 의미다. 대규모 샤다이 함대이니 디안머는 궤멸적인 피해를 입었으리라.

"아직은 모릅니다. 조만간 사령관 각하께서 알려주시겠죠. 현재 오브리가도와 연결된 디안머 게이트에 샤다이가 나타난 상황이니, 조만간 우리가 쳐들어가든 저쪽이 쳐들어오든 결판이 날 겁니다."

아쉽게 입맛을 다시는 부팀장 옆에서 이번엔 위르겐이 질문한다.

"팀장님, 잠시만요. 저번 워프 비스트 기습 때 우주 엘프 새끼들이 점프해와서 우리가 사로잡은 리퍼를 탈출시켰지 않았습니까?"

녀석이 말한 '사로잡은 리퍼'는 알탄훼아나일 것이다. 그녀는 373 팀원들에게 잡혀 이곳 오브리가도에 감금되어 있다가, 워프 비스트의 대규모 발생을 틈타 도망쳤다. 타이밍은 절묘하게도 태스크포스 373이 발 가르단 하스로 떠난 바로 직후였다.

"그때 놈들은 오브리가도로 바로 점프해 왔습니다. 좌표를 안다는 얘기겠죠. 그런데 이번엔 왜 오브리가도로 오지 않고 디안머 항성계에서 머뭇거리고 있는 겁니까?"

타당한 질문이다. 놈들은 연방과는 달리 게이트를 쓰지 않고 자유자재로 점프한다. 만약 오브리가도의 위치를 안다면 디안머에서 미적댈 게 아니라 이곳을 바로 치면 되는 일이다.

"이건 모니카의 조사 결과인데, 샤다이는 대부분 도시국가에 가까운 형태의 점조직으로 모여 살고 있다고 한다. 그 때문에 전투가 벌어져도 서로 간에 협조만 있지, 통일된 지휘체계나 파벌이 없다더군. 그렇다면 이번에 디안머에 모인 놈들은 다른 분파 놈일 가능성도 있다. 최악의 경우 놈들이 게이트로 위치를 역연산해 이쪽으로 올 가능성도 염두에 두어야 한다."

다음은 파트리샤가 질문했다.

"그런데 우리 팀은 왜 불렀을까요?"

"이건 내 예상인데, 아마도 우리 373을 주축으로 해서 함내 침투나 요인 암살 같은 후방 타격팀을 만들 것 같다."

빈우의 말을 들은 팀원들은 고개를 끄덕였다. 태스크포스 373은 철저하게 샤다이를 상대하기 위한 팀이며 리퍼와 전투 경험이 있다. 이를 살려 전문팀을 키워내면 샤다이에게 크게 한 방 먹일 수 있을 것이다. 그렇게 373 팀원들이 앞으로의 계획에 대해 의견을 한창 나누고 있을 때, 블랙 랜스의 회의실에 레드우드의 통신이 들어왔다. 빈우에게만이 아닌 팀원 전원에게로.

- 뭐야, 회의 중이었나?

팀원들이 일어나 경례하려는 것을 레드우드가 말린다.

- 치워 새끼들아. 그냥 쉬어. 그래, 무슨 회의냐?

"태스크포스 373의 앞으로의 방향에 대해서였습니다."

이어지는 빈우의 설명을 들은 레드우드 사령관이 심드렁하게 말한다.

- 이 집 김칫국 잘하네.

그 말이 끝나기 무섭게 레드우드의 홀로그램 화상으로 먹던 피자와 씹던 닭다리가 날아간다. 그리고 레드우드는 373 팀원들이 그러든가 말든가 자기가 할 말을 했다.

- 시끄럽다. 본론부터 들어가자. 세 시간 전 자치 행성 디안머의 궤도에 대규모 샤다이 함대가 출동했다.

그러면서 레드우드는 화면을 띄워 보여주었다. 2218년 연방표준시 2월 8일 22시 15분. 디안머로 출동한 징수 함대의 기록이다. 세금을 내지 않은 자치 행성을 압박하러 간 징수 함대는, 원활하고 성실한 납부를 위해 전함과 항모까지 끌고 간 상황이다. 그때 갑자기 지구제국의 비홀더 1전대가 점프해 들어왔다. 그리고 징수 함대 사령관과 비홀더 전대장 간의 대화가 이어지다, 이 섬이 징수 함대로 직접 날아와 다시 이야기를 나눴다.

- 지난 한 달간 이곳 디안머 항성계를 오고 간 연방군 함선들에 대해 알고 싶소. 정확히는 게이트를 지난 연방군의 군함 목록이오.

이 대목에서 빈우를 비롯한 팀원들의 얼굴이 한층 굳어졌다. 태스크포스 373이 라출노그로 가기 위해 디안머를 경유한 것이 1월 26일의 일이다. 어쩌면 비홀더 전대는 태스크포스 373을 추적하고 있을지도 모른다. 팀의 첫 작전지역이었던 발 가르단 하스는 지구제국의 군사 데이터베이스에 있던 행성 생명체였고, 또한 비홀더 1전대의 손길이 닿은 곳이기도 했으니까.

- 김 팀장. 자네 디안머에 갔을 때 별다른 이상 징후는 없었나?

빈우는 자신의 기록과 기억을 다시 한 번 점검해보았다.

"없었습니다."

물론 게이트에서 입을 딱 벌리고 있는 보안국 함대를 보고 그 입에 폭탄을 쏴서 박은 적은 있지만, 레드우드가 그걸 묻는 것은 아닐 것이다.

- 그렇단 말이지.

팔짱을 낀 레드우드는 지난 한 달간 디안머 게이트를 지난 연방 군함들의 목록을 나열했다.

- 봐도 별다른 건 없다. 연방 중앙정보국이 가지고 있는 라출노그 게이트도 아니고, 디안머 게이트라기에 신경 써서 찾아봤지만 이 중에서 373과 보안국 외엔 특별한 것은 없어.

그리고 사령관은 다시 영상을 재생시켰다. 함대 사령관과 비홀더 전대장 간의 대화 도중 갑자기 샤다이가 점프해 왔다. 전열함 1척에 모니터함 1척. 비홀더 전대의 등장에 경계하고 있던 징수 함대는 즉시 대 샤다이 진형으로 대응했다. 정석적이고 교과서적인 함대 운용이다. 라일라 무스후리 사령관은 실로 훌륭한 함대 사령관이었다. 아무런 피해 없이 샤다이 전함 2척을 장사지낸 모습에 위르겐이 휘파람을 불었다. 하지만 그 감탄의 휘파람 소리가 채 끝나기도 전에 징수 함대의 인공지능이 경고를 울렸다.

- 점프 반응, 샤다이입니다. 반응 다수. 3, 4, 5. 적함 계속해서 통상공간에 안착합니다.

123

· · · ✦ · · ·

1차로 점프해 온 것은 전열함과 모니터함, 2차로는 리퍼 전투함이 다수였다. 빈우는 이게 무슨 의미인지 생각해보았다. 저 둘은 다른 세력인 것일까, 아니면 일부러 연방을 속이기 위해 미끼로 선발대를 따로 보낸 것일까.

- 리퍼, 계속해서 점프해 들어옵니다.

디안머 궤도로 들어오는 샤다이 함선은 1~2척이 아니었다. 잘 다듬어진 리퍼 전투함이 무려 47척이나 쳐들어온 것이다. 화력도, 숫자도 압도적인 열세에서 디안머 징수 함대는 분전했지만 무의미한 저항이었다.

- 이거 곤란하군. 이래서 내가 서두르라고 했건만.

- 뭐 하는 거요. 비홀더 전대도 도우시오.

강 건너 불구경하듯 한가한 이 전대장과 필사적인 무스후리 함대 사령관의 대비는 마치 연극 속의 한 장면 같아 보였다.

- 뭔가 착각하고 있는 것 같소만, 저 낙오자의 사생아들은 당연히 죽일 거요. 내가 주겠다고 한 보상은 당신들과 저 행성에 사는 것들의 생존이외다.

이 섬의 말은 오만하다. 말의 문맥상 낙오자의 사생아란 샤다이를 뜻하는 단어일 것이다. 빈우는 생각해보았다. 과거의 과학 기술을 잃어버린 샤다이를 낙오자의 사생아라 부른 것은 무슨 의미일까. 비홀더 전대는 바로 샤다이를 공격하지도, 디안머를 보호하지도 않았다. 디안머 게이트를 오고 간 함선 정보를 거래 대상으로 삼아 간을 보고 있었다. 이런 절박한 상황 속에서도.

아니, 절박한 것은 연방 쪽이었다. 제국 측은 언제나 태연했다. 마침내 비홀더 전대의 반격이 시작되었다. 단 1척. 돌격 순양함 그리폰 단 1척으로 이뤄진 비홀더 1전대는 지금까지 계속 맞고만 있다가 — 가렵지도 않다는 듯이 가만히 있다가 — 드디어 공격을 시작했다. 징수 함대의 필사적인 공격에도 끄떡없던, 솔리드 베타의 공격에도 상처 하나 없던 리퍼 전투함이 그리폰의 공격 한 번에 사라진다.

"저거! 공간 붕괴예요."

모니카는 화면에 나타난 그리폰의 공격이 어떠한 현상을 일으키는지 단박에 알아챘다. 공간 붕괴라면 장갑이고 방어막이고 소용없다. 존재 자체가 일그러지는 공격이다. 이어서 반물질 어뢰가 날아가자 빛과 함께 리퍼 전투함들이 소멸한다.

- 함장님, 디안머가 위험합니다.

징수 함대의 기함 아프사라스에서 부장을 맡은 인공지능 바바라가 경고한다. 그리폰이 가한 공격은 실로 어마무시한 것이었다. 하지만 그것이 그냥 우주 공간이라면 모를까, 행성 궤도에서 일어나자 디안머에 가해지는 피해는 막심했다. 중력파가 행성 자기장과 대기권 대를 날려버리고, 뒤이어 엄청난 양의 방사선들이 아무런 보호도 받지 못하는 행성 지표면으로 쏟아져 내려간다.

- 당신은 지구제국의 군인 아니오. 같은 인류를 구해야 하지 않소!

어떻게든 디안머의 인간들을 구하려는 무스후리 소장.

- 외계종족과 들러붙은 잡종들이? 입에 담기도 더러운 저것들이 같은 인류라고?

그리고 그것을 깔끔하게 무시하는 이 전대장. 회의실의 사람들은 다시 한번 확인했다. 지구제국이 연방과 외계종족들을 어떻게 생각하는지를. 그리폰의 공격은 멈출 줄을 몰랐다. 징수 함대가 휘말리건 말건 전혀 개의치 않고 공격을 퍼부어댔다. 방금 전만 해도 일방적으로 유리하던 리퍼 함대가 일방적으로 유린당하고 있다.

- 알탄훼아나 호민관은 어디 있나. 알려주는 자에겐 자비를 베풀어 고통 없는 죽음을 하사하겠다.

비홀더 1전대장은 리퍼 함선과 열린 차원 통로로 들어가 학살하고 있었다. 리퍼들과 직접 싸워본 태스크포스 373대원들은 놈들의 무서움을 잘 안다. 발 가르단 하스에서 아차 하는 순간에 위르겐과 모니카, 파트리샤가 제압당했었다. 만약 그때 놈이 죽이려고 마음을 먹었다면 이 세 명은 그날 죽었을 것이다. 그렇기에 눈앞의 광경에 전율할 수밖에 없었다. 이 섬은 그 리퍼들을 그냥 잡아 뜯고, 후려갈길 뿐이다. 반 토막 난 놈이 무중력에 떠올라 버둥거려도 신경 쓰지 않고 다음 상대를 잡아채 으깨고 있었다. 그리고 리퍼들의 공격에 아프사라스의 전투지휘실이 쑥대밭이 되어도 눈길 한 번 주지 않았다. 그는 그저 학살을 계속할 뿐이었다.

'알탄훼아나라……'

빈우는 그 이름을 잘 안다. 오스카 스테이션에서 빈우와 태스크포스 373에게 사로잡혔던, 오브리가도 특수전 사령부에 감금되었다가 탈출한, 그리고 발 가르단 하스에서 만났던 그 여성형 샤다이의 이름이다. 이 섬은 디안머 게이트를 오고 간 함선 목록을 원했고, 알탄훼아나를 찾고 있었다. 서서히 교집합이 나온다. 태스크포스 373과 알탄훼아나. 둘 다 발 가르단 하스에 있던 자들이다. 빈우는 발 가르단 하스와 대화를 했었고, 그다음 일은 모르지만 알탄훼아나도 기회를 얻었으니 아마 대화를 했을 것이다.

'놈은 설마 나와 알탄훼아나를 찾는 건가? 그런데 알탄훼아나는 왜 디안머에 온 것이고, 이 섬은 또 어떻게 그것을 알고 있을까?'

빈우가 생각하던 사이 전투는 끝났다. 아프사라스 안의 승조원들은 전원 사망. 이 전대장은 차원 통로 너머에서 가만히 서 있었다. 전율하고 있는 팀원들 사이로 사령관 조지 레드우드의 말이 들려온다.

- 일단 리퍼는 퇴치되었지만, 이 정도로 대규모 함대가 움직인 것은 이번이 처

음이다.

샤다이 함선 47척이라고 해도 연방에 비상이 떨어지는 판국에, 리퍼 전투함 47척이라면 전례 없는 대형 사건이다.

- 그래서 이에 대응하기 위해 통합사령부에서 42전단을 재구성하기로 했다.

"호오."

그 말에 빈우의 입에서 저절로 탄성이 터져나온다. 감탄사를 터트리는 것은 다른 팀원들도 마찬가지다. 인류에게 있어 42는 보통 수가 아니다. 삶과 우주, 그리고 모든 것에 대한 대답이 바로 42다. 그래서 예전부터 인류는, 제국과 연방은 문제가 닥치면 그 해결 방안으로 42를 내세웠다. 제국의 마지막 시절. 비홀더 전대에서 최고를 뽑아 만든 42전단은 외계종족 연합과 맞붙어 승리를 쟁취했었다. 연방의 초창기에도 42전단을 창설해 혼란에 빠진 인류의 세력권을 지켜냈다. 그리고 연방은 곤란한 일이 있을 때마다 42전단을 재창설해 문제해결에 나섰다.

"앞으로 또 있을지 모를 리퍼의 대규모 준동을 42전단으로 상대하잔 겁니까?"

파트리샤가 조금 떨떠름하다는 반응을 보인다. 42전단이라면 연방의 히든카드이자 조커이긴 한데, 그녀로선 조금 석연찮은 것 같다. 하긴 이 정도 규모의 리퍼 전투 함대가 나타났다면 연방의 내로라할 중앙 함대들이 나서야 하는 상황이다. 중앙 정규함대의 규모는 보통 40~50척 정도. 아까 보였던 리퍼 전투 함대를 상대하려면 적어도 3개 함대는 나서야 한다. 하지만 42전단은 역사적으로 대개 보급함이나 지원함을 빼고 순수 전투함만으로 구성된 소수정예의 고속기동타격 전단이었다. 그 규모는 20척을 넘지 않는다. 샤다이와의 기술 차를 고려하면 조금 걱정이 된다. 더구나 전투 실력이 뛰어난 리퍼가 나온 지금으로선 더더욱.

- 42전단으로 맞상대를? 아니야. 지금은 묵직한 방패가 아니라 날카로운 창이 필요할 때다. 다만 지금까진 어디에다가 창을 던져야 할지를 몰랐을 뿐이지.

레드우드의 말에 373 팀원들은 42전단이 무슨 역할을 할지 대충 감을 잡았다. 사령관의 말대로 연방은 최근까지도 샤다이가 어디서 오는지 몰랐다. 그러나 요 근래 태스크포스 373이 수집한 정보들 덕분에, 샤다이가 통일되지 않고 우주 여기저기 흩어져 각자 독립적인 행성 국가를 가지고 있다는 것을 유추할 수 있었다.

- 이젠 달라. 42전단은 지금까지 모은 정보를 토대로, 샤다이가 있는 행성들을 하나하나 찾아 선제공격을 할 예정이다. 이전부터 샤다이 본성 공격에 관해선 이야기 정도만 오고 갔었지. 적이 어디 있는지 모르는 상황에선 뜬구름 잡기였으니까.

레드우드는 살벌하게 웃으며 말을 이었다.

- 하지만 우리 집이 털리고, 리퍼들이 떼를 지어 모이는 상황이 된 데다가, 결정적으로 너희들이 일을 잘해준 덕분에 충분한 정보를 얻었다. 이런 요인들을 종합해서 42전단으로 역공을 가하기로 결정이 났다. 아마도 캐시가 힘을 실어준 모양이다.

캐시라면 캐서린 시슬 대장, 특수전 사령부의 전임 사령관이다. 지난번 샤다이의 공격 때 정신공격을 받고 사령관 자리에서 물러난 다음 합동참모본부로 갔는데, 42전단의 창설에 꽤 노력한 모양이다.

"잠시만요. 우리가 놈들의 본거지를 찾아 하나하나 찍어내는 건 좋은데 방어는 어떻게 합니까?"

빈우의 질문은 연방의 공격에 자극받은 샤다이가 발악하면 어떻게 하냐는 거다.

- 중앙 함대에 의한 기동 방어다.

예상했던 모범답안이다.

"그러니까 거점을 방어하는 중앙 함대를 연방 전 영토로 돌리면서 방어를 하고, 소수정예로 적들의 거점을 하나씩 제거한다는 작전이군요."

- 그래.

"하지만 이 정도 수의 리퍼들이 다시 쳐들어오면 위험할 텐데요? 50척에 달하는 리퍼 전투함이면 중앙 함대 두셋이 달라붙어도 장담 못 합니다."

- **그래서 함대사령본부에선 순양함만으로 구성된 기동 방어 함대를 따로 편성한다고 했다. 이제 생산에 들어갈 거야.**

뒤에서 모니카의 중얼거림이 들려온다.

'와, 미친 듯이 찍어내겠네.'

순양함이라면 자체적으로 점프를 할 수 있는 함선이다. 보통의 점프가 게이트에서 게이트로 하는 것이라면, 순양함은 자체적으로 게이트를 만들어 그걸 타고 게이트 이동이 가능하다.

"하지만 순양함이 점프를 하기 위해선 몇 시간은 걸리고 들어가는 동력도 만만치 않습니다. 점프한 이후에 전투가 가능하겠습니까?"

- **그건 함대사령본부에서 운용하기로 맡았으니 우리가 신경 쓸 일은 아니야.**

빈우의 질문에 레드우드는 대수롭지 않게 대답했다. 그리고 '우리가 신경 쓸 일은 아니다'란 그 말에 373 팀원들은 앞으로 나올 '우리가 신경 쓸 일'을 기대했다. 팀장의 예상이 맞아떨어진 것이다.

"42전단이 샤다이의 거점을 타격하는 부대라면 당연히 장갑보병도 필요하겠지요. 샤다이와의 전투 경험이 많은 연방 최고의 팀이."

팀장 빈우의 말에 태스크포스 373의 팀원은 한껏 기대했다. 물론 1개 분대에 달하는 팀으론 아무것도 못 한다. 373이 쌓은 경험으로 새로운 정예 부대를 꾸릴 게 분명한 것이다. 그런데 빈우는 사령관인 레드우드의 표정이 이상한 것을 눈치챘다. 그는 뭔가 꺼리고 있었다. 우주에서 무서울 게 없는 천하의 조지 레드우드가.

- **그래, 김 팀장의 말이 맞아. 태스크포스 373은 이 시간부로 해산, 앞으로 구성될 42전단의 장갑보병팀에 새로이 편성된다. 아니지. 이제부터 너희들이 만들어야 할 것이다. 연방 최고의 샤다이 사냥 부대를.**

레드우드의 말에 아룹은 씩 웃으며 주먹을 꽉 쥐었다. 파트리샤는 의자 뒤로 기대며 휘파람을 불었다. 위르겐은 신이 나서 발을 쿵쿵 굴러대고 우지는 굳게 미소를 짓는다. 모니카마저 각오를 다지는 표정이다. 하지만 빈우는 아무런 반응이 없었다. 그저 화면 속의 레드우드 사령관과 눈을 마주치고 있었다. 그것을 눈치챈 것은 부팀장인 아룹이었고, 그 분위기는 순식간에 팀원 전원에게 번졌다. 뭔가 이상하다는 것을 알게 된 것이다.

- 그리고 김빈우 소령은 지금부터 새로운 임무를 맡게 된다.

레드우드 사령관의 말은 청천벽력과도 같았다. 새로운 임무라면 42전단이 아니란 얘기다. 지금까지 태스크포스 373을 잘 이끌어왔던 빈우를 여기서 제외한다고 하니 팀원들은 모두 놀라고 있었다. 그의 지휘가 없었다면 373은 이런 전과를 이뤄낼 수 없었다는 것을 팀원 전원은 잘 알고 있었다. 그런 빈우가 42전단에 가지 않는다고 하니 이해할 수 없었다.

"저기, 사령관님. 이런 중요한 얘기를 이렇게 통신으로 한 건 혹시 설마 우리한테 맞아죽을까봐 그런 거예요?"

파트리샤가 해맑게 웃으며 이죽거리자 레드우드는 쓰게 웃으며 받았다.

- 나도 너희들하고 거하게 치고받았으면 속이라도 시원하겠다.

빈우는 그 말뜻을 알 수 있었다. 뭔가 레드우드의 뒤에서, 아니 위에서 움직였다는 것을.

"팀장님."

위르겐이 못 참겠다는 듯이 일어나는 것을 빈우가 제지한다.

"자, 다들 진정해."

어수선한 팀원들을 진정시키며 빈우가 말을 꺼냈다.

"42전단의 장갑보병 부대가 중요하다는 것은 다들 잘 알 것이다. 그러니 내가 앞으로 맡게 될 임무 또한 그에 못지않게 중요하단 것을 잘 알겠지?"

42전단은 샤다이의 본거지를 찾아가며 공격할 정예 함대다. 빈우가 앞으로 할 일이 뭔지는 모르지만 이에 버금간다고 하니, 팀원들은 억지로나마 납득할 수밖에 없었다.

- 김 팀장만 잠시 남게. 그 외엔 모두 해산. 돌아가서 다음 명령을 기다리도록.

팀원들은 툴툴대면서도 자리에 일어섰지만 바로 나가지 않고 머뭇거렸다.

"뭐 해, 나도 뭘 할지는 알아야 할 것 아니냐. 이따가 보자. 부팀장, 애들 좀 챙겨요."

그 말은 지금부터 레드우드와 빈우가 다른 팀원들은 알아선 안 될 기밀에 대해 이야기할 것이란 의미다. 그제야 팀원들은 회의실에서 나갔고 이젠 빈우 혼자만 레드우드와 통신화면을 맞대고 있었다. 직속 상관과의 통신, 그러나 빈우가 있는 곳은 아직은 그가 팀장의 권한을 가지고 있는 블랙 랜스의 회의실이다. 빈우는 왜 레드우드가 이런 일을 직접 만나지 않고 굳이 통신으로 했는지 예측할 수 있었다. 그리고 그의 배려에 마음 깊이 감사했다.

- 김 소령, 오랜만이야.

통신 회선에 새로이 등장한 인물은 군사정보국의 이노우에 고토 국장이었다.

"내 이럴 줄 알았지."

예상이 들어맞자 빈우는 헛웃음을 지었다. 이곳 오브리가도의 사령관실에서 먹살 잡힌 지 며칠이나 지났다고 이렇게 다시 쳐들어오다니. 정말 이노우에 고토다웠다. 그리고 그가 이처럼 얼굴을 들이밀었다는 건, 저번과 달리 정식 명령을 거쳐 왔다는 의미다. 그것도 특수전 사령부의 레드우드 사령관이나 상원의원인 히토미 의원의 뒷배를 무시할 수 있는 정도의 명령을.

"용건이 뭡니까?"

퉁명스레 물어보는 빈우에게 이노우에 국장은 살갑게 말을 붙인다.

- **역시 김 소령. 바로 본론이라니. 다름이 아니라 자네가 조사를 좀 해줘야 할 것이 있어서 말이야. 웅? 이 회선⋯⋯.**

뭔가 이상한 것을 눈치챈 이노우에 국장이 레드우드의 화면 쪽으로 시선을 흘깃 던진다.

- **이 통신 회선, 김 소령이 관리자군요.**

아직 정식 명령이 내려오지 않은 이상 김빈우 소령은 태스크포스 373의 팀장이고, 작전 중에 한해선 특수전 사령부 사령관인 조지 레드우드 중장의 전권 대리인이 된다. 즉 저번 오스카 스테이션 때처럼 이노우에 국장이 연락을 해도 씹을지 말지를 정할 수 있고, 지금도 마음에 안 들면 그를 회선에서 추방할 수도 있다.

- 아직 그는 김 '팀장'일세.

레드우드가 무뚝뚝하게 대답했다. 그는 저번에 호되게 당하고 쫓겨난 군사정보국장이 오늘은 또 무슨 짓을 할지 몰라, 굳이 자신이 블랙 랜스에 있는 빈우에게 연락을 넣은 것이다. 늘 하던 대로 자신의 사무실로 그를 부르지 않고서. 이렇게 블랙 랜스에 타고 있는 팀장 빈우에게 레드우드가 연락을 하고, 그 회선에 정보국장을 추가하면 회선의 관리자는 빈우가 되어, 고토가 수작 부리려는 것을 미연에 방지할 수 있다.

- 그렇지요. 아직은, 팀장이지요.

이노우에 국장은 애써 태연을 가장하지만 한 방 먹었다는 기색은 감출 수 없었다. 그는 헛기침을 한 다음 말을 꺼냈다.

- 김 소령, 자네를 42전단으로 보내지 않는 것은 그보다 더 심각한 사안을 자네가 맡아줘야 하기 때문이야.

"그거 설마 저번에 저한테 턱 잡혔을 때 말하려던 내용입니까?"

- 잘 아는구먼.

툭툭 던져지는 빈우의 말을 능글능글 받는 이노우에 국장. 레드우드 사령관은 이 모습을 보면서 한숨을 쉬었다. 빈우도 그날 이노우에 국장을 내쫓으며 언젠가 그가 다시 오리라 예측은 했다. 하지만 이렇게 빨리 올 줄은, 그리고 이렇게 강수를 두면서 올 줄은 몰랐다.

- 그럼 내 그날 못다 한 이야기를 해봐야겠구먼.

그 말에 빈우는 절로 긴장할 수밖에 없었다. 지금 이노우에 국장이 보여주는 자료는 빈우가 결코 거부할 수 없는 내용일 것이다. 그래서 그때 무리해서 깽판을 친 것인데, 결국은 이렇게 다시 마주하게 되었다.

- 일단 이 자료들부터 보게.

이노우에 국장이 띄운 자료화면을 보던 빈우는 의아한 듯 가볍게 고개를 갸웃했다. 마음속으로는 세차게 흔들리고 있음에도 불구하고. 화면 속엔 조잡한 부엌에서 처참하게 살해당한 중년 여인의 시신이 있었다. 시신은 훼손이 심했지만 빈우는 몇 가지 특징으로 그녀의 신원을 알아낼 수 있었다.

"마리 라캉?"

- 맞아. 피에르 라캉 중령의 아내인 마리 라캉일세.

오스카 스테이션에서 피에르 라캉 중령은 빈우에게 자신의 아내가 어디 있는지 물어보았다. 왜냐하면 그녀가 마지막에 갔던 곳은 개척 행성 마카로니였기 때문이다. 하지만 마카로니는 빈우와 울토르 중대에 의해 철저하게 쓸려나갔다. 당시 마리 라캉은 두뇌칩을 빼고 있었으니, 두뇌칩의 여부로 인간을 판단하는 클론들에게 죽임을 당했을 가능성이 높다. 그래서 그날 빈우는 라캉 중령에게 그리 좋은 대답을 해주지 못했었다.

빈우는 즉시 관리자의 권한으로 이노우에 국장이 제공한 자료 중에서 숨겨진 부분을 열어보았다. 그리고 조용히 경악했다.

"이 날짜는……."

마리 라캉이 사망한 곳은 역시나 개척 행성 마카로니다. 이 점은 놀랍지 않다. 빈우가 놀란 점은 마리 라캉의 사망 추정시간이 울토르 중대가 강하하기 이틀 전이란 부분이었다. 그녀는 울토르 중대가 아닌 다른 자의 손에 이미 죽어 있던 것이다.

"자크 라캉은 어디에 있습니까?"

빈우는 자신을 잘 따르던 소년의 행방을 찾아보았지만, 이노우에 국장이 제공한 자료에 자크 라캉의 자료는 없었다.

- 마리 라캉은 이 가사 도우미 로봇을 아들인 자크 라캉으로 여기고 있었다는 군.

이노우에 국장이 지적한 것은 부엌 식탁 위에 잘게 해체된 로봇의 부품이었다. 뇌도, 두뇌칩도 없는 로봇이다.

- 정황상 허수아비로 추측돼.

자크는 대체 어디로 사라진 것일까. 또 마리는 어째서 저 로봇을 아들처럼 여긴 것일까. 부엌 현장을 천천히 살펴보던 빈우는 불편한 사실을 깨달았다.

그녀를 고문하고 죽인 솜씨, 그 솜씨가 매우 낯익었다.

"군사정보국이 연관되어 있는 겁니까?"

빈우의 질문에 이노우에 국장이 손사래를 쳤다.

- 넘겨짚지 말게. 그걸 밝혀내는 게 자네의 일이야.

도주한 보안국 요원이 울토르 중대가 쳐들어가기 직전의 개척 행성에서 군사정보국의 솜씨로 살해당했다. 이노우에 국장의 말로는 이 사건을 밝혀내는 게 빈우의 일이라고 한다.

"이런 건 보안국이나 연방 중앙정보부가 나설 일이지, 군사정보국 파견 요원인 제가 맡을 일 같아 보이진 않습니다만."

- 일의 규모가 꽤나 커져서 말일세. 이것도 좀 보게. 의심스러운 항로가 있어 역추적을 했더니 이런 게 나왔어. 이 역시 동일범으로 추정되네.

이어서 이노우에 국장은 다른 자료들도 보여주었다. 글림에서 죽은 세 사람. 서로 마약을 다투다 죽은 것처럼 보이지만 실상은 그렇지 않다는 게 문제다. 그리고 사이보그를 이토록 손쉽게 농락한 것으로 미루어 보아, 범인은 연방의 강화 병사일 가능성이 크다.

- 자네 안색이 안 좋아 보이는데.

이노우에 국장의 말에 빈우는 저도 모르게 자신의 얼굴을 만져보았다.

"그런가요? 생각이 좀 많아져서 말입니다."

그리고 빈우는 다시 영상 속으로 시선을 돌렸다. 이번엔 정보분석국의 리처드 허드슨과 엘리자베트 허드슨의 사망 사건이다.

'엘리자베트 허드슨.'

빈우는 그 이름을 다시 한 번 마음속으로 되뇌었다. 만나보기는커녕, 알지도 못하는 아이다. 그런데 빈우는 방금 전의 꿈속에서 엘리자베트를 만났다. 얼굴도, 이름도 똑같다.

'내가 어떻게 저 아이를 알고 있지?'

빈우는 내색하지 않으며 이노우에 국장이 보내준 자료를 차근차근 살펴보았다.

- 생각이 많다라……. 자네 생각은 어떤가?

화면 너머의 군사정보국장의 눈매는 웃고 있었지만, 눈동자는 날카로웠다. 틈이 보이면 바로 파고들겠다는 의지가 역력했다.

"엘리자베트 허드슨에겐 워프 비스트의 징조가 있군요."

침대에 누워 잠자듯 죽어 있는 엘리자베트의 얼굴 한쪽은 이상하게 뒤틀려 있었다. 화상이나 다른 부상의 흉터가 아니라, 워프 비스트로 변하는 도중의 모습이다. 빈우는 워프 비스트와 직접 싸워본 적이 있다. 인간에서 워프 비스트로 변하는 과정도 그때 보았다. 그래서 확실히 말할 수 있었다. 엘리자베트는 워프 비스트로 변이되고 있었다고.

- 그래, 인간에서 워프 비스트로 변하는 도중에 멈췄어. 샤다이의 공격이 실패한 것인지, 아니면 모종의 치료가 있었는지는 아직 몰라.

빈우는 이노우에 국장이 왜 굳이 자신을 이런 조사 임무에 집어넣으려는지 알 것도 같았다. 이 세 사건의 범인은 동일범이거나, 그게 아니더라도 군사정보국의 요원이었을 가능성이 상당히 높았다. 또한 살해당한 자 중에는 보안국과 정보분석국의 요원들이 있다. 마지막으로 엘리자베트 허드슨. 이 아이는 워프 비스트로 변하려다 멈춘 인간이었다.

- 이제 알겠나. 왜 이런 살인사건 수사에 굳이 자네를 집어넣으려는지를.

이노우에 국장이 원하는 인재상의 조건은 다음과 같다. 우선 피해자의 신원이 신원인 만큼 수사 인력은 최소한으로 줄여야 한다. 울토르 프로젝트와 워프 비스트가 엮인 이상, 수사는 기밀 속에 이뤄져야 한다. 그리고 군사정보국의 방식에 능통한 범인을 추적할 능력이 있는 사람이어야 한다. 군사정보국은 주로 외계종족을 대상으로 정보전을 하지 같은 부류를 추적하진 않는다. 이런 것은 주로 보안국의 전문이다. 즉 양쪽의 방식에 정통한 사람이 필요하다. 덧붙여 혹시 모를 범인과의 물리적 마찰에서 밀리지 않을 육체적 능력, 즉 군사 강화를 한 사람이면 금상첨화다.

"인물이 없네요."

빈우의 투덜거림에 이노우에 국장이 짐짓 상처 입은 척을 했다.

- 무슨 섭섭한 소리를. 내 눈앞에 있지 않나. 이 수사에 최적의 인재가.

저 능글맞은 정보국장은 무슨 수를 써서라도 이번 수사를 빈우에게 맡길 속셈인 듯싶었다.

- 물론 자네를 외부 파견 요원으로 내쳤다가 다시 끌어들이는 것이니 모양새는 좋지 않겠지. 하지만 말일세, 이번 일엔 체면 따윈 필요 없다네. 물론 알고 있지. 42전단의 일도 중요하단 것을. 그러나 김 소령 자네가 수사해줘야 할 사건도 그에 못지않게 중요하다네. 울토르 프로젝트와 워프 비스트가 엮인 사건이야.

42전단이 샤다이에게 반격을 가하는 작전이라면, 이 수사는 연방 내부에서 암약하는 적을 상대로 벌이는 첩보전이다. 원 출신을 따지고 보면 이번 일이 빈우에게 더 맞는 일이기도 하다.

'어떻게 한다.'

빈우는 잠시 생각을 해보았다. 이노우에 국장이 빠져나갈 틈이 없도록 판을 짜서 왔겠지만, 그로선 빠져나갈 구멍이 아예 없는 것은 아니었다. 장기에서 이길 수 없으면 그 판을 엎도록 가르친 게 이노우에 고토였고, 또한 빈우는 그런 방법을 아주 잘 배웠다. 여기서 정보국의 명령을 받아들이면 빈우는 다시 군사정보국으로 돌아가게 된다. 그리고 머릿속의 트리니티 프로그램이 풀릴 때까지 굴려질 것이고, 프로그램이 해제되고 나면 높은 확률로 그 기록이 지워질 것이다. 만약 거절한다면, 정확히는 거절하기 위해 빈우가 몇 가지 수단을 동원한다면, 그 후폭풍이 만만찮을 것이다. 레드우드 사령관이 그간의 정으로 뒤를 봐주려 하겠지만 그에게 폐를 끼치는 것은 빈우의 성미에 맞지 않는다.

바로 그때, 빈우에게 영 엉뚱한 인물로부터의 연락이 왔다. 그 인물은 지금 빈우가 하고 있는 통신에 끼어들려 하고 있었다. 아니, 따지고 보면 엉뚱한 인물은 아니다. 앞으로의 일에 밀접한 관련이 있는 사람이다. 빈우는 허탈하게 웃으며 그 요청을 받아들여 관리자 권한으로 회의에 참여시켰다.

- 늦어서 죄송합니다. 준비를 할 게 조금 있어서 말이지요.

통신 회선에 들어온 것은 오다 히토미 상원의원이었다. 지금 그녀는 사람 좋고 겁 많은 히토미가 아니었다. 연방의 상원의원인 오다 의원이었다.

- 안녕하십니까, 오다 의원님.

이노우에 국장이 평소처럼 능글능글 웃지 않고, 굳은 얼굴로 정중하게 인사를 한다는 것은 지금 그가 주도권을 빼앗겼다는 의미다.

- 아닛! 이것은 실제 오다 의원님 아니십니까. 회의에 열중한다고 오시는 것을 몰랐습니다.

레드우드 사령관이 저렇게 과장되게 굽신거리고 있다는 건, 오다 의원의 출현에 그가 꽤 큰 영향을 미쳤다는 의미다. 근묵자흑 근주자적이라고 했던가. 못된 부하로부터 못된 짓을 배운 노병의 연기에 빈우는 작게 킬킬거리며 스스로의 미련함을 탓했다. 자신에게 회선의 관리자 권한을 주고 '이런 회의'를 시작했을 때부터 '이런 일'이 생길 것을 예상했어야 했다.

- 실례지만 의원님. 지금은 기밀 작전에 대한 회의 중입니다. 송구스럽습니다만 잠시 자리를 비켜주시겠습니까?

지금 이노우에 국장은 히토미에게 부드럽게 축객령을 권하고 있었다. 만약 그가 이 회선 관리자였다면 오다 의원은 통신 회의에 참가하지 못했을 것이다. 이노우에 고토는 무슨 수를 써서라도 상원의원의 참가를 거절했을 게 뻔하다. 군사정보국은 보안을 구해주는 조건으로 오다 의원에게 빚을 졌기 때문에, 그녀의 먹이를 빼앗아와야 하는 입장에선 껄끄러운 것이다.

- 무엇이 어쩌고 어째?

나직하게 으르렁거리는 오다 의원의 모습은 아버지인 이케가미 소이치로를 쏙 빼닮아 있었다. 언젠가 이케가미 소이치로에게 한 번 당한 적이 있는 빈우의 간담이 서늘해졌다.

**- 보안국을 구해달라고 애걸복걸하길래 나한테 총구 들이민 그년을 놔줬더니,
그 은혜를 이딴 식으로 보답해?**

오다 의원은 태스크포스 373의 감사에 앞선 조사역으로 왔다. 실제 목적
은 연방 사회에 침투한 비밀세력의 색출이고, 이를 위해 감사 대상인 태스크
포스 373과 손을 잡은 상황이지만 대외적으론 저렇게 되어 있다. 그런데 감
사 대상인 태스크포스 373을 해산시키고, 그 팀장은 다시 군사정보국 소속으
로 돌려보낸다? 상원의원이 있는 바로 그 자리에서? 빡쳐서 자리를 뒤집어
엎기만 하면 다행이라고 할 상황이다.

그리고 빈우는 지금 참 다행이라고 느끼고 있었다.

- 의원님, 오해십니다. 이번 일은 제 독단이 아닙니다. 엄연히 함대사령본부와
합동참모본부에서 온 요청입니다.

이노우에 국장이 서둘러 문서를 보여준다. 분명 42전단의 장갑보병 부대
육성을 위해 태스크포스 373의 인원들을 배치해달라는 협조 요청이다. 같은
사령부끼리의 요청이긴 하지만 이번 것은 함대사령본부의 요청이 아니라,
통합작전사령부로부터 42전단을 창설하라는 명령을 받고 하는 것이기 때문
에 거절하기엔 모양새가 좋지 않다.

- 군사정보국은 요청과 명령을 구분하지 못하는가. 설령 명령이라 한들, 댁들
의 명령에 나보고 고개를 숙이란 거요? 또 그걸 굳이 당신이 가져오는 이유
는 뭐죠?

오다 히토미 상원의원은 이노우에 국장의 비공식적인 약점을 무기 삼아
매섭게 몰아친다. 지난 작전에서 돌아오는 태스크포스 373을 보안국이 덮치
고, 그걸 오다 의원이 뒤엎었으며, 궁지에 빠진 보안국을 이노우에 국장이 살
려달라고 빈 게 불과 며칠 전이다. 그 대가로 군사정보국은 오다 의원에게 협
조하기로 했었는데 지금 하는 꼬락서니는 도리어 등에 칼을 꽂는 격이다. 하
지만 그것을 이노우에 국장은 공식적인 요청을 방패 삼아 어떻게든 흘려내
려 한다.

- 물론 군사정보국으로서도 의원님과 태스크포스 373에게 협조하고 싶은 마

음은 굴뚝같습니다. 그러나 이것은 함대사령본부의 요청으로 373의 팀원들이 42전단으로 가게 되는 겁니다. 제가 끼어들 틈이 없습니다. 게다가 이렇게 되면 앞으로 김빈우 소령이 공중에 뜨게 됩니다. 그래서 이번 기회에 파견 요원이었던 그를 다시 불러들여 정보국의 중책을 맡기겠다는 겁니다.

- 중책 같은 헛소리를 하네. 군사정보국에선 소령씩이나 돼서 현장에서 구르는 게 중책이란 말인가!

연방군에서 영관급 장교는 참모 장교다. 아니면 구축함의 소령이나 전투기 편대장 정도의 지휘관 급이 된다. 태생 자체가 특수전 사령부 소속이 아니고서야, 빈우처럼 현장에서 총질하는 경우는 없다. 더더구나 군사정보국처럼 요원 하나하나의 가치가 전략자원인 곳에서 소령씩이나 단 인물이 외부 파견 요원이 된다는 건 그가 버림패란 것을 뜻한다.

- 그것은 기밀이라 자세히 말씀드릴 수 없습니다만, 김 소령이 가지고 있는 정보는 엄청난 가치가 있습니다. 저희 군사정보국에서는 그것을 늘 염두에 두고 있습니다.

이노우에 국장은 어떻게든 변명을 늘어놓았다. 그래도 적어도 그의 말에 거짓은 없었다. 빈우보다는 그의 머릿속에 있는 트리니티로 잠긴 정보가 중요하다고 말하는 게 진심이 아닐 리 없었다. 이어서 유순한—정확히는 유순해 보였던—오다 의원의 입에서 막말이 쏟아져 나온다.

- 사고 친 윗대가리가 모가지 돼서 그 자리를 꿰찼으면 잘해보려고 노력을 해야지, 일을 더 크게 벌이면 어쩌잔 거요!

오다 의원이 언급하는 것은 전임 군사정보국장에 관한 일이다. 당시 군사정보국의 유령회사인 피자 타이거와 연방 중앙정보국의 둠 치킨은 성대한 삽질을 한 적이 있었다. 그 여파가 조금 골치 아파서 상원에서 감사가 나와 전임자들을 잘라버렸다.

- 의원님, 말씀이 지나치십니다. 그리고 일의 경중을 파악하셔야 합니다. 태스크포스 373이 중요한 팀이긴 하지만 결국은 일개 작전팀입니다. 42전단은

샤다이의 위험에 대응하기 위한 전략 작전단이고요.

- 파악을 못 하는 건 당신이겠지.

오다 의원이 문서를 꺼냈다. 그런데 문서 양식 자체가 심상치 않았다.

- 통합작전사령본부의 명령서요.

통합작전사령부는 함대사령본부나 특수전 사령부 등의 위에 있는, 문자 그대로 모든 사령부를 통합해서 그에 대한 군사적 명령권을 가지는 최상위 사령부이다. 연방군의 최상위 본부 중에서 합동참모본부가 국방부와 의회, 대통령에게 군에 관한 행정적인 조언을 하는 곳이라면, 통합작전사령부는 실질적인 명령체계 최상위에 위치한 사령부다. 물론 통수권자는 대통령과 상원의장이지만.

- 또 이것은 상원의장의 명령서요.

이번에 나오는 문서 양식은 상급 장교라면 한 번씩은 받아보는 문서 양식이다. 통수권자인 대통령이나 그 권한대행을 하는 상원의장이 장교 임명을 할 때 쓰는 문서다. 빈우는 소령으로 임관할 때 처음 받아보았고, 울토르 프로젝트를 진행할 때 또 한 번 받았다. 이번 명령서는 의장의 요청에 대통령의 승인이 있는 명령서다.

- 태스크포스 373은 감사가 끝날 때까지 그 어떤 방법으로도 구성원에 변경이 있어선 안 된다는 명령이오.

오다 의원이 못 박듯이 말했다. 물론 상원의 감사 대상이라면 해당 부서는 해산이나 변경을 할 수 없다. 다만 42전단 같은 특수상황이라면, 그리고 실제 감사가 아니라 선행 조사 중이라면 약간의 꼼수를 발휘할 수 있을 터였다. 그런데 지금은 그 길이 아주 막혀버린 것이다.

- 으음!

이노우에 국장은 드물게 당황했다. 자신이 함대사령본부와 합동참모본부의 요청에 의해 움직인 것이라면, 오다 의원은 통합작전사령부와 상원의장의 명령에 의해 움직이는 것이기 때문이다. 요청과 명령은 격이 다를뿐더러,

부서의 끗발도 끗발이다.

빈우는 전 상사의 멘탈이 깨강정 되는 장면을 보면서 마음속으로 중얼거렸다.

'X 됐네.'

지금 그의 눈앞에 펼쳐지는 상황은 절대 좋은 상황이 아니다. 군의 상위부서끼리 손발이 안 맞아서 티격태격하고 있는 지금의 꼬라지에 비하면, 과거 군사정보국과 연방 중앙정보국이 틱틱거린 것은 귀여운 옹알이다.

'시슬 대장이 합동참모본부로 갔었을 텐데.'

혹시 빈우는 캐서린 시슬이 저쪽으로 넘어갔을까 생각도 해보았지만 그럴 리는 없어 보였다. 그녀는 순수하게 샤다이를 막기 위해 42전단을 재결성하는 쪽에 힘을 실었다고 했다. 그 과정에서 태스크포스 373에 어떤 영향이 올지까지는 신경 쓰지 못했을 것이다. 게다가 그녀가 도와주지 못한다 해도 이해가 간다. 합참으로 간 지 얼마나 되었다고 힘을 쓴단 말인가. 빈우는 다시 시선을 군사정보국장 쪽으로 옮겼다.

'이번에 이노우에 국장이 온 목적은 태스크포스 373의 해산, 그리고 나를 수사 임무에 투입하는 것이다. 둘 중 어느 것이 진짜 목적일까. 둘 다 목적일 수도 있지.'

연방 내에 암약 중인 비밀세력은 태스크포스 373이 생기기 전부터 방해를 해왔고, 생긴 후에도 이런저런 훼방이 들어왔다. 그 대미는 보안국의 깜짝 쇼. 보안국이 그 세력인지, 아니면 자신도 모르게 이용당했는지는 모른다. 다만 군사정보국이 보안국을 구하러 왔으며, 빈우와 히토미는 놈들의 꼬리를 잡기 위해 보안국을 풀어주었다.

'설마 군사정보국마저 그쪽으로 넘어간 것일까?'

빈우는 그 가능성에 대해 다시 한 번 점쳐봤지만, 역시 희박했다. 이노우에 고토 개인이 넘어간 것이라면 모를까, 군사정보국이란 시스템 자체는 넘어가기 힘들다.

'샤다이, 리퍼, 울토르 프로젝트, 워프 비스트.'

머릿속에서 추들이 만들어진다. 42전단으로 가게 될 태스크포스 373의 베테랑들. 분명히 샤다이와 싸울 장갑보병들에게 있어 373팀의 전투 경험은 큰 보탬이 될 것이다. 그리고 빈우가 맡아야 할 수사. 울토르 프로젝트와 워프 비스트의 연관성. 연방의 큰 위험들이다.

'마리 라캉의 죽음. 그리고 워프 비스트로 변하던 중 멈춘 엘리자베트 허드슨.'

빈우는 마음속의 저울에 만들어놓은 추를 한 가지씩 올려보았다. 마지막 추까지 올리고 기울기를 확인한 빈우는 살벌한 대화 속에 끼어들었다.

"너무 어렵게 생각하시는군요. 이건 어떨까요?"

사냥감의 발언에 사냥꾼들의 시선이 모인다. 그러나 빈우는 기죽지 않고 말을 꺼냈다.

"이노우에 국장님의 목적은 태스크포스 373의 전투 경험을 42전단에게도 가르쳐주는 것이고, 다른 하나는 저에게 새로운 수사 임무를 맡기는 것입니다. 그리고 오다 의원님의 목적은 감사 대상인 태스크포스 373에 어떠한 구성 변화도 있어선 안 된다는 것이죠."

빈우는 통신화면 속의 좌중들을 한번 둘러보았다. 군사정보국의 국장인 이노우에 고토 준장, 연방의회의 오다 히토미 상원의원, 특수전 사령부의 사령관인 조지 레드우드 중장. 세 사람의 호기심 어린 시선이 덤덤한 표정의 빈우를 향했다.

"답 나왔네요. 저를 포함한 태스크포스 373 전원이 42전단으로 파견 가는 겁니다."

그 말에 이노우에 국장은 움찔했고, 레드우드 사령관은 히죽 웃었으며, 오다 의원은 눈썹을 찌푸렸다.

"42전단은 샤다이의 본성에 쳐들어가는 공격 함대입니다. 당연히 샤다이의 본거지에서 전투를 하겠죠. 그렇다면 태스크포스 373이 적임입니다. 처음부터 샤다이를 기습하기 위해 만들어진 부대인데 물 만난 고기 아니겠습니까? 또한 373팀으로서도 넘쳐나는 샤다이 기술과 장비를 수거할 수 있는 상황이니 더할 나위가 없습니다."

빈우는 잠시 말을 쉬며 좌중들의 시선을 살폈다. 이노우에 국장과 오다 의원은 조금 못마땅한 눈치지만 뭐라고 말을 꺼내지는 않았다.

"저와 팀원들은 지금까지 호흡을 잘 맞춰왔습니다. 제 지휘하에서라면 373 팀원들은 최고의 성과를 낼 수 있고, 저 또한 42전단의 신설 장갑보병부대의 교육에 큰 도움이 되리라 자부합니다. 문제는 이노우에 국장님께서 말씀하신 수사 건인데……."

빈우는 군사정보국장이 보여주었던 자료를 다시 한 번 나열한다.

"2217년 12월 25일 마리 라캉의 사망 사건. 2218년 1월 1일 글림에서 현지인 사망 사건. 2218년 1월 16일 리처드 허드슨과 엘리자베트 허드슨 사망 사건. 범인은 군사정보국 출신일 가능성이 높거나 밀접한 연관이 있으며, 동시에 울토르 프로젝트와 워프 비스트에 대한 정보에 접근 중입니다."

따지고 보면 이 사건도 꽤 중요하다. 드러난 게 이 정도라면 파헤쳤을 때는 어디까지 나올지 알 수 없다.

"이 사건도 제가 맡기로 하지요. 42전단에서 태스크포스 373을 이끄는 동시에 말입니다."

- 김 소령, 그게 가능할 성싶은가.

이노우에 국장이 반박한다.

"안 될 게 뭐 있습니까? 세 사건 모두 일어난 지 오래입니다. 서둘러 현장에 갈 필요가 없지요. 이미 보안국이나 군사정보국에서 증거와 자료들은 다 입수하셨잖습니까? 자료만 넘겨주시면 제가 수사를 하겠습니다. 그리고 42전단이 작전 시작하기 전이나, 혹은 시간이 나면 제가 직접 현장에도 가보도록 하지요."

- 나는 찬성이오.

레드우드 사령관이 손을 들어 찬성을 표한다. 어차피 그는 태스크포스 373이 존속되어 빈우의 지휘를 받으면 그만이다.

- 태스크포스 373이 42전대로 가서 장갑보병들을 훈련시키고, 김 팀장이 해당 사건을 수사한다고 했으니 그쪽 바람대로 아니오?
- 흠, 저도 감사 대상인 태스크포스 373이 해체되거나 변경만 되지 않는다면 달리 문제는 없습니다.

다음으론 오다 의원도 빈우의 의견에 찬성했다. 남은 한 사람은 이노우에 국장이다.

- 그런가요? 뭐 저로서도 김 팀장이 사건을 맡아주면 되긴 하지만…… 42전단에 있으면서 수사가 제대로 될지 걱정입니다.
- 걱정 붙들어 매십시오. 그보다 더한 일도 제게 맡겼으면서 무슨 약한 소리십니까.

이노우에 국장은 떨떠름한 표정으로 빈우의 호언장담을 들으며, 절충안을 받아들였다. 일단 함대사령본부와 합동참모본부로부터의 요청은 이루어졌다. 그리고 자신이 요청한 수사 건도 빈우가 받아들인다고 했다. 게다가 레드우드 사령관과 오다 의원이 이렇게 압박을 하니, 그로서도 겉으로는 '떨떠름한 표정'으로 억지로 납득하는 척했다. 물론 속으로는 다른 꿍꿍이를 철저히 숨기면서.

- 그러면 저는 이만 가보도록 하겠습니다.

뒷마무리가 끝난 다음 이노우에 국장이 먼저 회선에서 나갔다.

- 저도 가보지요. 참, 김 팀장은 나중에 제 방으로 오세요.

오다 의원도 회선을 나가며 빈우를 한 번 흘겨보고 나갔다. 이제 남은 것은 레드우드와 빈우 두 사람뿐이다.

- 욕본다.

피식 웃는 레드우드. 그런 그를 보며 빈우는 고개를 절레절레 흔들었다.

"오다 의원님은 어떻게 된 겁니까?"

처음에 레드우드는 태스크포스 373 팀원들에게 373팀의 해산을 알렸고, 빈우에겐 새로운 임무를 맡기려고 했다. 그런데 갑자기 오다 의원이 회선에 난입해 들어오더니 일이 이렇게 흘러간 것이다.

126

· · · ◆ · · ·

- 일단은 캐시로부터 먼저 귀띔이 왔다. 42전단이 창설되는데 군사정보국의
 입김이 닿아 있다고 말이야. 그래서 연락을 받자마자 오다 의원께 알렸지.

"저보다도 오다 의원님께 먼저요?"

빈우는 레드우드의 부하다. 그럼에도 불구하고 레드우드는 자신의 부하보
다, 부하를 조사하는 오다 의원에게 먼저 알린 것이다. 힐난 섞인 빈우의 질
문에 레드우드는 쌍심지로 대답했다.

- 나도 되도록 평화적으로 일을 마무리짓고 싶어서 말이다. 네놈, 이번 일에는
 오다 의원님을 부르지 않으려고 했으렷다? 확 엎어버리려고 말이다.

"뭐, 그야. 이노우에 국장이 하는 걸 봐서요."

- 개새끼.

하긴 레드우드의 말마따나 방금의 통신에서 오다 의원이 오지 않았더라
면, 빈우는 오다 의원에게 달리 알리지 않고 군사정보국으로 돌아가거나, 아
니면 거하게 깽판을 쳤을 것이다.

- 그건 됐고. 의원님도 자기 쪽 라인을 통해 이 정보를 입수한 모양이더라고.
 그러더니 나보고 잠시 시간을 벌어달라고 하시더라. 그사이 명령서를 받아
 오신 모양이야. 아마 그쪽 파벌의 의사가 그런 듯한데. 뭐 그 덕에 일단 일이
 잘 해결되었지만 말이다.

오다 의원의 파벌은 연방 내의 비밀세력을 노리고는 있지만, 아직은 대상

을 확정하지 못해서 일단은 태스크포스 373을 방해하는 쪽을 조사하는 중이다. 그래서 일부러 이런 엇갈리는 명령서가 나온 모양이다.

"일단이고 이단이고 우리 위쪽으로는 삼단분리 개판 난 거 같습니다만."

빈우의 비아냥에 레드우드도 표정이 썩는다. 상위 부서끼리 손발이 안 맞으면 하위 부서가 몸으로 때워야 한다는 것이 고대로부터 전해져 내려온 진리다. 그리고 여기는 군대라 몸이 아니라 모가지로 때워야 한다.

- 어쨌든 태스크포스 373이 존속되었다는 것만으로도 큰 성과다. 놈들의 목적이 좌초되었으니까.

"본격적으로 파벌싸움이 일어나는 겁니까? 42전단을 샤다이 앞마당에 꼬라박기도 전에."

- 그건 아닐 거다. 캐시의 말로는 합참 내부에선 별다른 이견이 없다는군. 42전단의 재창설에는 아주 호의적이었다더라.

샤다이의 기술 수집을 목적으로 하는 태스크포스 373에는 방해를 놓고, 샤다이에게 전면공세를 하는 42전단에는 아무런 터치도 없다니 이상하다.

- 42전단은 통합작전사령부에서 직접 진행하는 거니까, 엇나갔다간 박살 나지. 그래서 숨죽이고 있는 것 같다. 하지만 그렇다고 놈들이 아주 숙인 건 아니니까 조심해라.

"네, 뒤통수야 언제나 조심하고 있으니 걱정하지 마십시오."

그렇게 레드우드와 이야기를 마무리지은 빈우는 약속대로 ─ 라기보다는 명령받은 대로 ─ 오다 의원의 방으로 갔다. 그녀의 방문 앞에서 인터폰으로 도착을 알리자 히토미는 바로 문을 열어주었다.

"의원님?"

그러나 방 안에 히토미는 없었다.

"곧 나갈게요. 잠시만 기다려주세요."

의외로 그녀는 욕실에서 샤워를 하고 있었다. 사람을 불러놓고 자신은 씻고 있다니 이건 무슨 매너냐고 물을 상황이지만, 지금 빈우는 그럴 입장이 아니라 얌전히 기다릴 뿐이다. 잠시 후 히토미는 목욕 가운을 걸친 채 거실로 나왔다. 현재 연방의 평균에서 압도적인 볼륨을 자랑하는 그녀의 가슴은 지금 풍성한 가운에 가려 잘 드러나지 않았고, 히토미 본인도 꽤 키가 큰 편이라 비율상 그다지 두드러지는 편이 아니었다. 그리고 무엇보다 눈앞의 빈우에겐 딱히 눈에 차는 사이즈도 아니기도 했고.

"오셨군요, 김 팀장. 이런 모습으로 실례 좀 할게요."

"아닙니다. 신경 쓰지 마십시오."

실례라고 한들, 오다 히토미는 조사차 나온 상원의원이고 빈우는 일개 소령이다. 뭐라고 할 수 있을 리가 없다.

"맥주?"

그녀는 차가운 맥주를 꺼내어 빈우에게 권한다.

"감사합니다."

취하지 않는 몸이지만 빈우는 보리 발효음료를 감사히 받았다. 히토미를 따라 맥주를 마신 빈우는 이내 눈살을 찌푸렸다.

"우왁, 이거 도수 의원님이 조정하신 겁니까?"

맥주를 즐기지 않는 빈우지만 알콜 도수가 어느 정도인지는 안다. 오다 의원은 생성기로 맥주를 만들 때부터 꽤 도수를 높여놓은 것 같다.

"네, 지금은 조금 취하고 싶어서요."

히토미의 잔은 어느새 반이나 사라진 상태고, 얼굴도 꽤 붉어져 있다. 샤워의 여파인지 맥주의 영향인지, 아니면 다른 어떤 뭔가일지도. 하지만 그녀의 눈동자는 차가웠다. 상원의원 오다 히토미의 것이다.

"제가 이런 모습으로 김 팀장을 맞이했는데 전혀 동요가 없네요. 역시 알고 계시는군요."

엄청난 가슴을 자랑하는 묘령의 여인이 샤워 후에 가운만 입고 술을 마시자는데도, 혈기 왕성한 남자가 동요하지 않는다는 것에는 이유가 있다. 그리고 두 사람은 그 이유를 잘 안다.

"선친의 버릇 말씀입니까?"

"네, 아버진 더러운 일을 하고 오면 일단 샤워부터 하셨죠. 딸한테 나쁜 게 옮는다고 말이에요."

빈우의 기록에도 있다. 이케가미 소이치로는 한차례 회의를 치르고 나면 마치 목욕재계라도 할 셈인지 바로 씻으러 갔다. 그리고 가운을 걸친 채 자작하며 빈우에게 하소연을 하곤 했다. 연방의 미래와 프로젝트들에 관해서. 그러나 딸의 이야기는 없었다.

"아시는 것을 보니 전 상원의장……과는 꽤 각별한 사이였나 봐요?"

굳이 아버지를 전 상원의장이라고 칭하는 것을 보면, 그녀의 가슴속에 있는 응어리를 대충 짐작할 수 있다.

"의장님께선 언제나 주변 사람을 각별히 대하셨습니다."

"……가족은 빼고 말이죠."

뾰로통해서 맥주를 들이켜는 히토미에게 빈우는 아무 말도 하지 않았다. 저 정도면 취할 테지만 알콜 분해효소를 주입하면 되니 걱정할 필요는 없다. 히토미는 마신 맥주만큼 한숨을 내쉬며 말을 이었다.

"그렇게 싫어했던 아버지인데…… 닮는 건 어쩔 수 없군요."

히토미는 잔 안에 남은 맥주를 빙글빙글 돌리며 복잡한 얼굴로 내려다보고 있었다. 그리고 잔을 탁자에 내려놓고선 시선을 빈우 쪽으로 돌렸다.

"저와 제 아버지의 사이가 어떤지는 알고 계시죠?"

"아뇨."

"……네?"

잠시 그녀의 눈동자가 원래대로 돌아갔다.

"이케가미 전 상원의장님과 프로젝트를 같이 진행하긴 했지만, 그건 일 관계였습니다. 사적인 얘기는 거의 안 하던 분이셨고요. 게다가 지금의 저는 감사 대상이라 감사역을 맡은 의원님의 정보에 접근조차 할 수 없습니다."

"아하, 그랬군요."

약간 민망한지 히토미가 계면쩍게 웃는다.

"뭐, 의원님의 행동을 보아 대강 짐작은 하지만 말입니다."

빈우의 대답에 살짝 올려다보는 히토미의 시선은 그의 다음 말을 기다리고 있었다.

"어머니 없이 자라고, 아버지는 연방의 상원의원이라 바쁘죠. 나중에는 상원의장까지 되셨으니, 더욱 바빠지셨을 겁니다. 행복하려면 얼마든지 행복할 수 있었겠지만…… 유감스럽게도 의원님껜 그렇지 않았던 모양이군요."

"맞아요. 어머니가 돌아가셨을 때도 그 양반은 얼굴도 안 내비쳤죠. 의장이 된 다음부터는 경호를 이유로 저를 안전저택에 가둬놓았고요. 제 곁에는 경호원과 안드로이드뿐이었어요. 그 영향 때문인지 저는 일찍 집을 나갔고, 성을 바꾸기 위해서라도 서둘러 결혼을 하게 되었죠."

그때를 떠올리면 기분이 언짢아지는지 히토미는 잔을 콸콸 채웠다.

"선친께서 반대는 안 하시던가요? 상원의장쯤 되시면 사위에 대해서도 꽤 신경을 쓰실 건데 말입니다."

"당시 아버지의 머릿속엔 울토르 프로젝트밖에 없었으니까요. 연락도 안 했고요."

"서둘러 결혼하셨다면 상대는 어떻게 고르셨습니까?"

빈우의 질문에 히토미는 가슴 앞섶을 가볍게 팔랑거렸다.

"이거면 그냥 넘어가던데요?"

"그것만 보고 넘어갔으면 그다지 좋은 사람은 아닐 텐데요."

빈우의 때늦은 충고에 히토미는 장난스레 웃으며 대답했다.

"좋은 사람이었어요. 헤어진 것은 서로를 배려해서였죠. 각자의 미래를 위해서."

추억을 되새기는 히토미의 눈가에 맴도는 감정은 슬픔이었다.

"……그리고 좋은 사람은 먼저 떠나더군요. 야속하게도."

"가슴 좋아하는 사람 중에 나쁜 사람은 없지요."

냉큼 따라붙는 빈우의 아첨에 하마터면 히토미는 맥주를 뿜을 뻔했다. 손으로 입가를 가리며 맥주를 간신히 삼킨 히토미는 가까스로 말을 이었다.

"콜록. 더구나 제가 상원의원이 되려고 한 의도도 조금 불손하달까요."

"우리 아버지 모가지는 내가 자른다?"

"정답."

씩 웃으며 맥주잔으로 빈우를 삿대질하던 히토미가 사레들린 목을 다스리려 맥주를 마저 마셨다. 그리고 잔을 탁 내려놓은 그녀의 눈은 서서히 변해갔다. 다시 사냥꾼의 눈으로.

"이쯤 하고. 제가 김 팀장을 따로 부른 건, 그리고 굳이 이런 얘기를 꺼낸 건 뭘랄까. 김 팀장님과 좀 더 특별한 관계가 되고 싶었기 때문이에요."

"지금도 충분히 특별하지 않습니까?"

빈우의 말에 히토미가 다시 웃었다. 조사원과 조사 대상의 오월동주는 꽤 특별하다. 그러고 보니 그녀는 자신이 싫어했던 아버지와 닮았다고 했다. 빈우가 봐도 확실히 닮았다. 특히 눈매가. 지금 히토미는 샤워를 하고, 가운을 걸치고, 술을 마셔 얼굴이 불콰해져 있지만, 게다가 빈우의 농담에 웃고 있지만, 눈만큼은 결코 웃고 있지 않았다. 이케가미 소이치로처럼.

"왜 그 사건을 받아들였죠?"

히토미가 지금 그 사건이라고 한 것은 군사정보국의 의뢰다.

"요청이 왔지 않습니까? 제 팀도 해체된다고 하니 거절할 이유가 없죠."

히토미가 빈우에게 바싹 다가앉으며 고개를 내밀었다.

"거짓말."

낮지만 박력 있는 목소리다. 히토미는 어깨를 으쓱하는 빈우를 지긋이 쳐다보더니, 중력에 의해 흐트러진 가운 앞섶을 여미며 바로 앉았다.

"제가 아는 김 팀장은 남이 시키는 대로 질질 끌려가는 그런 사람이 아니에요. 맘에 안 들면 무슨 수를 써서라도 어깃장을 놓고 말지. 안 그래요?"

히토미는 빈우와 만난 시간이 얼마 되지 않지만 아주 밀도 높은 시간을 보냈던 터라, 닉스 레벨 3의 쌍놈을 아주 잘 파악하고 있었다.

"맞습니다."

"솔직해서 좋군요. 기뻐요. 자아, 그럼 더 솔직해지세요."

히토미는 빈우의 잔에 맥주를 가득 첨잔해주었다. 그리고 첨언한다.

"왜 이노우에 국장이 직접 왔죠? 그는 당신이 이 일을 받아들일 것을 알고 온 걸 테죠?"

절로 입안이 말라가는 기분에 빈우는 맥주를 꿀꺽 마셨다.

"의원님 추측대로입니다. 이노우에 국장은 아주 잘 알고 왔습니다. 제가 그것을 거부하지 못하리란 것을 말이죠."

"그가 김 팀장의 약점을 잡고 있나요?"

그렇게 묻는 히토미의 눈은 빈우를 협력자이자 동시에 조사 대상으로 보고 있었다. 어차피 그녀가 자신의 가정사를 밝혔으니, 빈우도 밝혀주는 게 예의일 것이다.

"제 어머니가 사고로 돌아가신 것은 알고 계시죠?"

"네, 자료에서 봤어요."

"어머닌 맥주 공장을 만드시다가 돌아가셨습니다."

"어머, 저런."

잠시 일상의 눈으로 돌아온 그녀는 맥주를 권한 자신을 탓하려고 잔을 내려놓지만 빈우가 만류했다.

"아뇨. 어릴 적 일이라 잘 기억도 안 납니다. 괜찮아요."

잊을 만하면 다시 떠오르는 기억을 억누르며, 이번엔 빈우가 히토미의 잔에 맥주를 따라주었다.

"오늘은 이걸로 참으시고, 다음번엔 제 농장 보리로 만든 진짜 맥주를 맛보여드리죠."

"어머나아, 그거 기대되는데요."

맥주 한잔으로 분위기를 환기시킨 빈우가 다시 말을 이었다.

"아버지는 원래 안 계셨으니 그때부터 아나스타샤가 우리 남매의 후견인이 되어서 고생해가며 키웠습니다. 아실 테지만 안드로이드의 권한은 그다지 높지가 않아서 농장 경영에 꽤나 어려움이 있었다고 합니다. 저야 꽤 풍족하게 자랐다고 생각합니다만, 아나스타샤는 언제나 그걸 기억하고 요즘도 미안해하지요."

"하긴 아나스타샤는 쿠델카 모델이죠. 괴로웠을 거예요."

"그리고 저와 제 형제자매들도 물질적으론 모자람이 없었지만, 정신적으론……."

"네, 그렇죠. 저도 그 마음 알아요."

히토미도 어머니를 잃었고, 아버지는 연방을 위해 일한다고 가정을 소홀히 했었다. 그래서 그녀는 빈우의 유년기를 짐작하고, 동감할 수 있었다.

"그래서 전 빨리 어른이 되고 싶었습니다. 제가 군에 들어간 것도 가족을 위해서고요."

빈우는 잔을 마저 비우고 내려놓았다. 히토미는 빈 잔을 채워주려 하다가 문득 그의 눈동자를 보고 잠시 멈췄다. 그의 눈에 가득 찬 것은 공허였다.

"이노우에 국장은 알고 있습니다. 제가 엄마와 아들의 죽음을, 아빠와 딸의 죽음을 결코 지나치지 못한다는 것을요."

이 역시 히토미는 이해했다. 그녀 자신도 물질적으론 풍부했으나 정신적으론 빈곤했던 유년기를 보냈던 터라, 다른 가족의 위기를 보면 가만있지 못했다. 상원의원이란 신분이 오다 히토미란 이름의 의원에게 냉정한 균형을 강요하지만, 마음이 쏠리는 것은 어쩔 수 없었다.

"미안해요. 김 팀장의 옛일을 끄집어내려 한 것은 아니었어요."

"별말씀을. 우린 특별한 관계가 아닌가요?"

빈우의 말에 히토미가 쓰게 웃으며 그의 빈 잔을 채워주었고, 둘은 작게 건배를 했다.

"그래서 김 팀장의 그런 점을 알고 있는 이노우에 국장이 그렇게 밀어붙였단 말이지요?"

"조건이 맞는 절호의 기회니까요. 적임자 중 한 사람에게 거절할 수 없는 사건이었으니 주저 없이 저를 골랐을 겁니다."

히토미는 취기가 좀 과하게 도는지 잔을 내려놓고 의자에 푹 기대었다.

"그렇다면 태스크포스 해체 건은 군사정보국이나 보안국은 관련이 없을까요?"

"두 부서의 연관성에 대해선 좀 더 조사를 해봐야겠지만, 역시 배후엔 의원님께서 경계하시던 그들이 있지 않겠습니까?"

"으음, 역시 그렇겠죠."

맥주 대신 찬물을 한 모금 마신 히토미가 얼굴에 열이 오르는지 차가운 잔을 볼에 대었다. 그러면서 빈우를 빤히 쳐다보았다. 그녀의 시선을 느낀 빈우가 질문했다.

"하실 말씀이라도?"

"군사정보국의 수사 제안, 정말 받아들이실 건가요?"

분명 히토미는 아까의 4자 대면 통신회의에서 자신의 감사 대상인 태스크포스 373에 변경만 없다면 문제 삼지 않겠다고 했었다. 그러나 그게 본심은 아니었던 것 같다. 그랬으니 빈우를 이렇게 따로 불렀겠지. 게다가 그녀가 말하는 자세를 보면 이건 질문이 아니라 경고이자 만류였다. 분명 히토미가 속했던 파벌은 군사정보국에 대해선 필요 이상으로 접촉하지 말라고 했었다. 아직은 시기상조이고, 태스크포스 373의 역량으론 역부족이기 때문에 본격적인 감사단이 올 때까지 기다리라고 했다.

'하지만 과연 그것뿐일까?'

빈우에게 의문은 있었지만, 지금은 질문보단 대답을 할 때다.

"말씀하시는 바는 알지만, 발상을 달리하면 좋은 기회입니다. 애초에 태스크포스 373은 샤다이 기술을 수집하기 위한 팀 아닙니까. 놈들의 새로운 공격인 워프 비스트와 연관된 것이라면 조사하는 게 좋지요. 또 제가 몸담았던 울토르 프로젝트에 대해 알아낼 기회이기도 합니다."

"팀장이 잡은 기회가 아니에요. 저쪽에서 주는 기회입니다. 함정일 수도 있어요."

그것도 빈우를 잘 파악하고 있는 전 상관인 이노우에 고토가 내건 기회다. 빈우라면 거절하지 않을 기회, 아니 거절하지 못할 기회다.

"그렇겠죠. 보안국과 군사정보국은 이미 수사를 하고 있을 겁니다. 어쩌면 연방 중앙정보국도 움직이고 있겠죠. 이노우에 국장이 저를 부른 것은 범인을 특정하기 위한 사냥개 역할을 해달라는 겁니다."

빈우의 말인즉슨, 함정인 것을 알면서도 들어가겠다는 의미다. 취기 때문인지 빈우의 말 때문인지, 히토미는 지끈거리는 관자놀이를 꾹꾹 눌렀다.

"김 팀장, 한 가지만 물어볼게요. 팀장님이 이번 수사를 받아들이는 이유, 팀장님의 약점을 이노우에 국장이 쥐었기 때문인가요? 정말 그 이유인가요?"

그녀의 질문에 빈우는 잠시 자신을 되돌아보았다. 그리고 대답했다.

"없진 않지만…… 그보다 더 중요한 이유가 있습니다."

"뭔가요?"

잠시 호흡을 고르던 빈우가 조심스레 말을 꺼냈다.

"돌아가신 이케가미 상원의원께선 과거에 저와 함께 울토르 프로젝트를 주도하셨습니다. 그런데 갑자기 발 가르단 하스에서 다시 만났을 때는 울토르 프로젝트가 틀렸다고 하면서 워프 비스트에 매달리고 계셨죠."

빈우는 중간에 히토미의 반응을 살폈다. 다행히 그녀는 별다른 반응을 보이지 않고 있었다.

"제 앞에서 그분은 죽어가면서도 인류와 연방을 생각했습니다. 그리고 자신의 목숨을 대가로 그 목적을 이루셨죠. 바로 제 눈앞에서 타 죽어가는 순간에도 말이지요. 그리고 저는 울토르 프로젝트의 지휘관이었지만, 알 수 없는 이유로 머릿속의 정보를 감추고 클론으로 위장까지 했습니다. 제 모든 것을 바쳤던 일을 빼앗겼단 말입니다."

잠시 말을 쉰 빈우는 감정을 다스리며 말을 이었다.

"이런 제가 그분의 유지를 잇겠다고 하면 이상할까요? 제가 잃어버렸던 비밀을 되찾는 게 이상한 걸까요?"

"천만에요. 김 팀장에겐 충분히 자격이 있습니다. 하지만 시기가 좋지 않아서 위험하다고 말하는 겁니다."

히토미의 그 말 다음으로 두 사람의 사이엔 잠시 침묵이 흘렀다. 그 정적을 깬 것은 히토미였다.

"이번엔 제가 묻지요. 제가 아버지의 죽음을 보고 울었던 것 기억하나요?"

물론 빈우는 기억한다. 그때 태스크포스 373을 출동시켰다가 후폭풍이 조금 있었던 것도.

"네, 대단히 슬퍼하셨습니다."

"저도 명색이 상원의원이에요. 자신의 감정은 컨트롤할 줄 알죠."

"와아."

빈우의 평탄한 감탄사에 히토미가 발끈했다.

"에잇, 조용히 하세요."

자칫 무거워질 수 있는 분위기를 빈우가 풀어놓자, 히토미도 한결 가벼운 마음으로 이야기를 꺼낼 수 있었다.

"설령 그때 아버지가 죽는 모습을 봤어도 저는 울지 않을 수 있었어요. 특히나 조사 대상 앞에서는 말이지요. 그런데 제가 왜 울었을까요?"

대답이 궁해 가만히 있던 빈우에게 히토미는 손가락으로 그를 가리켰다.

"김 팀장입니다."

"제가요?"

의아해하는 빈우 앞에서 히토미는 고개를 끄덕였다.

"네. 저는 당시 팀장의 시선으로 아버지의 마지막을 보았죠. 김 팀장은 아버지를 구하려고 할 때 확고한 목적이 있었습니다. 거기에 정보를 보호하자거나 과거의 상관을 살리자는 생각은 없었어요. 오직 순수하게 눈앞의 사람을 살리자는 마음뿐이었죠. 헌신과 자기희생."

맥주잔을 흘긋 본 히토미는 잔을 잡는 대신 냉수를 마셔 목을 축였다.

"그래요. 마치 지금 김 팀장이 이노우에 국장의 함정인 줄 뻔히 알면서도, 죽어간 라캉 일가와 허드슨 일가의 사건을 밝히기 위해 함정으로 뛰어드는 것처럼 말이지요."

자신의 성향에 대한 타인의 판단을 듣는 것은 언제나 익숙지 않다. 하지만 익숙한 것도 있다. 이케가미 소이치로의 딸 오다 히토미, 사자의 딸은 역시 사자였다.

"당신 같은 사람이라면 믿을 수 있어요. 제 쪽에서 먼저 협력관계를 원한다고 한 이상, 굳이 가식적인 모습을 보여줄 필요는 없지요. 아버지의 죽음 앞에서 자신의 목숨을 바치려 한 사람 앞에서는 더더욱."

거기까지 말한 히토미는 이번엔 물 대신 맥주를 홀짝였다.

"그거 영광이군요. 감사합니다."

빈우가 가볍게 고개를 숙여 감사를 표하자 히토미의 얼굴이 다가왔다.

"저는 상원의원으로 살면서 연방에게 옳은 길을, 그리고 이득이 되는 길을 찾도록 노력했습니다. 지금 김 팀장이 가려는 길은 옳은 길일지는 몰라도 이

득이 되는 길은 아니에요.”

거기까지 말한 그녀는 다시 뒤로 푹 기대어 발을 동동 굴렀다.

“아아, 하긴 뭐 이 두 가지가 언제나 같은 방향으로 가는 것은 아니었죠.”

“명분과 실리의 딜레마는 언제나 X 같…… 어흠, 어려운 문제지요.”

헛기침을 하는 빈우에게 히토미가 잔을 내밀었다.

“이번엔 저에게도 솔직해질 기회를 주세요.”

빈우가 도수 높은 히토미 특제 맥주를 따라주자, 그녀는 한 번에 그것을 비웠다.

“일단 태스크포스 373이 해체되는 것은 막았어요. 좋아요. 감사엔 지장이 없으니까 이걸로 잘 마무리된 거예요. 저쪽에 한 방 먹이기도 했고. 하지만 김 팀장이 군사정보국의 제안을 받아들이는 것은…… 그리 달갑지 않아요. 제 동료들이 군사정보국과 깊이 연관되는 것은 피하라고 했고 무엇보다.”

잠시 말을 멈춘 히토미는 빈우를 빤히 쳐다보았다.

“제 아버지를 위해 목숨을 던진 사람, 그리고 연방과 인류를 위해 순수하게 헌신하는 사람이 그런 모략의 희생양이 되는 것을 보고 싶진 않아요.”

그녀의 칭찬에 빈우는 어깨를 으쓱했다.

“칭찬 감사합니다만, 동료분들이 말씀하셨던 옛날의 저였다면 의원님은 기겁하셨을 겁니다. 저는 군인입니다. 제가 연방과 인류를 위해 헌신하는 방법은 몇 가지 없죠. 그리고 그 방법들이, 제가 걸어왔던 길이 그다지 마음에 들진 않으실 겁니다.”

“말 돌리지 말아요. 물론 알지요. 군인 장병 여러분의 임무는 적대적 외계인을 죽이는 거란 것을. 하지만 그보다 더 근본적인 것은 여러분들이 연방의 안녕을 위해 자신의 목숨을 바쳤다는 겁니다. 무엇을 해도 그 가치는 훼손되지 않아요. 설령 잘못된다 한들 그 죄는 잘못된 명령을 내린 우리에게 있는 겁니다.”

히토미가 다시 잔을 내밀었지만 오락가락하는 그녀의 손을 본 빈우가 만류했다.

"에잇, 좀생이 같으니."

술기운에 더불어 빈우가 말을 안 듣고 고집까지 부리자 히토미는 잔뜩 열이 올랐다. 그렇지 않아도 술기운이 올라 있던 그녀의 얼굴이 더욱 붉어졌다.

"흥, 그렇게 덜컥 수사를 맡았다가 잘못되기라도 하면 어쩌려고요. 제 조사에 차질이 생긴단 말이에요."

"술이 안 들어가서 솔직함이 떨어진 겁니까?"

말은 그렇게 했지만, 히토미가 바락 쏘아보자 빈우는 냉큼 시선을 돌렸다.

"좋아요. 그럼 김 팀장이 군사정보국의 수사 제안을 받아들이는 것을 허락할게요."

"감사합니다."

"모든 자료는 저에게 보고해야 되는 거. 아시죠?"

"여부 있겠습니까."

히토미는 자신의 날 선 말에 넙죽넙죽 대답하는 빈우를 보고 마음이 풀렸는지, 미간이 조금 부드러워졌다. 그리고 한층 부드러워진 말투로 자신의 신세를 한탄했다.

"휴우, 태스크포스 373을 조사하러 왔다가 42전단까지 가게 되는군요. 이게 무슨 팔자인지."

"그러십니까. 아니 잠깐. 뭐라고요?"

빈우가 놀라서 질문한다.

"응? 뭐냐요. 제가 42전단으로 가는 것 말이지요."

"아니, 의원님은 태스크포스 373을 조사하기 위해 오신 것 아닙니까. 그런데 왜 42전단으로 가시냔 말입니다."

"373이 42전단으로 가니까 저도 당연히 따라가야죠."

이번엔 빈우가 관자놀이를 꾹꾹 눌렀다.

"누차 말씀드렸습니다만, 상원의원씩이나 되시는 분이 왜 굳이 작전지역까지 따라오시려는 겁니까? 저희 373팀이야 이해합니다. 기밀팀이니까 한층 투명한 조사를 위해 동행하실 수도 있지요. 하지만 42전단은 정규 함대입니다. 후방에서 보고서만 받으셔도 될 일 아닙니까?"

"이번 이야기를 하기 전에 동료들과 대충 말을 맞춰놨습니다. 상원의원이 42전단에 동행함으로써 선전 효과도 있을 것이고, 제가 상원의 참관인 역할도 하기로 되어 있습니다."

빈우가 끙끙대며 빈 맥주잔을 내려다보았다. 이걸 마셔서 취하면 얼마나 좋을까 하고. 히토미는 그런 빈우를 고소하다는 듯이 쳐다보며 잔을 채워주었다.

"그건 그렇고 김 팀장은 42전단의 전술 교관 역을 맡으면서 군사정보국에서 맡긴 수사를 하기엔 지장이 없나요?"

"지장 말입니까……."

중얼거리는 빈우의 앞에 히토미의 잔이 다가왔고, 둘은 다시 한 번 건배를 했다.

"어차피 제가 할 것은 범인의 추적과 조사입니다. 비는 시간에 해도 충분할 겁니다."

"그럼 다행이네요. 참, 군사정보국에 대한 보복에 대해선 달리 생각이 있나요?"

"보복. 그렇죠, 갚아줘야죠."

저번 보안국 사건으로 군사정보국은 히토미와 태스크포스 373, 그리고 조지 레드우드에게 빚을 졌다. 그리고 협력하기로 약속을 했다. 그럼에도 불구하고 이런 식으로 다시 쳐들어왔으니 호의를 배반한 것이다.

"태스크포스 373이 해체되면 상원에서 가만히 있지 않을 걸 알면서도 일을 진행했지요. 일단 명분상으론 함대사령본부의 요청을 전달하고 저를 구제하겠다고 합니다만."

"그걸 누가 믿나요. 이제 본때를 보여줘야죠. 히힛."

이제 히토미는 알딸딸해져서 해롱해롱한다. 그걸 본 빈우는 절로 걱정이 일었다. 만취되어 머리를 못 가누는 경우는 종종 봤지만, 자기 가슴 무게를 못 이겨 사람이 휘청이는 것은 정말 오래간만에 본다.

"저, 의원님. 지금이라도 술에서 깨시는 게 좋지 않을까요? 효소 드릴까요?"

"아뇨, 취하려고 마신 건데 왜 깨요. 어차피 중요한 이야기는 끝났고, 이렇게 얘기 조금만 더 하다 자려고요."

중요한 이야기가 그녀의 정신줄을 잡고 있었는지 그게 끝나니까 히토미의 취기가 확 올라오고 있었다. 그걸 본 빈우의 걱정은 점점 커져만 갔다.

"취하시려면 다른 술도 있는데 왜 굳이 맥주를 마십니까. 그 도수를 그렇게 벌컥벌컥 마시니 사람이 그렇게 되잖습니까."

"에헤헤, 팀장님 뭘 모르시네. 씻고 나선 맥주죠. 근데 맥주를 마시면요, 취하기 전에 배가 불러요. 배가 불러서 잠이 잘 오는데, 화장실에 가야 해요."

이젠 술기운이 완전히 머리 꼭대기까지 올랐는지 사람이 오락가락한다. 그 모습을 본 빈우는 더럭 겁이 났다.

'왜지? 내가 왜 이러지? 상원의원이 취했기로서니 내가 불안해할 이유는 없잖아.'

의자에 푹 기댄 히토미가 흡후, 흡후 하면서 숨을 들이마시고 내쉰다.

'……라마즈 호흡은 아닌데.'

뻘생각을 하던 빈우의 머릿속에 몇 가지 정보가 떠올라 퍼즐이 맞춰진다.

'블랙 랜스, 첫 만남, 마카롱, 아나스타샤, 훈련실, 실전 훈련. 피범벅, 아나스타샤.'

퍼즐을 맞춘 빈우는 솟구치는 불안감에 해결사를 불렀다.

"아나스타샤! 지금 빨리 의원님 방으로 와."

- 주인님! 또 무슨 짓을 저지른 거예요!

안드로이드 메이드는 급하게 자신을 부르는 주인의 의중을 눈치챘다. 그리고 앙칼진 목소리로 고함을 질렀다.

"오다 의원님이 술이 떡이 됐다."

다 큰 어른이 만취했다고 자신을 부를 리 없다는 것을 안 아나스타샤가 다시 소리를 빽 지른다.

- 야아아아! 왜 술을 그렇게 먹여요.

"난 가만히 있었어."

- 가만히? 아아, 우리 주인님은 손이 무거워서 상원의원님께 술 한잔 안 따라 주시는구나.

"조금은 쳤지만, 아니 난 말렸다고."

- 토하셨어요? 벌써 토하신 거예요?

"몰라, 빨리 와."

오다 히토미는 눈앞의 수프가 정말 고마웠다. 붉은색 국물에 잘게 다져진 야채와 고기가 넉넉하게 들어 있어서 박살 난 그녀의 속을 잘 달래주었다.

"의원님, 보르시는 입에 맞으시나요?"

"응, 고마워. 이제 좀 살 것 같아."

지금 태스크포스 373 전원과 히토미는 식당에서 아침을 먹고 있었다. 만취한 히토미는 다음 날 점심까지 꼬박 잤고, 속을 부여잡은 그녀를 식당으로 안내한 것은 옆에서 기다리고 있던 아나스타샤였다. 일어나보니 옆에 아나스타샤가 있을 뿐 아니라, 자신이 목욕 가운만 입고 있단 걸 깨달은 히토미는 불안한 마음에 안드로이드 메이드를 빤히 쳐다보았다. 그 시선은 혹시 자기가 또 저질렀냐고 묻고 있었다. 하지만 다행히도 아나스타샤는 상큼한 미소와 함께 고개를 작게 가로저어주었다. 히토미는 그녀의 배려에 다시금 고마움을 느끼며 감사를 표했다.

"아나스타샤는 정말 요리를 잘하는구나."

"어머, 아니에요. 이 보르시는 쿠델카 모델들의 기본 레시피인걸요."

"겸손하긴. 나도 쿠델카들의 요릴 먹어봤어. 하지만 이건 아나스타샤의 개인 요리라고 불러도 될 만큼 손질을 많이 했는데?"

태스크포스 373은 소규모 팀이기 때문에 팀장인 빈우부터 일반 팀원인 위르겐까지 같은 식당을 쓴다. 함장인 오르는 식사할 필요가 없지만 그래도 가끔 식당에서 맛을 즐기는 정도는 했다. 그런 식당에 지금은 히토미와 아나스타샤 둘뿐이다. 다른 팀원들은 전부 회의를 하는 중이다.

"이야기가 길어지나봐?"

그러면서 히토미는 옆에 있던 피로시키를 한입 가득 베어 물었다. 두툼하게 구운 만두피 속에 든 촉촉한 고기소가 그녀를 행복하게 만들어준다.

"네, 아무래도 태스크포스 373의 앞날에 관한 거니까요."

빈우가 팀원들과 하는 이야기는 아마도 어제 새벽에 히토미와 나누었던 이야기일 것이다.

"나 혼자 먹어도 될까?"

씹던 것을 꿀꺽 삼킨 히토미가 조심스레 물어본다.

"별걱정을 다하세요. 지금 이 배에서 의원님께 뭐랄 사람이 누가 있다고요. 그리고 이 팀의 식당은 자율이용이니까 걱정하지 마세요. 보르시 더 드릴까요?"

"응, 이번엔 마요네즈 듬뿍 넣어서."

"네에, 여기요."

히토미가 두 번째 보르시를 반쯤 먹었을 무렵, 빈우와 팀원들이 식당으로 들어왔다. 그런데 빈우를 뺀 팀원들은 들어오자마자 전부 우르르 달려와 히토미를 에워쌌다. 졸지에 험악한 인간 흉기들에게 둘러싸인 히토미는 겁에 질려 눈이 동그래졌다.

"감사합니다, 의원님."

"네?"

하지만 들려온 것은 영문 모를 감사 인사였다.

"하마터면 공중분해될 뻔한 저희 팀을 지켜주셨다 들었습니다. 정말 감사합니다."

부팀장인 아룹이 사람 좋은 미소로 감사를 표한다.

"아하하, 그거 말이죠."

히토미는 빈우와 이야기하던 중에 도수 높은 술을 마구 마시다가 뻗어버렸다. 그녀가 자고 있는 사이 빈우가 좋게 이야기를 해놓은 것 같았다.

"감사로 오셨으면서도 저흴 도와주시다니, 상상도 못 했습니다."

"처음엔 가슴만 더럽게 큰 재수 없는 꼰대인 줄 알았는데 다시 봤어요."

"잠깐, 방금 누구죠? 누가 말한 거예요?"

밥 먹던 히토미 주변에서 팀원들이 떠들어대니 정신을 못 차릴 지경이다. 그런 팀원들을 제끼고 빈우가 다가왔다.

"의원님, 몸은 좀 괜찮으십니까?"

"아아, 네. 어젠 실례했어요."

히토미는 어제 대화 중 마지막 부분이 잘 기억나지 않아서 얼버무렸다.

"그리고 어제의 일을 바탕으로 팀 회의를 했습니다. 간단하게 정리하자면 모두 원만히 해결되어 잘 진행되고 있습니다."

팀의 존속은 그렇다 치고, 팀의 목표가 샤다이 기술 회수에서 암살자 추적으로 바뀌었는데 군말 없이 따라간다고 하니, 빈우에 대한 팀원들의 신뢰가 상당한 모양이다. 그리고 그 신뢰가 집중된 김빈우 팀장은 상당히 의심을 살 만한 눈초리로 히토미를 힐끔힐끔 쳐다본다. 불안하게끔.

"또 하나 말씀드릴 것이 있습니다만 흠흠, 의원님께서 주무시는 동안에 여러 가지 일이 있었습니다."

"아, 네. 편하게 말씀하세요. 응?"

빈우의 말이 나오기 무섭게 팀원들이 전부 자리를 비켰다. 방금까지만 해도 히토미 주변에 졸졸 붙어서 감사 인사를 하다가 팀장의 말에 잽싸게 사라져버리니 불안하다. 여기에서 히토미는 빈우가 무슨 짓을 했는지 대강 눈치 챘다.

"잠깐만요. 설마 지금 이 배, 블랙 랜스가 출항한 건가요?"

"네. 의원님 말씀대로입니다."

빈우는 그녀의 불안을 상큼하게 확인시켜주었다.

"아마도 목적지는 마카로니겠지요."

"그것도 말씀하신 대로입니다. 42전단에 합류하기 전에 가봐야지요."

"하아아."

히토미가 숟가락을 내려놓고 한숨을 쉬었다. 어차피 이 배 블랙 랜스는 태스크포스 373의 모함이고, 팀의 작전에 따라 움직인다. 히토미는 상원의원에 조사역이라 작전에 대한 권한은 일절 없다. 게다가 이 배에 타겠다고 고집을 부린 것은 히토미 자신이니 뭐라 할 건수 또한 없다. 그리고 빈우의 말대로 서둘러야 할 이유도 있었다.

'또 나는 술에 취해 잠만 잤으니까.'

하지만 벌써 이번이 두 번째다. 저번에는 아버지의 죽음을 보고 오열하고 있었는데 냅다 출동해버렸고, 지금은 자고 있는데 출동을 해버린 것이다. 반쯤 체념한 히토미는 다시 숟가락을 들었다. 그리고 옆에 있던 메이드를 돌아보았다.

"아나스타샤, 네 주인 원래 이러시니?"

"네, 원래 이래요. 피로시키 더 드릴까요?"

슬픈 미소를 띤 아나스타샤가 따뜻한 피로시키를 접시에 올려주었다.

*

태스크포스 373은 얼마 지나지 않아 개척 행성 마카로니 4에 도착했다. 궤도 상에 선 블랙 랜스에서 위르겐은 마카로니의 지표를 훑어보았다. 어느 정도 개척된 땅과 짓다 만 도시들이 보인다. 파괴된 도시들이다. 위르겐의 마음은 무거웠다. 방금 알게 된 진실이 그의 마음을 짓누르는 것이다.

'클론에 의한 학살이라……'

아침의 회의는 단순히 팀의 향방에 대해서만 이야기한 것이 아니었다. 빈우는 자신이 알고 있는 비밀을, 부팀장인 아룹과 파트리샤에게만 알려주었던 그 비밀을 팀원 전원에게 공개했다. 울토르 프로젝트와 워프 비스트, 그리고 마카로니와 발 가르단 하스에서 있었던 일까지.

역시나 후폭풍은 컸다.

위르겐이 속했던 뱅가드 연대는 특수전 사령부 소속이라고 하지만 단검뿔 토끼나 실리콘 나이트와는 아주 다른 성격을 가지고 있다. 저 둘이 특수 기밀 임무 부대인 반면 뱅가드는 신속 타격부대에 해당한다. 맡는 임무는 거의 정규전이고, 가끔씩 대민봉사도 한다. 그래서 이런 일에는 영 젬병이었다. 우지는 말할 것도 없다. 얼마 전까지만 해도 개척 행성의 민간인이었다가 이런 일에 휘말리게 되었으니, 받은 충격이 이만저만한 게 아니었다. 오히려 모니카가 의연하게 받아들인 편이다. 비록 그녀가 마음이 연약하다고 하지만―어디까지나 주변 인물 중에서지만―엄연히 정보사령본부 소속의 사람이다. 그래서 이런저런 군의 어두운 이야기들을 직간접적으로 접해왔던 터라 약간 놀랐을 뿐, 즉시 받아들였다. 함장인 오르 소령이야 이미 한쪽 발을 어두운 쪽에 놓고 있으니 더 말할 필요도 없고.

"후회되냐, 위르겐?"

"오셨습니까, 팀장님."

어느새 빈우가 다가와 말을 걸고 있었다.

"아닙니다. 제가 택한 길입니다. 후회는 없습니다."

아까의 회의에서 빈우는 분명히 말했었다. 그냥 아무것도 모르는 채 태스크포스 373을 나와 42전단으로 갈 것인지, 아니면 연방의 어두운 면을 보고 나서 함께 가시밭길을 갈 것인지. 다만 한번 알게 되면 두 번 다시 되돌릴 수는 없다고 누차 경고까지 했었다.

"원래대로라면 너와 우지, 모니카는 빼려고 했었다."

위르겐은 뱅가드를 제대한 뒤 대학으로 돌아가 인공지능 개발자가 될 계획이었다. 그리고 모니카는 임무와 크게 상관이 없는 연구직, 우지는 철없는 햇병아리. 빈우가 앞으로 맡아야 할 더러운 일과는 인연이 없는 게 좋았다.

그래서 그들에겐 알리지 않았던 것이다. 하지만 상대의 표적이 태스크포스 373 자체로 옮겨오자 빈우는 생각을 바꾸었다. 팀원들이 원래 자리로 돌아간 다음에도 행여 놈들의 마수가 다가오지 않을까 걱정한 것이다. 그렇다면 아예 편을 확실히 해야 한다. 중간이 아니라 그들의 반대편에 서서, 적어도 오다 의원 쪽이 속한 파벌의 비호를 받을 수 있게 한 것이다.

"뭐, 그야 조금 충격받았습니다만."

자신이 믿었던 연방의 어두운 면을 알게 된 위르겐은 착잡했다. 짐작은 하고 있었지만 실제로 마주하자 영 거북했다.

"어떻게 할래? 아직 늦진 않았다."

"아닙니다. 저는 팀장님과 함께하겠습니다."

부하의 우렁찬 대답에 빈우는 만족한 미소를 띠었다.

"그래, 좋다. 이번엔 네가 나하고 같이 간다. 따라와."

"네?"

"이 새끼 뱅가드 맞나? 마카로니로 강하한다고."

위르겐 도른베르거는 자신이 따르겠다고 한 상관의 성격을 잠시 잊은 것을 후회했다. 그는 대답한 지 일 분도 채 안 되어 빈우와 함께 마카로니로 내려가게 됐다.

"맨몸으로 셔틀을 타고 내려가는 기분은 묘하네요."

뱅가드 소속인 그가 행성으로 내려가는 방법은 몇 가지 없다. 강하 포드 타고 처박거나, 셔틀을 타고 처박거나, 군함 타고 처박거나. 이러니저러니 해도 처박는 건 매한가지였고 그럴 땐 언제나 장갑복을 입었다. 이번처럼 간편한 복장에 관광을 하듯 내려가는 경우는 드문 편이다.

"슬픈 새끼. 사회로 돌아가면 고생 좀 하겠다."

두 인간 흉기가 농담 따먹기를 하던 사이 셔틀은 마카로니의 지면에 도착했다. 셔틀이 도착한 곳은 마리 라캉의 집 근처였다. 그렇게 빈우는 마카로니로 다시 돌아왔다.

- 주변은 깨끗합니다. 개척화도 그대로라 그냥 호흡해도 되고요.

먼저 내려온 파트리샤가 위장한 채 정찰 보고를 했다. 셔틀을 나온 위르겐과 빈우는 일반 전투복에 기본무장, 그리고 조사용 장비만 갖추고 있었다.

"깨끗한데요?"

위르겐의 말대로 마카로니는 깨끗했다. 학살의 현장이라고는 믿기지 않을 정도다.

"청소했으니까."

빈우는 천천히 시가지를 둘러보았다. 군데군데 파괴되고 불탄 흔적은 있지만, 시신들은 다 수거했다. 황량한 마카로니 시내를 두 사내가 걸었다.

독립을 원했던 마카로니의 배후에는 개척 행성의 연합체인 녹색 연맹이 있었다. 이들은 연방의 시민들을 퇴거시키고 무단으로 마카로니를 점거했다. 그래서 이를 해결하기 위해 연방 국세청과 영토관리부에선 법무팀을 출동시켰고, 이들은 손길이 닿는 곳마다 우악스레 쥐어짰다. 그리고 마치 실리카겔을 짜내어 폭포를 만들듯 돈을 뜯어갔다. 그럼에도 마카로니는 완강하게 저항했다.

그러던 중에 연방 중앙정보국은 마카로니에 샤다이가 있다는 정보를 입수했고, 이에 강력한 해결책을 원했다. 그래서 연방 국세청과 영토관리부에 진압 함대를 만들자고 바람을 넣었다. 이에 함대사령본부에선 징수 함대마냥 압박을 줄 요량으로 진압 함대를 꾸려 보냈다. 물론 샤다이가 있을지도 모르니 충분한 대비를 하고.

연방 중앙정보국의 다음 행보는 군사정보국에 울토르 부대 파견을 요청한 것이다. 난전 중에 인간은 죽이지 않고 외계인만 죽일 히든카드. 그래서 포말하우트 게이트 안에서 리퍼에게 습격당한 다음 우주를 이리저리 돌아다니던 울토르 중대가 마카로니에 도착하게 된 것이다. 물론 머릿속은 넝마가 된 채로. 또한 언제나 그렇듯이 제대로 된 정보를 받지도 못한 상태였다.

그리고 마카로니 사건이 터졌다.

진압 함대는 할 일을 제대로 했다. 울토르 클론들이 대형 사고를 쳐서 그렇지. 인간을 빼고 샤다이만 죽여야 할 클론들이 보이는 것을 모조리 죽여버린 것이다. 그 결과, 진상을 모르는 군사정보국과 주변 부서들만 발칵 뒤집혔다. 하지만 클론들이 인간들을 죽였다는 대형 사고는 의외로 쉽게 덮였다. 일단 마카로니에서 죽은 사람 중에 연방의 시민이 없었다. 목숨을 잃은 것은 철저하게 샤다이와 개척민들뿐이었다. 그래서 윗선에선 마카로니의 개척민들이 샤다이와 내통해 반란을 일으켰다는 식으로 조작한 것이다.

'그리고 울토르 중대가 강하하기 전 마리 라캉이 여기서 죽었다.'

길을 걷던 빈우는 고개를 들어 개척민용 7층 주택을 보았다. 마리 라캉은 5층에서 살았다고 했다. 지금 빈우는 그곳으로 가는 중이다. 그녀를 죽인 범인에 대한 단서를 찾기 위해.

"허, 팀장님. 저것 보십쇼. 고래기름 마가린이랍니다."

부하의 말에 빈우의 고개가 급히 그리로 향한다. 위르겐이 가리킨 곳은 식료품 가게였다. 가게 창문의 전단지에는 새로 입고된 상품들이 선전 삼아 적혀 있었다.

"옥수수로 만든 설탕, 치커리 뿌리를 볶아 만든 커피, 무로 만든 빵? 무로 빵도 만든답니까?"

헛웃음을 짓는 위르겐과 달리 빈우의 표정은 굳어만 갔다. 그리고 식료품 가게로 걸음을 서둘렀다.

"팀장님?"

갑자기 빈우가 가게로 걸어가자 위르겐이 의아해한다. 그러나 이내 팀장의 뒤로 따라붙었다. 그의 상사가 하는 행동에는 다 이유가 있는 것이다. 안으로 들어가자 쓰러진 매대 근처에는 상품 파편들이 있었다. 커피와 설탕, 빵과 버터 등의 식료품들이 썩어가고 있다. 그러나 어느 것 하나 진짜는 없다. 전부 척박한 개척 행성의 대용 식품들이다.

- 어? 빈우 아저씨?

- 너 혹시 자크니? 많이 컸구나.

- 어머, 빈우 씨.

- 오랜만입니다. 라캉 부인.

이 가게를 보자 예전에 꾸었던 악몽의 기억이 떠오른다. 꿈속에서 나왔던 대화도 떠오른다. 그러나 그때의 악몽에는 기억과 기록이 혼재되어 있었다. 빈우가 자크 라캉, 마리 라캉과 했던 대화는 우연히 화성에서 만났을 때 나눴던 대화다. 기록에도 분명히 남아 있다. 하지만 악몽 속에선 장소가 마카로니로 바뀌어 있었다. 당시 빈우는 마카로니에서의 충격 때문에 그런 개꿈을 꾸었다고 대수롭지 않게 생각했었다.

'똑같다.'

하지만 악몽 속의 가게가 지금 빈우의 눈앞에 실제로 펼쳐져 있다. 구조와 가구 등도 꿈속에서 보았던 그대로다. 물건 종류와 그림, 상호까지 똑같다.

'하지만 난 여기에 온 적이 없어.'

작년 12월 27일의 빈우는 클론으로 위장한 상태였고, 이곳 마카로니에서 샤다이와 싸운 다음 귀환하는 중이었다. 이 장소에는 온 적이 없다. 하지만 그가 느끼고 있는 건 데자뷔 같은 게 아니다. 다만 부서진 바퀴는 보이지 않았다.

'그리고 보니 이 가게에 마리 라캉이 들렀었지.'

문득 정신을 차린 빈우는 군사정보국에서 받았던 데이터를 이곳에 겹쳐 보았다. 그러자 증거가 보인다.

"위르겐, 이걸 봐라."

"구두 자국입니까?"

빈우가 발견한 것은 희미한 구두 자국이다. 강화된 군인의 시각과 조사용 스캐너 덕분에, 그리고 이곳이 잘 보존된 덕분에 빈우는 마리 라캉의 발자국을 찾을 수 있었다.

"마리 라캉의 족적이다. 따라가자."

두 사람은 가게를 나서 발자국을 따라갔다.

*

"여기서 만났군."

마리 라캉이 누군가와 만난 곳에서 빈우와 위르겐은 멈췄다.

"가사 도우미 로봇인 것 같습니다."

위르겐의 말마따나 마리 라캉의 앞에는 바퀴 자국이 있었다. 발자국과 바퀴 자국을 살피던 빈우는 고개를 갸웃했다.

"타미룩스 사의 보급형 가사 도우미 로봇이다. 감정 모듈 같은 게 없는 모델인데, 마치 즐거워서 주인을 맞이하는 것 같군."

마리의 발자국 앞에서 왔다 갔다 한 바퀴 자국은 마치 애완용 로봇 같았다.

"추가했을 수도 있지 않습니까?"

"그렇지. 그런 것을 밝히러 우리가 온 거다."

빈우와 위르겐은 발자국과 바퀴 자국을 따라 마리의 집까지 도착했다. 여기서 빈우는 다시 멈춰 서서 주변을 면밀히 살폈다.

"팀장님, 로봇의 바퀴 자국이 갑자기 계단에서 끊깁니다."

"아마 마리 라캉이 안고 올라갔을 거다. 그리고 이 로봇은 누군가의 도움으로 계단을 내려왔어."

계단에서 빈우는 로봇이 내려오도록 도운 그 '누군가'의 발자국을 찾았다. 이 자는 아래에서 걸어 올라가 로봇을 안고 내려왔다. 빈우와 함께 증거를 수집하던 위르겐이 그것을 어깨너머로 보며 중얼거렸다.

"로봇이 주인을 마중하러 가려는데 엘리베이터는 고장. 그래서 계단으로 내려가기 위해 지나가던 사람에게 도움을 청한 걸까요?"

"잘했다, 위르겐. 그런데 한 가지 더 있다."

빈우는 로봇을 안고 내려온 자의 발자국을 보여주었다. 발 사이즈는 빈우나 위르겐과 비슷하다. 문제는 걷는 방식이었다.

"무게 중심이 앞쪽으로 쏠려 있어. 특히 발가락 쪽으로."

그 말에 위르겐은 인상을 굳혔다.

"설마 장갑보병이란 말씀입니까?"

장갑보병들은 장갑복을 입었을 때 기동성과 탄력을 살리기 위해, 무게 중심을 앞으로 놓고 발끝으로 스치듯이 걷는다. 여차하면 바로 가속해서 날아갈 수 있도록.

"이렇게 걷는 버릇을 가진 자가 연방의 장갑보병 외에 누가 있겠냐. 그리고 잘 봐. 이 자는 이 건물을 두 번이나 올라갔다."

"어? 그걸 어떻게 아십니까?"

빈우는 자신이 찾아낸 증거를 위르겐에게 보냈다.

240

"첫 번째는 로봇을 내려주기 위해 한 번 올라갔다가 내려왔다. 그리고 헤어진 다음엔 저 모퉁이 뒤로 가서 숨었다. 위르겐, 스캐너를 따라가봐라."

위르겐은 스캐너가 찾아주는 발자국을 따라갔다. 얼마 지나지 않아 소리 높여 외쳤다.

"맞습니다, 팀장님. 로봇과 헤어진 다음 여기에 숨어 있던 흔적이 보입니다. 그리고 조금 있다가 다시 그 건물 쪽으로 따라간 것으로 보입니다. 그런데 여기 쓰레기통이 있는데 뒤집니까?"

"그러니까 널 거기 보낸 거다."

위르겐은 툴툴거리며 쓰레기통의 뚜껑을 열었다. 지금 그의 시각은 빈우와 공유되어 있어서 위르겐이 보는 것은 빈우도 볼 수 있다.

"팀장님, 이거 빈 겁니다."

그 말에 빈우는 군사정보국이 조사한 데이터를 열람해보았다. 군사정보국 역시 발자국을 따라 조사하면서 쓰레기통의 내용물을 모조리 수거해 간 것으로 나온다. 그렇다면 나중에 찾아보면 된다.

"좋아. 날 따라와라."

빈우와 위르겐은 다시 계단 앞에 섰다.

"이게 두 번째 발자국이다. 스캐너를 잘 보고 첫 번째 발자국과 비교해봐."

두 사람은 발자국들을 스캔하며 계단을 조심조심 올라갔다. 4층쯤 갔을 때, 내려오는 발자국을 스캔한 스캐너가 새로운 정보를 띄웠다.

"혈흔이군요."

"마리 라캉의 피다."

즉 이 자는 로봇을 안고 내려온 뒤 건물 모퉁이에 숨었고, 로봇과 마리가 돌아오자 따라 올라가 마리를 죽인 것이다. 발자국을 따라 마리의 집 앞까지 간 빈우는 발자국 주변을 몇 번이고 살폈다.

"왜 그러십니까, 팀장님?"

"이상해. 이 자, 범인은 여기서 망설였어. 죽이려고 사전 준비는 다 한 것 같은데 바로 실행하지 않았다. 뭔가의 이유로 이 방 안에 들어가는 것을 망설인 것처럼 보여."

"아니, 발자국만으로도 그런 게 보입니까?"

"교육과 경험 덕이지. 보다 보면 보이는 거다."

빈우가 먼저 집 안으로 들어갔다. 흔적을 보면 마리와 로봇이 집 안으로 들어갔고, 그 뒤를 바로 이어 침입자도 따라 들어간 것으로 나온다. 그리고 그의 앞으로 로봇이 나온다.

"로봇의 움직임이 뭐랄까, 갈팡질팡합니다?"

빈우의 말대로 보다 보면 보이는지, 팀장이 시키는 대로 열심히 조사하는 위르겐의 눈에도 도우미 로봇의 행동이 이상해 보였다.

"그래. 원래 가사 도우미 로봇은 손님이 오면 인사하거나, 침입자가 오면 경고를 한다. 그런데 이 바퀴 자국은 어느 것도 아냐. 침입자 주변을 서성이고 있다. 마치 처음 보는 것처럼. 흠, 일반적인 행동 알고리즘은 아닌데, 커스텀 제품인가? 그렇다면 바퀴는 또 왜 순정 그대로 놔둔 거지?"

"어라? 잠시만요. 발자국대로라면 이 침입자는, 그러니까 범인은 아까 로봇을 안고 내려간 사람 아닙니까? 그런데 왜 로봇이 못 알아본 겁니까? 혹시 다른 사람일까요? 거기서 바꿔치기했다거나."

"아니, 군사정보국이 수집한 쓰레기통의 자료를 보면 간단한 변장을 한 것처럼 보인다. 그래서 로봇이 못 알아봤겠지."

먼저 로봇을 안고 내려오고, 그다음 모퉁이에서 잠복하다가 변장을 한 다음, 다시 마리와 로봇을 따라 집까지 따라 올라갔다는 얘기다. 좀 이상하다.

"범인은 왜 그렇게 번거로운 짓을 했을까요?"

"글쎄다, 왜일까? 변장을 했다면 자신을 숨기기 위한 것도 있지만, 자신을 드러내기 위한 것도 있지. 후자라면 변장이 아니라 분장이 되겠지만. 아니면 처음에는 변장을 하고 만났다가 나중에 푼 건가? 아무튼 이상해."

화장실에서 나온 로봇의 바퀴 자국은 마치 망설이는 것처럼 보인다. 그 앞에 선 침입자의 발자국 또한 머뭇거리는 것처럼 보였다. 무게 중심이 철저하게 준비되어 있지 않았다.

"침입자의 발걸음이라기보다는 손님 같기도 한데……."

범인은 집 안으로 들어와 잠시 주변을 살핀 것으로 보인다. 그리고 갑자기 바닥에 강한 흔적이 남아 있다. 여기서 갑자기 범인이 로봇을 걷어찬 것이다.

"여기다, 위르겐."

한 가지를 깨달은 빈우는 침입자가 집 안으로 들어온 최초의 위치에 섰다.

"침입자는 이 자리에서 결정을 내렸다. 마리와 로봇의 운명이 여기서 결정된 거지."

방으로 들어온 침입자는 로봇이 보인 반응에서 행동을 결정한 것 같다. 마치 로봇이 자신을 알아보지 못하자 발로 찬 것처럼 보인다. 이어서 겁에 질린 마리에게 다가가…….

"머리채를 쥐어 잡았군."

군사정보국의 자료에 의하면 여기서 마리의 머리카락을 회수했다고 한다.

"다음은 식탁에서…… 어이쿠, 이거 완전히 두들겨팬 거 같은데요?"

박살 난 주방의 모습에 위르겐이 질색을 한다. 스캐너와 자료를 보면 알 수 있다. 범인이 마리를 어떻게 대했는지.

"위르겐, 옆을 봐라. 망가진 로봇이 기어온 자국이다. 주인을 지키기 위해서인가?"

로봇이 걷어차여 날아간 곳에서 마리 라캉의 심문 장소까지 바닥에 긁힌 자국이 있다. 타미룩스 사의 로봇팔 흔적이다. 그리고 마지막엔 강하게 패인 자국이 있다.

"이거 설마 짓밟은 겁니까?"

"자국 보면 뻔하잖아. 그리고 여기서 고문, 심문을 하다가…….."

빈우는 일어서서 오븐 쪽으로 걸어갔다. 가스 발사식 화살총에 망가진 오븐이다.

"여기 오븐에 로봇을 집어넣었다."

"로봇을 오븐에요? 으엑, 왜죠?"

위르겐의 질문에 잠시 생각을 가다듬던 빈우는 자신의 추측을 말했다.

"아마도 그 모습으로 마리를 고문하기 위해서였겠지. 로봇이 구워지는 모습을 보며 마리가 괴로워하고 굴복하게끔."

"그러니까 아끼는 로봇을 오븐에 넣어 굽는 모습으로 마리 라캉을 괴롭혔다는 겁니까?"

위르겐은 조금 이해할 수 없었다. 얼마나 로봇을 아껴야 그렇게 될까 싶은 것이다.

"그래, 그러려면 보통 사이로는 안 돼. 때문에 이 로봇과 마리는 아주 각별한 사이로 추측된다. 흡사 가족 같군."

그때 빈우의 머릿속으로 마리의 가족이 떠오른다. 남편인 피에르와 아들인 자크다.

'아를르캉을 데려올 걸 그랬나.'

피에르 라캉의 허수아비인 아를르캉은 현재 마카로니 4의 궤도 상에 있다. 데려왔으면 혹시 다른 정보를 얻을 수 있을지도 몰랐다. 하지만 굳이 그러지 않아도 여기서 모은 정보를 보여주면 될 일이다.

"으음, 그러니까 이놈은 라캉 여사를 고문하고, 가족 같은 로봇을 오븐에 넣어 굽다가, 결국엔 총으로 쏴 죽였다는 겁니까? 이 새끼 뭐 하는 새끼지?"

침입자의 잔인한 행동에 위르겐이 고개를 절레절레 흔든다.

"글쎄, 여기서 고문을 좀 더 하다가…… 아니, 총은 마리가 쐈다. 시신의 손에서 가스 반응이 나왔다고 해."

빈우의 말에 위르겐이 허탈한 표정으로 시선을 옮긴다. 마리가 마지막으로 누운 자리와 로봇이 죽은 오븐을 번갈아 본다. 그리고 욕을 했다.

"지독한 새끼."

잔뜩 찌푸린 위르겐의 얼굴과는 달리 빈우는 무표정했다.

"전형적인 군사정보국 방식이다. 포로를 잡아놓고 다른 포로를 고문하는 거지. 아주 진하게. 그리고 멀쩡한 놈에게 고문받던 놈을 죽이라고 하는 거야. 고통을 덜어서 편하게 해주라고. 정신을 아주 갈아버리는 거지. 그런데 저건 로봇이잖아?"

얼마나 각별했으면 이런 방법을 썼을까 생각하던 빈우는 한 가지를 깨달았다. 범인은 마리 라캉과 이 로봇 간의 관계를 잘 알고 있는 게 분명했다.

'입구에서 망설이는 범인. 이놈은 마리와 로봇의 관계를 잘 안다. 이 경우 면식범일 가능성이 높다.'

그리고 자료를 보면 마리는 자살을 시도했다고 한다. 총을 입에 넣고 쏘려고 했다는데, 아쉽게도 오븐 속의 로봇을 쏘느라 화살을 다 써버리는 바람에 실패했다. 기껏해야 앞니 두 개만 부러뜨린 게 고작이었다. 그리고 범인은 마리의 목뼈를 부러뜨렸다.

'마리 라캉은 보안국 훈련을 받았을 텐데. 그것 때문에 정보 유출을 막으려고 자살했나? 두뇌칩이 없으니 그럴 법도 하고. 아니면 범인이 자신을 어떻게 할지 알았기 때문에 그 고통으로부터 도망치려 한 것일까?'

자료와 증거를 조합하는 빈우에게 위르겐의 말이 들려온다.

"와, 팀장님. 이 새끼 이거, 부서진 로봇을 다시 꺼내서 해체했습니다."

위르겐은 보고서를 읽으며 혀를 내둘렀다. 범인은 마리를 죽인 다음 파괴된 로봇을 꺼내어 조사했다.

"뭘 그 정도 가지고 호들갑이냐. 만약 마리에게 두뇌칩이 있었으면 그것도 뽑아서 조사했겠지. 위르겐, 보고서에 있는 로봇의 상태를 다시 한 번 살펴봐라. 달리 이상한 점 모르겠나?"

팀장의 말에 군사정보국에서 제공한 가사 도우미 로봇의 정보를 본 위르겐이 고개를 갸웃했다.

"범인은 해체해서 무슨 정보를 얻으려고 했을까요? 그런데 음? 이거 로봇 손질에 꽤 정성을 들였는지 무지 반질반질합니다?"

"로봇용 세척제가 아니라 아동용 목욕 비누를 썼다고 나온다."

지금 빈우는 위르겐을 단순히 조수로 쓰는 게 아니라 이런 세계의 기술을 가르쳐주고 있다. 뱅가드 출신인 위르겐은 용감무쌍하게 돌진하는 법은 알았으나, 이런 쪽으론 젬병이었다. 때문에 그는 지금 연신 감탄사를 뱉는 중이었다.

"허어."

아무리 생활 방수가 된다지만 사람 비누로 씻겼다고 하면 어지간히 공을 들인, 아니 애정을 들인 로봇이다. 이 정도면 거의 애완동물처럼 키운 것으로 보인다.

"고인께는 죄송합니다만, 대체 왜 이랬을까요?"

"흐음."

빈우는 대답 대신 턱을 쓰다듬었다. 그것이 생각을 정리하는 버릇이라는 것을 배운 위르겐은 잠시 기다렸다. 팀장이 답을 내놓을 때까지.

'가게를 나와 마리와 로봇이 만났을 때의 반응, 사람에게 일부러 부탁해가며 직접 마중을 나가는 로봇, 그리고 집에 와서 화장실을 간다. 손을 씻기 위해?'

생각을 정리하던 빈우는 곧 답을 냈다.

"이 로봇, 허수아비군."

"네? 이게요?"

허수아비라면 대상의 행동을 그대로 모방해서 만든 인공지능을 말한다. 이는 본인의 부재 시 사용하는 일종의 대역 같은 것으로, 태스크포스 373에 있는 아를르캥의 경우는 죽은 피에르 라캉의 가정용 허수아비였다. 하지만 그런 허수아비라면 대상과 같은 모습의 홀로그램을 쓰거나, 대상의 모습을 그대로 본뜬 안드로이드를 쓴다. 이런 로봇 형태를 쓰는 경우는 거의 없다.

"그렇다면 누구의 허수아비입니까?"

위르겐의 물음에 빈우는 대답할 수 없었다. 답을 알고는 있지만, 미처 입 밖으로 꺼내지 못하는 것이다. 그는 다시 정보국의 자료를 살펴보았다. 부서진 로봇의 잔해. 로봇의 원형인 타미룩스 사의 보급형 가사 도우미 로봇.

"호랑이 힘이 솟아요, 피자 피자."

화면 속의 로봇이 춤추며 노래를 부른다. 자크의 목소리다.

"팀장님?"

의아해하는 위르겐의 부름에 빈우는 정신을 차렸다.

"아마도 아들인 자크 라캉의 허수아비일 가능성이 높다."

"그러면 자크 라캉 본인은 어떻게 된 겁니까? 설마……."

아무래도 어린아이가 얽인 일이라 위르겐도 마지막까지 말하진 못했다. 어머니가 죽은 상황에 아들에게 좋은 일이 일어났을 가능성은 적으니까.

"군사정보국의 데이터베이스에도 딱히 다른 건 없어. 마리 라캉은 두뇌칩을 뺀 다음 아들인 자크 라캉과 함께 도주 중이었다. 도주 이유는 불명. 남편인 피에르 라캉 중령은 아내와 아들을 찾으려 했지만, 결국 부상한 나에게 찾아왔지. 뭐, 내가 마카로니에서 작전을 했기 때문이겠지만."

그리고 빈우와 위르겐은 재차 자료를 수집했다. 이미 군사정보국과 보안국에서 증거가 될 만한 것들은 싸그리 훑어갔지만 그래도 나름의 수확이 있었다.

"좀 더 조사해봐야겠지만 범인과 마리는 서로 아는 사이였던 것 같다."

"면식범이란 말씀입니까."

"아직 확실한 건 아니야. 하지만 확실한 건 하나 있지. 여기 쓰인 수법은 군사정보국의 방식이 맞다."

군사정보국 요원인 빈우가 그렇게 말하면 틀림이 없는 것이다. 빈우가 밝힌 두 가지 정보에 위르겐이 화색을 띠었다.

"팀장님 말씀대로 범인이 마리 라캉을 아는 군사정보국 소속 인물이라면, 용의선상을 꽤 좁힐 수 있겠는데요?"

"으음, 그게 말이다. 마리 라캉은 보안국 소속이지만 예전에 상원의장의 비서이기도 했고, 남편이었던 피에르 라캉을 따라 자주 왕래를 한 터라 아는 사람이 꽤 돼. 게다가 잠수시킨 다음 점조직으로 뿌려놓은 군사정보국 요원에 대한 정보는 열람하기 힘들어. 그쪽에서 수사를 맡긴 마당이라 요구하면 주겠지만, 큰 기대는 하지 마라."

"그런가요."

약간 풀이 죽는 위르겐을 보며 빈우는 픽 하고 웃음을 터트렸다.

"인마, 수사 시작한 지 얼마나 됐다고 벌써 울고 웃냐. 아직 한참 멀었어."

"하지만 우리 팀은 곧 42전단으로 가야 하지 않습니까. 앞으로도 이런 조사를 할 시간이 있을까요?"

"그건 내가 알아서 할 테니까 걱정하지 마. 조사 기록은 다 했겠지?"

빈우의 말에 위르겐이 스캐너를 들어 보인다.

"네. 확실하게 했습니다."

저 스캐너에 들어 있는 것은 군사정보국과는 별도로 태스크포스 373이 조사한 마카로니의 자료다.

"좋아, 위르겐. 너는 그걸 가지고 파트리샤와 먼저 귀환해. 난 조금 있다가 올라가겠다."

"넷, 팀장님."

이건 짧고 간결한 위르겐의 대답.

- 엑, 저도 돌아가요? 팀장님 여기 혼자 놔두고? 경호는 누가 하는데요?

이건 늘어지는 파트리샤의 대답이다.

"볼일만 보고 바로 올라갈 테니까 걱정할 필요는 없다. 그리고 파트리샤, 네가 보기에 주변에 위험한 것이 있었어?"

- 딱히 없지만 말입니다. 그래도 팀장님 혼자 지상에 계신다니 너무나도 걱정
  되어…….

"닥치고 너도 블랙 랜스로 올라가 있어."

- 니예에.

통신으로 파트리샤의 축 늘어지는 대답이 들려온다. 그런데 눈앞의 위르겐은 방금 전 했던 칼 같은 대답과 달리 머뭇거리고 있었다. 그걸 본 빈우가 퉁명스레 묻는다.

"뭐 인마."

"저, 팀장님. 실례가 안 된다면 이유를 여쭤봐도 되겠습니까?"

뱅가드 연대에서도 손에 꼽힐 최정예 대원이 우물쭈물하는 모습은 참 진귀한 광경이다.

"별거 아냐. 내 손에 죽은 개척민들에게 사과를 좀 하려고 말이다."

"알겠습니다! 그럼 저는 먼저 돌아가겠습니다."

위르겐은 우렁찬 대답과 함께 쏜살같이 달려나가 5층에서 뛰어내렸다. 절로 헛웃음이 나오는 광경이다. 물끄러미 위르겐의 뒷모습을 바라보던 빈우는 계단을 내려간 다음 자신이 가야 할 곳으로 천천히 걸어갔다.

- 항복입니다! 항보옥!

- 항복한다고 했잖아요! 쏘지 마세요! 제발, 아악!

클론들에게 개척민들이 죽어간다. 부하들에게 인간이 죽어간다. 그러나 빈우는 비명 속을 그저 걸어갈 뿐이다. 거리로 나간 사람들에게 코일건이 쏟아진다. 건물 안으로 도망간 사람들에게 소이탄이 따라간다. 덤비는 개척민을 나이프로 찌르고, 항복하는 인간을 짓밟아 죽인다. 그렇게 비명을 지르는 시신들 사이로 한참을 걸어간 빈우는 마침내 자신의 목적지에 도착했다. 파괴된 지하 주차장의 입구다. 빈우가 쏴 터트린 스콜피온 전차는 이미 수거했는지 불탄 자국만 남아 있다. 그 자국 속에는 사람이 타 죽어가며 만든 흔적도 있을 것이다.

- 모든 적 세력 말살.

들려서는 안 될 목소리가 머릿속에서 계속 메아리친다. 주차장 입구로 들어가자 코일건의 연사에 엉망이 된 내부가 보인다. 투항을 거부한 흔적들이다. 그리고 빈우의 시각정보에 군사정보국에서 보낸 자료가 겹쳐진다. 주차장 한 곳에서 샤다이의 무기를 발견했다고 나온다. 시즐러, 샤다이의 플라스마 발사기. 빈우는 다시 걸음을 옮겼다. 듣고 싶지 않았던 소음이 나왔던 장소다. 엄마를 찾던 여동생의 울음소리였다. 아무리 재밌게 놀아주고, 아무리 맛있는 간식을 줘도 잠깐이었다. 시간이 지나면 여동생은 울었다. 힘들게 한 명 달래놓으면 다른 한 명이 또 운다.

- 엄마, 엄마 어딨어? 엄마 왜 안 와?

- 오빠 싫어. 나 오빠랑 안 놀 거야. 재미없어. 엄마한테 갈래.

빈우와 아나스타샤는 힘들게 여동생들을 달랬다. 빈우는 자신도 울고 싶었지만 꾹 참았다. 아나스타샤가 부드럽게 안아주면서 여기선 울어도 된다고 했지만 빈우는 울지 않았다.

- 오빠 거짓말쟁이, 거기 엄마 없잖아. 뒤쪽 공터에 엄마 없잖아.

다음 날 여동생들이 엄마를 찾다가 길을 잃어버렸다. 동생들을 달래던 빈우가 무심코 아나스타샤가 했던 말―마님은 저기 누워서 주무시고 계세요―을 했던 게 화근이었다. 여동생들은 피스메이커를 안고, 엄마에게 줄 꽃다발을 들고 길을 나섰다. 그리고 어두운 저녁에 길을 잃었다. 동생들을 찾으러 나간 빈우도 결국 울었다. 찾았을 때는 그냥 오빠답게 안아주고 달랬어야 했다. 화가 나서 아끼던 피스메이커 인형을 던지자 여동생이 울면서 도망갔다. 벽장에 들어가 울었다.

- 엄마아아아.

막힌 곳에서 나는 여동생의 울음소리다. 화가 난 빈우는 울면서 벽장을 발로 찼다. 다시는 나오지 말라고, 거기서 그냥 죽으라고 소리쳤다. 그러자 놀란 아이는 입을 막고 울었다. 엄마는 없고, 오빠는 화를 낸다. 겁에 질린 아이는 눈물을 흘리며 입을 막고 울음을 참으려 한다. 그러다가 달려온 아나스타샤에게 빈우는 호되게 따귀를 맞았고, 셋은 서로를 끌어안고 울었다. 잊을 수 없는 울음소리였다. 그리고 20년이 넘어서 빈우는 그 껙껙거리는, 애써 울음을 삼키는 소리를 다시 들었다. 마카로니 4의 주차장 한쪽 구석에서.

빈우는 그곳으로 걸어갔다. 문은 이미 사라지고 없다. 엄마를 찾으며 울음을 참는 여자아이도 없다.

- 가지 마.

- 안아줘.

- 도와줘.

어느 것 하나 빈우가 들을 말이 아니다. 그 아이의 부모가 들어야 했을 말이다. 하지만 그 부모들은 빈우가 죽였다.

"팀장님, 잠시 스톱."

뒤에서 파트리샤가 빈우를 불렀다. 빈우는 피식 웃으며 뒤를 돌아보았다.

"이년 이거 이럴 줄 알았어. 올라가는 척하고는 팀장 뒤를 밟네."

"나 지금 농담하는 거 아니에요. 지금 팀장님 얼굴 어떤지 알아요? 사람이 아주 그냥 훅 가는데?"

인필트레이터를 입은 채 몸을 숨기고 있던 파트리샤가 빈우의 상태를 보고 나온 것이다.

"그래? 그렇게 썩었냐?"

빈우는 대수롭지 않게 자신의 얼굴을 쓰다듬었다.

"근데 넌 왜 따라온 거야? 부팀장이 시켜서냐? 아니면 아나스타샤?"

하지만 파트리샤는 대답 없이 빈우를 쳐다볼 뿐이다.

"하아, 인필트레이터를 입고 온 게 한이네요. 이것만 아니었어도 팀장님을 꼭 안아주는 건데."

실리콘 나이트의 인필트레이터는 다른 장갑복과 궤를 달리하는 물건이라 입는 것도 벗는 것도 상당히 까다로워서 전용 장비가 있어야 한다.

"내가 보기엔 그걸 입으나 벗으나 별반 차이가 없어 보인다만."

"나 팀장님 같은 얼굴 한 동료들을 몇 번 봤어요. 하지만 말이죠. 팀장님 같은 분이, 닉스 레벨 3이나 되는 사람이 그렇게 되려면 대체 무슨 일을 겪어야 하는 거예요?"

닉스 레벨 3이면 거의 전략 병기 취급이다. 살육과 파괴에 최적화된 인간 형태를 한 무언가로 본다.

"무슨 일이라……."

한숨을 쉬던 빈우가 대답을 이었다.

"여섯 살 여자아이를 코일건으로 쏴 죽이면 그렇게 돼."

장갑복의 헬멧 너머로 파트리샤가 동요하는 게 느껴진다. 두뇌 통신을 연결하지 않아도, 인필트레이터의 장갑으로 가려도 알 수 있었다.

"잠시만요, 그때 쏜 건 클론이었다면서요. 군사정보국 자료 보니까 팀장님은 어떻게든 그 아이를 구하려고 했고, 뒤따라온 클론이 쐈잖아요."

물론 사실은 그렇다. 하지만 빈우에겐 그렇지 않다. 클론끼리의 두뇌 통신은 인간의 그것보다 훨씬 밀접하다. 형제가 봤던 시선으로 빈우가 보았고, 형제가 느낀 살의를 빈우는 공감했으며, 무엇보다 자신이 당긴 방아쇠의 감촉을 기억한다. 더구나 혼란스럽던 당시의 빈우에게 그 감각은 혼재되어 그를 침식했었다.

"아니, 내가 쏜 거야."

메마른 목소리에 파트리샤는 빈우의 얼굴을 물끄러미 바라보더니, 이쪽으로 터벅터벅 걸어왔다.

"말씀해보세요."

그녀가 빈우의 앞에 있는 기둥 조각에 걸터앉으며 말했다.

"제가 들어드릴게요."

"밑도 끝도 없이 뭘 말하라고."

기가 찬다는 듯이 반문하는 빈우에게 인필트레이터가 양옆으로 팔을 쫙 벌린다.

"말하고 싶은 거 뭐든지요. 그렇게 토하고 나면 괴로운 게 좀 사라지더라고요. 그리고 제가 뭘 알아야 힘들어하는 팀장님을 돕든지 말든지 하죠."

"하이구, 그래서 내가 말하면 뭘 어떻게 돕겠다는 건데?"

"음, 안아준다?"

연방의 특수잠입용 장갑복이 저렇게 말을 하며 귀여운 척 고개를 모로 꺾으니 꽤나 흉악하다.

"야, 살려줘."

"나 참, 팀장님 지휘를 받는 우리도 생각해주셔야죠. 그렇게 엉망인 상태로 우리를 잘도 이끌겠습니다."

부하가 저렇게까지 말하는데 더 빼기도 힘들다. 빈우는 그녀가 앉은 근처의 부서진 자동차에 걸터앉았다.

"좋아. 그날 난 여기 이 주차장에 클론으로 들어왔다. 그리고 그때 이미 클론들이 인간을 죽이고 있다는 사실을 알았지만 입을 다물었어. 내 안에 있던 군사정보국 요원의 본능과 잔재가 돌출행동을 하지 말고 보다 많은 정보를 파악해야 한다고 주장했던 거지."

"잠깐만요. 그때 팀장님은 제정신 아니었다면서요? 자신을 일개 클론으로 알고 있었다면서, 불가항력으로 일어난 일에 필요 이상으로 괴로워하실 필요는 없잖아요."

"마카로니로 강하하기 전 나는 이미 클론의 제약을 벗어나려고 노력하는 중이었다. 뭐, 그것 때문에 잠수에서 부상할 계기가 생긴 거기도 하지. 아마 내가 거기서 좀 더 강경하게 나섰더라면 학살은 중지될 수 있었어."

"그러니까 애당초 막을 수도 없던 일을 못 막았다고 자책하는 거잖습니까. 참 성실하게 사십니다요. 뭐 나도 입장 바꿔보면 기분 더럽긴 매한가지겠지만. 근데 샤다이와의 연결성이 나온 시점에서 개척민들이 그렇게 저항한다면, 다른 부대가 왔어도 마찬가지였을 텐데 말입니다?"

그렇게 말한 인필트레이터의 헬멧이 빈우를 주시한다.

"그리고? 더 말해보세요."

감이 좋은 파트리샤가 바짝 따라붙자 빈우는 고개를 절레절레 흔들며 마저 붙었다.

"주차장 안쪽에서 숨어 있던 여자아이를 발견했어."

"네네, 여섯 살쯤 되어 보인다고 했죠."

"울면서 안아달라고 하더라."

"어떻게든 구해보려고 노력하셨잖아요."

"쐈어."

"또, 또, 자꾸 그런다. 클론이 쐈다면서요."

파트리샤의 말에 빈우는 어깨를 으쓱했다.

"클론들은 말이야, 인간보다 두뇌 통신이 빠르고 깊고 넓다. 회선 연결에 시간 잡아먹는 인간들과는 달리 순식간에 두뇌칩끼리 연결하거나 중대 단위 통신을 하는 게 가능하지. 그리고 무엇보다."

빈우는 자신의 오른손 집게손가락을 들어 보였다.

"재수 없으면 감각 동기화가 일어난다."

그 말에 파트리샤는 그날 빈우에게 어떤 일이 벌어졌는지 대강 짐작할 수 있었다.

"보통은 그런 일이 잘 일어나지 않는데, 하필 그때 여러 가지 일이 겹치는 바람에 내가 제정신이 아니었어. 클론들의 살인, 나의 살인, 울토르 중대의 대량학살 때문에 꽤 혼란스러웠거든."

빈우는 고개를 돌려 그 아이가 있던 장소를 보았다.

"바로 저기, 저 안에서 그 애가 울고 있었어. 그 아이의 부모들은 딸만은 살리기 위해 필사적으로 숨겼겠지. 그리고 내 손가락질 한 번에 모두 고기 조각이 되어 바닥에 퍼졌다."

군사정보국의 자료와 현장의 구조를 겹치자, 두 사람의 시각에 당시의 참상이 그대로 펼쳐진다.

"개척민들, 그 부모들을 난 제압할 수 있었어. 모두 생포할 수 있었다고. 그런데 시즐러를 보자마자 나는 방아쇠를 당겨버린 거다."

파트리샤는 이해한다. 다른 무기라면 빈우는 그렇게까지 반응하지 않았을 것이다. 하지만 시즐러는 다르다. 샤다이 무기의 위험성은 연방의 장갑보병이라면 익히 알고 있다.

"총소리에 아이는 놀랐을 거야. 엄마 아빠의 소리가 들리지 않으니 겁에 질렸겠지. 그리고 울음을 터트렸겠지만, 엄마가 말한 대로 꾹 참았을 거다. 하지만 나는 그걸 놓치지 않고 기어이 그 아이를 찾아냈지."

창고 문이 열리던 순간, 아이가 터트렸던 울음소리가 아직도 빈우의 눈과 귀에 선하다.

"솔직히 그때의 난 어찌할 바를 몰랐어. 아이를 구해야 한다고는 생각했지만, 어떻게 구해야 할지를 모르고 있었던 거지. 아직 클론으로서의 사고 제재를 받고 있었거든. 그리고 엉망이 된 내 정신 상태를 느낀 클론들이 나를 걱정해서 구하러 들어온 거야."

빈우는 머릿속에 울리던 인공 본능 '모든 적 세력 말살'에 필사적으로 저항했다. 뒤죽박죽이 된 머릿속이 혼란스러웠다. 그때 클론들이 빈우의 위기를 감지하고 주차장으로 돌입했다.

어서 쏴—아니다 내가 겨눈 게 아니다 조준하고 있는 것은 브라보둘아홉이다—쏘지 마 안 돼—찰리하나팔 괜찮아?—난 괜찮아 오지 마—찰리하나팔의 상태가 이상하다—난 정상이야—적 발견—아냐 적이 아냐 쏘지마—서둘러 찰리하나팔이 위험하다—쏘지 마 안 돼 쏘지 마 쏘지 마.

빈우의 눈에 그 당시의 참극이 다시 보인다. 브라보둘아홉은 순전히 형제인 찰리하나팔을 구하기 위해 총을 들었을 뿐이다. 형제가 혼란에 빠져 있고, 그 앞에는 적이 있다. 해결책은 간단했다. 브라보둘아홉의 조준이 빈우에게도 공유된다.

- **쏘지마아아아!**

소리치던 빈우의 손가락에 방아쇠를 당기던 감촉이 느껴진다. 브라보둘아홉이 쏜 것이다.

"내가 쏘지 않았다고? 난 내가 그 아이를 조준하고 방아쇠를 당기는 것까지 느꼈어. 왜? 내가 그때 클론들을 말리지 않았기 때문이야. 내가 직접 나서서 막으려고 하지 않았기 때문에 사람들이 죽었어. 이 아이가 죽었어."

빈우의 말은 낮고, 거칠고, 슬픈 울림을 담고 있었다.

"내가 쏜 거야. 내가 죽였어."

"팀장님."

걱정스러운 목소리가 한층 가까이 다가온다. 파트리샤가 빈우의 앞으로

다가와 그의 머리를 조심스레 안았다. 그리고는 천천히 빈우의 머리를 쓰다
듬었다.

"진작 말씀하시잖고서. 아나스타샤도 이걸 아나요?"

"아니, 그 애한테는 무리야. 더 이상은."

빈우의 머리를 쓰다듬던 파트리샤의 손이 잠깐 멈췄다. '더 이상은'이란
말이 무엇을 의미하는지 알 수 있었던 것이다. 빈우와 아나스타샤는 아마도
이런 일들을 수차례 겪어왔을 것이다. 파트리샤가 속한 실리콘 나이트는 적
후방에 침투해 게릴라전을 하는 부대다. 그렇기에 그녀는 연방의 어두운 면
들을 숱하게 봐왔으며, 특수전 사령부와 단짝인 군사정보국이 하는 일에 대
해서도 잘 알고 있다. 있어선 안 될 곳에서 해서는 안 되는 짓을 하는 것이 그
들의 임무. 일단 그녀는 가볍게 말을 돌렸다.

"그건 그렇고 내 가슴 어때요? 부드럽죠?"

"응, 네 진짜 가슴보다 인필트레이터 가슴이 더 부드러워."

빈우의 농담에 파트리샤는 그의 머리를 우악스럽게 껴안았다. 그리고 그
의 파닥거림을 조금 음미한 다음 놓아주었다.

"미친년이 사람 잡네."

바닥에 널브러진 빈우는 헥헥대고 있었다. 머릿속에 경고가 울려 퍼질 즈
음이 되어서야 파트리샤가 놓아준 것이다. 그녀는 허리를 굽혀 바닥에 누운
빈우를 내려다보면서 말했다.

"상담받아보시는 건 어때요? 아니면 치료라도?"

"나 스스로 하고 있어. 그리고 나 같은 놈한테는 정신 치료 같은 건 안 통
해. 그렇게 교육받았으니까."

"흐음―. 아직 다 말한 것 같진 않은데."

예리한 파트리샤. 하지만 빈우는 그 아이와 자신의 여동생을 겹쳐 봤다는
이야기까진 꺼내기 싫었다. 그런 것은 아나스타샤와 할 이야기다.

"아주 신났네. 뭐 고맙다. 덕분에 조금 후련해졌어."

빈우가 옷자락을 털며 일어났을 때, 파트리샤는 자기 이야기를 꺼냈다.

"저도 잊히지 않는 광경이 하나 있어요."

돌아가려던 빈우는 잠시 멈춰 서서 그녀를 돌아보았다. 파트리샤는 말을 어떻게 꺼낼까 고민하는 것같이 보였다. 그러다가 양손으로 자신의 양 가슴을 살짝 들어 올려보았다.

"제 가슴, 제법 이쁘지 않나요?"

인필트레이터의 흉부 장갑이 출렁하며 위로 흔들려 올라갔다.

"네 가슴? 그야 이쁘긴 하지."

같이 부대끼면서 본 적이 있지만, 파트리샤 피아프의 가슴은 참 예뻤다. 다른 군인들처럼 강화를 했지만 완전히 군용 사양으로 바꾼 것은 아니었다. 유선조직도 남아 있고, 형태도 자신의 것인지 아닌지는 모르겠지만 제법 그럴싸하게 잡혀 있다.

"좀 불편해서 개조를 해보려고 했는데, 마음에 걸리는 게 있어서 그게 잘 안 되더라고요."

헬멧 너머, 그 안쪽에 있는 파트리샤는 쓰게 웃고 있었다.

"소위 달고 얼마 안 되었을 때에요. 위은쓸납학의 군항에 침입해서 작전을 수행하는 거였는데, 뭐 목적은 잘 달성했어요. 다만 아군 피해가 좀 컸죠."

그 시절이라면 아직 인필트레이터가 없을 때다. 파트리샤는 오른손을 들더니 그것을 자신의 왼쪽 어깨에서 오른쪽 허리까지 죽 그었다.

"동기 하나가 이렇게 되었어요. 아차 하는 순간에 하마 새끼들 허리 낫에 걸렸는데, 어쩔 틈도 없이 싹뚝, 되었죠."

위은쓸납학의 허리 낫은 위력적이다. 전기 방전과 함께 폭발로 조이는 그 칼날에 걸리면 설령 어벤저라 해도 두 동강이 난다. 그리고 왼쪽 어깨에서 오른쪽 허리까지 잘려나간 부상이라면, 아무리 강화 병사라 해도 치료를 서둘러야 한다.

"귀환하는 배에서 우린 해볼 수 있는 건 다 해봤어요. 근데 말이에요. 처음엔 어떻게 살아보겠다고 바둥대던 놈이 점점 축 처지데요. 치료팩은 예전에 다 썼고, 그놈 몸은 영양을 원하고. 그래서 급한 대로 마카롱을 물에 개어서 입에 넣어줬는데 하, 이 새끼 그걸 먹지도 못하고 그냥 줄줄 흘리더라고요."

파트리샤가 말한 대로라면 그녀의 동기는 죽어가는 중이었을 것이다. 체내의 마이크로 머신들이 다른 장기들을 분해해 중요 장기를 수복하려 했겠지만, 무에서 유를 창조할 수는 없다.

"그랬는데 말이에요, 어디서 들은 가락이 있어서 이걸 젖꼭지에 발라주니까 그건 또 잘 빨아먹더라고요? 눈은 퀭해서 초점은 없는데 입은 어떻게 오물오물 빨아요."

아마도 본능일 것이다. 마지막 순간에 젖 먹던 힘을 낸 것이다.

"난 아직도 기억해요. 제 젖꼭지를 빨던 입술이 점점 느려지고, 식어가고, 마침내 움직이지 못하는 순간을 말이에요."

어떻게든 살려보려고 노력했지만, 그 동료는 자신의 품 안에서 죽어간다. 익숙해질지언정 결코 잊히지 않는 광경이다.

"그래서 강화를 거기서 멈춘 거야?"

빈우의 물음에 파트리샤가 자기 가슴을 살짝 모아 부비부비한다. 굉장히 짓궂고 야해 보여야 할 행동이 왠지 쓸쓸해 보인다. 아마 그녀 가슴에 난 상처 때문일 것이다.

"뭐, 그런 거죠. 호옥~시 나중에 또 쓸 일이 있을까 해서 이렇게 놔두는 중이랍니다. 바꾸려니까 마음에 걸려서 말이지요. 어때요, 죽어가는 사람도 도로 살리는 저의 가슴 테크닉? 팀장님도 저의 테크닉에 파묻혀보시겠어요?"

그녀의 말에 빈우는 콧방귀를 뀌었다.

"말이 좋아 테크닉이지, 그딴 건 다 잡기술이야. 진짜는 피지컬이라고. 피지컬 크기로 조져버리는데 다른 게 뭐 필요하니?"

인필트레이터가 가슴 마사지를 멈추고 빈우 쪽으로 서서히 다가온다. 그걸 본 빈우는 뒤돌아서서 걸었다. 처음에는 천천히. 그러나 그 걸음이 빨라지고, 달리기가 된 것은 순식간에 일어난 일이다. 뒤에서 장갑복이 맹렬하게 쫓아오면 당연히 그렇게 된다.

"말하라고 해서 말했잖아!"

빈우로서도 억울한 것이, 솔직하게 말하라고 해서 말한 것뿐이다. 다만 파트리샤도 솔직하게 반응하는 것뿐이다.

"그래서 안아준다고요!"

"2위에서 3위가 된 그 방탄 가슴으로?"

"이 새끼가."

빈우는 보고서를 작성했다. 자신이 마카로니 4에서 알아낸 것들을 정보국
에 보내는 것이다. 물론 군사정보국장인 이노우에 고토에게 직통으로 발송
했고, 개인적인 의견을 첨언한 것은 서로를 백업해주기로 한 친구 마커스에
게 따로 보냈다.

군사정보국에서 조사를 의뢰한 곳은 모두 세 건이다.

첫 번째는 마카로니 4의 마리 라캉 살해 사건. 여기서 범인은 굳이 증거인
멸을 하지 않았다. 아마도 잠시 후 있을 울토르 중대의 강습과 학살을 예측한
것 같았다. 그렇다면 범인은 울토르 중대의 존재를 아는 것은 물론이고 클론
들의 현재 상황마저 알고 있다는 의미다. 이런 인물이 존재한다는 그 자체만
으로도 상당히 위험하다.

두 번째는 자치 행성 — 본인들은 녹색 연맹이라 칭하는 자치 행성의 — 도
시 글림에서 일어난 세 청년 살해사건이다. 마리 라캉은 글림에서 잠시 체류
하다 마카로니로 갔고, 범인도 글림을 거쳐 마카로니로 갔다. 그리고 범행을
저지른 다음 다시 글림으로 돌아갔다가 현지인 세 명을 죽였다. 이번에는 조
작의 흔적이 보인다. 피해자들을 마약을 놓고 다투다 서로 죽인 것처럼 한 것
은 좋았는데 이 중 한 사람이 투약 과다로 사망했다는 점이 문제다. 이 때문
에 보안국과 군사정보국의 시선을 끌게 된 것이다. 이들이 쓰는 약은 사이버
신체의 부작용을 줄여주는 약품이고, 위험성도 널리 알려져 있기에 현지인

들이 죽을 정도로 과다 투약하는 경우는 없었다.

'왜 다시 돌아갔을까? 다른 일행이 있나? 아니면 현지 협조자와 접촉하려 한 것일까?'

안팎으로 지끈거리는 머리를 문지르며 빈우는 계속해서 자료를 살펴봤다.

세 번째는 연방 직할령인 솔트 파이크에서 리처드 허드슨과 딸 엘리자베트 허드슨이 강도 사건으로 위장되어 살해당한 사건이다.

'엘리자베트 허드슨, 이 여자아이는 워프 비스트로 변하고 있었다.'

인간이 변한 괴물 워프 비스트. 현재 연방에는 그 발현 사례가 매우 적으며 극비사항이다. 그런데 정보분석국 요원의 딸이 변화 도중의 상태로 있었다니 놀랄 만한 일이다. 다만 정보분석국에선 리처드 개인이 숨긴 사실이며 자신들은 모른다고 했다. 그거야 조사하면 될 일. 그러나 또 다른 문제는 빈우 자신이 엘리자베트를 알고 있다는 점이다. 빈우는 이제까지 엘리자베트 허드슨에 대해 전혀 알지 못했다. 그러나 얼마 전에 꾼 꿈에서 엘리자베트가 나왔다. 심지어 부친인 리처드 허드슨의 이름과 그의 시신이 잘게 갈려 비료 포대에 들어갔다는 것도 알고 있었다. 심상치 않은 일이다.

군사정보국장이 가져온 자료는 저 세 가지뿐이다. 마카로니, 글림, 솔트 스파이크. 하지만 이것만으론 빈우가 왜 마카로니의 식료품 가게를 아는지, 왜 엘리자베트를 아는지 설명하지 못한다. 그러나 지금 그것을 알 수 있는 단서가 하나 생겼다. 바로 마커스가 가져온 자료다.

'마커스는 위은쏠납학에서의 일을 알려주었다.'

마커스는 빈우가 마카로니에서 부상한 다음 서로 협조하기로 했었고, 그 약속을 잘 지키고 있었다.

'작년 11월 11일의 위은쏠납학이라.'

마커스가 보내준 자료에는 파괴된 탈출 포드가 보인다. 솔리드 베타에서 발사된 것이다. 당시 위은쏠납학의 잔당을 소탕하던 울토르 중대는 병력투사 수단이 없어서 임시방편으로 탈출 포드를 사용해 적을 공격했었다. 그런데 엉뚱한 방향으로 날아간 포드가 위은쑬납학에서 발견된 것이다.

'클론 사체나 장갑복의 잔해는 없다. 대체 안에 뭐가 있었던 걸까.'

만약 안에 클론 중대원이 탔고 생존했다면 조난 신호를 보냈을 것이다. 그러나 군사정보국에선 인근을 샅샅이 뒤져도 아무런 흔적이 없다고 했었다. 그리고 울토르 중대의 탈출 포드는 구조를 위한 장거리 통신 장비가 없으므로 솔리드 베타의 범위 밖에서 통신했을 가능성도 없었다.

'만약 그 안에 클론이 탔었다면?'

빈우는 자신의 손에 있는 퍼즐을 하나씩 끼워 맞췄다. 맞든 안 맞든 상관없다. 일단은 억지로라도 끼워 맞춰 가상의 시나리오를 예측해보는 것이다.

'탈출 포드에 탄 것이 클론이라면 누가 클론에게 그런 명령을 내렸을까?'

클론들에게 자기 개인의 의지나 의사결정권은 거의 없다. 작전행동에 한해서는 놀라울 정도의 자유행동과 사고를 지니지만, 그 외의 영역에서는 문외한에 가깝다. 그렇게 만들어졌기 때문이다. 그렇다면 클론에게 명령을 내린 자가 있단 의미였다.

'팬티 주인.'

빈우가 믿지 말란 메시지를 적은 팬티의 주인. 아나스타샤와 동일한 쿠델카 모델로 추정되며 그 때문에 빈우는 한때 아나스타샤를 의심하고 조사했었다. 그러나 그녀는 아니었다. 팬티에서 나온 세포조직에 적힌 일련번호는 아나스타샤의 것이 아니었을뿐더러, 빈우의 심문에도 수상한 점은 발견되지 않았다. 아마 울토르 중대가 타 부서에 지원 나가 있을 때 침입하고, 나간 것으로 추정된다.

'누가, 왜?'

이런 대규모 사건을 벌이는 것은 과연 누구일까. 연방의 내부 부서라면 짚이는 곳이 있다. 오다 의원이 쫓는 비밀세력. 태스크포스 373을 방해하는 자들이다. 그들은 373의 창설을 처음부터 방해했었다. 그러다가 팀이 창설된 다음에는 아예 상원에서 감사를 보내어 팀을 공중분해시키려고 했다. 다만 이들의 존재를 눈치챈 오다 의원의 파벌에서 먼저 선수를 쳐 감사가 나와 태스크포스 373과 협력을 하게 된 것이다. 그 비밀세력을 색출하기 위해서.

'놈들이라면 이 정도는 가능할 법한데.'

샤다이를 상대로 하는 태스크포스 373. 외계종족을 전문으로 공격하는 울토르 중대. 둘 다 놈들에겐 눈엣가시다. 이들은 연방의 곳곳에 잠입해 있으며, 상원이 함부로 건드리지 못하고 보안국을 비롯한 여러 부서에 영향력을 행사할 정도니, 이런 일을 할 능력은 될 것이다.

'그러나 무엇 때문에?'

굳이 클론을 탈출 포드로 쏘아낸 이유는 무엇일까. 아쉽게도 아직은 증거와 자료가 적어서 더 이상 추리를 할 수 없다. 이 이상은 상상의 영역이다.

'비밀결사, 워프 비스트, 울토르 중대, 이 사건의 범인.'

이 비밀결사는 워프 비스트와 관계가 있을 것 같다는 게 빈우의 추측이다. 현재 연방은 워프 비스트와 샤다이 간에 모종의 연관성이 있다고 보고 있다. 샤다이가 워프 비스트와 어떤 관계가 있는지는 아직 확실한 것이 밝혀지진 않았지만 정황 증거는 충분했다. 그리고 빈우가 만났던 행성 생명체, 발 가르단 하스는 워프 비스트를 계단을 내려오는 자라고 칭했고, 인간의 몸을 빼앗는다고 했다. 다만 그 괴물 형태는 실패작인 듯하다. 발 가르단 하스는 만약 놈들이 제대로 내려왔다면 자신과 대화가 가능한 지성을 가진다고 했었다.

'그리고 이케가미 소이치로의 희생.'

전 상원의장이던 이케가미 의원은 울토르 프로젝트의 입안자였다. 그러나 이후 그것이 잘못되었다는 것을 깨닫고, 홀로 발 가르단 하스까지 가서 자신을 희생했다. 워프 비스트를 막기 위해. 그리고 결국 자신의 생명을 대가로 워프 비스트가 계단을 내려오는 것을 막았다.

'그것을 보면 워프 비스트와 울토르 프로젝트는 모종의 관계가 있다. 또한 샤다이와도 관계가 있다.'

샤다이에 의한 게이트를 통해 통상 우주로 내려온 워프 비스트들. 놈들이 연방 상층부에 침투해 자신들의 걸림돌이 될 울토르 프로젝트를 방해하거나 변질시키려던 것일 수도 있다.

'그렇다면 놈들이 왜 클론을 조종해 위은쑬납학에 보낸 것일까?'

빈우는 샤다이와 워프 비스트들이 연방에 잠입하고 있으며, 대 외계인 결전용 클론 부대인 울토르 중대를 위험하다고 판단해, 여러 방법으로 방해를 하고 있다는 가설을 세웠다.

'만약 여기서 클론이 탈출했다면, 혹시 이 클론이 이번 사건의 범인은 아닐까?'

빈우는 자신의 클론들에게, 울토르 중대원들에게 자신이 배운 모든 것을 가르쳤다. 하지만 가르친 것은 장갑보병으로서의 전투기술뿐이지, 지금처럼 군사정보국에 관련된 행동은 아니었다. 게다가 워프 비스트가 배후로 있는 비밀결사 놈들이 탈출 포드로 클론을 빼낸 거라면, 왜 그 클론은 워프 비스트로 변하는 중인 엘리자베트 허드슨을 죽인 것일까.

'아직은 자료가 너무 모자라.'

하지만 그래도 한 가지는 밝혀질 수 있다. 추측일 뿐이지만.

그것은 바로 범인이 보았던 마카로니의 풍경, 그리고 허드슨 가의 정보가 빈우의 악몽에 나타난 이유에 대해서다. 지금까지는 트리니티 프로그램이 풀리는 과정의 부작용으로만 알고 넘겼지만 그게 아니었다.

'두뇌칩의 동기화. 이것 외엔 달리 설명할 방법이 없다.'

연방의 시민들은 대부분이 의원이라 수면 중에 의정 활동에 관한 동기화를 받는다. 정치 활동을 할 수 없는 군인들은 이런 동기화를 하지 못하지만 울토르 중대는 다르다. 빈우는 이 동기화를 클론에게도 써보자고 제안했었다. 그래서 클론들은 작전이 끝나고 수면에 들어가게 되면, 서로 각자의 전투 경험을 나누고 동기화를 해 전투 경험을 높였다.

'만약 그 클론이 범행을 저지르고 동기화를 해서 그 정보가 나에게 겹쳐진 것이라면 일단 아귀는 맞아떨어진다.'

하지만 전용 장비도 없이 두뇌칩의 동기화는 불가능하다. 보통 울토르 중대의 동기화는 수면 캡슐에 들어가 있을 때 유선상으로 이루어진다. 그렇다면 일반 연방의 의원들처럼 무선회선을 이용한 동기화일 수도 있다. 그래서 빈우는 자신이 부상한 이후의 전파기록들을 전부 살펴보았다. 솔리드 베타에서 오스카 스테이션, 다시 블랙 랜스와 오브리가도까지. 그러나 두뇌칩 동기화에 쓰이는 주파수와 채널이 사용된 기록은 일절 없었다.

'대체 무엇일까.'

밝혀진 게 없어도 조바심을 낼 필요는 없다. 수사는 이제 시작이니까.

"고토 이 개새끼가."

하지만 절로 욕이 나오는 것은 참을 수 없다. 자신의 상관이자 군사정보국장인 이노우에 고토는 범인이 클론일 수도 있는 가능성을 알고서도 그 원본인 빈우에게 수사를 맡긴 것이다.

'나를 사냥개로 쓰겠다 작정한 게 보이는군.'

만약 진짜로 범인이 빈우의 클론이라면 현재 우주에서 그를 가장 잘 쫓을 수 있는 사람은 원본인 빈우다. 그러면 클론의 사고 동향을 파악할 수 있고, 행동의 근간이 되는 클론의 AI는 전문가인 빈우에게 걸리면 바로 무력화당하기 때문이다. 그런데 이노우에 국장은 왜 이런 사실을 빈우에게 군이 숨기려고 했을까? 마커스가 보내준 탈출 포드에 대한 정보가 아니었으면 범인의 정체에 대해서 추측해내는 게 상당히 늦었을 것이다.

"김 팀장님, 잠시 들어가도 될까요?"

한참 생각을 정리하던 중에 찾아온 히토미가 문밖에서 빈우를 불렀다.

"네, 들어오십시오. 의원님."

빈우는 아직 이 사실들을 히토미에게 알리기는 시기상조라고 생각했다. 어차피 태스크포스 373과 상원 감사는 협력관계이니 언젠가는 말해야 하겠지만, 아직 뭐 하나 제대로 밝혀진 게 없는 상황에서 가설에 불과한 것을 말할 필요는 없다고 판단 내린 것이다.

133

· · · ✦ · · ·

"한창 조사 중이셨군요. 제가 방해됐나요?"

방에 들어온 히토미는 빈우가 보고 있던 자료를 대충 둘러보았다.

"아뇨, 이제 잠시 끝내려고 정리 중이었습니다. 한번 보시겠습니까?"

그러면서 빈우는 조사 자료를 보여주었다. 물론 보여줄 수 있는 것만. 히토미는 자료를 찬찬히 훑어보더니 묘한 눈빛으로 빈우를 쳐다보았다.

"이게 전부인가요?"

"현재로선 그렇습니다."

그래도 히토미는 시선을 치우지 않았다. 숱하게 빈우에게 데어본 자의 경험이다. 그래서 빈우는 다시 설명을 덧붙였다.

"의원님께 정식으로 보여줄 수 있는 자료로는 말이죠. 지금 보시면 혹할 자료들이 몇몇 있긴 하지만 확실하지 않아서 말입니다. 제대로 판별이 되면 그때 다시 보여드리겠습니다."

그제야 상원의원의 눈이 둥글게 휘어지며 자료 쪽으로 돌아갔다.

"음, 팀장님은 마카로니의 범인에 대해서 어떻게 생각하시나요?"

"범인에 대해서 말씀입니까……."

빈우는 어떻게 대답해야 할까 말을 고르고 있었다. 그리고 아는 만큼만 대답했다.

"일단은 군사정보국 요원이나 그에 준하는 훈련을 받은 자입니다. 신체 강화는 군용 2레벨 정도이고, 경험 많은 장갑보병입니다. 신장은 180cm 초반, 체중은 100kg 정도. 만약 이것이 연방군의 정규 강화 시술일 경우 장갑복과 한정적인 교전이 가능할 정도의 신체 능력 수치가 나옵니다."

잠시 목을 가다듬은 빈우는 말을 이어나갔다.

"굉장히 위험하단 의밉니다. 두뇌칩에 들어 있는 OS는 특정할 수 없지만 적어도 전문 첩보용은 아닙니다. 이렇게 행동했다가는 바로 경고가 뜨지요. 아마 전투용 OS에 스스로 습득한 정보전 기술을 응용하는 것 같습니다."

히토미는 빈우가 줄줄 읊는 정보를 듣고선 눈이 동그래졌다.

"대단하군요. 신체 정보에 대한 것은 저도 군사정보국 자료에서 봤지만 이렇게 자세하게는 아니었어요. 게다가 OS에 관한 것까지. 그 정도로 추적이 가능한가요?"

"행동 반응을 보고 추측하는 거라 아직은 대략적인 겁니다. 자세한 것은 조사하면 더 나오겠지요."

그의 말에 고개를 끄덕이던 히토미는 문득 자기 앞에 있는 빈우의 몸을 조심스레 아래위로 훑어보았다.

"그런데 키 180cm에 체중 100kg이라면 꽤나 거구의 근육질이겠네요."

의외의 말에 빈우는 의아하다는 눈을 하며 정정해주었다.

"네? 아뇨, 제가 지금 102kg입니다. 범인은 저와 체구가 비슷할 겁니다."

"엣? 팀장님이요?"

뜻밖의 대답에 히토미의 눈이 다시 동그래졌다. 눈앞의 사내는 탄탄한 체구이긴 하지만 아무리 봐도 세 자릿수 체중은 안 돼 보이는 것이다. 그런 히토미를 보며 빈우는 다시 설명했다.

"다시 말씀드리지만 제가 키 183에 체중 102입니다. 제 신체 정보는 두뇌 칩으로 조회가 가능할 텐데요. 아차, 의원님은 군용 OS가 없으시죠. 무슨 생각하시는 줄 대강 알겠는데, 군인들은 강화 때문에 겉보기보다 꽤 무겁습니다. 물론 의원님께서 하신 강화는 민간용이라 강화 비율이 신장 178에……."

"와와와!"

빈우가 자신의 체중을 얘기하려는 대목에서 히토미는 비명을 질렀다. 놀란 빈우는 최대한 온화하게 그녀를 진정시키려고 시도했다.

"저기, 의원님? 혹시 체중 때문에 그러십니까? 하지만 일단 군함에 타는 승무원들의 체중에 대해서는 정확히 측정하고 계산해야 합니다. 여긴 군대입니다."

"어어, 그러면 팀장님은 어떻게 제 체중을 아시나요? 조사원이라서 개인 정보는 조회가 안 된다면서요?"

체중에 대해 이렇게 민감한 반응을 보이는 것은 대개 민간인들의 경우라 빈우에겐 오래간만의, 그리고 신선한 경험이었다. 그래서 최대한 상처를 받지 않게 단어를 잘 조율해서 설명했다.

"물론 저는 조회가 안 됩니다. 하지만 탑승자의 체중은 배에 타고 내릴 때다 계산합니다. 이거 의외로 중요합니다. 의원님께서 손님으로 오셨다면 모를까, 아예 숙식을 하시겠다고 하셨으니 이 정도는 감안하셨어야죠."

"아니, 신체 정보 체크하는 건 알지만 시스템 AI가 관리하는 줄 알았지 설마 팀장님까지 아실 줄이야. 알겠어요. 후읍, 다만 막 말하고 다니지만 마세요. 부탁할게요."

설명을 들은 히토미는 가까스로 진정한 뒤 빈우에게 입단속을 부탁했지만, 어째 빈우의 표정이 불안하다. 더럭 겁이 난 히토미가 빈우를 추궁했다.

"잠시만요, 팀장님. 왜 그런 표정을 지으시는 거죠? 설마 벌써 다 말했나요?"

빈우는 흔들리는 히토미의 눈동자를 차분히 마주 보며 천천히 대답했다.

"아뇨. 제가 그런 것을 굳이 말하고 다닐 리 없잖습니까."

그리고 안도하는 그녀의 모습에 미안해하면서도 잔인하게 덧붙였다.

"……공개되어서 팀원 누구나 열람 가능한데 말이지요."

이어서 태스크포스 373의 팀장은 어쩔 줄 몰라 팔짝팔짝 뛰는 상원의원을 진정시키기 위해 진땀을 빼야 했다.

"자, 여기 선내 승무원 자료를 보십시오. 의원님의 신체 정보를 열람한 사람은 저와 아나스타샤, 오르 함장님뿐입니다. 다른 팀원들은 신경 쓰지도 않아요."

히토미는 씩씩거리면서도 빈우의 말을 들으며 화면을 보았다. 그녀 자신, 오다 히토미에 대한 신체 및 건강 정보다. 열람 이유도 납득이 된다. 함장인 오르는 자신의 배에 타는 사람의 정보라서, 팀장인 빈우는 팀장이었기에, 그리고 아나스타샤는 히토미의 시중을 들기 위해서였다.

"그런데 다른 정보는 둘째치고 왜 체중만 이렇게 자주 체크하죠?"

"그야 선체 중량은 연료나 추진 부분과도 관계가 있는 부분이고, 승무원의 체중 변화는 건강과도 연관되기 때문에 항상 살펴봐야 합니다."

이어서 다음 아래의 항목들을 살펴보던 히토미는 어느 항목에서 멈칫했고, 빈우는 고개를 돌리며 헛기침을 했다.

"의원님, 아무리 궁금하셔도 굳이 이런 데서 용변 항목까지 열람할 필요는 없잖습니까."

오다 히토미의 얼굴은 아까보다 세 배는 더 빨개졌다.

"아니에요, 아니에요. 제가 연 게 아니에요. 내리다가 보니 떴어요! 근데 왜 대소변에 대해서 조사까지 하는 거냐고요오!"

"말씀드렸다시피 승무원의 건강 체크를 위한 부분도 있을 것이고, 순양함 같은 경우는 재활용을 해야 하므로 면밀히 살펴봅니다. 저희 블랙 랜스야 기밀함이다 보니, 수거해서 보관하다가 기지에 돌아오면 처리하지만요."

발을 동동 구르는 상원의원과 그녀를 달래는 연방군 소령.

"……정 뭐하시다면 비공개로 할까요?"

빈우는 폭발 직전의 지뢰에서 뇌관을 도려내듯 조심스레 말을 붙였다.

"그래도 되나요?"

판도라의 상자를 열어버린 히토미는 지친 듯이 대답한다.

"네, 물론입니다. 당장 체중 부분만은 비공개로 해두겠습니다."

"아, 그러면 더 이상하…… 아니에요. 그냥 공개로 해두세요."

기가 빠져 의자에 기대앉은 히토미에게 빈우는 차가운 커피를 한잔 내왔다. 별 시답잖은 이유로 심력을 소비한 상원의원은 커피를 마시고는 조금 감탄했다.

"하아, 어찌 되었건 팀장님의 커피는 정말 맛있어요. 식당이나 제 방의 것보다 더요."

"당연하죠. 머신이 사제거든요."

"아하."

작게 고개를 끄덕이는 히토미에게 빈우는 몇 가지 다과를 내왔다. 간단한 쿠키와 빵으로 모두 민간인용이다. 카페인과 당분이 들어가자 히토미는 조금 기운이 나는 것 같았다.

"그러고 보니 팀장님은 블랙커피에 빵을 즐겨 드시네요?"

"이거 말씀입니까? 별거 아닙니다. 사관학교 시절부터 자주 먹다 보니 버릇이 되어서 말이죠."

지금까지 히토미가 본 바로는 빈우의 간식은 블랙커피와 빵, 거기에다 발라먹을 꿀과 버터였다.

"그렇군요. 사관학교라……. 다음에 장교분들을 만날 기회가 오면 이렇게 대접하면 되겠네요."

히토미로서는 순수한 호의로 한 말이겠지만, 빈우는 딱 굳어버렸다. 아니 굳었다기보다는 표정이 경직되고 커피잔을 든 손이 움찔했을 뿐이다. 하지만 그것만으로 충분했다. 군인의 그런 반응을 본 상원의원은 잽싸게 커피잔을 내려놓고 마음의 준비를 했다. 이어서 히토미의 표정을 본 빈우는 좀 억울해졌다.

"의원님, 제 말 하나하나에 너무 민감하게 반응하지 마십시오. 지금 이 커피와 빵, 그리고 발라먹을 것들은 전부 정상적인 민간인용입니다. 아무런 이상도 없습니다."

그런 빈우의 설명이 무색하게 히토미는 눈 하나 깜빡하지 않고 빈우를 바라보고 있다.

"아, 조금 트라우마가 생겨서 말이지요."

첫 만남에서 군용 마카롱을 먹이고 사람들 앞에서 토하게 만들었으니 트라우마가 생길 법도 하다.

"설명하겠습니다. 블랙커피와 빵은 말입니다. 연방군 사관학교의 징벌식입니다."

"징벌……식이요?"

생소한 단어에 히토미가 고개를 갸웃했다.

"네. 성적이 부진하거나 사고를 친 생도에게 벌로써 주어지는 겁니다. 징벌 기간 동안엔 오직 커피와 빵만 먹을 수 있죠. 삼시 세끼 말입니다."

"어마, 그러면 생도들의 영양 섭취에는 문제없나요?"

"군용이니까요. 맛과 향은 장식이고 강화 신체의 연료용으로 만든 것이라 하나만 먹어도 충분합니다."

납득한 히토미는 고개를 끄덕이다가 문득 든 생각에 질문했다.

"잠깐만요, 즐겨 드셨다면서요?"

"네. 동기인 마커스와 자주 먹었습니다. 익숙해질 정도로요."

빈우의 대답에 히토미는 실소했다. 젊은 나이에 소령 계급장을 달고 닉스 레벨 3에 달하는 엘리트가 사관학교 시절에는 사고뭉치였다니 웃음이 절로 나온다. 하지만 그간 그녀가 봐왔던 빈우의 행동을 보면 이해가 간다. 무슨 짓을 저질러서 커피와 빵을 먹게 되었는지 절로 상상이 가는 것이다.

'하지만 이런 엘리트인 김 소령도 결국 군사정보국에서 겉도는구나.'

히토미가 파악한 바로 빈우는 좋게 봐야 외부 파견 요원이고, 나쁘게 보면 버림패다. 오직 닉스 레벨 3이란 간판이 이 믿을 사람 없는 망망대해에서 그의 유일한 구명정인 것이다. 하지만 그녀는 마음속 생각과 달리 웃으면서 농담을 꺼냈다.

"그랬군요. 그렇다면 장교분들께는 이렇게 대접하면 안 되겠네요."

"안 될 건 없지요. 에라, 처먹어라 하면서 준 다음에 상대의 표정을 커피 향과 함께 감상하시면 되겠습니다."

"어머나, 짓궂으셔라."

그러면서 히토미는 빈우의 잔에 커피를 잔뜩 따라주고, 접시에도 빵을 수북이 담아주었다.

"분에 넘치는 사랑, 잘 먹겠습니다."

빈우는 또 좋다고 그걸 쪽쪽 먹었고 히토미는 깔깔 웃었다. 분위기가 부드럽게 되었을 때 빈우는 화제를 전환했다.

"참, 의원님. 예전에 말씀하셨던 의정활동에 대한 두뇌칩 정보 동기화 말씀입니다만."

블랙 랜스는 기밀작전 함이라 탑승 중에는 의원들의 두뇌칩 동기화를 할 수 없다고 했었고, 그걸로 히토미는 조금 실망한 적이 있었다.

"그 때문에 달리 불편한 점은 없으십니까?"

"아침에 일어나면 아무런 정보가 들어와 있지 않아서 처음엔 조금 적응하기 힘들었지만, 지금은 아무런 문제가 없어요. 또 필요한 것은 사령부로 가서 유선으로 동기화하면 되니까요."

"그렇습니까. 다행이군요. 아무튼 양해해주셔서 감사합니다."

빈우는 커피를 한 모금 마신 다음 말을 이었다.

"그런데 42전단으로 간 다음이 문제입니다. 의원님께서 가셨을 때 과연 그곳에서 동기화 회선을 줄지 말입니다."

"아, 설마 42전단에서도 동기화를 막을까요?"

"그건 전단장의 재량이라 저도 확답을 드릴 수는 없습니다. 혹시 의원님께서 원하신다면 제가 어떻게 말을 해보도록 하겠습니다."

빈우의 말에 히토미가 놀라서 손사래를 쳤다.

"어머, 아니에요. 굳이 그런 일로 김 팀장님에게 폐를 끼칠 순 없죠. 전단장에게 물어본 다음에 허락받으면 쓰고, 안 되면 못 쓰는 거죠. 뭐."

빈우는 히토미의 두뇌칩 회선 동기화를 평계로 점프 게이트의 회선을 조사해보려 했는데, 여의치 않았다. 그래도 하지 못할 것은 아니다. 시간이 걸리고 돌아가서 그렇지.

134

· · · ✦ · · ·

"어머, 내 정신 좀 봐. 말씀드릴 게 있어서 온 건데 깜빡했네요."

오자마자 얼굴 붉힐 일이 조금 있어 본래의 용건을 까먹었던 히토미가 자세를 바로 하고 말을 꺼냈다.

"다름이 아니라, 혹시 팀장님께서 42전단으로 가게 되면 작전참모를 맡아주실 수 있나 해서요."

"제가 작전참모를요? 혹시 그거 의원님이 속한 파벌의 의견입니까?"

갑작스러운 권유에 반문하는 빈우에게 히토미가 고개를 끄덕인다. 하지만 작전참모란 직책은 누가 되고 싶어서 되는 자리가 아니다.

"네. 김 팀장님은 리퍼와 교전 경험도 많고, 함도 지휘해보셨으며, 국방대학도 우수한 성적으로 수료하셨잖아요. 우리 쪽에서 보기엔 우수한 재원이신데. 아 물론 결정된 건 아니에요. 일단 당사자의 의견부터 물어보라고 해서요. 팀장님 생각은 어떠세요?"

그녀 말대로 빈우에게 조건은 차고 넘친다. 무엇보다 닉스 레벨 3의 인재가 참모로 붙는다면 여러모로 든든할 것이다.

"그거야 결정권은 전단장에게 있습니다만, 글쎄요. 참모진은 지휘관의 최측근들이고 작전참모라면 그중에서도 오른팔입니다. 아마 전단장 될 양반이 자신과 같이 지내던 인물이나 호흡이 맞는 사람을 지명하겠죠. 저 같은 외부 인사는 안 쓸 겁니다."

42전단이 연방 최고의 인재들로 꾸려진다지만 사람들 간의 손발이 맞는 것도 중요하다. 특히나 참모진 같은 경우는 더더욱.

"게다가 전 태스크포스 373으로 42전단의 장갑보병을 교육시켜야 하니까 그리 좋은 인선은 아닙니다. 지상전에 대해 조언 정도는 구하겠지만요."

"그런가요."

히토미는 아쉽다는 듯이 포기했다. 쉽게 포기한 것을 보면 그녀로서도 크게 밀어붙일 생각은 없었던 것 같다.

"그나저나 의원님. 42전단을 놓고 이렇게 파벌싸움을 해도 될까요?"

샤다이에게 반격을 하기 위한 42전단. 그러나 채 만들어지기도 전에 잡음이 생긴다. 그것도 빈우와 태스크포스 373을 둘러싸고. 다른 함대에서 경험을 쌓은 자라면 모를까, 지상전과 정보전의 베테랑을 전단 작전참모로 추천하려고 하는 건 좋은 생각은 아니다.

"아니에요. 이번 건은 팀장님이 우리 쪽 사람이어서 그런 게 아니라, 팀장님이 그만큼 경험이 많은 분이라서 추천하려는 거예요."

하긴 빈우만큼 외계종족을 많이 죽이고 다닌 자는 연방에서도 드물다. 울토르 중대의 지휘관으로 정말로 쉴 새 없이 싸워왔으니까.

"하지만 아직 42전단의 구성이 어찌 될지 모르는 판국이잖습니까. 너무 서두르는 감이 없잖아 있는 것 같습니다만."

"아, 그거에 관해서 새로운 정보가 있어요. 국방위원회를 통해 들어온 것인데, 42전단은 1함대와 3함대에서 병력을 차출한다더군요."

"1함대와 3함대에서요?"

빈우가 놀라서 반문한다. 중앙 함대에서 병력을 차출한다는 얘기는 들었어도 이 정도일 줄 몰랐다. 1함대와 3함대는 둘 다 태양계와 화성을 지키는 인류 연방의 최강 전력이다. 또한 연방군의 모든 함대 중에서 가장 강력한 함대이자 전략 예비대이기도 하다. 이들은 태양계를 지키기 위해 만들어졌지만, 필요에 따라 파견을 나가거나 분함대를 만들어 필요한 곳에 투입된다. 그리고 그때마다 연방 최강의 함대란 이름값을 톡톡히 해냈다.

"그리고 장갑보병은 뱅가드에서 차출하고, 전투기 파일럿들은 각지의 에이스들을 모아서 운용할 거라네요."

"역시 42전단이란 건가. 그렇다면 전단장은 1함대 사령관인 이반 이바노프 대장입니까?"

"아직 정확한 규모는 미정이고 함대기함까지 갔다는 얘기는 들려오지 않았습니다."

두 사람이 앞날에 대해 얘기를 하고 있을 무렵, 모니카가 빈우에게 통신을 보내왔다.

- 팀장님, 지금 혹시 격납고로 오실 수 있으세요? 컨커러 조정이 다 끝났어요.

모니카가 부르는 것은 좋은데 용건이 컨커러라고 하니 빈우는 기운이 쭉 빠졌다.

"잠시 기다려, 지금 좀 바빠서."

"아니에요, 제 용건은 끝났어요. 어서 가보세요. 제가 먼저 일어날게요."

히토미와의 대화가 끝난 빈우는 그녀와 헤어져 격납고 쪽으로 갔다. 격납고에 도착하자 마침 그곳엔 파트리샤도 와서 자신의 장갑복을 점검하고 있었다.

"와오, 팀장님. 어서 오세요. 근데 어쩐 일이시래요?"

솔직담백한 그녀는 아까 자신이 짓이겼던 두개골을 보며 환한 미소를 지었다.

"모니카가 불러서. 근데 얘는 사람 불러놓고 어디 갔냐?"

"조정실에 들어갔어요. 곧 올걸요?"

빈우는 싱글벙글 웃는 파트리샤를 자세히 살펴봤다. 전용 장비에 인필트레이터를 넣고 점검하던 그녀는 마카롱을 먹고 있었다. 두뇌칩 정보를 조회하면 체중 같은 신체 정보는 당연히 나온다.

"너 지금 체중 얼마야?"

불쑥 들어오는 빈우의 질문에 파트리샤가 움찔 놀란다.

"예? 에? 어, 요즘은 63kg에서 오락가락할걸요."

이런 게 빈우가 아는 정상적인 반응이다. 바로 알 수 있는 체중을 굳이 물어보는 팀장의 모습에 파트리샤는 알 수 없는 불안감을 느꼈다. 설마 아까의 보복을 위해 시동을 거는 건가 싶은 것이다. 그녀가 그러거나 말거나 빈우는 그녀 앞에 놓인 마카롱을 보며 한층 거세게 쏘아붙였다.

"너 하루에 몇 칼로리 먹냐."

말이 끝나기가 무섭게 파트리샤는 마카롱을 후다닥 입에 집어넣고선, 채 씹지도 않고 꿀꺽 삼켰다.

"에헤헷, 어찌어찌 2만 칼로리?"

"흐으음?"

빈우의 콧김 소리에 파트리샤가 쩔쩔맨다.

"잠깐만요, 나 원사님 다음으로 강화 비율 높잖아요. 또 저는 먹어도 증량 안 돼요. 특수 강화라고요오오. 하루 이틀 산 것도 아닌데 오늘 왜 이래요."

군인의 신체는, 특히 특수전 사령부 소속 군인의 신체는 연방 최고의 전투 장비에 속한다. 어영부영 먹고 자고 했다간 관리 소홀로 곤욕을 치르는 것이다. 상사가 합법적으로 부하 털기에 최적의 시빗거리다.

"그래? 흠. 뭐 그럼 됐고."

볼일 다 봤다는 듯이 돌아서는 빈우의 모습에 파트리샤는 안도의 한숨을 내쉬었다. 그런데 그게 좀 거슬렸는지 빈우가 도로 홱 돌아보며 추궁했다.

"하나 물어보자."

"아이, 내 심장. 뭔데요?"

빈우는 바로 질문하지 않고 약간 뜸을 들였다.

"아까 내 바에서 의원님 체중 얘기로 약간 트러블이 있었는데 말이지. 좀 심각하냐?"

"체중이 왜요? 설마 물어보셨어요? 아니 그걸 왜 물어봐요. 어차피 상원의원이라 우리 쪽에선 조회도 안 되잖아요."

애가 타서 혀를 차는 파트리샤에게 빈우가 떨떠름하게 말을 덧붙였다.

"아니, 그래도 탑승 시에 체중 계량하잖아."

"아, 맞다. 하지요."

맞장구를 치던 파트리샤는 여기서 뭔가 잘못되었다는 것을 눈치챘다.

"설마 그거 우리들처럼 공개로 해놓은 거예요? 체중까지?"

"상식이잖아."

"에티켓은 배가 고파 처잡수셨나."

한심하다는 듯이 쏘아붙이는 파트리샤의 시선에 빈우는 머리를 긁적일 수밖에 없었다.

"아니, 그래서 비공개하려는데, 의원님은 또 공개해놓으랍신다."

"에혀. 내가 말을 말아야지."

파트리샤는 고개를 절레절레 흔들며 다시 자신의 장갑복 쪽으로 시선을 돌렸다.

"난 또 체중 물어보길래 뭔가 했네. 민간인을 대할 때는 좀 조심하라고요."

말이 궁해진 빈우가 우물쭈물하고 있을 때, 마침 모니카가 장갑복 컨테이너를 밀며 나타났다.

"팀장님, 늦어서 죄송해요. 하지만 기뻐해주세요. 컨커러의 동력이 강화되었어요. 이제 XPS를 두 개 동시에 들 수 있다고요. 두 개를 들면 빈틈이 없겠죠?"

빈우는 마음속으로 한숨을 내쉬었다. 기뻐하려고 노력은 하지만 힘들 것 같다.

"그래서, 그 귀한 XPS가 지금 두 개씩이나 있긴 하냐?"

컨커러의 동력을 강화했다는 것은 확실히 좋은 이야기다. 하지만 XPS는 부품 문제로 더 이상 만들기 어렵다고 했다. 두 개를 들 수 있어도 들 게 없으면 아무 의미가 없는 것이다.

"네, 여기요."

하지만 모니카는 환한 미소와 함께 XPS 2정을 꺼내 보였다. 그걸 본 빈우의 표정이 썩는다.

"그리고 놀라지 마세요. 이젠 XPS가 아니라 가변형 플라스마 병기로 코드 네임은 스핑크스라고 해요. 정식 코드 네임이 떴다고요."

하지만 빈우는 저 결함 병기가 코드 네임까지 따냈다는 사실이 놀랍다. 스핑크스라면 인간의 머리에 사자의 몸과 날개가 달린 전설 속의 동물이다. 변화에 대한 수수께끼를 낸다는 점에서 어울리는 코드 네임이기도 하다.

"여기요. 이게 기존의 XPS와 스핑크스와의 차이점이에요."

모니카가 신이 나서 데이터 패드를 보여주고, 뒤에서 파트리샤가 신이 나서 다가와 붙는다. 하긴 타인의 불행이 자신의 행복이 되는 경우는 많지만, 그 불행의 당사자가 되면 그 불행은 더더욱 가속된다.

"차이점? 아니 어디가, 뭐가 바뀐 건데."

빈우는 툴툴거리며 스핑크스의 자료를 살펴보았다. 달라진 거라곤 에너지 효율이나 변형 속도뿐이고 본질적인 문제는 전혀 고쳐지지 않았다. 역시나 총으로 쓸 때 방패로 쓰지 못한다.

"에이, 그래서 두 개를 쓰시란 거예요. 또 이건 컨커러의 개량점들이고요. 대단하죠?"

이번 것은 좀 볼 만했다. 동력도 동력이지만 가장 큰 문제인 방어막 작동 시에 움직임이 제한되는 점을 고쳤다고 한다. 그런데 기록을 보니 테스트가 실험실에서만 이뤄졌고, 실제 시험기동은 없다.

"야, 이거 나보고 테스트해보라는 거 아냐. 미쳤냐?"

"에헤헤, 그게 이거 만든다고 시간과 예산이 조금……."

모니카가 멋쩍게 웃으며 2정의 스핑크스를 가리키자 빈우는 그냥 눈을 감고 턱을 쓰다듬었다. 하긴 대량의 샤다이 자재와 정보가 들어간 마당이니, 이미 만들어진 장비의 개량에 대해서는 신경 쓸 겨를이 없었을 것이다. 그 과학

기술국이라면.

"하지만 잘 보세요, 팀장님. 컨커러를 입고 스핑크스 2정을 동시에 쓰는 모습을요."

모니카가 거치대에 서 있는 컨커러의 양손에 스핑크스를 한 정씩 들려준 후 패드로 조작해 변형 과정을 보여준다. 확실히 변형 속도는 빨라졌다.

"이렇게 오른쪽이 발사 모드면 왼쪽은 방패 모드로. 반대로 왼쪽이 총이면 오른쪽이 방패로. 어때요. 빈틈이 없죠? 또 동력도 넉넉하다고요."

오른쪽으로 비비고, 왼쪽으로 비비고. 눈앞에서 지랄을 비비는 광경에 빈우는 정신이 혼미해질 지경이다. 스핑크스 저거 하나의 가격은 어벤저 10대는 한다. 도합 20대의 어벤저, 분대로 따지면 5개 분대가 양쪽에서 팔랑거리는 광경은 참으로 돈 지랄이었다. 분명히 이전 기록에, 그러니까 XPS의 이전 버전은 총과 방패가 따로였다고 했었다. 위력도 지금의 가변형보다 좋고, 에너지 효율도 좋고, 결정적으로 가격도 싸다. 덧붙여 고장이 적고 정비가 편하다는 점은 안 봐도 뻔하다.

빈우는 남녀 평등주의자다. 빡치면 남자도 패고, 여자도 팬다. 상관도 까고 부하도 깐다. 눈앞의 모니카 보르자 대위가 전투용 강화만 받았더라도, 지금의 스핑크스마냥 접었다 폈을 것이다. 물론 모니카가 속한 부서는 컨커러 개발을 맡은 부서고, 스핑크스는 다른 부서에서 개발, 제작했다. 그러나 중간에서 모니카가 어떻게 정보 전달을 했는지 최종 결과물이 이딴 식으로 나와버린 것이다. 하지만 그녀는 뭐가 잘못된 건지도 모르고 참으로 해맑게 웃고 있었다.

"아오! 이거 두 개를 동시에 운용할 전력이면 차라리 저기 저 입자가속포를 쓰고 말지."

답답해서 이를 갈던 빈우의 눈에 들어온 것은 블랙 랜스에서 쓰이는 부포인 입자가속포였다. 스핑크스 두 개 분량의 에너지라면 저 함포를 어찌저찌 쓸 수 있을 정도다.

"웅? 잠깐만?"

말이 씨가 된다고. 빈우는 자신의 머릿속에 뿌려진 씨앗에서 불길한 싹이
움트는 것을 느꼈다.

135

. . . ✦ . . .

"야, 차라리 저 입자가속포를 컨커러에 다는 건 어때?"

파트리샤와 모니카는 빈우가 가리키는 곳으로 고개를 돌렸다. 거기엔 블랙 랜스에서 부포로 쓰이는 입자가속포가 있었다. 약간 조정만 하면 롱소드에도 달 수 있는 작은 것이라, 격납고에도 한 문 준비되어 있다.

"스핑크스 둘이면 저거 하나 쓸 만한 동력이 확보되잖아."

확실히 플라스마 포인 스핑크스가 잡아먹는 동력은 어마무시하다. 거의 전차포 급으로 동력을 잡아먹기 때문에 일반적인 장갑복은 운용이 불가능하고, 헤비 급이나 컨커러 정도가 되어야 한다. 오죽하면 빈우 말대로 이 장갑보병용 스핑크스 2정이면 블랙 랜스의 부포를 쏠 수 있을 정도다.

"야, 이거 아이디어 괜찮지 않냐? 커패시터만 좀 확보하면 되겠는데?"

하지만 신나서 들뜬 빈우를 보는 파트리샤의 시선은 미친놈을 보는 것과 크게 다를 바가 없었다.

"함포를요? 장갑보병이?"

"왜 안 돼? 안 될 것도 없잖아. 동력도 충분한데."

빈우 말마따나 현재 컨커러의 동력이면 입자가속포의 출력을 조정해서 사용이 가능하다. 하지만 파트리샤는 저런 눈빛을 가졌던 동료들이 어떤 사고를 쳤는지 뼈에 사무치도록 기억한다. 그래서 그녀는 빈우의 몽상을 기술적, 이론적으로 박살 내줄 모니카를 돌아보았다.

"멋져요, 팀장님. 그런 발상의 전환이라니."

그런데 얘도 제정신이 아니다. 하긴 컨커러에 스핑크스 두 개 달고 하하호호하는 애가 제정신이겠느냐만서도.

"얘가 왜 이래. 가속 터널은 어떻게 확보하게?"

"걱정 마요, 언니. 그거 원형으로 해서 컨커러 동체에 두르면 돼요."

모니카는 이미 홀로그램 시뮬레이션을 띄워서 컨커러의 몸에 둥그런 가속기를 씌우고 있다.

"오오, 뽀대가 사는데?"

철없는 팀장은 좋다고 손뼉을 치고, 파트리샤는 필사적으로 문제점을 지적한다.

"포신은요? 포신이 너무 길잖아요. 컨커러 두 배가 넘는데."

"그러면 세 번 접어서 등에 달자."

빈우의 말이 떨어지자 무섭게 모니카가 데이터 패드를 만진다. 그러자 입자가속포의 홀로그램이 삼단분리되어 컨커러의 등에 실린다. 이어 모니카가 척하고 엄지손가락을 들어 올린다. 이게 멋지단 의미인지, 기술적으로 가능하단 뜻인지 모를 지경이다.

"아니, 발사 시 방사선은 어쩔 건데요? 재수 없으면 포구에서 입자 충돌 일어나는데 그럼 쏘자마자 방사선 샤워 확정이라고."

하지만 빈우의 귀에는 들리지 않는다.

"컨커러에 방어막 있잖아. 모니카, 이거 발사 시에 방어막 작동하도록 해."

"네, 팀장님. 사격 관제 프로그램 손볼게요. 아아, 머릿속이 영감으로 가득해. 지금 바로 개조할 테니까 잠시만 기다리세요."

황홀한 표정의 모니카가 헥헥대며 사라지자 파트리샤는 불안해졌다.

"정말 하실 거예요?"

"새로 만드는 것도 아니고 기존에 있던 거 개량하는데 뭐가 문제냐."

팀장이 하겠다는데 누가 말리랴. 그래서 파트리샤는 말릴 수 있는 사람에게 연락했다. 파트리샤의 보고를 묵묵히 듣던 부팀장 아룹이 낮은 목소리로 대답했다.

"X나 멋지군."

이 사람도 틀렸다 싶은 파트리샤가 부랴부랴 다른 사람을 찾았다. 뱅가드 연대에서 중화기를 맡았던 위르겐이다.

"함포를요? 장갑보병이? 푸하하하, 어떤 또라이가 그걸 만들어요."

듣자마자 한참을 자지러지던 위르겐이 간신히 웃음을 그치며 말했다.

"제 것도 만들어주세요."

냅다 화면을 꺼버린 파트리샤는 실제로 입자가속포를 쓰는 사람을 호출했다. 우지는 파트리샤의 말을 잠자코 듣더니 고개를 갸웃한다.

"그러니까 누님이 말하는 게 이거잖아요?"

우지는 정확히 부포로 쓰이는 입자가속포의 자료를 띄워 보였다. 자신도 여러 번 써봐서 잘 아는 무기다.

"그래, 그걸 장갑보병이 쓴단다. 말이 되니?"

지친 파트리샤가 지푸라기 잡듯이 우지를 닦달한다.

"어, 그거 규정상 문제는 딱히 없지 않습니까? 혹시 무슨 조약이나 그런 거에 걸려요?"

어딜 내놔도 부끄럽지 않은 미친년이라고 자부했던 파트리샤였지만 지금은 조금 달랐다.

"뭐 발사 시에 재수 없게 미립자 충돌 일어나면 장갑보병 따윈 반 토막 나겠지만, 팀장님이 어련히 알아서 하실 텐데요. 그냥 구경만 하죠."

여기까지 오면 다른 사람이 다 정상이고 파트리샤 자신만 비정상인 것 같다. 그녀는 다시 빈우를 붙잡고 늘어졌다.

"아 진짜. 아무리 동력이 확보되어도 그렇지 함포를 쏘는 게 말이 돼요? 커패시터 X나게 처바르면 뭐해. 한두 발 쏘고 동력 고자 돼서 빌빌댈 건데."

파트리샤 말대로 컨커러는 입자가속포를 쏠 수는 있다. 쏠 수는. 그러나 이것을 실제 주 무기로 사용하지는 못한다. 사용할 만한 동력을 뽑아내도 그 것을 원활하게 공급할 정도는 안 되는 것이다. 그녀의 지적대로 한 발 쏘고 다음 발 쏘려면 한세월 기다려야 할 지경이다. 이래서야 장갑보병의 의미가 없다. 하지만 빈우는 태연했다.

"그래서 스핑크스 쓰잖아."

이번에는 빈우가 홀로그램으로 컨커러의 사용예시를 만들어서 보여준다.

"봐라, 스핑크스는 공방이 다 되는 가변형 병기야. 하지만 너도 잘 아는 단점이 있어서 주력으로 쓰기는 무리지. 그리고 입자가속포는 막강한 화력이 있지만, 네 말대로 사격 간의 딜레이가 너무 커."

홀로그램 속의 컨커러가 등에는 입자가속포를, 손에는 스핑크스 하나를 들고 서 있다.

"예전의 컨커러와 스핑크스였다면 연속사격은 불가능했을 거야. 그러나 지금 이렇게 동력이 올라가고 에너지 효율이 나아진 스핑크스라면 이 정도는 가능해."

파트리샤의 눈앞에 컨커러가 여기저기로 플라스마 포를 쏘는 장면이 보인다. 인간 형태의 플랫폼에서 전차포 위력의 포가 발사되는 것은 참으로 매력적이다. 마치 샤다이처럼.

"그러면서 입자가속포용 에너지를 충전하는 거야. 그리고 발사할 때는ㅡ."

영상 속의 컨커러가 충전이 다 된 입자가속포를 발사할 준비를 한다. 분리된 포신을 연결해 어깨에 견착하고 스핑크스를 방패 모드로 바꾼다. 그리고 발사.

"혹시 있을지 모르는 포구 충돌도 스핑크스라면 막을 수 있다. 이렇게 하면 스핑크스의 단점이 사라지지. 이도 저도 안 되는 결함병기이긴 하지만 입자가속포란 주력 무장이 있으면 그 빈틈만 메꿔주는 보조 무장으로서는 충분히 훌륭해."

"……그럴싸한데?"

설명을 듣다 보니 파트리샤도 솔깃해진다. 컨커러에 입자가속포와 스핑크스를 하나씩 본다면 장단점이 너무나 명확하다. 심지어 단점이 장점을 월등히 뛰어넘는다. 전함의 부포는 위력이 걸출하긴 하지만 사격 간의 지연시간이 너무 크고, 스핑크스는 이것저것 다 하려다 보니 어느 것 하나 제대로 하지 못한다. 하지만 이 둘을 합치니 시너지 효과가 상당하다. 각자의 장점으로 상대의 단점을 보완하는 것이다. 부 무장이 이것저것 다 해서 제대로 된 게 없다 해도 주 무장이 이렇게 뛰어나다면 화력 면에서는 문제 될 게 없다. 그리고 주 무장의 빈틈은 공방이 다재다능한 부 무장이 채운다.

"그런데 이런 것은 탁상공론이잖아요. 실제로 사용……."

거기까지 말한 파트리샤는 입을 다물었다. 얼마 안 있으면 눈앞의 팀장이 실제로 입자가속포를 들고 튀어나갈 게 뻔하기 때문이다.

"잠시만요, 그럼 다른 팀원들은 이런 사실을 알고 오케이한 겁니까?"

"그럴 리가. 그냥 멋져 보이니까 그랬겠지."

파트리샤가 아랫입술을 질겅질겅 깨물 때 빈우가 그녀를 돌아보았다.

"근데 너 예전에 무슨 일 있었냐? 입자가속포 얘기가 나오니까 애가 얼굴이 바뀌네."

"푸하, 그거요."

한숨을 쉰 그녀는 잠시 우물쭈물하더니 다시 말을 꺼냈다.

"예전에 입자가속포를 써본 적이 있어요. 스쿽테르에서요."

"궤도 상에서?"

"아뇨, 지상에서요. 궤도 상의 정찰기가 추락하는 바람에 가까이 있던 우리가 구출하러 갔었죠. 지상에서 작전 중이었거든요."

빈우도 들은 적이 있다. 스쿽테르는 군사동맹인 인류 연방에게 반란군 진압에 도움을 달라고 요청했었고, 연방은 당연히 응했었다. 그리고 먼저 실리콘 나이트를 선발대로 보내 정보를 수집했었다.

"근데 우리가 사태를 수습하고 있는데 냄새를 맡은 반란군이 들이닥치더라고요."

당시 실리콘 나이트는 잠입작전 중이어서 중화기가 없었다. 그리고 암석 종족인 스퀵테르는 부드러운 위은쏠납학과는 비교가 안 될 정도로 터프한 놈들이다. 하나하나가 생체 전차라 불릴 정도의 방어력을 갖추고 있다.

"그래서 쓸 만한 무기를 찾다 보니 상륙정의 입자가속포가 손에 잡히던데요. 동력은 살아 있으니 우리가 직접 조준해서 쏘기로 했죠."

어지간하면 대기권 안에서 입자 병기는 안 쓰는 게 좋다. 왜냐하면 입자가속포는 작은 미립자를 아광속으로 가속시켜 쏘는 무기라, 탄에 해당하는 입자가 대기 중의 분자들과 충돌하게 되면 산란이나 회전이 일어난다. 그리고 정말 재수 없다면, 극악한 확률로 흉악한 폭발이 일어난다.

"처음엔 재미 좀 봤는데 중간쯤에서 뺑, 하더라고요."

코일건이나 레일건 같은 자기 가속 병기의 경우는 대기의 영향을 받지만 질량이 워낙 커서 그냥 날아가고, 레이저 같은 광학병기 또한 산란이나 굴절 등의 방해를 받지만 심각하진 않다. 하지만 입자 병기는 재수 없으면 입자 충돌의 영향을 발사자가 고스란히 겪어야 한다는 문제가 있다. 그래서 이런 무기들은 대부분 대기권 바깥에서 쓰거나 발사자가 대비를 하고 사용하는 게 일반적이다.

"흑흑, 불쌍한 우리 파트리샤. 그때부터 졸아서 입자가속포라면 학을 떼는구나."

빈우가 가짜 울음을 터트리며 파트리샤를 껴안으려 다가오자 그녀는 질겁을 하며 빈우를 밀어냈다.

"아니, 위로하려면 저 말고 모니카나 좀 신경 써주세요."

"응? 모니카한테 무슨 일 있냐?"

"쟤 저번에 팀장님 쏜 다음부터 코일건이라면 아예 질색하던데요."

그러고 보니 저번에 부머의 성능시험을 했던 날이 기억난다. 파트리샤가 쏜 탄환을 모니카가 부머의 역장으로 막을 수 있는지를 보는 테스트였다. 하

289

지만 그날의 일은 전투 훈련은 처음이었던 모니카에겐 너무나도 충격적인 경험이었다. 물론 빈우는 훈련이 끝난 다음 모니카와 상담을 했었고, 별다른 이상 징후도 없었기에 곧 있으면 극복해낼 충격 정도로 보았다.

"아, 그날 일 말이군."

떠올려보면 전조는 또 있었다. 모니카는 위르겐과 코일건 조립 훈련을 할 때 오발 사고를 낸 적이 있다. 명색이 과학기술국의 기술 장교인데도 말이다. 하지만 정기적으로 있는 두뇌칩의 정신감정에도 이상은 없어서 빈우는 크게 신경 쓰지는 않았었다.

"이건 내 실수다. 알려줘서 고마워 파트리샤. 모니카와 이야기 한번 해봐야겠어."

"고마워요, 팀장님. 저도 나름대로 상담을 해주긴 했는데 팀장님이 나서면 다르죠."

그때 조정실에서 모니카가 불쑥 튀어나왔다.

"자 팀장님. 어서 컨커러 입으세요. 이거 바로 달아봐요."

마치 첫사랑을 앞에 둔 소녀의 홍조 띤 얼굴이다. 빈우와 파트리샤는 그런 모니카를 무덤덤하게 바라봤다.

"상담, 지금 할까?"

"왜요? 사고 날까봐서요?"

"응, 좀 졸았어."

136

• • • ✦ • • •

현재 태스크포스 373이 해야 할 일은 두 가지다. 하나는 연방 내 살인사건의 범인 추적. 다른 하나는 42전단으로 합류하는 것. 일단 42전단에 합류하면 시간을 내기 힘들기 때문에 빈우는 그전에 최대한 수사를 진행해놓으려고 했다. 하지만 빈우에겐 그것 말고도 할 일이 꽤 많았다.

"맥주라……."

저녁 시간, 블랙 랜스의 식당에서 빈우는 자신의 앞에 놓인 맥주잔을 보며 고개를 갸웃했다.

"아를르캥."

그의 부름에 맥주를 따르던 안드로이드가 공손하게 고개를 숙인다.

"죄송합니다. 이건 제가 직접 만든 게 아니라 생성기로 만든 겁니다. 시간이 되면 팀장님 고향의 보리로 맥주를 빚어보려고 했습니다만."

"아니 그거야 보면 아는데, 메뉴 말이다. 이것도 네 주인의 것이겠지?"

오늘 저녁 메뉴는 맥주와 닭튀김, 감자튀김 등이 차려진 풀코스다. 식사라기보다는 마치 술안주 같다. 팀원들이야 좋아서 낄낄대지만, 메뉴에 의미를 두는 빈우에겐 조금 곤란했다.

"네, 라캉 중령님께서 마련해놓으신 겁니다."

빈우는 아를르캥에게 되도록 라캉 중령의 레시피를 재현하라고 했었다. 워프 비스트와 관련된 자료를 조금이라도 더 빨리 찾기 위해.

'내가 맥주에 관해서 라캉 중령에게 말한 적이 있을 텐데.'

빈우의 고향은 보리를 전문으로 생산하는 농업 행성이고, 그의 어머니는 맥주 공장을 만들다가 사고로 죽었다. 그래서 빈우는 맥주는 그다지 좋아하지 않는 편이다. 있으면 마시지만, 굳이 찾아서 마실 정도는 아니다. 피에르 라캉은 요리라든가 에티켓에 일가견이 있어, 대접하는 사람에 따라 메뉴에 세세한 신경을 쓴다. 때문에 상대방이 꺼리는 음식을 내놓거나 할 사람은 아닐뿐더러, 자신의 허수아비에게도 이런 주의사항을 단단히 일러둘 게 분명한 성정이었다.

'설마 라캉 중령은 내 트리니티 패턴에 대해서 조사를 했나? 그리고 강제로 풀기 위해 스트레스를 주는 것인가?'

생각의 가지가 끊임없이 뻗어나간다. 오죽하면 피에르 라캉 중령이 숨긴 워프 비스트에 관한 정보가 실은 자신의 머릿속에 있고, 그것을 풀 방법으로 메뉴로 스트레스를 주는 건가하는 생각까지 드는 것이다.

문득 저쪽을 보니 아나스타샤가 이쪽의 눈치를 보고 있다. 아마 맥주가 나온 것 때문에 그러겠지. 빈우는 그녀를 안심시키기 위해 싱긋 웃으며 맥주잔을 들어 보인다. 그러자 아나스타샤도 마주 웃어주곤 다른 사람들에게로 갔다. 시선을 다시 맥주잔으로 돌리니 불현듯 떠오르는 말이 있다.

'양심하고 타협하지 마.'

피에르 라캉 중령이 자신의 허수아비인 아를르캉에게 남긴 유언이다. 당시 빈우는 그 말이 무슨 뜻인지 몰랐다. 기억하지도 못했고, 기록에도 없었으니까. 그리고 기록에서 잠겼다면 아마 군사정보국에 들어간 다음에 라캉 중령에게 한 말일 것이다. 또한 높은 확률로 울토르 프로젝트가 관련되어 있을 수 있다. 하지만 지금은 그것 말고도 기억이 나는 게 또 있다. 군사정보국에 들어가기 전, 위은쏼납학에서 작전을 할 때다. 능구렁이 이노우에 국장이 닉스 레벨 요원들의 심사를 하면서 양심 팔이를 했을 때였다. 그때 빈우는 이노우에 국장을 밀어붙이며 그 말을 했었다. 그 당시 작전의 본질을 깨달았기 때문이다.

　보육원으로 들어간 팀원들의 목적은 단순한 후방교란이 아니었다. 그들을 격노시킴으로써, 항복이란 선택권을 빼앗고 전투의 종식을 막는 것이었다. 그때 빈우는 철저하게 임무를 완수하려 했다. 그것은 다른 팀원들도 마찬가지였다. 그들은 인류와 전쟁 중인 위은쏠납학에 맞서 훌륭하게 싸웠다. 하지만 위은쏠납학으로부터 항복을 빼앗기 위해 해야 할 행위들이 조금 문제였다. 아무리 적대종족이라고 해도 죄가 없는 위은쏠납학의 유생들에게 지구제국의 종족 말살 병기인 쉬바를 주사해야 하자, 사태는 다르게 흘러갔다. 자신들의 작전이 적과의 전투에서 생명의 학살로 넘어가자, 팀원들은 그때까지 교육받았고 같이 커왔던 양심에게 손가락이 붙잡히는 기분을 느꼈다. 그리고 감독관으로 침투해 있던 이노우에 고토는 팀원들의 이런 부분을 교묘하게 부추겼다.

　- 이건 옳지 않아. 잘못된 거라고. 해선 안 되는 짓이야.

　당시 고토는 선뜻 나서지 못하는 팀원들 앞에서 생명의 가치에 고뇌하는 양심가를 연기했고, 실제로 많은 팀원들이 동요했었다. 물론 군인들도 명령을 거부할 수 있다. 해당 명령이 불법적이고 연방에 명확히 해가 된다는 판단이 내려지면 항명을 해야 한다. 하지만 위은쏠납학의 유생에게 쉬바를 주사하는 것은 그 어디에도 해당이 안 되었다. 오직 자신의 양심만이 뒤에서 불편한 시선을 보낼 뿐이다.

　- 같은 군인끼리 싸우면 되잖아. 민간인을, 어린아이들까지 죽일 필요는 없다고! 그것도 이런 식으로!

　고토의 그 말이 결정타였다. 지금까지 자신과 같은 방향을 향해 봤었던 가치가 현재의 의무와 다른 길에 섰을 때, 대다수의 팀원들은 거부감을 느꼈다. 하지만 빈우는 아랑곳하지 않고 잔혹하고 철저하게 명령을 수행했다. 분위기를 조성하는 이노우에를 밀치며 앞장섰다. 그리고 자신의 의무와 명령에 충실히 따랐다.

- 양심하고 타협하지 마.

빈우는 그렇게 고토를 윽박지르고 무차별적인 살육을 행했다. 유생을 무기로 삼고, 알을 방패로 삼아 싸웠다. 물론 자신의 적이 인간이었다면 설령 명령이라 해도 빈우는 절대 그러지 않았을 것이다. 같은 생명이라도 거리낌 없이 학살할 수 있었던 건 외계종족이기 때문이었다. 인간과 외계 종 사이에 선을 그어놓은 빈우는 선 너머로는 양심을 가져오지 않았고, 그 덕에 거리낌 없이 살생을 할 수 있었다. 빈우는 인간이 아닌 것을 죽이는 데에 일체의 죄의식을 느끼지 않았다.

'인간이라…….'

그러고 보면 클론들은 마카로니에서 인간을, 개척민들을 몰살했다. 이유는 그들의 기준으로 개척민들이 인간이 아니었기 때문이다.

'쓸데없는 생각을.'

그런 생각을 하는 빈우의 앞에 여러 양념을 해 다종다양한 닭튀김들이 푸짐하게 쌓인다. 둠 치킨의 맹공에 반격하기 위해 피자 타이거와 스파게티 드래곤에서 손님 끌기용 사이드 메뉴를 개발할 때, 양사에서 파견된 김빈우 과장과 피에르 라캉 부장이 개발하고 시식했던 요리들이다. 라캉 부장은 요리에 일가견이 있어서, 김 과장은 전투 강화를 해서 칼로리 소비가 많다는 이유로 둘은 팀이 되었다.

그런데 접시를 내려놓은 아나스타샤의 눈에서 약간 걱정스러운 기운이 보인다. 빈우는 자기가 표정 관리를 잘했다고 생각했는데, 어렸을 때부터 키워온 아나스타샤에게까진 숨길 수 없었던 것 같다.

"으아, 또 이거야. 또 먹어야 해? 입에서 닭똥 냄새날 때까지?"

빈우는 두 눈을 질끈 감고 투덜거렸다. 마치 과거의 악몽에 고통받는 것처럼. 그러자 아나스타샤는 빈우의 표정이 이것 때문에 그런 것이라 생각하고 넘어갔다.

"입에 안 맞으시는 거라도 있습니까?"

음식을 준비하던 아를르캉이 빈우의 낮은 푸념에 놀라서 돌아본다.

"그건 아니고, 예전에 질리도록 먹은 거라서 그래. 그때도 일이라고 생각하며 먹었거든."

힘없는 눈을 한 채 닭다리를 잡고 뜯는 빈우였지만 머릿속은 맹렬하게 회전 중이었다.

'그렇다면 아를르캉은, 아니 피에르 라캉 중령은 왜 내게 그런 말을 전했을까. 내가 라캉 중령에게 그 말을 했다면, 아마도 위은쏠납학과 비슷한 이유였을 것이다. 스스로의 도덕적 가치와 명령 사이에서 갈등할 때, 그는 망설였고 나는 그 말을 하며 밀어붙였다. 그리고 갈등을 하게 된 일은 높은 확률로 울토르 프로젝트.'

울토르 프로젝트 자체가 상당히 비인도적이며 불법적인 프로젝트다. 자아가 있는 전신 클론을 만들어 군용병기로 사용한다는 발상은 연방을 발칵 뒤집어놓기에 충분하다.

'그리고 라캉 중령은 죽은 다음 나에게 그 말을 돌려주었다. 워프 비스트의 정보를 찾는 게 그날의 일과 관계가 있을까? 그게 아니라면 내가 정보를 찾으려 할 때, 나 또한 그런 갈림길에서 선택을 강요받는다는 의미일까? 군사정보국에서 어지간한 기록은 풀었지만, 이것만큼은 잠겨 있으니 알 도리가 없군.'

맥주를 한 모금 마신 빈우는 아앤아의 말을 떠올렸다. 위은쏠납학과 연관된 일 중 가장 최근에 관련된 생각이다.

- 너희들의 그 삼진아웃제는 무엇을 의미할까? 전쟁을 막기 위한 구실? 아니 그보다는 종전을 막기 위한 구실이 아닐까? 연방은 이미 세 번이나 기회를 주었음에도 저놈들은 그것을 거부하고 쳐들어온다. 저 호전적인 종족을 내버려둬선 우리 인류가 위험하다. 이렇게 받아들이지 않나? 그리고 일단 전쟁을 일으킨 너희들은 결코 멈추지 않지. 무슨 수를 써서라도.

위은쏠납학과 라출노그는 상황이 다르다. 위은쏠납학은 결사 항전을 하다가—연방에 의해 강요받다가—전쟁에서 패배해 멸종을 향해 달려가고 있고, 후자는 종족 간의 내분 덕에 전쟁을 멈추고 동맹으로 남을 수 있었다. 그러나 라츨노그와의 전쟁은 처음부터 연방이 의도한 것이었고, 그 이후로도 공작은 계속되고 있다.

'삼진아웃제의 의미. 연방이 세 번이나 참으면서 교섭을 시도하는 이유. 외계종족의 공격을 보여주어 연방의 시민들에게 전쟁 의지를 고취시키는 것……이라.'

연방의 군인인 빈우가 보기에 상층부의 뜨뜻미지근한 대처는 오히려 무력 충돌을 야기하는 것처럼 보였다. 그래서 자신이 속한 군사정보국이 조금만 손을 더럽힌다면 전쟁을 멈출 수 있을 것이라 생각해 안타까워했었다. 그러나 연방에서 유학을 하고, 라츨노그에서 장성까지 한 아앤아의 시선은 달랐다. 그는 연방의 미온적인 대처가 외계종족의 침략 행위를 유도하고, 그것을 세 번이나 반복해 연방 내부의 여론을 원하는 방향으로 이끈다고 생각했다. '저들은 세 번이나 기회를 거부한 자들이다. 더 이상의 자비와 평화는 없다'라는 식으로.

'무엇이 정답일까.'

빈우는 맥주를 마셔 입안의 닭고기를 삼켰다. 고작해야 영관급 장교에 불과한 그로서는 군의 장기적 전략방침에 관해 잘 파악하고 있을 순 있어도, 연방 전체의 독트린에 대해선 제한적인 시야를 가질 수밖에 없다. 시선을 옆으로 돌리니 히토미가 여러 종류의 닭튀김을 재밌게 맛보고 있다. 오히려 그녀라면 알고 있을 것이다. 상원의원인 오다 히토미라면 연방이 나아갈 길에 대해, 그리고 외계종족을 대하는 방향성에 대해 빈우보다 더 잘 알고 있을 것은 당연하다.

"일단 접어둘까."

당장은 필요 없는 일이라 빈우는 혼잣말과 함께 양념치킨을 들었다. 고추장 비율로 라캉 중령과 옥신각신했던 최종 버전이다.

"팀장님. 통신입니다."

그때 옆에서 오르 함장이 말한다. 재생되는 신경 신호로 맥주의 맛을 음미하던 그가 블랙 랜스로 들어온 기밀통신을 받아 빈우에게 전달한다. 통신 내용을 살펴본 빈우는 양념치킨을 내려놓고 맥주를 한 모금 마셨다. 태스크포스 373에게 42전단으로 합류하라는 명령이 내려졌다.

그런데 위치가 애매하다. 빈우가 다음 목적지로 생각한 자치 행성 뉴 소노라가 중간 합류 지점이다. 여기서 태스크포스 373은 일단의 함대들과 합류한 다음 다시 이동하게 된다.

뉴 소노라. 빈우가 다음으로 조사해야 할 도시인 글림이 있는 행성이다.

137

· · · ✦ · · ·

"모두 먹으면서 들어."

맥주잔을 드는 빈우의 말에 팀원들의 시선이 그에게로 모인다. 그러나 달리 신경 쓰는 눈치는 아니다. 그저 팀장의 말에 보는 것뿐이다.

"태스크포스 373의 다음 목적지가 정해졌다. 42전단으로 합류하란 명령이다."

닭고기를 씹던 팀원들의 눈빛이 조금 날카로워진다.

"목적지는 뉴 소노라다. 이곳 마카로니에서 점프 한 번이면 바로 닿는 곳이지."

이어진 말에 히토미가 멈칫하더니 조용히 빈우를 바라보았다. 자신을 바라보는 시선을 느낀 빈우는 그녀 쪽으로 고개를 돌렸다.

"의원님, 하실 말씀이라도 있습니까?"

"네. 뉴 소노라라면 팀장님의 다음 수사지역인 글림이 있는 곳이잖아요."

그제야 팀원들도 뭔가 수상한 점을 눈치챘다.

"맞습니다. 42전단의 중간 합류 지점에 제가 수사해야 할 도시가 있습니다."

"저기요, 팀장님."

파트리샤가 먹던 닭다리를 들곤 질문한다.

"팀장님이 다음 수사해야 할 곳이 중간 합류 지점과 겹친다면 시간 절약이라고 좋아해야 하나요. 아니면 뭔가 다른 꿍꿍이가 있는 것 같다고 의심해야 하나요?"

그녀 역시 실리콘 나이트에서 이런저런 작전을 해왔기에 여러 가지 냄새를 잘 맡는다.

"나도 되도록 좋게 생각하고 싶다. 일단 뉴 소노라 게이트는 수많은 게이트들과 연결된 허브 게이트다. 그래서 이쪽 방면에서 모이는 42전단 대원들의 중간 합류 지점으로 안성맞춤이지. 같은 이유로 범인이 이곳을 사용했을 가능성도 있어. 뉴 소노라 게이트만 거치면 어지간한 곳은 직통으로 갈 수 있으니까 말이다."

그러면서 빈우는 피클 하나를 들어 입에 털어넣었다.

"하지만 다른 관점도 있지. 뉴 소노라에 있는 녹색 연맹이 목적일 수도 있다는 점."

뉴 소노라는 연방의 공식 명칭이다. 그러나 그곳의 도시 연합체들은 자신들의 연합체 이름인 녹색 연맹으로 불리길 더 좋아한다. 녹색 연맹이란 이름 자체가 인류 연방보다 역사가 길다는 이유 하나로. 인류 연방은 지구제국의 붕괴 이후 인류들의 거주지를 모아서 결성한 정부다. 당연히 기존의 행성 정부 중에는 연방의 통치를 달가워하지 않는 정부도 많다. 그래서 연방은 이런 곳을 자치정부로 두어 관할권 가장자리에 아슬아슬하게 놓고 있다.

연방은 자치정부들이 세금 잘 내고 하지 말란 것만 하지 않으면 달리 터치를 안 하고 점프 게이트도 사용하게 해준다. 연방이 금지하고 있는 것은 외계 종족과의 접촉, 그리고 점프 게이트의 단독 사용, 연방으로부터의 분리독립 등이다. 이런 가이드라인만 준수한다면 자치정부가 행성 안에서 무엇을 하든지 연방은 일체의 관여를 하지 않는다. 다만 이를 어긴다면 그때는 철권제재가 들어간다. 자치정부들로선 영 탐탁지 않은 일이겠지만 점프 게이트는 연방이 독점하고 있고, 과학력, 생산력, 군사력 어느 것 하나 자치정부 측이 앞서는 게 없으니 울며 겨자 먹기로 따를 뿐이다.

"녹색 연맹은 마카로니 독립의 배후세력이기도 하지요."

히토미는 그 말을 하면서도 떨떠름한 표정이다. 그녀의 말대로 녹색 연맹이 개척 행성 마카로니에 침투해 사보타지를 한 건 사실이다. 그러나 이를 알고서도 막지 않고 오히려 부추긴 곳은 연방의 정보조직들이다. 그들로서는 샤다이와의 연관점도 있고 하니 일을 키워 녹색 연맹을 쳐내려 한 것이겠지만 일이 너무나도 커져버렸다.

"네, 그래서 일부러 이곳을 중간 합류 지점으로 삼았을 수도 있습니다."

팀원들은 빈우의 말이 의미하는 게 뭔지 바로 알아차렸다. 바로 무력 시위다. 반 연방 세력이 다수파를 차지한 녹색 연맹의 행성 뉴 소노라. 그곳에 42전단으로 합류하는 함선과 전투기들이 모이며 그 존재만으로 녹색 연맹을 압박하는 것이다.

"게다가 42전단은 샤다이 공격 함대입니다. 마카로니에 샤다이가 있었던 만큼 녹색 연맹을 의심스럽게 볼 수도, 아니 그렇게 보려고 노력할 수도 있습니다."

"잠시만요, 팀장님 말씀은 설마."

걱정이 묻어나는 히토미의 말에 빈우는 덤덤하게 대답한다.

"네. 어쩌면 조금 더 강도 높은 무력 시위가 있을지도 모르겠습니다."

치킨과 맥주로 들떴던 분위기가 조금 가라앉는다. 여기 있는 사람들은 대부분 연방의 군인이다. 반 연방 자치정부들에 대해 고깝게 보는 이도 있고, 아예 무시하는 이도 있다. 하지만 이들은 군인이고, 저들은 민간인이다. 무슨 일이 일어나면 무슨 수를 써서라도 지켜야 할 존재인 것이다. 그런데 무력 시위, 즉 민간인을 협박하라는 명령이 내려올지도 모른다고 하니 기분이 좋을 리 없다. 게다가 태스크포스 373은 장갑보병 위주의 팀이다. 지상 작전이 있으면 반드시라고 해도 좋을 만큼 불려나가게 된다. 외계종족이라면 거리낌 없이 떼몰살시키지만, 인간 민간인 상대로는 영 꺼림칙하다.

"표정들 왜 그래? 강도 높은 무력 시위라고 해도 우리가 나설 일은 없다.

끽해야 전함들로 대기권 순찰시키면서 충격파로 지상에 위압을 주거나 하는 정도겠지. 게다가 우리 같은 비밀작전팀을 모습을 드러내는 지상 임무에 투입하는 건, 그야말로 닭 잡는 칼로 소 잡는 거야."

빈우의 그 말에 팀원들은 조금 안심했다.

"자, 이제 우린 다른 부대들보다 먼저 가서 미리 지상에 강하해 수사한다."

그리고 이어진 말에 다시 불안해졌다. 파트리샤가 재빨리 질문한다.

"잠시만요, 팀장님. 무력 시위가 있을지도 모른다고 하셨잖아요."

"그래, 모른다고 했지. 아직 정식 명령이 내려온 것은 없어. 하지만 무슨 일이 어떻게 벌어질지 모르는 상황이니 그 전에 빨리 우리 할 일 먼저 하자는 거 아니냐."

빈우는 팀원들의 걱정에도 아랑곳 않고 그저 닭다리를 뜯을 뿐이다. 그의 태연한 모습에 주변 사람들은 다시 저녁 식사의 느긋함을 되찾을 수 있었다. 빈우는 닭고기와 맥주를 번갈아 먹으며 오르 함장에게 말했다.

"함장님, 뉴 소노라로 서둘러 갑시다."

느긋함은 개뿔.

*

뉴 소노라는 오래전 개척 완료가 된 행성이다. 또한 기술력도 상당해서 스콜피온 같은 전차 비슷한 장비를 만들어 자치정부들에 팔고 있을 정도다. 행성 궤도의 블랙 랜스에서 내려다보는 뉴 소노라는 평화로워 보였다.

"글림은 딱히 반 연방파가 아니었군요."

히토미가 뉴 소노라의 자료를 보면서 말했다.

"네, 뉴 소노라의 개척은 지구제국 말기에 시행되었습니다. 그러나 개척사업은 각기 다른 회사들에 의해 행성의 여러 지역에서 독립적으로 진행되었다는군요. 그래서 개척이 어느 정도 진행된 다음에는 각 도시들끼리 꽤 마찰이 있었답니다.”

빈우가 뉴 소노라의 역사에 따른 개척상황도를 보여줬다. 점이 면이 되고 면이 마주치는 선이 시시각각 급변한다. 교섭과 거래에 의한 변화도 있겠지만, 무력과 강제에 의한 변화가 더 많다.

“그러다가 지구제국이 와해되고 인류 연방이 탄생한 다음, 연방은 이들과 접촉했습니다. 우주에 흩어진 인류들을 규합하는 과정에서죠. 그러나 자신들을 얽매던 기업이 사라지고 제국마저 없어졌다는 말에 녹색 연맹은 저울질을 했습니다.”

빈우가 자신의 양손을 들고 저울질하는 시늉을 한다.

“자신들보다 뒤에 생긴 연방의 아래로 들어갈 것인가, 아니면 스스로 독립하여 인류의 종주가 될 것인가.”

팀장의 간략한 설명에 팀원들의 입가엔 씁쓸한 미소가 감돌았다. 과거 그들 선조의 마음이 이해가 안 되는 것은 아니다. 누구나 꼬리보단 머리가 되고 싶어 하니까.

“그렇게 녹색 연맹이란 도시 연합체가 탄생했습니다. 어제까지 아웅다웅하던 적들은 하나의 세력으로 뭉쳐 인류를 선도하겠다는 몽상을 꾸었겠죠. 하지만 복권은 꽝이었고, 쌍방 간의 기술격차를 파악하지 못한 채 블러핑으로 일관했던 외교는 망했습니다. 그리고 그다음이 문제입니다.”

빈우가 보여주는 것은 녹색 연맹에서 주로 쓰이는 교과서다. 그는 한 부분을 뽑아내 보여주었다.

“어랍쇼? 연방의 강제와 억압에 의해 녹색 연맹은 우주로 진출할 기회를 잃었다고오?”

그 항목을 읽은 위르겐이 고개를 갸웃한다. 위르겐이 콧방귀를 뀌는 대목은 녹색 연맹 측의 역사 왜곡 부분이다. 이들의 역사 교과서엔 녹색 연맹이 연방의 억압 때문에 개발이 제한되고 발전이 지체되었다고 적혀 있었다.

“그래. 당시 뉴 소노라는 자신과 연방 간의 국력 차이를 잘 알지도 못한 채

몸값만 비싸게 굴었다. 그러다가 협상은 파토 났고, 연방과는 게이트의 소유권을 놓고 수차례 분쟁을 벌였다. 결과는 지금 눈앞에 있는 대로. 소꼬리를 버리고 닭대가리를 원했던 놈들은 결국 대가리가 되기는 했다. 다만 꼬리 밑에서 놀고 있지."

"아니, 이런 건 수정하라고 요청해야 하지 않습니까?"

위르겐의 말에 빈우는 그저 어깨를 으쓱할 뿐이다.

"자치정부잖아. 우리가 무슨 권리로? 지네들 맘대로 하라 그래."

하긴 자치정부 사람들이 연방과 접촉하게 되면 간혹 이런 문화 충격을 겪는다고 한다. 자신이 지금까지 알고 있었던 사실이 연방 쪽의 진실과는 다를 때 오는 충격.

"그런데 팀장님. 녹색 연맹에 반 연방파가 득세한다면 연방이 무슨 조치를 취해야 되는 건 아닙니까? 아니, 무력 조치 말고요."

우지가 질문한다. 녀석이 살았던 자치 행성 쉥휘는 친 연방 세력이어서 반 연방 세력을 그다지 좋게 보지 않고 있었다.

"그게 애매해. 녹색 연맹의 도시들은 친 연방, 반 연방, 중립 등의 여러 세력이 얽혀 있다. 처음엔 대부분 반 연방으로 시작했지만 시간이 흐르고 현실을 파악하면서, 또 자기네들끼리의 경쟁으로 인해 세력도는 많이 바뀌었어."

아까 빈우가 보여줬던 영상에서 도시 간의 지도가 자주 바뀐 걸 보면, 그간의 세력 변화가 극심했음을 알 수 있었다.

"문제는 이 도시들이 서로 아웅다웅하면서도 행성 내의 공동체란 인식 또한 강하단 점이야. 때문에 외부 세력인 우리 연방이 섣불리 간섭하다가는 역으로 반 연방 세력이 이를 기회로 삼아 득세할 수도 있어."

아쉬운 듯 입맛을 다시는 우지를 보며 빈우는 피식 웃었다.

"그래서 이럴 때는 돌아서 공격해야 해. 글림은 애초에 연방에 중립적인 곳이었다. 그러나 공업 위주의 도시였던 탓에 반대파에서 식량 공격을 해오자 항복할 수밖에 없었지. 지금은 완전히 반 연방파로 돌아섰다고 하지만…… 글쎄, 연방이 몰래 식량이나 생산 시설들을 지원해준다면 이야기가 조금 달라지겠지."

거기까지 말한 빈우는 히토미 쪽을 본다.

"물론 여기서부터는 의원님의 영역이겠지만 말입니다."

확실히 이런 뒷공작은 군인의 영역이 아니다. 정치가나 연방 행정부서, 혹은 연방 중앙정보국 쪽이 할 일이다.

"그렇지요. 원래는 자치정부의 행동에 대해 크게 관여하지 않지만, 개척 행성의 독립을 뒤에서 조작하고, 샤다이와의 의혹이 있다고 한다면 이야기가 다르지요."

이번에는 히토미가 빈우에게 물었다.

"그러면 김 팀장님, 앞으로 어떻게 행동하실 건가요?"

"조용히 들어가서, 조용히 수사하고, 조용히 빠져나와야지요."

"그렇죠. 그렇게 되면 좋겠네요."

138

• • • ✦ • • •

"그럼 지상으로 갈 수사팀을 정하죠."

그렇게 말한 빈우는 팀원들을 한번 둘러보았다.

"일단 부팀장과 파트리샤는 제외합니다."

"엑, 난 왜요."

고개를 끄덕이는 아룹과 달리 파트리샤는 발딱 일어났다.

"단검뿔 토끼와 실리콘 나이트는 허락 없이 자치 행성에 들어갈 수 없어."

"어? 그런가요?"

빈우의 핀잔 어린 대답에 파트리샤는 계면쩍어하며 다시 자리에 앉는다. 저 두 부대는 연방의 최정예이자 걸어 다니는 전략 병기이기 때문에 작전 상황이나 별도의 허가 없이는 자치 행성에 내려갈 수 없다. 공식적으로는.

"그럼 이번에도 접니까?"

위르겐은 마카로니에 이어 뉴 소노라까지 팀장을 따라갈 거라 생각하니 괜스레 기분이 좋아졌다. 마카로니에 처음 갔을 때는 별다른 감흥이 없었지만, 군사정보국에서의 고급정보들을 바로 앞에서 배우게 되자 흥미가 생긴 것이다.

"너는 말이다……."

그런데 말끝을 흐린 빈우의 표정은 좀 탐탁잖다는 표정이었다.

"제가 뭘요."

영문을 몰라 되묻는 위르겐에게 빈우가 홀로그램 영상 하나를 띄운다. 글럼의 환락가에 있는 남성과 여성의 모습이다.

"이게 우리가 가야 할 수사 지점에 있는 사람들의 일반적인 모습이다. 위르겐, 네 대처법을 한번 보여봐라."

빈우가 영상을 조작하자, 신체 곳곳에 강화 부품이 삽입된 남자가 위르겐을 향해 저벅저벅 걸어오며 눈을 부라린다. 그러자 위르겐 역시 질세라 한 걸음 다가가 눈싸움을 시작한다.

"스톱, 이 새끼야. 거기서 시비를 받아주면 어쩌자고."

팀장의 핀잔에 위르겐이 머쓱하게 머리를 긁는다. 이어서 요란한 복장을 한 여자가 가슴골을 드러내며 뱅가드 대원의 곁으로 다가간다. 그러면서 슬쩍 자신의 옷자락을 내려 가슴골을 강조한다. 그러자 위르겐의 입꼬리가 올라간다.

"좋단다."

빈우의 한숨과 함께 홀로그램이 꺼졌다.

"아니, 팀장님. 잠시만요."

"장시간 있을 거라면 그런 반응도 나쁘지 않겠지만, 이번엔 짧게 치고 빠져야 해. 있어도 없었던 것처럼, 그냥 흐리멍덩하게 말이야."

위르겐이 허둥지둥 변명을 시작하지만 빈우는 들은 척 만 척이다. 그러면서 다시 한 번 팀원들의 자료를 살펴보다가 앓는 소리와 함께 창을 닫았다.

"이번 수사는 나 혼자 간다."

빈우가 결론을 내리자 다른 팀원들이 쪼르르 달려와 붙는다. 맨 먼저 나선 건 우지였다.

"자치 행성이라면 같은 자치 행성 출신인 저는 어떻습니까?"

"우리가 갈 뉴 소노라하고 네 고향 쉥휘하고 공통점이 뭐가 있냐. 말부터 다르잖아. 그냥 롱소드 타고 상공에서 대기해."

드물게 나섰던 우지가 먼저 퇴짜를 맞고 물러서자 이번엔 모니카가 얼굴을 들이민다.

"팀장님, 저는 어때요? 스캐너 같은 조사 기기 다루는 데는 팀 내에서 제가 최고잖아요."

확실히 기술 장교인 그녀가 따라온다면 조사의 질은 더 높아질 수 있다.

"그런 건 블랙 랜스에서도 원격으로 할 수 있어."

빈우가 재차 이번엔 혼자 가겠다고 말하려는데 저기서 히토미의 엉덩이가 들썩들썩한다.

"녹색 연맹 같은 애매한 곳에 상원의원께서 가셨다간 좋은 영향이 있을 리 없죠. 그냥 여기서 구경하고 계십시오."

빈우에게 선수를 뺏긴 히토미는 뾰로통한 표정을 지을 뿐이다.

"자, 그러면 뉴 소노라에 출입 절차를 밟아야겠지."

연방은 행성에 들어가고 나갈 때 간단한 절차가 필요하다. 직할령에서는 그냥 두뇌칩의 정보를 조회하면 그만이지만, 자치 행성의 경우는 각 정부마다 제각각 다른 양식이 있어 조금 복잡하다. 그래서 아까 빈우는 미리 녹색 연맹 쪽에 해당하는 서류를 보내놨었다. 이제 허가만 떨어지면 궤도 엘리베이터를 타고 내려가면 된다.

"어, 이거 왜 이래."

그런데 문제가 있었다. 빈우가 뉴 소노라에 내려가기 위해 신청했던 서류가 반려되어 있는 것이다. 이렇게 되면 입성 허가가 안 떨어진다. 빈우는 서둘러 뭐가 문제인지 알아보려 했다. 그러나 반려 사유는 적혀 있지 않았다. 그냥 거부당한 것이다. 이럴 때는 가장 빨리 알아볼 방법이 있다.

"마커스, 지금 대화 가능하냐?"

- 지금 괜찮아. 무슨 일인데?

빈우는 자신의 친구이자 군사정보국의 차장인 마커스를 불렀다. 녀석 정도 되면 상당히 든든한 백이다. 빈우는 자신의 사정과 서류를 마커스에게 보여주었다.

"뉴 소노라에 내려가 수사하려고 입성 허가 신청서 냈는데 빠꾸 먹었다."

- 뭐? 그게 무슨 소리야. 잠시 기다려봐.

이번 수사는 군사정보국이 의뢰한 것인 만큼 공식적으로 지원해주기로 되어 있다. 물론 마커스가 주는 도움은 비공식적인 영역에서 이뤄지는 지원이었다. 마커스는 잠시 뭔가를 알아보더니 굳은 표정으로 빈우와 다시 통신했다.

- 빈우야, 골치 아프게 됐다. 녹색 연맹의 살인사건으로 연방수사국이 나섰다가 현지 경찰하고 마찰이 있었다나봐. 그래서 그 사건에 관련해서는 입성 허가를 안 한다는데.

"자세히 얘기해봐."

회선 너머 마커스의 표정으로 보니 귀찮은 일이 벌어진 모양이다.

- 보안국을 통해 들은 이야기인데, 연방수사국이 글림에서의 살인사건을 수사한답시고 여기저기 들추고 다녔단다. 이게 문제가 된 거야. 현지 경찰이 보기에도 조금 수상한 사건인데, 갑자기 연방수사국이 오니까 글림 측에선 이걸 왜 연방수사국에서 하느냐, 연방에서 무슨 공작을 한 거 아니냐는 식으로 꼬투리를 잡은 거야.

일단 이번 사건의 수사는 먼저 보안국에서 비밀리에 시작했고, 연방수사국 쪽에 협조를 요청한 사건이라 외부적으로는 연방수사국의 담당 사건이다. 그런데 이 연방수사국이 폭주한 모양이다. 연방수사국은 연방 전 행성 영토에서 활동하는 수사기관으로서, 직할령은 물론이고 자치령도 담당 대상이다. 다만 자치 행성 내의 사건은 각 행성의 경찰조직이 맡고, 다른 행성 간의 일이 엮인 사건이어야만 연방수사국이 나선다. 그리고 같은 자치 행성이라 해도 친 연방 분위기가 강한 곳이라면 공조수사를 하거나 상호 간의 대우를 하지만, 이곳 녹색 연맹 같은 반 연방 파벌이 득세한 곳에서는 그리 환영받지 못한다. 서로 소 닭 보듯 대하는 것이다.

- 연방수사국도 연방수사국이다. 이번 사건으로 보안국에 시비를 거는가 하

면, 사건을 조사한답시고 현지의 반 연방 세력을 건드렸다는군. 중간에 다샤 국장이 나서서 우리 쪽까지 이야기가 오는 것은 막았는데, 현지 사정은 상당히 안 좋은 모양이다. 자식들, 일을 이렇게 벌였는데도 감추고 있었다나봐.

"야 인마, 그런 거 있으면 미리미리 알려달라고."

당장 현지 조사를 나가야 할 판에 빈우는 속이 터질 지경이다.

- 나도 방금 안 거야. 이 자식들, 사고 쳐놓고 입 싹 닫고 있더라.

입성할 길이 없다면 수사도 할 수 없다.

"어쩌죠? 그냥 몰래 내려가서 수사하고 올까요?"

파트리샤가 나름 해결책을 내놓는다. 태스크포스 373의 성격상 그리 꺼릴 일은 아니다.

"나도 그러고 싶다만……."

그러면서 빈우는 히토미 쪽을 슬쩍 보았다. 상원의원이 있는 곳에서 그런 불법적인 행위를 할 수는 없는 노릇이다.

"마커스, 나 부탁 하나 하자."

- 얼마든지.

"나하고 아나스타샤, 위장 신분 좀 만들어주라."

- 알았어. 뭐 원하는 것 있어?

"나는 일반 군인으로, 아나스타샤는 민간 메이드로."

- 잠깐 기다려봐.

그러더니 뚝딱 하고 빈우와 아나스타샤의 위장 신분증이 탄생한다. 아마 부하들을 시켜서 만들게 했겠지. 참 무서운 친구다.

- 늘 쓰던 거로 했는데 일단 훑어봐라.

"고마워. 나중에 다시 연락할게."

통신이 닫힌 화면의 한쪽에는 군사정보국에서 만든 위조 전자서류가 떠 있다. 그 신분증을 보고선 팀원들의 시선이 상원의원인 히토미에게로 향했다. 방금 벌어진 일은 엄밀히 말하면 불법이고, 오다 히토미 상원의원은 태스크포스 373의 조사역으로 온 상황이다. 당연히 눈치를 볼 수밖에. 갑자기 몰린 시선에 히토미는 허둥지둥 설명한다.

"다들 왜 그래요? 저 이 정도 융통성은 있다고요."

"이걸로 다시 해보자."

빈우는 위조 신분으로 다시 입성서류를 작성해 신청을 넣었다.

"이제 기다리기만 하면 되겠네요."

히토미가 흥미진진한 표정으로 빈우의 옆으로 다가왔는데 어찌 보면 장난기마저 보인다.

"방금 브로커 쪽으로 뒷돈 좀 넣었습니다. 빨리 서둘러달라고."

"아하."

태연하게 불법행위를 저지르는 팀장과 그것에 맞장구를 치는 상원의원을 보며 팀원들은 묘한 표정을 지었다. 기다리는 사이 아나스타샤가 커피를 내왔고, 그것을 반 정도 마셨을 때 뉴 소노라의 관리소에서 연락이 왔다.

- **이노우에 고토 씨, 지금 통화 가능하십니까?**

"네, 네. 말씀하시죠."

관리소에서 부른 빈우의 가명에 팀원들은 하마터면 마시던 커피를 뿜을 뻔했다. 분명 빈우의 친구이자 정보국 차장인 마커스가 '늘 쓰던 거'라고 했던 이름이 지나치게 낯설었던 탓이다.

- **보내주신 서류 잘 받았습니다. 이번에도 여행 목적은 관광이시라고요?**

"네, 관광이죠. 글림 하면 화끈함 아니겠습니까? 하하."

화면 너머의 직원은 작게 고개를 끄덕이면서 빈우와 서류를 조심스레 번갈아 보고 있었다. 얼마 전부터 연방수사국이 수사하고 있다는 살인사건이 조금 걸리는 것이다.

- **행선지는 글림이시고, 숙식도 전부 글림이라고 하셨는데, 따로 정해놓으신 숙박 시설은 있으십니까?**

"재미없으시긴. 글림에서 뭘 그런 것을 정한답니까? 그날그날 쌔끈한 파트너 만나면 거기 누우면 되는 거지.”

빈우의 대답에 직원은 쓴웃음을 지으면서 고개를 끄덕인다. 지금 직원의 화면에는 시시덕거리는 ‘이노우에 고토’와 그의 뒤에 무표정하게 서 있는 안드로이드 메이드만 보인다.

- 그런데 관광이 목적이신데 공업지역 출입허가는 또 뭡니까?

글림은 공업지역과 유흥가가 뒤섞인 곳이다. 유흥가 쪽은 출입에 별다른 제한은 없지만, 공업도시인 글림은 다른 도시들의 스파이 행위에 대비해 공업지역 방문에 별도의 허가가 필요했다.

“아아, 그것 말입니까?”

빈우의 능글맞은 웃음이 팀원들과 직원의 화면에 비친다.

“이거, 혹시 모르십니까?”

빈우, 가명 이노우에 고토가 턱짓으로 자신의 뒤에 선 안드로이드 메이드를 가리킨다. 그러나 직원도, 팀원들도 그게 무슨 의미인지는 모른다.

“거 알면서도 모른 척하시긴. 구멍 말이요, 구멍. 글림에 가서 내 안드로이드에게 구멍 좀 달려고 합니다. 듣자 하니 연방 직할령 것보다 여기 글림 게 훨씬 품질이 좋다던데?”

그 말에 직원의 입에는 떨떠름한 미소가 걸리고, 팀원들의 얼굴에는 경악이 떠오른다.

- 어흠, 그러셨습니까? 실례했습니다. 하긴 글림 쪽 물건이 품질이 좋단 얘기는 들었습니다. 기술력도 기술력이고, 모델들도 좋다나. 하하.

직원은 즉시 허가를 내주었다. 은연중에 연방을 낮추고 녹색 연맹 쪽의 기술력을 높게 쳐주니, 자기도 모르게 기분이 좋아져 긍정적으로 생각하게 된 것이다.

- 이제 엘리베이터를 타고 내려오시면 됩니다. 좋은 여행 되십시오, 이노우에 고토 씨.

“고맙습니다.”

한 건 해결해서 숨 좀 돌리게 된 빈우가 환한 표정으로 뒤를 돌아보았다. 그런데 뒤에 있던 사람들은 전부 어두운 표정이다.

"뭐야, 왜 그래?"

그럴 수밖에 없는 게 팀원들은 빈우와 아나스타샤와의 관계를 안다. 어릴 적부터 키워준 누나이자 엄마를 저렇게 팔아먹는 것을 실시간으로 보면 누구라도 저런 표정을 짓는다.

"팀장님. 변태."

모니카가 나직하게 중얼거렸다. 그러나 빈우는 상처 하나 없이 태연하다.

"뭔 소리야. 이건 일이라고. 일. 안 그래 아샤?"

"네, 한두 번도 아니고 말이죠."

공장 초기화라도 당한 듯한 무표정한 얼굴로 어깨를 으쓱이는 안드로이드 메이드를 보며 팀원들은 그녀에게 애도를 표했다.

139

• • • ✦ • • •

블랙 랜스는 뉴 소노라의 강하 궤도까지 내려갔다. 이제 여기서 빈우와 아나스타샤는 대기권 강하용 셔틀을 타고 지상의 공항까지 내려가게 된다.

"그런데 팀장님, 연방의 구축함이 이렇게 궤도 근처까지 와도 괜찮을까요?"

위르겐이 걱정스레 물었다. 반 연방파인 녹색 연맹의 입김이 강하다고 판명된 상황에서 뉴 소노라에 너무 가까이 접근하면, 혹시 이들을 자극하지 않을까 생각된 것이다.

"괜찮아. 우리는 블랙 랜스가 롱혹 프로젝트의 최신예 개조 전투함임을 알고 있지만, 외부에선 다르게 보인다. 우주 어딜 가나 보이는 구형 탄호이저급이고, 공식적인 방문 목적도 순찰 임무 중 보급과 휴가야. 만약 녹색 연맹 쪽에서 수상하게 봤다면 진작에 시비를 걸어왔겠지."

빈우의 설명대로 녹색 연맹 쪽에선 궤도로 다가오는 블랙 랜스를 보고도 별다른 말이 없었다. 아무리 반 연방의 사상을 부르짖는다고 해도 궤도 엘리베이터나 점프 게이트, 연방의 보호 등은 환영하는 것이다.

"그러면 이따가 보자."

현지인의 복장으로 갈아입은 빈우와 아나스타샤가 셔틀에 탔다. 곧이어 출발한 셔틀은 대기권으로 강하해 진입했다. 뉴 소노라의 하늘을 날고 있는 셔틀 안에서 아나스타샤는 바깥의 경치를 구경했다.

"와, 저긴 꼭 우리 고향 같네요."

그녀가 가리키는 곳은 목적지인 글림의 서쪽으로 멀리 떨어져 있는 녹색 평원이었다. 넓게 펼쳐진 녹색의 평야는 한눈에 봐도 농업지대인 것을 알 수 있었다. 그쪽을 본 빈우도 같은 생각을 했다. 고향의 지평선 끝까지 펼쳐진 푸른 보리싹들이 떠오른다.

"파사트구나. 원래는 글림과 제법 괜찮은 관계를 가진 곳이었는데, 식량을 무기로 해서 글림을 공격해 반 연방 쪽으로 회유했대."

"어머나."

"그리고 글림은 마카로니에 스콜피온 전차를 팔았지. 서류상으로는 농기구 사양 2대를 팔았다고 했지만, 예비용 부품 등으로 위장해 전차 사양 24대를 팔았다고 해. 마커스 말로는 상층부가 이걸로 목줄을 잡아당길지, 아니면 모른 척하고 입마개까지 달아버릴지 생각 중이란다."

아나스타샤는 고개를 끄덕이며 자신의 허벅지를 쓰다듬었다.

"아샤, 왜 그래. 불안해?"

"아니요. 이렇게 맨살이 드러난 건 오랜만이어서 조금 어색하네요."

지금 그녀가 입고 있는 것은 푹 파인 민소매 티와 속옷으로 보일 만치 짧은 핫팬츠였다. 게다가 브래지어는 없고 그 대신 빛나는 니플 패치를 하고 있다. 누가 봐도 글림의 유흥가에서 죽치고 있는 현지인이다.

"하긴 아샤 너, 옛날에 농장일 할 때나 그렇게 입었었지. 응, 똑같아."

농장의 일은 대부분 로봇들이나 농기계가 했지만 그래도 사람의 손이 필요한 곳이 있었고, 그럴 때면 빈우네 가족들이 나섰다.

"이렇게는 아니고, 이거 비슷하게 짧게 입었죠. 물론! 속옷은 제대로 입었고요."

"누가 뭐랬나, 왜 이래."

발끈하는 아나스타샤를 빈우가 장난스레 실실 웃으며 달랬다.

"그때 마님께선 피부가 안 타는 제가 부럽다고 하셨어요. 대신 저는 땀이 안 나서 일하면서 종종 물을 뿌려야 했고요. 참, 그건 도련님 역할이었지요."

그렇게 말하며 아나스타샤는 마치 추궁하듯 가늘게 뜬 눈을 빈우의 얼굴에 바짝 갖다 댔고, 빈우는 태연하게 대답했다.

"그럼, 내가 아샤 힘들까봐 얼마나 열심히 물을 뿌려줬는데."

"너어무 열, 심, 히, 뿌리셨죠. 제발 그만하라고 했는데도 제가 흠뻑 젖을 때까지 계속 뿌렸지요."

"고마워."

능글맞은 주인의 대답에 메이드는 입술을 삐죽 내밀곤 주먹으로 그의 가슴을 치더니 울상을 하며 자신의 주먹을 감싸 쥐고 발을 동동 굴렀다.

"아파, 너무 아파."

강화 군인의 신체는 겉보기에는 일반인과 다를 바 없지만 실제로는 전혀 다르다. 생체 방탄 섬유로 변한 근육은 마치 타이어처럼 질겨서 때린 사람이 오히려 아플 지경이다.

"아이고, 바보야."

빈우는 피식 웃고는 아나스타샤의 아픈 주먹을 잡아 자신의 입으로 가져간다. 그리고 호호 불어준다. 마치 예전에 자기가 다쳤을 때 아나스타샤가 해줬던 것처럼. 어머니의 흉내를 냈던 것처럼.

"저어, 주인님."

자신의 손에 입김을 부는 주인을 보던 안드로이드가 우물쭈물 말문을 열려고 했다.

"그래, 시간이 나면 고향에 한번 들르자."

하지만 말을 하기도 전에 주인이 선수를 쳤다. 그녀의 손을 놓고 미소와 함께 머리를 쓰다듬어준다. 그리고 시선은 다시 창밖으로 돌렸다. 기회를 놓쳐버린 아나스타샤는 고향에 가보자는 말을 다시 꺼낼 수가 없었다. 얼마 있지 않아 셔틀은 공항에 도착했고, 둘은 글림의 시가지로 향했다.

"목적지는 살인 장소인가요?"

빈우가 모는 오토바이의 뒷좌석에서 아나스타샤가 질문했다.

"그래, 거기서 오토바이의 흔적이 이 공항까지 이어졌다. 그리고 범인은 사라졌고. 아마 신분을 위장하거나 화물로 숨어서 이곳을 떴겠지. 우린 일단 살인 현장부터 먼저 조사한다."

도착한 곳은 유흥가 변두리의 큰길이었다. 군데군데 대형화물차들이 주차 되어 있고, 폐차 직전의 낡은 차들도 가끔 보인다.

- 여기다.

빈우가 통신 회선으로 말한 곳은 살인 현장이다. 남자 둘이 서로를 찔러 죽이고, 여자 하나가 약물중독으로 사망한 사건.

- 일단은 절묘하게 위장했네요.

아나스타샤 역시 주인처럼 통신으로 대답했다. 마카로니라면 모를까, 이 곳은 주변에 눈과 귀가 많기 때문이다. 지금 현장은 경찰에 의해 청소되어 아 무런 증거가 없지만, 군사정보국이 보내온 자료는 가상현실처럼 두 사람의 시야에만 보이고 있다. 아나스타샤는 단순한 메이드가 아니라, 빈우의 사무 도우미이기도 해서 군사정보국의 프로그램이 들어가 있고, 해당 교육도 받 았다.

- 지문도 마카로니에서 발견된 것과 같아요.

주사기와 두 남자의 손에 난 지문, 마카로니의 마리 라캉의 집에 있는 지 문들은 모두 일반적인 것은 아니다. 정상적인 방법으로는 알아볼 수 없고 별 다른 유전 정보 또한 없다. 특기할 만한 정보는 하나였다. 바로 강화 병사의 손바닥에 미끄럼 방지 무늬가 보인다는 것.

- 별도의 식별번호나 일련번호도 없어서 정체를 알 수 없지만 동일 모델 같아 요. 하지만 위장을 하려면 아예 무늬를 지우는 게 나을 텐데 왜 이랬을까요?

아나스타샤의 말대로 지금 범인의 일 처리는 뭔가 어수룩하다. 인간의 시 선으로 보기엔.

- 인간을 마치 외계인 다루듯이 했어. 완전히 증거를 인멸하거나, 아니면 안

치우거나. 하지만 어디서 들은 가락이 있는지 기본적인 뒤처리는 해놓았어.

그 방법도 점차 세련되어지고 있고.

둘의 시선에 당시 현장의 사진이 겹쳐 보인다. 야구모자와 후드티를 입은 청년 둘은 서로를 죽였다. 야구모자는 후드티의 목을 졸랐고, 후드티는 야구모자의 배를 칼로 갈랐다. 그리고 옆에 있던 붉은 원피스는 약을 세 개나 하고 죽었다.

- 흐음, 그냥 보기엔 약물을 놓고 다투다 죽은 것처럼 해놨네요.

- 그래, 하지만 문제는 여기선 약물 과다가 있을 수 없단 거지.

만약 그게 없었으면 현지 경찰은 이 일을 흔한 살인사건 중 하나로 봤을 것이다.

- 두 남자의 신체 강화는 현지 기술의 사이버네틱스에 의한 것이고, 일반인은 확실히 뛰어넘는 신체 능력이다. 하지만 범인은 그것을 아이처럼 다루듯이 했지. 일체의 저항이나 반격을 허락지 않고 이렇게 현장을 꾸밀 정도로.

- 그래서 범인이 연방의 신체 강화를 한 군인일 것으로 보는군요.

- 범인의 신장과 체중, 보여준 폭력. 지금까지 찾은 증거로는 가장 가능성이 높으니까.

- 음 그런데…….

스캐너로 주변을 훑던 아나스타샤가 곤혹스러운 표정을 짓는다.

- 현장이 너무 많이 훼손되었어요. 이래선 조사가 힘든데…….

그녀의 말대로 세 사람의 시신이 발견된 곳엔 여러 가지가 있다. 경찰들이 청소했지만, 그 뒤로 여러 가지가 현장을 덮고 있었다. 추모를 위한 술과 술병, 아예 술을 부어버린 것처럼 보이는 얼룩에선 아직도 술 냄새가 난다. 그리고 죽은 자를 기리는 그래피티와 복수를 다짐하는 글귀들. 초, 꽃다발, 알수 없는 현지 갱단의 표식과 그것을 훼손한 상대 갱단들의 암호들.

- 더 이상 조사는 못 하겠군.

범인은 여기서 오토바이를 타고 공항으로 이동했다지만 그 이전의 흔적은 찾기가 힘들다. 당시 글림에선 신년 축제를 하고 있던 터라, 인파가 너무 많아 족적이나 그 외의 증거가 될 만한 것들이 모조리 묻혀버린 것이다.

- **군사정보국이나 보안국에서 보낸 정보도 이게 다예요. 주인님.**

아나스타샤가 보여주는 자료는 이미 빈우도 알고 있는 것들이다. 그때 갑자기 빈우의 손이 아나스타샤의 목덜미로 향했다. 오른손이 붉은색과 녹색으로 얼룩진 금발을 쓰다듬을 때, 왼손은 그녀의 엉덩이로 향한다. 짧은 바지의 속으로 들어가 여기저기 쓰다듬던 손이 다시 나와 그녀의 가슴께로 향하더니, 옷 속에서 니플 패치를 떼려고 꼼지락댄다.

"어머, 여기서?"

아나스타샤가 몸을 돌리며 깔깔대자 빈우는 그녀를 냉큼 들어 올렸다.

"꺅."

빈우는 웃으며 바둥대는 아나스타샤를 안고 목덜미를 핥은 다음, 화물차 너머의 골목으로 향했다. 두 사람이 사라지자, 반대편에 있던 폐차 안에서 거지 하나가 슬그머니 나와 둘이 사라진 쪽으로 조심스레 다가갔다. 거지는 손에 든 술병을 골목에 대어보는 시늉을 하다가 서서히 그쪽으로 걸어갔다. 그리고 길목 어귀에서 천천히 몸을 기울였다. 그때 어두컴컴한 골목 안에서 빈우의 손이 불쑥 튀어나와, 거지의 멱살을 잡아 안쪽으로 잡아당겼다. 거지는 필사적으로 저항해봤지만, 군인인 빈우의 힘에는 별다른 방법이 없다.

빈우는 한 손으로는 거지의 멱살을, 다른 손으론 거지의 술병을 들고 빼앗는다. 그리고 그 술병을 벽에 쳐서 깨트리자 안에 있던 카메라와 청음기가 드러난다. 아까 아나스타샤와 통신하던 빈우는 누군가 자신들을 탐지하는 것을 느끼고, 만약을 대비해 아나스타샤의 목덜미에 있는 단자에 유선으로 접속해 메시지를 전달했었다.

'감시당하고 있다. 유인한다.'

명색이 정보사령본부 소속 안드로이드인 아나스타샤. 이것저것 배운 가락이 있어 주인의 행동에 맞장구를 쳐주었고, 골목 안에서는 진득한 신음소리까지 낸 것이다.

"이 새끼가."

빈우가 발끈한 척, 거지를 바닥에 던지고 발로 밟았다.

"이 거지새끼가. 너 뭐야, 누군데 이런 개 같은 짓을 해! 이 씨발놈이!"

적당히 발로 주물러주자 거지는 피와 이빨을 토하며 여러 가지 정보를 빈우에게 가르쳐주었다. 두뇌칩 반응 없음. 숨기고 있는 가능성도 있지만 이 정도 충격이나 고통, 그리고 빈우가 보내는 통신에 아무런 반응이 없으면 일단 이 거지에게 두뇌칩은 없다. 다음, 일체의 강화도 없고 맨몸이란 점. 가장 기본적이고 필수적인 우주 생활용 강화조차 없다. 여기까지 드러난 사실로 보면 이 거지가 연방 직할령의 인물이 아님을 알 수 있었다. 즉, 군사정보국이나 연방수사국의 조사원은 아니란 것이다. 게다가 현지의 사이버네틱스 수술도 없다는 점으로 보아 돈이 없는 거지인 것은 확실했다. 하지만 그에 반해 고가의 감시장비를 쓰고 있다는 점이 수상하다.

- 누군가의 끄나풀 같군. 근처에 다른 놈은 없나?

- 주변에 다른 감시자는 없어요.

빈우가 보낸 통신에 아나스타샤는 스캐너로 이 주변 일대를 다시 한 번 훑었다.

"재미 좀 보려는데 어디서 이 새끼가 방해질이야!"

빈우는 다시 큰 소리로 을러댔다. 그는 이 거지가 어떤 갱단의 정보꾼이나 조사역을 맡은 놈일 거라고 생각했다. 사건 현장에 갱단들의 표식이 있었으니, 피해자들은 어떤 조직에 속해 있는 건 확실하다. 그리고 그 조직은 자기 조직원이 죽자 독자적으로 조사를 하는 것으로 보였다. 아마도 범인을 찾고 있겠지.

140

··· ✦ ···

지금 빈우는 적당히 힘 조절을 하고 있지만, 일반인 기준으로는 상당히 아플 것이다. 얼마 있지 않아 거지는 비명 대신 말을 토했다.

"이, 이노, 컥! 이노우에 고토 씨."

거지가 부른 것은 빈우가 입성할 때 제출했던 가명이다. 그렇다면 이 거지는 빈우에 대한 정보를 받고 감시를 명령받았다는 얘기다. 그리고 그 명령자는 뉴 소노라의 입성관리국과도 연줄이 닿아 있는 자임이 분명하다. 빈우가 발을 잠시 멈추자 거지는 허둥지둥 손을 휘두르며 일어났다.

"이야기, 헉헉, 이야기, 얘기를 좀 합시다. 전할 말이 있어요."

거지는 맞은 곳을 부여잡으면서 말했다.

"사실은 선생님과 만나고 싶어 하는 사람이 있습니다."

빈우가 슬쩍 발을 들자 거지가 손사래를 친다.

"악, 그만하세요. 선생님도 아는 분이에요. 만나면 아는 사람이라고요."

그 말에 빈우는 발을 슬그머니 내렸다.

'만나면 아는 사람이라…… 누굴까. 이노우에 고토의 이름을 아는 사람일까, 김빈우의 얼굴을 아는 사람일까.'

이노우에 고토라는 이름은 아는 사람이 제법 많다. 이 이름을 지닌 자가 연방군 정보사령본부 산하의 군사정보국장이라는 것 정도는 대외적으로 공개되어 있다. 하지만 지금의 빈우와는 얼굴이 다르고 동명이인이란 설정이다. 만일 명령자가 김빈우의 얼굴을 알고 있는 거라면 문제는 조금 심각해진다. 일단 빈우는 군사정보국의 요원이라 신상이 극비다. 물론 외부로 노출된 것은 피자 타이거의 사원이나 모델이지만, 그것도 활동 안 한 지 제법 되고 이노우에 고토란 이름으로 활동하지도 않았다. 빈우는 머릿속에 있는 가설에 퍼즐이 준비돼가는 것을 느끼며 말했다.

"안내해."

*

거지가 빈우와 아나스타샤를 안내한 곳은 유흥가에서 조금 떨어진 큰길 뒤의 좁은 골목이었다. 그리고 거지는 한 건물의 지하 계단을 가리켰다.

"저기로 가시면 됩니다."

그 말을 한 거지는 허둥지둥 도망갔다. 그 모습을 잠시 지켜보던 빈우는 입구 쪽으로 발걸음을 옮겼다. 계단을 내려가자 문이 있고 그 옆엔 스위치가 있다. 먼저 문을 열어보려 했지만 잠겨 있다. 스위치를 세 번쯤 눌렀을 때 안에서 대답이 들려왔다.

"아직 장사 안 해요."

멀리서 들리는 여자의 목소리. 다시 스위치를 누르자 문의 작은 창이 열리며 목소리의 주인인 듯한 여자가 얼굴을 보인다.

"가게는 밤 열 시부터예요. 그때 오세요."

그때 뒤에서 나직한 남자의 목소리가 들려온다.

"내 손님이야. 들어오시게 해."

그러자 여자는 문을 열었고, 빈우와 아나스타샤는 안으로 들어갔다. 탁한 공기의 어두운 실내. 주변 인테리어로 보아 연주를 하는 술집처럼 보인다.

가게 안쪽 구석에는 한 남자가 커피와 샌드위치를 먹고 있었다. 그 남자의 용모는 마커스로부터 전해 들어서 알고 있다. 글림의 정보상. 가격만 맞으면 도시 연합의 정보를 누구에게든 파는 사나이. 글림의 살인사건으로 인해 조금 들볶였다고 했고, 빈우도 이번 조사 때 그를 찾아볼 생각이었다. 그런데 그쪽에서 먼저 빈우를 찾아온 것이다.

"여기서 기다려."

빈우는 아나스타샤에게 말한 다음 정보상에게로 다가갔다. 그는 빈우를 흘깃 보더니 다시 시선을 접시 쪽으로 돌렸다.

"오랜만이군. 이노우에 고토 씨라고 해야 하나."

확실히 저 남자는 빈우의 얼굴을 알고 있다. 그러나 빈우는 뉴 소노라에 온 적이 없다. 최근에는 태스크포스 373의 일로 바빴고, 그전에는 울토르 중대에 있었다.

'내가 이곳에 잠수를 하고 온 적이 있을까? 아니지. 그것보다 더 확률이 높은 게 있잖아.'

빈우는 그의 옆자리에 앉았다. 그러면서 일부러 가게를 휘휘 둘러본다.

"오랜만이라, 그래. 신년 축제 때였지."

빈우가 말한 것은 글림에서 일어난 살인사건의 추정시간이다. 그리고 남자는 침묵으로 긍정했다. 그는 빈우의 외모를 알고 있다.

이것으로 퍼즐이 짜 맞춰졌다. 그날 이곳에서 살인사건을 저지른 것은 빈우의 클론이다. 아직 명확한 연결고리는 없지만, 정황 증거가 너무 명백하다. 글림의 신년 축제 당시 빈우와 같은 신체를 가진 군용 클론이 글림에 있었고, 피해자들은 연방의 군인에게 살해되었다. 그렇다면 범인과 클론을 동일인라고 생각할 수밖에 없다.

"왜 날 찾았지?"

빈우의 질문에 사내는 대답 대신 샌드위치를 베어 물고 씹었다. 잠시 우물거리던 그는 커피를 마신 다음 입을 열었다.

"그날, 당신이지?"

돌아온 건 해답이 아닌 질문이다. 앞뒤가 다 잘렸지만 알 수 있다. 그는 당시 살인사건의 범인으로 빈우를 지목하는 것이다.

"당신이 가게를 나가고 다음 날 아침, 젊은이 셋이 죽었더군. 압도적인 폭력과 아주 어수룩한 방법으로."

그가 말한 어수룩한 방법이란 현지인에게 들키는 방법으로 위장한 현장을 말하는 것이리라. 약간 세게 내려놓은 커피잔의 소리가 정보상의 심정을 반영하는 것 같았다.

"그리고 얼마 지나지 않아 글림은 엉망이 됐어. 조직원을 잃은 갱단의 폭주, 적대세력과의 싸움. 이어서 연방수사국의 간섭까지."

침착하고자 노력하는 그의 낮은 목소리에선 초조함이 묻어나고 있다. 자치 행성의 살인사건에 갑자기 연방수사국이 쳐들어온 것도 모자라, 여기저기 들쑤시니 황당했을 것이다. 글림은 마카로니에 스콜피온 전차를 팔았었다. 주변 도시의 협박을 받았다거나 농기구를 판 것이라는 따위의 변명은 안 통했겠지. 아마 보안국의 부탁을 받은 연방수사국은 이번 살인사건을 빌미로 글림을 조지려 했을 게 분명했다.

그리고 그 사건의 시발점이 되는 것은 클론의 살인이고, 이 정보상은 그와 거래를 했었다. 초조할 수밖에 없을 것이다. 그러던 차에 빈우가 글림으로 돌아왔으니 급작스럽게 감시를 붙였겠지.

"그날 내게서 정보를 사간 사람이 연방의 군인일 줄이야. 아니, 중앙정보국 사람인가? 그날 왜 나와 거래를 한 거지?"

정보상은 빈우의 신원에 대해서도 의심하고 있다. 또한 그의 행동과 거래한 정보에 대해서도 의심하고 있다.

곰곰이 생각하던 빈우는 아나스타샤와 함께 바에 서 있는 여성형 안드로이드를 불렀다.

"여기 주문. 그때하고 같은 거로."

아마 당시의 클론은 인간처럼 행동하기 위해 뭔가 주문했을 것이다. 그리고 다음 날 거대한 사고를 쳤다. 그렇다면 안드로이드가 그날 저녁에 받은 주문을 기억하고 있을지도 모른다. 안드로이드는 잠시 뒤로 사라지더니 곧 잔과 맥주를 가져왔다. 그리고 빈우의 앞에 놓고 맥주를 따라주었다.

'맥주라……'

빈우는 클론들에게 딱히 기호품에 대한 설정은 하지 않았었다. 아마 주변의 상황을 보며 대강 시켰겠지.

"내가 그때 이걸 마셨던가?"

빈우의 물음에 안드로이드가 흠칫 놀란다. 외형뿐만이 아니라 행동까지 인간을 흉내 낸 고급형이다.

"아뇨. 그날은 '맥주 아무거나'라고 하셨어요. 지금은 준비 중이어서 그때랑 같은 맥주는 아직……"

말끝을 흐리는 안드로이드에게 빈우는 가보라는 손짓을 했다. 그리고 맥주로 목을 축인 다음 대답했다.

"그날 내가 얻은 정보는 이번 사건과는 관계가 없어. 그리고 죽은 놈들은 죽을 짓을 해서 죽은 것뿐이야."

정보상이 딱히 반박을 하지 않는 것을 보면 빈우의 추측이 맞은 것 같다. 피해자인 갱들의 평소 행동은 엉망진창이었던 모양이다.

'문제는 그날 클론이 얻은 정보인데.'

한번 물었던 정보를 다시 물어본다면 당연히 이상하게 볼 것이다. 그렇다면 방법을 잘 골라야 한다. 정면 돌파를 하든, 아니면 우회를 하든.

"하지만 내가 한 일로 인해 피해가 왔다면 내가 마무리지어주지. 앞으로도 좋은 거래를 하고 싶거든."

빈우의 말에 정보상의 눈빛이 변한다. 그에게 상대가 누구인지는 상관없다. 돈만 주면 정보를 팔 뿐이다. 정보를 가져오면 돈을 지불할 뿐이다. 지금 그에게 가장 걱정인 것은 연방수사국이 휘젓고 있는 작금의 상황이다. 그러니 원인이 된 그가 사태를 마무리지어주겠다고 하니 솔깃할 수밖에.

"단, 공짜는 아니지."

사고를 친 사람이 사고를 수습하겠다는데 돈을 내놓으라는 격이다. 정보상이 눈살을 찌푸리며 말한다.

"난 공짜로는 거래 안 해."

칼자루는 빈우가 쥐고 있지만, 정보상은 단호했다. 지금까지 정보상이 혼란한 녹색 연맹에서 줄타기를 하며 살아남을 수 있었던 이유는 공정함이다. 거래에는 반드시 지불을 하고 거래 대상은 가리지 않는다. 만약 빈우에게 다른 전례가 생긴다면 그다음이 생길 것이고, 정보상은 더 이상 장사를 못 하게 된다.

"물론, 나도 대가는 지불해. 내가 거는 건 다른 거야."

맥주를 한 모금 마신 빈우가 말을 이었다.

"함구령이지."

즉, 무언가를 비밀로 해달라는 것이다. 그것은 정보상이 알고 있는 정보일 수도 있고, 빈우가 그와 거래를 했다는 내역일 수도 있다.

"나하고 거래를 한 걸 비밀로 할 순 없어. 이미 다른 놈들이 샀으니까."

빈우의 거래 조건을 어림짐작한 정보상은 곤란한 표정으로 대답했다.

"흐음, 거래 대상의 정보도 팔아넘기나?"

"보통은 아니지. 하지만 당신이 저지른 일의 여파가 보통이 아니었거든. 그리고 금액도 보통이 아니었고."

"아하."

작게 웃는 빈우에게 정보상이 이상한 시선을 던진다.

"왜 그래?"

"아니, 그때와는 인상이 너무 달라 보여서."

그러면서 정보상은 아나스타샤를 향해 시선을 던졌다. 아마 당시의 클론과 지금의 빈우가 생김새는 같아도 하는 행동이 달라서 가진 의문일 것이다. 빈우도 짐작할 수 있다. 신년 축젯날은 무표정한 살인 기계로 돌아다니더니, 지금은 헐벗은 여자를 하나 끼고 돌아다니는 것이다.

"일이니까."

그렇게 말을 돌리는 빈우의 귀에 뭔가 소리가 들린다. 서둘러 달려오는 소리. 남자들의 거친 발소리다. 그들은 이곳 지하 클럽으로 향하고 있다. 이어서 우당탕거리며 계단을 내려오는 소리와 함께 거세게 문을 두들기는 소리가 났다.

"문 열어!"

고함 소리와 함께 벨이 시끄럽게 울린다. 두들겨지는 문이 삐걱거린다.

"문 열라고!"

바에 있던 여성형 안드로이드가 서둘러 문가로 달려간다. 그리고 작은 창을 열었다.

"누구세요?"

"영감 있지? 문 열어."

아마도 서로 안면이 있는지 안드로이드는 문을 열었고, 한 무리의 깡패들이 클럽 안으로 들어왔다. 두리번거리는 놈들의 시선은 곧 빈우와 정보상 쪽으로 향했다.

"저기, 저 사람이에요."

깡패들에게 끌려나온 사람은 아까 빈우에게 두들겨 맞은 거지였다. 그는 떨리는 손으로 빈우를 가리키고 있었다. 그리고 우두머리로 보이는 사내가 이쪽으로 성큼성큼 걸어왔다. 뒤이어 무리들이 따라 몰려온다.

"영감."

테이블 앞에 선 사내가 거칠게, 그러나 자제한 말투로 말을 꺼냈다.

"이 형씨. 누구요."

정보상은 무표정으로 일관하지만 꽤나 곤란한 듯 보였다.

"손님이야."

그 대답에 두목은 잠시 생각했다. 정보상은 그의 구역에 있지만 중립이다. 이 도시 글립뿐만 아니라 녹색 연맹, 아니 연방 직할령에까지 손이 닿는 거물이다. 게다가 그 자신도 정보상에게 몇 번 신세를 진 터라 지금 최대한 예의를 갖춰 대우하고 있는 것이다. 두목은 잠시 주머니를 뒤지더니 지폐 한 뭉텅이를 꺼내 테이블 위에 툭 던진다.

"하나 물읍시다. 이 형씨가 그날 내 새끼들을 회 친 놈이오?"

클론은 나름 뒤처리를 한다고 했지만, 말 그대로 어수룩했다. 뒤이어 연방 수사국까지 와서 들쑤셔놓으니 진범이 따로 있다는 것은 쉽게 알 수 있었다. 그런데 대답은 영 엉뚱한 곳에서 나왔다.

"저놈 저거!"

무리 안쪽에서 남자 한 명이 나왔다.

"신년 축젯날 거리에서 술을 파는데, 영 세상 물정을 모르는 놈이 있었습다. 직할령에서 온 것같이 보였기에 아직 기억합죠. 저놈이에요."

아마 클론의 서툰 행동이 그의 눈에 띄었던 모양이다.

"나도 나도! 나 저 오빠 기억나."

이번엔 젊은 여자가 나섰다.

"나 그날 X나 열심히 손님 끌었거든? 다른 손님들은 다들 발딱발딱하는데, 저 오빠만 쌩까고 가더라. 지금 보니까 기억나."

클론은 나름 주변의 시선을 안 끌려고 노력한 모양이지만, 오히려 그게 이들의 시선을 끈 모양이다. 다시 두목이 나섰다.

"영감님, 다시 한 번 물읍시다. 이 새끼가 그날 내 동생들 담근 놈이냐고?"

정보상의 곤란함이 빈우에게까지 느껴진다. 그래서 빈우는 그 곤란함을 해결하기 위해 나섰다.

141

· · · ✦ · · ·

자리에서 일어나는 빈우에게 깡패들의 시선이 모인다. 빈우의 머릿속에 퍼즐들이 얽힌다. 트리니티의 조건들이 하나씩 끼워 맞춰진다. 자신이 도주한 클론을 추격하고 있을 때, 그것을 자각했을 때. 열쇠들이 자물쇠에 끼워 맞춰져간다.

'아직은 아닌가……'

그러나 열쇠가 돌아가지 않는다. 빈우 혼자서, 짧은 시간에 했던 잠수와 트리니티 패턴이라 불안한 것 같다. 좀 더 시간이 흘러야 하거나 다른 조건이 있어야 할 것 같다.

'그렇다면 이곳에 있던 클론은 내가 보낸 건가? 클론의 명령자가 나인가? 아니면 울토르 클론 중에서 빼돌려진 게 있는 것을 알고, 직접 추격하기 위해 이런 트리니티 패턴을 건 것일까? 그렇다면 왜 조건 중의 하나가 클론 추격을 자각할 때일까?'

의문은 많지만 밝혀지는 것은 없다. 포말하우트 게이트 안에서 있었던 일은 아직도 계란껍질 속에 있다. 다만 지금은 그 계란을 밝은 불빛에 비춰보고 있다는 점이 다르다. 쥐고 있는 것이 그냥 계란인지, 막 부화하려는 병아리가 들어 있는지는 가늠할 수 있을 정도다.

"너 뭐냐고요."

빈우의 코앞에서 을러대는 깡패 두목. 빈우에겐 지금 당장 해야 할 일이 있다.

'폭력.'

처음으로 떠오르는 선택지에 빈우는 움찔했다. 원래 그는 이런 사태에 처했을 때 대화와 교섭으로 푸는 것을 선호한다. 게다가 이 깡패들은 엄연한 연방의 시민이다. 자치령의 범죄자라고 해도 군인인 빈우가 보호해야 하는 민간인인 것이다. 특별한 경우를 제외하곤 결코 폭력을 휘둘러선 안 된다.

'하지만 지금이 특별한 경우지.'

빈우는 자기 안의 충동을 필사적으로 억눌렀다. 마치 마카로니의 주차장에서의 민간인 학살 같다. 개척민들에게 투항을 권유하다 시즐러를 보고 갑자기 방아쇠를 당겨버린 그때. 군인의 신분으로서 민간인에게 손을 댄다는 것은 상상도 못 할 일이다. 물론 폭력은 사태 해결에 가장 빠른 수단이기도 하다. 그러나 쌍방 간의 관계는 그것으로 끝이다. 더 이상 이전으로 돌아갈 수는 없다. 그러니 폭력은 교섭수단 중 가장 하책이며, 가장 최후로 미룬다.

'일단 내가 가진 카드 중에서……'

빈우는 생각했다. 그러나 머릿속의 계란껍질이 점점 더 얇아진다. 안의 내용물이 비쳐 보인다. 상황이 긴급하다. 인류에게 미증유의 위기가 다가오고 있는 이상, 다소의 희생은 불가피하다. 마치 응급실에 환자들이 몰려들 때, 시간과 자원이 많이 필요한 중환자의 치료는 미루는 것과 같다.

빈우는 희생양들에게 자신의 명확한 목적과 의지를 가르쳐주기로 했다. 주먹질 한 방에 사람이 날아가고, 발길질 한 번에 사람이 반으로 접힌다. 어느 누구도 빈우보다 힘이 세지 못했고, 빠르지 못했다. 기껏해야 총칼로 치고받았던 폭력배들과 전문적인 군사훈련을 받은 군인과의 차이는 명확했다.

그렇게 폭력을 동반한 대화는 순식간에 끝났다. 정보상은 지금까지 크게 착각하고 있었다. 아니, 잘못 알고 있었다. 명색이 정보를 사고판다는 작자가 연방의 군인에 대해 너무 과소평가하고 있었던 것이다. 글림의 갱들은 전부 사이보그 개조를 해서 근력이나 반응속도가 일반인을 초월한다. 그런 놈들이 이만큼 모였다면 아무리 연방의 군인이라 해도 버텨내지 못하리라 여긴 것이다.

'군인, 연방의 군용인간.'

새삼 깨달은 사실에 소름이 돋는다. 압도적인 폭력의 향연에 정보상은 굳어서 움직이지도 못했다. 마치 자신을 향해 달려오는 차를 보고 멈춘 사슴처럼. 애초에 격이 다르다. 글림의 갱들이 자동차에 방탄판을 달고 소총을 쏘는 수준이라면 저 연방의 군인은 전차였다. 전투기였다. 맨몸으로도 저럴진대 장갑복을 입으면 어떻게 될까.

"으아아악!"

한쪽 발로 절뚝이며 다가간 두목이 비명 같은 기합을 지른다. 그리고 그 주먹을 빈우가 잡았다. 그리고 쥐어 으깼다.

"아아악!"

이제 두목은 비명과 거품을 토하며 땅바닥을 뒹군다. 부하들의 피와 오줌이 홍건한 바닥에 얼굴을 비빈다. 빈우는 흘깃 바를 보았다. 아나스탸샤의 표정이 왠지 슬퍼 보인다. 빈우가 지켜야 하는 가치이자 이상 중의 하나다. 주인이 싸우는 모습을 숱하게 봤을 텐데 왜 저런 표정을 지을까. 예전이라면 웃으면서 응원했을 것이다. 고개를 돌린 빈우는 이번엔 정보상 옆으로 걸어가 앉았다.

"허억."

그는 짧은 숨을 내뱉는다. 갑자기 이런 것을 봤으니 놀랄 법도 하다. 빈우는 맥주를 한 모금 마신 다음 말했다.

"이걸로 대가가 될까?"

무덤덤한 빈우의 말은 여러 가지를 함축하고 있었다. 당신을 위협하고 있는 것과 피해를 주는 것을 치웠다, 충분한가. 또한 새로운 협박의 제공이다. 정보상은 말없이 고개를 끄덕였다. 어느 것이 그의 마음에 들었는지는 모르겠지만, 일단 거래는 될 모양이다.

"그럼 이전의 피해는 이것으로 보상이 된 셈 치고, 새로운 거래를 하지."

빈우는 품에서 지폐 다발을 꺼냈다. 그리고 그것을 테이블 가운데, 정보상과 자신 사이에 놓았다.

"신년 축제 때 나와 했던 거래 내용을 그대로 다시 말해. 똑같이."

빈우의 질문은 이상하게 들리지만 정보상에겐 드문 것이 아니다. 정보란 시시각각 가치가 변하는 것이기 때문에 이런 고객들도 종종 있다. 그러나 대개 업그레이드된 새로운 정보를 원하지 같은 정보를 원하는 경우는 그리 많지 않다. 정보상은 조심스레 물었다.

"뭔가 불만이라도 있었나?"

"아니. 그냥 다시 듣고 싶을 뿐이야."

고객이 저렇다면 정보상은 원하는 것을 팔 뿐이다. 그전에 한 번 더 확인한다.

"같은 정보를? 하나도 변함없이?"

"그날 그대로."

정보상은 지폐를 빈우 쪽으로 밀었다.

"이건 됐어. 애프터서비스로 해주지."

그리곤 식은 커피로 입술을 축이며 그날 이야기를 다시 했다. 마카로니와의 스콜피온 거래, 거래를 하게 된 배경과 진상, 연방과 자치정부 간의 알력 다툼, 녹색 연맹의 개척민 선동 등등. 별달리 중요한 것은 없었다. 다만 마지막에 하나 걸리는 게 있었다.

"그리고 자네는 거래한 연방의 물건 중에 그 물건들이 있냐며 물었지."

"그 물건?"

"그래, 자네가 보여준 그림 말이야. 외계의 물건이던데, 샤다이와 뭔가의 사체 같은 것들이었어."

뭔가의 사체란 말에 잠시 생각하던 빈우는 홀로그램을 띄워 그에게 보여주었다. 샤다이의 사체, 목타하의 사체, 여러 외계종족의 사체들이 화면에 나타난다.

"맞아, 이거였어."

정보상이 지목한 홀로그램에는 워프 비스트의 사체가 떠 있다. 화면을 닫은 빈우는 정보상에게 상체를 숙이며 물었다.

"정말 거래 물품에 없었나?"

조용한 빈우의 위압감에 정보상은 침을 꿀꺽 삼키며 대답했다.

"정말로 없었어. 마카로니에 있었는지는 모르겠지만 거래 물품 중에는 없었어. 진짜야."

자신이 아는 한, 그리고 거래 물품 중에서는 없었겠지. 하지만 마카로니에서 시즐러가 발견되었고 샤다이도 발견되었다. 다시 바로 앉은 빈우는 생각을 정리해보았다.

클론은 1월 1일에 글림에서 워프 비스트의 그림을 보여주었다. 빈우가 워프 비스트에 대해 안 것은 역시 1월 1일 오스카 스테이션에서다.

'클론은 어디서 그 정보를 얻었을까? 혹시 라캉 중령이 말한 워프 비스트에 대한 자료는 클론이 가지고 있는 것일까?'

정확한 증거 없이 뻗어나간 추리는 망상이란 결과를 나오게 한다.

'왜 클론은 샤다이와 워프 비스트의 자료를 같이 보여주었을까? 뭔가의 연관성이 있나?'

그러나 현재 빈우가 가진 정보로는 더 이상 진척이 되지 않았다.

'더 많은 증거, 더 자세한 자료가 필요하다.'

빈우는 다시 생각을 정리해보았다.

마카로니에서 클론은 마리 라캉을 죽이고, 자크 라캉의 허수아비로 추정되는 로봇을 부쉈다. 목적이나 동기는 불명. 무슨 정보를 가져갔는지도 불명이다. 글림에서 클론은 폭력배 세 명을 죽였다. 이유는 알 수 없으나, 아마도 자신의 행동에 방해가 되어서 제거했을 것이라 추측된다. 클론이 여기서 얻은 정보는 마카로니의 독립소요 배경과 그 배후에 녹색 연맹이 있었다는 것,

그리고 샤다이와 워프 비스트가 연관되었는지에 대한 확인이다.

독립소요가 일어난 마카로니, 그 배후인 녹색 연맹. 클론은 여기까지 수사했다. 그리고 마카로니엔 샤다이가 있었고, 글림에서도 샤다이에 대해 물어보았다. 또한 워프 비스트에 대해서도. 하지만 다음 수사해야 할 허드슨 가를 보면 워프 비스트가 연관되어 있다. 딸 엘리자베트 허드슨은 워프 비스트로 변하는 과정이었다.

'만약 마카로니에도 워프 비스트란 단서를 도입한다면?'

마카로니 어디에 워프 비스트가 들어갈까. 변신하는 개척민? 그날 죽은 개척민 중에 변이한 사람은 없었다. 채 변이하기도 전에 죽었을 수도 있다.

빈우는 좀 더 본질적인 부분에 대입해보았다. 클론의 손에 죽은 마리 라캉, 그리고.

'자크…… 라캉.'

굳이 대입하자면 자크 라캉의 허수아비다. 자신을 곧잘 따랐던 아이의 얼굴이 떠오르자 빈우는 자신도 모르게 마른 침을 삼켰다.

'자크가 워프 비스트로 변했다면, 그리고 치료나 대처를 하지 못하고 제거되었다면? 그래서 허수아비를 만들고 아이를 대신했을 수도 있다. 그런데 왜 인간형이 아닌 로봇으로 했지?'

"주인님."

복잡한 생각에 잠긴 빈우를 깨우는 목소리가 있었다. 앞을 보자 아나스타샤가 몸을 숙여 자신의 주인을 마주 보고 있었다.

"아샤."

빈우는 그녀의 이름을 불러보았다. 슬프고 무서워하는 표정을 한 자신의 메이드를 부른다.

"주인님, 괜찮으세요?"

그녀가 이런 질문을 했다는 것은 지금 빈우가 상당히 안 괜찮아 보이기 때문일 것이다.

"그렇게 심해?"

반문하는 빈우에게 아나스타샤는 눈치를 보며 고개를 끄덕였다.

"좀 심각한 이야기라서 그래. 걱정하게 해서 미안."

빈우는 웃으며, 아니 웃으려고 노력하며 아나스타샤의 머리를 쓰다듬었다. 그러자 그녀도 웃었다. 마찬가지로 밝게 보이려고 노력하면서.

"그날의 정보는 이게 다인가?"

빈우는 시선은 아나스타샤에게 고정한 채 질문했다. 정보상에게로.

"그래. 이게 전부다."

그 말이 끝나자 빈우는 자리에서 일어섰다. 그리고 아나스타샤의 허리에 손을 두르고 건물 밖으로 나갔다. 아나스타샤는 주인의 손길에 몸을 맡기고 같이 걸어갔다. 평상시라면 애교를 떨며 폭 안기거나, 자신도 주인의 몸 여기저기를 더듬었을 것이다. 하지만 지금은 무서워서, 너무 무서워서 그럴 수 없었다. 방금의 폭력은 무섭지 않다. 그보다 더한 사투를 벌였던 빈우다. 이 정도는 참을 수 있다. 또한 한주먹거리도 안 되는 깡패들이, 인간들이 피곤죽이 되어도 그녀는 눈 하나 깜빡하지 않을 것이다.

그러나 빈우는 보통 그런 상황에선 말로 해결을 한다. 상대의 원하는 것과 약점, 강점을 파악해 절묘하게 대화를 이끌어나간다. 하지만 그 표정이 떠오른 다음, 빈우는 폭력을 휘둘렀다.

'그 얼굴.'

안드로이드의 육체를 가진 그녀지만, AI의 정신을 가진 그녀지만, 공포를 느꼈다. 옛날에 빈우가 지었던 표정이 다시 떠오르고 있다. 자신을 물건으로 대하고 밀어냈던 날의 표정이, 사랑스러운 도련님의 얼굴에 되살아나고 있는 것이다. 아니 정확히는 되돌아가고 있다고 해야 할 것이다.

연방의 냉혹한 살상 병기로 살아가던 시절의 빈우로.

그리고 아나스타샤는 그 이유를 짐작할 수 있었다.

142

· · · ✦ · · ·

"쮸인님, 쮸인님."

혀 짧은 소리로 애교를 떠는 아나스타샤를 보며 빈우는 실소를 지었다.

"왜 그래? 이제 폭력 휘두를 일 없어."

안심시켜주려는 빈우의 말에 아나스타샤는 그의 가슴에 얼굴을 파묻고 부비부비한다.

"네, 그러면 일은 끝난 거죠?"

기대감에 부풀어 올려다보는 아나스타샤의 눈은 초롱초롱 빛나고 있었다. 현장 조사는 충분히 했고, 뜻하지 않게 클론의 행적에 대해 알게 되어 기대 이상의 성과를 낸 빈우는 고개를 끄덕였다.

"일단 그렇지."

"그럼 우리 데이트해요. 데이트."

빈우는 갑자기 들뜬 그녀의 텐션이 이해가 간다. 아마도 트리니티의 영향으로 흔들리는 주인을 걱정하고 있는 것일 터다.

"데이트? 뭐 짧게는 괜찮지. 근데 어디로 갈까?"

"저 업그레이드하러 가요."

"뭐? 너를 업그레이드?"

아나스타샤는 연방의 안드로이드 중에서도 상당한 고급 기술이 들어간 안드로이드다. 이곳 글림에서 어떻게 해볼 수준이 아니다. 고개를 갸우뚱하는 빈우를 보며 아나스타샤가 방긋 웃는다.

"네, 구멍 뚫으려고요."

"풉."

빈우는 헛웃음을 지었다. 업그레이드라고 해서 귀걸이나 피어싱을 떠올렸다. 그 정도라면 괜찮다. 그녀의 귀에 무슨 귀걸이가 어울릴까 생각하던 빈우에게 아나스타샤의 손가락이 다가온다. 그리고 빈우의 코를 꽉 잡았다.

"어머머, 왜 그래요. 입성할 때 주인님이 말했던 그 구멍 말이에요."

그러면서 아나스타샤가 손바닥이 밑으로 내려가 자신의 아랫배를 토닥토닥 두들긴다. 빈우는 그게 뭘 의미하는지 잠시 생각하다가, 이내 무슨 뜻인지 깨닫고 기겁했다.

"야야야야야, 무무슨 소리냐."

"무슨 소리긴. 어른의 계단을 올라가는 소리죠."

물론 빈우가 먼저 꺼낸 얘기긴 하지만 그것은 어디까지나 위장 용도였다.

"계단에서 자빠지는 소리 한다. 갑자기 왜 그런 걸 사려고. 너 또 이상한 거 봤지?"

"어어? 어? 은근슬쩍 나한테 덤터기 씌운다? 그런 걸 맨 처음에 산 건 주인님이잖아요. 그리고 오늘도 주인님이 저 구멍 때문에 온 거라고 하셨고요."

맨 처음이란 말은 빈우가 아직 어릴 적, 혈중 남성호르몬 농도가 치사량에서 오락가락하고, 호기심과 성욕의 연합이 이성을 못매 놓을 무렵의 일이다. 그때 빈우는 조금 묘한 안드로이드 부착용 장난감을 샀다가 들켰다.

"야 그거 몇 번 우려먹냐. 그리고 그때 너 안 된다고 내 귀싸대기 날렸잖아!"

빈우의 엄마가 살아 있었다면 결코 따귀 한 번으로는 안 끝날 일이다.

"마님과의 약속이었어요. 그럼 오늘 일은?"

"당연히 구라지."

그러자 아나스타샤는 납득한 듯 고개를 끄덕였다.

"그렇군요. 알겠어요. 이제 주인님은 다 큰 성인이시니 제게 달아도 돼요."

"얘가 미쳤나. 뭘 달아. 그리고 너 쓸 줄 알기나 해?"

"물론이죠. 쿠델카 모델들끼리 동기화하면서 이것저것 배웠어요."

방금 전 십수 명의 깡패들을 순식간에 쓸어버렸던 강화 군인이 여성형 안드로이드의 팔에 붙잡혀 휘청거리는 꼴이 장관이다.

"잠깐만 얘기 좀 하자."

"네, 달고 난 다음 심도 있게 얘기해요."

아나스타샤는 지금 이미 결론 내놓고 밀어붙이고 있다. 말이 안 통하는 상황이다. 빈우는 최후의 카드를 꺼냈다.

"순정! 난 순정 아니면 싫어. 정품으로 하자. 정품."

"흐으음."

아나스타샤가 가늘게 뜬 눈으로 째려보자 빈우가 움찔움찔한다. 그리고 그 앞에 아나스타샤의 새끼손가락이 다가온다.

"약속?"

"응, 약속."

아나스타샤는 놓칠세라 주인의 새끼손가락을 자신의 것으로 옭아매고 휘휘 흔들었다.

"나를 누나라고 부르면서 약속해요. 다시 약속?"

아나스타샤를 누나라고 부르면서 하는 약속은 어린 시절 둘만의 약속이었다. 반드시 지키겠다는 약속이다.

"눈와 약속."

"날이 더워서 말이 새는 거예요? 튜닝의 끝은 순정이라고, 순정될 때까지 튜닝해볼까요?"

"누나 약속."

흔들기가 끝나고 얽혔던 손가락이 풀리자, 아나스타샤가 폴짝 뛰어 빈우의 품에 안겼다. 어느덧 입술은 뾰죽 내밀어져 있고 눈에는 다시금 물기가 차

오르고 있다. 빈우는 자신의 품에 얼굴을 파묻은 아나스타샤를 내려다보며 한숨을 내쉰다. 그녀의 머리를 쓰다듬었다.

"으이그, 나 정말 괜찮다니까."

아나스타샤가 흠칫 떨며 대답했다. 그리고 떨리는 목소리로 대답한다.

"……주인님 얼굴이었어요."

빈우는 말없이 그녀를 껴안고 등을 토닥여주었다.

"저를 미워하고 싫어하던 무서운 주인님의 얼굴이었어요."

아마 트리니티가 풀려버리면 그렇게 될 것이다. 지금 빈우는 잠수와 트리니티의 영향으로 성격이 바뀐, 아니 정확히 말하자면 예전 초임 장교 시절의 성격으로 되돌아간 상태다. 아나스타샤가 말했던 빈우는 군사정보국에서 갈려나가며 황폐해진 빈우일 것이다. 성격이 그렇게 변했던 이유들은 짐작이 간다. 그러나 명확하게 뭐라고 집어낼 수는 없다. 하루하루의 일들, 하나하나의 작전들이 모이고 쌓여서 된 것이 대위에서 소령 시절의 빈우였을 테지.

사람은 성장한다. 아이에서 어른으로. 그리고 변한다. 사람들을 만나고 환경과 부대끼며. 그랬던 경험과 기억, 영향을 준 것들이 머릿속에서 사라지자 빈우는 잠시 과거로 돌아갔다. 그러나 트리니티가 풀린다면 높은 확률로 예전의 성격으로 돌아갈 것이다. 자신을 사랑하는 이를 상처 줬던 자로.

"난 안 변할 거야."

빈우의 말에 아나스타샤가 올려다본다.

"난 그런 나로는 절대 안 돌아갈 거야."

그러면서 빈우는 아래를 내려다보았다.

"아샤, 날 도와줄 수 있겠어?"

"네, 주인님. 제가 도울게요. 제가 주인님을 도와드릴게요."

허겁지겁 고개를 끄덕이는 아나스타샤. 눈가의 눈물이 이리저리 번진다. 빈우는 쓰게 웃으며 그녀의 눈물을 닦아주었다. 그리고 다시 자신의 품으로 끌어안았다.

"고마워, 아샤."

방금 아나스타샤는 무리해서 활기찬 척하고, 장난치고, 주인에게 엉겨붙었다. 어떻게든 주인의 기분을 돌려놓기 위해, 무슨 수를 써서도 지금의 빈우와 계속 만나기 위해. 빈우도 그것을 안다. 그리고 자신도 계속 지금의 자신 그대로 있고 싶다. 기록 속에서 보았던 과거 정보국에서의 자신의 행동은 이해할 수 없었다. 아니 이해를 떠나서 소름이 끼칠 지경이다.

아나스타샤는 빈우에게 젖을 먹인 유모에다 돌아가신 부모님 대신 키워주었고, 남매들의 교육과 농장의 관리까지 맡아주었다. 부모로서 가르치고 키웠고, 누나로서 같이 놀며 커왔다. 기록 속의 자신은 그런 그녀를 마치 물건처럼 대했고, 냉정하게 거리를 두었다. 물론 군사정보국 초기 시절의 빈우는 아나스타샤를 평상시처럼 대했다. 그러나 어느 날부터 빈우는 변했고, 잠긴 몇몇 기록 이후로는 사람이 완전히 변해버렸다. 28년을 살아온 인간이 바뀌기에 1년의 시간이면 족했다.

그때 불현듯, 빈우는 어떤 상실감을 느꼈다. 뭔가가 머릿속에서, 몸 안에서 사라지는 기분이 든다. 처음엔 그저 지금의 감정 때문에 그런 것 같았다고 생각했는데 그게 아니었다. 품 안의 아나스타샤를 꽉 안아도, 팔로 그녀의 허리를 감아 어루만져도, 그녀의 머릿결에 얼굴을 파묻고 냄새를 맡아도 공허한 기분은 그대로였다.

"주인님?"

이상한 낌새를 눈치챈 아나스타샤가 눈물을 닦으며 고개를 든다. 그때 통신이 들어왔다.

- 팀장님, 들리십니까?

오르 함장의 통신이다. 그러나 이상한 것이 있다. 통신이 블랙 랜스에서 바로 들어오는 것이 아니라 상공에 있는 롱소드를 거쳐서 전해지고 있다.

- 네, 무슨 일입니까? 왜 통신이…….

빈우는 블랙 랜스에 통신을 보냈지만 전해지지 않는다. 그래서 다시 우지의 롱소드를 중계해 연락했다. 상황이 심상치가 않다.

- 함장님, 적의 공격입니까?

- 아직은 알 수 없습니다. 다만 방금 전부터 엄청난 범위의 전파 방해가 일어나고 있습니다. 일단 함으로 돌아오십시오. 셔틀을 보내겠습니다.

블랙 랜스는 특수작전함이기에 전파 방해는 물론이고 그것을 뚫는 능력도 가지고 있다. 그런 블랙 랜스의 함장인 오르가 뚫을 수 없고, 엄청난 범위라고 한다면 정말로 심각한 상황이다.

- 혹시 샤다이의 기척은 없습니까?

빈우는 첫 번째 용의자를 꼽았다. 현재 연방의 기술력을 확실하게 뛰어넘고 있는 종족은 샤다이뿐이기 때문이다.

- 점프 반응도 없고, 은신한 샤다이를 찾기 위해 드론들을 살포해봤지만—.

그것으로 통신이 끊겼다. 이어서 우지의 통신이 들어온다.

- 팀장님, 블랙 랜스와의 통신이 두절되었습니다.

롱소드가 비행 허가도 받지 않고 뉴 소노라의 대기권을 내려와 있다. 그 옆의 셔틀도 마찬가지다. 뉴 소노라 측에서 알았다면 길길이 날뛸 일이지만 지금은 긴급상황이다.

- 일단 뉴 소노라 쪽에 경고부터 해. 시민들을 대피시키라고.

- 이미 했습니다. 어서 블랙 랜스로 돌아가셔야 합니다.

아직 수사를 더 하고는 싶지만 상황이 이래서야 아무것도 못 한다. 빈우와 아나스타샤는 착륙한 셔틀에 서둘러 탑승했고, 롱소드와 셔틀은 대기권을 돌파해서 날아올랐다. 그리고 나서야 블랙 랜스와 통신이 재개되었다.

- 팀장님, 현재 점프 게이트에서 이상 현상이 발생했습니다.

오르 함장의 보고는 정말 불길했다. 점프 게이트는 수십만 광년 떨어진 거리를 단번에 이동하는 점프 항법에 필수적인 문이다. 그리고 그 문에는 점프 포인트라 불리는 게이트 관리용 인공위성이 있으며, 이것은 행성에서 뻗어 올라간 궤도 엘리베이터의 끝인 정지 궤도 상에 위치하고 있다.

만약 점프 게이트에 이상이 생겨 게이트가 닫혀버리면 이곳 뉴 소노라는 고립된다. 오르 함장이 보여준 점프 게이트의 영상에는 현재 관리 위성인 점프 포인트의 상태도 같이 보여주고 있다. 그런데 그 상태가 심상치 않다. 포인트는 엄청난 에너지 부하 때문에 터지기 일보 직전이고, 무언가가 점프 공간에서 이쪽으로 나오려고 하고 있었다. 확실한 것은 연방의 함선은 아니다.

- 함장님, 현 상황에 대해 알렸습니까?

점프 게이트에 관한 사태는 연방의 최중요 사항이다.

- 일단 전파 방해가 시작되었을 때 했었고, 점프 포인트도 자체적으로 보고한 것으로 나옵니다. 하지만 현재로선 게이트 통신마저 안 되고 있습니다.

게이트 통신은 점프 공간을 통한 통신으로, 게이트만 통해져 있다면 수십만 광년을 한 번에 연결시켜준다. 현재 오르 함장은 지금 뉴 소노라가 연방의 다른 영토들과 통신 두절이 되었다고 말하고 있다. 그리고 마침내 게이트에서 그 무언가가 튀어나왔다.

- 저게 대체 뭐지?

튀어나온 것을 보고 놀란 우지의 말에 태스크포스 373의 어느 누구도 대답할 수 없었다. 그게 무엇인지 아무도 모르기 때문이다. 그것은 마치 생물체의 뼈와 근육을 짓이기고 으깨어 빚어낸 듯한 구조물들이었다. 크기는 블랙 랜스보다 조금 크거나 작은 함선 정도다. 그런 것들이 점프 게이트를 통해 이쪽으로 쏟아져 나오고 있었다. 그리고 함대처럼 조잡하나마 무리를 꾸려 뉴 소노라로 향하고 있었다. 바로 그때 빈우의 머릿속에 떠오르는 것이 있었다.

'축하한다. 너는 계단을 내려오는 자들보다 앞질러가게 되었어. 뭐, 길 가다가 뒤돌아서면 높은 확률로 워프 비스트가 있을 거다. 더 이상의 발현을 막았지만 이미 내려온 놈들은 어떻게 못 해.'

발 가르단 하스의 충고다.

빈우는 영상 속 자료를 다시 한번 살펴보았다. 정체불명의 침략자를 구성한 재료들. 얼기설기 모여 함선을 빚어낸 생물들. 적어도 인간은 아니다. 그러나 그 불규칙하게 일그러진 모습은 마치 워프 비스트를 연상케 했다. 머릿속에 떠오른 기억과 눈앞의 적이 조합되자 하나의 생각이 떠오른다.

'설마 저건 어떤 외계종족이 워프 비스트로 변한 것일까?'

그러나 빈우는 더 이상 생각을 할 겨를이 없었다. 현재 게이트에서 나온 적의 함대 수는 스물 정도에서 계속 늘어나는 중이다. 점프 포인트 주변에 대기하고 있던 무인 호위 함대가 게이트에서 나온 정체불명의 외계종족 함대에 경고했다. 그러나 놈들은 아무런 반응 없이 점프 포인트를 향해 다가왔고, 호위 함대는 즉시 공격함과 동시에 현재의 함대 사령부에 상황을 알려 지원군을 요청하려 했다. 하지만 게이트 통신이 안 되는 지금으로선 소용이 없었다.

- 제길 12척으로는 간당간당한데.

애가 탄 우지의 말대로 뉴 소노라의 호위 함대는 고작 12척의 구형 탄호이저 급 구축함들로 이뤄져 있었다. 같은 탄호이저 급이라 해도 블랙 랜스는 롱훅 프로젝트로 전면 개장을 한 최신 함인 반면, 호위 함대는 과거 그대로의 2선 급 구축함들이다. 연결된 곳이 많은 뉴 소노라 게이트의 중요도치곤 터무니없이 빈약한 병력이다. 그러나 녹색 연맹 측은 자신들의 행성과 게이트를 방어하기 위해 주둔한 연방 함대를 대단히 적대적으로 대했고, 몰아내기 위해 온갖 수를 썼다. 그 결과 연방은 무인으로 구성된 방어함대를 최저한도로 배치하는 수밖에 없었다. 그 결과 2선 급 구축함들만으로 구성된 방어함대가 정체불명의 적에 맞서 싸우게 되었다. 이들이 뚫리면 다음은 녹색 연맹의 차례가 될 것이다. 어찌 됐건, 방어함대는 게이트를 튀어나온 적들을 공격했다. 함축 코일건과 주포 플라스마 포다. 그러나.

- 이런 씨발.

셔틀에서 전투 상황을 지켜보던 빈우가 욕설을 내뱉었다. 코일건에서 발사된 텅스텐 탄자는 적에게 적중해 일격에 함선 1척—혹은 한 마리—을 파괴했다. 그러나 놈들에게 날아가던 플라스마 포는 갑자기 흡수당해 사라졌다. 익숙한 광경이다. 이어서 아무런 징조 없이 생성된 플라스마 포격이 아군 함대로 향한다.

- 샤다이?

오르 함장조차 굳은 목소리로 의문을 표한다. 플라스마 공격을 저렇게 자유자재로 다루는 종족은 현재 샤다이밖에 없다.

- 아니면 샤다이와 동맹 종족이거나 신병기일 수도 있겠죠. 그보다 함장님, 점프 포인트를 파괴하십시오.

셔틀 속의 빈우가 명령을 내렸다.

점프 포인트는 연방의 게이트에 대한 좌표 자료들이 들어 있다. 두말할 필요 없이 최고 기밀 자료다. 그래서 언제나 삼엄한 경비태세를 갖춰야 하며, 절대 적에게 나포되지 않도록 해야 한다. 만약 그러한 위험이 있을 경우에는 시에라 줄루 델타, 즉 자폭 명령을 내린다. 하지만 지금은 그럴 시간이 없다. 게이트에서 튀어나온 적들은 뉴 소노라로 향하고 있고, 개중 일부는 포인트를 노리고 있다. 게다가 적들이 샤다이와 비슷한 능력을 가지고 있는 이상, 무인 호위 함대에 시에라 줄루 델타를 요청하고 실행될 때까지 기다릴 시간이 없는 것이다.

- 괜찮겠습니까? 지원군이 오기 힘들어집니다.

오르 함장은 이미 조준을 하면서 반문했다. 점프 포인트가 없으면 지원군은 통상항해로 오거나, 순양함으로 게이트를 만들어 오는 수밖에 없다. 전자의 경우엔 최소 6개월이, 후자의 경우 48시간이 걸린다. 합류하기로 한 42전단의 병력은 원래 9시간 후면 도착할 예정이었지만, 게이트가 사라지면 이들역시 빨라야 48시간 후에 도착한다. 게이트에서 나온 적들에게서 공격이 연이어 날아온다. 플라스마 포격이 점차 거칠어진다. 벌써 2척의 아군 구축함이 격침당했다. 대열을 짜 함수의 중력충각으로 방어를 했음에도 이렇다.

빈우가 다시 외쳤다.

- 게이트 통신이 안 된다고 하셨잖습니까. 그렇다면 이미 게이트의 주도권이 저놈들에게 넘어갔다는 얘깁니다. 포인트의 좌표는 절대 넘길 수 없습니다.

곧바로 블랙 랜스의 함축 코일건이 발사되어 점프 포인트를 공격했다. 무인 호위 함대는 아군 구축함의 공격에 놀랐지만, 즉시 납득했다. 현재 상황으로선 최고 기밀인 점프 포인트가 적의 손에 넘어가기 전에 파괴하는 수밖에 없는 것이다. 연사되는 블랙 랜스의 포격에 점프 포인트는 파괴되었다. 이제뉴 소노라의 이상 상황을 눈치챈 사령부에서 비상 지원함대를 보낼 때까지어떻게든 버텨서 살아남아야 한다.

- 함장님. 적의 규모와 정체에 대해 아는 대로 말씀해주십시오.

- 적의 종족에 대해선 아군의 데이터에 일치하는 자료가 없습니다. 현재로선 불명입니다. 수는 가장 작은 전투기 급에서 전함 급까지 합해 약 40. 구성은 생물체들의 집합체로 보입니다. 그리고 샤다이와 비슷한 플라스마 사용 능력을⋯⋯. 팀장님. 적이 아직도 늘어나고 있습니다.

점프 포인트가 사라지면 게이트는 불안정해진다. 그러나 뉴 소노라의 점프 게이트는 아직도 사라질 기미가 보이질 않는다. 그러긴커녕 계속해서 적이 게이트를 통해 나오고 있다. 샤다이처럼 플라스마를 다루는 적이 이렇게끝없이 늘어나면 위험하다.

- 아무래도 적 측에 순양함처럼 게이트를 관리하는 놈이 있는 것 같습니다.

오르 함장은 위험도가 높아 보이는 대형 적을 몇 개 마킹했지만 아직까지는 추측에 불과하다. 호위 함대와 블랙 랜스는 쉬지 않고 공격을 퍼부어 적을 격침시켰지만, 그보다 증원되는 놈들이 더 많았다. 그리고 적의 공격에 다시 아군 구축함 3척이 격침되었다. 이제 아군은 호위 함대의 구축함 7척과 블랙 랜스 1척뿐이다. 다행히 적들이 제대로 된 대형을 갖추지 않고, 마구잡이로 공격해 와서 이렇게나마 버틸 수가 있었다. 하지만 계속해서 적들이 점프해 들어오면 전멸은 시간문제다.

- 그렇다면 게이트를 억지로 닫아야겠지요.

빈우는 점프 게이트를 닫을 방법을 알고 있다. 하나는 포인트를 통해서 게이트를 조절해 닫는 방법. 일반적이고 안전한 방법이지만 시간이 오래 걸린다. 다른 하나는 점프 게이트에 엄청난 에너지와 물체를 한꺼번에 집어넣어 과부하로 닫아버리는 방법이다.

- 팀장님 생각은 왠지 무식할 것 같습니다만.

오르 함장이 다가오는 플라스마 포격을 어뢰로 요격하는 묘기를 보이며 말했다.

- 물론 블랙 랜스의 공격이라면 가능합니다. 다만 그동안 화력에 구멍이 생기고, 아군 구축함들이 엄호해줘야 합니다.

그의 말대로 블랙 랜스의 화력이라면 단독으로 게이트를 에너지 포화 상태로 만들어 닫을 수 있다. 다만 그러기 위해선 블랙 랜스가 게이트에 집중 포격을 가해야 하고, 그동안 적들은 절대 가만히 있지 않을 터였다.

- 일단은 함장님이 순양함으로 추정되는 놈들부터 잡아보십시오. 그리고 안되면 제가 방법을 강구하죠. 함장님, 화력 팀과 제 장갑복, 그리고 무인 어벤저 전부를 글라디우스에 태워 이쪽으로 보내주십시오.

- 알겠습니다.

이미 준비가 다 되어 있었는지, 빈우의 명령이 떨어지자마자 블랙 랜스에서 그라디우스가 발진해 빈우가 탄 셔틀로 날아왔다. 그걸 본 빈우는 고개를 돌려 아나스타샤를 바라보았다.

"아나스타샤, 넌 블랙 랜스로 가서 오다 의원님을 지켜. 그리고 만약에 상황이 안 좋게 흘러가면……."

빈우가 마지막까지 하지 못한 말은 아나스타샤도 알고 있다. 청소다. 사태가 최악으로 흘러가면 아나스타샤는 히토미와 함께 탈출하거나, 구획째 자폭할 것이다.

"알겠습니다, 주인님."

아나스타샤는 빈우의 개인 메이드임과 동시에 군사정보국의 안드로이드다. 그녀는 굳은 표정으로 빈우의 명령을 받았다.

- 좋아, 그라디우스와 셔틀은 T 턴으로 랑데부한다.

T 턴은 마주 오던 두 비행체가 방향을 틀어 한쪽으로 등속 비행을 하는 것을 말한다. 이렇게 하면 비행을 하면서도 둘 사이의 이동이 가능하다. 그러나 그라디우스 쪽에서 회답이 없다. 블랙 랜스에서도 마찬가지다. 아마 적들의 전파 방해가 더욱 극심해진 모양이다. 어쩔 수 없이 그라디우스와 셔틀은 레이저 신호로 대화를 나누었다. 얼마지 않아 가까이 다가온 두 비행체는 거리와 속도를 맞추어 수평으로 날아갔고, 빈우는 셔틀 바깥으로 나갔다.

"주인님, 조심하세요."

빈우가 셔틀에서 나갈 때, 아나스타샤의 걱정 어린 목소리가 들려왔다.

"아샤, 너야말로 조심해."

지금 블랙 랜스 주변으론 적들의 공격이 점차 거세지고 있다. 무장이나 방어가 빈약한 셔틀을 보내고 싶진 않다. 그래도 지금은 어쩔 수가 없다. 셔틀을 나간 빈우는 그대로 그라디우스의 옆으로 날아갔고, 회수용 케이블을 잡은 다음 열린 문 안으로 들어갔다.

- 팀장님.

아룹의 그라인더가 빈우를 잡아 부축했다. 옆에는 파트리샤의 인필트레이터와 위르겐의 어벤저도 있다. 심지어 모니카의 부머까지도.

- 모니카 넌 왜 왔어.

- 제가 없으면 팀장님 장갑복도 못 입잖아요.

놀란 빈우의 말에 모니카가 혀를 날름하며 받아친다. 빈우의 장비인 컨커러부터 개인 무장인 스핑크스는 전부 프로토타입이다. 외부에서 관리자의 도움 없이는 단독으로 입기 힘들다. 하지만 빈우 정도의 기술 지식이 있으면 혼자서도 입고 벗는 것이 가능하다.

- 너 무슨 말을 하…….

순간 빈우는 할 말을 잃었다. 컨커러의 등에 입자가속포가 달려 있는 것을 봤기 때문이다.

- 이 미친년. 진짜 실전에 이걸 달았어.

물론 입자가속포를 컨커러에 달자고 한 건 빈우의 생각이다. 그러나 달자마자 실전에 투입할 생각은 없었다.

- 에헤헤. 그게 떼려고 하니까 시간이 더 걸릴 것 같아서, 그냥 달고 나왔어요.

빈우는 도대체 어떻게 달면 그렇게 되냐고 반문하고 싶었지만 기술 장교인 모니카가 그렇다면 그런 것이다. 그는 서둘러 컨커러를 입기 시작했다.

- 좋아, 다들 잘 들어. 함대전으로 간 이상 저 전투에 우리들이 나설 기회는 없다. 우린 우리가 할 수 있는 것을 한다.

태스크포스 373이 연방 최정예 팀이라고는 해도 장갑보병이다. 빈우의 말대로 함대전에선 나갈 기회가 많이 없다.

- 그라디우스로 적함에 돌입하지는 않습니까?

위르겐이 말한 방법은 뱅가드의 18번 장기다. 함대전으로 개싸움이 나는 와중에 장갑보병 부대를 적함으로 돌입시켜 안에서부터 따먹는 방법이다.

- 일단 우리 숫자가 너무 적잖아. 그리고 적에 대해 알고 있는 게 없는 이상 그 방법은 위험해.

태스크포스 373의 화력 팀은 모두 네 명, 모니카를 합쳐도 다섯 명. 고작해야 1개 분대다. 게다가 무인 어벤저를 포함한다 해도 오늘 처음 만난 적함

347

에―내부 구조에 대해 아는 것이 전혀 없는 함선 내부에―이 고급 인력을 쑤셔박을 수는 없는 노릇이다. 저번 라출노그에선 상대가 잘 알려진 아귀 급이라 가능한 일이었다.

- 일단 블랙 랜스와 통신부터 하자.

블랙 랜스마저 뚫을 수 없는 강력한 전파 방해라 레이저 통신을 하는 수밖에 없었다. 일단은 음성만 연결이 되었고, 회선이 열리자마자 빈우가 외쳤다.

- 함장님! 일단 게이트를 관리하거나, 통신을 방해하는 고위험군부터 먼저 처리하십시오.

게이트를 열고 있는 놈이라면 최악의 경우 아군 지원함대가 점프해 오려고 할 때, 그것을 막을 가능성도 있다. 가장 먼저 제거해야 한다.

- 먼저 해야 할 일이 너무 많군요.

오르 함장의 푸념대로 현재 전황은 매우 불리했다. 현재 아군은 블랙 랜스 포함 구축함 5척인 반면, 적은 크고 작은 함선으로 42척. 이것도 전투기 크기의 소형을 빼고 구축함 크기 이상만 세었을 경우다. 그나마 이 적들의 무장체계가 샤다이와 유사하고, 전투 방식이 그저 짐승처럼 단순해 어떻게 버틸 수가 있었다.

- 그러면 화력 팀은 어쩌시겠습니까?

- 궤도 엘리베이터로 가서 게이트를 닫는 방법을 써보려 합니다.

- ……알겠습니다. 그러기 전에 제가 순양함 급을 잡아야겠군요. 건투를 빕니다.

통신이 끊기고, 화력 팀을 태운 그라디우스는 궤도 엘리베이터를 향해 날아갔다.

・・・**✦**・・・

- **팀장님, 궤도 엘리베이터에서 뭘 하실 생각이십니까?**

부팀장 아룹의 질문은 정말 몰라서라기보다는 앞으로 벌어질 불길한 일을 짐작하고서 하는 말이다.

- **일단 징발해야죠.**

빈우의 대답에 아룹은 대강 짐작한 듯 조용히 침묵했다. 그리고 빈우가 팀원들에게 작전 영상을 공유한다. 그 가운데에 궤도 엘리베이터가 있다.

- **우린 지금 뉴 소노라 궤도 엘리베이터 3번 관리실로 가서 엘리베이터를 징발한다. 그리고 최고 출력으로 가속된 화물을 쏴서 적과 게이트를 공격한다.**

팀장의 조리 있는, 그러나 어처구니없는 설명에 팀원들은 할 말을 잃어버렸다. 뉴 소노라의 궤도 엘리베이터는 정지궤도까지가 아니라 그 중간인 저궤도까지 올라가 있다. 다른 궤도 엘리베이터에 비하면 낮은 곳에 위치해 있긴 하지만 그 정도의 높이만 돼도 지상과 우주의 통행에 문제는 없다. 다만 '그 정도의 높이'라는 것이 꽤나 높은 고도라, 기존의 엘리베이터 구동 방식으로 올라가려면 한세월이 걸린다. 그래서 궤도 엘리베이터의 주 통로는 대개 자기 가속 방식을 쓴다.

즉, 지금 빈우는 궤도 엘리베이터를 레일건으로 쓰겠다고 한 것이다. 궤도 엘리베이터 곳곳에는 자세 제어용 추진기와 자이로들이 있기 때문에, 총신이 되는 엘리베이터를 휘어 탄의 방향을 트는 것도 할 수 있다. 물론 이 방법은 연방의 궤도 엘리베이터 전시 사용법에 엄연히 들어 있는 방법이고, 실제로 몇 번 사용되어 제법 의미 있는 효과를 거두었다. 중요한 것은 이 방법들이 쓰였던 상황들이 모두 개막장이었다는 점이다.

- **이후 상황을 봐서⋯⋯ 아니 잠깐, 함장님?**

- **팀장님, 이걸 보셔야겠습니다.**

작전 회의 중 갑자기 오르 함장이 끼어들었다. 그리고 뭔가의 자료를 빈우에게만 보여주었다. 팀원들에게는 보여주지 않고 팀장에게만 먼저 보여준 것이라면 분명 심각한 내용일 것이다. 게다가 오르 함장 역시 사투를 벌이고 있는 상황에서 군이 보내준 자료였으니, 그 중요도를 짐작할 수 있다.

빈우는 그 자료를 보면서 잠시 고민했다. 그리고 다시 말을 이었다.

- **궤도 엘리베이터로 화물을 발사하는 것을 A안으로 한다. 어차피 처음부터 포로 사용될 물건은 아니었으니 얼마 사용하지 못할 거다. 이후 B안을 실행하고, 다음은 화력 팀 전원이 지상으로 후퇴해 기동 방어를 한다.**

- **저기요 팀장님, 그 B안은 뭔가요?**

모니카가 질문한 이유는, 빈우가 B안이라는 단어를 말할 때 그녀를 보았기 때문이다. 무척이나 불길한 시선이었다.

- **좋은 질문이다.**

질문은 좋은 것인지 모르겠으나 대답은 절대 좋은 것이 아니었다. 빈우가 띄우는 영상 속의 궤도 엘리베이터가 중간에서 뚝 끊어진다. 끊어지는 지점은 무게추가 있는 지점으로, 뉴 소노라의 중력과 궤도 엘리베이터의 원심력이 서로 상쇄되는 곳이다. 즉 여기를 끊어버리면 아랫부분은 그대로 서 있지만, 그 윗부분은 지금까지 돌았던 원심력으로 날아가버린다.

- **궤도 레일건의 포격이 적에게 유효한 피해를 주지 못했을 경우, 무게추의 상부 부분을 분리한다. 그래서 길이 200km의 배트를 뽑아 게이트를 후려치는 거다. 다만 이때 엘리베이터 상부의 명중률을 높이기 위해 토크를 잡아줄 인원이 필요하다.**

그리고 영상에서 뜨는 것이 상부의 4번 관리실이다. 상부 부분에 위치한 관리실이기에 분리된 이후에도 남은 부분을 조작할 수 있다.

- 모니카와 위르겐이 이곳 4번 관리실에서 관성 제어장치와 자이로, 추진기 등 할 수 있는 모든 방법을 동원해 홈런을 날린다.

- 개씨발.

나직하게 울려 퍼지는 모니카의 욕지거리. 이제 그녀도 어엿한 태스크포스 373의 팀원이라는 증거다. 하지만 그녀도 이런 쪽의 지식이 있어 금세 이해했다.

- 하아, 뭐 그런 급기동에 견디려면 저나 위르겐밖에 없겠네요.

모니카의 부머는 중력 제어가 가능하고, 발사된 궤도 엘리베이터의 자세 제어와 그 계산에 필요하다. 위르겐은 급강하를 밥 먹듯이 하는 뱅가드 연대라 높은 중력가속도에 견디도록 강화되어 있고, 중화기 사양의 어벤저는 만약에 있을 파괴 작업에 필요하다. 아무튼 이게 성공한다면 게이트는 확실히 닫힌다. 다음 질문은 파트리샤가 했다.

- 그런데 기동 방어는 갑자기 뭔가요? 설마 저놈들을 지상에서 상대하자는 겁니까?

기동 방어는 거점을 지키는 것이 아니라, 아군 영역에 침투한 적을 찾아 제거하는 방어 전술이다. 보통 우주에선 소규모 전단이, 지상에선 기갑부대 혹은 공중병력이 적의 정면이 아닌 측면을 타격해, 적의 전투력을 경감시켜 아군의 피해를 줄이는 것이다. 즉 장갑보병인 화력 팀이 우주의 함대를 상대로 할 일은 없다.

- 여길 봐라.

빈우가 가리킨 곳은 아군의 포화를 뚫고 날아오는 적들의 소형 함선들이다. 이 함선은 날아오다 무역선 근처에서 갑자기 터졌다. 아니, 정확히는 스스로 분열했다. 그 분열된 하나하나가 괴생명체의 모습을 하고 있다.

- 설마 라출노그 같은, 아니 군체인가?

위르겐이 떠올린 것은 모함과 도킹하는 라출노그의 전투함선이었다. 그러나 이놈들은 그것과는 달리 단일 개체들이 모여 함선 형태를 이루고 있었다.

- 놈들의 형체를 보면 워프 비스트와 대단히 유사하다.

빈우의 말대로 저 괴수의 외견은 워프 비스트와 닮은 곳이 많았다. 뒤틀린 사지와 날카로운 발톱, 어긋나게 튀어나온 이빨들. 정말 빈우의 생각대로 어떤 외계종족이 워프 비스트로 변이한 것 같다. 분열했음에도 인간보다 조금 큰 덩치를 지닌 워프 비스트들은 무역선 안으로 침입해 들어갔다.

- 나와 함장님도 방금 알게 된 건데, 저 함선들은 이 괴물 놈들의 집합체. 놈들은 플라스마 공격으로 무역선을 격침할 수 있을 텐데, 굳이 작게 나뉘어 안으로 침입했다. 왜일까?

단순히 죽이기 위해서라면 밖에서 포격하는 게 낫다. 굳이 몸을 쪼개어 안으로 들어갔다면 목적은 하나다.

- 인간을 노리는군요.

아룹의 대답에 빈우가 고개를 끄덕인다. 이어서 자신의 가설을 말했다.

- 네. 놈들이 워프 비스트의 일종이라면, 자신들의 세를 늘리려는 것일 수도 있습니다.

불쾌한 한숨이 팀원들의 통신 회선으로 흐른다. 이들은 워프 비스트와 교전을 해본 적이 있고, 놈들이 덮친 특수전 사령부의 자료를 본 적이 있다. 당시 24함대의 대원들은 차례차례 워프 비스트로 변해 특수전 사령부를 기습했지만, 레드우드 사령관의 빠른 대처 덕에 사태가 확산되지는 않았었다.

- 봐라. 아군 함대가 밀려나고 있다.

빈우의 말대로 아군 구축함들은 화력과 병력 모두에서 밀리고 있다. 무인 함대는 어떻게든 방어 대형으로 바꾸어 시간을 벌어보려 하고 있고, 블랙 랜스는 뒤로 빠져 뉴 소노라로 향하는 소형 함선들을 요격하기 시작했다. 오르 함장 역시 사태의 심각성을 알아챈 것이다. 저놈들이 뉴 소노라로 떨어져 시민들을 변이시킨다면 사태는 걷잡을 수 없다. 녹색 연맹에는 연방의 지상 병력이 없고, 자치정부의 현지 경찰이 전부다. 그들로선 워프 비스트에 대항하기 힘들다.

- 블랙 랜스는 워프 비스트들이 뉴 소노라로 가는 것을 최대한 막는다. 그리고 우리는 지상으로 가서 저 잡것들을 최대한 조진다. 알겠나?

- 네.

지금 상황에서 저 워프 비스트들을 다 막는 것은 불가능하다. 그래서 궤도 바깥에서 최대한 수를 줄인 다음, 지상에서 지연전을 펼치는 게 이번 작전의 목적이다. 현재 뉴 소노라 항성계에서 놈들과 제대로 싸울 수 있는 지상 병력은 태스크포스 373이 유일하다. 태스크포스 373을 태운 그라디우스는 궤도 엘리베이터에 접근해 모니카와 위르겐을 4번 관리실에 내려준 다음, 3번 관리실을 향해 날아갔다. 겁에 질린 관리직원들은 373의 긴급 징발에 동의했고, 이어서 지상으로 대피해 내려가기 시작했다. 게이트가 닫힌 마당에 쏟아지는 워프 비스트들을 상대로 도망칠 곳은 없겠지만, 그래도 앉아서 죽을 수는 없는 노릇이다.

- 아, 제길.

두뇌 통신으로 위르겐의 퉁명스러운 감정이 느껴진다.

- 왜 인마, 거기서 모니카랑 같이 있는 게 그렇게 싫어?

빈우는 궤도 엘리베이터를 레일건으로 바꾸는 소프트웨어 작업을 하면서 녀석의 투정을 받았다. 그러고 보니 발 가르단 하스에서도 위르겐은 모니카와 함께 리퍼 함선 내부에 있었다.

- 우리 팀 작전은 할 때마다 틀어지니까 뭔가 징크스인가 싶어서 말입니다.

위르겐 말마따나 태스크포스 373의 작전이 제대로 돌아간 적은 없었다. 발 가르단 하스에선 전 상원의장을 만나고 샤다이 무리들과 전투를 했으며, 라출노그에선 돌아오는 길에 보안국과 생쇼를 했다.

- 징크스라…… 확실히 재수는 없는 편이지.

조정을 다 끝낸 빈우의 말에 팀원들이 집중한다. 팀장마저 재수 없다고 인

353

정하면 기분이 조금 그렇다.

- 안 그래? 소방관에게 화재는 재수 좋은 일이 아니잖아.

빈우가 어깨를 으쓱하는 건 보이지 않지만, 왠지 그런 감정이 두뇌 통신을 통해 팀원들에게 전해진다. 그리고 그가 말한 의미를 알 것 같다.

- 애초에 불 끄는 소방관이 가는 곳은 화재 현장이야. 그러다 보면 방화범과 마주칠 때도 있지. 거기에 우연은 없어.

즉 빈우의 말은 373은 샤다이를 조지기 위한 특수팀이고, 워프 비스트는 샤다이의 신형전술로 추정되는 병기다. 그러니 같은 곳에서 만나도 이상할 것은 없다는 의미다.

- 그 말씀은 팀장님의 수사가 저놈들과도 어떤 관계가 있단 말씀입니까?

아룹의 지적은 날카롭다. 빈우도 생각해보았다. 자신의 클론이 저지른 범죄가 샤다이와 무슨 관련이 있을까, 또 발 가르단 하스가 말한 의미는 무엇일까 하고. 하지만 지금은 입 밖으로 내지 않았다.

- 글쎄요. 그건 좀 더 수사를 해봐야겠죠.

그 말과 함께 빈우는 발사 스위치를 눌렀다. 그러자 궤도 엘리베이터에서 엄청난 질량의 화물들이 위로 솟구쳤다. 화물들을 실어야 할 칸에 무거운 광물들과 금속자재들이 꽉꽉 채워져 게이트를 향해 발사된다.

- 와오, 효과 좋네.

파트리샤의 감탄대로 출력이 출력이니만큼 위력이 엄청났다. 재수 없게 사선에 들어간 순양함 크기의 워프 비스트 집합체가 특제 레일건 한 방에 박살이 났다. 이어서 게이트 안으로도 화물들이 죽죽 쏟아져 들어갔고, 튀어나오는 놈들을 바로 통상공간에서 저승으로 점프시켜주었다.

- 젠장, 엘리베이터가 녹아서 눌어붙었다.

하지만 애초에 발사용으로 만들어진 것이 아니라 금방 무리가 갔다. 몇 발 쏘지도 못하고 마모되던 케이블이 마찰열을 견디지 못하고 기어이 녹아서 막혀버린 것이다.

- 모니카, 믿는다. 한 방 크게 날려.

- 히~하!

들려오는 흥분된 위르겐의 환호성.

- 닥쳐 위르겐.

이어서 으르렁거리는 모니카의 말 다음으로 궤도 엘리베이터의 상부가 분리되었다. 그리고 원심력에 의해 궤도 바깥으로 크게 회전하며 날아갔다. 동시에 상부 엘리베이터 곳곳에 설치된 자세제어 장비들이 미친 듯이 가동해 회전과 각도를 조절해나간다.

- 어머 X나 멋져.

파트리샤가 솔직하게 감탄했다. 하긴 200km에 달하는 거대 구조물이 서서히 회전하며 날아가는 광경은 흔히 볼 수 있는 게 아니다. 하지만 명장면은 거기서 끝난 게 아니었다. 블랙 랜스가 뒤에서 날아오는 궤도 엘리베이터의 상부를 피하더니, 그것을 방패 삼아 반격하기 시작한 것이다.

- 이제 궤도와 각도 계산 끝났습니다. 뭔 짓을 해도 명중! 우리 빠져나갑니다.

모니카의 그 말과 함께 두 사람이 있던 4번 관리실이 폭파하더니 부머와 그 등에 탄 어벤저가 빠져나왔다. 그 위로 잽싸게 우지의 롱소드가 날아와 엄호해준다.

- 잘했다, 모니카. 이제 블랙 랜스로 돌아가라. 우지, 모니카를 부탁한다. 위르겐, 그라디우스를 보냈다. 그걸 타고 이쪽으로 합류해.

빈우의 명령에 대한 반응은 두 가지였다.

- 네, 팀장님.

- 금방 갑니다. 기다려주십시오.

하나는 냉큼 부머로 접근하는 우지와 손을 흔드는 위르겐의 긍정적인 반응이었고,

- 잠깐만요, 팀장님. 그게 무슨 말씀이세요?

다른 하나는 놀란 모니카의 부정적인 반응이다.

- 모니카, 이제 화력 팀은 지상에서 워프 비스트를 상대로 방어전을 한다. 거기서 네가 뭘 할 수 있지? 필요 없으니까 블랙 랜스에서 다른 이들을 지키는 게 나아.

빈우의 설득은 잔인했다.

- 하지만!

모니카는 보았다. 아군 함대의 방어선을 뚫은 수많은 워프 비스트들이 뉴 소노라로 향하는 것을. 블랙 랜스를 포함한 방어 함대가 필사적으로 요격하고는 있지만, 결국 상당수의 워프 비스트들이 뉴 소모라의 궤도를 장악하고 지상으로 침략해 내려올 것이다. 팀원들은 그리로 내려간다는 것이다. 워프 비스트들이 우글거리는 지상으로.

- 죽을 거예요. 다들 죽을 거라고요.

어느새 모니카는 울먹이기 시작했다. 아까 기동 방어란 단어를 처음 들었을 때는 몰랐다. 하지만 지금 눈앞에서 새까맣게 행성으로 내려가는 워프 비스트들을 보자 현실을 깨닫게 된다. 태스크포스 373의 화력 팀이 연방 최정예란 것은 두말하면 잔소리다. 하지만 인원은 고작해야 네 명, 다수를 상대로 한 방어전은 무모하다. 게다가 기습 같은 공격성 작전이라면 모를까, 이런 방어전에선 제아무리 특수부대원이라 하더라도 일반 장갑보병들과 별반 차이가 없다.

- 그게 우리 일 아니냐.

대수롭지 않은 빈우의 대답에 모니카는 할 말을 잃었고, 다른 팀원들은 조용히 긍정했다. 외계종족의 침입에 목숨을 바쳐 시민들을 지키는 것. 그것이 그들의 일이다.

- 헤헤, 지옥으로 꼬라박는 게 저희들 일이죠.

위르겐의 어벤저가 부머를 등 뒤에서 잡고 방향을 돌리더니 세차게 걷어 찼다. 그렇게 튕겨 나간 부머는 롱소드가 견인 빔으로 잡아갔고, 그 반동으로 날아간 어벤저는 마중 나온 그라디우스에 안착했다.

- **함장님. 최대한 지연전을 펼치십시오. 지상팀은 신경 쓰지 마시고 살아남는 걸 최우선으로 두셔야 합니다. 블랙 랜스가 떨어지면 지상팀도 끝장입니다.**

지금 빈우는 상공의 엄호를 포기하면서까지 블랙 랜스의 생존을 당부했 다. 궤도 상에서 모함의 포격 지원이 있고 없고는 천지 차이다. 그러나 이제 뉴 소노라에 남은 아군 함선은 블랙 랜스 단 1척, 50여 척에 달하는 적들을 상대로 싸우다간 격침당할 뿐이다.

- **뉴 소노라는 중요도가 높은 허브 게이트입니다. 정시 연락이 끊기면 뱅가드 가 올 테니, 그때까지만 버티면 됩니다.**

- **블랙 랜스야 치고 빠지며 어떻게든 버텨보겠지만, 지상의 화력 팀은 괜찮겠 습니까?**

- **만약 놈들이 뉴 소노라를 공격하는 게 목적이었다면 궤도포격을 했겠지요. 그러나 저걸 보십시오.**

빈우가 가리킨 곳은 순양함 크기였던 소형 워프 비스트 함선들이 분열해 뉴 소노라의 대기권에 돌입하는 모습이다. 그리고 다시 한 번 단일 개체로 잘게 쪼개져 지상으로 낙하한다.

- 놈들은 지상전으로 뉴 소노라를 접수하려는 겁니다. 아마도 시민들을 변이
  시키는 게 목표겠지요. 그렇다면 대량 파괴가 일어날 적 함선의 궤도포격은
  없을 겁니다. 정 상황이 불리해지면 화력 팀은 그라디우스를 타고 철수하겠
  습니다. 블랙 랜스는 어쩌실 겁니까?

오르는 지금까지 싸워봐서 알아낸 사실들이 있다. 저 워프 비스트들은 플
라스마를 쏘는 만큼 화력은 좋지만, 방어력은 볼품없었다. 플라스마나 광학
병기는 샤다이처럼 무력화시켜도, 그 외의 공격에는 종잇장처럼 갈려나갔
다. 게다가 기동성도 굼벵이 수준이라 블랙 랜스가 작정하고 도망치면 죽을
일은 없다.

- 그럼 퇴각 때까지 히트 앤드 런으로 최대한 시간을 벌어보겠습니다. 건투를
  빕니다.
- 함장님이야말로. 인류가 제일 X 같을 때는 역시 지상전에서 아니겠습니까.

빈우의 말대로 인류가 외계종족들과 숱하게 전투를 벌이면서도 끝끝내
우위를 점할 수 있던 건 장갑보병들에 의한 지상전 덕분이었다. 저 강력한 샤
다이도 지상전에선 밀어붙였고, 생체 전차라 불리우는 스퀴테르도 인류의
표독스런 지상전을 본 다음부턴 고개를 흔들 정도다. 덧붙이자면 인류가 방
어전으로 지상전을 하는 경우는 진짜 말아먹은 경우다.

- 아차차, 빠질 사람은 빠지라고 먼저 말했어야 했나?

돌아보며 너스레를 떠는 빈우의 말에 팀원들이 키득거린다.

현재 밝혀진 사실로만 봐선 화력 팀의 승산은 썩 높지 않다. 그럼에도 불
구하고 저 아래에 지켜야 할 시민들이 있는 이상, 승산 따윈 신경 쓰지 않고
뛰어내리는 것이다.

- 사실 이런 것은 제 특기가 아닙니다만, 이거 비슷한 일을 한 번 겪어서요. 두
  번씩이나 겪고 싶진 않습니다.

슬쩍 아룹이 운을 뗀다. 빈우의 시선이 향하자 나머지 고백이 이어진다.

- VIP 회수 작전이었습니다. 회수 목표 확보하니까 바로 철수하라더군요. 후발대가 있다곤 했는데, 속았죠.

빈우가 알기로 아룸이 맡았던 작전 중에 군사기술국의 연구소를 청소하는 것이 있었다. 주요 인원과 자료, 장비를 챙긴 다음에 철수하는 작전이었는데 나머지 인원은 상황이 여의치 않자 버려졌다고 했었다. 그리고 그것은 아룸이 레드우드의 부름에 냉큼 달려온 이유가 되었다. 이어 빈우의 시선이 파트리샤 쪽으로 향했다. 그녀는 헬멧 위로 머리를 긁적였다.

- 옛? 나요? 음, 조금 뭐냐, 더러운 정찰 임무를 맡은 적이 있는데, 아군이랑 시민들 죽어나가는 거 눈 뻔히 뜨고 본 적이 있어요.

실리콘 나이트의 정찰은 장갑복을 입은 대원이 적진으로 침투해 자료를 수집하는 것이며, 작전 중에는 무슨 일이 있어도 정체를 드러내선 안 된다. 궤도나 고고도 장거리 촬영으로 아군이 죽는 것을 본 군인들은 많지만, 그녀처럼 직접 눈앞에서 그 광경을 봐야 했다면 그리 좋은 기억이 아닐 것이다. 게다가 파트리샤가 더럽다고 한 것을 보면 빈우는 그녀가 가져온 자료들의 용도가 어떨지 짐작이 갔다.

- 그러니까 나 빼기 없기.

- 빨리도 말한다. 이제 빼지도 못해.

애교 떠는 그녀를 피식 웃으며 걷어찬 빈우가 마지막으로 위르겐을 쳐다보았다. 그러자 뱅가드 대원은 어깨를 으쓱한다.

- 제가 하던 일이 원래 이랬는데요 뭘. 새삼.

하긴 위르겐에게 이런 작전은 익숙할 것이다. 단검뿔 토끼와 실리콘 나이트가 몰래 담 넘고 숨어 들어가 깃발을 가져오는 부대라면, 뱅가드는 앞문 부수고 쳐들어가 깃발을 꽂는 부대다. 애초에 작전 교리에 철수는 있어도 후퇴는 없고, 본대가 올 때까지 최대한 개판 치는 게 뱅가드다.

- 그래도 팀장님이 보시기에 해볼 만해서 하시는 거겠죠?

부팀장의 질문에 빈우가 고개를 끄덕였다.

- 네, 우리는 거점을 사수하려고 내려가는 것이 아닙니다. 목표는 아군이 올 때까지 최대한 시민들을 이동시키며 보호하고, 적의 수를 줄이는 겁니다.

그러면서 빈우는 지상팀을 점검했다. 컨커러, 그라인더, 인필트레이터, 중화기 어벤저가 4기. 여기에다 무인 어벤저가 기본사양으로 20기. 반면 워프 비스트는 대략—가장 소형체로 내려갔다면—최소 8천 이상. 암담하다. 다음으로 간단한 상황 설명을 시작했다.

- 현재까지 수집한 정보를 보아 플라스마 사용은 최소한 함선 급 군체가 되어야 가능한 것으로 보인다. 보다시피 이런 소형이나 단체들은 레이저 요격에 당했지.

궤도에 있던 함선으로 들어간 놈들은 역시나 플라스마 공격 없이 손톱과 이빨로 사람들을 공격했다. 지상에 내려간 놈들이 저것들처럼 인간 크기에 근접전만을 하고 아군의 무기가 통한다면 해볼 만하다. 다만 완력이 장갑복 수준에 근접공격이 위험한 편이라, 아무리 장갑보병이라 해도 다수에 둘러싸이면 위험하다.

- 함선 급들은 전부 대기권에 있고, 지상의 단일 개체 워프 비스트들이 근접전만 한다면 우린 최대한 거리를 두며 싸우면 된다.

빈우의 작전 설명은 말로 하긴 쉽다. 실제 특수전 사령부에 침입했던 워프 비스트는 아군의 사격전에 달리 힘을 쓰지 못하고 쓰러졌다고 했었다.

- 그런데 저것들. 새로운 워프 비스트일까요?

파트리샤가 놈들의 영상을 보면서 전력을 파악해보려 한다. 이런 걸 알아내는 건 모니카가 전문이지만, 그녀는 이미 블랙 랜스로 떠나버렸다.

- 기본이 되는 종족이 달라서일 수도 있지. 잡아 족쳐서 알아보자. 일단 지상의 시민들을 대피시켜야 하는데. 이게 제일 X 같네.

팀원들의 두뇌 통신으로 빈우의 짜증이 확 전달된다. 궤도 엘리베이터의 직원들이나 블랙 랜스에서 수차례 대피령을 내렸음에도 불구하고 뉴 소노라의, 아니 녹색 연맹의 사람들은 대피할 생각이 전혀 없는 듯했다. 빈우가 지상의 영상 중 하나를 잡아 띄웠다.

- 이 땅은 우리의 땅이다. 누구도 우릴 몰아낼 순 없다.

한 도시국가의 시장이 열변을 토한다. 다른 도시들도 별반 다를 바 없다. 과거 친 연방 쪽에 속했었던 도시들은 느리게나마 대피를 하고 있지만, 그 외에는 사태 파악을 못 하고 결사 항전을 하자는 분위기다. 겨우 녹색 연맹의 기술력으로, 그 워프 비스트를 상대하겠다는 것이다.

- 하아, 저 양반들을 대피시켜야 한다고요?

위르겐이 툴툴댄다. 위르겐의 짜증은 빈우의 짜증과 결이 조금 달랐다. 아마 뱅가드 연대이니만큼 간혹 이런 임무를 맡아봤던 경험 때문일 터다.

- 침공받은 소규모 개척지에 들어가 대피시키는 건 몇 번 해봤습니다만, 그것도 빡센 마당에 도시 단위라고요. 제길 씨발.

- 짜증 난다고 쟤네들 쪽수 까먹지 말고.

- 제길.

드디어 화력 팀을 태운 그라디우스가 뉴 소노라로 내려가기 시작했다. 궤도 상에 대기하던 워프 비스트 함선이 플라스마 포를 쏘았지만, 명중률이 샤다이와 형님 동생 할 지경이다.

- 워프 비스트들이 가장 많이 떨어지는 곳은 웨이블에 있는 궤도 엘리베이터 부근이다.

궤도 엘리베이터 터미널은 교통량이 많고 여러 가지 인프라가 풍부해서 인구가 많다.

- 나와 파트리샤가 A팀, 부팀장과 위르겐이 B팀. 어벤저는 팀별로 10기씩 나눈다.

현재 화력이 강력한 것은 빈우의 컨커러와 위르겐의 중화기 어벤저다. 지휘계통대로 나누자면 팀장과 부팀장. 그래서 팀이 이렇게 나뉜 것이다.

- A팀은 상공에서 장갑복으로 강하. B팀은 그라디우스로 궤도 엘리베이터 터미널로 진입해서 관제실을 장악해.

아직 워프 비스트들이 본격적으로 침공을 시작하지 않은 지금이라면 지상의 소란이 적다. 그렇다면 한시라도 빨리 녹색 연맹 쪽의 지도부를 설득해 피난과 대피를 유도해야 한다. 그리고 지금 그 지도부께선 뉴 소노라로부터 도망치기 위해 궤도 엘리베이터에 타고 있는 중이시라 태스크포스 373이 직접 찾아뵙는 중이다.

- 참, 지금부터 의료용 마이크로 머신은 팀원들에게만 쓴다.

마지막으로 덧붙이는 빈우의 명령에 팀원들의 시선이 모인다.

- 현재 상황에서 시민들 한둘 살려봐야 의미 없어. 우리가 살아남아서 워프 비스트를 하나라도 더 잡아야 한다. 그게 시민들을 구하는 길이야.

따지고 보면 맞는 말이다. 모함과의 연결이 힘든 지금 의료용 마이크로 머신의 보급은 어렵다. 이런 상황에서 시민들을 살리느니 부상당한 팀원들을 치료하는 게 방어에 더 효율적이다. 냉정한 빈우의 목소리에 위르겐은 조금 의아함을 느꼈다. 방금 빈우의 명령은 발 가르단 하스에서 이케가미 의원을 구하기 위해 앞뒤 가리지 않고 몸을 던졌던 사람처럼 보이지 않았던 것이다.

- 강하!

빈우가 그라디우스에서 뛰어내리자 그 뒤를 따라 파트리샤와 어벤저들이 줄줄이 뛴다. 빈우는 낙하하는 도중에 등에 있던 입자가속포를 꺼냈다. 삼등분된 포신이 합쳐지고, 동체를 두른 가속 터널에서 가속이 시작된다. 다음 빈우는 스핑크스를 방패 모드로 해서 앞을 막은 다음에 입자가속포를 쐈다. 저 멀리서 강하하던 소형선 크기의 워프 비스트가 일격에 격침되었다. 구축함 부포 급의 열에너지와 운동에너지가 들이닥치자 분열이고 자시고 할 것 없이 산산조각난 것이다. 장갑보병이 운용하는 화기에서 이 정도 위력이 나왔다면 군 상부에서는 침을 질질 흘릴 것이다. 하지만 정작 당사자인 빈우는 입에서 다른 것을 흘리고 있었다.

- 씨발.

1척을 잡았는데 그 뒤로 5척이 내려오고 있으니 욕이 나올 만하다.

- B조, 위치에 도착. 자리 잡았습니다.

아룹이 이끄는 B조는 착륙은 뛰어넘고 그라디우스에서 바로 강하한 모양이다. 위르겐은 높은 위치에 있는 관제실에서 레일건을 꺼내, 사거리 내에 보이는 워프 비스트를 저격하기 시작했다.

- 웨이블 시의 시장과 시의원들을 찾았습니다. 말로는 결사 항전이라고 해놓고선 자기들은 튀려고 한 모양입니다.

아룹의 보고를 들은 빈우는 다음 명령을 내렸다.

- 어서 시민들에게 대피령을 내리라고 하세요.

부팀장이 시장을 설득할 동안 그의 감정이 회선을 통해 퍼져나간다. 난처함과 곤란함. 시장 쪽이 무슨 말을 하고 있을지 짐작이 간다.

- ……연방의 총칼에 무릎 꿇지 않겠다는데요.

- 제대로 된 걸 못 봐서 그런 헛소리를 하는 겁니다. 진짜 총칼이 뭔지 똑바로 가르쳐주세요.

이쯤 되면 태스크포스 373이 당면한 가장 큰 문제는 몰려 내려오는 워프 비스트가 아니라, 연방이라면 덮어놓고 어깃장을 놓는 녹색 연맹의 사람들이었다.

- 적, 워프 비스트입니다. 47마리가 4번 도로로 접근 중.

위르겐이 관제실 창을 깨고 레일건을 거치한 다음 도로를 따라 갈겼다. 터미널을 향해 달려오던 워프 비스트들이 순식간에 피떡이 된다.

- 기다려, 위르겐. 좀 더 끌어당겨라.

팀장의 명령에 위르겐은 사격을 잠시 멈췄다. 그러자 화망에 막혀 주춤했던 워프 비스트들이 다시 질주하기 시작했다. 그사이 빈우의 A조는 터미널에서 조금 떨어진 건물로 올라가고 있었다.

- 위르겐, 내 신호에 맞춰 쏴라.

워프 비스트들이 로터리에서 확 퍼졌다가 다시 모이는 순간, 빈우가 신호를 내렸다. 그러자 좁은 길에 얽힌 놈들이 위르겐과 무인 어벤저, 빈우와 파트리샤의 교차 사격에 갈려나갔다.

- 부팀장, 그 양반들 대피 명령 내린답니까?

하늘에서 워프 비스트들이 속속 내려온다. 대기권을 돌파한 소형 함선 크기의 워프 비스트들이 더 작은 형태가 되어 떨어진다. 높은 고도에서 분리한 어벙한 놈들은 땅바닥에 꽂혀 일손을 줄여주지만, 그래도 많은 수의 적들이 도시 곳곳에 안착한다.

- 음, 치과 치료가 필요해 보입니다만, 말하는 데는 무리가 없어 보입니다.

이어서 웨이블 시장의 피난 방송이 시작되었다.

- 히민 혀어분, 히금 헤이홀헤는…….

조금 새는 발음이지만 알아듣는 데는 문제가 없어 보였다.

- **일단 한 건 해결 했군요. 이제 궤도 엘리베이터로 피난 가려는 사람들의 발길을 빨리 돌려야 합니다.**

아닌 게 아니라 점프 게이트의 소실, 방어 함대의 전멸 등의 소식이 알려지자 발 빠른 사람들은 궤도 엘리베이터로 모이기 시작했다. 상부가 날아갔어도 하부는 건재하니 올라만 가면 긴급 피난선을 탈 수 있기 때문이다. 그러나 피난선을 탄다 해도 게이트가 사라진 지금은 도망갈 곳도 없다.

- **X 됐는데 이거.**

게다가 모든 워프 비스트들이 다 궤도 엘리베이터를 향해 오는 것은 아니었다. 지금 시가지 곳곳에서 전투가 벌어지고 있었다.

"죽어! 이 괴물 새끼들아!"

"녹색 연맹은 승리한다."

뉴 소노라의 경찰들과 시민들이 무기를 들고 저항을 시작하지만, 성과는 그리 좋지 못하다. 이들의 무장이라고 해봐야 화약식, 혹은 가스식 총이 고작이다. 먹히기야 하겠지만 여럿이서 집중 사격을 해야 한다. 시민들이 총을 갈기는 사이, 워프 비스트들은 빠르게 달려와 사람들을 갈기갈기 찢어놓는다.

"아아악!"

장갑복에 준하는 완력이면 사람쯤은 우습게 찢어발긴다. 야수 같은 놈들이지만 나름 지성은 있는지, 무장하고 공격을 하는 인간은 가차 없이 죽여버리는 반면, 비무장의 시민들은 바닥에 패대기쳐 무력화시킨 다음 어디론가 끌고 가고 있다. 어쩌면 저게 놈들의 본능일지도.

- **부팀장, B조!**

태스크포스 373은 필사적으로 워프 비스트들을 죽이고는 있지만, 수가 너무 적다. 인간과 무인기 다 합쳐 24. 그에 반해 적은 속속들이 늘어나고 있고 전장은 너무 넓다.

- 젠장, 통신 방해가 더 심해졌어. 이 정도 거리에서도 통신이 안 되다니.

빈우가 혀를 찼다. 조금 거리를 벌려 화력 거점을 마련하려 해도 통신이 안 되면 소용이 없다.

- 다행히 도시 간 통신은 유선이군요.

파트리샤의 말대로 이건 천만다행이다. 뉴 소노라의 도시들은 서로 유선 통신망을 구축하고 있어서 지금 같은 통신 방해 속에서도 비상연락을 할 수 있었다. 그리고 개척 행성인 만큼 대피 시설도 잘되어 있어, 운석 낙하에서도 버틸 수 있는 지하 벙커들이 도시 곳곳에 있다. 일단 시민들이 대피만 한다면 지금의 워프 비스트들은 그 벙커를 뚫을 방법이 없다. 때마침 벙커의 위치를 알려주는 안내방송이 시작되었다. 문제는 내용이 이상하다.

- 여러분! 벙커로 가선 안 됩니다. 도망쳐선 안 됩니다. 우린 침략자들에게 맞서 싸워야 합니다.

- 개씨바아알!

그러나 시민들에게 대피할 마음이 없다는 게 빈우의 복장을 터트리고 있었다. 고향을 스스로 만들었다는 개척 행성 특유의 애향심과 침략자들에 대한 저항감도 있겠지만, 뉴 소노라의 사람들은—스스로 녹색 연맹이라 칭하는 자들은—자신들이 연방보다 역사가 길다는 점을 들어 언제나 연방을 아래에 놓고 무시해왔다.

*

"영감님, 절 따라오세요. 일단 벙커까지 모실게요."

얼굴을 보인 위르겐이 친절하게 손을 내밀지만, 노인은 되려 지팡이로 그를 후려갈겼다. 내민 장갑복의 손바닥은 아무렇지도 않지만 위르겐은 마치 자기가 맞은 것마냥 우울했다.

"감히 누구 땅에서 그런 소릴. 옳거니, 연방 놈들이 드디어 본색을 드러냈구나.”

엄밀히 말하면 녹색 연맹은 인류 연방에 속해 있으며, 자치권을 보장받고 있는 지방 행성에 불과하다. 그러나 주민들에겐 그렇지 않았다. 개척 행성의 주권을 지키는 정의의 녹색 연맹과 이를 침범하는 사악한 연방. 이것이 뉴 소노라 주민들 상당수의 인식이었다.

“아, 아빠. 뭐 하는 거야. 피난 방송하고 있잖아.”

하지만 그것도 세대가 지나가며 서서히 바뀌는 중이다. 옆에서 딸로 보이는 여인 한 명이 한쪽 팔에는 아기를, 다른 쪽 팔에는 노인을 이끌고 나아간다. 그녀는 미안함과 고마움이 섞인 인사를 하고 지나가지만, 노인은 그러면서도 고래고래 소리를 지른다.

“네가 뭘 안다고. 녹색 연맹은 우리 땅이야. 연방 놈들이 침략하고 있다고.”

그 모습을 보며 위르겐은 한숨을 내쉰다.

“하아, 썩을 윗대가리들은 받아 처먹을 거 다 받아 처먹고, 시민들한텐 정보 통제하고. 잘한다.”

- 위르겐, 서둘러. 그쪽으로 또 한 무리 간다.

아룹의 경고에 고개를 돌리자 건너편 블록이 소란스럽다. 모퉁이에서 튀어나와 질주하던 스콜피온 전차가 워프 비스트를 짓밟고 지나간다. 그러다가 둘러싸이고, 뚜껑이 따이고, 승무원들이 잡혀 나와 장조림이 된다.

“모두 피해요! 벙커까지 달려요!”

헬멧을 닫은 위르겐이 어벤저들과 함께 난사하며 앞으로 나선다. 터미널을 나온 B조는 현재 3개 분대로 재편해서 워프 비스트들의 침범 루트를 막아서고 있다. 2개 분대가 번갈아 타격하고, 남은 1개 분대는 후방에 대기하다가 지원을 하거나 교체를 한다. 시가전에서는 효과적인 전술이지만 손이 모자라 하늘까지는 커버할 수 없었다.

“제길!”

위르겐은 착지에 실패해 바닥에 조각나 꿈틀거리는 워프 비스트의 등에 나이프를 쑤셔 박았다.

- 부팀장님. 슬슬 시간 다 돼갑니다.

- 알았다.

지금 태스크포스 373의 A조와 B조는 지역을 정해놓고 시간을 따라 이동하며, 시민들의 대피를 돕고 워프 비스트에 대한 반격을 하고 있었다.

*

빈우는 사원 안으로 들어갔다. 사람들이 제법 많이 몰린 곳이지만 방어설비가 전혀 없어서, 워프 비스트들이 들이닥치면 순식간에 떼몰살당할 곳이다. 한시라도 빨리 이들을 대피시켜야 한다. 그때 머리가 반들반들한 노승려한 명이 목탁을 두들기며 걸어 나와 빈우의 앞을 가로막는다.

"나무아미타불. 물러서시오. 여긴 무기를 들고 올 곳―."

"제길 씨발! 지금 대피령 떨어졌는데 뭐 하는 겁니까! 어서 피하세요. 벙커로 가셔야 합니다."

애써 화를 참으며 설명하는 빈우를 보던 노승려는 차갑게 대답했다.

"물럿거라. 연방의 사악한 앞잡이야."

그 말이 채 끝나기도 전에 박살 난 목탁과 박살 난 뚝배기가 바닥을 뒹군다. 놀란 파트리샤가 달려와 승려 머리에 박힌 목탁 파편을 조심조심 뽑아냈다. 죽일 생각은 없었는지 다행히 승려는 아직 살아 있다. 하지만 입에서 거품을 보골보골 무는 모습이 썩 좋아 보이지는 않았다. 빈우는 이를 부득부득 갈며 명령을 내렸다.

"파트리샤, 내 앞길에 지뢰 깔아라. 더도 덜도 말고 딱 일곱 개만."

"아놔, 이 양반 또 지랄이네."

그러나 파트리샤도 빈우의 격노를 보고 어렵다 싶었다. 구해주러 내려왔더니 요구조자들이 개트롤짓만 하고 있으니 빡치는 게 당연하다.

"모두 대피령에 따라 이동하세요. 빨리빨리!"

처음 보는 장갑복이 사원 안으로 성큼성큼 들어서자 사람들이 동요한다. 그러던 중 한 중년 남자가 나와 빈우에게 말을 걸어온다.

"대, 댁이 무슨 권리로 우리한테 그런 명령을 내리는 거요."

"권리?"

반문하던 빈우가 대답을 꺼냈다. 코일건이다.

"이거요, 이거!"

그리고 하늘을 향해 위협 사격을 하자 초음속 탄자의 발사음에 사람들이 자지러진다.

"꺄악, 갑자기 뭐에요!"

"뭐냐고? 폭력이요, 폭력! 여기 있으면 뒈지니까 튀시라고!"

위협 사격 몇 번에 신도들은 사원을 우르르 빠져나갔고, 무인 어벤저들이 사람들을 대피소로 인솔하기 시작했다.

- 적 발견.

외곽을 탐지하던 무인 어벤저에게서 적을 발견했다는 보고가 들어왔다. 통신을 쓸 수 없는 현재 어벤저들은 서로를 중계하면서 연락망을 구성하고 있었다.

- 37, 38, 42. 계속 모이고 있습니다.

어벤저의 보고에 따르면 워프 비스트들은 이쪽으로 향하며 세를 늘리고 있는 것 같았다. 아마 수를 불린 다음 한꺼번에 들이닥치려는 생각이겠지.

- 파트리샤. 피난민들 인솔해서 빠져나가.

빈우는 입자가속포를 충전하며 사원 위로 올라갔다. 무인기가 가리킨 곳엔 아직도 워프 비스트들이 모이고 있었다. 얼마 전까지만 해도 저항하던 사람들은 이미 시신이 되어 바닥에 들러붙어 있다. 여기 사원에서 실랑이만 하지 않았어도 구했을지도 모르는 사람이다. 놈들이 분주히 움직이지 않고 서서히 모이기만 하는 것을 보면, 주변에 생존자는 없는 모양이다. 그리고 빈우는 입자가속포를 발사했다. 폭음과 섬광이 일며 그 일대가 날아간다. 뉴 소노라의 건물과 시민들의 시신. 그리고 침략자 워프 비스트들이 공평하게 사라진다.

- 시간이 너무 늦었다. 파트리샤. 무인 어벤저를 중계기로 써서 연락해.

빈우는 입자가속포를 접으면서 하늘을 올려다보았다. 놈들은, 워프 비스트들은 아직도 내려오고 있었다.

*

- 지원군 오려면 몇 시간 남았죠?

파트리샤가 코일건을 난사하며 물어본다.

- 41시간 정도.

- 어머나 씨발!

빈우의 대답에 그녀는 욕을 한다. 지상에서 전투를 벌인 지 고작 7시간밖에 지나지 않았다. 원래는 7시간씩이나, 라고 해야 되겠지만 지원 함대가 닫힌 게이트를 다시 열고 오려면 적어도 48시간은 걸린다.

- 씻지도 자지도 못하고 벌써 7시간이네요. 야아 시간 잘 간다.

파트리샤가 툴툴거리며 코일건 탄창을 재장전한다.

- 먹고 싸기는 하잖아.

빈우의 대답에 파트리샤가 피식 웃었다. 그다음 표정을 굳히며 말한다.

- 문제는 탄약과 동력이에요. 보급 없이 48시간은 죽어도 못 버텨요.

위르겐의 어벤저라면 장착 후 기본 80시간은 너끈히 행동 가능하다. 문제는 다른 팀원들의 장갑복이다. 단검뿔 토끼는 특수작전 부대라 이런 장기간 전투는 염두에 두지 않는다. 실리콘 나이트는 침투 작전을 하긴 해도 특별장비를 장착하고 나서야 가능하다. 지금처럼 전투 장비를 하고선 오래 버틸 수 없다.

- 팀장님, 지금 계속 경고 뜨지 않나요?

- 그러게 말이다.

이 중에서 가장 문제는 빈우의 컨커러다. 아직 테스트를 하고 있는 장갑복인지라 이런 장시간 전투는 무리다. 게다가 안정성은 엿 바꿔먹은 스핑크스와 입자가속포가 있는 마당이니 위태위태하다.

- 일단 어디서 날림이라도 정비하죠.

파트리샤의 건의에 빈우가 고개를 끄덕인다. 그때, 무인 어벤저 1기가 꽤 많은 수의 시민들을 발견했다는 연락을 했다.

- 지하 창고? 아, 거긴 또 왜 들어갔냐. 차라리 벙커를 가시지.

빈우는 다시 정보를 자세히 살펴봤다. 시민들의 생명 반응이 관찰된 곳은 대형 마트의 지하 창고. 그 위로는 다수의 워프 비스트들이 돌아다니고 있어서 아차 하면 대량학살이 날 판이다.

- 제발 가만히 있어주면 좋겠는데.

파트리샤의 말에는 간절함마저 스며들어 있었다. 태스크포스 373이 갈 때까지 조용히 버텨만 준다면 좋겠다. 괜히 싸우겠다느니 지키겠다느니 나서서 긁어 부스럼을 만들지만 말았으면 하는 바람이다.

· · · ✦ · · · ·

147

빈우는 무인 어벤저들을 징검다리 삼아 아룹의 B조와 통신을 했다.

- 부팀장, 지하 창고에 시민들이 다수 대피해 있습니다. 좌표 확인하세요.

- 확인했습니다만, 일단 급한 불은 끄고 가겠습니다.

B조는 대피시키던 시민들을 근처의 지하 벙커에 넣은 다음에야 합류하러 왔다.

- 음, 이거 좀 골치 아프군요.

목적지에 도착해 주변 상황을 살피던 아룹이 혀를 찼다. 정찰을 하던 무인 어벤저가 시민들을 발견한 것은 좋은 일이다. 그러나 그들이 숨어 있는 지하 창고 위의 입구로 상당수의 워프 비스트가 진을 치고 있는 게 문제였다. 그때 빈우가 뭔가 이상한 점을 발견했다.

- 이거 이거 조금 불안한데?

창고로 내려가는 입구의 문이 열려 있다. 그리고 그 입구의 바닥에는 핏자국들을 비롯해 사람이 억지로 끌려간 흔적들이 보였다. 지하에 있는 시민들, 바깥의 워프 비스트들, 그 사이의 핏자국. 불길함을 느낀 빈우가 바로 명령을 내렸다.

- 전원 돌입! B조 엄호해, A조가 먼저 간다.

측면에서 B조가 사격을 시작하자 빈우와 A조가 거리를 좁혔다. 워프 비스트들은 옆에서 날아온 공격에 쓰러졌다. 반격하기 위해 뛰쳐나가려던 찰나,

이번엔 앞에서 달려가던 A조가 사격을 시작했다. 그 즉시 B조는 사격을 멈추고 접근을 시작했다. 좌우로 번갈아 쏟아지는 공격에 워프 비스트들이 쏠려나갔고, 빈우와 파트리샤는 거리가 좁아진 틈을 타 나이프를 들고 근접전을 걸었다.

- **부팀장, 나머지 처리하고 입구를 지켜요.**

빈우는 남은 놈들을 마저 처리하지 않고 지하 창고로 내달렸다.

- **알겠습니다.**

이어서 B조가 제트팩을 쓰며 돌진해 부딪혔고, 지상에 있던 나머지 워프 비스트를 처리한 다음 주변을 경계했다.

- **팀장님?**

빈우를 뒤따르던 파트리샤가 그를 부른다. 구출할 시민들이 있다 해도 좀 더 살펴보고 신중히 행동해야 하는데, 빈우가 앞뒤 상황을 가리지 않고 돌격하자 의아하게 여긴 것이다. 그러나 빈우에게선 초조함의 감정만 느껴질 뿐, 별다른 대답은 없었다.

- **들어간다.**

창고의 안쪽 문에서 대강 안을 살핀 빈우는 대답을 기다리지 않고 바로 문을 부수고 들어갔다. 그 뒤로 파트리샤와 무인 어벤저들이 따른다.

- **이런 씨발.**

창고 안에 펼쳐진 광경을 본 파트리샤의 감상은 욕이었다. 돌입조 앞에는 부상을 입은 뉴 소노라 시민들이 쓰러져 있었다. 모두 겁에 질려 삼삼오오 모여 있었고, 그 공포의 근원인 워프 비스트들은 창고 군데군데 서 있다.

- **쏴.**

빈우와 파트리샤는 서 있는 워프 비스트들을 쏴 갈겨 쓸어버렸다. 코일건의 발사음에 사람들이 겁에 질려 버둥대지만, 빈우는 신경도 안 쓰고 워프 비스트의 사체를 향해 걸어갔다.

- **파트리샤. 이것들의 형태를 봐라.**

파트리샤는 빈우가 가리킨 워프 비스트들을 잘 살펴보았다. 그중에 몇몇 놈이 바깥의 놈들과 형태가 조금 다르다. 지금껏 많이 봐온, 인간이 변한 워프 비스트다.

- 네, 그렇네요.

고개를 치켜든 파트리샤가 주변을 둘러보았다. 이 지하 창고에는 상처 입은 인간들이 모여 있고, 인간이 변한 워프 비스트가 있다.

- 이 사람들은 스스로 모인 게 아니에요. 워프 비스트들이 모은 거죠.

이게 바로 파트리샤가 욕을 뱉은 이유였다.

"연방군이죠? 우릴 구하러 온 거죠?"

그때 중년 여성 한 명이 절뚝거리며 다가온다.

"제발 구해주세요. 살려주세요. 괴물로, 사람이 괴물로 변해요."

빈우는 자신에서 애원하며 매달리려는 그녀를 차갑게 밀어낸다. 발을 헛디딘 중년 여성은 짧은 비명과 함께 넘어졌다.

"제길! 저것 봐, 저거! 이거 다 연방이 꾸민 일이라고!"

사이버네틱스 사지를 잃은 청년이 바닥에 누워 고래고래 소리를 지른다.

"내 아들, 내 아들을 찾아주세요. 내 아이아……."

빈우에게 떠밀려 바닥에 쓰러진 채 버둥거리던 그녀가 꿈틀거린다. 그 순간 변화가 시작되었다. 갑작스레 뒤집어지는 눈. 솟구치는 손톱과 비집고 나오는 이빨. 그리고 그것들 모두를 갈아버리는 니켈강 탄환. 워프 비스트로 변하던 시민은, 아니 시민이 변한 워프 비스트는 빈우가 쏜 코일건에 죽었다.

"죽였어! 저 새끼가 사람을 죽였다고!"

"닥쳐 병신아. 괴물로 변한 거잖아."

"사람 살려어."

비명이 쏟아지고 창고 안이 소란스러워진다. 그리고 빈우의 머릿속도 혼란스럽다.

'인간이 워프 비스트로 변하는 원인이 뭐지? 세균이나 바이러스 감염? 아

니면 워프 비스트에 의한 개조? 음파? 전파?'

어느 것 하나 명확한 것이 없다. 지금까지의 조사로 봐선 일단 감염의 가능성은 적어 보였다. 오스카 스테이션에서도, 오브리가도의 특수전 사령부에서도 달리 발견된 세균이나 바이러스는 없었다.

"으악! 여기도 괴물로 변한다."

빈우는 외마디 소리가 내질러진 곳으로 달려갔다. 이번엔 노인 한 명이 워프 비스트로 변하고 있다. 부러진 팔다리가 다른 모습이 되어 일어서려 할 때, 진동 나이프가 그것들을 모조리 잘라버린다. 이어서 사지를 잃은 워프 비스트를 컨커러가 짓밟고, 그 몸에 치료용 마이크로 머신 주사가 박힌다.

'제길.'

마이크로 머신의 상태를 보는 빈우가 혀를 찼다. 상황이 오스카 스테이션과 동일했던 것이다. 워프 비스트의 몸속으로 들어간 치료용 머신들이 별달리 힘을 쓰지 못하고 기능이 정지되고 있었다.

- 팀장님, 놈들이 몰려오고 있습니다.

위를 지키던 아룹이 보고한다. 그가 보낸 영상에는 워프 비스트들의 무리가 이쪽으로 몰려오는 게 보인다. 막으려면 막을 수야 있겠지만, 제법 희생을 치러야 할 것이다. 지금까지 이어진 전투로 무인기를 5대나 잃었다. 시민들을 대피시키는 동안 저지선을 맡았던 녀석들인데, 대피가 늦어지자 길어진 전투에 손실된 것이다. 무인기를 더 이상 잃어버리면 남은 시간 동안 원활한 작전이 힘들어진다.

- 곧 나갑니다. 조금만 버텨보세요.

빈우는 워프 비스트로 변하는 인체에 마이크로 머신 주사를 하나 더 꽂고 스캐너로 전신을 샅샅이 훑었다. 워프 비스트로 변이되고 있는 몸에서 조금이라도 정보를 얻어야 했다. 그러나 워프 비스트의 면역체계가 강력하단 것 외에는 달리 새로운 정보는 없었다. 그때 저쪽에서 한 명이 더 변이하기 시작했다.

- 파트리샤, 처리해.

코일건의 발사음과 함께 워프 비스트는 죽었고 사람들은 다시 괴성을 질렀다. 하지만 이번엔 발사까지 아주 잠깐의 딜레이가 있었다. 실리콘 나이트쯤 되는 정예대원에게 그런 일이 있었다는 것은 뭔가 문제가 있다는 얘기다. 육체적으로나 정신적으로나.

"아빠! 아파! 아파아."

이번엔 앳된 소녀가 울부짖는다. 변이해서 꺾이는 팔을 보며 겁에 질린 아이 옆에서, 아버지로 보이는 남자가 그 팔을 부여잡고 애를 쓴다. 그러나 워프 비스트로 변한 팔에 아버지는 이리저리 휘둘리기만 한다. 놈들의 완력은 장갑복 급이다. 맨몸의 사람이 어찌해볼 힘이 아니다. 팔을 잡고 버티던 아버지는 급기야 튀어나온 갈퀴에 자신의 팔뚝을 크게 베였다. 그래도 아버지는 딸의 팔을 놓지 않았다.

- 파트리샤.

그러나 그녀는 쏘지 않았다. 대신 달려가서 그 아이의 팔을 잘라냈다. 뒤틀리던 팔을 자르고 지혈을 하지만 이미 반대편 팔이, 아니 소녀의 몸 전체가 다시금 변이를 시작했다. 이번에 빈우는 명령을 내리지 않았다. 파트리샤가 진동 나이프로 이미 워프 비스트를 죽인 것이다. 변이하던 딸이 순식간에 토막이 나 죽어버리자 소녀의 아버지는 오열하며 쓰러졌다.

- 파트리샤, 이제부터 변이하는 워프 비스트는 무조건 사살해.

- 알겠습니다.

- 나도 포함해서.

- 네?

파트리샤의 되물음에 빈우는 대답을 하지 않고, 왼팔 어깨 부분부터 해서 혈류를 일시적으로 차단했다. 부상이라거나 기타 불행한 이유로 해당 부위를 잘라내야 할 때의 사전 작업이다. 혈류가 차단되고 신경계도 단선되자 왼팔은 장갑복의 기동으로만 움직인다. 그다음 빈우는 컨커러의 왼팔 장갑을 열고선 드러난 팔에 진동 나이프로 길게 상처를 내었다. 이어서 워프 비스트의 사체에서 살점과 피를 떼어 내 상처 부위로 밀어 넣었다.

- 팀장님!

파트리샤가 비명을 지르지만 빈우는 신체 상태 화면에 집중했다. 인간의 몸속으로 들어온 워프 비스트 세포가 어떻게 반응하는지를 알아내기 위해서다. 여차하면 왼팔만 폭파해서 떼어내면 되는 일이다.

- 제길!

그러나 빈우는 이를 갈았다. 그토록 억세게 굴던 워프 비스트의 세포들이 인간의 신체로 들어오자 힘을 잃고 퇴치되고 있었다. 자신의 몸 안으로 들어온 마이크로 머신들을 그토록 치열하게 사냥했던 놈들이건만, 역으로 빈우의 몸으로 들어오자마자 인간의 자기방어체제에 분해되고 있다. 이전 연구 결과에서 보던 것과 같다. 워프 비스트의 세포와 인간의 세포를 가지고 실험을 했을 때도 감염성은 없다고 나왔었다. 여기서 살아 있는 육체와 신선한 체조직을 사용하면 뭔가 알아낼 수 있으리라 생각했건만 성과는 없었다.

- 팀장님, 괜찮으세요?

- 괜찮아.

걱정해서 달려오는 파트리샤에게 대답한 빈우는 워프 비스트의 살점을 밀어넣었던 부위를 칼로 긁어낸 다음 다시 장갑판을 닫았다. 신경계와 혈류를 다시 연결하자 팔이 다시 움직인다. 하지만 상황은 최악으로 흘러가기 시작했다.

- 이런 제길.

창고 안 여기저기서 변이가 시작되고 있다. 곳곳에 널브러져 있던 사람들이 비틀비틀 일어서기 시작한다. 누워 있을 때와는 전혀 다른 모습으로.

- 팀장님. 여긴 슬슬 한계입니다.

밖에서도 좋은 소식은 없다. 워프 비스트들이 몰아닥쳐 B조의 방어선 몇 곳은 이미 근접전을 하고 있는 중이다. 거기에도 인간이 변한 놈들이 있었다.

게이트가 닫혀 워프 비스트의 증원은 없지만, 이렇게 구해야 할 시민들이 적으로 변하는 상황이라면 최악이다.

- **부팀장. 퇴각 준비하세요.**

- **알겠습니다.**

빈우는 대답을 들으며 또다시 변이한 워프 비스트를 죽였다. 파트리샤와 무인기들도 창고 안에서 변이하는 놈들에게 칼을 꽂아 넣고 있다. 이제 빈우는 결단을 내려야 했다.

이미 뉴 소노라의 상공에는 40척 이상의 워프 비스트 함선들이 돌아다니고 있다. 이유를 모르지만, 놈들이 궤도 엘리베이터를 먼저 노렸기에 이쪽으로만 주력부대가 침공을 시작했고, 그 덕에 수월하게 막아낼 수 있었다. 하지만 이제는 다른 도시로도 침공이 시작되었다. 정찰로 돌린 무인기의 망원카메라에 뉴 소노라에 곳곳으로 떨어지는 워프 비스트 소형정들이 보인다. 소규모 선발대는 도시 국가의 방어병력으로 어떻게 막아냈겠지만 이곳 궤도 엘리베이터 터미널처럼 본격적으로 쏟아지기 시작하면 녹색 연맹의 군사력으론 무리다. 실제로 이 도시의 방어병력은 워프 비스트의 기습이 시작되고 한 시간도 안 되어 전멸당했다. 태스크포스 373의 화력 팀이 지원 왔음에도 불구하고 말이다.

마침내 빈우는 결단을 내렸다.

- **모두 나가. 이곳을 소각한다.**

- **팀장님?**

- **무인기 이끌고 어서 나가.**

반문하는 파트리샤에게 빈우는 한 번 더 명령했다. 뒤따라 부팀장인 아룹도 물어본다.

- **팀장님, 정말이십니까? 그곳의 시민들을 포기하시려고요?**

- **네. 소각합니다.**

냉정한 빈우의 음성에 373 팀원 어느 누구도 대꾸하지 못했다. 어떤 상황에서든 방법을 찾아내는 닉스 레벨 3의 요원이, 목숨을 걸고 강하했던 뉴 소노라에서 시민들을 포기한다면 합당한 이유가 있을 것이다.

- 먼저 나갑니다.

파트리샤가 무인기들과 나가자 빈우는 소이탄을 준비했다. 이미 창고 안의 사람들은 3분의 2 이상이 워프 비스트로 변해 있었다. 나머지 3분의 1을 구할 수 있을지 의문이다.

달려드는 워프 비스트와 발버둥 치는 인간들 사이에서 빈우는 소이탄을 터트렸다.

148

· · · ✦ · · ·

- 그게 우리 일 아니냐.

오늘 저녁 디저트는 마카롱이다, 라는 식의 말투에 모니카는 뭐라 말할 수 없었다.

- 헤헤, 지옥으로 꼬라박는 게 저희들 일이죠.

뒤에서 위르겐의 말이 들린다 싶더니 모니카의 부머가 떠밀려 날아간다. 그녀가 자세를 바로잡으려 할 때는 이미 우지의 롱소드가 부머를 낚아챈 다음이었다.

- 우지야!

- 꽉 잡으십쇼. 안전하게 모시겠습니다.

주변으로 궤도 엘리베이터의 파편과 조각난 아군 함선, 워프 비스트의 사체들이 빠르게 지나간다. 지금 롱소드가 향하는 곳은 태스크포스 373의 모함인 블랙 랜스다. 그리고 현재 블랙 랜스는 점프 게이트를 향해 날아가는 궤도 엘리베이터 상부를 방어물로 쓰며 전투를 치르고 있었다.

- 까아악!

블랙 랜스로 다가갈수록 사방에서 빗발치는 플라스마 포격이 더더욱 거세진다. 행여 닿았다간 인간 따원 흔적도 없이 증발시킬 공격들에 모니카는 저도 모르게 비명을 질렀다. 그러나 워프 비스트들의 포격은 그다지 정확하지 않아, 저 멀리 날아가거나 궤도 엘리베이터에 명중한다. 플라스마에 맞은 궤도 엘리베이터의 표면이 녹아내리지만, 워낙에 거체라 그 정도에는 아랑곳하지 않는다.

- 대위님, 준비하십쇼!

롱소드가 급하게 꺾으며 블랙 랜스의 곁으로 날아가 모니카의 부머를 떨어뜨렸다. 그러자 이번엔 블랙 랜스의 견인빔이 부머를 잡아 격납고 안으로 집어넣었다.

- 모니카 대위.

- 네넷!

오르 함장의 부름에 모니카는 정신을 다잡으며 일어섰다.

- 앞으로 함내 수리를 도와주십시오.

- 알겠습니다.

모니카는 즉시 격납고의 정비창으로 뛰어가 부머에 각종 정비용 장비들을 장착했다. 함내 정비와 수리를 담당하는 로봇들이 있지만, 전투가 격렬해지고 길어지면 사람 손이 필요하다. 그리고 그 일손이 기술 장교인 모니카라면 더할 나위 없이 든든하다.

- 궤도 엘리베이터가 게이트에 명중합니다. 중력파가 올지 모르니 모두 주의하십시오.

오르 함장의 경고에 모니카는 화면을 띄워보았다. 아까 자신과 위르겐이 떼어서 날려보낸 궤도 엘리베이터 상부 부분이 마침내 워프 비스트들이 나오는 점프 게이트로 들어가고 있다. 블랙 랜스는 일찌감치 뒤돌아서 도망가는 상황이다.

- 게이트 소멸.

엄청난 질량과 부피의 궤도 엘리베이터가 억지로 비집고 들어오자, 갑작스러운 에너지 부하를 못 견딘 게이트가 일그러지기 시작했다. 점프 포인트처럼 별도의 관리시설이 없으면 자연스레 일어나는 현상이다. 마침내 뉴 소노라의 점프 게이트는 작은 중력 붕괴를 일으키며 사라졌다. 덤으로 주변에 있던 워프 비스트들도 함께.

- 이제 더 이상 워프 비스트들이 나올 일은 없겠지요?

방금의 일은 여러 이론을 빠삭하게 꿰고 있는 모니카도 처음 보는 대형사고다. 그런 만큼 워프 비스트들의 증원은 더 이상 없어야 했다. 이제 달리 게이트를 닫을 방법은 없다.

- 글쎄요. 일단 닫기는 했으니, 놈들에게 게이트 생성 능력이 없기만을 바라야죠.

이어지는 오르 함장의 말에 모니카는 찔끔했다. 미처 그 생각을 못한 것이다. 놈들이 샤다이와 비슷한 능력이 있다면 마찬가지로 점프 능력 또한 있을지도 모른다. 하지만 뉴 소노라를 침공한 워프 비스트들은 원래 있던 게이트를 통해서 나왔다. 그리고 게이트의 소유권을 빼앗아갔다. 이것들로 미루어보아 점프 능력은 없을 것으로 추측되지만, 점프 게이트에 간섭하는 것으로봐선 게이트에 관련된 능력이 있을 수도 있다. 그에 대해선 모니카가 조금 더조사를 해보면 알 수 있을지도 모른다. 하지만 지금은 자료도 없고, 상황도긴박해서 그럴 여유가 없었다. 모니카는 자신이 할 수 있는 일을 하기 위해부머를 몰아 달렸다.

*

우지는 코일건의 사격으로 워프 비스트 소형정 하나를 격침시켰다.

- 이것들까지는 쉬운데.

우지는 소형정 크기의 워프 비스트 무리가 자신의 공격에 결속력을 잃고산산조각이 나는 것을 보았다. 이 정도 사이즈의 놈들은 누워서 떡 먹기였다. 지금 뉴 소노라에 나타난 워프 비스트들의 공격 방법은 샤다이와 대단히 유사해 보이는 플라스마 포격이다. 발사구나 가속용 부품들이 하나도 보이지않고, 그저 허공에서 플라스마가 생성되어 쏘아진다. 또 그 위력은 연방 구축함의 것에 준하지만 명중률은 샤다이와 엇비슷할 정도로 엉망진창이다.

다른 점이 있다면 함선들의 방어막이다. 샤다이는 플라스마 공격을 무효화해버리지, 이놈들처럼 아예 흡수해버리지는 않는다. 또 워프 비스트들은 샤다이 특유의 방어막 반응이 없었고, 물리적 공격에도 아무런 방어력이 없어 미사일과 코일건 사격에 대책 없이 두들겨 맞았다.

덧붙여서 일정 크기 이하의 소형 워프 비스트 함선들은—방금 우지가 격추한 것과 같은 크기의 소형정들은—이런 플라스마 조작 능력이 없었다. 때문에 이 소형 함선 급들은 아군의 레이저나 플라스마 공격에 속절없이 당했다. 공격 방식도 단순하기 그지없어서 주변의 민간선박을 보면 접근해 부딪힌 다음, 잘게 나뉘어 안으로 침투하는 게 전부였다. 즉, 손쉬운 먹잇감이란 얘기다.

"너무 많아."

하지만 수가 너무 많았다. 플라스마 사용 능력이 있는 대형들만 해도 현재 42척, 소형 함선과 전투기 크기는 100여 척 이상. 이 중 전투기들은 레이저 요격에 빠르게 수가 줄어들고 있다. 조금 큰 소형 함선 급은 주변의 민간 함선을 공격하거나, 궤도 엘리베이터로 가거나, 대기권을 강하하려 한다. 그리고 주력 함선 급들은 아군 방어함대와 교전 중이다.

- 우지 일병. 빠져야겠습니다.

마지막 무인 구축함이 격침당한 후, 블랙 랜스와 롱소드는 전장을 이탈하려 했다. 이제 지상으로 내려간 화력 팀이 시민들을 대피시키고, 워프 비스트들을 상대로 방어전을 펼치게 된다. 만약 지상팀의 작전이 실패로 끝난다면 모함인 블랙 랜스가 이들을 탈출시켜야 하니, 그때까지 어떻게든 살아남아야 하는 것이다.

- 발 가르단 하스 때와는 또 다른 양상이군요.

우지는 지금과 상황이 비슷한 그때를 떠올렸다. 당시에도 지상에는 화력 팀이, 궤도 상에선 롱소드와 블랙 랜스가 필사적으로 싸웠다.

- 그렇군요. 하지만 이놈들은 속도가 느립니다. 치고 빠지면서 수를 줄이죠.

다만 발 가르단 하스에선 지상팀을 지키기 위해 자리를 지키고 지연전을 펼쳤었다면, 지금은 작전이 끝날 때까지—성공하든 실패하든—철저한 게릴라전을 펼쳐야 할 때다.

- 이탈하기 전에 소형 함의 수를 최대한 줄입시다.

- 알겠습니다, 함장님.

궤도의 대형 함은 블랙 랜스에 위협적이다. 소형 함들은 지상으로 떨어져 화력 팀의 위협이 된다. 그러니 수를 줄일 수 있을 때 줄여놓는 게 좋다.

- 시간을 끌어주세요.

오르 함장은 장갑 드론으로 주변의 파편을 끌어모아 블랙 랜스의 임시방패를 만들었다. 그러면서 궤도 상으로 들어가는 소형 함들을 레이저로 요격하기 시작했다. 애초에 근접하는 어뢰나 미사일, 전투기들을 목표로 삼는 요격용 무기라 이런 일엔 제격이다. 그리고 그 모습을 본 다른 대형 함들이 모여들며 포를 날린다. 아군 방어함대가 전멸한 이상 뉴 소노라의 궤도엔 블랙 랜스와 롱소드뿐이라, 지금 엄호를 해줄 아군은 롱소드뿐이다.

우지는 블랙 랜스에 견인빔을 쏴 고정한 다음 급반전해서 뒤로 날아갔다. 이어 쏟아지는 플라스마 포격을 신들린 기동으로 회피하며 워프 비스트 함선 무리에 접근했다. 대형 함들은 현재 블랙 랜스를 노리는 중이라, 작은 목표인 롱소드엔 시선조차 주지 않았다. 관심을 준다 해도 요격용 무기가 없는 놈들이라 롱소드를 상대로 할 수 있는 것은 없지만.

- 올라온다, 올라와.

우지는 롱소드를 향해 날아오는 전투기 크기의 워프 비스트들을 보며 히죽 웃었다. 느린 속도에 근접전만 하는 놈들을 상대로 위험을 느낄 리 없다. 그리고 우지의 목표는 저런 작은 것들이 아니었다. 큼지막한, 그리고 먹음직스러운 대형 함이 그의 사냥감이다. 롱소드가 앞으로 돌출된 대형 함 하나를 목표로 잡고 날아간다. 놈은 이쪽을 아예 보지도 않고 블랙 랜스를 향해 열심히 포격을 쏘고 있었다. 롱소드는 재빨리 날아가, 놈에게 견인빔을 걸고 주변을 빙글빙글 돌며 동축 코일건을 난사했다. 그러자 마치 과일을 깎듯 함선의 겉이 갈려나간다. 마무리로 뻥 뚫린 구멍으로 미사일을 든든하게 쑤셔주자 놈이 반으로 뚝 갈라졌다.

대형 함들은 그제야 방어태세를 갖추었다. 그런데 그 방법이란 게 자기들끼리 주포를 맹렬하게 갈기기 시작하는 것이었다. 고온의 플라스마 포격이 서로를 때리지만 피해는 전혀 없다. 이런 포격의 폭풍에 휘말리면 롱소드는 뼈도 못 추린다.

- **으어억!**

예상치도 못한 방어 전술에 식겁한 우지는 뒤돌아 도망치기 시작했다. 어차피 그의 할 일은 블랙 랜스가 요격할 시간을 벌어주는 것이기에 목적은 달성했다.

- **우지 일병, 포위망이 구축되기 전에 빠집시다. 그전에……**.

블랙 랜스에서 보급물자를 실은 강하 포드가 발사되었다. 치열한 지상전을 벌이고 있는 화력 팀에게 도움이 될 탄약과 배터리들이 실린 포드가 궤도 엘리베이터 터미널이 있는 웨이블로 떨어진다.

- **건투를 빕니다.**

우지는 지상을 향해 경례를 하곤 블랙 랜스를 따라 후퇴했다.

*

히토미는 우주복으로 갈아입고 자신의 방에 대기하고 있었다. 저번에 빈우가 훈련시켜준 덕분에 입는 속도가 예전보다 훨씬 빨라졌다.

"의원님, 괜찮으신가요?"

어느새 우주복으로 갈아입은 아나스타샤가 히토미의 방으로 찾아왔다.

"으응, 괜찮아. 난."

그러나 누가 봐도 지금의 히토미는 괜찮지 않아 보인다. 긴장하고 겁에 질린 모습이다. 그런 그녀 옆으로 아나스타샤가 조심스레 다가와 앉았다.

"42전단에 합류하기 전에 수사만 잠깐 할 예정이었는데, 갑자기 사건이 터져버렸습니다. 하지만 안심하세요. 태스크포스 373의 모든 분들은 연방 최고 중의 최고입니다. 이분들이 의원님을 안전하게 지킬 겁니다."

아나스타샤가 안심시켜주려는 말을 해도 히토미는 그저 고개만 끄덕일 뿐이다. 히토미의 손이 떨리는 게 우주복 너머로도 보일 정도였다. 아나스타샤는 그 위로 부드럽게 손을 올린다.

"라출노그 때와는 많이 다르지요?"

"음? 아, 그렇네."

라출노그 때는 잽싸게 들어가 기습 공격한 다음, 샤다이 배만 들고 튀는 작전이었다. 끝나고 나서 보안국이 태클을 걸어와서 문제였지, 작전 자체는 이렇게 위험하지 않았다. 히토미는 문득 이번 일과 비슷한 태스크포스 373의 과거 작전이 떠올랐다.

"그러고 보니 발 가르단 하스에서의 작전이 이번과 비슷했었지?"

"네, 그렇죠. 그런데 뭐랄까. 그때는 아예 도망을 못 쳤으니까요. 샤다이 함대에 둘러싸여 치고박고 난리도 아니었죠."

히토미도 자료를 봐서 알고 있다. 그때의 블랙 랜스는 생사를 넘나드는 사투를 벌였었다. 함은 엉망진창에 화력 팀 전원이 크고 작은 부상을 당했다. 거기다 아버지인 이케가미 의원은 사망했고, 팀장인 빈우도 빈사지경으로 발견됐었다.

"하지만 지금은 상황이 다르죠. 블랙 랜스는 적들을 피하면서, 지상으로 내려간 팀이 작전을 마칠 때까지만 버티면 되니까요."

"그래, 그렇다면 싸우지 않아도 되는구나."

히토미는 전투를 피한다는 말에 안심했다. 하지만 아나스타샤는 히토미가 안심하는 진짜 이유를 눈치챘다. 이제껏 그녀를 시중들었던 안드로이드를 무서워하는 이유를.

"혹시 제가 무서우신 건가요?"

정곡을 찌른 안드로이드의 말에 히토미가 움찔한다. 그 모습을 보며 아나스타샤가 쓰게 웃었다.

"그때 주인님께서 말씀하신 '청소' 때문에 그러시는 거죠?"

"……응."

비상시에 자신을 죽여야 하는 안드로이드가 옆에서 딱 붙어 있는데 기분이 좋을 리는 없을 것이다. 그것을 눈치챈 아나스타샤가 자세를 바로 하며 히토미를 마주 바라봤다.

"의원님, 저는 주인님의 명령에 따라 의원님을 지킬 겁니다. 어떤 위험 속에서도 따라가 구해드릴 거고요. 하지만……."

잠시 말을 끊은 아나스타샤가 결심한 듯 히토미의 손을 꼭 잡았다.

"피할 수 없는 위험이라면…… 저도 함께하겠습니다."

그녀의 말이 무엇을 의미하는지 아는 히토미는 각오를 다지며 고개를 끄덕였다.

- 서둘러서 처리해. B조가 자리 잡으면 바로 이동한다.

빈우와 파트리샤, 그리고 무인 어벤저들은 건물 옥상에서 죽어가는 워프 비스트들의 숨통을 끊었다. 강하한 지 10시간이 지났으나 웨이블의 상황은 비교적 양호하다 할 수 있었다. 대피할 사람들은 이미 대피했으니 아군 빼고 다 죽이면 되는 일이다. 다만 그 죽여야 할 놈들이 하늘에서 계속 내려오고 있다는 게 첫 번째 문제고, 보급이 간당간당하다는 게 두 번째 문제였다.

- 저 새끼들, 역시 제대로 된 대기권 돌입 능력이 없었구나.

궤도 상에선 그렇게나 많았던 놈들이 지상에서 적었던 이유가 있었다. 소형 함선 형태의 놈들에겐 대기권 돌입이나 중력권 내 비행 능력이 없었던 것이다. 그래서 지상으로 내려오다가 중간에 타 죽거나 땅에 떨어져 죽는 비율이 꽤 되었고, 그것 때문에 궤도 엘리베이터에 집착하는 것 같았다.

이런 이유로 워프 비스트들의 지상 침공은 이곳 웨이블로 집중되고 있었다. 다른 도시로도 소규모 침공이 몇 차례 있었지만, 지상까지 도달한 놈들의 수가 얼마 되지 않아 어떻게든 방어에 성공한 모양이다.

- 일단 이곳 웨이블의 대피는 얼추 끝난 모양인데, 어쩌실 겁니까?

파트리샤의 질문에 빈우도 잠시 생각해보았다. 현재 시가지를 돌아다니는 워프 비스트들은 더 이상 희생양을 찾지 못하고 있었다. 생존자들은 대부분 지하 벙커로 피신했기 때문이다. 일단 시민들의 대피가 끝났으니 지상팀이 철수해도 되겠지만, 일이 또 그렇게 쉽게 흘러갈 리가 없었다.

빈우는 고개를 들어 하늘을 보았다. 일단 닫힌 게이트가 열릴 기미는 없어 보인다. 워프 비스트가 열든 아군이 열든 아직 별다른 반응은 없다. 하지만 궤도 상의 워프 비스트들은 계속해서 낙하하거나, 궤도 엘리베이터를 타고 내려오고 있다. 침공 초기에는 뉴 소노라 곳곳으로 소형정들이 내려왔지만, 손실이 컸는지 다시 궤도 엘리베이터로 모이는 것이다. 저 내려오는 놈들이 다시 다른 도시로 퍼져나가면 그건 또 골치 아픈 일이다.

- 저걸 아예 날려버릴까요?

파트리샤가 툴툴거린다. 구름 위로 올라간 궤도 엘리베이터에 워프 비스트 함선들이 모인 것을 보면 그럴 마음이 들 법도 하다.

- 참아라. 무게추 밑의 하부 구조물은 중력에 잡혀 있어. 부수면 바로 지상으로 떨어진다.

아무리 지하 벙커에 피신했다 한들 저 정도 구조물이 지상으로 낙하하면 피해가 꽤 클 것이다. 다른 도시에도 파편이 떨어질 터였다. 아까 빈우는 유선통신으로 다른 도시 상황들을 살펴보았는데, 몇몇 곳은 아예 승전보를 울리고 있었다. 심지어 사살한 워프 비스트의 시신을 앞세워 퍼레이드를 하는 도시도 있었다. 대피하라고 해도 들은 척도 않는다. 만약 터미널을 봉쇄하고 있는 373팀이 철수하면 놈들은 그리로 몰려갈 것이고, 녹색 연맹의 자치군은 착각 속에 익사하기 전에 동포의 피바다에 익사할 것이다.

- 버틸 수 있는 데까지 버틴다. 여기까지 뚫리면 대참사다.

그러면서 빈우는 코일건의 탄창을 점검했다. 놈들에겐 과거 목타하를 잡았던 탄두 세팅이 유효했다. 단단한 외피를 부순 다음 안에서 사방으로 퍼지는 복잡한 세팅이라 탄두 생성에는 시간이 조금 걸렸지만, 효과는 탁월했다. 그러나 재료가 부족하다.

- 파트리샤. 탄두는 넉넉하냐?

- 글쎄요. 한두 번은 버티겠네요.

블랙 랜스에서 보급품을 뿌려주긴 했지만 모자라다. 이미 챙길 만한 곳에선 다 챙겼기 때문에, 남은 보급 포드가 있는 곳은 워프 비스트들이 바글거리는 곳들뿐이다. 그래서 얼마 전부터 373팀은 지상에서 쓸 만한 자재들을 모아 탄두 생성기에 재료로 넣었다. 전용 자재에 비하면 질이 떨어지지만, 방어력이 뛰어난 놈들은 아니라 그럭저럭 쓸 만한 수준이었다.

동력은 이곳 웨이블의 전력을 훔쳐 쓰는 중이다. 궤도 엘리베이터에는 행성 자전력을 이용하는 발전기가 있다. 그 전력은 도시 여러 군데로, 심지어는 인근 도시로까지 뻗어나가 있어, 지상팀이 쓰기엔 차고 넘친다. 대원들도 문제없다. 강화한 군인들은 사나흘 정도는 쉬지도 자지도 않고 전투가 가능하다. 강화 신체용 연료나 마카롱 또한 넉넉하게 챙겨 와서 에너지 걱정도 없다.

문제는 장갑복의 점검이다. 손상을 입은 장갑 부위는 그렇다고 쳐도 테스트용 반푼이 장갑복인 빈우의 컨커러는 10시간 이상 쓸 물건이 아니다. 그라인더나 인필트레이터도 기본 설정으로 급하게 뛰어나오느라 장시간 전투에 적합하지 않은 상태였다. 그래도 이 둘은 야전에서 응급처리를 하거나 정비를 할 수 있다. 하지만 이 컨커러를 손보려면 장갑복 정비창과 전용 정비기사인 모니카가 필요하다.

- 팀장님은 괜찮으세요?

- 아까부터 컨커러 자체 방어막이 맛이 갔다. 기체는 억지로나마 기동은 가능해. 문제는 스핑크스하고 입자가속포야.

빈우의 무장인 스핑크스는 테스트 무기다. 접었다 폈다, 폈다 접었다, 뽀대는 나는데 이러다가 가끔씩 컨커러의 화기 제어 시스템과 충돌이 나서 먹통이 되는 경우가 종종 있었다. 그리고 등에 달린 입자가속포는 블랙 랜스의 부포를 그대로 뗀 다음 포신을 접어놓은 무식한 병기다. 절륜한 위력만큼 부작용 또한 초절하다.

- 스핑크스 못 쓰면 입자가속포도 못 쓰죠?

- 쓸 수야 있지. 내가 뒤지니까 문제지만.

- 문제없네. 쏠 때 나한테서 머얼리 떨어져서 쏘세요.

- 쌍년이.

대기권 내에서 입자가속포를 쏘면 발사된 아광속의 입자와 대기 중의 입자가 충돌해서 폭발하는 경우가 종종 있다. 컨커러의 방어막이 골로 간 지금 스핑크스의 방패 상태까지 작동하지 않으면 쌩으로 쏴야 하는데, 아무리 빈우라 해도 그런 짓까지 하고 싶진 않았다.

- 근데 정말 괜찮아요?

파트리샤가 괜찮냐는 질문을 또 한다. 아마 다른 이유겠지.

- 괜찮아. 걱정하지 마.

빈우는 덤덤하게 답했다. 누구도 입 밖에 내지 않았지만 둘 모두 알고 있다. 질문이 묻고 있는 게 무엇인지. 인간이 변한 워프 비스트와 워프 비스트로 변해가는 인간, 그리고 아직 변하지 않은 인간. 빈우는 이것들을 가리지 않고 모조리 태워버렸다. 팀원들도 안다. 그 상황에선 그게 최선이었다는 것을. 그리고 그것이 빈우에게 큰 부담이 되었다는 것 또한 안다.

워프 비스트에 대한 원인도 모르고, 치료법도 모른다. 해결책은 단 한 가지. 빈우는 그것을 실행했을 뿐이다. 빈우가 소이탄을 터트렸을 때, 창고 안은 불바다가 되었다. 대인용이 아니라 대물용 소이탄이라 장갑복에도 꽤 큰 피해를 준다. 하지만 컨커러의 방어막이 작동해 화염을 막는다.

빈우는 입구를 향해 걸었다. 화염에 휩싸여 허우적대는 워프 비스트의 목에 칼을 꽂고, 서로 부둥켜안고 바닥을 뒹구는 가족들의 고통을 덜어준다. 불에 타 근육이 굽어 쪼그라드는 시체들 사이로 빈우는 걸었다. 불현듯 마카로니에서 자신이 쏜 총탄에 불타 죽는 전차병이 떠오른다.

- B조가 자리 잡았다. 이동.

빈우는 멀리서 아룹의 B조가 건물 옥상에서 사격을 퍼붓는 것을 보고 잡념을 떨친 뒤, 명령을 내렸다. 지금 태스크포스 373의 지상팀은 서로 번갈아 공격지점을 잡고 이동하면서 워프 비스트를 쓸어버리고 있었다.

- 조심하십시오. 이놈들 점점 머리를 씁니다.

아룹의 경고대로 워프 비스트들은 점차 초보적인 전술을 쓰는 중이다. 궤도 엘리베이터로 내려오는 것도 이전처럼 마구 내려오는 것이 아니라 어느 정도 숫자를 모아서 돌진한다. 시가지에 있던 놈들도 합세하고 있다. 이번에 빈우가 자리 잡은 곳이 그랬다. A조가 터미널 입구에 교차 사격을 하러 건물로 올라갔는데, 시가지에 있던 워프 비스트들이 그 건물로 몰려든 것이다. 수가 적어서 망정이지 제대로 몰려왔다면 앞뒤로 포위돼 위험할 뻔했다.

- 워오~ 팀장님. 우지가 선물 가져옵니다.

파트리샤의 말에 빈우는 고개를 들어 센서를 확대해본다. 저 멀리 대기권 바깥에서 롱소드가 날아오는 게 보인다. 기체 밑에는 보급물자가 대롱대롱 달려 있고, 뒤로는 워프 비스트들이 주렁주렁 딸려온다.

- 새끼, 욕본다. 파트리샤 신호 보내.

뉴 소노라 전체에 전파 방해가 있는 지금은 레이저 통신을 쓰는 수밖에 없었다. 파트리샤는 우지에게 낙하 장소에 대한 정보를 보내주었고, 겸사겸사 블랙 랜스의 현재 상황에 대해서도 들었다.

- 자꾸 이쪽 상공으로 모인다는데요? 따로 떨어진 거 보이는 족족 잘라먹었더니 얘들이 한데 모여서 다닌답니다.

- 그래? 어찌 보면 다행이군.

태스크포스 373으론 행성 하나를 절대 커버 못 한다. 혼자서 뉴 소노라 말아먹을 방법에 대해서는 논문을 쓰겠지만, 지키는 입장에선 쪽수가 딸리면 죽도 밥도 안된다. 그래서 워프 비스트들이 행성 전체로 퍼지는 최악의 상황에 대비했는데, 이렇게 자신들이 있는 곳으로 모여주면 한숨 돌릴 수 있다.

- 이런 씨발! 근처에 점프 반응이 있었답니다.

갑자기 터지는 파트리샤의 비명에 빈우는 머리카락이 곤두서는 것 같았다. 그가 알고 있는 종족 중에서 게이트 없이 점프하는 놈은 샤다이뿐이다.

- 어디?

- 뉴 소노라로부터 42만km 외곽, 정지 궤도에서 한참 벗어난 곳이에요. 리퍼함 최소 3척이 점프해 온 다음 이쪽으로 오고 있답니다. 잠깐, 함장님이 퇴각에 대해 의견을 물어본다는데요?

- 우주 엘프 씨발 새끼들이!

워프 비스트가 샤다이의 병기라면 이것을 선발대로 보내놓고, 자신들이 뒤에서 오는 것일 수도 있다. 워프 비스트들이 근접전에서 고기 방패를 하고, 샤다이가 뒤에서 플라스마 사격을 가한다? 생각만 해도 끔찍하다. 지금은 리퍼함 3척이지만 이후에 얼마나 더 올지 모르는 상황. 오르 함장의 말대로 후퇴를 해야 할지도 모른다. 게다가 보고엔 '최소'라고 했다. 샤다이가 숨어버리면 인류의 기술로는 찾기가 힘들고, 대규모 전파 방해가 있는 상황이라 정찰기를 쓰기도 힘들다. 그 말인즉슨 실제론 적함이 얼마나 더 있을지 모른단 소리였다.

- 부팀장, 들었습니까?

- 네, 상황이 안 좋군요.

워프 비스트 함선과 샤다이 함선의 차이는 명확하다. 만약 궤도에 같은 수의 샤다이 함선이 있었다면 블랙 랜스는 버티지 못했을 것이다.

- 부팀장.

- 말씀하십시오.

잠시 생각을 하던 빈우는 조심스레 작전을 설명했다.

- 벙커를 꺼내 궤도 엘리베이터로 실어 쏘아올리는 건 어떨까요.

- 흐음.

만약 샤다이의 지상 병력이 뉴 소노라에 내려온다면 끝장이다. 지하 벙커 따윈 놈들에게 종잇장과 다를 바가 없다. 373이 후퇴하게 되면 사람들은 벙커 안에 든 채로 불탈 것이다. 하지만 뉴 소노라의 벙커 중 절반 정도는 연방의 규격품이다. 유사시에 궤도 엘리베이터에 실어 대피시킬 수 있도록 만들어졌다.

- 벙커 하나 들고 움직이는 데는 1개 분대면 충분하고, 궤도 엘리베이터도 하부 부분은 남았으니 가능은 합니다만……

빈우는 말끝을 흐린 아룹이 어딜 보는지 알고 있다. 그래서 그도 같은 방향을 보았다. 다시금 궤도 엘리베이터 터미널에서 쏟아져 나오는 워프 비스트들과 상공에 깔린 놈들의 함대가 보인다. 암울하다. 아룹 말대로 벙커를 꺼내서 옮기기는 쉽다. 문제는 쏟아지는 워프 비스트들과 싸워가며 벙커를 궤도 엘리베이터에 실어 쫙 올려야 하고, 벙커가 궤도 위로 올라간 다음엔 블랙 랜스가 놈들의 함선을 비집고 들어와 챙겨 가야 한다. 플라스마 포격에 격추되기 전에.

- ……힘들겠군요.

- 역시 그렇겠죠. 일단 다른 도시들에게도 이 사실을 알립시다. 빨리 대피령을 내리세요. 우리 말은 귓등으로도 안 들을 테니 웨이블의 시장을 통해 알리도록 합시다.

뉴 소노라의 시민 중 태스크포스 373의 대피 지시에 따른 도시와 시민은 얼마 되지 않는다. 대부분은 반 연방 정서가 강해 뻣뻣이 서 있다가 죽어갔다. 하지만 같은 녹색 연맹의 시장이 하는 말이라면 달리 들릴 것이다.

- 알겠습니다. 벙커로 가서 방송을 하라고 알리겠습니다. 흡!

마지막에 아룹이 숨을 들이쉰 것은 무언가 놀랄 만한 것을 보았기 때문이다. 그리고 빈우도 그것을 보았다. 태스크포스 373의 전원은 같은 것을 보고 놀라며, 경악하고, 욕을 했다.

- 씨발.

샤다이 전열함 1척이 대기권 안으로 점프해 들어온 것이다. 위치는 웨이블의 궤도 엘리베이터 옆. 태스크포스 373의 바로 머리 위다.

• • • ✦ • • •

150

지상팀은 재빨리 파편 그늘로 숨었다. 저 위에서 함포 한 방 쏘아지기만 해도 알량한 지상팀은 순식간에 증발한다.

- 리퍼 함선이 온다는데 저건 또 뭐냐고오.

파트리샤가 이를 갈며 전열함을 노려보지만, 그것뿐. 지상 병력이 상공의 함선에 할 수 있는 것은 없다. 그런데 어째 샤다이의 전열함이 점점 커지기 시작했다.

- 내려오는데?

빈우 말대로 전열함은 점차 강하하고 있었다. 고도를 낮추며 주변의 건물을 비스킷처럼 부수던 놈은 마침내 지상에 착륙했다. 연방의 함선처럼 어디 안착하거나 고정되지 않고, 균형을 잡고 떠 있는 게 기이해 보인다. 그리고 아무것도 없던 전열함의 옆에서 문이 생기더니 거기서 스팸들이 나왔다. 지상으로 내려선 놈들은 모두 일곱 명. 그중 가운데 한 놈이 앞으로 나서더니 헬멧을 벗었다. 그러고는 뭐라 뭐라 소리를 지른다.

- 저 새끼 뭐지?

위르겐은 투덜대면서도 빈우의 지정에 따라 목표를 조준하고 있었다. 지상팀은 명령만 떨어지면 저 스팸들을 날려버릴 수 있도록 준비했다.

- 팀장님, 놈들이 뭐라고 하는 겁니까?

아룹도 조준을 하면서 질문했다. 굳이 지상까지 내려와서 고래고래 소리를 지르는 샤다이의 연설 내용이라면 궁금할 법도 하다. 태스크포스 373은 수많은 샤다이 자료를 수집했지만, 아직 번역기 제작은 시작하지 않은 상황이다. 그런 지금, 팀 내에서 샤다이어를 할 수 있는 것은 빈우 정도다.

- 흐음. 인사하는데? 만나서 반갑다고, 기쁘다고. 계단을 내려온 자들에게.

- 반갑다고요? 워프 비스트들이?

의외의 대답에 파트리샤가 반문한다. 워프 비스트는 샤다이에 의해 다른 종족이 변이한 생체병기로 알고 있는데, 뜬금없이 인사를 한다니 의아한 것이다.

- 뭐 그렇다는데.

실제로 듣고 번역해준 빈우도 알쏭달쏭하다. 저놈들이 저렇게 무기를 좋아했나 싶은 것이다. 그때 시가지에서 워프 비스트들이 슬슬 기어나왔다. 그러더니 스팸들을 향해 달려간다. 그리고 그 모습을 본 샤다이들이 팔을 벌려 워프 비스트들을 맞이한다. 마치 친구들을 만나는 것 같다.

- 얼씨구, 감격의 상봉이네.

위르겐이 그 광경을 악마의 똥구멍으로 보며 이죽거린다. 기괴하게 얽힌 워프 비스트들이 달려오는데도 샤다이들은 헬멧을 벗고 미소 지으며 맞이한다. 하긴 아군 병기이니 위험하지는 않겠지.

'그런데 인간이나 외계종족이 변한 워프 비스트를 왜 저렇게 대하지? 변이했기에 아군처럼 대하는 것인가?'

그런 의문은 빈우만 하는 것이 아니었다.

- 단순한 병기 같아 보이진 않는데요? 마치 가족을 맞이하는 것 같습니다 만…….

아룹 역시 같은 생각인 모양이었다. 타 종족을 변이시키는 무기치고는 꽤 대접이 좋아 보인다. 마침내 둘의 사이는 팔을 뻗으면 닿을 정도로 가까워졌고, 샤다이 놈들은 워프 비스트들을 맞이하여 앞으로 나아갔다. 워프 비스트들은 팔을 벌린 샤다이의 품으로 뛰어들었다. 그리고 물어뜯었다. 워프 비스트가 맨 앞의, 헬멧을 벗은 샤다이의 얼굴을 씹어 먹은 것이다. 물린 놈은 비명조차 지르지 못했다. 얼굴 앞이 완전히 날아갔으니 당연히 못 하겠지. 뒤따라 들이닥친 워프 비스트 무리가 스팸들을 둘러싸고 공격하기 시작했다.

- 이건 또 뭔······.

빈우는 기막혀하며 눈앞의 광경을 보고 있었다. 워프 비스트를 맞이하려던 샤다이들이 놈들에게 둘러싸여 공격받는 광경은 의외의 구경거리였다. 헬멧을 벗은 놈들은 처음부터 머리가 날아갔고, 다른 놈들은 사방에서 붙들려 이빨과 발톱에 당하고 있었다. 샤다이들은 어떻게든 대응해보려 했다. 하지만 시즐러를 들고도 쏘질 못했고, 클레이모어를 든 채 머뭇거릴 때, 사방에서 달려든 놈들이 할퀴고 물어뜯었다. 스팸은 명색이 장갑복이라 그나마 버티고는 있지만, 잠시 후 번뜩이던 푸른 섬광이 사라졌다. 방어막이 뚫린 것이다. 그때부터 장갑에 공격이 직접 닿기 시작했다.

- 아이쿠야.

파트리샤의 나직한 감탄사. 푸른 피와 함께 샤다이 한 놈의 목이 뽑혀 허공으로 날았다. 그리고 그때, 전열함의 문에서 스팸 하나가 시즐러를 들고 나왔다. 놈은 뭐라고 경고를 하는 모양인데, 워프 비스트들은 개무시하고 전열함을 달려 올라간다. 샤다이는 들고 있던 시즐러를 한두 발 정도 쐈지만, 그게 마지막이었다. 함체를 타고 올라간 워프 비스트 두셋이 덮쳐들자 바로 뒤로 자빠졌다. 그 뒤를 이어 사방에서 몰려든 워프 비스트들이 전열함을 기어 올라가기 시작했다.

- 워프 비스트가 통제를 벗어난 걸까요?

아룹의 말은 그럭저럭 설득력이 있었다. 다른 종족을 변이시키는 무기를 쓰고, 후발대로 와 날름 삼키려 했다. 그런데 어머? 선발대가 오히려 이쪽을 향해 총구를 겨눈다. 꽤나 그럴싸하다.

- 그렇다면 잘된 거 아닙니까?

위르겐은 자기 도끼질에 자기 발목을 날려버린 샤다이의 꼴을 보고 신나서 키득거렸다. 더러운 수작을 써서 침공하러 왔다가 오히려 자기가 당했으니 고소할 것이다. 하지만 빈우는 마냥 좋아할 순 없었다.

 - 글쎄다. 워프 비스트가 X 같긴 하다만, 통제가 안 되는 병기는 개X 같지.

그때 전열함이 불쑥 떠올랐다. 아무런 추진도 없이 날아오른 전열함은 계속해서 고도를 높인다.

 - 도망가나 보네?

파트리샤가 어이없다는 투로 중얼거렸다. 놈들은 제대로 된 구출은 하지도 않고 배에 탄 채 도망가고 있었다. 하긴 지상의 샤다이들은 이미 푸른색 피떡이 되어 워프 비스트들에게 씹히고 있으니, 구출에 의미가 없긴 하다. 전열함은 더 이상 뉴 소노라엔 볼일이 없다는 듯 계속 고도를 높여 대기권을 탈출했다. 그리고 중력권을 벗어나자마자 사방에서 달려든 워프 비스트 함선의 공격을 받았다. 갑작스러운 기습이라 그런지 아니면 승무원들이 정신을 못 차렸는지, 전열함은 제대로 된 대응도 못 하고 소형 워프 비스트 함선들에게 접근을 허용해버렸다.

 - 소형 워프 비스트 함선들이 들어가려 하는데…… 장갑을 못 부수네요?

위르겐이 자신의 장거리 망원 카메라로 보는 영상을 팀원들에게 공유해줬다.

 - 어, 큰 놈이 갖다 박습니다.

위르겐의 중계대로 대형 워프 비스트 함선이 샤다이 전열함의 옆구리를 들이받았고, 그렇게 부숴진 틈으로 워프 비스트들이 물밀듯 들어갔다.

 - 팀장님, 설명 좀.

파트리샤가 빈우를 보며 말했지만, 빈우도 대답이 궁하다. 뭘 알아야 대답을 하지.

 - 개판이네.

빈우의 시선은 아까 샤다이들이 처음 공격받은 곳으로 향해 있었다. 거기엔 스팸과 샤다이들의 조각이 땅바닥에 흩뿌려져 있었다. 그리고 워프 비스트들은 그것들을 맹렬하게 짓밟고 있었다. 장갑복의 팔을 입에 물고 질겅질겅 씹고, 푸른 피로 물든 땅을 손톱으로 할퀸다. 인간을 공격했을 때는 하지 않았던 행동들이다.

- 저거 혹시…… 자신을 변형시킨 샤다이에 대한 복수일까요?

이번엔 파트리샤의 가설이다. 이 역시 제법 그럴싸하게 들린다. 워프 비스트들의 행동에는 누가 봐도 샤다이를 향한 분노가 느껴졌다.

- 오, 누님. 그거 좀 그럴듯합니다. 부팀장님 의견하고 조합하면 시나리오가 나오는데요?

- 위르겐.

- 옙, 팀장님. 팀장님 의견은 어떠─.

팀장의 부름에 위르겐이 신나서 대답하지만, 빈우가 부른 이유는 달리 있었다.

- 여기 확대해.

- 알겠습니다.

빈우의 무시에 풀이 죽은 위르겐이 망원 카메라의 초점을 옮겼다. 그리고 자신이 본 것에 대한 솔직한 감상을 말하려고 입술을 뗐다.

- 위르겐, 너 이 새끼 지금 씨발이라 하려고 했지?

- ……맞습니다 팀장님.

위르겐은 자신이 찾아낸 것을 다시 팀원들에게 공유했다. 그걸 본 아룹이 조용히 중얼거린다.

- 리퍼함 3척. 그놈들이군요.

아까 블랙 랜스가 점프 반응으로 찾아냈다던 리퍼함 3척이 벌써 뉴 소노라의 대기권 근처까지 접근해 온 것이다. 놈들은 거기서 다시 나뉘었다. 2척은 갈라져 궤도 엘리베이터 주변에 있던 워프 비스트들과 전투를 시작했고, 나머지 1척은 다시 이쪽으로 내려오기 시작했다. 워프 비스트와 리퍼 간의 함대전은 별로 재미가 없었다. 서로 주 무기인 플라스마가 통하지 않는 상대다 보니 유효타가 잘 나지 않았고, 소형함들만 고래 싸움에 등이 터져 녹아나고 있었다.

- 씨발 오늘 무슨 날이냐.

빈우는 또다시 자신들의 머리 위로 내려오는 리퍼함을 보며 이를 갈았다. 적함 밑에 깔리는 더러운 기분을 짧은 시간에 두 번이나 겪는 것이다. 리퍼함은 아까 전열함이 착함한 자리 근처에 내려왔다. 그리고 문이 열리더니 리퍼들이 튀어나왔다. 밖으로 나온 리퍼들의 행동은 아까의 스팸들과는 전혀 달랐다. 놈들은 워프 비스트들을 인정사정없이 도륙 내기 시작했다. 시즐러에서 발사된 플라스마에 워프 비스트들이 녹아 사라지고, 이글거리는 클레이모어의 칼날이 놈들을 토막 냈다.

- 이야, 저 새끼들. 그때 그놈들 아니에요?

파트리샤가 그 광경을 보며 혀를 차며 말했다. 지상으로 내려온 리퍼의 수는 모두 열하나. 그중 열 명은 어깨 장갑에 문양이 있었다. 발 가르단 하스에서 태스크포스 373 팀원들을 순식간에 무력화시킨 리퍼의 어깨에 있는 것과 같은 문양이다.

- 동일인이 아니더라도…… 같은 부대 소속이면 실력도 비슷하겠군.

빈우의 말에 팀원들은 긴장했지만, 겁먹지는 않았다. 질 거라곤 생각하지 않는 것이다. 샤다이의 공격력은 연방의 방어기술을 확연하게 뛰어넘는다. 그래서 기습을 당할 경우, 연방 측은 아무런 대처도 못 하고 당하게 된다. 때문에 발 가르단 하스에서 리퍼의 기습에 위르겐과 파트리샤, 모니카가 당했던 것이다. 워프 비스트들은 계속해서 몰려들었고, 리퍼들은 그에 맞서 계속 싸웠다. 태스크포스 373이 지상에서 전투를 하며 워프 비스트들의 숫자를 제법 줄였지만 그래도 많았다.

하지만 리퍼들의 화력은 압도적이다. 저들이 기본으로 사용하는 시즐러는 연방의 주력 전차포와 맞먹는 위력을 가지고 있다. 그런 것이 열한 개나 있으니, 조금 강력한 보병전력에 불과한 워프 비스트들은 어쩔 도리가 없었다.

잠시 후, 전투는 소강 상태에 들어갔다. 근처에 있는 워프 비스트들은 전멸당했는지 더 이상 달려올 기색이 없었다. 그때 어깨에 문양이 없는 리퍼 하나가 전장 한가운데를 걸어갔다. 장갑복 너머로도 지친 기색이 확연하다. 놈은 땅바닥의 시신들을 이리저리 살펴보더니 자신의 헬멧을 벗었다. 그 안의 얼굴은 빈우가 아는 얼굴이었다.

- **알탄훼아나.**

빈우의 혼잣말에 팀원들의 시선이 그에게 집중된다. 오스카 스테이션에서 생포했다가 탈출한 샤다이 여성. 그리고 발 가르단 하스에서도 태스크포스 373과 마주쳤으며, 최근 디안머 항성계에선 비홀더 전대의 이 전대장이 그녀를 찾았었다. 알탄훼아나의 표정엔 슬픔이 가득했다. 샤다이와 인간은 아예 다른 종족임에도 서로 비슷한 외모를 가지고 있고, 또 유사한 감정과 표현력을 가지도 있다니 참 희한한 일이다. 어쨌든 알탄훼아나는 바닥에 떨어진 시신을 주워들었다. 워프 비스트의 잘린 머리다. 그녀는 고열에 눌어붙은 괴수의 머리를 조용히 바라보았다. 그녀의 표정에 떠오른 것은 명백한 분노와 슬픔이었다. 이어서 그녀는 바닥에서 다른 것을 발견했다. 아까 죽임을 당한 스팸의 갑옷이다. 알탄훼아나는 무릎을 굽히고 앉아 그 가슴 갑옷을 만졌다. 그리고 무어라고 입술을 달싹거리고 있었다.

- **팀장님?**

파트리샤의 요청에 빈우는 다시 번역해준다.

- **어리석은 자에 대해 후회하고 있어. 자신이 좀 더 말렸어야 했다고 한다. 왜 자신의 말을 듣지 않았냐고 비난도 하는데…….**

이런 사실로 미루어보아 아까의 스팸과 지금의 리퍼는 다른 파벌 같아 보였다. 과거의 영광을 잃어버리고 소규모 도시국가로 전락한 오늘날의 샤다이라면 그럴 수도 있을 것이다. 그때 알탄훼아나의 눈에서 무언가가 떨어졌다. 빈우는 그것이 마치 눈물 같다 생각했는데, 실제로 그녀는 고개를 숙이고 오열하기 시작했다. 영문 모를 일이다. 그러나 빈우에겐 궁금한 것이 한두 개가 아니었다.

'스팸들은 왜 워프 비스트들에게 호의적이었을까, 그리고 왜 죽임을 당했을까, 리퍼들은 왜 이런 행동을 하는 것일까.'

빈우의 머릿속에서 다시금 의문의 퍼즐들이 생겨난다.

'워프 비스트는 어디서 왔을까. 그리고…… 또 하나.'

빈우는 자신의 머릿속에서 가장 뒤쪽에 심어놨던 퍼즐 조각 하나를 꺼내 들었다.

'왜 그날 오스카 스테이션에서 그녀는 피에르 라캉을 죽였을까.'

이에 대해 빈우는 몇 번 생각해본 적이 있었다. 빈우가 봤을 때 라캉 중령은 편안한 얼굴로 죽어 있었다. 당시엔 그저 압도적인 전력 차에 싸움을 포기한 것이라 추측했었다. 아내와 아들의 죽음이 거의 확실했으니 그랬을 거라 생각한 것이다. 하지만 지금까지 모은 사실로 보자면 다른 무언가가 있으리라 추측된다. 퍼즐의 조각 하나. 톱니바퀴 하나가 비어 있는 게 보인다. 그리고 지금은 그것을 찾을 수 있다.

빈우는 결심했다.

- **부팀장, 저쪽과 접촉해보겠습니다.**

- **괜찮으시겠습니까? 위험합니다.**

팀원들이 소란스러워하는 게 들린다. 열한 명의 리퍼라면 현재의 전력으로는 꽤 위험하다. 하지만 빈우는 일어섰다.

- **네, 엄호해주세요.**

- **알겠습니다.**

151

• • • ✦ • • •

빈우는 헬멧을 벗고 일어났다. 그리고 건물 옥상의 가장자리로 다가가 그녀를 불렀다.

"알탄훼아나!"

아래에서 리퍼들이 조준하는 게 보인다. 두뇌 통신으로 팀원들이 놈들을 조준하는 것 또한 느껴진다. 그러나 알탄훼아나가 손을 들어 자신들의 동료를 제지했다. 그리고 푸른 눈으로 빈우를 올려다보며 말했다.

"너는…… 김빈우."

"다행히 기억하고 있네. 발 가르단 하스 이후 처음이지?"

알탄훼아나는 대답 없이 주변을 둘러보았다. 그리고 말했다.

"네 부하들은 어디 있나?"

그녀의 의심스러운 눈초리를 마주 보며 빈우는 히죽 웃었다.

"숨어서 너희들을 노리고 있지. 나를 공격하면 바로 반격하도록."

리퍼들의 자세가 낮아지는 게 전투를 대비하는 것처럼 보인다. 알탄훼아나는 참과 거짓을 구분한다고 했다. 모든 샤다이가 그런지, 그녀만 그런지는 모르겠지만 그런 능력이 있는 것은 확실했다. 그리고 능력이란 것은 쓰기 나름이다. 자신이든 남이든.

"안심해라. 난 싸우러 온 것이 아니다. 너와 대화를 하러 온 것이지."

빈우는 진실을 말했지만 알탄훼아나의 눈에선 의심이 가시지 않았다. 그래서 빈우는 다시금 친절하게 설명해주었다.

"이제껏 난 너에게 거짓을 말한 적이 없다. 다만 모든 것을 말하지 않았을 뿐, 나머지는 네가 병신같이 착각해서 벌인 일이다. 스스로의 능력이 부족한 것을 남 탓으로 돌리지 마라."

- **팀장님, 지금 대화하자는 것 맞죠?**

조준을 하고 있는 파트리샤가 낮게 이 가는 목소리로 물어본다. 그래서 빈우는 그녀에게도 솔직하게 대답했다.

- **그렇다고 거짓말을 할 순 없잖나.**

팀원들의 두뇌 통신으로 탄식이 흐른다. 잠시 후 밑에서 알탄훼아나가 주변의 동료들에게 눈짓을 했고, 리퍼들이 무장을 내렸다.

"좋아. 그럼 내 차례군."

빈우가 손짓하자 매복해 있던 373 지상팀과 무인기들이 모습을 드러냈다. 리퍼들 중 몇몇은 움찔했지만 싸우려는 기색은 없었다. 그리고 그들 앞으로 빈우의 컨커러가 뛰어내렸다.

"난 너에게 물어볼 게 있어. 너 또한 그렇지 않나?"

빈우의 말에 알탄훼아나의 눈초리가 좁아졌다. 그녀는 발 가르단 하스에서 이케가미 의원이 얻은 대화 기회를 양보받았었다. 빈우는 발 가르단 하스에게 휘말렸기 때문에 그녀가 대화를 했는지 안 했는지는 모른다. 하지만 그녀가 그 기회를 꽤 중요시했던 걸 봤기 때문에, 그전에 있었던 이케가미 의원과의 일을 궁금히 여길 수도 있다 판단 내린 것이다.

"이케가미 소이치로는 어떻게 되었나?"

질문은 다짜고짜 그녀가 먼저 했다. 상관없다. 오히려 좋은 일이다. 저쪽이 대화의 장에 선 것이다. 그래서 빈우는 솔직하게, 가감 없이 대답했다.

"발 가르단 하스에게 계단을 내려오는 자로부터 동족을 구할 방법을 물어보았다. 그리고 알아낸 방법을 실행해달라고 했다."

여기까지 말한 빈우는 한 템포 쉬었다. 그녀의 반응을 살피기 위해서다.

알탄훼아나는 빈우의 이야기에 집중하고 있었다. 계단을 내려오는 자, 워프 비스트와 싸우고 있는 그녀라면 당연히 흥미를 가지겠지. 빈우는 그녀의 반응을 자세히 살피며 다시 대답했다.

"그는 자신의 몸 안에 있는 계단을 발 가르단 하스에게 부숴달라고 했다."

그 말에 알탄훼아나는 움찔하더니 눈을 감았다. 그리고 다시 뜨더니 질문했다.

"너, 너희 종족은 별 심장의 불길을 다룰 수 없지 않나?"

샤다이들은 플라스마를 별 심장의 불길이라고 불렀다. 틀린 말은 아니다. 항성 안에 가득 찬 것은 고온의 플라스마니까.

"그래, 다룰 수 없지. 이케가미 소이치로는 타 죽었다. 내 눈앞에서. 나는 그를 구하지 못했다."

이 말에 알탄훼아나는 착잡한 표정을 지었다. 그것은 마치 뜻을 같이하는 자를 잃었을 때의 표정처럼 보였다. 진영은 달라도 같은 뜻을 가진 자를.

"그랬군, 역시. 그 덕분에 잠시나마 저쪽의 계단이 무너진 거였어. 그래. 그에게 경의를 표하고 싶다."

알탄훼아나는 하나의 응어리가 풀린 듯한 표정을 짓고 있었다. 빈우는 이때를 놓치지 않았다.

"이젠 내 차례군."

그 말에 알탄훼아나는 고개를 들어 빈우를 바라보았다. 그리고 약간 곤란한 표정으로 먼저 말했다.

"잠깐, 혹시 그대가 물어볼 일이 오늘 이 행성에서 일어난 일과 발 가르단 하스에서 일어난 일에 관해서인가?"

"그거 말고 뭐가 있겠냐."

그녀의 얼굴에서 곤란함이 조금 더 짙어졌다.

"그대가 질문할 것은 우리 종족의 중대사다. 다른 이들에게 함부로 알려줄 순 없어."

"뭔 개소리야. 난 네 질문에 대답했어."

퉁명스런 빈우의 말에 알탄훼아나가 쩔쩔맨다.

"안다. 다른 것은 안 될까? 그대에게도 다른 종족에게 말할 수 없는 일이 있지 않나?"

하긴 빈우에게도 절대 발설할 수 없는 군사 기밀들이 있다. 만약 빈우가 질문하려는 것이 그런 종류의 것이라면 알탄훼아나의 반응이 이해는 간다. 그래도 빈우는 무슨 수를 써서라도 워프 비스트에 대한 정보를 알아내야 한다. 그러기 위해 열심히 머리를 굴리고 있을 때, 알탄훼아나가 문득 생각난 듯 서둘러 질문해 온다.

"맞아. 너는 유에네스의 전투 담당 계급이지 않나?"

"지금까지 죽자고 치고받았으며 새삼 무슨 소리냐."

빈우의 한숨 섞인 말투에 알탄훼아나는 발끈했다.

"기껏 친절을 베풀어주려는데, 무례한 자가."

그리고 그녀는 다음에 나올 말이 중요한 말인 듯, 주변에 있던 동료들을 한 번 둘러본 다음 말했다.

"혹시 그대는 동족의 전투 계급 중에서 피에르 라캉이란 자를 알고 있나?"

모를 리가 있나. 피에르 라캉. 보안국의 중령. 빈우와 함께 울토르 프로젝트를 진행한 자. 가족을 잃고 오스카 스테이션에서 죽은 자. 워프 비스트에 관한 정보를 가지고 있지만, 눈앞에 있던 알탄훼아나에게 죽은 자.

'그녀는 왜 자신이 죽인 자에 대해 묻는 것일까.'

"물론 알지."

빈우의 대답에 알탄훼아나는 고개를 끄덕였다.

"진실이군. 그의 아군인가, 적군인가."

동족의 군인에게 아군이냐 적군이냐를 묻는다는 것은 꽤 의미심장하다. 특히 당시 라캉 중령이 처했던 상황을 보면 더더욱.

"……아군."

"내 말은 단순히 한 패냐, 아니면 그의 동료라고 불릴 만한 사이냐는 것이다."

"한때나마 동료였고, 너에게 죽기 바로 전 그는 내게 의지했다."

"아니, 그것은……."

알탄훼아나는 빈우의 말에 뭐라 말하려 했지만, 먼저 그 말의 진위부터 파악했다. 그리고 거짓이 없다는 것을 확인한 다음 조심스럽게 질문했다.

"좋아, 그렇다면 오르톨랑에 대해 알려다오."

"뭐?"

생뚱맞은 질문에 빈우는 당황했다. 왜 갑자기 오르톨랑이 대화의 주제로 튀어나올 것일까. 그런데 뭔가 낌새가 이상하다. 몰라서 묻는 것이 아니라 뭔가의 조건 같다. 마치 빈우가 질문하려는 것에 대해 대답을 들을 자격이 있는지 알아보려는 것처럼. 일단 빈우는 아는 것부터 천천히 말했다.

"오르톨랑은…… 새 요리다. 조리법이 조금 독특하지. 그런데 왜 그런 것을 알고 싶어 하지?"

"그대가 피에르 라캉과 동료인지 확인하기 위해서다."

빈우의 머릿속이 번뜩인다. 오스카 스테이션에서 죽은 피에르 라캉. 그리고 그날 빈우에게 온 그의 허수아비 아를르캥. 아를르캥에겐 자기 주인의 레시피가 있고, 빈우는 그것이 피에르 라캉이 숨긴 워프 비스트에 대한 자료를 찾는 단서가 되리라 생각했었다. 그런데 이제야 알게 되었다. 이 추측이 전제부터 완전히 틀렸다는 걸. 그 열쇠는 숨긴 장소에 대한 것이 아니었다. 주인에게 향하는 문의 열쇠였던 것이다.

"내가 피에르 라캉과 같은 동료여야 한다고? 네가 죽인 자와?"

빈우의 중얼거림에 알탄훼아나는 뜨끔하더니 고개를 끄덕였다.

"그날…… 그날 나는 피에르 라캉을 도울 수 없었다. 그의 몸 안에 있는 계단이 너무 컸고, 나는 실력이 미진했다. 그래서 그는 내가 만든 별 심장의 불길에 죽었고, 나는 다시 발 가르단 하스를 찾았다. 계단을 부술 방법을 배우

407

기 위해."

피에르 라캉은 평온한 표정으로 죽었다. 빈우는 그것이 포기하고 죽음을 받아들인 자의 얼굴이라 생각했지만 터무니없는 착각이었다.

"그 말은 알탄췌아나, 너와 피에르 라캉이 협력 관계였다는 의미인가?"

"그래. 각자 자신의 동족에게 들키면 큰일이 나겠지만, 서로에게 필요한 정보를 교환하던 사이였다. 그리고 그는 내게 당부한 것이 있었다. 만일 자신에게 변고가 생긴다면, 나를 찾아온 동료에게 자신이 가졌던 정보를 전해달라고. 그러니 만약 그대가. 김빈우, 그대가 피에르 라캉의 믿을 만한 동료라면 오늘 일에 대해 물어볼 자격이 있다."

"그렇다면 피에르 라캉이 알고 있는 정보가 오늘 일과도 관련이 있단 말인가?"

"그야 물론."

그 대답에 빈우는 한숨을 내쉬며 고개를 절레절레 흔들었다. 역시 피에르 라캉이 워프 비스트에 대한 자료를 숨긴 곳은 알탄췌아나였다. 정확히는 숨겼다기보다는 근원이겠지만. 만약 빈우가 정상적으로 그녀에게 도달하려 했다면 꽤 오랜 시간이 필요했을 것이다. 아를르캉이 가진 레시피 속에서 단서를 찾고, 그것을 실행해 샤다이 호민관에게 추리가 도달하려면 중간에 어떤 과정을 거쳐야 했을까. 하지만 빈우는 우연히도 오늘 그녀와 만남으로써 그 중간과정을 다 생략할 수 있었다.

"차암 빨리도 말한다. 쌍년."

인간의 한숨에 샤다이가 발끈한다. 그녀와 마주친 건 오늘까지 벌써 네 번째다. 오스카 스테이션, 오브리가도, 발 가르단 하스. 뉴 소노라. 네 번째가 돼서야 그녀는 빈우에게 피에르 라캉과의 관계를 물어본 것이다.

"어쩔 수 없지 않나! 처음엔 난 그대의 속임수에 속아 사로잡혔고, 다음 발 가르단 하스에선 피차 제대로 대화할 상황이 아니었다."

그녀의 말이 틀린 건 아니었다. 오스카 스테이션에선 서로 적으로 인식했었고, 오브리가도에선 워프 비스트에 관해 물었지만, 적지에서 심문을 한 셈이니 제대로 말을 꺼낼 리가 없다. 또 발 가르단 하스에서 만났을 땐 이케가미 의원을 놓고 으르렁거리기 바빴다.

"좋아. 그런데 왜 오르톨랑이지?"

"피에르 라캉이 말했다. 자신이 오르톨랑을 대접했던 사람이라면, 그는 정말로 믿을 수 있는 사람이라고."

"나와 피에르 라캉은 믿을 수 있는 사이야. 아군이자 같은 프로젝트를 진행했던 동료인 데다가 죽기 바로 직전 그는 나에게 의지해왔다."

"그 말은 거짓이 아니지만, 그것은 온전히 너의 생각이지. 피에르 라캉은 김빈우 너를 어떻게 생각하고 있을까."

'X 됐네.'

빈우는 피에르 라캉에게 오르톨랑을 대접받은 기록이 없다. 행여 있다 해도 지금은 잠긴 것일 수도 있다. 하지만 그렇다고 포기할 수는 없는 노릇이다. 그래서 일단 아는 만큼만 조심스레 말했다.

"오르톨랑은…… 같은 이름의 새를 특별한 방법으로 조리한 요리다. 야행성 새를 잡아 어두운 곳에 가두고, 아니면 눈을 뽑아 활동량을 줄인다. 그런 다음 새에게 먹이를 주어 살을 찌우고, 마지막엔 과일을 발효해 만든 증류주에 담가 익사시킨다. 그러면 비대해진 몸은 술을 가득 머금게 되고, 그것을 요리해 한입 깨물면…… 그야말로 천상의 맛이지."

어릴 적 아나스타샤와 요리를 하면서 들었던 요리법이다. 하도 특이해서 기억하고 있다. 빈우의 대답을 듣고 있는 알탄훼아나의 표정은 꽤 고민하는 것처럼 보였다. 빈우가 말한 것은 오르톨랑에 대한 기본적인 정보, 피에르 라캉의 독자적인 레시피와는 다를 수 있다.

"……그것을 어떻게 먹지?"

알탄훼아나의 물음에 빈우는 잠시 주변을 둘러보다가 등의 백팩에서 위장포를 꺼냈다.

"과거 사람들은 이 요리가 맛있지만 잔인하단 것을 알았어. 그래서 신의 눈으로부터 피한다는 의미로 천으로 머리를 가렸지. 실제로는 사방으로 풍기는 요리의 향을 가둔다는 의미였지만 말이야."

별다른 반응이 없던 알탄훼아나는 빈우가 위장포를 꺼내자 천천히 다가왔다.

"이 천을 어떻게 쓰는 거지?"

빈우의 바로 앞에까지 다가온 알탄훼아나가 위장포를 만져보며 질문했다.

"이렇게."

빈우는 천천히 위장포를 머리 위로 덮어썼다. 그때 사방을 가린 천 아래로 알탄훼아나의 얼굴이 불쑥 들어왔다. 앞에서, 그리고 오른쪽에서 동시에. 같은 시간에 두 곳에서 나타난 그녀의 모습에 빈우는 놀랐지만, 문득 정신을 차려보니 그녀는 빈우의 눈앞에만 있었다.

"역시."

알탄훼아나가 의미심장한 푸른 눈으로 빈우의 눈을 쳐다본다.

"놀라지 마. 그때도 말했지. 이건 내가 보여준 게 아냐. 그대가 본 것이지. 방금 그대는 선택의 갈림길에서 자신이 한 선택의 흔적을 본 것이다."

그러고 보니 오브리가도의 심문실에서도 이 같은 일이 있었다. 세 곳의 감시 카메라에 동시에 나타난 알탄훼아나는 각각 다른 곳을 보고 있었다.

"그건 무슨 의미지?"

빈우 역시 그녀의 눈을 마주 보며 질문했다.

"서로가 서로의 선택에 크게 영향을 받는다는 의미다. 그대의 선택에 내가 반응하고, 나의 선택에 그대가 반응한다."

"이제까지 이런 일은 없었어. 왜 너하고만 이런 일이 일어나는 거지."

"지금은 그게 중요한 게 아닐 텐데? 중요한 건 그대의 대답에 대한 나의 결정이지."

그리고 알탄훼아나는 빈우의 눈을 뚫어져라 처다보았다. 투명한 푸른색 안구 안에는 금색 실타래가 뭉쳐져 일렁이며, 움직임에 따라 여러 가지 색으로 빛나고 있었다. 그리고 마침내 그녀의 입이 열렸다.

"그건 피에르 라캉의 오르톨랑이 아냐. 난 진짜를 먹어봤어."

정곡을 찔린 빈우가 대답한다.

"지금은 모르지. 하지만 내가 배로 올라간다면, 그의 안드로이드에게서 진짜 조리법을 알아낼 수 있어."

"안다는 것은 중요하지 않아. 네가 그에게 인정받고, 그것을 대접받았느냐가 중요해."

곤란해하며 다음 말을 고르던 빈우에게 알탄훼아나가 다시 말했다.

"하지만 나는 이케가미 소이치로의 건으로 빚진 것이 있지. 만일 그때, 그대가 아니었으면 나는 발 가르단 하스와 대화하지 못했을 거야."

아마 빈우가 플라스마에 휩싸인 다음, 그녀는 발 가르단 하스와 대화를 한 모양이다.

"게다가 방금의 선택에서 일어난 메아리를 보면 나 또한 그대를 허투루 대해선 안 될 모양이다. 그러니 선을 넘지 않는 한, 그대에게만은 대답해줄 수 있다. 오직 그대에게만."

그러면서 알탄훼아나는 위장포를 제치며 바깥으로 나갔다. 대답할 준비가 되었다는 뜻이다. 어쨌든 다행이다. 빈우가 그녀를 인질로 잡고 나머지 샤다이를 죽일 필요는 없어졌다.

- **부팀장, 통신을 잠시 끊습니다.**

- **알겠습니다. 여차하면 신호를 주십시오.**

빈우는 신중하게 질문을 골랐다. 눈앞의 사실부터 시작해서, 워프 비스트에 이르기까지 질문할 것이 많다. 발 가르단 하스의 일도 물어볼 것이 있다. 하지만 그보다 먼저 알아야 할 것이 있었다.

"썸이 뭐지?"

빈우의 질문을 들은 알탄훼아나는 굉장히 이상한 표정을 지었다.

"음, 방금 뭐라고?"

라출노그의 전열함에서 얻은 정보에 의하면 고대 샤다이들은 썸으로 올라갔다고 했다. 하지만 빈우가 알고 있는 샤다이 단어 중에 썸은 없었다. 아마도 지금은 존재하지 않는 고대의 물건이나 의식일 것이다. 그렇다면 혹시 호민관인 그녀라면 알지도 모른다고 생각해 질문을 던진 것이다. 게다가 이고대어는 워프 비스트 현상과 꽤 깊은 연관이 있으리란 게 빈우의 추측이었다. 그래서 재차 재촉했다.

"썸이란 단어가 무엇을 뜻하지?"

그러나 지금 알탄훼아나의 반응을 본 빈우는 약간 낭패감을 느꼈다. 그녀조차 썸에 대해 모른다면 말짱 도루묵이다. 아닌 게 아니라 주변의 샤다이들도 서로를 쳐다보고 있었다. 그때 알탄훼아나가 머뭇머뭇 말을 꺼냈다.

"어어, 그건 아까 네가 말하지 않았나?"

"말했다고?"

"그래, 넌 말했다. 썸을. 으음, 그것을 무엇으로 번역해야 하지. 몇 가지 뜻이 있는데, 너희들도 자주 쓰잖아?"

"자주 쓴다고? 어떻게?"

"그것이, 우린 쓰지 않은 지 오래되어서. 그리고 너도 방금 그 단어를 말했는데 또 물어보는 것을 보면 뭔가 의미가 잘못 전달된 듯한데……"

그렇게 말한 알탄훼아나는 손으로 무언가 모양을 만들어 보였다.

"썸이라는 건, 이렇게. 이렇게."

사각, 직각, 수평, 수직. 그 형태는 무언가의 수인처럼 보인다. 그러나 빈우가 영 알아듣지 못하는 기색처럼 보이자, 주변을 둘러보던 알탄훼아나는 갑자기 손가락을 들어 무언가를 가리켰다.

"저거다. 썸은 저것이다."

알탄훼아나의 손가락 끝에는 계단이 있었다.

"……계단?"

"정확해. 썸은 옛말로 계단이다. 뭐야, 알고 있잖아."

썸, 계단, 썸을 올라간 고대 샤다이들. 계단을 내려온 워프 비스트들.

빈우 속의 허탈함을 경악이 가득 채운다.

"알탄훼아나……"

빈우는 조심스레 단어를 골랐다.

"워프 비스트는…… 너희들의 선조인가?"

그 말에 알탄훼아나의 표정은 딱딱하게 굳었다. 오브리가도에서 그녀는 워프 비스트가 뭐냐고 묻는 빈우의 질문에 너무 젖은 자, 계단을 내려온 자라고 둘러서 표현했다. 왜 그렇게 표현했는지 이제는 알 것도 같다.

"그래, 맞아."

대답한 알탄훼아나는 주변을 둘러보았다. 뒤틀린 워프 비스트 시체들. 갈기갈기 찢긴 샤다이 육편들.

"이 선조들은 옛날 멸망해가는 우리 우주를 버리고 계단을 통해 다른 우주로 넘어갔었다. 그런데…… 그들은 다시 이 우주로 돌아오고 있어. 그때 만들었던 계단을 통해서."

다시 고개를 돌려 빈우를 바라보는 알탄훼아나의 시선엔 약간의 경멸감마저 느껴진다.

"그런데 너희 유에네스들은 그 계단을 무서움도 없이 쓰더군. 그 위험이 어떤 건지도 모르고, 그것이 그대의 종족에게 어떤 결과를 가져올지도 모르고 말이야."

알탄훼아나는 고개를 들어 궤도 엘리베이터를 쳐다보았다. 워프 비스트 함선과 싸우는 리퍼 함선이 보인다. 하지만 그녀가 보는 곳은 거기가 아니라 더 위였다. 빈우가 그 위험성에 대해 물어보려는 찰나, 알탄훼아나가 먼저 말을 꺼냈다.

"그래서 그 위험성을 깨달은 이케가미 소이치로가 발 가르단 하스에게 부탁해 계단의 저쪽 너머를 파괴했다지. 그렇기에 그동안 선조들은 내려올 수 없었어. 하지만 그들은 저쪽에서부터 다시 계단을 만들어오고 있다. 부수려면 이케가미 소이치로처럼 해야 해. 너희들처럼 이쪽 계단만을 파괴하는 것은 소용이 없어."

이케가미 의원이 자신의 목숨을 대가로 부쉈던 계단이 이토록 빨리 다시 만들어지다니 허망하다. 그런데 뭔가 이상했다. 어째 알탄훼아나가 계단이라고 말한 단어에 뭔가 다른 의미가 있는 것처럼 들리는 것이다.

"잠깐. 씸에, 계단이란 단어에 또 다른 의미가 있나?"

"의미라? 그래. 계단이란 단어는 시대에 따라 지칭하는 게 달라졌다. 원시

시절의 우리 샤다이들은 저것을 씸이라고 불렀다. 문자 그대로의 의미지."

그녀가 가리킨 곳은 아까 예를 들었던 계단이었다. 물리적인 높이를 가진 건축물.

"그러나 우리가 힘을 깨달은 다음부터는 저런 계단을 쓸 일이 없어졌지. 그때부터 계단은 위로 올라가는 구조물의 의미를 지니게 되었어. 그리고 선조들은 저것을, 아니 저 위치에 있던 것을……."

이번에 알탄훼아나는 궤도 엘리베이터가 사라진 곳 끝, 점프 게이트가 있는 장소를 향해 손가락을 치켜들었다.

"지금은 사라졌지만 저기에 있던 것 또한 옛말로 씸, 너희의 단어로 계단이라고 불렀다."

그녀의 말에 빈우는 저도 침을 꿀꺽 삼켰다. 그리고 조심스레 질문했다. 확인을 위해서.

"그렇다면 씸이라고 하는, 계단이란 단어가 가지는 의미 중에 혹시 점프 게이트도 포함된 건가?"

"점프? 어, 뛰는 것? 이렇게?"

그러면서 알탄훼아나는 제자리에서 폴짝폴짝 뛰어 보였다.

"아니. 비슷하지만 달라. 그건……. 우리 종족은 인공위성을 놓고 공간이동할 때 쓰는 것을 점프 게이트라고 한다. 그것도 씸인 건가?"

"으음, 그렇지. 그것이 뛰는 문? 점프 게이트? 라고 한다면 씸이 맞다. 계단이다. 하지만 다른 곳으로 올라가는 계단을 너희들은 옆으로 가기 위해 쓰더군. 함부로 계단을 사용하는 것은 위험하다고 방금 말했었지? 너희들은 젖어버려. 계단을 쓰면 쓸수록 거기서 내려오는 자들에게 젖어버린다고."

빈우의 머릿속을 다시금 경악이 채운다. 그녀의 말이 사실이라면 연방이 사용하고 있는 점프 게이트란 사실은 고대 샤다이가 만든 것이며, 그것을 통해 워프 비스트들이 내려온다는 것이다. 빈우는 필사적으로 머리를 다시 회전시켰다.

"너는 워프 비스트를 젖어버린 자, 혹은 계단을 내려온 자라고 했었지. 그게 정확히 어떤 의미야?"

"그것은 같은 동시에 전혀 다른 의미다. 계단을 내려온 자는 이 우주로 다시 떨어져 돌아온 우리 선조를 말하는 것이고, 젖어버린 자는 그들에게 몸을 빼앗긴 종족을 의미한다."

알탄훼아나는 돌아서서 바닥에 떨어진 워프 비스트의 사체를 주워들었다. 인간이 아닌 다른 외계종족이 변한 워프 비스트다.

"과거 선조들은 다음 차원의 우주로 올라가기 위해 계단을 만들었고, 그것을 타고 올라갔다고 말했지. 그때 육신은 분해돼. 아니, 정확히 말하면 변한다. 별 심장의 불길로. 현자 발 가르단 하스처럼. 피에르 라캉은 이것을 육신을 전자정보로 변형? 그, 상전이시켰다고 했어. 그렇게 변한 선조들은 계단을 타고 올라갔고, 그 외에 남은 선조들은 이 우주와 함께 살아가고자 했다."

흉측하게 일그러진 워프 비스트의 얼굴을 알탄훼아나는 슬픈 표정으로 바라보았다. 그 모습을 보며 빈우는 질문했다.

"그런데 그 선조들은 왜 지금 돌아오는 거지? 그리고 왜 워프 비스트 같은 괴물의 형태로 돌아오는 거야?"

"모든 선조들이 올라가는 데 성공한 것은 아니었어. 올라가는 데 실패한 선조들은 계단에서 방황했고, 다시금 내려오려고 했다. 하지만 바뀐 몸으로 이 우주에 존재하긴 힘들었어. 아무리 우리 샤다이라 해도 별 심장의 불길로 된 육신을 오래 유지할 수는 없다. 그래서 생각한 것이 자신의 정보로 다른 종족을 적신다는 것이었다. 계단으로 들어오는 종족을."

알탄훼아나는 손을 들어 궤도 엘리베이터 끝, 점프 게이트가―샤다이 말로는 계단이―있던 곳을 가리켰다. 빈우의 시선도 그리로 향했다.

'샤다이는 위로 오르기 위해 썼지만, 다른 종족들은 옆으로 썼단 말인가.'

그녀가 말한 옆으로, 란 의미는 아마도 같은 우주에서 공간이동을 의미하는 것 같았다. 지금까지의 설명을 미뤄 보면, 썸이란 단어가 사어가 된 것도 이해가 간다. 스스로 공중부양과 공간이동의 능력이 있는 샤다이들에게 계단 따위 불필요할 것이고, 선조들이 뒤틀려서 내려오는 점프 게이트는 쓸모없는 데다가 불길한 것이겠지.

알탄훼아나의 설명이 이어진다.

"계단을 사용하는 자들이 선조들의 정보에 몸이 일정 이상 젖어버리게 된다면, 몸 안에 계단의 마지막 부분이 생긴다. 그렇게 계단이 완성되면 선조들은 언제든지 내려올 수 있게 되고, 결국 젖어버린 자들은 몸을 빼앗기게 돼. 바로 이들처럼."

빈우는 알탄훼아나가 들고 있는 워프 비스트의 사체를 보며 냉동 질소를 원샷한 것만 같은 한기를 느꼈다. 점프 항법은 인류에게 없어서는 안 될 중요한 요소다. 그것이 있었기에 인류는 이렇게 발전했고, 성장했다. 그리고 지금 이 순간에도 끊임없이 점프를 하고 있다. 그런데 그것이 샤다이에게 몸을 빼앗기고 워프 비스트가 되는 방법이라니. 위장 속으로 오한이 든다.

"그렇기에 이케가미 소이치로는 대단한 것이다. 별 심장의 불길을 다루지도 못하면서 자신의 몸 안에 계단을 열어달라고 했고, 자신의 목숨을 던져가며 계단을 부쉈다. 자신의 몸을 빼앗은 선조들에게 저항하면서 말이다."

그녀의 말대로 이케가미 소이치로는 계단을 부쉈다. 그가 발 가르단 하스로 간 이유는 이러한 사실들을 알았기 때문이고, 다른 누구에게 알리지 못하고 홀로 간 것은 아마도 이미 연방의 상층부에 인간의 몸을 빼앗은 샤다이들이 다수 자리를 잡았기 때문일 것이다. 만약 인류가 워프 비스트가 되는 것을 막기 위해 점프 항법을 금지한다면? 행성 단위로 분리된 인류는 붕괴한다. 워프 비스트를 제대로 막으려면 어떻게든 계단을 부숴야 한다. 이케가미 소이치로처럼.

"잠깐, 이케가미 전 상원의장이 발 가르단 하스에게 부탁해 계단을 부쉈어. 그런데 그게 벌써 고쳐진 건가?"

빈우의 질문에 알탄훼아나는 입술을 깨물었다.

"아직 완전히 고쳐진 건 아니야. 그래서 이런 방법을 쓰는 거지."

알탄훼아나는 워프 비스트의 사체를 내밀어 보인다. 뉴 소노라를 침공한 녀석들이다. 이것들은 처음 보는 외계종족이 변이한 워프 비스트다.

"이 불쌍한 종족은 너희 유에네스 이전에 계단을 쓰다가 젖어버린 자들이다. 결국 종족 전체가 계단을 내려온 자들로 되어버렸지. 하지만 이것은 실패야. 몸을 빼앗은 선조들은 이성을 잃은 괴물로 변해버렸다. 그리고 계단 안에서 떠돌며 계단을 내려오는 선조들의 첨병이 되었지."

알탄훼아나의 손끝이 머리 위를 향한다. 점프 게이트가 있는 쪽을.

"원래 이들은 모습을 잘 드러내지 않아. 자칫 잘못하면 소동이 커지니까. 그러나 이들이 모습을 드러냈다는 건, 계단에 숨어 있던 선조들이 그만큼 급박하단 의미지. 저쪽의 계단이 사라졌으니까. 그래서 부족한 부분을 메우기 위해 이들을 보낸 것이다. 계단을 이쪽에서 만들기 위해."

이건 중요한 내용이다. 아까 지하 창고에서 다수의 시민들이 워프 비스트로 변했다. 그녀의 말에 따르면 부서진 계단을 대신해 이쪽에서 다시 만들었다는 의미다.

"계단을 이쪽에서 만든다고? 어떻게?"

빈우의 질문에 알탄훼아나의 시선이 흔들렸다.

• • • ✦ • • •

153

"그건 차차 이야기해주지. 먼저 이 이야기부터 마무리짓고."

그녀가 이런 중요한 대목에서 말을 돌리는 이유는 뻔하다. 그것은 지금은 말할 수 없는 막중한 것이란 의미다. 아니면 빈우가 오르틀랑을 대접받지 못해 생긴 '선' 너머의 이야기일 수도 있다. 빈우의 눈을 피한 알탄훼아나의 시선이 푸른 피로 젖은 스펨의 갑옷으로 향한다.

"어쨌든 보다시피 이런 괴물이라도 선조로 섬기려는 어리석은 부류들 또한 있다. 과거의 영광을 잊지 못한 자들이지. 그들은 다시 선조를 내려오게 해 종족의 번영을 꾀하려 한다. 흥, 어리석긴. 멸망이 다가온 우주에서 뭘 하겠단 말인가! 그 결과를 보라."

그녀가 부르짖은 결과란 바닥에 깔린 푸른색 살점들이다.

"섬기던 이들에게 도륙당한 이 모습을! 실패한 선조들에게 이성은 없다. 다만 온전한 육체를 가진 후손들을 보면 맹렬한 질투심에 사로잡힐 뿐이지. 가지고 싶지만, 결코 빼앗을 수 없는 몸을 가진 후손들을 말이야."

알탄훼아나는 약간 신경질적으로 갑옷을 향해 워프 비스트의 사체를 집어던졌다. 빈우는 선조와 후손의 찰진 랑데부를 보며 질문했다.

"선조들은 후손의 몸에 들어올 수 없나? 왜 굳이 다른 종족의 몸을 쓰는 거지?"

이번에는 알탄훼아나가 선선히 대답했다.

"애초에 우린 계단을 쓰지 않고도 우주를 여행할 수 있으니 그들과 마주칠 일이 없지. 행여 계단으로 들어간다 해도 우린 선조에게 적셔지지 않아. 우매한 저쪽 분파에서 여러 가지 시험을 해봤지만 살아 있는 몸에도, 죽어 있는 몸에도 계단을 내려온 자들은 오지 못했다. 오직 다른 종족의 몸에만 계단이 만들어졌어."

아이러니하다. 고대의 샤다이들은 육신을 버리고 승천하려 했으나 실패하고 말았다. 그리고 돌아오려니 몸은 없고, 동족의 육체에 깃들 수도 없다. 가능한 것은 그들이 하등종족이라 부르는 뒤따르는 자들뿐.

"그러다가 너희들의 시간으로 100여 년 전. 너희, 으음, 그대의 종족들마저 계단을, 점프 게이트를 발견하고 사용하기 시작했다. 그러면서 점차 젖어가야 했지만, 그대들의 황제는 이것을 막았다."

"어떻게?"

낮지만 위압감 있는 빈우의 목소리에 알탄훼아나는 움찔했다. 그 모습에 빈우는 마음속으로 혀를 찼다. 반응을 겉으로 드러내다니.

"그건 나도 모른다. 오히려 내가 피에르 라캉에게 물어보았지만, 그 역시 이 방법에 대해서 조사 중이었다."

딱히 거짓말은 아닌 모양이었다. 그런데 보안국 소속이었던 라캉 중령이 어떻게 알탄훼아나와 연이 닿았을까. 아마 여러 방면으로 수사를 하다가 알아냈을 것이다. 과거 그는 빈우와 울토르 프로젝트를 진행했었다. 그렇다면 빈우가 클론으로 잠수했을 동안 일어난 일이리라.

"아무튼 너희 선조들이 우리 인류에겐 성공적으로 내려왔단 말이지?"

빈우의 질문에 알탄훼아나는 다시 설명을 시작했다.

"그래. 이 불쌍한 선조들은 계단으로 들어온 너희 유에네스의 몸을 빼앗으려 했었고, 처음엔 나름 순조로웠다고 한다. 온전한 정신을 가진 채 계단을 내려와 자신의 정보로 너희 종족을 적셨지. 하지만 그대들의 황제가 이 사실을 깨닫고 대책을 세웠다고 한다. 정확히는 몰라도 아마 계단에 무슨 조치를 취한 것 같은데, 아무튼 그 때문에 더 이상 선조들이 내려올 수 없게 되었다. 하지만 그대들 황제의 치세는 짧았지."

빈우는 고개를 끄덕여 긍정했다. 지구제국의 치세는 24년밖에 되지 않았다. 제국은 2100년에 탄생했으나 폭풍 같은 발전 후 황제는 갑자기 사라졌고, 2124년에 연방이 설립되었다. 알탄훼아나는 주변들 두리번거리며 새로운 워프 비스트의 사체를 찾았다. 그리고 그것을 빈우에게 보여준다.

"이것은 알아보겠지?"

그녀가 보여준 것은 인간이 변한 워프 비스트의 사체다.

"그대들 유에네스에 온전히 내려온 선조들의 수는 그리 많지 않다. 거기다 황제의 방비로 다시금 뒤틀려서 내려오게 되자 동족들에겐 분란이 일었지."

"분란이라고? 너희들도 동족끼리 다투는가?"

여기서 빈우는 알탄훼아나의 반응을 살펴보기 위해 한번 슬쩍 떠보았다. 그러자 그녀는 약간 머뭇거리면서도 대답을 해주었다.

"우리는 예전부터, 그러니까 선조들이 떠난 이후부터 분열했다. 그래서 오늘날까지도 통일된 의견 없이 개인이 따르는 가문의 이름하에 움직이지. 때문에 계단을 내려오는 자들에 대해서도 크게는 선조들의 귀환을 환영하는 자와 반대하는 자로 나뉜다."

이쯤에서 한번 말을 멈추는 게, 지금 말하는 내용이 과연 해도 되는 것인가에 대한 망설임처럼 보인다. 알탄훼아나는 인상을 찡그렸다가 다시 입을 열었다.

"원래는 반대하는 쪽의 세력이 컸었다. 보다시피 저렇게 선조들이 뒤틀려 내려오는데 누가 좋아하겠나. 하지만 유에네스를 통해 제대로 내려온 선조들을 보자, 귀환 찬성파의 세력이 갑자기 늘었지."

샤다이의 세력이 분열됐다는 얘기는 반가운 얘기지만, 찬성파의 세력이 늘었다고 하니 빈우는 기분이 꿀꿀해진다.

"그래서 방금과도 같은 일이 생긴 것이군. 조상님들에게 찢겨 죽은 놈들은 귀환 찬성파, 그리고 조상들을 불태운 너희들은 반대파란 말이지?"

비꼬는 빈우의 말에 이들이 큰 반응을 하지 않는 것을 보면 선조들과의 사이가 좋은 편은 아닌 듯했다.

"맞다. 파벌은 그 밑으로도 세세하게 갈린다. 몇몇은 계단을 쓰는 그대의 종족을 불손하다 보고 공격했고, 또 몇몇은 선조들을 내려오는 것을 돕기 위해 그대의 종족을 공격했다. 그리고 우리 가문은……."

그러나 더 이상 대화하기 힘들 것 같았다. 빈우의 안구로 몰래 광통신이 들어오고 있다. 아룸이 워프 비스트들의 접근을 발견한 것이다.

"알탄훼아나, 이야기는 나중에 다시 해야겠는데."

"뭐? 무슨 속셈이냐?"

경계의 눈빛을 보내던 알탄훼아나는 저 멀리서 워프 비스트들이 몰려오는 소리를 들었는지 헬멧을 썼다. 그 뒤에 서 있던 리퍼들 역시 임전 태세를 갖춘다.

"그렇군. 알겠다."

빈우는 다시 통신을 연결해서 화력 팀에 명령을 내렸다.

- 373, 접근하는 워프 비스트를 모조리 쓸어버려.

화력 팀의 두뇌 통신으로 다시 전의가 감돈다.

- 리퍼들은 어떻게 할까요?

아룸의 질문에 빈우는 알탄훼아나와 리퍼들을 쳐다보았다. 그 잠깐의 순간, 373 팀원들은 긴장했다. 이 양반이라면 이 혼란을 틈타 충분히 뒤통수를 때리고도 남을 인간인 것이다.

- 당분간 임시동맹이다.

- 저쪽은 우리를 동맹이라고 생각할까요?

373팀 중에서 리퍼에게 가장 험한 꼴을 본 위르겐이 투덜거렸다.

- 우리와 같겠지. 대화가 끝날 때까지는.

- 근거라도 있나요?

지적한 것은 파트리샤였다. 알탄훼아나는 몇 번이고 접촉이 있었던 샤다이지만 기본적으로 적이다. 우호적인 반응을 기대하기는 힘든 것이다. 하지만 빈우의 생각은 달랐다.

- **너무 친절해.**

그 말에 파트리샤를 비롯한 373 팀원들은 의아해했다.

- **너무 자세히 잘 가르쳐주더라고. 내가 피에르 라캉의 동료라 해도 이렇게까지 해줄 필요가 있었을까? 아니면 설마 라캉 중령과 모종의 협약이 되어 있을까?**

팀원들은 빈우와 샤다이 간의 대화를 듣지 못했지만, 빈우가 그렇다면 그런 것이다. 그제서야 팀원들은 팀장의 반응을 이해할 수 있었다.

- **저쪽도 뭔가 바라는 것이 있군요.**

- **세상은 기브 앤 테이크니까. 미끼일 수도 있고. 서로 이용하는 거야.**

그다음 빈우는 샤다이 쪽을 돌아보았다. 그들도 전투를 준비하고 있었다.

"알탄훼아나, 나중에 보자."

그리고 빈우는 점프젯을 써서 파트리샤 쪽으로 합류하기 위해 날아갔다. 그 모습을 본 샤다이 중 하나가 알탄훼아나에게 다가온다.

"호민관. 저들은 어쩌실 겁니까?"

호위병의 물음에 알탄훼아나는 잠시 생각했다. 다시 한 번 호위병이 대답을 보챈다.

"그들에게 너무 많은 것을 가르쳐주신 것 아닙니까?"

그렇게 생각할 법도 한 게, 방금 그들의 호민관인 알탄훼아나는 적들이 물어보지도 않은 것조차도 미주알고주알 자세히 풀어냈던 것이다. 자신의 종족과 선조에 대한 것들까지도. 하지만 그녀는 호위병들의 우려에 미소로 대답했다.

"그는 나에게서 몇 번인가 선택의 잔상을 보았고, 나 또한 그에게서 선택의 메아리를 들었습니다. 피차 서로의 계획에서 중대한 인물이란 뜻이죠."

"아하, 그렇다면."

"네, 떨어뜨리기 위해선 먼저 들어올려야 하죠. 제게 알아낸 사실들로 그가 어떻게 움직일지 매우 기대됩니다. 반대로 말하자면, 나 역시 그에게서 물어볼 것이 있기도 하지요. 그러니 때가 될 때까지 공격하지 마세요. 물론 그의 부하들도. 대단히 위험하단 것을 알고 있겠죠, 펠휀단."

"물론입니다."

말을 건 호위병들의 수장, 펠휀단은 발 가르단 하스에서 싸웠던 유에네스들의 정예병들을 기억한다. 전투복의 차이로 운 좋게 이기긴 했지만 다시 싸운다면 승리를 장담할 수 없었다. 그때 다른 젊은 호위병이 끼어들었다.

"흥, 부하들 따윈 저 혼자서도 처리할 수 있습니다. 고작해야 일상복 아닙니까?"

근거 없는 자신감에 유에네스와 싸워본 경험이 있는 자들은 너나 할 것 없이 한심하단 기색을 비쳤다. 그리고 부끄러움은 스승의 몫이었다.

"어린 것아, 닥쳐라. 저자는 혼자서 우리 모두를 죽일 수 있다."

자신의 일갈에 움츠러든 제자를 보며 펠휀단은 호민관의 옆에 섰다.

"호민관. 계단에서 내려온 자들이 곧 들이닥칩니다."

"그럼 맞서 싸워야죠."

알탄휀아나가 검을 들었다. 그녀의 부탁에 이곳의 별이 자신의 불길을 나눠준다. 이어 함성을 지르며 부하들을 이끌고 앞으로 달렸다.

"타락한 선조들이여. 이곳은 우리 터전이다!"

그에 맞서 계단을 내려온 자들의 외침이 마음속으로 들려온다.

- 무서워무섭다싫어고통어두워아파괴로워.

- 밉다미워증오돌아간다비켜라몸을다오죽어라.

도대체 계단을 올라간 선조들은 거기서 무엇을 본 것일까. 무엇 때문에 저렇게 미쳐버려 뒤따라오는 자들의 육신을 빼앗으려는 것일까. 그때 유에네스들의 공격음이 들린다. 역시나 공격은 이쪽이 아닌 계단을 내려온 자들을 향하고 있었다. 어찌저찌 불편한 협력 관계가 이뤄진 듯하다. 과거 종족의 번영을 위해 계단에 손을 댔던 종족의 말로가 샤다이들의 앞으로 달려온다. 호위병들이 창을 쏴 그들을 태우고, 알탄훼아나는 검을 휘둘러 놈들을 녹인다. 치열한 싸움 속에서 문득 그녀는 빌어먹을 아버지의 말이 떠올랐다.

'자, 보세요. 알탄훼아나. 어떻게 하면 선조들이 내려오기 쉬운지. 간단합니다. 마지막 계단이 생길 기미가 보이는 마음에 상처를 내면 되는 일이에요. 그러면 한층 적셔지기 쉬워지고, 선조들은 온전히 그들의 몸을 차지할 수 있답니다.'

'어떻게 하면 그들의 마음에 상처를 줄 수 있죠?'

'충격과 고통을 줘야 하지요. 몸과 마음 둘 다. 예를 들자면 육친의 사망이나 사고 같은 것이 있지요. 거기서 일어난 슬픔과 공포로 마음에 틈이 생기면, 선조들은 거기에 계단을 심는답니다. 또 달리 이런 감정을 주기 쉬운 행동에는 어떤 것이 있을까요?'

'싸움?'

'그래요, 싸움. 싸움입니다. 그것도 크면 클수록 좋지요. 유에네스의 단어로는 전쟁이라고 하던가요? 뒤따라오던 자들 주제에 제법 가르침을 주더군요.'

그러면서 뒈졌으면 하는 남자는 계단을 내려온 선조에게 고개를 향했다. 유에네스의 몸을 차지한 선조를.

'곤란하군요. 뒤따라오는 자의 몸을 차지한 부작용일까요? 별 심장의 불길을 다루지 못하네요. 내려온 지 얼마 되지 않았으니 적응할 시간이 필요할지도요. 그럼 후손으로서 도와주는 게 예의겠지요.'

그렇게 말한 아버지는 별 심장의 불길을 불러 유에네스의 몸을 지졌다. 불쾌한 냄새와 비명이 일고, 선조의 증오가 머릿속을 울린다. 생명이 스러져가는 광경에 미소 짓는 아버지를 떠올린 알탄훼아나는 구역질이 이는 걸 느꼈다. 그리고 시선을 돌렸다. 자신의 의무를 다하고 있는 눈앞의 유에네스들에게. 그들은 각자 저마다 계단을 가지고 있었다. 아직 굳건한 정신력으로 버티고 있지만 위태위태하다. 언제 계단이 완성되고 선조들이 내려와도 이상할 것이 없다.

"호민관!"

호위병의 외침에 정신을 차린 알탄훼아나는 검을 다시 움직였다. 가까이 다가온 선조가 후손의 손에 죽었다.

"집중하십시오. 적들이 더 몰려옵니다."

"알겠어요."

대답했던 알탄훼아나의 손은 움직이려다가 다시 멈추었다.

"알탄훼아나!"

펠훼단이 날아와 그녀를 지킨다.

"정신 차리십시오. 싸움 중입니다."

스승이자 호위병인 그는 숙련된 솜씨로 워프 비스트들을 도륙 냈다. 그러나 갑자기 알탄훼아나가 그의 팔을 잡더니 경고를 했다.

"펠훼단, 도망쳐야 할지도 모르겠습니다. 닫혔던 이쪽 계단이 열리고 있어요."

호민관인 그녀가 한 말이라면 그럴 것이다. 유에네스가 닫았던 계단이 다시 열린다면 거기서 무엇이 나오든 적일 가능성이 높다.

"선조들입니까?"

"아니요, 이 방법은…… 유에네스입니다."

154

・・・✦・・・・

위르겐은 다가오는 워프 비스트들을 향해 사격을 퍼부었다. 방금 보급받은 덕에 미사일과 로켓을 아낌없이 발사할 수 있었다. 폭발과 화염이 달려오는 워프 비스트들을 휩쓸었고, 나머지 것들은 무인기들이 처리한다.

- 뒤쪽 백화점 옥상으로 이동한다.

아룹이 후퇴 명령을 내리자 무인기들이 점프젯을 써 뒤로 도약했다. 그리고 위르겐은 소이탄을 발사해 길을 막은 다음 아룹을 따라 백화점 옥상으로 날아갔다. 워프 비스트들은 접근전밖에 못 하기에, 고지대를 잡고 총알만 뿌리면 손쉽게 잡을 수 있지만 수가 너무 많았다.

- 끝도 없이 몰려드네.

위르겐은 다른 블록에서 몰려든 워프 비스트들을 보며 혀를 찼다. 다행히 궤도 상에서 리퍼 함선들이 워프 비스트들과 싸워주는 덕분에, 궤도 엘리베이터를 통해 내려오는 적들은 끊겼지만 아직도 지상에는 수가 많았다. 아룹의 B조가 후퇴하자 빈우의 A조가 나섰다. 위르겐이 뿌린 화염에 막혀 허둥대던 워프 비스트들의 옆으로, 관통으로 설정된 탄두들이 날아가 한꺼번에 두셋을 동시에 꿰뚫는다.

- 어이쿠, 이쪽 보네요.

파트리샤가 가리킨 곳에 한 무리의 워프 비스트들이 나타났다. 후열에 있던 놈들이 방향을 바꿔 가까운 A조 쪽으로 달려온다.

- 땅에는 샤다이들이 있으니 우린 옥상에서 뜀뛰기나 하자.

373의 A조와 B조는 서로 거리를 벌렸다 좁혔다 하면서 교차된 화망으로 지상의 적들을 갈아버렸다. 지금까진 궤도 엘리베이터에서 나오는 놈들이나 사람들을 대피시키기 위해서 아래로 내려가야 했지만, 샤다이들이 밑에서 싸워주니 그럴 필요가 없어졌다.

- 샤다이들이 편하긴 편하네요. 게이트 없이도 폴짝폴짝 점프하는 것을 보니.

파트리샤가 날아오르며 투덜댄다. 그녀의 말대로 샤다이들은 게이트 없이 점프하며, 이것은 게이트를 쓰는 인류의 점프와는 다르다. 더구나 점프 게이트에 대한 내막을 들은 빈우는 두 가지의 차이를 확실히 알게 되었다.

물론 연방의 순양함이나 게이트 지원함도 자체적으로 점프를 할 수는 있다. 하지만 이건 목적지에 게이트가 있을 경우에만 가능한 단방향 점프이고, 간이 게이트를 만드는 데만도 10시간 이상 걸린다. 더구나 지금의 뉴 소노라처럼 게이트가 아예 사라진 경우에는 도착지에 게이트를 새로 만들어야 하는데, 그건 족히 40~50시간이 걸리는 작업이다.

- 조금만 버텨라. 곧 아군이 올 거다.

- 곧 언제요?

빈우의 격려에 파트리샤는 헛웃음 치며 질문한다.

- 한 30시간?

- 네에, 그렇겠죠. 곧 오네요. 씨발.

그녀로서는 당연한 반응이지만, 점프 게이트에 대한 진실을 알게 된 빈우는 마냥 빨리 오라고 닦달할 수가 없었다. 지금 인류는 점프를 하면 할수록 워프 비스트가 될 가능성이 높아지는 것이다.

- 그나마 못 믿을 아군이라도 생겨서 다행입니다.

아룹의 말대로다. 지금까지 연방에게 적의 적은 그냥 새로운 적이었지만, 쓰기에 따라 얼마든지 아군이 될 수도 있다. 현재 알탄훼아나의 병력은 지상에서 고기 방패를 해주고 있으며, 궤도 상의 리퍼 전투함들은 우주전을 통해 궤도 엘리베이터로부터의 워프 비스트 증원을 막아주고 있었다. 문제는 이번 전투가 끝나면 어떻게 되느냐다. 지상 병력을 빼도 저쪽은 리퍼 전투함 3척이고, 이쪽은 개조 구축함 1척에 전투기 1기다. 아차 하는 사이에 쓸려나갈 전력 차이다.

그런데.

- 어랍쇼?

궤도 엘리베이터를 보고 있는 빈우의 눈에 불길한 게 잡혔다. 샤다이 특유의 점프 반응이다.

- 궤도 상에 점프! 샤다이다.

빈우의 경고와 함께 전열함 2척과 모니터함 5척이 점프해 들어왔다. 함체에 워프 비스트 함선을 여기저기 쑤셔박은 채.

- ……저 새끼들 뭐 하나?

허탈해하는 빈우의 질문에 금세 대답은 나오지 않았다.

- 합체?

위르겐의 이번 대답은 그다지 호응을 받지 못했다.

- 그것보단 워프 비스트들한테 공격받는 것 같습니다만.

어이없어하는 아룹의 대꾸가 그나마 그럴듯해 보인다. 방금 뉴 소노라의 궤도에 나타난 샤다이 함선들은, 저마다 2~3척의 워프 비스트 함선에게 잡아먹힌 상태로 점프해 온 것이다. 그쪽으로 알탄훼아나가 이끄는 리퍼 전투함의 공격이 쏟아졌다. 이 리퍼 전투함은 플라스마 외에도 다른 무기들을 발사해, 같은 샤다이와 워프 비스트들에게 유효한 피해를 주고 있었다.

- 같은 샤다이끼리 전투라, 진귀하네요.

파트리샤의 솔직한 감상이다.

- 진짜 뭐 하자는 거냐, 저 새끼들.

툴툴거리며 아래를 본 빈우의 눈에 자기들끼리 뭐라고 하는 알탄훼아나 파벌이 보인다. 아까 그녀의 말에 의하면 샤다이도 여러 분파로 나뉘어 있다고 했다. 방금 워프 비스트들에게 죽은 샤다이는 귀환 찬성파이고, 알탄훼아나 측은 반대파라고 했다. 그렇다면 저 위에서 워프 비스트와 알탄훼아나 파벌에게 공격받고 있는 샤다이는 높은 확률로 찬성파이리라.

- **부팀장, 이거 보이십니까?**

빈우는 자신이 눈여겨보던 장면을 아룹에게 공유해주었다. 이번에 나타난 샤다이 함선 곳곳에 난 손상 부위들이다. 마치 잘려나간 듯 소멸한 피격 부위와 녹아내린 장갑들은 자신이 어떤 무기에 당했는지 알려주고 있었다.

- **네, 반물질 병기에 당한 것처럼 보입니다.**

이들이 알기로 저런 반응이 나오는 무기는 반물질밖에 없다. 그리고 373 팀원들은 반물질로 기막히게 요리를 잘하는 집 또한 알고 있다.

- **팀장님, 들리십니까?**

갑자기 우지의 롱소드로부터 연락이 들어온다.

- **그래. 회선이 회복된 모양이군.**

- **네, 리퍼 함선들이 대형함들을 격침시키고 나서부터 통신이 가능해진 듯합니다. 근데 저것들 왜 싸운답니까?**

현재 블랙 랜스는 리퍼 함선을 피해 사거리 바깥 멀리서 기웃거리고 있고, 롱소드만 통신과 보급을 위해 웨이블의 상공을 오가고 있었다.

- **마침 잘됐다. 함장님께 연락해. 증원으로 온 리퍼 함선은 공격하지 않는 이상 먼저 공격하지 말라고. 현재 임시로 협동전선을 펴고 있다.**

- **예? 협동입니까? 알겠습니다. 이번에 나타난 샤다이는 어떻게 할까요?**

- **할 수 있으면 조져야지.**

그때 빈우는 뭔가 이상한 감각을 느꼈다. 머릿속에서 뭔가 차오르는 기분이다. 워프 비스트들이 쳐들어왔을 때 정체 모를 상실감을 느꼈다면, 지금은 까닭 모를 유대감마저 느끼고 있었다. 주변에 있는 팀원들 때문은 아니었다. 뭔가 다른 이유였다. 짐작 가는 바가 있어, 빈우는 고개를 들어 하늘 위를 보았다. 그리고 장갑복의 시야를 최대한 확대했다.

- ······**점프 게이트가 열린다.**

빈우의 말에 팀원들도 머리 위를 올려다보았다. 이어서 탄성을 질렀다.

- **워후! 왔구나, 왔어.**

마침내 뉴 소노라에 점프 게이트가 생성되며 연방의 함선들이 들이닥치기 시작한 것이다. 점프해 온 함선들은 신형 헤라클레스 급 순양함 5척. 아직 통신이 연결되지 않았지만, 함선에 적힌 마크로 보아 소속을 짐작할 수 있었다. 마크는 단순히 숫자로만 되어 있었다. 그런 마크를 쓰는 함대는 연방에 단 하나뿐이다.

- **42전단이다.**

곤란한 문제에 대한 해답이 뉴 소노라에 도착한 것이다. 빈우는 서둘러 42전단과 통신을 연결하려고 노력했다. 만약 42전단이 리퍼 쪽을 공격한다면 알탄훼아나 측과의 관계가 애매해지고, 이후의 대화도 물 건너가게 되기 때문이다.

'아군 전력이 확실하다면 아예 포로로 잡는 게 마음 편하긴 하지만.'

빈우의 이런 생각이 딱히 틀린 것은 아닌 게, 샤다이는 지금까지 인류를 닥치고 공격하는 종족이었다. 오히려 발 가르단 하스에서 벌어졌던 사건과 오늘의 일이 상당히 이례적인 축에 속했다. 상대와의 안전한 대화를 바라는 게 욕먹을 짓은 아니다. 그러나 리퍼 함선 3척에 순양함 5척이면 이쪽도 제법 피해를 입어야 한다. 그래서 빈우는 어떻게든 통신을 연결해 중재를 시도하려 했다.

바로 그때, 빈우의 A조가 있는 건물 옥상으로 리퍼 하나가 날아 올라왔다. 빈우와 파트리샤는 본능적으로 코일건을 겨눴지만, 상대에게 적의가 없다는 것을 알기에 먼저 쏘지는 않았다.

"김빈우."

헬멧을 벗은 리퍼는 알탄훼아나였다. 그녀는 서둘러서 빈우에게 말했다.

"그대들의 부하를 진정시켜다오. 우리는 적이 아니라고 말해다오."

지금 뉴 소노라로 점프해 온 42전단의 순양함들은 아군 빼고는 다 공격하고 있었다. 맹렬히 날아간 플라스마 포격이 워프 비스트들에게 흡수당하자, 곧바로 코일건과 입자가속포로 놈들을 갈아버린다. 물론 샤다이 함선 주변으로는 이미 사이클론 어뢰로 모내기를 하고 있는 중이시다. 물 흐르는 듯한 전투 방식을 보아 저들은 꽤나 숙련된 듯하다. 42전단으로 뽑힐 정도니 당연하겠지. 42전단은 나타난 위치상 방금 나타난 샤다이와 워프 비스트들을 먼저 공격하기 시작했다. 그러나 곧이어 리퍼 전투함도 공격할 것은 당연했다. 빈우도 헬멧을 벗고 서두르는 알탄훼아나를 진정시키려 했다.

"잠깐. 내 부하들은 여기 있는 장갑보병과 조그만 구축함이고, 저 위의 순양함들은 나와 소속이 달라. 내 부하들이 아니란 말이다."

"장난할 시간이 없다. 나는 아직 해야 할 일이 있다. 여길 먼저 떠날 수는 없다. 너에게도 그건 좋지 않은 일이겠지?"

"알아. 나하고 할 이야기가 남았지. 그래서 저 위쪽과 대화는 해보겠지만 장담은 못 해."

빈우의 그 말에 알탄훼아나가 버럭 화를 냈다.

"그 말이 아니다! 내가 해야 할 일은 너와의 대화가 아니다. 내가 여기로 온 것은 저 계단을 내려온 자들의 몸에서 계단을 부수려는 것이다. 이케가미 소이치로처럼."

그제서야 빈우는 정신이 번쩍 들었다. 만약 그녀의 말이 진실이라면 알탄훼아나는 워프 비스트들이 생기는 것을 막으려는 것이다.

"알았어. 지금 하고 있어."

다행히 태스크포스 373과 42전단과의 통신은 금세 잡혔다.

- 여기는 태스크포스 373의 김빈우 소령이다.

통신 회선이 연결되는 즉시 서로에 대한 인식과 신분 확인이 끝났다.

- 여기는 42전단 소속 순양함 타이런트입니다. 현재 본 함은 임시 분함대의 기함을 맡고 있습니다.

빈우의 통신을 받은 것은 순양함의 부장을 맡은 AI 루 펑셴이다. 그리고 빈우는 그에게 자료를 속속들이 넘겼다.

- 내가 지정하는 리퍼 전투함은 공격하지 마라. 아군이다.

- 네?

지상의 장갑보병이 궤도 상의 적함보고 아군이라고 하니 이런 반응이 나올 수밖에 없다.

- 그 뭐냐, 그거 내 팀이 나포한 거야. 어서 함장에게 알려.

- 어? 알겠습니다. 잠시 기다려주십시오.

타이런트의 부함장은 즉시 함장에게 이 사실을 알렸다.

"뭐? 저게 아군이라고? 아군이 나포한 거란 말이야?"

"네, 그렇다고 합니다."

타이런트의 함장이자 임시 분함대의 지휘관인 동 중잉 대령이 기가 막혀 소리쳤다. 그리고 그의 눈앞으로 아군 롱소드 하나가 날아가는 게 보인다. 그리고 리퍼 전투함 2척이 그 롱소드를 뒤따라 이동하며, 워프 비스트와 샤다이 함을 공격하고 있었다.

"이 동네 뭐 하는 동네야."

"함장님, 김 소령님의 말이 사실인 것 같습니다. 태스크포스 373은 특수전 사령부의 특별 회수팀으로, 샤다이의 기술과 무기들을 수차례 회수한 전력이 있습니다. 아마 저 리퍼함도 그런 부류의 것으로 추정됩니다."

동 함장의 눈앞에 펼쳐진 상황은 혼란 그 자체였다. 그가 이끄는 분함대는 뉴 소노라에서 태스크포스 373과 합류하기 위해 점프를 준비 중이었는데, 갑자기 도착 지점의 게이트가 사라졌다고 했다. 당연히 함대에는 비상이 떨어졌고, 부랴부랴 게이트 재생성에 들어갔다. 만약 예전 같았으면 몇십 시간은 족히 걸렸을 일이다. 그러나 이번에는 과학기술국에서 개발한 신기술을 사용해, 다수의 게이트 엔진을 동기화시켜 연결하는 방법을 썼다. 그 덕에 분함대는 획기적으로 짧은 시간에 뉴 소노라에 올 수 있었다.

그리고 도착해서 보게 된 광경이 또 걸작이다. 궤도 엘리베이터 상부는 분리되어 있고, 그 분리된 부분은 날아가다 점프 게이트를 박살낸 것처럼 보인다. 여기다가 처음 보는 적, 워프 비스트로 추정되는 생물로 된 함선들이 궤도 상에 버글거린다. 그리고 그것과 싸우는 샤다이들과 모두를 공격하는 리퍼 전투함. 저 위험한 리퍼를 이끄는 아군 전투기. 연락이 온 것은 지상에서 리퍼와 함께 전투하는 아군 병력. 동 함장은 결단을 내렸다.

"일단 식별 신호 불분명으로 배정해."

"알겠습니다."

붉은색의 적함으로 나타나던 리퍼 전투함들이 노란색으로 되었고, 이 사실은 함대의 다른 순양함들에게도 공유되었다.

· · · ✦ · · ·

155

"자, 이제 계단을 어떻게 부술 건지 말해주실까?"

빈우는 코일건의 방아쇠를 당겼다. 과거 목타하를 숱하게 잡았던 세팅의 탄두들이, 오늘은 워프 비스트들을 갈아버리고 있었다.

"발 가르단 하스 때와 같다. 계단을 찾아 부숴야 한다."

알탄훼아나는 조그만 유에네스 전투기를 따르란 명령을 내렸다. 그 다음 유에네스 전투함들의 공격이 자신의 배로 향하지 않는 걸 확인한 후, 안도의 한숨을 쉬었다.

"그러면 빨리 해."

빈우의 재촉에 그녀가 머뭇거렸다.

"그러려면 우선 계단이 있는 자를 찾아야 한다."

"지나가는 워프 비스트 하나 잡아서 족치면 안 되나? 다 계단이 있을 거 아냐."

"안 돼. 우선은 종족이 다르고, 또 계단이 너무 튼튼하다. 발 가르단 하스라면 가능하겠지만 나로서는, 지금의 내 실력으로는 무리다."

알탄훼아나가 시즐러로 사격을 하자 달려오던 워프 비스트 한 무더기가 사라진다. 스핑크스보다 위력도, 연사력도 뛰어난 무기를 저렇게 손쉽게 사용하다니 부러울 지경이다.

"실력이 떨어진다고?"

"……그래. 내가 계단을 닫는 방법을 배운 것은 그날이 처음이기 때문이다."

빈우의 질문에 알탄훼아타는 시즐러를 거두며 착잡하게 말했다. 그날이라고 하면 빈우와 발 가르단 하스에서 만난 날일 것이다.

"그렇단 말이지. 그러면 배운 다음에 실제로 해본 적 있나?"

"……아니."

"솔직하군. 그래서 다음은? 계속해."

"내 실력으로 계단을 닫으려면 일단 종족이 같아야 하고, 계단 또한 막 생기려는 부드러운 것이어야 한다."

뭔가 조건이 주렁주렁 달렸지만 어쩔 수 없다.

"그렇다면 그런 놈을 빨리 찾아야겠군. 찾을 수 있나?"

"지금부터 찾아야 한다, 그래서 우리가 이곳으로 내려온 것이다."

"야 이 등신아! 그럼 뭐 하고 있어, 빨리 찾아! 지금 여기서 워프 비스트들하고 싸우고 있을 때가 아니잖아."

"아, 알았다."

빈우의 일갈에 알탄훼아나가 움찔하더니 눈을 크게 뜨고 정신을 집중했다. 그러자 평상시엔 잘 안 보이는 것들이 그녀의 눈에 보이기 시작했다. 머리 위, 저 멀리에 있는 계단과 지상에서 동조하는 계단의 마지막 부분들. 마른 땅에 스며드는 빗물처럼 서서히 찾아오는 선조들. 그리고.

"찾으라고 했더니 멍하니 서서 뭔 개지랄이야!"

자신의 어깨를 잡고 흔들며 고래고래 소리를 지르는 유에네스. 이번엔 알탄훼아나도 지지 않고 마주 소리를 질렀다.

"조용히 해! 지금 찾고 있는 것 안 보이나! 정신이 흐트러진단 말이다."

빈우가 멈칫한 사이 알탄훼아나가 다시 쏘아붙인다.

"나도 이렇게 찾는 방법은 배운 지 얼마 안 돼서 낯설단 말이다."

그렇게 말하는 그녀의 눈동자는 평상시와는 달랐다. 안구 안에 들어 있는 금색 실타래들이 열심히 원운동을 하고 있었다. 빈우는 샤다이들의 '눈'처럼 보이는 신체 기관이 '평범한 눈'과 다르다는 것을 알고 있다. 모니카의 말로는 광선 외에도 전파, 자기장들을 감지하는 기관이라고 했다. 아마도 지금 그녀는 별도의 기기 없이 눈만으로 찾는 것 같다.

"……미안. 힘내라."

빈우가 어깨를 으쓱하며 물러서자, 알탄훼아나는 다시금 정신을 집중해 목표물을 찾기 시작했다. 그리고 일 분도 안 되어서 그녀가 탄성을 질렀다.

"찾았다, 저기다."

그러면서 알탄훼아나가 손가락으로 저쪽을 가리킨다.

"저기 어디?"

빈우에겐 아무것도 안 보인다. 장갑복의 헬멧을 썼다 벗었다, 센서 설정을 이리저리 바꿔봤지만 변하는 건 없다. 그러자 알탄훼아나가 그를 착 끌어당겨 같은 곳을 보게 했다.

"저쪽. 잘 봐."

그러면서 샤다이는 손가락으로 인간의 시선을 유도했다.

"난 안 보여."

"아, 미안. 너는 유에네스였지."

알탄훼아나는 머쓱해져서 빈우를 놓아주었다. 그러나 빈우에게 그딴 것을 신경 쓸 겨를은 없었다.

"목표를 찾았다고 했지. 가자."

"간다고? 지금?"

알탄훼아나는 서두르는 빈우를 보다가 고개를 끄덕였다. 그녀가 찾은 목표는 계단의 마지막 부분이 완성되기 직전의 유에네스였다. 지체하다간 계단이 완성될 테고, 그러면 저쪽 너머의 계단을 부술 수가 없게 되는 것이다. 또 빈우는 자기 나름대로의 사정으로 서둘렀다. 지금 이 순간에도 연방의 곳곳에선 점프가 이뤄지고 있으며, 그 말은 연방의 시민들이 워프 비스트가 될 가능성이 점점 높아지고 있단 의미였다. 당장 머리 위의 42전단만 해도 그렇다.

- 부팀장, 잠시 지휘를 맡아주세요. 저는 샤다이들과 볼일이 있습니다.

- 또 뭔 사고를 치실 겁니까?

팀장이 발 가르단 하스에서 저질렀던 전과가 화려하기에 부팀장은 일단 걱정부터 했다.

- 인간이 워프 비스트로 변하는 것을 막으러 갑니다.

- 네? 그게 무슨 말씀입니까?

아까 알탄훼아나와 빈우의 대화는 두 사람만이 나눈 것이라 373 팀원들은 모르고 있었다. 그래서 빈우는 방금 들었던 내용을 팀원들에게 두뇌 통신으로 공유했다. 그녀가 오직 빈우에게만 알려준 정보였으나, 다른 사람에게 말하지 말란 언급이 없었기에 그냥 풀어버린 것이다. 애초에 빈우란 놈은 말하지 말라고 해도 들을 인간이 아니었다.

- 원 세상에.

내막을 알게 된 파트리샤가 고개를 절레절레 흔든다. 다른 팀원들도 마찬가지다. 사태가 너무나 심각한 것이다. 점프 항법을 써왔던 인류가 그 때문에 워프 비스트로 변하는 위험에 빠졌다니.

- 이거 사실이랍니까?

위르겐이 물어본다. 사태의 심각성을 방증이라도 하듯, 담대한 뱅가드 대원의 목소리는 조금 떨리고 있다.

- 거의. 지금까지 수집한 정보로는 앞뒤가 맞아. 그리고 전력이 우수한 샤다이 쪽이 굳이 우리에게 거짓말을 할 메리트가 없지. 부팀장, 그래서 지금 알탄훼아나란 샤다이 지휘관이 계단을 닫으러 간답니다. 제가 따라가야겠어요.

상황이 상황이니만큼 행동은 빨라야 한다.

- 알겠습니다. 누굴 데려가시겠습니까?

- 저 혼자 가겠습니다.

438

서두르는 빈우를 아룹이 만류한다.

- **안 됩니다. 팀장님 혼자서 따라가는 것은 위험합니다. 한 사람은 더 가야 합니다.**

- **아니요. 현재 팀원들의 장비로는 제가 제일 안전합니다.**

빈우의 말이 옳았다. 유사시에 샤다이의 플라스마 공격으로부터 안전하게 빠져나올 수 있는 건 컨커러를 입은 빈우뿐이다.

- **잠시 기다려보세요. 42전단에게 지원을 요청해보죠.**

빈우는 궤도 상에서 전투하는 42전단에게 통신을 연결했다. 그리고 지상 병력이 있는지 물어보았다. 그러나 안타깝게도 42전단의 장갑보병들은 아직 합류하지 않은 상태이고, 순양함에 있는 병력들은 모두 방어용 무인 어벤저들이었다.

- **힘듭니다.**

- **어쩔 수 없지요. 우리만으로 버텨야겠군요.**

빈우의 말에 아룹이 한숨을 내쉬었다. 몰려드는 워프 비스트들이 지상의 리퍼들에게 집중하고 있어서 아까보단 부담이 한결 덜하지만, 여유가 넘치는 건 아니었다. 현재 팀의 중화기는 위르겐과 빈우가 담당하고 있는데, 빈우가 빠지면 화력의 공백이 너무 크다.

- **일단 두 조를 합쳐서 지상의 리퍼를 엄호하는 쪽으로 갑시다. 부탁합니다, 부팀장.**

- **알겠습니다.**

빈우는 지휘를 마친 다음 알탄훼아나를 불렀다. 무인기를 먼저 보낸 파트리샤는 대화하는 둘을 보더니, 헬멧을 들어 팀장에게 윙크를 한 번 날렸다. 그리곤 자신도 아룹 쪽으로 날아갔다.

"아오, 저……."

"왜, 무슨 일이지? 아직도 앙금이 남았는가?"

"아니, 아니다. 이제 찾으러 가자. 그런데 너희 쪽에선 누가 따라갈 거지?"

그 말에 알탄훼아나는 잠시 생각하다 대답했다.

"나 혼자서, 그대와 함께."

"안 됩니다, 호민관! 너무 위험합니다."

지상에선 호위병의 대장 격인 펠훼단이 만류한다. 호민관인 그녀가 혼자서, 그것도 유에네스와 함께 움직인다니 결코 안 될 일이다.

"잘 들어요 펠훼단. 이게 최선이에요. 지금 계단을 내려…… 워프 비스트들이 너무 많습니다. 게다가 지금은 하늘에서도 다시 떨어져내리고 있어요. 유에네스들이 엄호해줘서 망정이지, 우리뿐이었다면 자칫 위험할 수도 있는 상황입니다."

그녀의 말대로 궁지에 몰린 워프 비스트들은 마구잡이로 강하하기 시작했다. 리퍼와 42함대가 중간에서 요격을 하지만, 숫자가 너무 많아 다 잡기는 힘들었다.

"그렇다면 여기서 방어를 하다가 놈들을 전멸시킨 다음 움직이십시오."

펠훼단이 다시 만류한다.

"아뇨, 지금 계단이 언제 생길지 몰라요. 서둘러 움직여야 합니다. 또 하나, 놈들이 노리는 건 우립니다. 호위병 여러분이 되도록 눈을 돌려줘야 제가 행동하기 편합니다."

지금 워프 비스트들의 목적은 샤다이다. 선조들이 후손의 온전한 몸에 증오심을 품고 득달같이 달려들고 있다. 펠훼단과 호위병들이 그럭저럭 막아내고는 있지만, 373팀의 엄호가 없었다면 그녀 말대로 위험해질 수 있다.

"그런데 말이야."

이동하기 전 빈우가 한 가지 물어본다.

"뭐 질문할 거라도?"

"물어보고 싶었는데, 너희들 병력이 그거뿐이야? 다른 무기 없어?"

사실 빈우는 아까부터 이게 궁금했다. 전장의 가운데에 덩그러니 떠 있는 리퍼 전투함의 존재. 저 배에서 병력이 더 내린다면 전황은 좀 더 유리하게 돌아갈 것이다. 그게 아니더라도 배에서 엄호 포격을 해준다면, 워프 비스트들은 싹 쓸려나간다. 그런데도 저 배는 그냥 땅 위에 꼿꼿이 서 있을 뿐이었다. 알탄훼아나가 그 의문을 풀어주었다.

"배에 있는 모든 사람이 지금 여기서 싸우고 있다. 그리고 우리 전투함의 무기는 지상에서 쓰기엔 위력이 너무나도 크다. 자칫 스치기라도 하면 전투복을 입고 있는 우리라도 위험해."

"응, 네, 너희들이 하는 게 뭐 그렇지."

빈우는 한숨을 쉰 다음 어리둥절해하는 알탄훼아나에게 손을 휘이휘이 휘둘렀다. 알탄훼아나는 떨떠름한 기색으로 길을 안내했다. 두 사람은 옥상에서 뛰어내려 목표를 향해 달려갔다. 역시나 샤다이인 그녀는 직접 달리지 않고 공중에 떠서 이동하고 있었다. 그 모습을 본 빈우에게 다시금 엉뚱한 생각이 떠올랐다.

"호민관, 잠깐 질문."

"또 뭔가?"

"너네들 날 수 있잖아? 날면서 워프 비스트를 쏘면 안 될까?"

생각해보니 섬뜩하다. 은신하고 날면서 전차포를 쏘는 인간형 외계인이라니. 그런데 빈우의 기억에 스팸들이 그랬던 기억은 없었다. 하늘을 나는 것도 리퍼들뿐이었다.

"그렇겠지. 그러나 그 정도로 섬세하게 힘을 다룰 수 있는 자들은 얼마 없다. 별 심장의 불길을 빌리는 건 그저 타인의 힘을 빌리는 것이라 쉽지만, 별의 손아귀를 잡고 움직이는 것은 이쪽의 실력 또한 필요하다. 하물며 그 두 가지를 동시에 다루는 자는……."

알탄훼아나가 잠시 말을 멈췄다. 끊어진 말 사이를 채운 것은 분노였다.

"……망할 아버지의 부하들뿐이다."

빈우는 참 바람직한 부녀 사이라고 —인류에게 있어— 고개를 끄덕였다. 물론 마음속으로. 대화를 멈추고 이동한 두 사람은 얼마 지나지 않아 목적지에 도착했다.

"이곳이다. 이곳 지하에 목표가 있다. 서두르자."

목적지에 도달한 빈우는 문제점을 하나 깨달았다. 지금 두 사람이 도착한 곳은 웨이블의 지하 벙커 중 하나다.

'바보같이. 왜 그 생각을 못 했을까.'

빈우는 스스로를 자책했다. 아까 분명히 알탄훼아나는 말했었다. 계단을 닫으려는 목표는 일단 종족이 같아야 하고, 계단 또한 막 생기려는 부드러운 것이어야 한다고.

"알탄훼아나."

차갑고도 무거운 연방 군인의 부름에 샤다이 호민관이 돌아본다. 그리고 그녀 또한 빈우의 질문을 직감한 듯, 굳은 표정이었다.

"우리의 목표는, 아직 인간이지?"

"……맞아. 아직 변이를 안 한 상태다."

다시금 빈우에게 기억이 떠오른다. 지하 창고에서 소이탄을 터뜨렸을 때의 기억이다. 워프 비스트도, 변하는 인간도, 변하지 않은 인간도 모조리 불타버렸다.

"달리 질문할 거라도?"

심상치 않은 빈우의 표정을 본 알탄훼아나가 조심스레 말을 걸었다. 그리고 빈우는 천천히 질문했다.

"계단을 부수는 방법은…… 발 가르단 하스 때와 같나?"

발 가르단 하스는 워프 비스트로 변하는 이케가미 의원의 몸에 플라스마 신경 다발을 밀어넣어 계단을 파괴했었다. 그리고 당연하게도 이케가미 의원은 고온의 플라스마에 타 죽었다.

"그래. 맞아."

알탄훼아나가 확인시켜주었다.

"계단을 부수면, 그자는 죽는다."

· · · ✦ · · ·

156

지금 빈우는 워프 비스트로 변하는 위험으로부터 인류를 구하기 위해 알탄훼아나와 함께 여기까지 달려왔다. 그런데 그 방법이란 게 아직 완성되지 않은 계단을 통해 저쪽, 샤다이의 선조들이 있는 곳의 계단을 부수는 것이다. 그 과정에서 대상인 인간은 죽는다. 고온의 플라스마에 불타서.

"김빈우."

알탄훼아나의 부름에 빈우가 퍼뜩 정신을 차렸다. 그녀는 착잡한 표정으로 빈우를 바라보고 있었다.

"나도 그 심정을 안다. 내가 지금 하려는 것은 그대의 동족을 죽이는 짓이다. 그리고 그대의 소임은 동족을 지키는 것이지. 하지만."

결심한 표정의 알탄훼아나가 빈우에게 한 걸음 다가왔다. 결코 양보하지 않겠다는 의지가 푸른 눈 안쪽에서 배어 나온다.

"나는 반드시 내 일을 할 것이다. 설령 그대가 방해하더라도."

알탄훼아나는 인류를 구하기 위해서 여기에 온 것이 아니었다. 그녀 자신의 목적을 위해 여기에 온 것이다. 현재 행동을 같이하는 건 자신의 목적과 빈우의 목적이 일치해서일 뿐이다. 빈우의 손이 서서히 지하 벙커의 조작 패널로 갔다.

"그, 계단을 부수는 것은 반드시 인간의 안에 있는 것만 되나? 저 위의 점프 게이트는 안 되나?"

"저 위의 점프 게이트? 혹시 별의 손아귀에 잡혀 있는 계단들 말인가? 아까 말하지 않았나. 그대들의 동족으로 내려오는 선조들을 막으려면 같은 종족 안에 있는 계단으로만 가능하다고."

마지막 지푸라기를 놓친 빈우는 차근차근 문을 열었다. 마지막 보안 단계에서 빈우가 한 번 더 물었다.

"너는 왜 계단을 부수려는 거지?"

"귀환 반대파들이 들고 일어섰던 건, 대개 추레한 모습으로 돌아오는 선조들의 모습이 싫어서였다. 그렇기에 정상적으로 돌아온다고 하자 찬성파로 많이들 돌아갔지. 하지만 난 달라. 이 우주는 우리의 것이다. 실패한 자들이 돌아올 곳이 아니야."

빈우는 그녀가 말한 우리의 범위가 어디인지 궁금했다. 다른 종족들도 포함하는지, 아니면 오직 샤다이만 포함하는지. 하지만 지금은 일단 그런 생각을 접어둬야 할 때다. 마지막 절차가 끝나고, 지하 대피소의 두꺼운 방호문이 열리기 시작했다. 그러자 안에서 시끌시끌한 목소리들이 들려온다.

"구조대인가? 구조대다!"

"아냐, 외계인일지도 몰라. 나가지 마, 조심해."

한 번에 100여 명 정도 수용 가능한 지하 대피소엔 그 두 배는 되는 사람들이 북적대고 있었다. 한 사람이라도 더 살리기 위해 373팀이 밀어넣었던 결과다. 문으로 달려오던 사람들은 빈우와 알탄훼아나가 안으로 들어오자 금세 좌우로 갈라졌다.

"야, 연방군. 이제 다 끝난 거야? 다 끝난 거냐고?"

청년 한 명이 나서 빈우에게 고함을 지르지만 대답은 없었다.

"이 새끼야. 사람을 이딴 돼지우리에 집어넣고, 응? 뭐라고 말 좀 해봐."

사내는 나서려다가 주변에서 잡아끌자 못 이기는 척 다시 인파 속으로 들어간다. 그때 알탄훼아나가 손가락으로 한 곳을 가리켰다.

"저쪽이다."

빈우는 그녀가 지목한 방향으로 성큼성큼 걸어갔다. 호기롭게 길을 막아서려던 몇몇이 있었지만, 장갑복이 걸어오는 모습에 오금이 저려 뒤로 물러설 뿐이다.

"그래, 거기다."

알탄훼아나의 목표, 아직 계단이 완성되지 않은 자가 거기에 있었다.

"어느 쪽이지?"

엉겨 있는 둘을 보고 빈우가 물었다.

"큰 쪽."

그 말에 빈우는 목표물에게 천천히 다가가 한쪽 무릎을 꿇고 앉았다. 그리고 헬멧을 벗고 얼굴을 드러낸 다음, 한쪽 손을 내밀었다.

"겁먹지 마라. 아저씨 기억하지?"

빈우의 힘든 미소에 아이들의 떨림이 잦아들었다. 열대여섯은 됨직한 남자아이가 서너 살은 되어 보이는 여자아이를 꼭 껴안고 있었다. 아마도 남매겠지.

"기억, 해, 요."

오빠 쪽으로 보이는 소년이 잘 움직이지 않는 얼굴 근육을 움직여 대답한다. 빈우도 이 아이를 알고 있다. 뇌성마비에 걸려 제대로 움직일 수 없음에도 필사적으로 여동생을 챙겨 대피소로 들어갔었다.

"이 아이가 확실한가?"

"맞아. 음? 벌써 몸에 변이가 온 건가? 하지만 아직 계단은……."

"아니, 이건 병이다."

겁에 질린 남매는 서로 꼭 껴안고 있었다. 여동생은 울음을 그쳤지만 아직 눈가가 빨갛고, 오빠는 힘들게 눈을 굴려 빈우와 알탄훼아나를 살펴보고 있었다.

"아저씨 이름은 김빈우라고 한단다. 연방 군인이지. 너희들 이름은 뭐니?"

오빠가 잠시 빈우를 바라보더니 더듬거리며 대답한다.

"티, 모시 1078. 동생은 티모시 10, 79."

"그래, 티모시…… 1078. 부모님은 어디 계시니? 헤어졌니?"

이제부터 해야 할 일은 더러운 일이다. 아무도 하고 싶어 하지 않으나 누군가는 해야 할 일. 오빠가 머뭇머뭇 대꾸한다.

"없, 어요."

자세히 살펴보니 이 아이는 해진 옷에 거친 손을 하고 있다. 힘든 일을 하며 살아온 것 같다. 여동생 쪽도 영양 상태가 썩 좋은 것 같진 않다.

"그 애, 고아예요. 티모시 고아원 출신의 부랑자인데……."

옆에서 중년 여성이 조심스레 말을 꺼내온다. 그렇다면 고아원의 이름에 그냥 숫자를 붙여 아이들의 이름을 만들어줬다는 이야기다. 한심스러운 일이다. 한숨을 푸욱 쉬는 빈우를 알탄훼아나가 재촉한다.

"서두르자. 얼마 있지 않으면 계단이 완성된다. 그 전에 부숴야 해."

오만 가지 생각이 빈우의 머릿속을 스쳐 지나간다. 죽어야 하는 사람이 자신이라면 얼마든지 죽을 수 있다. 빈우는 그러기 위해서, 연방과 시민들을 지키기 위해서 군에 들어갔으니까. 그런데 눈앞의 아이는 아니다. 자신이 지켜야 할 쪽에 선 사람이다.

'혹시 다른 사람은 없을까? 나중에 할 수는 없을까?'

하지만 부질없는 생각이다. 다른 이를 찾는다 해도 어차피 같은 인간, 같은 생명이다. 더군다나 지금 이 순간에도 샤다이 선조들이 내려올지도 모른다. 연방 어디에선가, 아니면 지금 뉴 소노라에서.

"티모시 1078, 내가 해야 할 일이 있단다."

무거운 장갑보병의 말에 티모시 1078이 두려운 얼굴로 반응했다. 빈우는 이 아이가 왜 이런 반응을 보이는지 짐작이 갔다. 이 말 다음에 이어진 '일'이란 것이 의지할 곳 없는 고아 남매에게 딱히 좋은 일이 아닐 테니까. 묵묵부답인 아이에게 빈우는 단도직입적으로 말을 꺼냈다.

"아까 괴물들을 봤지?"

티모시 1078의 뻣뻣한 끄덕임을 본 빈우는 말을 잇는다.

"이제 다른 사람들도 그런 괴물이 될 위험이 있단다. 그걸 네가 막아야 해. 너만이 할 수 있는 일이거든."

빈우의 말이 채 끝나기도 전에 시끄러운 대답이 주변에서 터져나온다.

"괴물이라고! 저 아이가 괴물이었어."

"역시 거지새끼가 문제야. 감염시킨다고."

"세상에, 어떻게 해. 좀 막아봐요. 당신 연방군이잖아."

"괴물이 온대요. 그 괴물들이 온다고요."

공포에 휩쓸린 군중들 사이에서 빈우는 주먹을 휘둘렀다. 바닥을 때린 커다란 굉음에 순식간에 사람들이 입을 다문다.

"여러분, 저는 지금 중요한 이야기를 하고 있습니다. 잠시만 조용히 해주십시오."

나지막한 목소리에 주변은 금방 조용해졌다.

"나, 는요? 동생은, 요? 구에물이…… 되, 나, 요?"

띄엄띄엄 이어지는 티모시 1078의 질문에 빈우는 어렵사리 말문을 열었다.

"그래…… 너나 네 동생도 괴물이 될 수 있단다. 너는 곧 그렇게 될 거야."

일그러진 아이의 눈에서 눈물이 흐른다. 억울함과 슬픔이 엉겨 흐른다.

"왜요? 왜. 왜에요?"

"미안, 그건 아저씨도 몰라."

"못…… 못 막아…… 요?"

"아저씨는 못 해. 티모시 1078. 너만이 할 수 있어."

빈우는 자신의 능력 밖의 일에 무능함을 느끼면서도 설명을 계속했다.

"사람들이 괴물로 되는 것을 막으려면, 네 도움이 필요해. 그리고……."

마지막 말을 하기 전 빈우는 힘겹게 숨을 들이켰다.

"그리고 너는 죽을 거야."

오빠가 소리 없이 오열하자 품 안의 어린 동생도 울음을 터트렸다. 오빠의 눈물이 동생의 얼굴로 뚝뚝 떨어져내린다. 오빠는 자신의 눈물이 동생에게 떨어지지 않게 얼굴을 돌렸고, 꺾인 팔로 동생의 등을 다독여 달랜다.

"티모시 1078. 어떻게 하겠니? 선택은 네게 맡길게."

빈우는 마지막 선택권을 당사자에게 맡겼다. 그러자 주변에서 갑자기 들고 일어섰다.

"뭐해요. 어서 하세요. 괴물을 막아야지. 허 참."

"저 아이가 돕겠다고 하잖아요. 뭔지 몰라도 어서 해요."

빈우도 안다. 그에게 선택권은 없고, 시간도 없다. 해야만 하는 일은 해야 한다. 딱히 공리주의자는 아니지만, 그렇다고 알량한 양심에 휘말려 일을 그르쳐선 안 된다. 연방 군인은 소란스러운 주변을 무시한 채 눈앞의 고아 남매를 주시하고 있었다. 결정을 기다리고 있었다. 그때 옆에서 남자 하나가 주춤주춤 나섰다.

"애야, 넌 거지잖아? 사회를 위해서 큰일을 해야지 않겠니? 너를 길러주고 키워준 녹색 연맹을 위해서 뭔가 보답하고, 희생을 해보겠다는 생각 없어?"

빈우는 그쪽으로 고개를 돌려 정중하게 말했다.

"선생님도 할 수 있습니다만, 하시겠습니까?"

"아아니, 난 뭐. 그냥 좋은 일 해보겠다고……."

대답이 궁해진 사내는 눈을 피하며 몸도 피했다. 그때 티모시 1078의 대답이 들려왔다. 동생을 달랜 아이는 빈우를 똑바로 마주 보려 애썼다.

"제, 가, 희, 희, 생하고, 싶어요."

"그건 희생이 아니야."

빈우는 다가서서 티모시 1078의 눈을 마주 보았다. 그리고 다시 한 번 사실을 알려주었다.

"네가 다른 누군가의 제물이 될 필요는 없어. 넌 죽는다. 뜨거운 불에 타서. 그리고 동생은 홀로 살아가야 해. 그래도 하겠니?"

가혹한 사실이다. 남매 중 한 명은 죽어야 하고, 다른 한 명은 혈혈단신으로 살아가야 한다. 오빠는 결심을 굳히고 입을 열었다.

"죽으면, 안 힘, 들어요. 사는, 거…… 아파, 요. 무서, 워해, 요."

빈우는 뱃속에서 목으로 터져나오는 뜨거운 소리를 참으려고 노력했다. 왜 이 아이가 삶을 힘들어하고 무서워해야 하는가.

"대, 신…… 부탁…… 부탁…… 이 있어, 요."

"말하렴. 아저씨가 들어줄게."

말 대신 티모시 1078이 동생을 내민다.

"동…… 생. 동생. 부탁…… 부탁."

오빠의 굳은 얼굴 근육은 흐느낌에 먹혀 말하기 더욱 힘들어졌다. 빈우는 조심스레 여동생을 안아 든다.

"그래, 아저씨가 동생을 맡아줄게. 걱정하지 마라."

컨커러의 손이 헐떡헐떡 숨을 삼키는 티모시 1079의 머리를 쓰다듬는다.

"따뜻한 물로 깨끗이 목욕하고, 맛있는 거 많이 먹고, 편한 침대에서 푹 잘 거다."

빈우의 말에 오빠는 흐느끼며 고개를 끄덕인다. 그리고 눈물 가득한 눈으로 동생에게 작별인사를 한다.

"아…… 안녕. 조…… 좋은 곳…… 가서…… 잘…… 살아…… 아프지…… 말고."

짧은 작별인사를 마친 티모시 1078은 뒤로 한 걸음 물러선다. 그리고 빈우가 고개를 돌려 알탄훼아나를 돌아보았다. 준비되었다는 뜻이다. 그러자 샤다이의 호민관이 나섰다.

"김빈우. 이제 시작하겠다. 도와다오."

"어떻게?"

"나는 별 심장의 불길을 불러 이 자의 계단으로 들어간다. 그동안 이 자를 잡아주면 된다. 나와 그의 신경계 접합이 뒤틀리면 안 돼."

빈우는 고개를 돌려 대피한 사람들을 보았다.

"누가 잠시 이 아이를 맡아주실 분 계십니까?"

그러나 아무도 선뜻 나서지 않는다.

"제발, 잠깐이면 됩니다. 잠깐만 이 아이를 안고 있어주십시오."

그때 중년 여성 한 명이 쭈뼛쭈뼛 나섰다. 빈우는 겁에 질린 그녀에게 다가가 아이를 건넸다.

"감사합니다. 잠시만. 잠시만 기다려주십시오. 곧 돌아오겠습니다."

아이를 넘긴 빈우는 돌아가 티모시 1078의 뒤에 섰다. 그리고 조심스레 그의 어깨에 손을 올렸다. 어깨에 컨커러의 손이 닿자 비쩍 마른 아이는 소스라치게 놀랐다. 자신의 죽음이 피부에 와 닿자 겁에 질려 울음을 터트리려 한다. 하지만 필사적으로 입술을 깨물어 울음을 참으려 한다.

이어서 알탄훼아나가 소년의 앞에 서서 양손을 내밀었다. 그러자 마주한 손바닥 사이에서 플라스마가 생겨났다. 온도는 없었다. 그러나 장갑복 센서의 스펙트럼 측정에는 2만5천도 내외로 추정되고 있다. 실로 항성의 일부를 떼어온 것 같다. 샤다이의 손안에 갇힌 고온의 플라스마는 넘실대고 있다.

"시작한다."

그녀의 말과 함께 플라스마가 가늘게 뻗어나와 티모시 1078에게로 향한다. 자신을 향해 넘실거리며 다가오는 플라스마를 본 소년은 본능적으로 발버둥 쳤다.

157

. . . ✦ . . .

실처럼 가늘게 뽑힌 플라스마가 여러 가닥으로 뻗어나와 티모시 1078의 몸을 뚫고 들어갔다. 정확히 말하자면 인간의 육체를 고온으로 분해해 들어간 것이다. 바깥으로 열을 발산하지 않는 플라스마지만 육체와 접촉하자 바로 반응했다. 그리고 말단부 신경계부터 차례차례 잠식해나갔다. 비명은 없었다. 그저 폐에 있던 공기들이 폭발하듯 입 밖으로 터져나왔을 뿐이다. 헉헉거리고, 컥컥거리고, 이어서 침이 흐른다. 고개를 홱홱 돌리다가 팔다리를 버둥대며 발작한다. 산 채로 신경계가 분해되는 고통은 상상을 초월할 것이다. 그러나 빈우는 아이의 몸을 놓치지 않았다.

빈우는 자신의 품 안에서 죽어가는 소년을 바라보았다. 자신은 이 아이 또래였을 때 무엇을 하고 있었을까? 고향에서 동생들과 보리 농장에서 놀았을 것이다. 놀고, 일하고, 집으로 돌아오면 아나스타샤가 맛있는 음식을 해놓고 웃으며 맞이해주었다. 어려운 삶 속에서도 아나스타샤가 있어서 행복했다. 가족이 있어서 행복했다. 또한 빈우에게 있어 전환점이 되는 시기이기도 했다. 아나스타샤에게 이상한 속옷을 사주고, 껴안고 침대로 넘어지고, 군에 지원한 것도 이 나이대였다.

돌이켜보면 행복한 추억들이다. 하지만 티모시 1078에게 있어 삶은 차라리 포기할 정도로 힘든 것이었다. 왜 이 아이는 이렇게 살아야 했을까. 왜 장애를 안고 태어나야 했고, 치료도 받지 못했고, 부모를 잃어버리고, 동생과 둘이서 하루하루 고통에 겨워 살았을까.

"오빠아아아!"

그때 혀 짧은 울음소리가 터져나온다. 티모시 1079가, 눈앞에서 타 죽어가는 오빠의 모습을 보고 울음을 터트렸다. 아까 아이를 맡아주던 여자는 아이를 내팽개치고 어디론가 줄행랑쳤다. 그녀뿐만이 아니다. 주변에는 아무도 없었다. 모두 눈앞의 사태에 놀라 저 멀리 도망쳤다. 그저 겁에 질린 눈으로 이곳을 쳐다볼 뿐이다.

"오빠 아프지마아아."

아이는 발을 동동 구르며 비명을 질렀다.

"누가 이 아이를 데려가주세요. 누가, 누가 저 아이의 눈을 가려주세요."

아이의 눈에 가족이 죽어가는 광경을 보여줄 수는 없다. 빈우는 필사적으로 소리쳤다. 그러나 선뜻 나서는 사람이 없었다. 다들 멀찌감치 떨어져 숨죽인 채 침묵했다. 도움의 손길은 다가오지 않았다. 사람이 산 채로 타 죽는 광경에 모두가 얼어붙었다.

'엄마아아아.'

눈앞에서 엄마가 죽어가던 광경이 떠오른다. 샤프트에 끼어 피투성이가 되어가는 엄마를 보며 빈우는 아무것도 하지 못했다. 지금의 티모시 1079처럼 그저 울고만 있을 뿐이었다. 이 불쌍한 아이는 오빠를 잃고 앞으로 어떻게 살아갈까. 그때 빈우에게 환상이 보였다. 환청 또한 들린다. 자신의 주변을 감싼 존재들을 느꼈다.

'조심해라, 김빈우. 정신을 붙잡아라.'

알탄훼아나의 말이 보인다. 그녀의 얼굴이 들린다. 시각과 청각, 그리고 다른 감각들도 서로 뒤죽박죽 섞여 무언가 다른 감각이 되었다.

'뭐지 이건.'

'그대도 느껴지는가. 설마 발 가르단 하스와 대화했던 영향인가. 아니면 나와 선택을 나누는 자라서 같이 느끼는 것인가.'

발 가르단 하스 때와 비슷하게 머릿속으로 알탄훼아나의 말이 직접 느껴진다. 빈우는 주변을 둘러보았다. 있는 것은 자신과 티모시 1078, 알탄훼아나뿐이다. 다른 사람들은 없었다. 애초에 이곳은 지하 대피소가 아니었다. 그리고 티모시 1078의 안쪽에서 무언가 넘실거리는 것이 느껴진다.

'그래. 그것이 선조들의 계단이다.'

'이것이 계단의 마지막 부분이라고?'

그것은 계단이 아니었다. 정확히 말하자면 발닦개였다. 바깥에서 돌아왔을 때 신발에 묻은 흙과 먼지를 털기 위한 두텁고 질긴 천. 그러나 그 천을 만든 실이 문제다. 놈들은 인간의 마음, 부서진 마음의 틈에서 실을 뽑아낸다. 찢어진 마음의 조각으로 실을 잣는다. 그렇게 인간의 공포를 씨실로, 고통을 날실로 삼아 천을 직조한다. 악의로 만든 베틀에 적의로 가득한 북이 날아간다. 그렇게 천이 짜이면 그것이 발 받침이 되어 계단의 마지막 부분이 된다. 고대 샤다이들의 정보로 적셔진 육체에 계단의 마지막 부분이 완성되면, 인간의 자아가 사라지고, 놈들이 깃들게 되는 것이다.

'그대에겐 이렇게 느껴지는가. 하긴 이것은 본래의 모습이 아니다. 우리가 계단이라고 부르는 것은 우리의 편의에 의한 것이고, 지금 그대가 보는 것은 그대의 심상에 반영된 형상이겠지.'

알탄훼아나가 아직 완성되지 않은 천을 집어 들었다. 그리고 실을 따라간다. 실을 잡고 거꾸로 훑을 때마다 그녀 또한 공포와 고통에 휩싸였다. 알탄훼아나는 휘청거리면서도 베틀을 잡았다. 그리고 그 안으로 몸을 내던졌다. 베틀과 북에 몸이 짓이겨지며 그녀는 선조들을 따라 올라갔다. 계단을 거슬러 올라갔다.

"오빠, 오빠. 오빠아아아!"

아이의 울음소리에 빈우의 감각이 정상으로 돌아왔다. 자신의 손안에 있는 티모시 1078은 산 채로 분해되고 있었다. 신경계만이 플라스마로 교체되어 남아 있을 뿐 몸의 대부분은 이미 증발했다. 노란색 플라스마로 일렁거리는 인간의 신경계는 기괴하기 그지없었다.

"으윽—."

알탄훼아나가 짧은 신음과 함께 쓰러졌다. 그리고 티모시 1078의 신경계였던 플라스마는 허공에서 사라졌다. 빈우의 손안에 남아 있던 소년의 마지막 흔적이 사라진 것이다.

"알탄훼아나."

빈우가 달려가 그녀를 부축한다. 안아 든 알탄훼아나의 얼굴에는 미소가 맺혀 있다. 마치 발 가르단 하스에서의 이케가미 소이치로처럼.

"김빈우. 성공이다. 계단을 파괴했다. 이제 선조들은 내려오지 못해. 당분간은."

"그런가. 다시 재발할 가능성은?"

"오늘처럼? 저쪽에서 계단을 만들고 이쪽에 마지막 발판을 만드는 방법을 다시? 글쎄, 쉽진 않을 거야. 유에네스를 대량으로 납치해서 고문하고 겁박해 그들의 마음을 부수려면, 실제 육체를 가진 자들이 필요하지. 하지만 오늘 실패한 존재들을 많이 잃었다. 또 두 번이나 무너진 저쪽의 계단을 다시 세우려면 꽤 시간이 걸릴 거야."

한숨 돌린 빈우는 지친 그녀를 눕힌 다음, 티모시 1079에게로 다가갔다.

"아아아! 아아악!"

새된 비명소리를 지르던 세 살배기 여자아이는 다가오는 장갑복에 놀라 뒤로 물러섰다. 그러다가 넘어져 바닥에 구른다. 자기를 안아주려는 빈우의 모습에 눈을 감고 두 손으로 그 눈마저 가린다.

"오빠! 오빠, 오빠! 오빠아아아. 나 아파. 나 아파."

여동생은 사라져버린 오빠에게 도움을 구한다. 닿을 리 없는 구원 요청이다. 빈우는 우는 여동생에게 다가가 안아서 들어 올렸다.

"아아앙, 놔줘요. 놔줘요, 오빠아아."

아이는 빈우의 품 안에서 손과 발로 그를 밀고 내려오려고 한다. 이래선

454

안 된다. 누가 이 아이를 돌봐줘야 한다. 그렇게 생각한 빈우가 고개를 돌려 피난민들을 향했다.

"누가 이 아이를 잠시 동안 맡아주실 분 안 계십니까? 전투가 끝나면 데리러 오겠습니다. 반드시 사례하겠습니다."

그때 저기서 한 여자가 달려왔다. 아까 빈우가 티모시 1079를 맡겼던 여자다. 겁에 질려 아이를 팽개치고 도망갔지만, 지금 다시 아이를 맡으려고 달려와주었다.

"죄송해요. 정말 죄송해요. 너무 무서워서……."

"괜찮습니다. 부탁드리겠습니다."

그녀는 경기를 일으키는 티모시 1079를 받아서 들어 어르고 달랬다.

"아가, 아가. 괜찮아. 이제 괜찮아."

머리를 쓰다듬고 등을 어루만져도 티모시 1079는 울음을 그치지 않았다. 당분간은 그치지 않겠지. 그리고 오늘 일은 언제까지고 눈앞에 남아 있을 것이다. 메마른 눈으로 그 광경을 보던 빈우의 시선이 아래로 향했다.

"알탄훼아나. 이제 이것으로 오늘 너의 목적은 이룬 것인가?"

"그래. 이루었다. 선조의 귀환을 막았다. 도움에 감사한다."

둘 다 지친 목소리다. 정신적으로도 육체적으로도 한계다.

"그럼 마무리를 지어야지."

아직 일은 끝나지 않았다. 바깥에는 워프 비스트들이 득시글대고 있다.

"그래, 실패한 자들을 몰아내야 한다."

힘겹게 일어나는 샤다이를 인간이 부축해준다. 둘이 걸어가자 사람들이 좌우로 나뉘어 길을 만든다. 그런 그들을 향해 빈우가 약속한다.

"바깥이 안전해지면 다시 모시러 오겠습니다. 잠시만 기다려주십시오."

빈우와 알탄훼아나는 겁에 질린 시민들을 뒤로한 채 지하 대피소를 나섰다. 대피소의 문을 닫고 지상으로 나왔을 때, 알탄훼아나가 부아가 치미는 얼굴로 불평을 터트렸다.

"김빈우. 그대는 왜 저런 자들을 지키는 것이냐."

뜬금없는 질문에 빈우는 의아한 표정으로 대답했다.

"왜냐니. 난 군인이야. 연방의 시민들을 지키는 게 내 의무다."

그런 빈우를 바라보는 알탄훼아나의 눈에는 측은함과 한심함이 뒤섞여 있다.

"저들의 추악한 본성을 못 보았나? 그대가 지켜야 할 자들이 어떤 자들인지 알고 있냔 말이다."

"추악해? 저들이?"

"방금 보지 않았더냐. 자기들을 지키러 온 그대를 어찌 대하던가? 자신들을 위해 희생한 어린 자는 또 어찌 대했고? 그러다가 무서운 모습을 보고선 다시 머리를 조아리는 꼴이라니. 한심하다."

어찌 보면 알탄훼아나의 반응은 당연하다고 할 수 있다. 그녀는 강자의 입장에 서 있으니까 그러한 시선을 가질 수 있는 것이다. 빈우는 피식 웃으며 질문했다.

"강자에게 숙이고, 약자를 짓밟는 것이 한심한가?"

"당연하지."

"그래. 그래서 나 같은 자들이 있는 것 아니냐. 한심하지 않도록 약자를 지켜주는 존재가."

"그렇다 한들, 그런 대접을 받고도, 그런 모욕을 당하고도 괜찮은가?"

빈우는 지금까지 죽자고 싸워왔던 샤다이에게 오히려 걱정을 받는 자신의 모습에 헛웃음이 나온다.

"뭐, 섭섭하지. 가끔 억울하기도 하고. 하지만 내가 부귀영화를 누리겠다고 군에 들어간 것은 아니다. 외적으로부터 연방을 지키기 위해 택한 길이지. 그러니까 대접이 어떤가는 상관없어. 아주 없진 않지만, 그래도 난 내가 해야할 일을 한다."

나름 잘 대답했다고 생각했는데 알탄훼아나는 뚱한 표정이다. 아마 그녀에겐 원하던 답이 아니었던 모양이다. 괜찮지 않은 것은 방금 티모시 1078의 죽음 같은 것이다. 아무리 발버둥 쳐도 닿지 않는 곳에서 죽어가는 시민들. 필사적으로 발악해도 손에서 빠져나가는 생명들. 주변에서 빈우를 얼마든지 조롱하고 모욕해도 상관없었다. 익숙하다. 정말 고통스러운 것은 자신의 무력함에 사람들이 죽는 것이었다. 이건 아무리 겪어도 익숙해지지 않았다.

"잡담은 여기까지 하고 서두르자."

마음을 다잡은 빈우가 걸음을 빨리해 앞장섰다.

"그, 그렇지."

그 모습에 알탄훼아나도 바닥에 발을 붙이고 따라 걸었다.

"날지 않나?"

"조금 지쳐서."

둘은 서둘러 각자의 팀원들이 있는 곳으로 돌아갔다.

궤도 상의 전투는 리퍼 전투함과 지원 온 42전단의 순양함들 덕에 쉽게 마무리되었다. 이제 지상의 워프 비스트만 처리하면 오늘의 일은 마무리된다. 태스크포스 373의 지상팀과 알탄훼아나의 호위병들이 임시로 협동전선을 벌인 곳은 의외로 조용했다. 수많은 워프 비스트들의 시체가 쌓여 있다. 코일건과 미사일에 터져 죽은 놈들, 고온의 플라스마에 증발하다 남은 조각들.

"벌써 끝났나?"

호위병들과 합류한 알탄훼아나가 주변을 돌아본다. 그들은 호민관과 같이 온 빈우를 보고 경계는 했지만 적의를 보내진 않았다.

"아니. 주변에서 기다리고 있어."

팀원들과 우지로부터 시가지 상황을 공유받은 빈우가 알탄훼아나에게 알려준다.

"기다린다고?"

예전부터 느끼는 거지만 샤다이들은 정보전에서 편차가 크다. 어떤 점에선 연방을 아득히 초월하지만, 또 어떤 점에선 걸음마 수준이다.

"그래. 궤도 상은 정리가 되었는데 지상은 아직 덜 끝났군."

빈우의 말대로 뉴 소노라의 궤도는 거의 정리가 되었다. 리퍼 전투함과 42전단, 그리고 블랙 랜스의 절묘한 협동에 워프 비스트들은 손도 못 쓰고 당했다. 놈들의 강력한 플라스마 공격은 중간에서 리퍼들이 막아주었고, 플라스마에만 방어력을 지닌 생체 전함들은 42전단의 질량탄 공격에 산산조각이 났다.

"지상전이 언제나 X 같아. 질질 끌거든."

빈우의 설명에 373 지상팀들이 자조하며 키득거린다. 지상에 숨어든 잔당 소탕에는 궤도포격이 직빵이지만, 이런 유인 행성에서는 꿈도 못 꾼다. 마지막 한 마리를 조질 때까진 지상 병력으로 샅샅이 훑는 수밖에 없다.

- 어, 이것들 졸아서 안 오는 걸까요?

옥상 위에서는 파트리샤가 레일건을 저격 모드로 해서 놈들의 전선을 살펴보고 있었다. 그리고 빈우에게 영상을 공유한다.

- 팀장님, 뭐 해요?

그녀의 재촉에 빈우가 퍼뜩 정신을 차렸다. 아까 지하 대피소로 갈 때는 혹시나 해서 통신을 끊어놓고 갔었다. 더러운 일이라면 빈우 혼자서 처리하려고 한 것이다. 그런데 생각보다 더 더러운 일이 있었다. 그것을 팀원들에게 어떻게 알릴까 걱정하던 차에 파트리샤가 훅 들어왔다.

- 음. 이 새끼들 짐승 같긴 한데, 머리가 없지는 않았잖아?

- 그렇죠.

- 암만 봐도 이쪽을 노리려고 기다리는 것처럼 보이는데 말이야.

- 에이, 그거야 보면 알죠. 근데 저 정도 병력이면 우리하고 저 불편한 동맹군 한테 녹을 건데요. 지금 제우권도 우리가 먹었으니까 우지 불러서 쓸어버리라고 하는 게 어때요?

하긴 롱소드 불러서 대가리 위부터 조지면 접근전만 하는 워프 비스트 놈들은 답이 없다.

158

. . . ✦ . . .

- 근데 좀 불길하시다? 저 새끼들 뭔가 기다리고 있어. 지원군이라도 기다리는
건가. 아니면 명령받고 대기하는 건가?

빈우의 예사롭지 않은 예측을 들은 팀원들은 즉시 씨발거리기 시작했다.
팀장의 예언은 이전부터 잘 맞는 편이었다. 좋든 나쁘든.

- **기다려봐. 내가 그쪽을 잘 알고 있는 사람하고 안면을 텄어. 물어볼게.**

그리고 빈우는 안면을 튼 사람을 불렀다.

"어이, 집정관."

"호민관이다!"

슬쩍 떠본 빈우의 호명에 알탄훼아나가 버럭 화를 냈다. 이건 또 나름 중
요한 정보다. 인류와 다른 종족인 샤다이가 호민관과 집정관에 대응하는 직
책을 가지고 있다는 것은 닮은 게 겉모습뿐만이 아니란 의미다. 그리고 또 방
금의 과민 반응에는 뭔가가 있다.

"으음. 집정관이나 호민관은 둘 다 우리 인류에게 있어 과거 직책인데, 왜
그리 화를 내지?"

상대가 참과 거짓을 구분한다면 진실만을 가지고 속이면 된다. 분을 삭인
알탄훼아나가 조곤조곤 설명을 한다.

"호민관이란 시민들을 대표하여 이끄는 자이고, 집정관이란 귀족의 수장
으로—"

"아니, 그건 아는데 왜 그리 화를 내는 거냐고."

설명을 중간에 끊긴 알탄훼아나는 즉시 대답하지 않았다. 말이 끊겨서 화가 난 것이 아니라 대답이 궁해졌기 때문이다. 이럴 때면 같은 집합에 있는 것끼리 묶어서 물어보면 된다. 먼저 싫어하는 것 둘.

"혹시 그대가 선친이라 부르는 아버지가 집정관인 건가?"

달리 대답하지 않아도 표정과 반응으로 알 수 있었다. 정답이었다.

"그렇다면 그대의 호칭을 틀리게 부른 것을 사과하지."

한번 치면 한번 빠져야 하는 법. 그러나 빈우의 사과에 알탄훼아나는 푸른 눈으로 이쪽을 지그시 쳐다볼 뿐이다.

"왜 그래? 나 뭐 잘못했나?"

"그대가 또 무슨 수작질을 하는 것 같아서."

근거 있는 추궁에 빈우는 그저 어깨를 으쓱할 뿐이다.

"네가 그렇게 싫어하는 집정관은 어디서 뭘 하는 거야?"

빈우의 질문에 알탄훼아나는 아무런 대꾸도 하지 않았다.

"아까 이케가미 의원의 일로 빚이 있다고 하지 않았나? 그리고 서로가 선택의 갈림길에서 흔적을 보는 중요한 상대라면서, 선을 넘지 않는 한 알려줄 수 있다고 했잖아."

그때 알탄훼아나가 빈우를 쳐다보며 말했다.

"그래, 이번 일은 선을 넘는 것이다. 이 이상은 알려줄 수 없어."

그녀의 거절에 빈우는 다른 방법을 찾으려고 했다. 이왕 연을 맺었으면 뿌리까지 쪽쪽 빨아먹어야 한다. 그래서 아까 이야기하다 중단된 화제로 다시 돌렸다.

"그럼 이야기를 되돌리지. 저 실패한 선조라고 했나? 저 워프 비스트들은 왜 저러고 있는 거지?"

그런데 대답은 엉뚱한 곳에서 나왔다.

"그야 제 명령을 기다리고 있지요, 김빈우 중대장."

빈우와 알탄훼아나의 삼각점을 이루는 곳에 젊은 샤다이 남성이 말하고 있었다. 방금까지만 해도 이곳에 존재하지 않던 인물이다. 그를 본 알탄훼아나가 경악하며 소리쳤다.

"체메트디오프 집정관!"

이름을 불린 그는 온화하게 웃으며 인사를 했다.

"오랜만입니다. 알탄훼아나 호민관. 나의 딸."

이자가 바로 샤다이의 집정관이자, 알탄훼아나로부터 증오에 가까운 적의를 받고 있는 아버지였다. 그리고 그것은 비단 딸에게만 한정된 것은 아닌 듯했다. 그녀의 호위병들마저 체메트디오프라 불린 샤다이에게 무기를 겨누고 적의를 드러내고 있었다.

"왜들 그러십니까? 제가 여기에 없다는 것은 알고 계시지 않습니까?"

체메트디오프는 주변의 소란을 진정시키려는 듯 자중하라는 제스처를 취했다. 서로 간의 반응으로 보아 이것은 홀로그램 같은 일종의 통신수단 같아 보였다. 그는 자신을 향해 쏟아지는 적의에도 아랑곳하지 않고 딸에게 시선을 돌렸다.

"알탄훼아나, 현자 발 가르단 하스로부터 계단을 부수는 방법을 배우다니. 정말 놀랐습니다. 진심으로 축하드립니다."

"당신에게 축하받을 일은 없어."

아버지의 다정한 축하에 딸은 매몰차게 답했다. 그러건 말건 집정관은 계속 말을 이었다.

"호민관에게 그런 마음이 들게 한 것은 무엇일까요? 아마 여기 있는 김빈우의 덕이 크겠지요. 아니면 피에르 라캉? 그도 아니면 이케가미 소이치로?"

샤다이의 집정관은 꽤나 많은 것을 알고 있었다. 만면에 미소를 띤 그는 이번엔 빈우에게 말을 걸었다. 아주 친근하게.

"이런, 인사가 늦었습니다. 오랜만입니다. 김빈우 중대장."

그러나 빈우는 이자를 만난 기억이 없다. 하지만 자신이 모르는 샤다이가 아는 척을 한다면, 또한 중대장이라 부른다면 짚이는 것은 있다. 바로 포말하우트 게이트다. 울토르 중대는 포말하우트 게이트의 점프 공간 안에서 리퍼들에게 습격을 당했었다. 하지만 당시의 기록은 빈우에게 없다.

일단 빈우는 떠보듯이 대답했다.

"포말하우트에선 신세 졌소."

"그야 피차 마찬가지지요."

확실하다. 저 체메트디오프란 샤다이 집정관이 바로 포말하우트 게이트에서 울토르 중대를 습격한 자였다. 그러나 사건의 원흉을 만났어도, 빈우 머릿속에 있는 트리니티 패턴은 풀릴 기미가 없었다.

"서로 아는 사이인가?"

빈우를 바라보는 알탄훼아나의 시선은 의심으로 가득 차 있었다. 자신이 그렇게나 싫어하는 자와 아는 사이라는 그럴 수밖에.

"예전에. 그리 좋은 만남은 아니었지."

빈우는 사태가 엇나가지 않도록 솔직하게 대답했지만 알탄훼아나는 아직 의심을 거두지 않았다. 생각보다 두 사람의 골이 꽤 깊은 것 같다.

"전부터 말하지 않았습니까. 알탄훼아나. 서로의 관계는 좋고 싫고가 아니라 필요에 의해 생겨나야 합니다. 지금 당신과 김 소령의 관계 또한 그런 것이지요."

"당신은 닥쳐. 그 필요란 것이 오직 당신만을 위한 것 아니던가. 내 눈앞에서 썩 꺼져라!"

아버지 쪽의 골은 깊어 보이진 않지만 딸 쪽이 혼자서 두 배는 족히 파고 있는 모양이다.

"그대의 뜻이 정 그렇다면."

딸로부터 축객령을 받은 아버지는 웃는 얼굴로 작별 인사를 했다.

"그럼 다시 뵙지요."

체메트디오프는 빈우가 뭐라고 하기도 전에 사라졌다. 그리고 동시에 부팀장 아룹의 통신이 들어왔다.

- **팀장님. 워프 비스트들이 다시 움직이기 시작했습니다. 이쪽을 향해 몰려옵니다.**

"호민관, 너희들의 실패한 선조들이 다시 덤빈단다. 준비해."

빈우가 경고했지만 샤다이들의 반응이 이상하다. 그때 갑자기 알탄훼아나의 호위병이 고함을 질렀다.

"호민관, 함대들이! 함대들이 들어옵니다. 집정관의 함대입니다."

그들 반응으로 봐서 집정관의 '다시'라는 관점은 일반 샤다이들과 꽤 다른 듯했다.

"빌어먹을 아버지가."

알탄훼아나는 이를 악물고 위를 쳐다보았고, 빈우도 그 시선을 따랐다. 그런 그에게 궤도 상의 블랜 랜스로부터 경고 통신이 들어온다.

- **팀장님, 지금 샤다이들의 점프가 감지되고 있습니다.**

그 말이 끝나기 무섭게 리퍼 전투함들이 모습을 드러냈다. 수는 24척. 모두 리퍼 전투함으로, 저 정도 수라면 뉴 소노라 따위는 순식간에 녹여 유리 구슬로 만들 수 있다. 게다가 주변에는 워프 비스트 함선들도 상당수 있었다. 이를 보아 뉴 소노라를 침공한 워프 비스트는, 샤다이의 집정관과 모종의 협력관계에 있는 것 같았다.

"네 이놈! 체메트디오프!"

알탄훼아나의 증오 어린 시선이 방금 나타난 리퍼 전투함들이 있는 곳을 향하고 있다. 그런데 그 전투함들의 함체에 새겨진 문양은 빈우도 알고 있는 것이었다. 울토르 중대 시절 빈우의 어벤저 전투복과 솔리드 베타에서 회수한 기록에 있던 리퍼 전투함의 문양과 같았다. 즉, 지금 모습을 드러낸 함선들은, 포말하우트 게이트에서 울토르 중대의 솔리드 베타를 공격한 함과 같은 세력이란 뜻이다. 방금 체메트디오프와의 대화에 따르면 아예 동일한 함일 가능성이 더 높았다. 그러나 이게 끝이 아니었다. 이어서 42전단의 분함대로부터도 통신이 왔다.

- 김 팀장! 타이런트입니다. 현재 궤도 상으로 샤다이의 대규모 점프가 감지되
었습니다. 이건⋯⋯ 유례가 없을 정도입니다.

부장인 AI 펑셴의 말이 끝나기 무섭게, 뉴 소노라의 주변으로 어마어마한
규모의 샤다이 함대들이 들어오기 시작했다. 전열함과 모니터함을 비롯해서
리퍼 전투함, 그리고 이제까지 발견되지 않았던 샤다이 함선들까지. 수십 단
위로 계속해서 점프해 오고 있다.

- 오, 씨발.

100, 200을 넘어 그칠 기미가 보이지 않는 숫자에, 워프 비스트들과 싸우
고 있는 부팀장 아룹이 허탈한 탄식을 터뜨렸다. 아까의 워프 비스트 함대들
이 애교로 보일 지경이다.

"이봐 호민관, 이거 설명이 필요한데?"

빈우는 사태를 파악하기 위해 질문했지만 대답은 없었다. 알탄훼아나 호
민관은 지금 겁에 질려 있었다.

"서, 설마?"

당황해하는 그녀의 중얼거림이 들리기가 무섭게 샤다이들의 함선들은 서
로 공격하기 시작했다.

"안 돼! 안 돼! 그만둬!"

알탄훼아나가 비명을 질렀다. 수백 척은 넘는 샤다이 함대가 엉망으로 뒤
섞인 채 전투를 벌인다. 엄청난 규모의 플라스마 함포들이 쏟아져 나오지만,
딱히 서로에게 유효한 피해는 주지 못하고 있었다. 그래도 샤다이들은 서로
맞부딪혀가며 치열하게 난전한다.

"나, 나 때문이다. 내가⋯⋯ 어리석었다."

"무슨 일이지? 도대체 이게 무슨 일이야?"

빈우가 다급하게 물어보지만 알탄훼아나는 얼굴을 감싸 쥔 채 오열할 뿐
이었다. 대답은 옆에 있던 호위병의 수장인 펠훼단이 대신해주었다.

"우리 종족의 파벌들이…… 마침내 싸움을 시작했다."

"설마 파벌이란 게 선조 귀환 찬성파와 반대파 말하는 거야?"

묵묵히 고개를 끄덕이는 펠휘단의 얼굴은 참담하게 일그러져 있었다. 동포의 추태를 적에게 보이는 격이니 당연하겠지.

"그런데 여기서 왜? 다른 곳을 놔두고 굳이 왜 여기서?"

그때 눈물을 닦아낸 알탄훼아나가 이를 악물고 답했다.

"내가 계단을 부쉈기 때문이다. 내가 발 가르단 하스로부터 계단을 부수는 방법을 배웠다는 것이 알려지자, 두 파벌의 대립은 극심해졌다."

당연한 일이다. 귀환의 찬성파와 반대파가 맞서고 있을 때, 반대파에서 귀환을 막는 방법을 알아냈다면 찬성파가 가만히 있을 리는 없을 것이다.

"가증스러운……. 애초에 실패한 선조들이 이곳으로 온 것도 집정관의 술책임이 분명해. 내가 계단을 부수도록 오늘의 일을 꾸미고, 각 파벌들에게 연락을 넣어 이곳에 모이도록 했을 것이다. 그들이 계단이 부서지는 광경을 직접 보도록 말이다."

그녀의 말대로라면 집정관은 워프 비스트들을 뉴 소노라에 침공하게 한 뒤 호민관 세력을 유인했고, 은밀히 동족들을 불러 계단이 부서지는 걸 보게 해 분란을 일으키는 계략을 세웠단 거였다.

"그런데 왜? 왜 하필 뉴 소노라고, 왜 동족끼리 싸움을 부추기는 거지?"

빈우의 질문에 대꾸는 없었다. 다만 충고가 돌아왔다.

"어서 이곳을 떠나라. 잠시나마 같이 싸웠던 그대들에게 자비를 베푸는 것이다. 내가 연락을 하면 우리 세력은 그대들을 공격하지 않을 터. 우리 종족의 추한 싸움에 그대들이 말려들 필요는 없다."

그렇다고 해도 넙죽 도망칠 수는 없는 노릇이다. 빈우는 뭔가 수상한 점을 느꼈다. 한 가지 위화감이 그의 머릿속을 맴돌다가 싹을 틔웠다.

"아니, 알탄훼아나 잠깐. 그런데 집정관의 계책이 설마 이걸로 끝인가?"

"무슨 의미지?"

"저 싸움을 봐라. 저게 진정 싸움이라 부를 만한 것일까?"

궤도 상의 샤다이 간 전투는 치열한 만큼 지리멸렬했다. 대형 따윈 없이 자기들 가문끼리 뭉쳐서 포격을 하고 있었다. 그리고 발사된 포격은 중간에서 사라진다. 맞부딪힌 함선에서 스팸들이 튀어나와 우격다짐으로 맞붙고 있다. 덕분에 42전단 분함대와 블랙 랜스는 무사히 빠져나와 강 건너 불구경을 할 수 있었다.

"물론 그대들 유에네스의 관점으로 보기에, 우리의 전투 실력은 형편없이 떨어질 것이다. 그러나……."

"아니, 내 말은 그게 아냐. 서로 유효타가 없어. 너희들의 주 무기는 플라스마, 별 심장의 불길이다. 동시에 너희들은 플라스마에 대해 엄청난 방어력을 보유하고 있지."

빈우의 설명에 알탄훼아나의 눈빛이 이채를 띤다.

"싸움을 하게 했다면 서로 죽고 다쳐야 해. 너희들의 집정관이 아무도 다치지 않을 전투를 벌일 사람이야? 반대 파벌들을 여기서 모이게 한 다음 투닥거리게 해서 화해를 하게 만드는 것이 목적일까?"

"그렇다면 다른 계책이 있단 말인가?"

빈우가 알탄훼아나의 시선을 돌렸다. 그리고 손가락으로 가리켰다. 아까 워프 비스트들에게 공격받으며 점퍼해 들어왔다가, 알탄훼아나와 42전단의 합동 공격에 격침당한 샤다이 함선들이다.

"저 흔적들을 봐라. 반물질에 당한 것이다."

격침당한 함체에는 깨끗이 잘려나간 흔적들이 있었다. 물질소멸, 쌍소멸에 의한 흔적이다. 그것을 본 알탄훼아나는 자신이 깨달은 사실에 경악에 찬 비명을 터트렸다.

"서, 설마."

"그래. 내 생각이 맞다면, 당신들의 집정관은 두 파벌을 한 곳에 불러모아 싸움을 일으키게 했다. 그리고 죽게 만들겠지. 다른 이의 손에 의해."

정답은 바로 공개되었다. 비홀더 전단의 그리폰 순양함들이 샤다이 대함대를 둘러싸듯 점프해 들어온 것이다. 500척은 족히 넘는 샤다이들의 아비규환 바깥으로, 20척이 안 되는 지구제국의 함대가 나타났다. 그러나 결과는 명확했다. 샤다이들은 천천히, 그러나 확실하게 소멸되기 시작했다. 그리고 샤다이들의 공격은 안쪽뿐만이 아니라 바깥쪽으로도 쏘아졌다.

"개판 오 분 전이네."

궤도 상에서 난무하는 포격을 본 빈우의 정직한 감상이었다.

159

. . . ✦ . . .

"오늘 무슨 잔치 하냐."

헤라클레스 급 순양함 타이런트의 함장인 동 중잉 대령은 지금 정신을 못 차릴 지경이다. 따지고 보면 이번 작전은 처음부터 사고의 연속이었다. 발단은 태스크포스 373과 합류하기 위해 점프를 하려고 했는데, 게이트가 터졌다는 급보가 들려왔다는 것부터였다. 그다음 간신히 점프 게이트를 만들고 뉴 소노라에 왔더니, 궤도 상에선 이미 전투가 벌어지고 있었다.

이 정도까지는 이미 예상한 바였지만 문제는 그 대상이 샤다이와 워프 비스트였다는 점이다. 그래서 교전 중이던 태스크포스 373의 모함 블랜 랜스와 지상의 김빈우 팀장으로부터 대략적인 정보를 전달받은 다음, 리퍼 전투함과 협동해 워프 비스트와 샤다이 함선들을 격침시켰다. 여기까진 좋았다.

하지만 사건은 해결은커녕 점점 더 커져만 갔다. 방금 일어난 유례없는 샤다이의 대규모 함대 출현에는 정말 죽는 줄 알았다. 비장한 각오로 마지막 명령을 내리려고 했으나 불행인지 다행인지, 정작 일어난 것은 샤다이들끼리의 내전이었다. 연방군 최정예 42전단 소속의 순양함들은 고래 싸움에 등이 터지는 새우의 심정으로 필사적으로 도망을 쳤다. 그때 타이밍 좋게 비홀더 전단이 등장했다. 그것도 꽤 큰 규모로.

"이제 살았다."

동 함장은 한숨을 돌렸지만 부장인 펑셴은 그러지 못했다.

"함장님, 잊으셨습니까? 저들은 디안머에서 아군과 행성에 막대한 피해를 끼친 적이 있습니다."

그의 말대로 비홀더 1전대는 얼마 전 디안머에서 샤다이와 싸운 적이 있었다. 1대 47의 전투였지만 결과는 일방적이었다. 문제는 그들이 자치 행성과 연방 함대의 안전은 도외시한 채 싸웠다는 점이다. 당시 비홀더 전대는 근처에 있는 연방의 징수 함대를 무시하고, 반물질 병기와 타키온 감속기 같은 고위력 병기들을 마구잡이로 썼었다. 그 바람에 연방의 함대는 상당한 피해를 입었고, 그때 발생한 중력파와 방사선의 여파는 행성을 휩쓸었다.

"놈들이 직접 공격한 것은 아니잖아. 휘말린 거지."

"그게 그거 아닙니까."

"알아. 비홀더 전대의 제1목표는 외계종족이다. 전투의 여파는 우리가 막는다."

그래서 동 함장은 분함대를 최대한 행성 근처로 이동시켰다. 지금 헤라클레스 순양함들의 방어력이라면 당시 징수 함대를 훨씬 뛰어넘는다. 비홀더 전대와 샤다이 간의 전투가 발생해도, 그 여파가 행성까지 가는 것은 충분히 막을 수 있다.

"비홀더 전대들이 공격을 시작했습니다."

샤다이 대함대를 둘러싼 비홀더 전대에서 공격이 시작되었다. 현재 연방의 기술을 아득히 뛰어넘는 파괴력을 지닌 병기들이 날아가 샤다이들을 소멸시킨다.

"뭐야, 왜 중력 닻을 쓰지 않지?"

"그러게 말입니다. 대 샤다이 전에는 기본일 텐데요."

동 함장의 의문에 부장인 평셴도 동의했다. 샤다이들은 게이트 없이 점프를 하지만—정확히는 다른 계통의 공간이동이지만—거기엔 지연시간이 있다. 놈들은 한번 점프를 하면 대략 15분간은 점프를 하지 못한다. 그래서 연방은 그사이 샤다이를 무찌르거나, 아니면 중력 닻으로 묶어서 도망치지 못하게 한 다음 공격했다. 그러나 지금 비홀더 전대는 아무런 양념도 치지 않은 채 공격을 하고 있었다. 게다가 조준도 형편없었다.

"이런, 함장님. 빗나간 공격에 같은 비홀더 전대가 맞았습니다."

"뭐야. 지구제국의 최정예란 이름이 울겠다."

눈앞의 전투는 정말 개판 오 분 전이었다. 샤다이 대함대들은 서로 사분오열하여 자기들끼리 편을 갈라 싸우고 있으며, 이를 둘러싼 비홀더 전대들의 공격은 빗나가서 맞은편에 있는 아군 비홀더 전대에게 명중하기 일쑤였다.

"중력파가 옵니다만, 상쇄했습니다."

펑셴은 사방으로 퍼지는 중력파와 방사선들을 보여주었다. 눈앞의 대전투에서 그 여파가 날아오지만, 방어 대형을 짠 순양함들에겐 위협거리도 안 된다. 함대는 물론이고 뒤의 뉴 소노라도 안전하다.

"쯧쯧, 아무리 포위를 한다 해도 아군의 사선에 들어가면 안 되지. 점프한 다음에는 빨리 대형을 재정비하란 말이다."

처음에 동 함장은 비홀더 전대들이 점프한 직후 바로 전투에 들어가는 바람에 대형이 꼬여 아군끼리 오인사격을 한 것으로 보았다.

그런데.

"응?"

함장은 고개를 갸웃했다. 공격의 밀도가 다르다. 지금 비홀더 전대의 공격은 샤다이보다는 같은 비홀더 전대에게 명중하는 것이 더 많았다. 마치 실수가 아니라 일부러 그러는 것처럼.

"펑셴아, 저것들 왜 저래?"

동 함장은 자신의 의문이 틀렸기를 바라며 부장에게 물었다.

"맞습니다. 지금 비홀더 전대끼리 싸우고 있습니다."

그러나 펑셴은 그 의문이 사실임을 확인시켜주었다.

"아니! 저것들은 또 왜 저러난 말이다!"

"저도 모릅니다!"

어이를 상실한 동 함장이 답답해서 소리쳤지만, 전투 정보실에는 대답해
줄 사람이 없었다. 지금 다들 그와 같은 심정인 것이다. 샤다이들이 내전을
하는 것은 좋았다. 몹시 환영할 일이다. 그러나 구 지구제국의 정예들끼리 전
쟁을 한다면 이건 숫제 악몽이다.

*

"이 무슨 지랄이냐."

지상에서는 빈우가 탄식을 했다. 500척은 족히 넘는 샤다이 대함대를
20척 남짓한 지구제국 전투함들이 포위했을 때는, 그럭저럭 긍정적인 반응
을 보였었다. 개판 오 분 전이라고. 지금까지 비홀더 전대가 외계인을 상대로
패배한 적은 없었다. 샤다이를 상대로도, 심지어 1대 10 이상의 전투도 어렵
지 않게 이겨냈다. 더구나 얼마 전 디안머에서는 그리폰 순양함 단 1척이 신
형 병기를 사용해 리퍼 전투함 47척을 상대로 싸워 이겼었다. 그래서 머리 위
에서 일어난 전투에선 수적 열세 때문에 비홀더가 피해를 볼지언정 결국은
이겨낼 것이라고 생각했었다. 하지만 현재 빈우는 그것이 대단히 안일한 생
각이었다고 자책하는 중이었다.

"일단 눈앞의 전투에 집중해!"

빈우는 알탄훼아나를 흔들며 소리쳤다. 궤도 상에선 대형 사고가 일어나
고 있지만, 지금 지상에서는 워프 비스트들이 눈앞으로 쇄도하고 있었다. 그
러나 그녀는 정신을 차리지 못한 채 허둥대고 있으니 빈우가 다그친 것이다.

"알아. 일단은…… 계단을 내려온 자들부터 처리한다."

알탄훼아나는 빈우의 팔을 뿌리치며 검을 들었다. 하지만 아직 머뭇거리
는 게 보인다. 그녀는 현재 자신의 행동으로 인해 두 파벌의 전투가 벌어졌
다는 사실에 꽤 큰 충격을 받았다. 그리고 이 모든 것들이 실은 아버지인 집
정관의 계략이었으며, 동포들을 죽이기 위해 지구제국군마저 유인한 상황이

란 것을 안 지금은 더더욱 혼란스러워하고 있었다. 그녀는 싸우는 도중에도 자신의 함대에 연락을 시도했다. 어떻게든 싸움을 멈춰보려는 생각이겠지만 결코 쉬운 일은 아닐 것이다.

- **팀장님, 혹시 집히는 것 있으십니까?**

블랙 랜스에서 오르 함장이 연락해온다.

- **아니요, 전혀요.**

빈우로서도 알 길이 없다. 샤다이들이 대규모로 모여 자기들끼리 싸우는 이유에 대해선 이미 유추한 바 있다. 그러나 비홀더 전대들이 서로 치고받는 이유는 짐작조차 안 간다.

- **으아, 혹시 저것들이 디안머에서 친 사고하고 관련 있지 않을까요?**

파트리샤가 몰려드는 워프 비스트들의 물결에 학을 떼며 질문한다. 그녀의 말대로 비홀더 전대가 먼저 이쪽과 접촉하러 온 것은 꽤 드문 일이다. 그렇다면 당시의 일이 오늘의 이 해괴한 사태와 무슨 관계가 있는지 생각해볼 수밖에 없다.

- **있을지도, 아니면 없을지도. 아직 뭐가 뭔지 몰라. 일단 이것들 다 죽여.**

빈우는 정비가 끝난 스핑크스로 플라스마를 한 방 쏘았다. 일격에 달려오던 워프 비스트 한 무리가 증발해서 사라진다. 하지만 목표는 그게 아니었다.

- **위르겐, 내가 쏜 곳을 한 번 더 쏴라.**

그 말이 끝나기 무섭게 대구경 코일건과 미사일들이 날아간다. 한 차례 폭발이 일어난 다음, 빈우가 노렸던 고층 건물이 서서히 무너지기 시작했다. 길이 막혀버리자 워프 비스트들의 움직임이 한 곳으로 집중되었다. 그리고 이쪽도 지지 않고 화력을 집중시켰다.

- **칼 들어! 전열을 짜서 밀어붙여! 제길 귀먹었냐, 귀쟁이들아! 헨칼 다리얀!**

빈우의 명령에 알탄훼아나의 호위병들은 일순 망설였지만, 자신들의 집정관이 명령에 따르란 눈짓을 하자 서로서로 칼을 앞세워 대열을 짰다. 한 곳으로 모인 플라스마의 검들에 달려드는 워프 비스트들은 불타 녹아내리고 증발할 뿐이다. 그리고 그 뒤쪽으로 373 지상팀의 사격이 쏟아진다.

- 끝도 없네. 개놈들!

빈우가 이를 악물었다. 태스크포스 373이 온종일 죽이고 죽였지만, 아직도 놈들은 몰려들고 있었다. 뉴 소노라에 남아 있던 워프 비스트들이 모두 모여든 듯싶다.

- 우지, 지원 올 수 있겠냐?

일단 빈우는 공군을 부르기로 했다. 지상군 조지는 데 첫째가 공군이요, 둘째가 포격이다.

- 애매한 소강 상태네요. 좌표 불러주십쇼.

지금 42전단의 순양함들과 블랙 랜스는 대기권에서 역장 방어막을 펼치고 있었다. 비홀더 전대의 공격에서 일어난 여파가 지상에 닿는 것을 막기 위해서다. 샤다이와 비홀더 전대들이 서로 물어뜯고 있는 지금 롱소드가 딱히 할 일은 없었다. 곧이어 연방군의 주력 우주 전투기가 대기권을 뚫고 내려와 뉴 소노라의 시가지에 쑥과 대나무를 심기 시작했다.

*

"이거 골치 아프군요."

체메트디오프의 얼굴에서 드물게 미소가 사라졌다.

"무슨 문제라도 있습니까?"

집정관의 푸념에 함장이 돌아보면서 질문했다. 현재 이곳에 모인 동포들은 자신들이 믿는 이상을 위해 동족상잔을 벌이고 있다. 계획대로다. 그리고 집정관은 보다 빠른 처리를 위해 비홀더 전대들을 유인해 이곳으로 모아놓은 상황이다. 이 또한 계획대로다. 자기 종족 외에는 모조리 쓸어버리는 학살자들에게 달리 말은 필요 없었다. 놈들은 어리석은 동포들을 모조리 처리해줄 것이다. 공짜로.

"혹시 주시자들의 함대가 자기들끼리 싸우는 것 때문입니까?"

함장의 말대로 그들이 주시자라 부르는 지구제국의 함대들은 가운데에 있는 샤다이를 무시하고 서로 싸우고 있었다. 동포들의 배는 그사이에 끼어 죽어가고 있다. 그 와중에도 샤다이들은 반대되는 파벌에게 포격을 퍼붓는 어리석은 모습을 보여준다.

"네, 제가 저들을 과소평가한 듯싶습니다."

집정관이 말한 '저들'이란 지구제국의 함대들을 말하는 것이리라.

"저들의 병기는 멸망에서 힘을 빌려 쓰는 거지요. 가불이라고 해야 할까요? 어차피 파산으로 끝날 우주에서 가불을 한들 큰 영향은 없겠지만……."

말을 잠시 끊은 체메트디오프는 지구제국 그리폰 순양함의 모습을 찬찬히 살펴보았다. 지난 100여 년간 수많은 종족들을 멸종시킨 배다. 그리고 반대되는 곳의 함선들도 보았다. 그리폰과 비슷하지만 조금 더 큰 형태를 한 전함들이었다.

"못 보던 배들도 보이는군요. 제국 시절의 유물을 끌고 온 건 아닐 테고, 아마 주시자들의 신형 함이겠죠? 게다가 우리 동포들을 무시하고 자기들끼리 싸우기 시작했다는 것은, 이미 우리와 그들 사이에 무시해도 될 만한 격차가 생겨버렸단 뜻입니다."

체메트디오프는 어리석은 동포들을 청소하기 위해 오늘의 장을 마련했고, 주시자들에게도 미리 정보를 흘려놨었다. 이 정도 규모의 대함대가 한꺼번에 모인다면 주시자들은 어쩔 수 없이 선 안쪽으로 들어와 모일 것이다. 자신들이 루비콘 라인이라 부르는 선 안으로. 그리고 이 일이 끝난 다음, 그들은 선 바깥으로 되돌아가 당분간은 돌아올 수 없겠지. 설령 지구제국이 오지 않아도 상관없다. 그저 동포들이 죽는 시간이 좀 더 길어지고, 향후의 계획에 주시자들이 끼어들 변수가 생기겠지만, 큰 줄기의 흐름은 변하지 않는다.

"예상외의 사태입니까?"

함장의 질문에 집정관이 되찾은 미소를 보여주었다.

"그럴 리가요. 예상은 했지요. 아주 싫은 예상 중 하나입니다. 그들이 단시간에 이토록 강해질 줄은. 잘못하면 오늘 제가 죽을지도 모르겠습니다."

체메트디오프는 자신의 죽음에 대해 아주 태연하게 말하고 있었다.

"이 섬에게요? 그렇다면 여덟 번째로군요."

함장 역시 익숙하다는 듯이 대답했다.

"음? 아니요, 일곱 번입니다. 저번에는 제가 스스로 자폭하지 않았습니까?"

"이 섬에게 궁지에 몰려 어쩔 수 없이 자폭하셨잖습니까. 여덟 번."

"꼼꼼하긴. 그래서 제가 당신을 곁에서 부려먹는 겁니다."

"영광입니다. 집정관."

160

• • • ✦ • • •

비홀더 1전대의 기함인 돌격형 순양함 그리폰의 격납고에서, 전대장인 이 섬은 전황을 살펴보고 있었다.

"카이사르 급이라, 노골적인 이름인데."

1전대장은 상대편의, 한때 전우였던 자들의 전함을 보았다. 카이사르 급 이라 불린 저 전함들은 기존의 그리폰 급들에서 한층 전투력을 강화한 전함 들이다. 원래 설계상으론 그래야 했을 것이다.

"1번 함 율리우스 카이사르, 3번 함 이성계, 7번 함 나폴레옹 보나파르트. 이름에 담긴 염원만큼은 대단하군."

비웃고 있는 전대장의 옆에서 낭소로호가 거들었다.

"얼마나 허기가 졌으면 익지도 않은 밥솥을 열었을까요?"

재미있는 비유다. 카이사르 급은 언젠가는 자신들, 비홀더 전대에게 주어 질 전함들이다. 그걸 기다리지 못하고 일을 그르치는 자들에겐 계도가 필요 하다.

"오늘 제법 손맛 좀 보겠습니다?"

요시오는 간만에 호적수라 불릴 자들과 싸우게 되었다는 사실에 들떠 있 었다. 그도 그럴 것이 작금의 우주에서 비홀더 전대와 싸울 수 있는 존재들은 같은 비홀더 전대밖에 없기 때문이다. 루비콘 라인 바깥으로 나간 17개의 비 홀더 전대 중 남은 것은 현재 12개 전대. 둘은 연이은 전투에 수가 줄어 다른 전대에 합쳐졌고, 둘은 불미스러운 일로 숙청되었다. 그리고 나머지 하나는 지금 눈앞에 있는 13전대다.

13전대는 더 이상 죽일 만한 종족이 없자—죽일 만한 기분이 들 만한 종족은 이미 다 죽였으니—스스로 적을 찾아나섰다. 그렇게 먹잇감을 찾아 헤매던 이들은 과거 우주를 호령했던 종족인 샤다이의 선조들을 쫓아 금지된 계단을 올라갔고, 그 후 이 우주에서 자취를 감추었다. 다른 전대들은 황제의 명을 어긴 자들에게 당연한 벌이라고 말했었다.

그러다가 갑자기 얼마 전, 13전대는 이 우주에 다시 모습을 드러냈다. 그리고 갑자기 이상한 소리를 하기 시작했다. 지구로 귀환하자고 하는 것이다. 물론 이 귀환은 언젠가는 해야 할 일이지만 일에는 시기가 있는 법. 다른 전대들은 13전대의 이 갑작스러운 제안을 무시하거나 거절했다. 하지만 13전대가 카이사르 급들로 구성된 귀환 함대를 건조하기 시작하자 마냥 무시할 수만은 없게 되었다. 그래서 오늘 1전대가 이 자리에 선 것이다.

"흐음, 13전대는 오늘 화력 시험을 한다고 합니다만?"

낭소로호 중위가 사전에 받은 연락을 다시 훑어보며 비웃고 있었다.

"가당찮은 짓거리를."

이 섬에겐 코웃음 칠 가치도 없는 소리였다. 얼마 전부터 샤다이들이 이 행성으로 모이기 시작했다는 정보는 다른 전대의 귀에도 들어갔다. 온 우주에 흩어져 숨어 살던 놈들을 한 곳에서 손쉽게 쓸어버릴 수 있다는 정보는 꽤 매력적이었다. 그러나 섬은 딱히 나서고 싶은 기분이 들지 않았다. 이렇게 맛있는 정보가 노골적으로 쉽게 들어오면 필시 뒤가 구린 법이다. 하지만 13전대가 나선다고 하면 이야기가 달라진다. 그래서 다른 전대에게는 나서지 말라고 한 후, 오늘 1전대가 13전대를 맞이하기로 마음먹었다.

잠시 생각에 빠진 이 섬에게 낭소로호의 말이 들려온다.

"전대장님. 13전대에서 통신이 들어옵니다만, 어떻게 할까요?"

"연결해."

격납고에 홀로그램이 뜬다. 한 사내의 영상, 13전대장 아흐메드 후세인 대령이다.

- 오랜만일세. 이 준위.

"여러모로 오래간만입니다. 대령님."

잠시 이쪽의 기색을 살피던 후세인 전대장이 먼저 말문을 열었다.

- 자네가 오늘 이 자리에 나타난 것은 나의 대의에 동참하기 위해서라고 봐도 되겠는가?

섬은 대답하지 않았다. 13전대장은 설명을 계속했다.

- 자네도 알다시피 우리가 루비콘 라인 바깥으로 떠난 것은 인류를 위해서였다네. 인류를 위협하는 외계종족을 처단해 그 앞길을 안전하게 밝혀주기 위해서지. 그러나 이제 우리 앞에 위협이 남아 있던가? 있다면 눈앞에 있는 쓰레기들뿐. 오늘 저것들을 쓸어버리고 지구로 귀환해 황제를 다시 모셔야 하지 않겠는가? 만약 ―.

그러나 그의 말은 끝맺어지지 못했다. 섬이 그 말을 끊고 나선 것이다.

"그래서 고작 저 낙오자들의 사생아 따위를 죽이고자 귀환 함대를 만들었단 말이냐?"

1전대장은 대답을 기다리지 않고 바로 등을 돌렸다. 그리고 요점만 간단히 말했다.

"반역자들을 죽여라!"

그리폰의 격납고는 전대원들의 환호성으로 가득 찼다. 지구제국의 어설트급 장갑복들이 저마다의 무장을 하늘로 휘두른다. 그렇게 통신이 끊기고 비홀더 1전대와 13전대의 전투가 시작되었다.

"그런데 전대장님, 저들은 어쩌실 겁니까?"

낭소로호 중위가 가리킨 것은 비홀더 전대 사이에서 졸렬하게 싸워대는 샤다이들이었다. 서로에게 통하지 않는 무장으로 죽어라 싸워대는 꼴이 우스꽝스럽기까지 하다.

"싸우다 보면 알아서 죽겠지."

호적수를 만난 지금의 그에겐 눈에 안 차는 대상들이다. 내버려둬도 비홀더 전대끼리의 싸움에 끼면 저절로 스러질 버러지들에 불과하다. 오늘의 무대를 꾸민 집정관 체메트디오프가 신경 쓰이긴 하지만, 죽음이란 개념이 희미한 놈을 족쳐봐야 시간 낭비다. 더구나 지금으로선 눈앞에 놓인 13전대만큼 중요하고 위험한 존재는 없을 것이다.

"그러면 또 저들은?"

이번에 낭소로호의 손가락은 행성 궤도에서 방어진형을 편 연방 함대들로 향했다. 그가 가리키는 대상엔 뒤에 있는 자치 행성도 포함될 터였다. 저 빈약한 연방의 전투함들은, 앞으로 있을 전투에 대비해 자신과 행성을 지키려 안간힘을 쓰고 있었다.

"오늘의 목표는 반역자들일세. 저따위 것들에게 신경 쓰지 말게."

"따르겠습니다."

중위는 공손하게 고개를 숙였다. 곧이어 쌍방 간의 함포사격이 시작되었다. 반물질 어뢰들이 날아가다 사선에 끼어든 샤다이들에게 명중한다. 이 재수 없는 놈들은 맞자마자 빛과 함께 사라졌고, 그 사이를 비집고 중력 쐐기들이 공간을 일그러뜨리며 쏟아져간다. 그리고 일그러진 공간 사이로 제국의 병사들이 날아서 쇄도한다. 이제까지 적을 꿰뚫었던 창이 오늘은 튕겨 나간다. 지금까지 적의 공격을 막았던 방패가 손쉽게 뚫리고 있다. 같은 기술력, 같은 전투기술을 가졌기에 싸움은 호각세를 보인다.

그리폰이 타키온 감속기를 작동시키자, 갑자기 감속되어 현재 시간대에 광속으로 존재하게 된 허수 질량 입자는 주변의 질량과 맹렬하게 반응해 중력붕괴를 일으켰다. 카이사르 급 1번 함 카이사르의 1차 장갑이 파손되고, 거기로 중력 쐐기에 밀린 장갑보병들이 스며들어간다.

- 반역자들에게 죽음을!

육중하면서도 빠른 어설트 급 장갑복 무리들이 카이사르의 장갑 위로 안착했고, 이를 맞이한 것은 같은 어설트 급이었다. 13전대의 장갑보병들이다. 그 선두에 선 자가 앞으로 나서며 외쳤다.

- 어리석은 자들이여, 지금이라도 늦지 않았다. 인류를 위하ㅡ.

하지만 그의 말은 거기서 끝이었다. 이 섬의 검이 그의 목을 관통했기 때문이다. 맞은 부위는 전자 간 결합이 끊기는 바람에 빛이 통과해 희미하게 불투명해졌다. 그리고 가슴까지 일렁거리며 소멸했다.

이미 말은 필요 없는 상황. 한때 아군이었던 두 무리가 격돌했다.

*

- 나이스! 우지.

위르겐이 환호성을 질렀다. 롱소드가 쓸고 지나간 곳에는 불타 녹아내리는 무언가만 남아 있을 뿐이다.

- 팀장님, 좀 더 오른쪽이었으면 좋았을 텐데요.

선회하는 롱소드에서 아쉬워하는 우지의 말이 들려온다. 이제까지 도망만 치다가 제대로 싸워볼 기회가 오자 근질근질한 모양이다.

- 밑에 대피소가 있는데 같이 날려버리게?

빈우의 핀잔에 우지는 찔끔하더니 지정된 위치로만 포격을 날렸다. 공중에서 지원이 오자 대공 능력이 없는 워프 비스트들은 속수무책으로 쓸려나가기 시작했다.

- 좋았어. 대충 큰 무리들은 잡았다. 이제 마무리하자.

워프 비스트들은 마지막 발악으로 덤벼들었지만, 지상팀은 건물을 무너뜨려 진입로를 차단한 다음 화력을 집중해 차례차례 제거했다. 이어서 상공에서 롱소드를 불러 뒤에 있던 무리들도 조각내버렸다. 이젠 흩어진 놈들을 정리하기 위해 나설 차례. 그런데 지금까지 같이 싸워왔던 샤다이들의 행태가 수상하다. 놈들은 자기들이 타고 왔던 배로 돌아가고 있었다.

"야, 너희들 어디 가냐?"

자신들의 전투함에 타러 올라가는 샤다이들을 빈우가 붙잡는다. 알탄훼아나가 돌아서서 대답한다.

"면목 없다. 우리는 동포들의 상잔을 막으러 가야 한다. 구해야 한다."

지금 샤다이들은 뉴 소노라의 궤도 상에서 저들끼리 치고받고 있으며, 지구제국도 자기들끼리 전투를 벌이고 있는 상황이다. 비홀더 전대의 주 목표는 맞은편의 비홀더 전대로 추측되는데, 동급의 적을 상대하느라 아낌없이 화력을 쏟아붓고 있었다.

그 바람에 궤도 상에선 난리가 났다. 순양함들이 방어막을 쳐줘서 망정이지, 안 그랬으면 이곳도 디안머 꼴이 날 뻔했다. 그리고 가운데 끼인 샤다이들은 더했다. 애먼 화망 사이에 끼어 아차 하는 사이에 쓸려나가는 것이다.

호민관인 알탄훼아나의 심정은 이해가 간다. 오늘 이 사태가 벌어진 것은 그녀의 아버지가 세운 계획이었고, 거기에 시동 건 것은 자신의 행동이기 때문이다. 하지만 그것은 어디까지나 샤다이들의 사정이다. 빈우에게 중요한 것은 무엇보다 인류다.

"너희들이 싸지른 똥은 너희들이 치워야지."

빈우가 낮고 험악하게 말했다. 뉴 소노라에 온 워프 비스트는 체메트디오프 집정관의 짓, 즉 샤다이의 짓이다. 알탄훼아나가 계단을 부순 공이 있다 해도 계단을 만든 것 역시 샤다이다. 마지막까지 뒤처리를 해준다면 못 이기는 척 눈감아줄 수 있다지만, 이렇게 도망치는 것은 봐줄 수 없다. 대답은 머뭇거리는 알탄훼아나 대신 다른 샤다이가 했다.

"다로, 유에네스."

대충 꺼지라는 뜻이다. 개중에 젊어 보이는 샤다이 호위병이 한 말이다. 빈우도 그에 맞게 대답해주었다.

"요힌 다로인 스하나."

빈우의 잔잔한 말은 샤다이 호위병의 얼굴에 일대 파문을 자아냈다.

"헨칼 다노인."

검을 쥐며 나서는 녀석에게 빈우는 다시 미소와 함께 말했다.

"요힌 이룩 스하나."

검을 꼬나들고 달려드는 젊은 호위병을 주위에서 뜯어말린다. 그런데 딱히 적극적인 모양새가 아니다. 호위병을 타이르는 알탄훼아나도 찡그린 얼굴로 빈우를 흘겨본다.

- 저기 누님.

빈우가 터트린 작은 소란에 궁금해진 위르겐이 파트리샤에게 질문한다. 물론 팀장의 명령대로 샤다이들을 몰래 조준하면서.

- 왜?

- 누님 저 비슷한 말, 발 가르단 하스에서 하지 않았나요?

파트리샤는 발 가르단 하스에서 샤다이를 말로 도발했다가 뼈저린 경험을 한 적이 있다. 그래서 생생히 기억한다.

- 했지. 요힌 음 에루님 스하나. 뜻은 상대방 모친의 생식기에 대한 품평이랄까?

- ……아까부터 계속 같은 단어가 두 개씩 겹치는데요?

- 그렇지?

그때 다른 동료들이 적극적으로 말리지 않은 틈새로 호위병이 빠져나왔다. 그리고 빈우에게 덤벼든다. 하지만 빈우가 더 빨랐다. 그는 미리 몰래 떼어놓은 제트팩을 자신을 잡으려는 리퍼의 손에 붙였다. 제트팩이 추진하자 리퍼는 나동그라지며 끌려갔고, 373 팀원들은 옥상에서 발사 준비를 했다.

"그만! 그만!"

보다 못한 알탄훼아나가 인간과 샤다이 사이에 서서 팔을 벌려 막았다.

"명령이다. 더 이상 싸우지 말라."

그녀의 말에 달려나가려던 호위병들이 멈추었다. 빈우도 어깨를 으쓱하며 뒤로 한걸음 물러선 후 손바닥을 들어 팀원들에게 사격하지 말란 제스처를 취했다. 물론 통신으로는 언제든지 발사하라고 명령을 내려놓은 상태다.

"미안하다, 김빈우. 오늘 일은 내 잘못이 크다. 부디 나를 보내다오."

알탄훼아나는 빈우에게 고개를 숙여 사과했다. 호위병들은 술렁였지만, 선뜻 나서진 못하고 있었다.

"내가 오늘 동족의 싸움을 막을 수 있게 도와다오. 부탁한다."

그녀의 간절한 애원이 통했는지 빈우는 마지못해 승낙했다.

"좋아. 나머지는 우리가 처리하지. 어서 가보도록 해."

그 말에 알탄훼아나는 화색을 띠며 감사를 표했다.

"고맙다. 오늘의 이 은혜는 반드시 갚겠다."

리퍼들은 서둘러 동료들을 수습해 전투함에 탔고, 그 배는 아무런 징조도 없이 공중을 떠올라 가속, 대기권을 탈출했다.

- 정말 보내주는 겁니까?

아룹의 질문은 놈들을 놔준 이유와 빈우의 속셈을 물어보는 것이다. 팀장 정도 되는 위인이 저런 중요한 요인을 놓아주었다면 분명히 무슨 꿍꿍이가 있는 것이다.

- 지금 X 됐습니다. 대피소의 시민들이 밖으로 기어나오려고 합니다.

그리고 빈우는 똥줄이 탄 목소리로 대답했다. 그는 대피소의 내부 채널에 접속해놓은 상태다. 그래서 각 대피소 내부의 영상과 음성을 들을 수 있다. 빈우는 그중 하나를 팀원들의 채널에 올렸다.

- 여러분! 녹색 연맹은 우리의 것입니다. 저 간악한 연방군의 손에 떨어지도록 놔둬선 안 됩니다. 일어섭시다! 우리의 손으로 우리의 땅을 지킵시다.

이어서 대피소의 문이 서서히 열리고, 흥분한 시민들이 자신들의 도시를 지키기 위해 맨손으로 분연히 나섰다.

그 모습을 본 파트리샤가 다른 팀원들을 대신해 한숨을 쉬었다.

- 씨발.

161

· · · ✦ · · ·

태스크포스 373의 지상팀은 보이는 워프 비스트는 다 죽이면서 문제의 대피소로 달려가기 시작했다.

- 아직은 한 곳이군요. 그나마 다행입니다.

그렇게 말한 아룹은 마주친 워프 비스트의 머리에 나이프를 박아 넣었다.

- 이제 시작이겠죠.

대담한 빈우는 모퉁이에서 멈춘 다음 수류탄을 던졌다. 폭발과 함께 워프 비스트 너덧이 나뒹군다.

- 그러게요? 대피소끼리 통신하는 걸 보니 나가자는 곳이 꽤 되네. 돌았나.

폭음이 채 잦아들기도 전에, 파트리샤는 건물 틈으로 비집고 들어가 허둥대는 워프 비스트들을 썰어버렸다.

- 이럴 거면 아예 감금할 걸 그랬습니다?

위르겐이 포격 위치를 알려준 다음 고출력 레일건을 쐈다. 건너편에 있던 한 무리가 피떡이 되어 사방으로 흩날렸다.

- 이 자식아, 나중에 뒷감당 어쩌려고. 시민 여러분, 진정하십시오.

핀잔 한번 날린 빈우는 대피소와 연결된 채널로 통신을 시도했다. 지휘하랴, 통신하랴, 달려드는 놈 정리하랴 바쁘다.

- 시민 여러분, 아직 바깥은 위험합니다. 대피소 안에서 기다려주십시오. 곧 저희 군이 모든 적을 물리치고, 안전을 확보할 겁니다. 나오시면 안 됩니다.

안에서 기다리셔야 합니다.

대부분의 대피소는 사태가 진정될 때까지 안에서 나올 생각을 않는다. 그러나 몇몇은 이렇게 방송을 해야 나오지 않고 참는다. 그나마 이들까진 말귀를 들어먹어서 다행이다.

- **네놈들이 무슨 권리로?**

문제가 되는 대피소의 회선에서 한 청년이 퉁명스레 대꾸했다. 이곳은 373팀이 초기에 인솔한 시민들이 있는 곳이다. 이들은 워프 비스트들을 직접 본 적이 없고, 오랜 시간 갇혀 있던 터라 불만이 상당했다.

- **긴급상황에서 치안 유지를 맡았습니다. 어서 대피소 안으로 들어가서 문을 닫으십시오.**

빈우는 그동안 뉴 소노라의 근황을 대피소로 간간이 보냈었다. 외부와의 연락이 완전히 두절되면 시민들의 불안이 커지기 때문에, 이들이 안심할 수 있도록 '적절히 가공한' 정보를 제공했던 것이다. 그러나 오히려 이것이 화근이 되었다. 바깥의 상황이 진화될 조짐이 보이자, 이 대피소에서는 나가서 맞서 싸우자는 여론이 형성되고 말았다.

- **다시 한 번 알립니다. 안으로 들어가 문을 닫으세요. 주변에는 아직 적이 있습니다.**

빈우의 필사적인 만류에도 해당 대피소의 사람들은 흥분해서 바깥으로 나가고 있었다. 게다가 방금 빈우와 대화했던 청년은 동료들과 이미 문밖으로 나온 상태고, 지금 다른 대피소에도 연락해 바깥으로 같이 나갈 것을 종용하고 있었다.

- **적? 어디, 안 보이는데?**

- **아직 저희가 완전히 소탕한 게 아닙니다. 남은 괴물들이 어딘가 숨어 있을지도 모릅니다. 또 궤도 상에선 아군과 외계함대의 전투가 계속되고 있습니다. 그 여파가 지상으로 미칠지도 모르니 어서 안으로 들어가십시오.**

잠시 대답이 없었다. 대피소의 휴대용 통신기 회선 너머로 자기들끼리 쑥

덕대는 소리가 들린다.

- 궤도 어디서 싸우냐고. 아무것도 안 보이잖아. 오로라는 보이는데…….

빈우는 탄식했다. 아무리 저궤도라고 해도 강화하지 않은 맨눈의 인간이 볼 수 있는 거리는 아니다.

- 그 오로라가 위험하단 증거입니다. 궤도 상의 전투로 인한 전자기장의 여파로 생긴 겁니다. 부팀장, 먼저 갑니다.

빈우는 지휘를 아룸에게 맡기고 제트팩을 써서 날았다. 서둘러 간다면 어찌어찌 5분 내로 도착할 거리다.

- 제가 가겠습니다. 조금만 기다려주십시오.

- 아니 그러니까 내가 왜 댁을 기다려야 하냐고. 댁 연방군이잖아? 여긴 녹색 연맹이야. 댁들이 무슨 권리로 나한테 이래라 저래라야.

- 지금 같은 비상상황에선 저희 군인들의 지시를 따라주셔야 합니다.

어떻게 설득이 먹히나 싶었는데 여기에 초를 치는 방송이 들려왔다.

- 시민 여러분! 저는 이곳 웨이블의 시장인 폴 애머슨입니다.

침공 초기에 측근들과 궤도 엘리베이터로 도망치려 했던 양반이 뜬금없이 연설 방송을 시작했다. 아룸에게 얻어맞은 입은 좀 나아졌는지 아까처럼 발음이 새진 않는다.

- 제가 대피령을 내렸던 것은 연방군의 협박 때문이었습니다. 그들의 무력에 무릎을 꿇었던 저를 부디 용서해주십시오.

빈우는 스핑크스를 꺼내 조준했다. 지금 시장이 있는 곳은 궤도 엘리베이터 터미널의 피난 구역이다. 워프 비스트들의 이빨과 발톱이라면 뚫기 힘들었겠지만, 플라스마 포라면 얘기가 다르다.

- 녹색 연맹의 시민들이여! 일어서십시오. 싸우십시오. 외침에 저항하는 것이야말로 으악!

피난 구역을 스쳐 지나간 플라스마의 위력은 충분했다. 개소리를 짖던 개새끼가 꼬리를 말고 자지러졌다.

486

- 뭐지? 시장님이 왜 저러지?

시장의 연설이 끊기자 청년이 의아해한다. 거기에 빈우가 재빠르게 끼어들었다.

- 보십시오. 아직 바깥은 위험합니다. 어서 대피소 안으로 들어가 문을 닫고
  계십시오.

통신 너머로 술렁이는 기색이 느껴진다. 빈우는 이제 조금만 밀어붙이면 될 것이라 생각했다.

- 저거야?

방금 청년의 말에 빈우는 소름이 쫙 돋았다.

- 맞네, 저게 댁들이 말한 괴물이지?

- 어서 안으로 도망쳐! 너희들이 싸울 상대가 아니야!

빈우는 황급히 소리쳤다. 워프 비스트는 붙어서만 공격할 수 있는 야수 같은 놈들이지만, 적어도 근접전에서는 연방의 주력 장갑복 어벤저와 싸울 수 있는 놈들이다. 강화하지 않은 민간인이 자치 행성의 무장을 가지고 어찌해 볼 상대가 아니다.

- 깜짝이야, 왜 소리를 질러. 한 마리잖아. 우린 총도 있다고. 야, 저 새끼 이리
  로 뛴다. 포위해.

- 이 새끼들아! 도망치라고!

빈우의 외침에 대한 대답으로 통신기 멀리서 총소리가 들린다. 괴수의 포효가 들린다. 이어서 인간의 비명이 들린다. 그리고 비명은 점점 더 가까워진다. 허둥대는 사람들의 목소리가 아우성친다.

- 뭐야, 총이 안 통, 아악! 살려줘!

- 어서 안으로 들어가! 어서!

- 밀지 마요! 밀지 마.

- 문 닫아 문! 아악!

마치 소풍 가듯 설렁설렁 나왔던 청년들은 절명했다. 대피소의 문 근처는

아비규환이 되었다. 빈우는 최고속도로 날고 있지만, 아직 도착하려면 조금 더 시간이 필요했다.

- 들어왔다! 막아!

워프 비스트들이 대피소 안으로 들어온 모양이다. 빈우는 그저 이를 악물고 목표를 항해 나아갈 뿐이었다. 잠시 후, 대피소에 도착한 빈우는 무장을 들고 입구로 달려갔다. 피와 살점 같은 전투의 흔적이 보인다. 그러나 시신은 없었다. 빈우는 한 손엔 코일건을 나머지 손엔 진동 나이프를 들고, 센서로 내부를 스캔하며 안으로 들어갔다. 아래로 내려가는 계단이 끝나는 곳에 워프 비스트 한 놈이 있었다. 놈은 이쪽을 보지도 못하고 코일건에 머리가 터졌다. 코일건의 발사음에 안에서 놈들의 괴성이 들려온다.

"씨발."

안의 광경을 본 빈우는 욕부터 뱉었다. 팔다리가 잘린 인간, 배가 갈려 내장을 쏟고 있는 인간, 워프 비스트에 잡혀 땅바닥에 짓이겨지는 인간. 죽은 사람은 얼마 없다. 모두 워프 비스트들에게 고문당하고 있었다. 문득 빈우는 티모시 1078의 몸에서 계단을 부수던 광경을 떠올렸다. 놈들은 계단의 마지막 부분을 만들 때 인간의 공포와 고통을 재료로 썼었다.

'그것 때문에 고문을 하는 것인가.'

그러나 다행히 워프 비스트로 변하는 사람은 없었다. 알탄훼아나와 했던 일이 성과를 보인 모양이다. 그때 빈우를 본 괴물들이 덤벼온다.

"덤벼봐, 이 새끼들아."

빈우는 날아오른 놈에게 코일건을 쏘고, 달려오는 놈에게 나이프를 박아 넣었다. 앞에서 덤비는 놈의 얼굴에 주먹을 날리고, 뒤에서 알짱대는 놈에겐 제트팩을 쏴 자빠뜨린다. 아직 대피소 안에는 살아 있는 사람들이 많아 마음껏 싸울 수 없다. 사격보다는 격투로 싸우는 것이 안전하다. 그렇게 빈우 홀로 워프 비스트들을 하나둘 잡아가고 있을 때 373 팀원들이 도착했다. 대피소 안으로 지원 온 그들 덕에 전투는 빠르게 마무리되었다. 아무리 워프 비스트가 위험한 놈들이라고 해도 이쪽은 연방 최정예 특수부대원들이다. 상대가 될 리 없다.

- 이게 마지막이군요.

아룹이 넘어져서 버둥대는 워프 비스트의 머리에 나이프를 꽂아 넣었다. 대피소 안으로 들어온 놈들은 모두 마무리되었다. 그러나 일은 아직 끝나지 않았다.

"사…… 살려줘……."

"아파, 아…… 파."

대피소 안의 시민들은 모두 몸 여기저기에 심각한 부상을 입은 상태다. 373 팀원들이 달려가 응급치료를 한다. 상처 부위의 접착제를 쏴 지혈을 하고, 벌어진 상처는 고정핀으로 꿰어놓는다. 이어서 위르겐이 치료용 마이크로 머신 주사기를 들었을 때, 그를 말리는 목소리가 들렸다.

- 위르겐, 쓰지 마라.

팀장인 빈우의 말에 위르겐이 멈칫했다. 분명히 빈우는 작전에 들어가기 전, 말했었다. 치료용 마이크로 머신은 오직 팀원들을 위해서만 쓰고, 시민들에겐 쓰지 말라고. 이해할 수 있는 판단이다. 치료용 마이크로 머신으로 시민 열 명, 스무 명 치료해봐야 전황에 변화는 없다. 그러니 장시간 게릴라전을 해야 하는 373 지상팀원에게 쓰는 것이 맞다.

- 하지만 팀장님. 이제 막바지입니다. 워프 비스트들을 거의 정리하지 않았습니까. 이제 이분들을 치료해도 될 겁니다.

- 안 돼, 아직 작전은 끝나지 않았다. 그리고 현재 위급한 사람은 없다. 대피소의 응급물자로 충분히 대처 가능하다.

냉정한 빈우의 말에 위르겐은 작은 반항심이 들었다.

- 팀장님은요? 팀장님도 아까 시민에게 마이크로 머신을 쓰시지 않았습니까?

- 그래. 하지만 그건 인간이 워프 비스트로 변하는 과정을 세밀하게 조사하기 위해서였다.

빈우가 전에 들른 그 지하 창고에서도, 워프 비스트들은 인간을 모아놓고 변이시키려 했다. 그렇게 다치고 겁에 질린 사람들에게 계단이 만들어졌고, 결국 하나둘씩 워프 비스트가 되어갔다. 거기서 빈우는 워프 비스트로 변하는 인간의 몸에 마이크로 머신을 주사해, 변화 과정을 좀 더 자세히 보려 했었다. 하지만 그건 실패로 끝났다.

- 하지만, 마이크로 머신 주사 한 방이면—.

위르겐은 더 설득하려고 할 때, 누군가 거친 목소리로 그를 찍어 눌렀다.

- 위르겐 이 새끼야, 닥쳐.

다름 아닌 부팀장 아룹이 으르렁거린 것이다. 언제나 온화하고 여유 있어 보이는 그가 이럴 정도면 위르겐이 실수해도 큰 실수를 했다는 의미다.

- 앗, 죄송합니다. 팀장님.

자신이 무슨 잘못을 한 것인지 알아챈 위르겐이 급히 고개를 숙인다.

- 아니다. 이 일이 빨리 끝나야지. 치료를 계속하자.

373 팀원은 대피소 안에 있던 물자로 어떻게든 치료를 계속해나갔다.

*

- 고작 이 정도인가?

비홀더 1전대장인 이 섬이 말했다. 그는 카이사르의 전투 정보실에 동료들과 함께 서 있었다. 마주하고 있는 자들은 13전대의 장갑보병들과 13전대장인 아흐메드 후세인 대령이다.

- 이 섬.

후세인 대령이 넋두리를 한다. 같은 지구제국의 병사이고, 같은 지구제국의 장갑복이다. 그러나 이 섬은 격이 달랐다. 그와 맞선 13전대원들은 제대로 대응하지 못하고 죽어나갔다. 그가 이끄는 1전대원들에게 13전대원들은 패배만 거듭했다. 과연 황제의 첫 번째 검이라 불릴 만한 자였다. 잠시나마 백

중세였던 함대전조차도 1전대의 우위로 돌아갔다. 제대로 만들어지지 못한 카이사르 급 전함들은 오히려 그리폰 급 돌격 순양함에게 밀렸다. 정확히 말하자면 1전대는 카이사르 급의 약점을 속속들이 꿰뚫고 있는 것 같았다. 이렇게 함대전도, 장갑보병전도 모두 1전대의 승리로 끝나가고 있었다.

- 어리석은 자들아!

후세인 전대장이 외쳤다.

- **우리가 저 너머에서 무엇을 보았는지 아는가. 왜 샤다이들이 그 계단을 이용해 다른 우주로 떠났을까, 그리고 왜 다시 이곳으로 돌아왔을까. 이에 대해 아는 사람이 있냔 말이다.**

그의 질문에 답하듯 섬은 걸어 나왔다. 한 걸음, 또 천천히 한 걸음. 그 모습을 본 후세인 대령이 섬을 바라보며 다음 말을 이으려 했다. 하지만 마음만 그랬을 뿐이다. 이 섬이 순식간에 달려들어 검을 휘둘렀기 때문이다.

후세인은 목을 향해 바로 날아오는 검을 막았다. 그것을 시작으로 양 진영이 다시 충돌했다.

"반역자들에게 죽음을!"

1전대원들이 외치며 돌격한다.

"어리석은 자들에게 계몽을!"

13전대원들이 외치며 막아선다.

어설트 급 장갑복들끼리 난전이 벌어졌다. 엄청난 힘, 놀라운 빠르기, 아득한 전투 경험. 이런 지구제국의 전사와 맞서 싸울 수 있는 자는 같은 지구제국의 전사뿐이다. 중성미자가 응집된 검끼리 격돌한다. 무엇이든 통과하는 중성미자를 막을 수 있는 것은 같은 간섭력을 가진 중성미자 검뿐이다. 가속된 양성자가 총구에서 뿜어져 나간다. 물질을 붕괴시키는 이 마탄은 어설트 급 장갑복 표면에 발린 정지장은 돼야 막을 수 있다. 100년 동안 우주를 떠돌며, 수많은 외계종족을 척살했던 역전의 용사들이 죽어간다. 인류를 위해 헌신하겠다는 맹세가 더 큰 적의에 짓밟힌다.

"인류를 위하여!"

제국의 전사로서 했던 맹세가 양 진영에서 동시에 터져 나온다.

"평화를 위하여!"

루비콘 라인을 건너기 전 황제 앞에서 했던 맹세가 전투 정보실 안을 크게 울린다.

"모두 죽여라!"

하나의 함성 아래에 전투는 한층 뜨겁게 달아올랐고, 이에 따라가지 못한 낙오자들이 하나둘씩 바닥에 쓰러진다.

"전대장님! 물러서십시오!"

이 섬의 검에 후세인 전대장의 오른팔이 잘려나간다. 주춤하는 그의 옆으로 부관이 달려나와 막았다.

"이 섬! 내가 상대하마."

그런 부관의 어깨를 후세인 전대장이 잡아 말린다.

"그만, 자네가 상대할 수 있는 자가 아니야."

이 섬은 공격을 멈추고 둘을 조용히 보고 있었다. 그리고 한마디 했다.

"훌륭한 부관이군. 잠시나마 상관의 목숨을 연명시켰으니."

수치심으로 얼굴이 빨갛게 달아오른 부관을 뒤로하고 후세인 전대장이 앞으로 달려나갔다. 왼손에 들린 검이 투명하게 일렁이며 이 섬의 육체를 분해하려 덤벼든다. 그러나 이미 양측의 기세는 명확하게 갈렸다. 지금 섬은 왼손으로 검을 들고 자신의 적과 놀아주고 있는 것에 불과하다. 후세인 전대장도 모를 리 없는 굴욕이다.

"네, 네놈이!"

격분해서 자세가 흐트러진 13전대장에게 검 대신 주먹이 날아들었다. 바닥을 구른 후세인 전대장은 그제야 자신이 마지막으로 쓰러진 자임을 깨달았다. 모두 죽은 것이다. 방금까지 살아있던 부관도 앞뒤로 공격을 받아 죽어가고 있다. 100년간 같이 싸워왔던 전우들이 자신의 의무에서 벗어난 존재가 된 것을 본 그는 참담함을 금할 수 없었다.

"대답해."

위에서 내려다보는 목소리가 들려온다. 싸움을 끝낸 이 섬의 눈은 지루하기 그지없어 보였다.

"13전대장. 정말 그 안에서 계단을 내려오는 자들과 마주친 적이 있는가?"

아흐메드 후세인은 대답하지 않았다. 그가 누운 옆으로는 단말마가 들려온다. 1전대원들이 남은 13전대원들의 숨을 끊어놓고 있었다.

"황제께서 금한 공간에서 그대는 무엇을 보았는가?"

마침내 13전대의 마지막 생존자가 된 후세인 전대장은 몸을 일으켜 세웠다. 그는 1전대장인 이 섬을 마주 보며 말문을 열었다.

"그래. 우리는 놈들을 쫓아갔다. 그러나 더 이상 따라갈 수 없었지. 문 너머로는 육체를 가지고 갈 수 없었다. 하지만 우리는 거기서 놈들이 돌아오기 시작한 것을 보았다. 고대의 존재들이 본격적으로 돌아오려는 것이다."

후세인 전대장은 주변의 1전대원을 돌아보며 외치기 시작했다.

"고대 샤다이는 육체를 가진 존재가 아니다. 놈들은 인간을 바꾼다. 인류를 변이시킨단 말이다. 이것을 막아야 해."

그러나 그의 열변에 1전대원들은 아무런 반응을 보이지 않았다.

"무슨 수를 써도 미봉책에 불과해. 비를 막는 우산? 좋아. 집? 좋아. 하지만 이래선 안 된다. 구름 자체를 없애야 한단 말이다. 황제께서 하신 것처럼."

말을 마치고 뜨거워진 후세인을 이 섬이 차갑게 노려본다. 그리고 말했다.

"하지만 황제는 지금 안 계시지."

정곡을 찌른 말에 후세인 전대장이 움찔한다.

"……맞다. 그래서 황제가 필요한 것이다. 새로운 황제가."

"역시, 그것이 지구로 돌아가려는 목적이었군."

고대 샤다이가 돌아온다느니, 인류를 구한다느니, 다 포장이고 헛소리였다. 목적은 하나. 새로운 황제의 옹립이었다. 실망스러운 결과에 납득한 이 섬은 한숨과 함께 고개를 끄덕였다. 이 정도는 예측했던 바였다. 흥미를 잃은 그는 명령을 하나 내렸다.

"데려와."

그의 부름에 13전대의 부관인 낭소로호 중위가 여인 한 명을 끌고 전투 정보실로 들어왔다.

"안나 닐센 함장님을 모셔왔습니다."

거대한 어설트 급 장갑복의 절반이 조금 넘는 키의 그녀는 우악스러운 팔에 잡혀 휘청거리고 있었다.

"함장님!"

후세인 전대장이 13전대의 기함인 카이사르의 함장에게로 달려가려 했다. 그러나 그의 발보다 섬의 손이 더 빨랐다. 머리부터 내리꽂힌 검은 장갑을 통과해 그의 몸 깊숙이 들어갔다. 그리고 검극의 중성미자들이 응집과 산란을 반복하며 물질에 간섭을 시작했다. 아흐메드 후세인의 몸은 투명해진다 싶더니 먼지가 되어 사라졌다.

"어느 것 하나 이루질 못했군."

섬은 한때 전우였던 자를 배웅했다. 그 모습을 카이사르의 함장은 멍하니 보고만 있을 뿐이었다. 초점 없는 눈에 헤벌어진 입은 그녀가 제정신이 아님을 알려주고 있었다.

"흠, 루비콘 라인의 안쪽을 너무 돌아다닌 결과이려나."

이 섬은 안나를 조심스레 받아들곤 그녀의 얼굴을 살펴봤다.

"전대장."

그때 13전대의 함장인 샹 메이화의 목소리가 들려왔다. 목소리뿐만이 아니다. 그녀의 모습도 이곳의 전투 정보실에 비치고 있었다.

"예, 함장님."

이 섬이 안나를 내려놓고 공손히 대답한다. 주변의 1전대원들도 모두 무릎을 꿇어 그녀를 맞이한다.

"제 자매와 잠시 이야기할 수 있을까요?"

메이화는 슬픈 눈으로 기능이 마비되어가는 자매를 바라보고 있었다.

"예, 모셔가겠습니다."

"아뇨. 여기서 하겠어요."

"알겠습니다. 즉시 치우겠습니다."

1전대원들은 바닥을 더럽힌 적과 전우의 시체를 치우며 밖으로 나갔다. 마지막으로 나간 이 섬이 머리를 숙여 인사를 하곤 전투 정보실의 문을 닫았다. 숙인 고개를 들었을 때, 섬은 부관을 보고 있었다.

"낭소로호, 마무리는 어떻게 되어가나?"

"모든 카이사르 급들은 격침되었습니다. 그리고 심심한 전대원들은 나가서 샤다이를 잡으라고 했습니다."

"그렇다면 요시오도 갔겠군."

"이를 말이겠습니까."

오랜 전우 둘은 서로 쓴웃음을 지으며 바깥의 광경을 보았다. 웅장한 자태를 자랑했던 카이사르 급 전함들과 그리폰 급 순양함들이 격침되어 있었다. 그 대가는 꽤 컸다. 아군 순양함들도 적지 않은 피해를 입은 것이다.

"이만하길 다행이군."

전대장이 한숨 돌리며 안도했다.

"13전대가 서둘러준 덕분이죠."

부관도 고개를 끄덕이며 맞장구를 쳤다. 원래대로라면 그리폰 급 순양함은 카이사르 급 전함의 적수가 되질 못 한다. 그러나 오늘 만났던 카이사르 급은 얼치기에다 절름발이였다. 서두른답시고 함장들의 총의를 거치지 않고 마구잡이로 만든, 칠삭둥이 결과물에 불과했던 것이다. 전대장과 부관이 앞으로의 일에 대해 몇 마디 이야기를 나누고 있을 때, 메이화 함장이 나왔다.

"함장님, 이야기는 다 나누셨습니까?"

섬이 공손히 고개를 숙이며 물었다.

"네. 마지막을 배웅했어요."

그렇게 대답한 메이화는 궤도 상의 학살극으로 눈을 돌렸다. 샤다이들끼리 벌이던 소꿉놀이는 망나니의 칼 아래 잘게 다져지고 있었다. 멱살 잡고 티격태격 싸우던 놈들의 머리통이 사이좋게 날아간다. 그 무리 안에서 눈에 익은 전투함이 1척 보인다. 집정관의 전함이다. 그것을 보며 메이화가 반쯤 혼 잣말로 질문했다.

"어머나, 저 배짱. 도망가지도 않고 있네요. 체메트디오프는 대체 뭘 꾸미 는 걸까요?"

"동족들의 죽음이겠죠. 놈은 자격 없는 자가 혈통만으로 동족이 되었다는 사실을 경멸했으니까 말입니다. 자세한 꿍꿍이는 본인의 입으로 들으시겠습 니까? 그렇군. 아비라면 혹시 딸이 어디 있는지 알지 않겠습니까?"

이 섬이 대답했다. 체메트디오프는 지금까지 그의 손에 일곱 번 죽었다가 여덟 번 되살아났다. 한층 더 강해진 현재의 1전대라면 그리 어렵지 않게 놈 을 잡아올 수 있을 것이다. 하지만 메이화는 그다지 내켜지 않았다.

"글쎄요. 설령 그가 딸의 행방을 안다 한들 그것을 말할까요?"

"하긴……."

그리고 절묘한 타이밍에 요시오의 통신이 들어왔다. 대화를 나누던 두 사 람이 민망해지던 순간이었다.

- 전대장님, 저 지금 호민관 알탄훼아나의 배입니다.

"뭣이!"

놀란 이 섬의 눈앞에 요시오가 보는 영상이 펼쳐진다. 틀림없이 호민관이 다. 호위병 무리 속의 그녀는 분노와 공포에 질려 있었다.

- 곁가지가 좀 있는데 어쩔까요?

"그녀의 헛바닥을 부드럽게 할 몇 놈은 남겨서 데려와."

- 옙.

통신이 끊기고 이 섬의 눈에 다시 생기가 돌아온다. 심심해서 출격했던 요 시오 녀석이 그토록 찾아 헤매던 자를 우연히 찾아낸 것이다. 옆에서 낭소로 호가 '소 뒷걸음치다 쥐잡기'라고 하면서 박수를 치고 있다.

"그렇다면 높은 확률로 김빈우란 자도 가까이 있겠군요. 이건 정말 좋은 기회입니다."

메이화의 말에 섬도 고개를 끄덕인다.

"네, 오늘 한꺼번에 처리해버리죠."

디안머에선 거하게 헛다리 짚었지만, 이번엔 마치 그걸 만회하듯 얻어걸렸으니 기회를 날릴 수 없는 노릇이다. 그때 옆에서 낭소로호가 질문했다.

"그건 그렇고, 김빈우에 대해서 궁금하다면 그 상부에 바로 물어보면 되는 거 아닙니까? 연방이 그 정도는 가르쳐주지 싶은데 말입니다."

"중위, 우리가 원하는 것은 연방이 아는 김빈우가 아니에요. 알탄훼아나가 선택의 기로에서 보았던 그의 반응입니다. 샤다이 호민관의 선택에 김빈우란 자가 어떻게 반응했는지, 그게 중요합니다."

샤다이가 선택의 기로에서 보았던 것은 자신이 고르지 않았던 다른 길의 도입부다. 비록 짧은 것이겠지만 이런 것들이 모이고 쌓이면 미래를 추측하는 중요한 단서가 된다. 메이화의 설명에 낭소로호가 고개를 끄덕인다.

"아하, 과연. 그렇다면 김빈우가 보았던 알탄훼아나의 반응 또한 중요하겠군요."

"물론이에요. 하지만 이것은 결코 연방이 알아선 안 됩니다. 되돌아온 샤다이들이 연방의 상층부에 암약하는 이상, 이번 일은 되도록 비밀리에 이뤄져야 합니다. 그리고 전대장."

메이화의 말에 머리를 조아린 섬이 명을 기다린다.

"말씀하십시오."

"눈엣가시인 체메트디오프를 치우세요. 오늘의 일은 보는 눈이 적을수록 좋아요."

"알겠습니다."

그 말이 끝나기 무섭게 샤다이 함대 속으로 거대한 중력 닻이 내리꽂혔고, 전대장과 부하들이 집정관의 전함으로 날아갔다.

*

"펠훼단!"

알탄훼아나가 비명을 질렀다.

"호민관, 도망, 치십."

두 동강이 난 호위병의 수장은 마지막 말을 잇지 못했다. 넘어진 얼굴을 장갑복의 발이 짓이긴 것이다.

"호민관을 지켜라."

호민관의 호위병들은 지구제국의 장갑보병 노노무라 요시오 한 명을 상대로 시간을 끌고 있었다. 정확히는 그의 노리개가 되어서.

"헨칼라!"

가장 어리지만, 그만큼 겁이 없었던 젊은 호위병이 달려나갔다. 하지만 그는 순식간에 살점 조각이 되어 벽에 달라붙었다.

"뭐래, 병신이."

요시오가 손을 털며 앞으로 걸어갔다. 심심풀이로 나선 전투에서 뜻하지 않게 월척을 잡았다는 사실이 그를 미소 짓게 했다.

"야, 너. 내 말 알아듣지?"

요시오는 알탄훼아나를 보면서 사로잡은 호위병의 팔다리를 하나씩 잡아 뜯었다. 마지막으로 발버둥 치는 샤다이의 머리를 똑, 하고 뽑아낸 그는 좌우에서 덤벼드는 호위병들의 어깨를 잡아 으깼다.

"우리 대장님이 너한테 궁금한 게 있다. 대답만 하면 죽이진…… 음, 죽을지도 모르지만, 그땐 내가 고통 없이 보내줄게."

알탄훼아나는 억울하고 원통했다. 동족의 미래를 위해 했던 일이 동족상잔의 빌미가 되어버렸다. 이를 막으려 열심히 노력했건만, 갑자기 지구제국의 함대가 나타나 동족들을 학살했다. 그리고 지금은 그 시쳇더미에 자신과 부하들마저 들어갈 예정이 되어버린 것이다.

• • • ✦ • • •

163

빈우는 웨이블의 시가지를 걷고 있다. 주변에 워프 비스트의 움직임은 없어 보인다.

- 부팀장, 그쪽은 어때요?

- 조용합니다.

373팀의 무인기들도 넓게 퍼져 수색을 진행하고 있지만 더 이상 전투의 기색은 없다. 궤도 상의 전투도 마무리되었다. 비홀더 전대끼리의 전투가 1전대의 승리로 끝나자마자 학살이 벌어졌기 때문이다. 내전 중인 샤다이 함대는 물론이고 집정관 체메트디오프의 함대, 호민관 알탄훼아나의 함대까지 1전대의 공격을 받았다. 다른 함대들은 모두 포격에 격침되었지만, 집정관과 호민관의 배는 비홀더 전대의 장갑보병들이 직접 침투했다. 아마도 생포하려는 것이겠지.

- 동 함장님. 지상에 남아 있을지 모르는 워프 비스트의 소탕과 뒤처리를 위해 지원을 요청합니다만, 가능하겠습니까?

- 알겠소. 지금 곧 편성해서 내려보내지.

빈우는 궤도의 42전단 분함대에 지상 병력 지원을 요청했다. 곳곳에 숨어 있을지도 모르는 워프 비스트를 소탕하고, 부상자 치료 및 사후 처리를 위해서다. 어차피 빈우와 373팀은 42전단으로 합류할 예정이었고, 궤도의 큰불은 꺼진 참이라 요청은 쉬이 받아들여졌다.

"어이쿠, 오는구나."

빈우는 헬멧을 벗고 마카롱을 씹으며 지상으로 강하하는 그라디우스들을 보았다. 안에 든 무인기들은 전부 어벤저이고, AI 부장인 펑셴의 지휘를 받고 있었다. 빈우는 그에게 뉴 소노라와 웨이블의 대략적인 상황에 대해 알려주었다.

- 알겠습니다. 흥분한 시민들에겐 되도록 반응하지 말란 말씀이군요.

- 그래. 웨이블은 자치 행성에다가 반 연방 정서가 강한 곳이야. 시민들의 반응에 일일이 대응하지 말고 그냥 할 일이나 해.

자치 행성들은 강한 애향심만큼 배타적이다. 게다가 반 연방 세력이 장악한 웨이블이라면 더더욱 그렇다. 구해줬더니 보따리 내놓으라는 격이지만 어쩌겠는가. 빈우 자신이 말한 것처럼 자기 할 일이나 묵묵히 하는 수밖에.

그렇게 제 할 일을 하는 빈우는 지금 42전단의 장갑보병과 그라디우스, 그리고 정찰 드론들이 보내준 정보들을 꼼꼼히 살펴보고 있었다. 이제 워프 비스트의 꼬리도 안 보인다. 아까의 전투가 마지막이었던 것 같다. 이 정보를 팀원들에게 공유하자, 역전의 용사들이 앓는 소리를 내며 기대 선다.

- 에고고, 그럼 워프 비스트는 전멸인가요?

파트리샤는 바닥에 털썩 주저앉았다. 열두 시간은 족히 넘게 쉬지 않고 싸워왔으니 당연한 반응이다.

"그렇겠지."

빈우는 그렇게 대답하곤 먹던 마카롱을 마저 입에 털어넣었다. 그러자 극상의 '가짜' 맛이 터져 입안 곳곳에 흘러넘친다. 이게 눈앞의 피폐한 풍경과 어우러지자 오히려 토악질이 나올 지경이다. 군데군데 전투의 흔적이 보이는 시가지에서 느끼는 고급 레스트랑의 맛은 언제나 그렇듯 변태적이었다. 그래도 꾸역꾸역 사람 연료를 씹어 삼킨 빈우는 현재의 상황과 이 정보를 조합해 웨이블의 시장에게도 넘겨주었다. 사건이 일단락된 지금은 적절한 통치권자인 그에게 이곳의 행정권이 돌아가야 한다.

- 자, 무인기들이 정리하면 철수한다.

애초에 373 지상팀은 빈우가 수사를 하러 몰래 들어왔다가, 워프 비스트들의 공격에 갑작스레 출동한 것에 불과하다. 뒤처리는 뒤에 올 다른 팀들에게 맡기면 되는 일이다. 그리고 잠시 동안 지상팀과 궤도의 함대가 통신을 하고 있을 때, 빈우의 귀에 거슬리는 소리가 들려왔다.

- 여러분! 우리가, 녹색 연맹이 이겨냈습니다.

폴 애머슨. 웨이블의 시장이란 작자가 기어나와서 연설을 하기 시작한 것이다. 우지의 롱소드가 보내준 영상을 보니, 아예 연단까지 마련해놓고 떠들어대고 있었다. 뒤에 있는 전광판에는 워프 비스트의 시신들이 재생된다.

- 외계의 침략도 우리를 이길 수 없었습니다. 연방의 협박도 우릴 꺾을 수 없었습니다.

- 팀장님, 저 양반 어떻게 할까요?

그의 입에 치과 치료를 해줬던 아룹이 지친 목소리로 물어본다.

- 내버려두죠. 다 끝났으니 챙겨서 뜹시다.

빈우도 지쳤다. 마카롱으로 채울 수 있는 육체의 피로가 아니었다. 그리고 피로를 가중시키는 소리가 연이어 들려온다.

- 지금 우리 땅에 내려온 연방군을 배척하지 마십시오. 그들은 처음에는 이 땅을 찬탈하기 위해 왔을지는 모르나, 지금은 저의 명에 봉사하는 충직한 종입니다.

- 아오, 저 개새끼를 내 그냥.

위르겐은 분통이 터지는지 씩씩대고 있었다. 아까는 협박으로 자신을 무릎 꿇게 만든 적이라고 헛소리를 씨부리더니 이제는 자신의 종이란다.

- 키야, 대가리 잘 돌아가네. 이거 반만이라도 아까 대처하시지 그랬어.

파트리샤가 싸늘하게 웃으며 이죽댄다. 저 시장은 373이나 연방군이 항의하지 않으리란 생각에 저렇게 마구 말을 던지는 것이다. 하긴 저쪽은 자치 행성의 시장, 이쪽은 연방의 군인. 사태가 정리되는 이 마당에선 뭐라고 말할 건덕지가 없다.

- 팀장님, 저거 그냥 놔둘 겁니까?

- 뭐 어쩌라고 인마. 우리가 무슨 부귀영화 누리자고 여기 온 건 아니잖아.

빈우는 투덜대는 위르겐을 달래며 어깨를 으쓱할 뿐이다. 저들을 구했으면 된 것이다. 말마따나 딱히 영광이나 포상을 바라고 한 일이 아니었다.

- 어머나 세상에~ 사람들 다 기어나오는데요?

파트리샤의 탄식대로 대피소의 사람들이 시장의 연설에 감화되어 하나둘씩 문을 열고 밖으로 나오고 있었다. 그런 사실에 고무된 듯, 애머슨 시장의 목소리가 점차 커진다.

- 시민 여러분! 콘스탄틴에 요제프 클림트가 있었다면, 우리 녹색 연맹에는 어린 영웅 티모시가 있습니다.

이 말에 빈우의 발걸음이 뚝 하고 멈췄다.

요제프 클림트, 콘스탄틴의 대피에서 홀로 남겨진 고아다. 결국 목타하의 손에 떨어져 산 채로 해부당했다. 그리고 그의 죽음은 연방의 프로파간다에 이용되었다.

티모시 1078, 장애를 가진 고아였다. 여동생과 둘이서 힘들게 살다가 샤다이의 귀환을 막기 위해 스스로 희생했다. 그리고 그의 죽음은 지금부터 포장되기 시작한다.

- 나 잠깐 갔다 올게.

- 아니 아니, 기다려보세요. 저 아무렇지도 않습니다. 저 괜찮다굽쇼.

빈우의 말에 위르겐이 질겁해서 말린다. 다른 팀원들도 마찬가지다. 이들은 자신의 팀장이 뚜껑 열리면 무슨 짓을 하는지 질리게 봐온 것이다.

- 그냥 말만 좀 하고 올게.

- 에헤이, 가지 말라니까.

파트리샤가 후다닥 달려오고, 아룹도 이쪽으로 날아온다. 하지만 빈우는 누가 말릴 틈도 없이 먼저 제트팩을 써서 날아올랐다.

- 여기서 기다려.

메마른 그의 말에 팀원들은 기다릴 수밖에 없었다.

빈우가 도착한 궤도 엘리베이터의 터미널에는 사람들이 서서히 모이고 있는 중이었다. 이들은 굴러들어온 생존과 승리를 마치 자신이 일군 것인 양 착각하고 있었다. 결집하고 있던 웨이블의 시민들은 하늘에서 착지한 연방의 장갑복을 보고 놀라서 좌우로 흩어졌다.

"연방군이다."

"아, 나 저 사람 알아요. 아까 우릴 구해줬어요."

"아니에요. 우리 스님 머리를 때린 사람인 것 같은데?"

빈우는 웅성거리는 대중을 지나 애머슨 시장이 열변을 토해내고 있는 연단 위로 올라갔다. 시장은 갑자기 나타난 빈우를 보고 놀라긴 했지만, 이내 표정을 가다듬고 다시 연설을 시작했다.

"보십시오, 저의 부름에 달려온 연방의 군인을!"

시장의 말에 시민들이 안심하고 환호한다.

"이들은 더 이상 침략자가 아닙니다. 저의 명령에 따르는 연방의 군인이자 녹색 연맹의 영웅입니다. 저들이 저의 명령에 따라 여러분을 구한 것입니다."

여기까지 말한 애머슨은 마이크를 빈우에게 내밀었다. 그리고 작게 속닥 거렸다.

"대충 말이나 좀 맞춰주시오."

그러나 빈우는 말없이 그저 이 정치꾼을 물끄러미 쳐다볼 뿐이었다. 어색한 침묵이 길어질 기미가 보이자, 애머슨 시장이 손가락으로 자신의 입을 가리켰다. 아까 아룹이 원만한 사태 해결을 위해 해준 치과 치료일 것이다. 즉 네놈이 한 짓이 있으니 협력하란 의미다. 아니면 여기저기 나불대기 시작할 테니. 그래도 부팀장인 아룹은 여기서 자신의 노련함을 잔뜩 뽐냈었다. 정확하게 충치만을 손가락으로 잡아 발치했고, 지혈도 확실히 했다. 상황이 상황인지라 마취를 할 수 없었지만, 시술은 성공적으로 끝났고 그 덕에 대피도 늦

504

게나마 시작할 수 있었다. 치료를 받았던 그 입이 비굴한 미소와 함께 다시 움직인다.

"자, 영웅이여. 마이크를 잡고, 오늘 제 지시에 따라 웨이블을 구한 소감 한 말씀……."

"내가 영웅이라고? 난 그냥 개새끼요."

빈우의 막말에 연단 위가 조용해졌다.

"그래. 개새끼지. 왜인지 알아? 내가 처음에 당신 대가리부터 깨부쉈으면 이 지랄은 안 났어. 아니, 궤도 엘리베이터 타고 도망가게 내버려둘걸 그랬지. 그랬다면 댁은 위에서 기다리는 괴물들 아가리로 골인했을 거고, 대피는 빨라졌을 테니까."

그러면서 빈우는 시장에게 성큼 다가섰다.

"여기 있는 이 개새끼가 당신을 살려두는 바람에 얼마나 많은 이가 죽고 다쳤을까? 댁의 그 헛소리에 몇 명이 우왕좌왕하다가 길을 잃고 죽었을까? 어디 한번 씨부려보시지."

빈우의 흉흉한 기색에 사람들 여기저기서 비명이 터져나오고, 바로 앞의 애머슨 시장은 연달아 뒷걸음친다. 그가 뭐라 말을 못 하고 입만 벙긋거릴 때, 뒤에서 측근이 달려와 시장에게 귓속말을 했다. 빈우에게도 다 들리는 귓속말이다. 그러자 시장 얼굴에 회심의 미소가 감돈다.

"여러분, 이곳에 또 한 분, 이 웨이블을 구한 또 한 분의 영웅을 모시겠습니다. 바로 티모시 고아원의 원장, 티모시 핸튼 씨를 소개합니다."

저기서 웨이블 경찰들의 인도를 받아 연단으로 오는 노인이 보인다. 아마 그가 티모시 핸튼이겠지. 노인은 사태를 파악하지 못하고 좌우를 두리번거리다가 옆에 있던 경찰이 뭐라고 말하자 손가락을 들어 빈우를 가리켰다. 그리고 새된 목소리로 외쳤다.

"저기, 저 사람이오. 저 사람이 제 아기를 죽였습니다."

고아원 원장의 말에 주변에서 비명과 탄식이 들려온다.

"세상에, 내 그럴 줄 알았어."

"아니, 무슨 소리예요. 연방군이 우릴 구해줬잖아요."

"바보야, 그게 다 꿍꿍이가 있는 거라고."

"그 괴물들이 사실 연방의 생체병기가 아니었을까? 저놈들은 그 뒤처리를 하러 온, 그런 비밀부대가 아닐까?"

"그렇다면 우리도 입막음 당하는 거야?"

혼란스러워하며 웅성거리는 사람들. 그때 전광판에 새로운 영상이 보인다. 티모시 1078이 플라스마에 타들어가는 당시의 대피소 내부 영상이다. 빈우가 티모시 1078을 잡고 있고, 알탄훼아나가 플라스마를 뽑아내 아이의 몸속으로 밀어넣는다. 어딘가에서 여자가 비명을 질렀다.

"아아악!"

"세상에, 사람을, 아이를 산 채로."

"저 괴물 같은 새끼, 외계인과 같은 편이었어."

시민들이 흥분해서 들고 일어난다. 시장이 나서서 그들을 진정시킨다.

"진정하십시오. 보시다시피 그는 잠시나마 우리 녹색 연맹을 적대한 자입니다. 그러나 지금은 저의 설득에 감복해 우리의 부하가 되었습니다. 그리고 거기엔 저 소년의 숭고한 희생이 있었던 겁니다. 저 아이가 목숨을 바쳐 우리 녹색 연맹의 아름다운 이상을 가르쳐준 겁니다. 이 소년 영웅은 저 폴 애머슨이 후원하는 티모시 고아원의……."

긴급 시에는 어벙했지만 이런 수완 하나는 기막힌 사람이다. 하지만 빈우는 전부 다 무시하고 연단을 내려가 원장의 앞으로 걸어갔다. 한 대 치려고 나왔던 시민들은 실제 장갑복을 보고선 주춤주춤 물러난다. 경찰과 원장은 우물쭈물 물러나려고 했지만, 빈우가 먼저 그 앞에 섰다.

그리고 빈우가 질문했다.

"저 때 죽은 아이의 이름이 뭡니까?"

질문을 제대로 알아듣지 못했는지 원장이 버벅거린다.

"어어, 이름? 티모시…… 으음."

고아원장 티모시 핸튼은 제대로 대답하지 못했다. 모르는 건지, 아니면 숫자를 말하기 껄끄러운 것인지 입만 우물거린다. 빈우가 재차 질문한다.

"죽은 아이의 동생 이름을 알려주실 수 있으십니까?"

주위를 두리번거리던 원장이 가슴을 잡고 비틀거린다.

"허억, 가슴이, 숨을 쉴 수가."

"지금 다친 사람에게 무, 무슨 짓이요!"

옆의 경찰이 원장을 부축한다. 노인은 가슴을 부여잡고 쓰러지지만 다 쇼다. 빈우의 센서에는 아무런 이상이 없다고 나온다.

"그 아이, 티모시 1079는 지금 어디 있소?"

메마른 빈우의 질문에 노인은 정신을 잃은 척 눈을 감지만, 다시 부릅떴다. 비명과 함께.

"흐아아아!"

"티모시 1079는 지금 어딨냐고!"

치료용 마이크로 머신 주사가 원장의 가슴에 꽂히고, 마이크로 머신이 몸 안으로 주입된다. 마이크로 머신은 주사기도 굵고 크기도 커서 주사 시의 이물감이 꽤나 불쾌하다. 솔직히 민간인이 마취 없이 맞기엔 X나게 아프다.

"어거어어어!"

콧물과 침을 흘리는 원장, 그 옆에서 눈물과 오줌을 흘리는 경찰관들.

이것도 저것도 다 쇼다. 웨이블의 시민들에겐 빈우가 원장의 가슴을 송곳으로 쑤시는 것으로 보일 테고, 나중에 만날 연방의 사후조사관은 이것을 현장의 판단에 의한 긴급의료 행위로 '이해'해 줄 것이다.

164

· · · ✦ · · ·

이 모습을 본 뉴 소노라의, 웨이블의 시민들은 대번에 난동을 피우기 시작
했다.

"나가라! 연방은 우리 땅에서 꺼져라!"

"네놈들 도움이 없어도 우린 우리가 지킨다!"

"무슨 소리야. 저 사람들이 우리 지켜준다고 하루 종일 싸운 거 잊어버렸
어?"

"그걸 믿어요? 사람들을 지하실에 밀어넣고 수작질 부린 거잖아요."

"시민 여러분, 진정하세요. 저 자는 웨이블의 시장인 저의⋯⋯."

갑론을박이다. 그러나 주변에서 뭐라고 하든 간에 빈우는 원장을 압박했
다. 다음 주사를 꺼내어 말없이 그의 눈앞에 들이대자, 입에서 침과 함께 대
답이 흘러나온다.

"몰라요, 모릅니다아."

대개 진실은 피똥과 함께 나온다는 것을 아는 빈우는 이게 사실임을 간파
했다. 아무래도 이 노인은 아무것도 모른 채 시장의 프로파간다를 위해 끌려
온 것 같다. 티모시 1079는 아직 그 여자와 함께 대피소에 있을지도 모르고,
이미 시장의 손에 들어갔을지도 모를 일이다.

'그 아기는 어디 있을까.'

이제 걸음마를 하고, 말은 고작 한두 마디 할 나이다. 눈앞에서 가족을 잃

고 지금 어디에 있을까. 빈우는 약속을 했다. 자신의 손안에서 죽은 그 아이의 오빠에게, 동생을 행복하게 살게 해주마고 약속했다.

'그런데 나는 지금 여기서 뭘 하고 있는 걸까.'

그 약속을 지키려면 여기서 이러고 있을 때가 아니다. 티모시 1079를 구하기 위해선 빈우는 빨리 모함인 블랙 랜스로 돌아가야 한다. 그다음 정상적인 입양 절차를 거치고 통보만 하면 될 일이다. 이렇게 아무것도 모르는 노인의 멱살을 잡고 주사기를 쑤실 일은 아닌 것이다.

하지만 빈우는 눈앞에서 가족을 잃은 슬픔을 안다. 바로 자신이 그랬으니까. 그래서 한시라도 빨리 그 아기를 구하고 싶었다. 이성보다는 감성으로. 자신을 만족시키려는 정의감으로. 생각이 여기까지 다다른 빈우는 픽 하고 웃음을 터트렸다. 불현듯 자신이 군에 입대한 이유가 떠올랐기 때문이다. 연방을 구하기 위해? 택도 없다. 누나 같던 아나스타샤를 덮친 충격으로? 핑계다. 눈앞에서 엄마가 죽어가도 아무것도 못 했던 꼬마는 과연 무엇에 떠밀려 도망쳤을까.

'조잡한 정의감과 열등감, 그리고 후회.'

빈우는 그날 이후 변하지 않은 자신을 다시금 느끼고 있다. 각종 군사 훈련을 받은 군인은 창고 안에서 울던 아이를 구하지 못했다. 고도의 신체 강화를 받은 살인 병기는, 워프 비스트로 변하던 아이를 자기 손으로 죽여야 했다. 군사정보국에 들어간 주제에, 자신을 그렇게나 따르던 자크의 생사조차 파악하지 못하고 있는 상태다.

'군에 들어가 강한 육체와 강한 정신을 가지면 변할 거라 착각했었지.'

사람은 성장하고 교육받으며 변한다. 그러나 변하지 않는 부분이 있다. 빈우는 그런 자신의 변하지 않는 부분을 혐오했다. 바꾸고 싶어 했으나 결코 바뀌지 않는 자신의 과거 모습은 지금도 그대로였다. 그것은 언제나 빈우를 얽매어왔다. 바로 지금 노인의 멱살을 잡고 있는 빈우가 그랬다. 티모시 1079란 일면식도 없던 아기를 구하기 위해 난리를 피우는 모습이, 과연 군사정보국의 소령이 할 짓일까? 아니다. 이것은 자기 스스로가 정의라고 믿는 유치한 발악이다. 과거에 하지 못했던 행동에 대한 반동이고 보상이다.

'어머니의 죽음을 보고도 멍하니 서 있던 여섯 살짜리 겁쟁이 애새끼가 자란들, 위험에 처한 연방에 뭘 할 수 있을까. 그저 겁에 질려 질질 짜겠지.'

빈우는 문제점을 잘 알고 있었다. 그래서 해결책을 찾기 위해 노력했다. 그리고 마침내 그 방법을 찾아냈다.

'그 방법은……'

거기까지 생각이 닿았을 때였다. 뭔가 이상하다. 강렬한 기시감이 빈우를 감싼다.

'이건, 트리니티 패턴!'

지금 빈우의 머릿속에서 트리니티 패턴이 풀리려 하고 있다. 두뇌 속에서 생성된 전기신호들의 파장이 겹치고 겹쳐 하나의 열쇠가 되고, 그것이 두뇌 칩으로 밀려들어간다. 이제 마지막 하나다. 마지막 하나의 열쇠가 들어가면 트리니티 패턴은 풀리게 된다. 그러나 그 비밀은 당사자인 빈우는 볼 수 없다. 기록 자체가 정보국에 의해 묶여 있는 것이다. 트리니티 패턴의 비밀이 풀려도, 기록의 원래 주인인 빈우는 열람조차 못 하고 군사정보국의 손에 바로 넘어가게 된다.

'이제 곧 풀릴 것이다. 한 번이나 두 번째에.'

좀 더 중요한 사실을 깨달은 빈우는 정신을 차리고 주변을 둘러보았다. 그에게 성난 군중들이 덤벼들고 있다. 그러나 불도저에 덤비는 개미 꼴들이다.

"그만 하세요. 때리지 마세요!"

애머슨 시장이 사색이 되어 말린다. 빈우가 손이라도 한번 휘두르면 주변은 토마토케첩이 되리라.

"미쳤어! 이게 뭐 하는 짓이야."

몇몇 사람들이 폭도들을 말려보지만 소용이 없다. 작은 불씨는 이제 화재가 되어 빈우를 덮치고 있다. 빈우 주변의 사람들은 저마다 장갑보병을 걸어차고 때린다. 그리고 부러진 자신의 손과 발을 감싸고 바닥을 구른다. 파이프를 들고 친들, 칼로 얼굴을 찌른들 다 의미 없는 행동이다. 자신만의 정의감에 떠밀려 행동하는 이들은 얼핏 빈우 자신의 모습과도 같아 보인다. 과거 연방 사관학교를 들어갔을 때의 모습 말이다.

"소란을 피워 죄송합니다."

빈우의 말에 사람들이 딱 굳어버렸다.

"약간 오해가 있었던 것 같군요. 원장님의 치료는 다 끝났습니다. 이제 안심하셔도 됩니다."

그리고 빈우는 몸을 돌려 연단 위로 다시 올라갔다.

"티모시 1079는 제가 입양하겠습니다. 필요한 서류는 나중에 보내드리겠습니다."

시장에게 통보한 그는 제트팩을 써서 날아올랐다. 그리고 지상팀을 회수하기 위해 온 그라디우스에 합류했다. 팀원들이 뭐라고 하지만 잘 들리지 않는다. 지금은 그저 쉬고 싶었다. 웃고 있는 아나스타샤의 곁에 누워 그녀와 함께 자고 싶은 마음뿐이다. 그러나 빈우의 바람은 이뤄지지 않았다. 뜻하지 않은 손님이 찾아온 것이다.

- **팀장님, 비홀더 전대에서 승함 허가를 원하고 있습니다.**

오르 함장의 말에 빈우는 긴장했다. 궤도 상에서 그렇게 깽판을 친 놈들이 태스크포스 373에는 무슨 볼일이 있다고 찾아온 것일까.

- **알겠습니다. 올라가는 대로 맞이하도록 하지요. 그렇게 전해주십시오.**

이런 까닭으로, 빈우는 블랙 랜스에 올라가자마자 손님맞이를 해야 했다. 지상팀을 태운 그라디우스가 블랙 랜스에 착함하자 그 뒤를 이어 껄끄러운 손님이 비집고 들어왔다.

"만나서 반갑소. 본관은 비홀더 1전대의 전대장인 이 섬 준위요."

거대한 지구제국 장갑복이 블랙 랜스의 격납고에 내려온다. 태스크포스 373에서 가장 체구가 큰 사람이라면 부팀장인 아룹 라마누잔이다. 212cm인

그의 키는 장갑복을 착용하면 250cm까지 커진다. 그러나 눈앞의 이 섬은 그런 아룝조차 한참 아래로 내려다보는 거구다. 이게 군용으로 개조한 연방의 군인과 애초에 군용으로 만들어진 제국 군인의 차이다.

이 섬은 사뭇 긴장한 373 팀원들을 온화한 표정으로 둘러보았다.

"대화를 몇 마디 하러 왔소만, 괜찮겠소?"

말하자고 해놓고서 디안머에서 깽판을 친 전력이 있는 놈들이니 괜찮을 리가 있나. 하지만 빈우는 최대한 내색하지 않으며 대답했다.

"대화? 못할 것도 없지요. 일단 자리로 안내하지요."

"아, 번거롭게 할 생각은 없소. 이 자리에서 해도 상관없지 않소?"

비홀더 1전대장이 자리를 옮기지도 않고 격납고에서 선 채로 바로 얘기하자고 한다. 빈우는 이게 무슨 꿍꿍이일까, 하고 머리를 굴려보았지만 딱히 집히는 것은 없었고, 그래서 나온 말 또한 단순했다.

"그럽시다. 뭐 궁금한 거라도 있습니까?"

빈우가 알기로 섬은 디안머의 징수 함대에 그곳을 지났던 연방군 함선의 점프 기록을 요구했었다고 한다. 그 직전에 라출노그로 가기 위해 디안머 점프 게이트를 쓴 적이 있는 태스크포스 373으로선 조금 찜찜하다.

"이 자를 아시오?"

그러나 섬이 상자에서 꺼낸 것은 절단면이 너덜너덜한 머리였다. 빈우도 알고 있는 샤다이의 머리다. 빈우는 그걸 물끄러미 바라보다가 질문했다.

"대답해야 합니까?"

"그야, 당신의 선택이잖소?"

빈우는 바로 대답했다.

"체메트디오프. 샤다이의 집정관이지요."

그리고 포말하우트 게이트 안에서의 일을 알고 있는 중요 인물이다. 그런 자가 이렇게 손쉽게 시체가 되어 나타나니 빈우는 허탈했다.

"역시 알고 있군. 그럼 이 자는?"

이번에 제국 군인이 상자에서 꺼낸 것은 만신창이가 되어 간신히 숨만 붙어 있는 샤다이였다. 그녀의 사지는 부러지고 꺾여 있다. 일그러진 얼굴은 고통과 울분에 삼켜져 있다. 비록 적이지만 한때나마 같이 싸워왔던 처지라 빈우의 입맛은 조금 썼다. 그래서 대답하는 목소리도 조금 씁쓸했다.

"알탄훼아나…… 샤다이의 호민관이지."

빈우의 대답에 섬은 흡족한 미소를 띠며 고개를 주억거렸다.

"이전에도 이것을 만난 적이 있지 않소?"

"지금 심문하는 겁니까?"

갑작스러운 빈우의 질문에 거대한 지구제국 병사가 손사래를 친다.

"천만에. 불쾌했으면 사과하리다. 아주 중요한 사안이기에 신중을 기하는 거요. 부디 양해해주기 바라오."

디안머에서 징수 함대를 대하던 모습과는 사뭇 다른 태도다. 말뿐만이 아니라 행동도 꽤 정중하다. 그래서 빈우는 약간 기세를 타기로 했다.

"뭐 알고나 대답합시다. 대체 이런 것을 내게 왜 물어보는 겁니까? 또 뉴소노라의 궤도 상에서 벌어진 비홀더 전대의 내전은 무슨 일입니까?"

"흠, 하긴 당사자인 이 팀장은 알 필요가 있겠구려."

섬은 납득한 듯 알탄훼아나를 바닥에 던져놓고는 곰곰이 생각했다. 적절한 말을 고르는 것처럼 보였다.

"이 샤다이는, 아니 샤다이의 몇몇 직책은 자신이나 종족의 일에 중대한 영향을 끼치는 대상에 한해서 그 존재의 가능성을 점쳐볼 수 있소. 예를 들어……."

섬은 주먹을 쥐어 바닥에 널브러진 알탄훼아나를 겨누는 시늉을 했다.

"나 같은 자가 그녀를 공격하려 한다면, 그녀는 본관의 수많은 공격 방법 중 몇몇을 보게 될 거요. 주먹을 바로 내지를지, 검을 휘두를지, 총을 쏠지 하는 것 등 말이요."

이 섬의 말이 맞다면 알탄훼아나는 그런 능력을 가지고도 눈앞의 제국 군

513

인에게 졌다는 이야기다.

"아주 편한 것은 아니라오. 이때 보이는 것은 어디까지나 가능성의 시발점일 뿐 확정된 미래가 아니며, 또한 자신이 보았던 것을 쫓을 수 없다면 아무런 의미가 없지."

주먹을 거둔 섬의 시선은 이제 빈우를 향하고 있다.

"그리고 이 영향은 좀 묘하게 번진다오. 만약 상대방이 자신이나 종족의 일에 함께 말려들어가는 자라면, 그 역시 자신의 가능성을 보는 샤다이를 마주 볼 수 있소. 샤다이가 선택했을지도 모르는 행동과 말을 잠깐이나마 엿보고 엿들을 수 있단 말이외다."

섬의 말을 들으니 짐작 가는 것이 있다. 오브리가도의 감옥에서 알탄훼아나는 동시에 여러 곳을 보고 있었다. 이번 뉴 소노라에서도 그녀는 빈우가 뒤집어쓴 위장포를 앞뒤로 동시에 들추고 들어왔다. 알탄훼아나는 그것을 선택의 갈림길에서 선택의 흔적을 본 것이라고 했다. 그리고 서로가 영향을 받는다고 했다. 이 섬의 말대로라면 빈우는 알탄훼아나와 샤다이에게 큰 영향을 끼치는 존재이며, 더불어 그 사건에 자신 스스로가 말려들어간다는 얘기다. 지금으로서 짐작 가는 사건은 하나뿐이다. 바로 워프 비스트다.

이런 설명을 하면서 비홀더 1전대장의 시선이 빈우를 의미심장하게 훑는 것을 보니, 그는 아마 빈우에 대한 정보를 어느 정도 습득한 듯싶다. 그리고 섬의 말은 이어진다.

"물론 귀관께서 이 샤다이가 하려 했던 가능성의 흔적을 봐도 큰 의미는 없을 거요. 그 능력은 본디 이들을 위한 것. 당신에게 보인 것은 그 현상의 반동에 불과하기 때문이오. 그러나 그게 전혀 쓸모없지는 않소. 그러한 가능성들을 차근차근 모아본다면, 대상이 선택할 미래를 알 수 있기 때문이지."

빈우는 대강 짐작이 갔다. 이 섬이 알탄훼아나와 빈우를 대질시킨 건, 두 사람 사이에서 서로가 보았던 흔적들을 알아내기 위해서다. 그리고 이를 토대로 워프 비스트에 대한 미래를 추리하려는 것이리라.

"본관이 군이 여기까지 온 이유는, 그 흔적들을 확인하고 수집해, 본 전대가 당면한 문제 해결에 도움이 될 단서를 찾기 위해서요. 아, 물론 협조에는 적절한 대가를 지불할 거외다."

이 섬의 친절한 설명에 빈우는 다시 질문할 시기를 붙잡았다. 그러나 그전에 한 번 호흡을 가다듬을 필요가 있었다.

"자세한 설명 고맙습니다. 먼저 목이라도 축이는 건 어떻습니까?"

빈우의 명령에 아나스타샤가 차를 한 잔 가지고 왔다. 물론 지구제국 병사의 크기에 맞춘 잔이다.

"이거 감사하군."

이 섬은 선 채로 차를 벌컥벌컥 마시더니 아나스타샤에게 잔을 돌려주었다. 그 와중에 그녀와 눈을 마주치며 감사의 미소를 작게 지은 건 덤이다. 이 정도면 족하다. 적어도 그가 예의를 차리고 온 점은 확실하다. 그렇다면 비벼볼 자리는 있는 셈이다.

"그러니까, 이 전대장이 찾는 것은 나와 그녀, 샤다이의 호민관이 엮인 사건에 대한 가능성……의 흔적이란 거군요."

"그렇소."

"그렇다면 짐작 가는 게 하나 있는데……."

이 섬은 말끝을 흐리는 빈우를 흥미롭게 쳐다본다.

"이 전대장은 혹시 워프 비스트에 대해 알고 있습니까?"

"워프 비스트? 연방이 그리 칭하는 것이라면 고대 샤다이들의 귀환에 의한 빙의체 아니오? 물론 알고 있소."

빈우의 질문에 섬은 시원시원하게 대답한다. 역시 비홀더 전대는 워프 비스트에 대해 알고 있었다. 그러나 대답이 조금 이상했다. 빈우는 이 섬이 원하는 정보 중에서 워프 비스트가 핵심인 줄 알고 그것을 바로 찔러 질문했다. 하지만 그에게 있어 그것은 정답이 아니었던 모양이다.

'어쩐다. 다음은 워프 비스트에 대해 계속 질문을 할까, 아니면 오늘 싸웠던 비홀더 전대의 목적에 대해 질문할까.'

비홀더 전대와 이렇게 대화를 할 수 있는 것은 대단히 드문 기회다. 저쪽이 언제 마음을 바꿀지 모르는 이상 신중히 질문을 골라야 한다. 머리를 굴리던 빈우는 말할 기회를 섬에게로 넘겼다.

"말씀 계속하시죠."

우는 섬의 말을 듣고 조금 더 단서를 수집한 다음 질문하기로 했다.

"김 소령, 귀관은 이 샤다이와 마주쳤을 때 선택의 흔적을 본 적이 있소?"

"그녀의 움직임이 여러 갈래로 보이는 것 말씀이죠?"

"바로 그거요."

"있습니다. 두 번. 오브리가도에서 한 번 있었고, 발 가르단 하스에선 만나긴 했지만 별다른 징조는 없었습니다. 그리고 오늘 뉴 소노라에서도 한 번 있었습니다."

"그 두 번에 대해 좀 더 자세한 설명 부탁드리오."

섬은 발 가르단 하스란 말에 아무런 반응을 보이지 않았다. 그곳은 비홀더 1전대 자신들이 리퍼들을 전멸시키고, 그 함선에 반물질 폭탄을 실어서 떨어트린 행성이다. 더구나 고대 샤다이들이 돌아오는 계단을 부술 수 있는, 워프 비스트의 침공을 막을 수 있는 정보 생명체에 대해서 아무런 반응을 보이지 않는 것은 조금 이상했다.

'뭔가 숨기는 게 있는 걸까. 아니면 흥미가 없는 걸까.'

그렇게도 생각해보았지만, 워프 비스트의 존재에 대해 거리낌 없이 대답한 것을 보면 딱히 숨기는 기색은 없어 보였다. 당시 섬과 전대원들의 대화를 보면 정말로 몰라 보였으며 전투 외에는 관심이 없어 보였다. 아무튼 빈우는 자신이 보았던 알탄훼아나의 흔적들에 대해 설명해주었다.

"흠, 설명 고맙소. 큰 도움이 되었소."

빈우가 말해준 것은 감금되어 있던 알탄훼아나가 보았던 시선들의 방향과, 위장포를 들치며 들어왔던 그녀의 방향들에 불과했다. 빈우로선 기이하긴 해도 별다른 정보를 찾을 수 없었던 사실이지만 섬은 꽤나 만족한 듯 미소를 지으며 고개를 끄덕이고 있었다. 알탄훼아나가 보았던 빈우의 흔적은 이미 들었겠지. 그녀의 몸 상태를 보면 어떻게 들었는지 대략 상상이 간다.

"이제 본관이 이곳에 온 목적은 달성했소. 해서 답례를 하고 싶은데, 뭔가 원하는 것이라도 있소?"

그것으로 충분했는지 섬은 답례품을 내놓으려고 한다. 그게 지구제국의 것이라면 꽤 가치가 높다. 일단 빈우는 슬쩍 떠보기로 했다.

"디안머에선 무기와 설계도까지 제공한다고 하셨는데, 지금도 유효합니까?"

"그야 물론."

이어서 빈우의 앞으로 무기들의 영상과 그 제작도면이 뜬다. 아쉽게도 비홀더 전대들이 쓰는 것은 아니지만, 그 제원과 위력을 보면 현재 연방이 쓰는 코일건은 애들 폭죽으로 보일 지경이다. 뒤에서 모니카가 할딱거리는 소리가 여기까지 들린다.

"이 중 몇 가지를 고를 수 있습니까?"

"으응? 다 드리는 거요."

생각보다 통이 크다. 아니면 빈우가 가르쳐준 정보가 그만한 가치가 있다는 의미다. 가치가 크다면 흥정을 해볼 여지가 있다. 실제로 섬의 태도를 보면 거래가 끝났다기보다는 아직 여운을 남겨놓고 있었다.

"혹시 현재 비홀더 전대가 쓰는 무장을 줄 수 있습니까?"

"아하, 그건 좀 곤란하오. 현재의 연방에 제국의 무기기술을 주는 것은 금지된 일이긴 하지만 뭐, 내 재량으로 하나나 둘쯤은 가능은 한데⋯⋯. 그러나 준다 해도 연방이 쓰긴 힘들 것이오. 제작하기 위해선 제반 시설과 기술까지 필요하기에 현재의 연방으론 무리요."

무기는 주된 핵심 기술은 안 된다. 예상대로 거절은 했지만, 부정적인 반응은 아니고 오히려 이쪽을 배려해주는 눈치다. 알탄훼아나에게서 보았던 잔영을 말해준 것만으로 이 정도라니, 방금의 정보가 가진 가치와 중요도가 대폭 올라간다. 이때를 노려 다시 빈우가 말문을 열었다.

"그렇다면 몇 가지 질문에 대답해줄 수 있겠습니까?"

"대답할 수 있는 것이라면 기꺼이, 시간이 되는 한 대답해드리리다."

이제까지 연방군을 소 닭 보듯 했던 비홀더 전대가 맞는지 의문스러울 지경이다. 그러나 빈우는 긴장할 수밖에 없었다. 첫째, 상대방이 친절하다고 해도 자신보다 훨씬 우위에 있는 자라면 이를 액면 그대로 믿을 순 없다. 대개의 경우 뭔가 다른 꿍꿍이가 있거나, 정보에 뭔가 조작이 가해져 있는 경우가 많다. 둘째, 얼마 안 되는 정체불명의 정보에 비홀더 전대가 이렇게 호의적으로 나온다는 건, 그만큼 이 일이 위험하고 중요한 것이란 반증이다. 더불어 빈우는 이번 일에 꽤 깊이 관여된 것 같다. 셋째, 시간이 되는 한, 이란 대목이 걸린다. 비홀더 1전대장은 빈우가 마련한 자리에서 이야기하지 않고 일부러 격납고에서 서서 얘기하자고 했다. 이 섬은 시간에 쫓기고 있을지도 모른다.

"비홀더 전대는 워프 비스트에 대해 알고 있지 않습니까? 그런데 왜 인류에 닥친 이 위협을 보고만 있는 것입니까?"

빈우의 질문에 섬이 쓴웃음을 짓는다.

"뭔가 오해가 있는 것 같소. 그 워프 비스트에 관해 알고 있는 자는 비홀더 전대 내에서도 그리 많지 않소. 음, 정확히는 신경을 안 쓰는 거겠지만 말이

외다. 게다가 설령 안다 해도, 우리의 임무는 루비콘 라인 바깥으로의 순찰이오. 여간 중요한 일이 아니고서야 라인 안쪽으로 들어오지 않지."

즉 알고도 방치한다는 얘기다.

"인류가 워프 비스트로 변하는 것이 중요한 일이 아니란 말입니까?"

"물론 샤다이의 빙의 현상이라면 연방에 위협이 되긴 하겠지. 희생 또한 제법 있을 것이고. 그러나 연방 스스로가 해결할 수 있는 일에 우리가 나설 순 없지 않소. 아, 인류에게 정말로 위협이 되는 일이 생긴다면 그때는 우리가 나설 테니 걱정 마시오."

섬의 대답은 일견 제법 성의 있어 보였지만 듣는 빈우와 373 팀원들에겐 기도 안 차는 일이다. 워프 비스트가 비홀더 전대에게 있어서 중요한 일이 아니라면 대체 무엇이 중요한 일인 것일까.

"워프 비스트의 위협 때문에 연방은 점프 항법을 쓰지 못할 수도 있습니다. 점프를 못 하면 연방은 멸망합니다."

닦달하는 듯한 빈우의 말에 섬은 느긋하게 대답한다.

"말했지 않소. 대가를 치를지언정 해결할 수 있는 문제라고. 게다가 이 샤다이가 응급처치를 해놨으니 당분간은 문제없을 것이오."

섬이 발로 툭 건드리자 알탄훼아나는 고통스러운 한숨을 내쉬었다.

"그렇다면 워프 비스트의 침공에 대해 도와주거나, 현재의 점프를 대신할 만한 비홀더 전대의 공간이동항법 기술 양도는 불가하단 말입니까?"

"아쉽지만 그렇소."

예상은 했지만 실제로 들으니 기분이 더럽다.

"도대체 비홀더 전대가 루비콘 라인 밖을 돌아다니는 이유가 뭡니까?"

"황제의 명이오. 돌아올 때가 되거나, 전대에 중요한 임무이거나, 인류에 해결할 수 없는 대사건이 벌어지지 않는 이상 우리는 그 안으로 들어올 수 없소."

여기까진 대충 아는 내용이다.

"정말 인류에게 위협이 되는 때라면 비홀더 전대는 루비콘 라인을 건널 수 있단 말입니까?"

"이를 말이오. 그 정도로 중차대한 일이면 당연히 들어와야지."

그리고 빈우는 비홀더 전대가 루비콘 라인 안쪽으로 들어왔던 때를 안다.

"그렇다면 디안머와 오늘 이곳은 꽤 중요한 일이었던 모양이군요."

빈우의 질문에 섬이 씨익 웃었다. 비홀더 전대가 루비콘 라인을 들어온 것은 최근 두 번이다. 한번은 디안머에서 알탄훼아나를 찾기 위해서, 다른 한번은 오늘 같은 비홀더 전대와 싸우기 위해서.

"물론이오, 아주 중요한 일이외다."

"그에 대해 좀 자세히 알려주실 수 있습니까?"

"아쉽게도 연방과는 관련이 없고 비홀더 전대에게만 관련된 일이라 말해 줄 수 없소."

디안머에선 징수 함대와 자치 행성 하나를 박살 낸 거로도 모자라, 오늘은 궤도 상에서 아비규환을 만들어놓고선 저 따위로 말하는 것을 보면, 비홀더 전대는 연방을 완전히 아래로 보고 있다. 사실 그렇기도 하고. 문제는 저 일이 빈우와 알탄훼아나에겐 상당히 깊게 연관된 것처럼 보인단 거다.

"보아하니 저도 그 일에 깊이 연관된 듯합니다만, 그래도 안 됩니까?"

"하하하, 김 소령이 비홀더 전대로 온다면야 내 기꺼이 알려드리지."

섬은 즐겁게 웃으며 손을 내밀어 빈우의 어깨에 올렸다.

"이건 결코 농이 아니오. 그대는 불순물이 섞이지 않은 순수한 인간. 우리가 지키고 봉사해야 할 제국의 신민이오. 바꿔 말하자면 전대에 들어올 자격이 있다는 얘기지. 어떻소?"

연방의 군용강화를 한 빈우를 순수한 인간이라 한다면 대체 제국의 신민은 무언가 싶다. 과거 지구제국이 인류 연방으로 바뀔 때도 인간은 크게 바뀌지 않았다. 도대체 무엇이 기준일까.

"제안은 감사하나 저는 현재의 신분에 만족합니다. 다시 말을 본론으로 돌려서, 그렇다면 저와 알탄훼아나에게서 얻은 정보가 인류에게 결코 위험한 일은 아니란 말씀입니까? 아니면 전대가 루비콘 라인을 넘을 정도의 위험은 아니란 의미입니까?"

손을 치우는 섬의 눈에 약간의 아쉬워하는 기색이 있는 것을 보면, 정말로 빈우를 영입할 생각이 조금이나마 있었던 것 같다.

"그렇소. 앞서 말했듯이 본관이 그대에게 질문한 것은 우리 비홀더 전대에게만 중요한 일일 뿐, 그대들 연방과는 관계가 없소. 자세히 대답해줄 수 없는 점 양해 바라오."

"그러면 오늘 비홀더 전대끼리의 전투는 어찌 된 겁니까? 당신들 같은 무력집단이 연방의 행성 부근에서 난리를 치면 상당한 위험일 텐데 말입니다."

"아, 그건 우리 측에서 알아서 해결했으니 너무 염려 마시오. 게다가 저딴 식민 행성 한둘이야 딱히 중요한 게 아니잖소."

지금 이 섬의 태도는 제국 신민을 지키고 봉사해야 한다는 것과는 아귀가 맞질 않는다. 설마 연방 직할령만 구 제국의 영토로 인정한다는 의미일까. 골똘히 생각하던 빈우의 눈에 뭔가 이상한 것이 보였다. 섬의 발이 알탄훼아나를 짓이겨 죽이고 있다. 서서 달아나던 알탄훼아나의 등에 제국 군인의 칼이 꽂힌다. 그러나 실제 알탄훼아나는 바닥에 쓰러져 빈우를 올려다보고 있을 뿐이다.

"무엇을 보았소?"

섬의 날카로운 눈빛이 빈우의 눈을 마주 보고 있다. 지금 빈우가 가지고 있는 정보를 원하는 눈치다.

"……또 한 번 흔적을 본 것 같군요."

"어떤?"

바싹 다가붙으며 질문하는 제국 군인은 굉장한 위압감을 풍긴다. 위르겐과 파트리샤가 안전장치를 푸는 게 느껴진다.

"가만히 있는 그녀를 당신이 밟아 죽이고, 도망치는 그녀를 뒤에서 칼로 찔러 죽였습니다. 그러나 실제론 보시다시피 이런 상태죠."

이번엔 섬이 골똘히 생각에 빠졌다.

"살아남았다라…… 살아남았다? 아니, 감히 내게서 도망을 친다고?"

잠시 혼잣말로 중얼거리던 그가 갑자기 고개를 들었다.

"어허, 아쉽군. 시간이 벌써 이리 될 줄이야. 본관은 이제 가봐야 되겠소. 오늘 협력에 정말 감사하오. 다음에도 이런 기회가 종종 있으면 좋겠군."

그러면서 이 섬은 상자와 알탄훼아나를 내버려둔 채 격납고의 출구로 나가고 있었다.

"잠깐. 이 샤다이는 어떻게 할 겁니까?"

빈우의 질문에 섬은 한 번 슥 돌아봤다.

"아직은 그년의 명줄이 끊길 땐 아닌 것 같소. 혹시 흔적이 보이거든 잘 기억해두길 바라오. 다음을 위해서."

그리고 이 섬은 격납고 밖으로 나갔다. 그가 나가자 팀원들이 한숨을 내쉬는 게 들린다. 격납고 안을 짓누르던 압박감이 사라진 것이다. 빈우는 쓰러진 알탄훼아나에게 다가갔다. 그리고 조심스레 그녀를 잡아 일으켰다.

"살려다오."

알탄훼아나가 간신히 말을 뱉었다. 그러나 목숨 구걸은 아니었다.

"난, 난 아직 여기서 죽을 수 없어. 제발 나를 살려다오."

이를 악물고 울음을 참는 그녀는 살기 위해 발버둥 치고 있었다. 죽음을 피해서가 아니라, 자신이 해야 할 일을 마무리짓기 위해 살려는 것이다. 비홀더 전대가 뭔가 큰 것을 놓고 간 느낌이다. 분명히 알탄훼아나는 중요도가 높은 인물이다. 샤다이란 종족의 호민관이기도 하고, 워프 비스트의 침공을 막은 적도 있다. 그리고 현재는 비홀더 전대와 관련된 정체불명의 대사건에 빈우와 함께 엮인 상태다.

"이를 어쩐다."

빈우는 한숨을 내쉬며 일단은 알탄훼아나를 안아 들었다.

간신히 숨만 붙어 있던 샤다이 호민관은 즉시 블랙 랜스의 치료실로 들어
갔다. 현재 샤다이에 대해 가장 많은 지식을 가지고 있는 것은 모니카다.

"이거 억지로 이어붙이고 있긴 한데, 저도 장담은 못 해요. 치료라기보다
는 수리라고요."

모니카는 울상을 짓고 있었다. 샤다이에 대한 대략적인 해부적 지식만 있
지 실제 신진대사가 어떻게 돌아가는지를 모르니 당연하다.

"일단 죽지는 않을 거야. 최대한 해봐."

빈우는 그녀를 격려한 다음 팀원들과 미팅을 했다. 지금까지의 전투기록
을 조합하고 그 성과를 분석했다. 나중에 이를 바탕으로 제대로 된 회의를 해
야 하니 아무리 힘들어도 빼놓을 수 없는 일이다.

"일단 부를 때까지 쉬어."

팀원들을 보낸 빈우는 이어서 함장에게 약식 보고를 했다. 모아놓은 전투
기록과 기타 중요 정보를 보낸 것이다. 같은 내용을 특수전 사령부와 군사정
보국의 타이 차장에게도 보냈다. 다음은 오다 히토미 상원의원이다.

"의원님, 괜찮으셨습니까?"

"네. 팀장님이야말로 고생하셨어요."

압도적인 전력차에서 이리저리 도망 다니던 블랙 랜스다. 그동안 감금되
다시피 한 그녀는 안색이 파리해져 있었다. 죽음을 옆에 둔 채 꼬박 반나절을

보냈으니 그렇다. 빈우는 태스크포스 373의 조사 겸 방패막이로 쓰이는 그녀에게 대략적인 보고를 했다.

"그만 하세요. 정식 보고는 나중에 하기로 하고 일단은 조금 쉬어요."

그러면서 히토미가 빈우의 손을 잡아준다. 겉보기엔 빈우는 멀쩡하다. 상처들은 언제나 치유되고 피부는 최상의 상태를 유지한다. 그러나 그녀가 본 빈우의 눈은 위험했다. 자신이 믿는 바를 위해 자신을 던졌던 사람들. 그들은 자신의 힘으로 넘거나 부술 수 없는 벽에 부딪혔을 때 종종 저런 눈을 하곤 했다. 자신을 매몰차게 대하던 딸에게 아버지는 언제나 웃어주려 했다. 그러나 요즘 떠올린 아버지의 눈은 힘들고 지쳐 있었다. 고된 아내의 일에 도움이 될 수 없다는 것을 깨달은, 그리고 자신의 한계에 봉착한 전남편의 눈 또한 저러했다.

"말씀 감사합니다. 그럼 의원님도 쉬십시오."

히토미는 인사하고 돌아서는 그에게 뭐라고 말을 하려고 했지만 어떻게 말을 해야 할지를 몰랐다. 돌아가는 지친 군인을 그저 바라보기만 할 뿐이었다. 빈우는 서둘러서 자신의 방으로 갔다. 이제부터 정식 보고서부터 시작해 뒤처리할 것이 한두 가지가 아니었다. 그전에 잠시라도 쉬고 싶었다. 방 안으로 들어가니 먼저 와 있던 아나스타샤가 빈우를 맞이한다. 그러나 그녀의 표정은 썩 좋질 못했다.

"저, 주인님. 티모시 1079에 대한 입양이 거부되었어요."

빈우는 귀환하는 그라디우스에서 아나스타샤에게 아기의 입양을 부탁한 적이 있다. 그게 거부가 되었단 거다. 그런데 지상이 난장판이 된 뉴 소노라 치고는 상당히 빠른 일 처리다.

"넘겨봐."

빈우는 서둘러 화면을 살펴보았다. 각종 미사여구로 점철된, 시장이 직접 쓴 문서를 본 빈우는 구역질이 났다. 내용은 하나다. 아기를 가져가고 싶으면 돈을 내놓으란 것이다.

"지불할까요?"

옆에서 아나스타샤가 조심스레 물어온다. 꽤 큰 액수지만 지불하지 못할 것은 아니다.

"농장의 돈이라면 충분히 가능해요."

"아니, 내가 처리할게."

그러면서 빈우는 자신이 할 수 있는 방법을 모조리 떠올렸다. 가장 간단한 것은 지금 지상으로 강하해 방해물을 모조리 쓸어버리고 아기를 데려오는 거다. 증거를 인멸하고 목표를 회수하는 작전은 지금까지 드물지 않게 해왔다. 하지만 같은 연방의 지역에서는 아니다. 게다가 민간인을 상대로는 결코 할 수 없는 일이다. 자신보다 강한 적과 싸울 방법은 많지만, 약한 아군과는 싸울 방법이 달리 없던 빈우는 분을 삭이며 친구를 불렀다.

"마커스."

"빈우야."

사관학교 시절부터 쭉 이어져내려온 친우가 화면 너머에 있다.

"대충 보고서는 봤다. 고생했어."

말없이 힘없는 미소를 짓고 있는 빈우를 보며 마커스도 쓰게 웃었다.

변경농장에서 맨몸으로 사관학교에 들어온 빈우와 달리 마커스는 국방부 차관인 아버지와 군수산업체의 이사인 어머니 사이에서 태어났다. 아주 달랐던 둘이지만 오히려 그 덕분에 친해질 수 있었다. 같이 쿠델카 모델에게 양육되었던 그들은 자신의 보모들을 주제로 온갖 이야기를 나누었고, 또 다투었으며, 사고 또한 무수히 쳤다. 정상적인 식사보다 빵과 커피가 더 익숙해질 정도로.

스무 살에 사관학교를 졸업하고 다르게 자랐던 둘은 그제야 같은 출발점에 선 것 같았다. 그러나 차이는 알게 모르게 있었다. 닉스 2레벨이 되면서부터 그 차이는 더욱 명확해졌다. 같은 임무를 수행하더라도 고과에는 다르게 반영된다. 냉정하고 치밀한 마커스 타이와 냉혹하고 공격적인 빈우. 냉혹하다와 공격적이다는 그다지 좋은 평가가 아니다. 개인적인 성향도 있겠지만 가족의 배경 또한 무시 못 할 것이다.

빈우는 그런 자신을 알았기에 마커스를 열심히 밀어줬다. 정보국에 들어서도 녀석은 친구를 위해 온갖 궂은일을 마다하지 않았다. 그래서 마커스는 이런 젊은 나이에 군사정보국 차장의 자리에 오를 수 있었다.

'빈우는 결코 이런 취급을 받을 사람이 아니다.'

마커스는 빈우를 잘 알고 있다. 그 정도 되면 통합사령부의 참모로 가거나 특수전 부대의 함장, 혹은 전대장쯤은 되어야 한다. 그러나 지금까지 빈우가 했던 일이 오히려 그의 발목을 잡고 있었다.

마커스는 자신을 잘 알고 있다. 정보국 3차장인 자신은 언젠가 국장이 되거나, 아니면 국방부의 주요 직책을 맡게 될 것이다. 하지만 빈우는 여러 가지—그중에서도 특히 더럽고 어려운—일을 너무 많이 했다. 위험한 기밀을 너무 많이 알고 있다. 이제 편안하게 살기는 힘들 것이다. 군은 그를 놔주지 않을 것이고, 놔준다 해도 정보국을 나설 때는 대부분의 기록을 삭제당하고 세탁당할 것이다.

그래서 마커스는 자신이 더도 덜도 말고 친구가 편하게 살 수 있도록 배경이 될 만한 위치까지는 올라가고 싶었다. 도움이 되고 싶었다.

"말해봐."

마커스의 말에 빈우는 어깨를 한 번 으쓱하고는 이야기를 시작했다. 정식 보고는 아니고 친구끼리의 청탁이다. 빈우는 지금까지 마커스에게 이런저런 부탁을 많이 해왔었다. 하지만 임무가 아닌 일에서 빈우가 이러는 것은 굉장히 드문 일이었다.

"내가 처리할게."

처리할 방법은 무궁무진하다. 연방중앙정보국의 실행부대에 요청하면 금방 이뤄진다. 그들은 글림의 클론 살인사건 때문에 이미 침투해 있으니 연락 한 번이면 될 일이다. 아니면 연방 국세청에 신고해 징세 부대를 불러도 된다. 저번부터 뉴 소노라는 세금 관계로 지저분하게 얽혀 있던 터라 마카로니 일에 이번 일까지 엮으면 일사천리다. 시장부터 시작해 탈탈 털어버리겠지. 아니면 재건 비용을 묶어버릴 수도 있다.

하지만 이번엔 다르게 처리했다. 가장 빠르게 처리할 수 있는 방법을.

티모시 1078은 워프 비스트화되면서 샤다이의 손에 타 죽은 아이다. 그리고 티모시 1079는 그 여동생이다. 이 경우 중요 참고인으로 소환하면 되는 일이다. 외계인과 관련된 문제 해결은 연방이 직접 하기로 협약되어 있는 터라 자치정부 쪽에선 할 말이 없다. 또 마침 샤다이와 엮인 일이니 100퍼센트 군사정보국 관할이다.

마커스는 이번 일의 현장 책임자를 빈우로 정한 다음, 특수전 사령부와 태스크포스 373의 팀장인 빈우에게로 '협조 요청'을 보냈다. 정식 명령은 사령부를 거쳐야 하겠지만, 이런 요청은 언제든 할 수 있다.

"고맙다. 마커스."

"일단 좀 쉬어. 너 눈이 완전히 갔어."

화면 너머로 보이는 마커스에겐 걱정하는 기색이 역력했다.

"역시 그렇지?"

일 하나를 처리한 빈우는 통신을 끈 다음 의자에 푹 기대어 앉았다.

"저기, 주인님."

아나스타샤가 멋쩍게 웃으며 침대에 앉아 있다. 무릎을 비워놓은 채. 빈우는 그녀에게 다가가 무릎을 베고 누웠다. 주인의 머리를 안드로이드가 부드럽게 쓰다듬어준다. 말없이 조용한 방 안은 사각사각, 머리를 쓰다듬는 소리만 나고 있다. 그 침묵을 깬 것은 빈우였다.

"많이 죽었어."

"네, 봤어요."

아나스타샤의 손이 머리를 지나 빈우의 귓불을 만지작거린다.

"살리지 못했어."

"충분히 살리셨어요."

"더 살릴 수 있었어."

"주인님은 고작해야 장갑보병이에요. 1개 분대 팀으로 더 이상 뭘 하시겠다는 거예요. 자신의 한계를 넘는 일을 가지고 자책하지 마세요."

주인의 마음을 달래는 아나스타샤의 손가락이 빈우의 입술에 닿았다. 더 이상 말하지 못하게 하려고 막으려는 듯이 입 주위를 오락가락한다.

"피곤해. 조금 잘게."

깨워줘, 란 말을 하지 않은 것을 보면 전투OS에 의한 수면이다. 맞춰둔 시간에 일어나겠지.

"네, 주무세요."

아나스타샤는 이미 잠든 주인이 더 이상 악몽을 꾸지 않기를 바랐다. 그녀는 더 이상 자신의 동생이 슬퍼하는 것은 보기 싫었다. 자신의 아들이 스스로의 업보에 휘말려 괴로워하는 것 또한 보기 싫었다. 그가 자신의 품 안에서 부디 편히 쉬기만을 바랄 뿐이다.

"좋은 꿈 꾸세요, 도련님."

그녀는 고개를 숙여 지친 군인의 이마에 작게 입맞춤을 하곤 계속, 그리고 조용히 머리를 쓰다듬었다.

*

빈우는 마지막 컨테이너를 화물칸에 실었다. 이걸로 오늘 작업은 종료다.

- 이야, 존. 빠른데?

옆에서 누가 빈우의 어깨를 친다. 이곳의 반장인 음바페다.

- 처음엔 이래저래 사고만 치더니, 이젠 우리 팀에서 실적이 에이스야.

음바페는 개척지 프리마의 빙괴 채집 회사에서 여러 수집반 중 이곳을 담당하고 있다. 며칠 전 '존'이란 이름의, 조금 지친 눈을 한 이 청년이 취직을 하러 왔다. 빙괴 채집은 인간의 생존에 필수적인 물, 얼음을 채취하는 일이다. 거칠고 힘든 일인 동시에 수입 또한 그만큼 높아서 잠깐잠깐 일을 하는 사람들이 많다. 그래서 음바페는 처음 봤던 존 역시 그런 뜨내기 중 하나라고 생각했었다.

그 생각이 바뀌기엔 하루면 족했다.

- 지치지도 않는가봐.

- 하하하, 사이보그 아냐?

주변의 다른 인부들도 감탄하고 있다. 빙괴 채집은 극저온에 저중력, 산소가 없는 극지방에서 거대한 얼음 무리를 찾아 그것을 캐는 직업이다. 위험하기도 하거니와 일도 고되다. 그런 곳에서 존은 처음 얼마간 익숙지 않아 일을 그르쳤을 뿐, 지금은 벌써 팀의 에이스가 된 것이다.

- 만선이군. 돌아가자.

- 이히ー!

수집선의 화물칸이 모두 얼음으로 가득 찼다. 벌써 돌아갈 시간이 되자 다른 인부들이 탄성을 지른다.

- 존 저 친구, 혼자서 두 사람 몫을 하네.

- 그러게. 작업용 강화복을 입어도 그 정도는 못해.

인부들은 싱글벙글하며 수집선 안으로 들어갔다. 빈우도 안으로 들어가 자리에 앉았다. 그리고 압력 조절이 끝나자 헬멧을 벗었다.

"어우, 냄새야."

수집선 안의 화학약품 냄새에 한 사내가 질색한다.

"퀴퀴한 작업복보다야 낫지."

그걸 시작으로 인부들 간의 농담이 시작되었다. 이러니 저러니 해도 수집선의 산소로 숨을 쉬면 자신에게 할당된 산소를 절약할 수 있기 때문에 다들 좋아라 한다. 그때 반장인 음바페가 한 사람을 지목해 불렀다.

"이봐, 맥커니."

"예, 반장님."

"자네 작업복의 산소 소비량이 늘었어. 뭐 문제 있어?"

"곰팡이 배양이 잘 안 되는 거 같아요. 보건소에 한번 가봐야겠는데요?"

"어이쿠, 진작 말을 하지 그랬어. 내일이라도 가봐. 아니야, 내일 당장 가. 알겠지?"

음바페는 맥커니의 말에 고개를 절레절레 흔들었다. 폐 속에 있는 곰팡이가 줄어들면 호흡계에 끼치는 악영향이 엄청나다. 자칫하면 산 채로 질식할 수도 있다. 음바페 자신도 시험 삼아 심호흡을 한 번 해보았다. 그러자 가슴 안에서 뻐끔거리는 포자들이 느껴진다. 정확하지는 않아도 자신의 산소 소비량을 보면 아마 정상적인 수준일 것이다.

이렇듯 개척 행성 프리마의 사람들은 모두 폐 속에 곰팡이가 피어 있다. 이 곰팡이는 여기 프리마라 불린 개척지의 빙하 속에 살고 있던 원주 균사류로서 발견된 후에 그 놀라운 산소교환율 덕에 약간 품종개량을 거친 다음 개척지의 대기순환 용도로 사용되었다.

'그게 아마 내가 막 철들 무렵이었나.'

그러던 어느 날, 아직 음바페가 어린이였을 때다. 한 개척민이 작업을 하다가 자신의 산소 소비량이 눈에 띄게 줄어든 것을 발견했다. 이유는 건강검진 중에 발견되었는데, 대기순환용으로 쓰던 이 균사류가 인간의 폐 속에서도 기생해서 살아가는 것을 발견한 것이다.

'도시가 발칵 뒤집어졌었지.'

처음에는 이를 질병이라 생각하고 개척민들은 기겁했다. 어린 음바페도 어른들의 공포에 감염되어 울었었다. 하지만 연구와 분석 후, 이 균사류들이 인체에 아무런 해를 끼치지 않고 오히려 산소 소비량을 줄여준다는 점에 착안해 개척민들은 이것들을 스스로 자신의 폐 속에 기르기 시작했다. 덕분에 프리마의 개척은 대단히 수월해졌다. 인간의 생존에 필수적인 요소 중 하나인 산소에 여유가 생기면서 여기에 쓰이는 자원을 다른 곳으로 돌릴 수 있게 된 것이다. 지금 프리마 시민 열 명이 넘게 있는 이 수집선의 산소는 원래라면 인간 세 명이 쓰기에도 간당간당하다. 그러나 프리마의 개척민들은 폐 속의 곰팡이 덕에 이런 낮은 농도의 산소 속에서도 아무런 불편함 없이 호흡할 수 있었다.

"자, 도착했다. 다들 내려."

반장인 음바페의 말에 수집선 안이 다시 시끌해진다. 이제 각자 작업량에 대해 정산받을 시간이다. 만선이기도 하니 추가수당도 나올 것이다.

빈우는 프리마 7의 내부를 걸었다. 터무니없이 낮은 산소 농도. 게다가 이곳의 곰팡이 따위는 군용 육체를 한 빈우의 몸속에서 살아남지 못한다. 하지만 강화 신체를 가진 그에게 이 정도 산소면 충분했다. 그 덕에 이곳의 개척민들 사이에 눈에 띄지 않고 숨어들 수 있었다. 지하층으로 계속 내려가자 거주 구역이 나온다. 빈우가 들어간 곳은 하숙집이다. 원래는 일반 가정집이었으나 가장이 죽은 다음, 빙괴 채집하러 온 노동자들을 상대로 하숙집을 연 것이다.

"존 씨 어서 오세요. 일이 일찍 끝난 모양이네요."

"네, 얼음이 많은 장소더군요."

만삭의 주부인 아미라가 식사 준비를 하며 빈우를 맞이한다. 주방과 붙은 거실, 안방과 작은방 하나가 전부인 작은 집이다. 빈우는 짐을 식탁에 올려놓으며 앉았다. 식탁 맞은편에선 딸인 니티가 뚱한 표정으로 숙제를 하고 있다.

"아미라 씨, 이거 받으세요."

빈우는 자신이 쓰다 남은 산소캔을 넘겨주었다. 회사에서 지급받은 거지만 강화 군인인 그에겐 크게 필요 없는 물건이다.

"어머나, 고마워요."

프리마의 개척민들은 폐 속의 곰팡이 덕에 호흡 걱정은 없지만, 배 속의 아기는 다르다. 그래서 산모들에겐 높은 농도의 산소가 필요한 것이다. 엄마와 아저씨가 이야기하는 중에도 딸은 아무 말 없이, 그러나 뾰로통한 표정으로 앉아만 있을 뿐이다.

"니티, 존 아저씨한테 인사해야지."

엄마의 나지막한 꾸지람에도 니티는 들은 척도 않고 연필을 들고 깨작거리고 있었다.

"어디 보자."

빈우는 니티의 숙제를 흘깃 보았다.

"수학이구나. 니티가 제일 싫어하는 과목이네."

그 말을 기다렸다는 듯이 니티가 고개를 들고 대답한다.

"왜 수학을 배워야 해요? 이런 건 전부 다 계산기가 해주는데."

"계산기는 계산만 해주지. 문제 해결을 위해 식을 세우는 것은 사람이 한단다."

"그것도 인공지능이 있잖아요. 인공지능에게 시키면 되죠."

"인공지능도 결국 인간이 쓰는 도구야. 주인이 도구를 다루지 못하면 어떻게 하니."

빈우의 웃음 섞인 핀잔에 니티는 말문이 막혔다. 닫힌 입은 엄마가 저녁을 가져오자 함박웃음과 함께 열렸다.

"와, 고기다. 엄마, 이거 콩고기 아니죠?"

"그럼. 돼지고기란다."

벌이가 시원치 않아 대개 버섯과 클로렐라로 끼니를 때우던 이 집에 고기가 올라온 것은 실로 오랜만의 일이다. 이는 얼마 전 하숙하게 된 존의 영향이 컸다. 빙괴수집회사에서 일하는 그는 벌이가 꽤 괜찮은 듯 선금을 두둑이 넣었고, 가끔 산소캔이나 식자재 같은 것을 얻어 오곤 했다.

"잘 먹겠습니다."

한창 클 때의 아이라 그런지 접시 위의 돼지고기가 순식간에 사라진다. 엄마인 아미라가 눈치를 주려고 하지만 빈우는 이미 자기 몫의 돼지고기를 모녀에게 양보했다.

"전 회사에서 먹었습니다."

사실이 어떤지는 모르지만, 모녀는 그저 감사히 먹을 뿐이다. 간만의 고기 덕에 즐거운 식사가 끝났다. 엄마인 아미라는 고운 모래에 식기를 넣어 헹궜고, 빈우는 딸 니티의 숙제를 봐주었다.

"존 씨, 죄송해요. 제가 해야 할 일인데."

"아닙니다. 저도 딱히 할 일이 없어서 심심하던 차예요."

사실 아미라는 딸의 숙제를 봐주기 벅찼다. 개척기 초기에 노동자로 살았던 그녀는 학력이 낮을 수밖에 없었고, 그 반동으로 딸을 향한 교육열이 높았다. 만약 니티가 공부에 재능이 없었다면 일찌감치 포기했겠지만, 칭얼대면서도 상위의 성적을 유지하니 엄마의 입장으로는 욕심이 날 뿐이다.

"자, 니티. 그럼 이 부분을 해석해볼까?"

집중하면 금방 풀 수 있는 문제에서 니티는 또 칭얼거린다.

"저 연방 사람이 되면 안 돼요? 연방 사람들은 머리에 칩을 심어서 번역기도 넣는데요. 저절로 해석이 된다고요."

"그런 고민은 연방에 귀화하고 해."

말괄량이를 타이르던 빈우는 말을 멈췄다. 갑자기 이유 모를 충족감과 유대감을 느낀 것이다. 열 살 되는 여자아이에게 공부를 가르치다가 느낄 만한 감정은 아니다. 이런 감정 변화는 이상하다. 어쩌면 이 현상은 반나절 전에 갑자기 느낀 알 수 없는 상실감과 무슨 연관이 있을 것도 같다.

"아저씨?"

문득 정신을 차리니 니티가 빈우에게 시선을 집중하고 있다.

"아저씨도 해석하고 있었어."

빈우는 말을 돌린 다음, 마저 공부를 가르쳐주었다. 그렇게 숙제가 끝나고 니티가 빈우에게 같이 놀아달라고 조르고 있을 때, 식탁 옆에서 홀로그램 화면이 떴다.

"어? 긴급 뉴스 나온다."

니티는 냉큼 화면 쪽으로 자세를 돌려 앉았다.

"어머, 정말이네?"

간식을 준비하던 아미라도 식탁 쪽으로 다가왔다. 조용하던 TV에서 갑자기 영상과 소리가 나오자 모녀의 시선이 그리로 향했다. 어제 저녁에는 갑작스레 중앙 채널이 끊기고 이곳 프리마의 지방 방송만 나왔었다. 그 때문에 〈마법 소녀 피스메이커〉를 보지 못했던 니티는 엉엉 울면서 잠이 들었다.

"아저씨, 저거 뭐 때문에 저래요?"

뉴스에는 뉴 소노라 쪽의 게이트가 원인 모를 이유로 닫혔다가 12시간 만에 다시 열린 사실을 보도하고 있었다. 그리고 그때의 파장으로 뉴 소노라와 연결된 게이트들마저 잠시 동안 사용 불능에 빠졌다고 한다.

"글쎄다……. 아저씨도 모르겠는데."

빈우는 자기 일이 아닌 듯 태연하게 대답했지만, 속내는 그렇지 않았다. 뉴 소노라라면 자신이 들렀던 곳이다. 그는 뉴 소노라를 통해 마카로니에 갔었고, 다시 거기로 돌아와 솔트 파이크로 갔다. 다음은 록산느, 이어서 케트쿤, 마지막으로 이곳 프리마다.

'설마 추적자는 아니겠지.'

자신에게 추적이 붙었다면 아무도 모르게 뒤쫓지, 저렇게 동네방네 사고를 치진 않을 것이다.

하루 일과가 끝나고, 모녀가 잠들자 빈우는 몰래 집을 나섰다. 빈우가 향한 곳은 프리마의 통합정보 보관소였다. 눈에 띄지 않게 조심스레 담을 넘어 안으로 들어간 빈우는 사전에 설치해놨던 정보 수집기를 확인했다. 수집기는 케이블에 붙어 아무도 모르게 자신의 일에 집중하고 있었다. 기술력에서 몇 단계가 차이 나면 이런 쉬운 방법이 가능하다.

"예상이 맞는 것 같습니다."

어느새 찰리하나팔이 다가와 말을 건다. 같은 얼굴, 같은 체격의 클론이지만 그 표정만은 왜인지 빈우보다 부드러워 보인다.

"그래."

빈우가 작게 중얼거렸다. 예상이 맞아서 다행이다. 위은쏠납학에서 시작해 여기까지 오며 아득바득 주웠던 정보들을 조합해 찾아낸 결과다.

"길었지."

빈우의 말에 이번엔 찰리하나팔이 고개를 끄덕여 동의한다. 그는 현재 인류를 공격하는 워프 비스트를 막기 위해 움직이고 있었다. 길었던 추적에 드디어 끝이 보이는 것이다.

솔트 파이크에서 엘리자베트 허드슨, 록산느에선 하비에르 부뉴엘. 모두 워프 비스트가 되던 중에 치료를 받은 아이들이다. 그 배후에는 모종의 조력자가 있었다. 연방의 기술이 아닌 치료 방법을 쓰는 자가. 이를 추적하다 보니 케트쿤의 클론 제조 시설까지 가게 되었고, 거기엔 자크 라캉의 클론들이 있었다.

처음에 빈우는 연방이 케트쿤에서 클론을 가지고 치료법을 개발한 줄 알았다. 하지만 사실은 거꾸로였다. 연방은 엘리자베트와 하비에르의 치료법을 알아낸 다음 케트쿤에서 재현 실험을 하고 있었던 것이다.

"치료법을 전해준 자는 인간이 아닐 가능성이 높아."

자료를 훑어보며 빈우가 말했다. 프리마와 녹색 연맹을 거쳐간 자료들은 모두 암호화돼 있으나 군사정보국 소속의 그에게 이 정도 해석은 그다지 어려운 일은 아니었다. 어려운 것은 그 흐름을 특정해서 찾아내는 과정이었다.

"네, 우린 그걸 추적하다가 결국 여기까지 왔고요."

빈우와 찰리하나팔은 자료의 흐름을 조사하다가 ― 리처드 허드슨에게서 얻은 장부에서 ― 이곳 프리마의 존재를 알게 되었다.

"곰팡이를 개조해준 녀석이 아닐까요."

찰리하나팔이 유력한 용의자를 꼽았다. 워프 비스트의 치료법을 역추적하다가 이곳 프리마까지 도착했는데 놀랍게도 이곳의 주민들은 폐에 곰팡이를 공생시키고 있었다. 개척민들이 프리마의 곰팡이를 자기 입맛에 맞게 개조했을 리는 없다. 그들의 기술로는 무리다. 누가 했을까.

연방은 아니다. 연방은 숫제 폐를 개조하고 말지 이런 방법은 쓰지 않는다. 이 곰팡이들은 아주 자연스럽고 아름답게 변화해 인간과 공생하고 있었다. 그리고 이곳에서 찾아낸 자료에 의하면 곰팡이를 준 자와 워프 비스트의 치료법을 준 자의 행적이 겹치고 있다. 이 둘은 동일 인물이거나, 같은 조직일 가능성이 매우 컸다.

"샤다이다."

프리마에 곰팡이를 개조시켜준 자에 대한 정보가 나온다. 신체적인 특징을 조합하면 그자는 샤다이였다. 인간에 적대적인 샤다이가 왜 개척지에 도움을 주었을까.

"이름은…… 알탄훼아나라고 하는군요."

"흔해 빠진 샤다이 암컷 이름이잖아. 부모란 작자가 어지간히 게으르군."

둘은 프리마의 개척민 선조들이 여기저기 기록해놓은 자료를 조합하며 퍼즐을 맞춰나갔다.

"잡아다 족치면 답이 나오겠지."

꼬리를 잡았으니 이제부터 후려갈기면 되는 일. 빈우는 알탄훼아나가 어디 있는지 찾아보려 했다. 그런데 갑자기 머릿속 두뇌칩에서 하나의 기록이 재생되기 시작했다.

마치 꿈처럼. 본인이 원하지 않았는데 그 기록이 열람되고 재생된다.

*

"김 소령. 저녁에 시간 되나?"

피에르 라캉 중령이 물어온다. 보안국 소속인 그는 울토르 프로젝트의 감사역으로 와 있다. 그러나 실상은 감사를 가장한 협조역이다.

"시간은 있습니다만."

빈우는 무뚝뚝하게 대답한다. 그는 당시의 자신이 무슨 생각인지, 어떠한 감정을 가지고 있는지 알 수 없다. 이것은 단순한 기록에 불과하기 때문이다.

"그럼 식사나 함께하지."

기록 속의 라캉 중령도 차갑게 권한다. 빈우는 거절하지 않고 그를 따라간다. 라캉 중령의 방에는 식사 준비가 되어있었다. 중령은 빈우를 초대한 다음 차례차례 음식을 내어온다. 그중 하나에 빈우의 시선이 꽤 오래 가 있었다. 작은 새의 통구이 요리다.

"오르틀랑일세."

빈우의 시선을 눈치챈 그가 요리의 이름을 말한다. 그리고 그 조리법을 설명한다.

"오르틀랑이란 새를 잡아 눈을 뽑고, 어둠 속에서 먹이를 먹여 살찌우지. 그리고 브랜디 속에 익사시키면 그 술이 몸 구석구석에 퍼져 들게 돼. 이것을 조리해서 통째로 씹으면, 그 향이 입과 몸 전체로 스며들지. 가히 진미라고 할 수 있다네."

여기까지 말한 라캉 중령이 조금 큰 냅킨을 들어 보인다.

"과거 조상들은 이 잔인한 조리법 때문에 신의 두려움을 살까봐 얼굴을 가리고 먹었다고 하는데, 실상은 요리의 향을 가두고 먹기 위함이었지."

"특이하군요."

빈우의 감상에 라캉 중령은 냅킨을 팔랑팔랑 흔든다.

"뭘, 모조품이야."

그리고 눈앞에 있는 오르틀랑에 대해 설명했다. 견과류와 오리 기름, 다진 닭의 모래주머니 등을 조합해 만들었다고 한다. 음식물용 물질 생성기를 쓰면 될 것을 직접 만들다니, 요리를 좋아하는 라캉 중령답다. 설명을 마친 라캉 중령의 표정은 모조품을 내었다는 부끄러움이 아니라 의기양양함으로 물들어 있었다.

"하지만 자랑해도 좋다네."

라캉 중령이 직접 오르틀랑을 빈우의 접시에 올려준다.

"나한테서 이걸 먹었다고 하면 어딜 가도 섭섭지 않은 대접을 해줄 걸세."

그의 말로 미루어보건대, 아마 이 오르틀랑이란 요리를 먹는 것이 무언가의 비밀결사나 모임에 가입하는 조건인 것 같다. 기록 속의 빈우는 작은 새 요리를 들고 이리저리 살펴본다. 그리고 오르틀랑 모조품이 점점 가까워진다. 아마 먹으려는 순간이겠지. 그러나 빈우는 그것을 먹지 못했다.

- 경고, 클론제조실에 이상 발생. 경고, 클론제조실에 이상 발생.

갑작스러운 경고에 빈우는 달려 나갔고, 그 뒤를 라캉 중령이 따랐다. 비밀 시설인 이곳에서의 경고라면 보통 상황이 아니다. 목적지에 도달한 빈우는 사건의 원인을 발견했다.

"저리 가! 저리 가라고!"

경비 로봇들이 주춤주춤 물러선다. 아기를 안아 든 아나스타샤가 울면서 악을 쓰고 있었다.

"저리 가! 도련님이야! 내 도련님이야!"

안드로이드 메이드는 제조 탱크에서 꺼낸 클론 태아를 안고 로봇들과 맞서고 있었다.

"아나스타샤."

빈우는 감정이 없는 목소리로 아나스타샤를 불렀다.

"주인님."

아나스타샤가 빈우를 바라본다. 마치 넋이 나간 듯 멍한 표정이다.

"주인님, 이 로봇들이 주인님을 죽이려고 해요. 주인님을……."

횡설수설하는 그녀를 내버려두고, 빈우는 옆의 탱크들을 보았다. 탱크 안에는 모두 클론 태아들이 들어 있다. 모두 빈우의 클론이다. 그리고 오늘의 실험은 이 클론 태아들에게 쉬바를 투입하는 것이었다.

"김 소령, 이건 뭔가."

뒤에서 라캉 중령의 놀란 목소리가 들려온다. 다른 탱크 속에서는 이미 실험이 진행 중이다. 적당하게 성장한 클론 태아에 쉬바가 주입된다. 갈색의 나노머신들이 뻗어나가 태아를 덮치고, 잡아먹고, 복제된다. 탱크 안은 금세 쉬바로 가득 찬다.

"오 세상에."

돌아보니 라캉 중령은 입을 막고 뒤로 주춤주춤 물러서고 있다.

"안 돼! 도련님! 주인님! 주인님!"

발작하는 아나스타샤에게 빈우가 다가간다. 그리고 짧게 명령했다.

"아나스타샤. 방으로 돌아가."

그러나 아나스타샤는 명령을 듣지 못하고 울고만 있었다.

"안 돼! 도련님, 내 아기, 내 아이야!"

탱크를 향해 달려가는 아나스타샤를 빈우가 붙잡는다. 그리고 다시 강하게 명령했다.

"진정해, 아나스타샤. 저건 클론이다. 클론을 제자리에 놓고 당장 방으로 돌아가."

"주인님, 이런 거 그만두세요. 이제 그만하세요. 제발. 부탁이에요."

하지만 안드로이드 메이드는 오열하며 매달릴 뿐, 명령을 듣지 않는다. 결국 빈우가 최종 명령을 내렸다.

"아나스타샤. 수동 모드로 전환, 내 방으로 가서 대기해."

그 명령에 AI는 모든 기능이 정지되고, 단순한 로봇이 된다. 그리고 무표정한 얼굴로 주인의 명령에 충실히 따른다. 눈물이 그렁그렁한 채.

"김 소령. 이게…… 이게 뭔가."

라캉 중령은 눈앞의 사태에 경악하고 있었다. 인간의 태아들이 지구제국의 나노머신에게 집어 삼켜지는 광경에 겁을 먹고 있다.

"말씀드렸지 않습니까. 쉬바에 대한 실험을 한다고."

"자네의 클론 태아에 한다고는 듣지 못했어!"

답이 없는 빈우 대신 라캉 중령이 계속해서 다그친다.

"김 소령, 그게, 이건 사람으로서 할 짓이 아니야. 어찌 태아에게."

"중령님도 쉬바의 위험성에 대해 잘 아시잖습니까."

허리를 끊는 빈우의 말에 라캉 중령이 말을 멈춘다.

"쉬바는 애초에 비홀더 전대의 것입니다. 그리고 주요 목표는 같은 인간이고 말입니다. 그 어떤 종족을 상대로 하는 것보다 인간을 상대로 했을 때, 쉬바는 가장 왕성한 활동을 보입니다."

빈우는 홀로그램 영상을 떠운다. 군사정보국의 가상 시나리오다.

"만약 놈들이 루비콘 라인을 뚫고 돌아와 쉬바를 뿌리게 된다면, 어찌 될지 잘 아시잖습니까?"

가상 시나리오는 참혹했다. 나노머신에 대한 방어 능력이 없는 자치 행성은 순식간에 쉬바의 먹이가 되고, 여기서 자라난 쉬바는 다시 군체를 이뤄 마침내 우주 항행 능력까지 가진다. 그리고 비홀더 전대를 따라 자치 행성과 연방 직할령을 차례로 공략한다.

"하지만, 다른 방법이 있을 거야. 이런 방법은……."

머뭇거리는 라캉 중령에게 빈우가 다가가 쐐기를 박았다.

"중령님, 양심하고 타협하지 마십시오."

*

"무슨 일입니까, 대장님."

자신의 목소리가 메아리치듯이 들린다. 찰리하나팔의 목소리다.

"옛날 기록이 떠올라서."

"예? 지금 와서요? 뭔가 조건부로 발동한 겁니까? 내용이 뭐길래요."

빈우는 조용히 찰리하나팔을 쳐다보았다.

"니들 유생체에 쉬바를 쓰는 실험을 했어."

"으엑, 그런 것도 했습니까? 왜요?"

클론 병사가 질색하며 고개를 흔든다.

"이유는 뻔하지 않나. 쉬바가 인류 연방에게 사용되었을 최악의 경우 대처법을 찾기 위해서였지."

담담한 빈우의 설명에 찰리하나팔이 미간을 찌푸렸다.

"그게…… 따지고 보면 영유아 살해 아닙니까?"

"영유아? 내 클론이지."

단호한 빈우의 말에 클론의 말문이 막힌다.

"실험은 나 자신에게 한 거야. 내가 승인한 거고."

하지만 찰리하나팔은 머뭇거리면서도 다시 말문을 열었다.

"클론이 대장님은 아니지요."

"동일한 육체에 동일한 기록. 동일인 아닌가? 울토르 클론들은 전부 김빈우를 만들기 위해 제작되었어. 약점을 보완한 보다 나은 김빈우 말이다."

"기억이 다르지 않습니까."

찰리하나팔이 다른 점을 들었다. 울토르 클론과 원본 빈우의 차이는 이것이다. 클론들은 인간 김빈우로서의 기억이 없다. 하지만 빈우는 가당치도 않다는 듯이 코웃음을 쳤다.

"엄마의 죽음에 휘둘리고, 메이드의 치마폭에 감싸인 애새끼가 정말 김빈우라고 생각하나? 그래, 그럴 수도 있지. 하지만 그게 연방에 있어 중요한 인물인가? 연방 군인 김빈우라면 군에 입대한 이후, 군사정보국에 들어간 이후의 기록만으로도 충분해. 그게 지금의 인류 연방에 필요한 김빈우다."

과거의 기억에 사로잡힌 약자는 더 이상 필요 없다. 워프 비스트를 비롯한 연방의 위기를 타개하기 위해서는 약점이 없는 빈우가 필요했다. 빈우는 약간 올라왔던 흥분을 가라앉히며 다시 작업에 착수했다. 그런데 지금까지 기록된 정보들을 조회하고 비교, 대조하던 중 이상한 것을 발견했다. 최근에 수집된 전파 기록이다. 그런데 이것은 이상한 것이 아니라 심각한 기록이다.

"대장님, 이건……."

찰리하나팔 역시 그 전파 기록을 살펴봤다. 얼핏 보면 점프 포인트에서 나오는 노이즈 같아 보이지만, 울토르 중대 출신인 이들은 잘 아는, 그리고 자주 썼던 전파다.

"솔리드 시리즈의 경고 신호다."

중대장이었던 빈우가 모를 리 없다. 이것은 작전지역에 울토르 중대가 공격하기 전, 그곳에 침투해 있는 선발대나 아군 정보요원들에게 대피하라는 경고 신호다. 그 신호가 이곳 프리마에 쏘아지고 있다는 것은 조만간 여기에 울토르 중대가 쳐들어온다는 얘기다.

"언제지?"

빈우는 전파가 수신된 일시를 보았다. 사흘 전이다.

"점프 포인트에서 여기 프리마까지 이틀이면 옵니다."

프리마는 점프 포인트로부터 꽤 떨어진 변경 개척지다. 날짜 계산이 맞다면 솔리드 시리즈와 클론 부대는 이미 프리마 근처에 와 있다는 얘기다.

"왜 아직 쳐들어오지 않았지?"

빈우는 서둘러 다른 자료들을 살펴보았지만, 개척지의 기기로 탐지할 수 있을 만큼 솔리드 시리즈는 호락호락하지 않다. 덧붙여 울토르 중대의 작전 목표는 거의 수색과 섬멸이다. 그리고 현재의 빈우는 울토르 중대에 들켜서는 안 된다.

"일단 피하자."

빈우는 자료들을 챙기고 건물을 빠져나갔다. 시 외곽에 숨겨둔 비행정이 있다. 그것을 타고 극지방으로 이동해 장거리 우주선으로 도망쳐야 한다.

"아미라 씨와 니티는요?"

뒤따르던 찰리하나팔의 질문에 빈우가 멈칫한다.

"그 두 사람은 구할 거지요?"

재촉하기는커녕 풀이 죽은 질문이지만 그것이 더욱 빈우에게 사무친다.

"……빨리 도망쳐야 해. 여기서 시간을 끌다간 죽도 밥도 안 된다."

"고작해야 모녀 두 명입니다. 비행정에 태울 수도 있고, 들고 달리면 되지 않습니까."

하지만 빈우는 못 들은 척 달렸다. 집에 들어가면 재빨리 중요한 짐만 챙겨 도망치기로 마음먹으며.

*

아미라는 잠에서 깨어나 산소캔을 찾았다. 잠결에 아기의 거센 발길질이 아파 깨어났는데 숨이 너무 가빴다. 호흡하기 힘들 정도로.

"우리 아기. 착하지. 괜찮아. 이제 괜찮아."

그녀는 빈우가 준 산소캔으로 호흡하며 집 안의 산소 농도를 보았다. 시에서 중앙관제로 배급되는 산소의 농도는 정상이다. 이 호흡 곤란이 아마 임신 증상 중 일시적인 거라고 생각한 만삭의 임산부는 배를 쓰다듬으며 침대로 갔다. 그리고 누울 자리를 마련하며 첫째 딸의 머리를 쓰다듬었다.

"니티?"

그런데 첫째 딸 니티의 상태가 이상하다. 아이의 호흡이 정상이 아니다.

"니티! 일어나, 니티!"

아미라는 딸을 잡아 흔들고 뺨을 때려 깨웠다. 잠에서 깨어난 니티는 몽롱한 것이 제대로 숨을 쉬지 못하고 있었다. 엄마는 서둘러 딸의 입에 산소 호흡기를 끼웠다. 몇 호흡이 지나자 니티도 서서히 정신을 차렸다.

"엄마, 숨쉬기가 힘들어요."

니티가 헉헉대며 엄마에게 매달렸다. 그런데 아미라도 점차 숨이 가빠지는 것을 느꼈다. 산소캔이 없으니 숨을 쉬기 힘들어진 것이다. 다시금 산소의 농도를 봐도 정상수치다. 휴대용 측정기로 집 안의 산소를 봐도 마찬가지. 혹시 가스나 독극물의 영향인가 싶었지만 어떠한 경보기도 울리지 않았다.

'곰팡이가 상했나봐.'

여기까지 생각이 닿은 아미라는 니티를 안고 집을 나섰다. 폐 안의 곰팡이가 상했다면 프리마의 사람은 숨을 쉬지 못하고 죽을 수 있다. 만삭의 엄마는 늘어진 딸을 안고 필사적으로 보건소로 향했다.

"맙소사."

보건소로 가까이 가자 아미라는 뭔가 이상한 것을 느꼈다. 사람들이 너무 많다. 그것도 전부 호흡 곤란을 겪는 사람들이다. 어떤 이는 산소캔을 들어 간신히 숨을 쉬고, 어떤 이는 숨을 쉬지 못해 자신의 목을 피가 나도록 긁는다.

"아미라."

익숙한 목소리가 불러 돌아보니 죽은 남편의 친구인 음바페였다.

"이게, 이게 대체 무슨 일이죠?"

아미라는 휘청이며 그에게 다가갔다. 부족한 살림에 서로 도우며 살아왔던 이웃, 음바페의 품엔 누군가 안겨 있었다. 빙괴채집회사의 옷을 입고 있는 것을 보면 그의 직장동료지 싶다.

"맥커니가…… 죽었어."

아까만 해도 산소 소비량이 늘었다고 푸념하던 맥커니는 지금 시퍼런 얼굴로 죽어 있다. 산소 부족으로 질식한 것이다. 일을 마치고 동료들과 술을 마시면서 일어난 일이다. 갑자기 숨쉬기 힘들어하던 맥커니를 음바페가 들쳐업고 보건소로 뛰어왔는데, 그사이 이 건장한 사내가 죽어버렸다.

"이것들 보쇼. 이게 대체 무슨 일이오. 사람들이 숨을 못 쉬잖소."

다른 남자가 늙은 어머니를 업고 보건소에 항의한다. 그러나 보건소의 간호사도 딱히 답이 없어 보였다.

"모르겠습니다. 산소 농도는 정상이고, 독극물이나 기타 유독가스는 없어요. 일단 위급한 분들부터 이걸 쓰세요."

그러면서 간호사가 산소탱크를 꺼내 온다. 그러나 호흡기가 얼마 없어 사람들이 몰려 다투기 시작한다.

"뭐 하는 거야! 다 죽을 셈이야? 순서를 정해. 돌아가면서 숨 쉬면 되잖아."

반장으로 일해서 사람의 다툼을 다루는 데 이골이 난 음바페가 나서서 교통정리를 했다. 그러자 사람들이 돌아가면서 호흡기를 써 일단은 한시름 놨다. 마침 그때 의사가 보건소 밖으로 나왔다. 손에는 곰팡이 배양통이 들려 있다.

"원인을 알았습니다. 곰팡이예요. 곰팡이들이 죽은 겁니다. 어서 새 곰팡이를 폐 안에 넣으세요."

폐 속의 곰팡이가 죽었다면 프리마의 사람들은 그대로 질식한다. 겁에 질린 사람들이 너 나 할 것 없이 의사 주변으로 몰려 다시금 북새통을 이룬다. 원인이 밝혀진 만큼 공포도 구체화된 것이다.

"밀치지 마세요. 곰팡이는 충분해요. 다 돌아갑니다."

배양통을 들고 있던 의사가 인파에 이리저리 밀린다. 음바페의 말도 이제는 소용이 없다. 급기야 배양통이 땅에 떨어져 깨진다.

"안 돼!"

헐떡대는 사람들이 바닥에 흩뿌려진 곰팡이에 몰려든다. 그리고 그것을 손에 쥐고 호흡하려 애쓴다.

"뭐야, 이거 왜 이래?"

하지만 사람들은 금세 이상한 점을 발견했다. 손에 든 곰팡이들이 서서히 죽어가기 시작한 것이다. 촉촉하게 모여 있던 곰팡이들이 공기에 노출되자 부슬거리며 흘러내린다.

"곰팡이들이 죽는다!"

"뭐야, 이거 왜 이런 거야!"

호흡 곤란의 원인이 눈앞에 바로 보이자 공포가 더욱 거세진다. 호흡 또한 더욱 가빠진다. 아미라는 아픈 배를 부여잡으면서도 니티의 입에 호흡기를 끼워줬다. 그러자 니티가 호흡기를 엄마에게 양보한다.

"엄마도 써야지."

"아냐, 엄마는 아까 많이 썼어. 이제 니티가 써야지."

"아니이, 나 말고 동생이."

딸은 엄마 배 속의 동생을 생각해서 한 말이었다. 평상시라면 기특히 여겨야 하겠지만 지금은 그런 것을 느낄 상황이 아니었다.

"아미라 씨! 니티!"

멀리서 존의 목소리가 들려온다.

"존 씨, 여기예요."

아미라가 헐떡이며 손을 흔들었다. 존은 놀랄 만큼 빨리 달려와 두 사람의 안부를 살폈다.

"아미라 씨, 괜찮으신가요? 니티, 괜찮니?"

"숨을, 숨을 못 쉬겠어요."

산소 호흡기를 떼자 숨쉬기가 힘들다. 아미라는 흐려지는 의식 속에서도 딸과 배 속의 아이를 끌어안았다.

언제나와 같은 산소 농도 속에서도 제대로 호흡하지 못하는 시민들. 거기에 바닥에 죽어가는 곰팡이들. 이것만으로도 빈우는 순식간에 사태를 파악했다. 살균제다. 솔리드 시리즈는 이미 근처까지 와 있는 게 분명했다. 그리고 정찰조를 보내 프리마에 살균제를 뿌린 것이 분명하다.

'연방제' 살균제는 개척지의 '연방제' 공기정화 시스템에 당연히 감지되지도 않고, 정화되지도 않는다. 그리고 규정되지 않은 외계기술로 배양된 곰팡이만 골라서 죽이게 된다. 처음에는 살균제의 농도를 낮게 살포했을 것이다. 하지만 지금은 농도가 높다. 작전 개시가 임박했다는 증거다.

'안일했다.'

하숙집의 포근한 분위기에 젖은 탓일까, 이제까지의 임무에 지쳤기 때문일까. 빈우는 프리마를 덮친 공격을 미처 감지하지 못한 자신을 탓했다.

"존, 자네는 괜찮나?"

음바페가 가쁜 숨을 쉬면서도 존을 걱정한다. 이제껏 자신을 챙겨주던 반장이다. 그러나 지금으로선 걸림돌일 뿐이다. 빈우는 독한 마음을 품고 그것을 행동으로 옮기려 했다. 그러나 좀처럼 실천이 되지 않는다.

'내가…… 왜 이러지.'

그런 빈우의 옆으로 찰리하나팔이 따라왔다.

"대장님, 살릴 수 있을 만큼은 살립시다."

녀석이 이런 말을 했다는 것은 이미 사태가 어떻게 돌아가는지, 그리고 얼마나 긴박한지 파악했다는 의미다. 이를 증명하듯 프리마에 경보가 울렸다.

- 외벽 파괴 경보. 외벽 파괴 경보. F-45구역의 외벽이 파괴되었습니다. 근처의 시민 분들은 즉시 안전장비를 챙기시고 대피하시기 바랍니다. 다시 한 번 알립니다. 외벽 파괴…….

마침내 적의 공격이 시작되었다. 그리고 그 적은 높은 확률로 울토르 중대일 것이다.

"모두 피해요! 개척지 바깥으로 도망쳐요!"

그렇게 외친 빈우는 아미라와 니트를 양쪽에 들쳐 안고 뛰었다.

"아미라! 존!"

뒤에서 음바페의 외침이 들리지만 빈우는 무시하고 달렸다. 이제는 정말 지체할 시간이 없다. 외벽이 부서졌으니 적들이 몰려들어올 것이고, 그 적들은 보이는 눈에 보이는 모든 것을 말살하는 존재들이다. 현재의 프리마로는 결코 감당할 수 없는 적이다. 그리고 빈우조차도.

멀리서 코일건의 발사음이 들린다. 마침내 적들이 프리마 거주 구역 안으로 들어와 공격하기 시작한 것이다. 이어서 강한 화염이 저 멀리서 솟구쳐오른다. 산화제를 섞은 화염방사기다.

"꽉 잡아요."

빈우는 높이 점프해서 사람들을 뛰어넘고 건물 위로 달렸다. 발아래에는 사람들이 질식해서 여기저기 널브러져 있다. 비상용 산소통 근처에는 아비규환이 펼쳐져 서로 호흡기를 잡으려고 싸움이 났다.

"으으윽."

아미라의 갑작스런 신음에 빈우가 발을 멈췄다. 옥상에서 그녀를 앉히자 만삭의 임산부가 고통으로 얼굴을 찡그린다.

"아아, 안 돼. 조금만 참아라, 아가야."

엄마는 배를 만지며 안에서 요동치는 아기를 달랜다.

"엄마, 많이 아파? 괜찮아? 동생이 아야해?"

맏딸인 니티도 엄마와 동생을 걱정하며 엄마의 치마폭을 잡았다.

"산통입니까?"

빈우의 질문에 아미라는 바들거리는 고개를 끄덕였다. 낭패다. 지금은 도저히 아기를 받을 수 없는 상황이다. 아무리 프리마라 해도 갓 태어난 아기는 고농도 산소실에서 지내다가 곰팡이를 이식받고 나서야 일반 신생아실로 이동한다. 지금 바깥에서 바로 태어나버리면 아기는 산소 부족으로 질식해 죽을 것이다. 그걸 떠나서라도 클론 중대로 추측되는 적에게 공격받고 있는 현재 상황에서는 아기가 태어나는 것 자체가 위험하다.

"일단 안전한 곳으로 갑시다."

빈우가 다시 모녀를 안으려고 했을 때, 아미라가 고개를 들었다.

"존…… 씨. 지금 이게, 무슨 일이죠?"

땀범벅이 된 아미라는 울먹거리는 니티를 쓰다듬으며 질문했다. 빈우는 알고 있다. 그러나 대답할 수 없다.

'왜 대답을 못 하는 걸까.'

빈우는 스스로도 궁금했다. 그저 연방군이 쳐들어와서 당신들을 죽이려 한다고 말하면 될 일이다. 왜 말을 하지 못할까.

"대장님! 지금 뭐 하시는 겁니까, 뛰어요!"

찰리하나팔의 목소리에 정신을 차린 빈우는 두 사람을 안고 다시 달렸다. 총소리와 화염이 점차 다가온다. 아무리 강화 육체의 군인이 달린다 한들, 어벤저 무리의 포위망이 더 빠른 것이다.

"어서, 들어가요! 어서."

가까스로 목적지에 도착한 빈우는 좁은 입구에 두 사람을 내려놓았다.

"엄마, 엄마아아아."

니티는 아까부터 울고 있었다. 하늘을 날며 봤던 무서운 광경은 열 살배기 소녀가 받아들이기엔 무리였다. 고향이 불타고 이웃이 죽어간다. 그걸 보고 우는 딸을 달래던 엄마는 이마에 식은땀을 흘리며 주저앉았다.

"아아, 안 되겠어요. 근처의 보건소로…… 보건소로 가요."

"안 됩니다, 아미라 씨. 놈들은 우릴 다 죽일 겁니다."

중대장이었던 빈우는 잘 알고 있다. 울토르 중대는 결코 생존자와 목격자를 남기지 않는다.

"저들이 누구죠? 누가 우릴 공격하는 건가요? 항복하면 아기는, 아기는 살려…… 으윽."

하지만 산고를 겪는 아미라는 사태를 파악하지 못하고 횡설수설하고 있다. 그리고 니티는 옆에서 괴로워하는 엄마를 보며 울고 있다.

"대장님, 어서 안으로 들어가세요."

빈우는 찰리하나팔의 재촉에 모녀를 건물 안으로 끌고 들어갔다. 안에는 다시 내문이 있다. 이 문만 열면 비행정이 있고 그걸 타고 도망가면 당분간은 안전할 것이다. 빈우가 문을 열기 위해 암호를 입력하던 바로 그때, 코일건 사격이 일행이 들어간 건물로 쏟아졌다.

"아아악!"

"엄마아아!"

모녀는 선 채로 비명을 지르며 얼어붙었다. 빈우는 황급히 두 사람에게로 달려갔다. 다행히 공격은 한 번뿐이다. 이곳을 노린 것이 아니라 지나가던 사격이었을 것이다. 그러나 그것만으로도 일행에겐 치명적이었다.

"아아, 아아아—."

아미라의 치마 사이로, 허벅지를 타고 양수가 흘러내린다. 방금의 충격으로 양막이 터진 것이다. 옆에서는 니티가 겁에 질려 울며 오줌을 싸고 있다. 아기가 나오기 시작한 산모를 데리고 도주는 힘들다. 앞으로의 계획을 짜며 생각에 잠긴 빈우를 잡아채는 목소리가 있었다.

"버리면 안 됩니다."

찰리하나팔의 단호한 목소리다.

"할 수 있습니다. 대장님은 할 수 있어요. 연방이 가진 모든 기술이 대장님 머릿속에 있잖습니까."

빈우는 호흡을 가다듬은 다음 모녀를 안고 내문 안으로 들어갔다. 그리고 대충 자리를 마련하고 아미라를 눕혔다.

"아미라 씨, 지금 아기가 나옵니다. 그리고 제가 받을 겁니다. 아시겠습니까?"

형식은 질문이지만 내용은 일방적인 통보다. 산모는 눈물을 흘리며 고개를 끄덕였다.

"니티, 이제 동생이 태어날 거다. 네가 엄마를 도와줘야 해. 알겠지?"

빈우가 다독이자 니티는 간신히 울음을 그치고, 그러나 아직도 울먹이며 엄마의 손을 잡아주었다.

"다리 벌리고, 무릎을 굽혀요. 아기가 나올 수 있게 자리를 마련하세요."

그렇게 말한 빈우는 비행정으로 달려가 시동을 걸고 비상용 산소캔을 꺼냈다. 그리고 호흡기를 칼로 잘라 대충 신생아용 호흡기로 만들었다. 다시 자리로 돌아온 그는 산모의 등에 부드러운 잡동사니를 갖다 채웠다.

"배꼽을 봐요. 고개를 숙여요, 더. 턱이 배꼽에 닿도록."

그런 찰나 다시금 코일건 사격이 건물을 덮쳤다. 떨어지는 파편을 빈우가 쳐낸다. 다음 다리 사이를 보자 이미 아기의 머리가 나오고 있다. 그러나 지치고 숨을 쉴 수 없는 엄마는 아기를 낳을 힘이 없었다. 빈우는 진동 나이프를 꺼냈다. 그것으로 아기가 나올 공간을 마련하려는 찰나, 무언가 그의 손을 잡는다. 찰리하나팔이다.

"이제껏 수많은 생명을 앗았던 무기로 생명을 구하겠다는 겁니까?"

사람이 죽어가는 마당에 무슨 헛소리인지 모르겠다.

"시답잖은 소리 집어치워!"

빈우는 칼로 아미라의 회음부를 절개해 아기의 머리가 통과하기 쉽도록 만들었다. 그러나 산모가 너무나 지쳐 있다. 정신적으로도, 육체적으로도. 빈우는 아미라의 뒷목을 잡고 세게 앞으로 당겨서 배를 압박한다.

"니티, 엄마의 목을 밀어라. 동생이 나올 수 있게 도와줘."

그러자 니티는 울면서도 시킨 대로 엄마의 목을 밀었다. 있는 힘껏.

"대장님, 사격이 거세집니다."

찰리하나팔의 말에 빈우는 이를 악물었다. 이건 우연히 스치는 게 아니다. 아마 비행정의 시동을 발견하고 공격하는 게 분명하다. 아기는 산도를 나오다가 중간에 걸려 있다. 그러나 아미라는 더 이상 힘을 내지 못했다.

"아미라 씨! 아미라 씨!"

보다 못한 빈우는 서둘러 아미라의 음렬을 비집고 손을 밀어넣어 아기의 목을 받쳤다. 그리고 산모의 배를 누르며 억지로 아기를 꺼냈다. 엄마는 비명을 질렀고, 고통에 못 이겨 입술을 깨물어 피가 홍건하다. 맏딸은 무서운 광경에 울면서도 있는 힘껏 자기 할 일을 했다.

"아미라 씨, 나왔습니다. 아기가 나왔어요."

빈우는 아기의 코와 입을 약하게 빨아 양수를 뱉어내게 하고, 탯줄을 잘라 묶었다. 그리고 아기의 머리에 산소 호흡기를 뒤집어씌운 다음 엄마의 가슴 위에 올려놨다.

"아아, 테테루. 테테루⋯⋯."

아미라는 이런 순간에 태어난 아들을 보며 눈물을 흘렸다. 그 광경을 보며 빈우는 왜 자신이 군에 지원했는지 어렴풋이 알 것도 같았다. 현재의 우주는 인류에게 그다지 친절하지 않다. 인류의 세력권은 너무나도 넓고, 적 또한 그만큼 많다. 그래서 인간을 지킬 자들이, 강력한 군인이 필요했다.

하지만 이 시간은 결코 길지 못했다. 적들이 들이닥친 것이다. 빈우가 군에 지원한 업보가 결국엔 도착하고 말았다.

"대장님!"

찰리하나팔의 외침. 빈우도 이미 봤다. 골목을 비집고 들어오는 어벤저 장갑복, 역시나 울토르 중대 사양이다.

'어떻게 하지?'

찰나의 순간에 빈우는 고민했다. 여기서 위기를 해결할 방법이 하나 있긴 하다. 그러나 그 카드를 지금 써버리면 정작 나중에 중요할 때에 쓰지 못한다. 개척지의 세 가족을 구하기 위해서 쓰기엔 너무나 아까운 카드다.

아주 잠깐의 고민이었지만, 그동안 어벤저는 코일건을 겨누었다. 텅스텐 탄자를 자기장으로 가속해 발사하는 무기, 게다가 장갑복의 출력이면 맨몸의 빈우 따위는 갈기갈기 찢어버릴 화력이 나온다. 어벤저는 경고도 없이 바로 사격했다. 그러나 빈우는 먼저 달려들어 사격의 사각, 장갑복의 품 안쪽으로 달려들었다. 그리고 헬멧의 응급용 개폐 버튼을 눌렀다. 똑같은 클론의 군용 지문에 똑같은 유전 정보다. 헬멧은 어이없이 쉽게 열렸고, 빈우는 눈앞에 드러난 자신의 얼굴에 진동 나이프를 찔러 넣었다. 그리고 반사적으로 휘두르는 장갑복의 팔을 피해 다시금 칼로 후벼 팠다. 방금 사람을 구했던 칼이 다시 생명을 앗아가고 있다.

가까스로 적을 처리한 빈우는 산모에게로 돌아섰다. 방금 전까지 산모였던 것에게로.

"엄마아아아!"

니티는 비명을 지른다. 가슴 위로 사라진 엄마의 시신을 보며 놀라서 자지러지고 있다. 방금의 사격에 아미라가 죽은 것이다.

"니티, 보지 마, 눈 감아."

빈우는 재빨리 달려가 니티를 껴안아 엄마를 보지 못하게 했다. 간발의 차로 살아남은 테테루는 엄마의 피와 살점을 뒤집어쓰고 울고 있다. 아기는 젖내음을 맡고 엄마 품에서 입을 뻐끔거리지만 젖은 어디에도 없다. 그저 비릿한 피만이 아기의 입을 적시고, 테테루는 다시 울었다.

남매의 울음소리를 날카로운 굉음이 덮었다. 장갑복의 제트팩 소리다.

"계속 옵니다. 어서 쓰세요. 대장님."

찰리하나팔이 재촉한다. 여기서 비장의 수를 안 쓰면 탈출도 못 하고 죽을 게 분명하다. 들리는 제트팩 소리는 셋. 방금 한 명이 빈우에게 당하자 나머지 분대원들이 이리로 오는 것이다. 놈들은 빈우의 육체와 빈우의 전투 경험을 가지고 있다. 더구나 세 명이나 되는 클론은 완전 무장한 채다. 방금처럼 일이 쉽게 풀리진 않을 건 뻔했다.

"대장님!"

일행 근처로 어벤저 장갑복 셋이 거의 동시에 착륙했다. 그리고 빈우는 어쩔 수 없이 아껴두었던 비장의 수를 썼다. 울토르 중대에 있을 때 만들어놓았던 백도어를 연 것이다. 빈우는 만약을 대비해 클론들의 명령체계에 비밀리에 간섭할 수 있는 방법을 만들어놓았는데 지금 그것을 써서 클론들의 현재 정보를 빼냄과 동시에 새로운 명령을 집어넣었다.

- 명령 승인.

한때 현장 지휘관이었던 빈우의 명령이다. 클론들은 각자의 분대를 적으로 인식하고 싸우기 시작했다. 눈앞의 클론들은 다른 분대의 형제들을 처리하기 위해 급히 자리를 떴다. 그러나 이것도 얼마 못 간다. 클론들이 모순된 명령을 깨닫고 이것을 무시하거나, 후방에 있던 지휘관에게서 새로운 명령이 올 것이었다. 하지만 이 정도 시간 벌이면 비행정을 타고 도망치는 데는 충분했다.

"엄마, 엄마아아."

니티는 바닥에 널브러진 엄마의 시신을 보고 미친 듯이 울었다. 갓 태어난 테테루는 엄마의 젖 한번 제대로 먹어보지 못한 채 배가 고파 울고 있다.

빈우는 이 둘을 안고 비행정에 탄 다음, 출발했다. 비행정은 바닥을 부수고 내려가 프리마의 구 지하도로의 안을 날았다. 과거 프리마의 토대를 다질 때 만들었던 도로는 꽤 커서 비행정이 날 수 있을 정도의 공간이 나왔다.

'이제 우주선이 있는 곳까지만 가면 된다.'

빈우는 앞으로의 계획을 간단히 살펴봤다. 먼저 비행정으로 지하도로를 빠져나간 다음 극지방까지 간다. 장갑복의 제트팩으론 이 비행정을 따라잡을 수 없고, 솔리드 시리즈에 탑재된 함재기 중에서 이 좁은 지하도로를 날 수 있는 기체는 없다. 그러므로 당분간은 안전할 것이다. 최소한 지하도를 탈출할 때까지는. 우선은 지하도를 따라 시 바깥으로 나간 다음엔 조심스레 저공비행을 하여 목적지로 향한다. 거기서 우주선으로 갈아탄 뒤, 이 행성을 탈출하는 것이 계획의 마지막 단계다. 그러나 그 계획을 불가능하게 하는 이유가 생겨버렸다.

'산소가 부족해.'

빈우는 비행정 내의 산소잔량을 보고 혀를 찼다. 도시 바깥은 개척 작업이 덜 끝나서 산소가 아예 없다. 이렇다면 제아무리 곰팡이와 공생하는 프리마 개척민이라 해도 숨을 쉴 수가 없는 것이다. 즉 세 사람이 이 비행정을 타고 극지방까지 가려면 비행정 내부에 있는 산소로만 숨을 쉬어야 한다. 그러나 신생아 테테루와 곰팡이가 없는 니티는 산소 소비량이 크다. 또한 첩첩산중으로 아까 아기를 받을 때 산소캔을 꺼냈는데, 클론의 공격으로 상당수의 산소캔들이 파손되었다.

이제 빈우은 해결책을 찾아내야 한다. 이 안의 세 명이 우주선까지 살아서 도착할 방법을.

170

· · · ✦ · · ·

빈우는 지하도를 빠져나온 다음 비행정을 자동조종으로 돌렸다. 목적지까지는 정상적으로라면 일곱 시간이 걸릴 예정이다. 울토르 중대는 아까 백도어로 했던 공격의 여파가 꽤 컸는지, 아니면 비행정의 탈출을 발견하지 못했는지 아직까지 추적은 없어 보였다. 그렇다 해도 지금은 모습을 감추고 이동하는 게 중요하다. 경로를 안전한 쪽으로 재설정하자 도착 시간이 늘어난다. 하지만 산소가 턱없이 부족하다.

'지금 양으론 두 시간 정도······.'

아까 탈출 전에 날려먹은 게 꽤 크다. 강화 군인인 빈우라면 어떻게 버티겠지만 승객들이 버티지 못할 것이다. 빈우는 뒤쪽의 승객들을 돌아보았다.

"엄마····· 엄마아······."

니티는 동생인 테테루를 안고 비행정의 뒤에서 흐느끼고 있었다. 품 안의 갓난아기는 자지러지듯이 울고 있다. 빈우가 조심스레 다가가자 누나가 화들짝 놀란다.

"아저씨, 저 엄마! 엄마한테 갈래요, 엄마한테 보내주세요."

하지만 불가능한 일이다. 빈우는 대답 없이 상자 하나를 꺼냈다.

"동생이, 테테루가 배고파하네."

그 말에 니티는 울먹거리며 품 안의 동생을 꼭 끌어 안았다. 빈우는 액상 영양제 캡슐을 하나 꺼내 끝을 작게 잘랐다.

"아저씨가 동생 밥 줄게, 니티도 좀 먹어. 그런 다음 엄마한테 같이 가자."

"정말요? 진짜예요?"

방금의 참극을 기억 못 하는지 엄마에게 간다는 말에 니티는 다시 울음을 터트렸다.

"그럼, 어서 가야지. 엄마가 니티랑 동생을 보고 싶어 할 거야. 빨리 가자."

빈우는 영양제 캡슐을 조금씩 짜서 자신의 손가락에 발라 테테루의 입에 물렸다. 그러자 아기는 엄청난 기세로 손가락을 빨았다. 손목이 들썩일 정도의 힘으로.

'왜 울토르 중대가 왔을까.'

아기에게 손가락을 물리며 빈우는 방금 일어난 참극의 원인을 파악하려 했다. 프리마는 중립이라 친 연방파와 반 연방파가 섞여 있고, 양측과 다 거래한다. 그래서 그다지 위험도가 높지 않은 개척지다.

'혹시 나를 노린 것인가?'

탈주한 빈우를 잡으러 왔다면 이렇게 일을 크게 벌일 필요가 없다. 조용히 암살부대를 보내거나, 아니면 운석 낙하를 가장한 궤도포격으로 깨끗이 처리하면 될 일이다. 굳이 보병들을 보냈다면 달리 이유가 있을 것이다. 그렇다고 프리마에 목적이 있다고 하기엔 빈우가 지금까지 수집한 프리마의 정보를 보면 이 개척지는 연방을 딱히 적대한 적이 없고, 그럴 계획 또한 없었다. 연방의 안보에 위협이 되지 않는 개척지에 비밀 중의 비밀, 그리고 연방에서 가장 더러운 부대인 울토르 중대를 보낸 이유는 대체 무엇일까.

'……아니, 울토르 중대라면 쳐들어올 이유가 있군.'

그 이유는 바로 샤다이다. 빈우는 워프 비스트에 관련된 자료를 추적하다가 이곳 프리마까지 오게 되었고, 여기서 샤다이의 흔적을 발견할 수 있었다. 이 알탄훼아나라 불린 샤다이는 곰팡이를 개조해 이곳의 시민들에게 주어 공생하게까지 했다. 그리고 울토르 중대의 주적은 외계인. 그중에서 샤다이는 가장 위험도가 높다. 하지만 그렇다 한들 이렇게까지 할 이유는 되지 못한다. 개척민들이 샤다이와 협조하고 그들이 만든 곰팡이를 몸속에 키운다 해도 울토르 중대를 보내 다짜고짜 죽일 만한 일은 아닌 것이다.

'아니면 내가 모르는 뭔가가 있겠지. 마카로니처럼.'

빈우가 마리 라캉을 추적했던 마카로니는 여러 가지 복잡한 요인이 뒤섞여 울토르 중대가 출동한 곳이다. 그리고 그 결과 참극이 벌어지게 되었다. 생각을 정리하던 빈우는 고개를 돌리다 비상사태를 발견했다.

"안 돼!"

빈우는 서둘러 손을 뻗어 니티의 입속으로 집어넣었다. 그리고 손가락으로 아이의 입안을 샅샅이 훑고 또 긁었다.

"뱉어! 어서 뱉어!"

"으아아앙—."

갑작스런 행동에 니티가 놀라서 다시 울음을 터트렸다. 우악스러운 손길이 아프고, 또 무서운 것이다. 다행히 아이의 입에서 알약 하나가 토해져 나왔다. 아마 사탕이나 비상식량으로 착각했겠지.

"아니야, 니티. 아저씨는 니티를 탓하는 게 아니야. 지금 니티는 나쁜 약을 먹었거든. 저건 먹으면 안 되는 약이야. 저건 먹으면 자게 되는 약이야."

빈우는 서둘러 니티를 안고는 등을 토닥이며 달랬다. 그리고 바닥에 떨어진 자결용 극약을 밟아 으깼다. 조난되어서 구조 가망성이 없을 때 편히 죽는 것을 도와주는 약이다. 니티는 상자 안에서 이것을 보고 사탕이라 생각해 먹은 것이다.

"이거 먹으면 자요?"

울음을 그친 니티가 훌쩍이며 물어본다.

"그래, 아주 깊게 잔단다. 다시는 깨지 못해. 그러니까 먹으면 안 돼."

빈우는 엘리자베트 허드슨 같은 일은 더 이상 보기 싫었다. 다시는 아이가 죽는 모습을 보고 싶지 않았다.

"자, 이걸 먹어. 초콜릿이다. 맛있어."

빈우가 다른 비상식량을 까서 내밀자 아이는 다시 울음을 그쳤다. 그러나 이번엔 품 안의 아기가 울기 시작했다. 강화군인이 무릎에 누나를, 품 안에 동생을 안고 달래고 있다. 그러다 아기가 잠에 빠지자 빈우는 조심스레 눕힌 다음 니티를 불렀다.

"니티, 이리 와보렴."

니티는 진정했지만, 아직 겁에 질린 상태다. 그러면서도 빈우의 부름에 주춤주춤 따라나섰다.

"지금 우리는 이 비행정을 타고 목적지까지 가야 한단다. 그런데 산소가 부족해. 그래서 세 명이 숨쉬기엔 힘들어."

개척지에서 자란 아이라 빈우가 하는 말을 금세 알아들었다. 조종석의 화면에는 현재 산소의 잔량과 도착 시간, 그리고 승객들의 산소 소비량이 나오고 있다. 그런데 산소가 아주 부족하다. 도착까지는 여덟 시간이 걸리지만 세 명이 쓸 산소는 세 시간 분량이 채 안 된다. 그중에서 빈우가 쓰는 양이 가장 많다.

"그래서 니티, 이제 아저씨는 좀 쉴 거야."

그 말에 니티가 겁을 더럭 먹고 올려본다.

"아저씨는 산소 소비량을 줄이기 위해 잠을 잘 거야. 그러면 니티와 동생인 테테루는 도착까지 숨 쉴 수 있어. 알았지?"

소녀는 겁에 질려 눈을 크게 뜬 채로 고개를 끄덕였다. 빈우는 강화군인치고는 생체의 비율이 높다. 그렇다면 당분간 생체의 산소 소비량을 줄이면 해결될 일이다.

"니티, 이게 산소캔과 호흡기야. 사용 방법을 알려줄게."

빈우는 니티와 테테루에게 할당된 산소량을 계산해서 시간과 횟수를 정해주었다. 그리고 밸브에 타이머를 설정해 니티에게 사용법을 가르쳤다.

"자, 해봐."

그러자 니티는 빈우가 가르쳐준 대로 호흡기로 숨쉬고, 조금 쉬었다가 동생에게 호흡기를 대고 숨쉬게 했다.

"그래, 그렇게 하면 된다. 이제 아저씨는 좀 잘게. 도착하면 일어날 테니 걱정 마."

그리고 빈우는 자리에 앉아 벨트를 맨 후 양팔과 양다리로 가는 혈류를 차단하고 신경계를 끊었다. 이렇게 하면 팔다리 분의 산소를 아낄 수 있다.

'음? 내가 이걸 한 적이 있던가?'

문득 빈우는 이상한 생각이 들었다. 얼마 전에 이렇게 사지를 차단하는 것을 해본 듯한 기분이 든 것이다. 하지만 지금은 이런 잡생각을 할 시간조차 아깝다. 빈우는 즉시 두뇌칩을 조절해 수면을 넘어서 가사 상태로 들어갔다. 구조대가 올 때까지 영양과 산소를 아껴 생존하는 가사법을 쓰는 것이다. 다음 눈을 뜰 때면 목적지 근처일 것이고, 빨리 비행정을 착륙시킨 다음 우주선 안으로 들어가야 한다.

*

가사 상태가 끝나고 눈을 다시 뜬 빈우가 본 것은 쪽지였다. 그의 앞자리에 쪽지 하나가 붙어 있다.

- 아저씨 미안해요. 제가 계산이 틀렸어요. 저도 조금 잘게요.

니티의 글씨다. 빈우가 공부를 가르쳐줬기 때문에 알고 있다.

"니티! 니티!"

팔다리의 감각이 미처 돌아오기 전이다. 빈우는 목이 터져라 니티를 불렀다. 그러나 대답이 없다. 억지로 붙은 신경, 다시 흐르는 혈류. 빈우는 비틀거리면서 일어났다. 부자유스러운 그의 몸에 불길한 예감이 감겨온다.

"니티!"

아이의 이름을 부르며 빈우는 의자를 잡고 뒤로 돌았다. 그리고 호흡기를 낀 채 곤히 자고 있는 테테루와 그 옆에서 같이 자고 있는 니티를 보았다.

아이는 잠들어 있었다. 영원히.

"아— 안 돼."

빈우는 재빨리 니티의 호흡과 맥박을 쟀다. 그러나 그전에 아이의 몸이 차갑다는 것을 손끝으로 알 수 있었다. 옆에는 아까 먹지 말라고 했던 자결용 약의 포장지가 떨어져 있었다. 쪽지의 내용이 다시 떠오른다.

- 아저씨 미안해요. 제가 계산이 틀렸어요. 저도 조금 잘게요.

아마 산소캔의 호흡 순서를 틀렸을 것이다. 아니면 숨이 차 조금 더 호흡을 했을 수도 있다. 어찌 되었건 니티는 실수를 했고, 산소를 허비했으며, 그것을 만회하기 위해 선생을 따라 한 것이리라. 빈우가 산소를 아끼기 위해 잔다고 했으니 이 아이도 그걸 그대로 배워 써먹은 것이다. 잠이 드는 약을 먹어서.

'어째서!'

빈우는 마음속으로 자책했다. 왜 좀 더 강하게 약을 먹지 말라고 하지 않았을까, 왜 먹으면 죽는 약이라고 사실대로 말하지 않았을까. 하지만 이미 니티는 죽었고, 빈우가 아무리 자책한들 되살아나지 않는다.

그때 조종석 쪽에서 알람이 울렸다. 드디어 목적지에 도착한 것이다. 빈우는 조종간을 잡고 착륙 준비를 했다. 그러나 바람이 너무 강하다. 소형 비행정으론 더 이상 앞으로 가는 것이 무리일 정도다. 세찬 강풍에 비행정이 흔들리고 눈보라가 시야를 가린다.

"제길!"

눈보라를 뚫고 갑자기 빙하 산맥이 눈앞에 나타났다. 빈우는 욕을 하며 조종간을 급히 꺾었지만 이미 비행정은 옆부터 충돌해버렸다. 그리고 기체는 중심을 잃고 아래로 떨어지기 시작했다. 기기에서 경보음이 울리고, 각종 위험경고를 화면에 띄운다. 추락하는 와중에 빈우는 어떻게든 안전한 장소를 찾아 비상착륙을 하려고 했지만 여의치가 않다. 그때 충격의 여파인지 비행정의 뒷부분이 뚝 하고 떨어져 나가버렸다. 그리고 안전벨트 안에 있던 테테루가 미끄러지듯 빠져나갔다.

생각할 틈도 없이 빈우는 뒤로 몸을 날렸다. 그리고 비행정을 박차고 날아 테테루를 잡았다. 이어 빈우 자신도 영하의 설원으로 추락했다. 단단한 얼음 위에 얇게 깔린 눈이지만 강화 군인은 그리 어렵지 않게 착지했다. 하지만 진짜 위기는 이제부터 시작되었다. 지금 빈우와 테테루가 있는 곳은 산소가 없는 영하의 설원이다. 빈우는 이곳에서 우주선이 있는 목적지까지 도보로 가야 한다. 갓난아기를 데리고. 다행히 독성기체나 기압 문제는 없지만 그래도 장시간 있다간 테테루의 목숨이 위험하다.

"응애, 응애!"

갑작스런 추위에 아기가 놀라서 울음을 터뜨렸다. 하지만 얼마 안 있어 숨을 쉬지 못해 헉헉댄다. 빈우가 호흡기를 갖다 대자 그제야 테테루는 숨을 쉬며 울음보를 터트릴 수 있었다.

"미안하다 아가야. 조금만 참아라."

빈우는 아기를 자신의 품 안 깊숙이 넣어서 안고, 호흡기를 머리 위에 씌위주었다. 그래도 막을 수 없는 추위에 테테루는 경련하듯 부르르 떨었다. 지금 빈우에겐 아무런 방한 물품이 없다. 방한 물품은커녕 얼마 안 되는 물자조차 저 멀리 추락하는 비행정 안에 들어 있다. 이제 둘은 맨몸이나 다름없는 옷을 입고 목적지, 우주선이 있는 곳까지 가야 하는 것이다.

빈우는 괜찮다. 강화군인인 그에게 이 정도 추위는 그럭저럭 버틸 수 있을 정도다. 다만 신생아인 테테루가 문제다. 산소가 없는 극지방, 영하의 칼바람이 몰아치는 이곳에선 목숨조차 위험하다.

"응애. 응애애―."

태어나서 처음 겪는 맹추위에 테테루가 악을 쓰며 운다. 하지만 지금으로선 어쩔 도리가 없다. 빈우는 경련하는 아기를 안고 목적지를 향해 묵묵히 달렸다. 잠시 호흡기로 산소를 마시고 다시 아기 머리에 호흡기를 뒤집어씌운다. 아무리 껴안고 옷으로 감싸도 차가운 공기가 아기의 몸을 파고들어 체온을 앗아간다.

그리고 빈우는 계속해서 달렸다.

얼마나 달렸을까, 산소가 모자란다는 경고가 계속해서 빈우의 머릿속에 뜬다. 조금만 더 가면 된다. 조금만 더. 그렇게 자신을 달래며 빈우는 달렸다.

마침내 설원 한가운데에 위장해놓은 우주선이 보였다. 빈우는 산소 호흡기로 숨을 듬뿍 마신 다음 힘껏 달렸다. 그리고 마지막 스퍼트의 끝에 마침내 우주선의 문을 열고 안으로 들어갈 수 있었다. 우주선 바닥에 나동그라진 빈우는 가쁜 숨을 내쉬었다.

"헉, 헉."

그리고 아기의 안색을 살피기 위해 호흡기를 치웠다. 호흡기 안쪽에 드러난 테테루의 코와 입에는 얼음이 끼어 있었다. 피부도 파랗고 아기는 미동도 하지 않고 있다.

"테테루, 숨을 쉬어. 테테루. 숨쉬라고. 이제 다 왔어. 다 왔단 말이다."

빈우는 테테루의 얼굴을 쓰다듬고 등을 비볐다. 하지만 이게 아무런 소용이 없다는 것은 빈우 스스로가 잘 알고 있다. 엄마인 아미라가 죽고, 누나인 니티가 죽고, 마지막으로 테테루마저 빈우의 품 안에서 얼어 죽었다. 빈우는 아기의 코에 서린 얼음을 떼어내려 했지만 떨어지지 않는다. 자칫 잘못하다간 얼어버린 피부까지 같이 떨어질 것만 같았다. 그래서 입김을 호호 불고, 혀로 조심스레 핥았다. 간신히 얼음을 녹이고 그 위로 다시 호흡기를 갖다 대었지만 아기는 숨을 쉬지 않는다.

"안 돼."

이미 눈마저 얼어 눈꺼풀이 붙어 있다.

"안 돼……."

언제부터였을까. 언제부터 아기는 얼어 죽어갔을까.

"안 돼……."

왜 자신은 품 안에서 죽어가는 아기를 살리지 못했을까.

"으아아—!!!!!"

빈우는 얼어 죽은 아기를 꼭 껴안고 오열했다. 또 한 번 자신이 살리지 못한 생명이 자신의 품 안에서 꺼져간 것이다.

171

• • • ✦ • • •

뉴 소노라의 전투가 끝난 다음, 빈우는 42전단과 합류했다. 하지만 42전단이 채 완전히 편성되기도 전에 통합사령부로 호출을 받았다. 당연하다면 당연한 것이, 빈우가 뉴 소노라에서 수집한 정보는 연방을 발칵 뒤집어놓을 만한 것이기 때문이다.

"야 이 자식아."

빈우의 옆에서 마커스가 한숨과 함께 투덜거렸다. 뉴 소노라의 전투가 끝난 다음 빈우가 보낸 약식 보고서에는 '샤다이로부터 워프 비스트 및 점프 게이트에 관한 최중요 정보 수집. 매우 위험함. 즉각적인 대처 필요'라고만 되어 있었다. 그리고 그다음엔 녀석이 개인적인 부탁을 해오는 바람에 마커스 머릿속에서 보고서 내용의 우선순위는 약간 뒤로 밀려버린 것이다.

그러나 보안이 확실한 루트로 정식 보고서가 들어오자 군사정보국은 문자 그대로 폭발했다. 워프 비스트가 실은 고대 샤다이의 귀환이란 것은 좋다. 그 존재들이 인류 사회에 숨어들었다고 하는 것도 납득이 간다. 하지만 그 경로가 점프 공간을 통해서이고, 점프를 하면 할수록 인간이 샤다이의 정보에 감염된다고 하니 이건 이만저만 중대 사항이 아닌 것이다.

인류가 점프 항법을 쓸 수 없다면 연방은 체제를 유지할 수 없다. 항성계 단위로 분열돼 멸망하는 것은 시간문제다. 그래서 통합사령부는 당사자인 김빈우 소령을 긴급 소환했고, 군사정보국에서도 차장인 마커스까지 달려오게 되었다. 핀잔을 안 하려야 안 할 수가 없다.

"뭐, 내가 이런 적이 한두 번이냐. 그리고 요즘은 특히 조심해야지."

하지만 빈우는 새삼 무슨 엄살이냐는 투다. 그의 말이 틀린 것은 아니다. 군사정보국의 작전을 하다 보면 간혹 약식 보고서는 사안의 민감함을 반영해, 혹은 정보의 보안을 위해 정말로 약식으로 작성한다. 그리고 정식으로 보고할 때 제대로 모든 사실을 말하는 것이다.

"하긴, 보안국의 낌새가 이상하긴 하지."

마커스도 빈우의 말에 납득했다. 현재 보안국은 이상하리만치 태스크포스 373과 빈우에게 집착하고 있다. 당시 빈우의 보고서 내용을 중간에 도청한다고 해도 이상할 것은 없다. 들킨다 해도 중요 사안에 대해서 조사할 필요가 있었다고 사후보고하면 끝이다.

"너는…… 보안국이 넘어갔다고 생각해?"

마커스의 질문은 조심스러웠다. 보안국이 워프 비스트의, 고대 샤다이의 손아귀에 넘어갔냐는 의미다.

"글쎄다. 정확한 건 모르지. 하지만 그 영향력 아래에 있다는 것은 거의 확실해. 문제는 보안국이 아냐. 상원 의회다."

빈우의 지적에 마커스는 심각한 표정으로 고개를 끄덕였다. 레드우드 중장과 오다 의원의 말에 따르면 상원과 연방의 각 부서에는 태스크포스 373의 창설을 막으려는 무리들이 있다고 했다. 더구나 울토르 프로젝트의 지휘자였던 전 상원의장 이케가미 소이치로는 자신의 과오를 바로잡기 위해 행동했을 때 주변이나 동료의 도움을 받지 못하고―아니면 의도적으로 본인이 회피하고―홀로 움직였다. 결정적으로 오다 히토미 상원의원과 그 파벌은 상원 내의 비밀 조직을 이미 인식했고, 이를 추적하기 위해 빈우와 협력한 상태다.

"아직 판별이나 색출 방법에 대한 정보는 없나?"

워프 비스트의 완성형이 인간의 안에 샤다이의 정신과 정보가 들어온 것

568

이라면, 놈들이 인간들로 바꿔치기되어 연방 사회 여기저기에 파고들 수 있다. 이건 상당히 위험하다. 인류의 가장 위험한 적이 정체를 감추고 숨어 있으니 한시라도 빨리 잡아내야 하는 것이다.

"없어. 알 만한 사람이 하나 있긴 있는데, 상태가 영 안 좋아."

빈우가 말한 사람은 알탄훼아나였다. 샤다이의 호민관이자 인류가 워프비스트로 변하는 것을 멈춰준 은인이다. 다만 문제가 몇 가지 있었다. 우선 그녀가 행동한 것은 순수한 호의라기보다는 자신의 목적을 위해서였기 때문에, 과연 이 차단이 얼마나 가는지 모른다. 그리고 더 큰 문제는 그녀가 현재 제정신이 아니란 점이다. 동료와 부하를 모조리 잃고 제국의 전대장에게 극심한 고문을 당한 그녀는 지금 치료 중에 있었다. 육체의 상처는 어찌어찌 수리를 했지만 정신 쪽은 언제 나을지 요원했다.

"그렇다면 과거의 행적과 비교해서 달라진 점을 비교해 색출하는 방법밖에 없겠는데."

마커스는 과거 이와 유사한 기록들을 이미 찾아봤다. 이전에도 연방은 인간에게 숨어드는 외계종족과 싸운 전적이 있다. 그리고 그 당시 군사정보국과 보안국, 연방중앙정보국은 상당히 비인도적인 방법을 써서 혁혁한 성과를 올렸다.

"하지만 지구제국 시절부터 정체를 숨겨온 놈들이라면 그것도 힘들어."

빈우의 지적에 마커스가 혀를 찼다. 이미 오래전부터 인류 사회에 침투해 살아온 놈이라면 찾아내는 것이 꽤 까다로울 것이다. 두 사람이 이런저런 위험한 이야기를 태평하게 나눌 때쯤, 비서 안드로이드가 나와 둘을 호명했다.

"김빈우 소령님, 마커스 타이 차장님. 입실해주십시오."

두 사람은 통합사령부 안에 마련된 회의실 안으로 들어갔다. 사안이 사안인 만큼 연방의 각 부처에서 쟁쟁한 인물들이 —그중에서도 신원이 확실한 사람들이 —보고를 받기 위해 기다리고 있었다.

*

"안녕하세요, 오늘은 좀 어때요?"

모니카가 침대에 누워 있는 알탄훼아나에게 말을 걸었다. 치료라기보다는 수리, 복원에 가까운 과정을 거쳐 샤다이의 호민관의 육체는 원래 형태로 돌아왔다. 하지만 그녀가 겪었던 고통과 절망까지는 보듬어주지 못했다.

"......."

오늘도 알탄훼아나는 그 금색 눈을 멍하니 뜨고 천장을 바라볼 뿐이었다. 모니카는 몇 번 더 말을 붙여보았지만 역시나 돌아오는 대답은 없었다. 그래서 일상적인 신체 점검을 마친 다음 병실을 나섰다. 모니카는 뒤로 문이 닫히자 그제야 한숨을 내쉬었다. 나름 중요 인물이라고는 하는데 아무런 진척이 없으니 답답하다.

"아직도 그대로네."

"앗 깜짝이야!"

허공에서 말이 들려오자 모니카가 질겁했다.

"아, 미안미안."

파트리샤의 인필트레이터가 위장을 풀고 모습을 드러냈다. 그녀는 알탄훼아나의 호위와 감시역으로 여기에 있었다. 지금 병실에 멍하니 있는 샤다이는 과거 특수전 사령부를 뒤집어놓은 전적이 있기 때문에 요주의 대상이다. 조금이라도 수상쩍은 모습이 보이거든 침대째 — 폭탄으로 만들어진 특제 침대째 — 날려버리란 게 팀장인 빈우의 명령이었다.

"나름 중요한 인물 같아 보였는데 소득이 없네."

파트리샤가 헬멧을 열고는 말했다. 처음에는 샤다이의 호민관에 워프 비스트에 대한 해결책을 마련해 상당한 VVIP인 줄로만 알았었다. 그러나 블랙랜스로 온 다음부터는 죽 반송장인 채였으니 24시간 붙어 있어야 하는 파트리샤로서는 따분했다.

"그러게요. 하지만 마음의 상처가 크니 어쩔 수가 없지요."

"마음의 상처라……."

파트리샤에겐 방금의 단어가 이질적으로 들린다. 인류의 주적에게 과연 어울릴 만한 표현인가 싶은 것이다.

"팀장님은 어쩌신대?"

파트리샤는 질문해놓고도 아차 싶었다. 요 근래 태스크포스 373의 팀장인 빈우는 당최 그 모습을 보기가 힘들었다. 호출받았다 하면 동에 번쩍, 서에 번쩍하는 게 요즘 그의 일상이었다. 그러다 보니 팀원들도 팀장을 만나기가 힘들었고, 빈우는 대략적인 팀의 지침 정도만 부팀장 아룹에게 일임하고선 가끔 통신으로만 팀원들과 만나고 있었다.

"오늘 회의 결과를 보고 결정하신다고 했어요."

"역시나."

파트리샤도 오늘 회의가 팀의 향방에 큰 영향을 끼치리란 것을 잘 알고 있었다.

*

빈우는 나름 꽤 유명했다. 닉스 레벨 3이라면 군의 각 부서에서도 탐을 내는 인재다. 군사정보국에서도 별의별 악독한 작전을 수행하여 누구나 꺼리는 폭탄이다.

그 유명한 빈우는 회의 중에 순식간에 그룹을 구분했다. 매파와 비둘기파, 자신에게 호의적인 자와 적대적인 자. 각 분야의 세부적인 파벌은 알 필요가 없다. 자기가 당겨야 할 줄만 잘 파악하면 일은 쉽게 풀리는 법이다.

"……이런 이유로 건물을 파괴해 적들의 진입로를 차단할 수밖에 없었습니다."

"흠, 그렇군. 고생했어."

태스크포스 373의 직속 상관인 레드우드 중장이 만족한 듯 고개를 끄덕인다. 중차대한 사안에 특수전 사령부의 사령관이 직접 달려온 것이다.

"샤다이의 호민관과의 대화 중에 모호한 의미는 없었습니까?"

"없었습니다. 계단을 씸이라고 하는 고어체 표현이 있었지만, 심리전의 기색은 없었습니다."

마커스는 지금 군사정보국의 차장의 입장으로 있지만, 미리 말을 맞춰둔 덕에 빈우와 쑥떡찰떡 죽이 맞는 대화를 한다.

"대기권 안에서 입자가속포를 써? 허허, 야 이 새끼 이거 멋진 놈이네."

"죄송합니다. 위급한 상황이라 화력이 조금이라도 더 필요했습니다."

42전단에서도 전단장인 스베틀라냐 스크로도프스카 중장이 직접 왔다. 그녀는 자신과 합동작전을 펼치게 될 태스크포스 373의 팀장이 꽤나 마음에 든 모양이다. 빈우가 듣기로 그녀는 순양함을 위주로 한 묵직한 기동타격전을 선호한다고 했다. 뉴 소노라에 온 분함대가 모두 순양함이었던 것은 우연이 아니었던 것이다.

"아아, 대기권 내에서 쐈다고 뭐라는 게 아니야. 이게 당시 뉴 소노라에 있던 샤다이 함선들의 정보인가?"

스크로도프스카 전단장은 빈우가 제출한 보고서의 샤다이들의 전투함에 대한 부분에 상당한 관심을 보이고 있었다. 앞으로 42전단이 직접 맞서 싸워야 할 상대들이니 관심이 갈 수밖에.

"예, 개중에 리퍼 전투함들은 플라스마 외에도 아군이 쓰는 자기가속 계열 병기를 쓰는 것이 확인되었습니다. 동족들을 상대할 때 유효하다고 판단해 채용한 것으로 추측됩니다."

"과연, 놈들도 개판이란 말이지."

그녀는 워프 비스트와 점프 공간에 대해서는 큰 관심이 없어 보였다. 하지만 그게 아니었다. 스크로도프스카 전단장의 방침은 '농사는 농부에게, 낚시는 어부에게'였다. 즉 자신은 자신의 전문분야에만 집중하고 그 외의 일은 다른 전문가들에게 맡긴다는 것이었다. 하지만 빈우는 그녀가 개판이란 단어를 쓴 것을 흘려듣지 않았다. 42전단의 창설에 반대는 없었다고 했지만 아주 잡음이 없지는 않은 모양이다.

"김 소령, 굳이 그 방법을 써야 했습니까? 다른 방법은 없었습니까?"

보안국에서는 마힌다르 후세인 소령이 왔다. 그녀는 앞뒤 없이 대뜸 '그 방법'이란 단어를 썼다.

"구체적으로 어떤 방법 말입니까?"

빈우는 이게 그녀의 실수인지, 아니면 의도적인 꼬투리 잡기인지 알아보기 위해 자신도 슬슬 준비를 했다.

"필요 이상으로 뉴 소노라의 건물을 부순 것 말입니다."

"그 건에 대해서는 이미 레드우드 사령관님께 보고를 했고, 각하께서도 납득하셨습니다. 그리고 지금은 그게 중요한 게 아닐 텐데요?"

빈우의 반격에 후세인 소령은 헛기침을 한 번 하고는 화제를 바꿔 영상을 하나 띄웠다. 빈우가 알탄훼아나와 함께 워프 비스트의 계단을 파괴하던 장면, 고아 소년에게 플라스마를 밀어넣는 기록이었다.

"김 소령, 이것이 정말로 연방을 위해서 한 행동이 맞습니까? '그 샤다이' 와 협력해가며 말이지요. 이 때문에 뉴 소노라와 연방 간의 불화—."

"씨발년아, 뭐 어쩌라고."

그녀의 말을 끊은 것은 빈우였다. 그 순간 후세인 소령이 얼어붙었다. 쟁쟁한 별들 사이에서 소령이 틱틱거리니 별들의 시선이 꽤나 집중된다. 그리고 그 시선을 나누어 받는 후세인 소령은 침을 꿀꺽 삼키더니 다시 말했다.

"……음, 일단 샤다이의 진위를 파악하고 행동에 나서는 게 바람직하지 않았을까—."

"이건 또 뭔 개지랄이야! 사방에 워프 비스트가 바글바글하고, 민간인들은 여기저기 모가지 따이고, 대가리 위에선 플라스마 폭풍이 쏟아지고, 아차하다간 연방 어디서 워프 비스트가 더 생길지도 모르는 상황에서 내가 뭘 어쩔까?"

빈우의 말이 끝나자 회의실에는 정적이 찾아왔다. 그 정적을 깬 것은 두 번이나 공격받은 후세인 소령이다.

"지금 어디서 감히 —."

"어디서는. 여기서지. 통합작전사령부의 회의실. 여기가 보안국 안마당인 줄 아냐? 오다 의원님께 잡짓 하다가 된통 당하고도 아직 정신 못 차렸어? 아, 정신 차렸으니 나하고 계급 맞춰서 소령 보낸 건가?"

보통 보안국의 소령 급쯤 되면 장성 급을 수사한다. 그래서 어지간한 별들도 보안국의 영관 급은 껄끄러워하고, 보안국 쪽도 자연히 어깨에 힘이 들어간다. 문제는 빈우는 군사정보국 소속이란 점이고, 군사정보국은 보안국과 천생연분 애증의 관계다.

"아니지, 42전단 보급 목록 보니까 스파게티 드래곤에서 아주 퍼부었더라? 니들 또 뒤에서 무슨 꿍꿍이 벌이는 거 아니냐?"

빈우의 폭로에 42전단장은 '뭣이 씨발' 하면서 날카로운 시선을 후세인 소령에게 보냈다. 군사정보국의 차장은 '작작 해 이 새끼야'라고 조용히 속삭인다. 보안국 패는 것은 좋은데 싸움은 붙이지 말라는 의미다. 하지만 이것도 이미 짜놓은 판이다. 빈우와 마커스는 어떻게든 보안국을 쑤시려고 했다. 보안국이 어떤 반응을 보이는지 철저하게 확인한 다음 분석할 생각이었다. 그러나 저쪽에서 그다지 급이 높지 않은 인물을 보낸 것을 보면 얻어낼 수 있는 정보가 적다는 것은 둘째치고 좀 수상하다. 워프 비스트와 점프 게이트에 관련된 정보. 워프 비스트의 영향력이 닿고 있는 보안국이 이번 일에 이렇게 소극적으로 움직이는 이유는 무엇일까. 쿠사키나 국장을 위시한 고위 간부 급들이 오지 않았다면 몸을 사리는 거나 아니면 다른 일이 있는 경우다.

'지금 이보다 더 중요한 일이 있을까?'

빈우는 스스로 반문해보았다. 확실히 후자의 경우는 가능성이 희박하다. 그러나 만약 있다면 그건 그것대로 골치 아픈 일이다.

172

・・・✦・・・

　마침내 길고 긴 회의가 끝나자 빈우와 마커스는 지친 몸을 이끌고 밖으로 나왔다. 다른 사람들은 중간에 나가거나 들어오는 등 주제에 따라 멤버의 교체가 있었지만, 빈우는 해당 사건의 보고자이고 마커스는 이번 일의 전담부서인 군사정보국의 차장이라 중간에 빠질 수가 없는 것이다.

　"평생 먹을 마카롱 오늘 다 먹네. 앞으로는 못 먹을 거 같다."

　마커스가 복도 벽에 마카롱을 집어 던지며 넋두리를 했다.

　"질리면 똥구멍으로 빨아먹지 그러냐."

　빈우 역시 멍하니 대꾸를 던진다.

　"……그거 된다더라. 뱅가드에서 했다던데."

　"허, 씨발 것들."

　실없는 농담을 하며 두 사람은 걸었다. 아무 말 대잔치에서 주제를 바꾼 것은 마커스였다.

　"참, 빈우야. 아이 입양은 끝났다."

　빈우는 마커스의 말을 순간 알아듣지 못했다.

　'아이라, 아이? 누구지?'

　빈우가 멍한 표정으로 머릿속을 더듬다 질문했다.

　"입양이라고? 니티 말이냐?"

　빈우의 질문에 마커스가 고개를 갸웃했다.

"니티? 티모시 1079 본명이 니티였냐?"

"……아, 아아. 미안해. 내가 정신이 없나 보다. 그래, 입양은 잘 됐고?"

"그래, 우리 쪽에서 세탁된 부부에게 입양 보냈다."

세탁이라면 군사정보국의 일을 하다가 모든 복무기록을 삭제당하고 새로운 삶을 살게 되는 것을 뜻한다. 그리고 이런 자들의 결혼은, 관리 차원에서 같은 세탁된 자들끼리 하는 것을 추천한다. 그런 가정에 티모시 1079가 입양되었다는 것은 이 아기도 앞으로 군사정보국의 관리 대상이란 의미다. 오히려 잘됐다. 이제 그 아이는 과거의 일을 모른 채 새로운 곳에서 안전하게 살아갈 것이다.

"한번 만나볼래?"

마커스가 화면을 띄우려고 하자 빈우가 손사래를 쳤다.

"아니, 이제 나하고 안 만나는 게 그애한테 좋을 거야."

빈우가 그 아기와 마지막으로 만난 것은 뉴 소노라로 내려가 정치꾼들의 품에서 뺏어올 때였다. 당시 빈우는 연방의 정식 명령서를 가지고 내려갔고, 그 사실을 가볍게 여긴 현지의 녹색 연맹들은 저번처럼 빈우를 대했다가 제대로 곤욕을 치렀다. 적대종족과의 내통이나 내란 선동 등의 혐의로 엮어서 줄줄이 잡아들인 것이다. 친구의 말에 마커스는 말없이 고개를 끄덕였다. 그리고 그 친구를 보니 얼굴이 퀭하다. 강화육체를 가진 군인이 지쳤다면 그건 육체가 아니라 정신일 것이다.

"빈우 너, 너무 피곤해 보인다. 좀 쉬어."

"나도 쉬고 싶다."

빈우는 태스크포스 373에서는 팀장이지만, 따지고 보면 중간관리직이다. 최고 지휘관과 현장 부대원들 사이에 끼인 것이다. 일이 위아래로 덤벼드니 미칠 지경이다.

"잠은 제대로 자냐?"

"뭘, 그냥 대충 수면 모드 돌리고 있지."

강화군인은 수면 모드로 잠깐씩 휴식이 가능하지만, 이런 게 반복되고 길어지면 좋을 건 없다.

"그러다가 너, 몸은 몰라도 정신 갉아먹는다. 나중에 아나스타샤한테 무릎 베게 해달라든가."

"……."

마커스는 자기 말에 대답 없이 굳은 표정을 하고 있는 빈우의 어깨를 툭 쳤다.

"얌마."

"……어, 그래. 가볼게."

빈우는 친구의 걱정스런 시선을 뒤로하고 휘적휘적 걸어갔다. 그러나 그가 간 곳은 아나스타샤가 기다리고 있는 자신의 방이 아니라, 피에르 라캉 중령의 허수아비인 아를르캉이 있는 주방이었다. 마침 주방에는 아를르캉이 재료의 밑 준비를 하고 있었다.

"어서 오십시오, 팀장님. 무슨 일이십니까?"

빈우는 대답 대신 질문부터 던졌다.

"아를르캉, 오르틀랑의 조리법을 아나?"

"물론이지요. 가르쳐드릴까요?"

하지만 아를르캉이 알려준 것은 전통적인 오르틀랑 조리법이다. 새를 잡아 가두고 통째로 요리하는. 그 조리법을 끝까지 다 들은 빈우가 말했다.

"너 혹시 이 조리법을 알고 있나?"

그가 말한 것은 피에르 라캉이 어레인지한 모조품의 조리법이다. 곱게 간 견과류의 가루를 오리 기름으로 반죽해서 살을 만들고, 다진 닭의 모래주머니를 술로 졸여 내장 흉내를 낸다. 여기까지 들은 아를르캉의 표정이 바뀐다. 빈우의 말에 반응해 수동 모드로 들어간 것이다. 이렇게 되면 아를르캉은 그저 로봇처럼 단순하게 반응할 뿐이다.

"김빈우 소령님, 그 조리법을 어디서 들으셨습니까?"

"울토르 클론 제조 시설에서. 너의 주인에게 직접."

"주인님께서 뭐라고 하시던가요?"

"이걸 먹고 나면 어딜 가도 섭섭한 대접은 안 한다더군."

"그렇군요. 그런데 약간 보충할 것이 있습니다."

그러면서 아를르캥이 홀로그램 하나를 띄운다. 방금 빈우가 말한 오르틀랑 조리법이다.

"이것이 맞습니까?"

"맞아."

거기서부터 화면의 조리법이 변한다. 정확히는 글자가 지워지고, 순서가 변형된다. 조리법이 애너그램되어 새로운 문장을 만든다. 바로 피에르 라캉 중령이 남긴 메시지다.

- 현재 연방의 인간을 괴물로 변형시키는 워프 비스트 현상은 고대 샤다이에 의한 것으로 추정된다. 이에 대한 정보와 치료법은 샤다이 협조자 알탄훼아 나 호민관으로부터 알아낸…….

애초에 아를르캥에게는 정보가 없었다. 이 안드로이드는 문제를 해결하는 방법, 해당 문장이 들어가면 그 문장에 반응해 문자 순서를 바꾸는 키만이 들어 있을 뿐인 것이다. 피에르 라캉이 아군이라고 파악한 자라면 누구나 알 수 있도록.

'별다른 것은 없군.'

빈우의 눈앞에 보여지는 것은 워프 비스트와 점프 게이트에 대한 중요 기밀정보다. 하지만 지금으로선 이미 당사자인 알탄훼아나를 통해 알고 있는 정보이기도 하다.

'이것은…… 계단을 만드는 방법.'

아를르캥이 조합해준 정보 중에선 이쪽 우주에서 계단을 만드는 방법에 대해서도 나와 있다. 알탄훼아나가 말하려다 중간에 끊은 정보다. 그러나 실망스럽게도 그것은 점프 게이트를 만드는 것이 아니라 인간 안에 계단을 만드는 방법이었다. 그리고 방법도 빈우가 반 정도는 짐작한 대로였다.

'역시 육체가 아니라 정신 쪽이었나?'

빈우는 뉴 소노라에서 워프 비스트들이 인간을 고문하는 것을 보고 육체를 망가트려 변형을 돕는 것이라 짐작했다. 그러나 이 정보에 따르면 인간의 안에 계단을 만들려면 당사자의 정신을 부숴야 한다고 나와 있다. 인간은 육체적, 정신적 고통을 받을 때 마음에 상처가 생긴다. 그러면 인간을 잠식한 샤다이의 정보가 이것을 토대로 삼아 계단을 만든다는 것이다. 실제로 티모시 1078의 안에 있는 계단을 부술 때 빈우는 알탄훼아나와 함께 그 광경을 보았다.

'인류가 아는 물리학과는 동떨어져 있다. 오히려 심리학 쪽에 가깝군.'

아닌 게 아니라 샤다이의 과학은 오히려 정신과학이나 심리학 부분 같은 느낌이 든다. 어찌 보면 마법과도 같다. 원리를 이해할 수 없는 현재의 인류에겐 당연히 이렇게 느껴지겠지.

'그 외에도 자잘하게 꽤 많지만, 대부분 알거나 짐작하는 것들이다.'

시기가 아쉬운 정보들이다. 만약 빈우의 기록이 ─ 피에르 라캉 중령에게 오르틀랑을 대접받은 기록이 ─ 잠겨 있지 않았더라면, 오스카 스테이션에서 아를르캉을 만난 그 순간에 알 수 있었던 내용이다. 지금부터 훨씬 전에 말이다. 라캉 중령은 과거 빈우에게 오르틀랑을 대접했을 때 그런 의미심장한 말을 했으니, 빈우는 아를르캉을 만났을 때 분명 이 조리법에 대해 물어봤을 것이다. 그러나 빈우는 그 기록을 잠가놨다. 포말하우트 게이트 안에서 자신의 트리니티 패턴으로. 이렇게 하면 다른 이들은 이 기록에 대해 접근할 수가 없다. 아마도 이전의 빈우는 그 당시의 대화를 상당히 주요한 키워드라고 판단해 보호했던 것 같다. 그 결과 수수께끼가 풀리긴 했지만 너무 늦게 풀려버리고 말았다. 정보를 확인한 빈우는 다음 단계로 넘어갔다.

"아를르캉, 넌 무엇을 위해 일하지?"

"저는 연방과 연방의 시민을 위해 일합니다."

"좋아, 그리고 네가 본질적으로 지켜야 할 것은 무엇이지?"

"연방의 영토와 평화입니다."

아주 상투적인, 그러나 모든 인공지능에게 각인된 것이다.

"그 방법은?"

"복종과 봉사와 헌신입니다."

"그렇다면 복종해라. 나는 연방군사정보국의 소령으로서 보안국 소속 피에르 라캉 중령의 가정용 허수아비인 너에게 명령한다. 네가 알고 있는 정보는 연방에 대단히 중요하면서도 또한 위험한 정보다. 따라서 연방을 지키기 위해 그 정보를 보호해야 한다. 이해했나?"

"네, 이해했습니다."

"하지만 가정용 허수아비인 너에겐 이를 지키고 보호할 능력이 없다. 때문에 그 정보를 회수한 지금, 연방의 안위를 위해 너를 분해하겠다. 따라와."

"네."

빈우는 아를르캉을 데리고 설비실로 갔다. 그리고 안드로이드의 전원을 끈 다음 허수아비 AI를 뽑아내 완전히 삭제했다. 마지막으로 그 육체는 분해기에 집어넣어 물질 생성기용 자원으로 완전히 환원시켜버렸다. 이제 아를르캉이란 안드로이드는 존재하지 않는다. 나중에 작전 중에 파손되었다고 말을 돌리면 보안국은 이를 바득바득 갈겠지만 포기할 것이고, 태스크포스 373 팀원들은 군사정보국 쪽에 무슨 일이 있겠거니 하고 납득할 것이다.

"어머, 팀장님 어쩐 일이세요?"

돌아보니 모니카다. 그녀는 피곤한 얼굴에도 미소를 띄우며 다가오고 있었다.

"응, 기밀자료 제거하고 있었어."

빈우의 대답에 모니카는 한창 돌아가고 있는 분해기를 봤다.

"뭔데요? 무슨 자료인데요?"

호기심에 찬 눈으로 물어보는 그녀의 모습은 오히려 천진하기까지 하다.

일반적인 군인이라면 방금 빈우의 말에 납득하고 넘어가겠지만, 모니카는 무늬만 군인이지 거의 민간연구원에 가깝다. 사고방식이 일반적인 군인들과는 조금 다르다.

"말하는 거야 문제는 아닌데, 그러면 너 비밀엄수 계약서 써야 한다? 군사정보국 쪽의 걸로."

"……그거 귀찮은가요?"

"어차피 너도 정보사령본부 소속이니까 자격 획득이 어렵지는 않겠지만, 나중에 이것저것 절차가 복잡해. 또 보안국이 집적거리기도 할 거고. 추천은 안 한다."

"웩, 안 할래요."

호들갑을 떠는 모니카를 보며 빈우는 픽 웃더니 요 근래 하고 싶었던 질문을 던졌다.

"모니카, 너 앞으로 어떻게 할래?"

"……."

빈우의 질문이 무엇을 의미하는지 아는 모니카는 대답 없이 입술을 오물거리고 있다. 그래서 빈우는 한 번 더 물어봤다.

"비홀더 전대로부터 받은 병기 기술들. 그것 때문에 니네 본가가 미쳐 날뛴다는데, 넌 안 가봐도 되겠어?"

빈우가 섬으로부터 받은 대가는 입자빔포 계열의 화기를 비롯해 샤다이에게 유효한 병기들이었다. 개중에는 샤다이의 보호막이나 은신막을 해제하는 기술도 있었다. 이걸 본 모니카는 먹지도 자지도 않고 정보 분석에 매달렸고, 이것을 받은 군사기술국의 상황도 크게 다를 바는 없었다. 게다가 아주상세한 설계도까지 있어 제작과 양산이 바로 가능한 수준이라고 했다.

"안 그래도 돌아오는 게 어떠냐고 물어보던걸요. 이번 성과로 소령으로 특진하고 바로 프로젝트 투입이래요. 가고 싶긴 한데…… 여기 일도 신경 쓰이기도 하고."

빈우의 컨커러나 스핑크스는 아직 미완의 병기라 전문가의 손길이 필요하다. 그리고 그 전문가는 바로 눈앞에 있는 모니카 보르자 대위다. 그녀가 없으면 당장 빈우는 어벤저에 코일건을 들고 뛰어야 한다.

"또 여기 있으면 또 새로운 기술들을 접할 기회가 있으니까, 그것도 기대가 되고요. 팀장님 생각은 어떠세요?"

"글쎄. 가고 말고는 네 맘이지만 소령 진급은 관두는 게 좋을 거다."

"어, 왜요?"

모니카가 고개를 갸웃한다. 영관급이 되면 접근할 수 있는 기밀 등급이 높아지고, 연구나 개발에 대한 권한도 많아질 텐데 이상하다.

"영관급부터는 좀 골치 아파. 너처럼 순수하게 연구와 개발만 좋아하는 애들곤 안 어울려. 차라리 대위로 주욱 있는 게 좋을걸."

실제로 소령인 사람이 이런 말을 하니 굉장히 설득력이 있어 모니카는 고개를 끄덕였다. 마침 분해기의 작동이 끝나서 빈우도 자리에서 일어섰다. 그런 빈우를 모니카의 질문이 붙잡는다.

"참, 팀장님. 혹시 아를르캉 못 보셨어요? 오늘 저녁 식사 기대하라고 하던데 아까부터 통신이 안 돼요."

그 질문에 빈우가 문득 생각났다는 듯이 대답한다.

"아, 내가 말을 했어야 하는데, 방금 군사정보국에서 아를르캉을 회수해 갔다."

"에엣? 왜요?"

"알다시피 그 녀석, 샤다이와 워프에 대한 고급 정보가 있을 거라 추측되잖아. 그런데 진척이 없자 군사정보국에서 들고 가서 조사한다더라."

"아아……."

갑작스레 동료가 떠났다는 소식에 모니카가 실망의 한숨을 내쉰다. 그의 식사는 정말 마음에 들었는데 못 먹게 된다고 하니 꽤나 서운한 것이다. 그 모습을 보며 빈우는 피식 웃더니 손가락으로 분해기를 가리켰다.

"이제 저 안에 뭐가 들었는지 알겠냐? 아를르캥의 중요한 소지품도 이미 군사정보국이 다 들고 갔고, 나머지 기타 등등을 이렇게 내가 재활용하고 있는 거야. 알겠어?"

"네에. 참, 근데 그거 비밀이라면서요?"

"못 들은 셈 쳐."

빈우는 그렇게 말하며 자리에서 일어났다.

• • • ✦ • • •

173

다음으로 빈우가 간 곳은 블랙 랜스의 알탄훼아나가 있는 병실이었다. 그런데 그가 목적지를 향해 가고 있을 즈음 오다 히토미 의원으로부터 연락이 왔다.

- **오랜만이에요, 팀장님.**

"오랜만입니다, 의원님."

그녀는 상원의회로 가서 지금까지의 일에 대해 보고를 하고 온 참이다.

"통합사령부에는 어쩐 일이십니까?"

- **네? 저 블랙 랜스로 돌아가는 길인데요?**

그리고 보니 오다 의원은 42전단에 합류해서도 블랙 랜스에 머물겠다고 한다. 블랙 랜스는 아무리 최신예라 해도 태생이 구축함이라 지내기에 불편하다. 그래서 빈우는 그녀를 다른 곳으로 옮길 수 없나 싶어 마커스나 레드우드 사령관에게 넌지시 물어봤지만, 두 사람 다 그녀의 고집은 아버지를 똑 닮았다면서 그냥 포기하라고 했다. 빈우도 이케가미 전 상원의장의 고집을 익히 아는 터라 두 사람의 권유를 받아들이기로 했다.

- **혹시 제 방 뺀 건가요?**

익살맞은 그녀의 농담에 빈우는 피식 웃었다. 그녀가 없는 틈을 타 방을 빼려고 했는데 선수를 빼앗겨버린 것이다.

"그럴 리가요. 아나스타샤를 시켜 단장 좀 하라고 시키겠습니다."

- 호호, 고마워요. 그런데 지금 바쁘세요?

"바쁜 건 아니지만, 생포한 샤다이를 보러 가는 중입니다. 말씀하실 게 있다면 미루지요."

- 아니에요. 마침 잘됐네요. 저도 같이 가요.

그렇게 빈우와 히토미는 블랜 랜스의 앞에서 만나 같이 승함하게 되었다.

"가신 일은 잘되었습니까?"

빈우의 질문에 히토미는 작게 한숨을 쉬었다. 그녀는 지금까지 태스크포스 373에서 수집한 정보를 상원에 보고하러 갔었다. 워프 비스트와 점프 게이트에 관한 것도. 따라서 보고도 보고지만 그녀에게 준 정보로 그녀가 속한 파벌이 연방 내에 숨어 있는 워프 비스트를 어떻게 상대할지 그 반응도 대단히 중요하다.

"일단 올라가서 얘기해요."

밖에서 할 얘기가 아닌 듯 좀 의미심장하다. 그리고 그렇게 말하는 히토미의 얼굴도 꽤 피곤한 기색이었다. 그래서 빈우는 주머니에서 간식을 하나 꺼냈다.

"마카롱 하나 드시겠습니까?"

히토미는 빈우의 손에 들린 앙증맞은 간식을 뜨악한 표정으로 쳐다봤다.

"어마나, 이뻐라아. 근데 이거ㅡ는 민간용이겠죠?"

"그럴 리가요. 군용입니다. 개당 2만5천 칼로리에다 먹는 순간 피로가 뿅하고 사라지는 피로뿅 에디션입니다."

"제발, 그만. 아나스타샤하고 먹을래요. 치우세요."

히토미도 이제는 태스크포스 373에 적응했는지 악랄한 농담과 장난도 척척 받아넘겼다.

"야아, 우리 팀장님 오래간만이네요. 의원님도 어서 오십시오."

병실 입구에서 인필트레이터가 모습을 드러내며 반겨준다. 파트리샤다.

"오냐, 별다른 사항 없고?"

"네, 그냥 죽은 듯이 있던데요."

"그렇단 말이지."

뉴 소노라에서 알탄훼아나를 구했을 때, 그녀의 몸은 만신창이였다. 하지만 그 벼랑 끝에서도 그녀는 자신의 사명을 포기하지 않았었다. 굴욕과 고통과 절망 속에서도 살아남아 목적을 이루려고 했다. 하지만.

"이거 눈이 완전히 갔네요?"

파트리샤의 말대로다. 지금 알탄훼아나의 눈은 아주 탁하고 멍했다. 비록 인간의 눈과는 구조가 다르지만, 그 내면이 완전히 망가졌다는 것을 알 수 있을 정도다.

"으음, 지상에서는 그래도 총기가 살아 있었다고 하셨었죠?"

히토미가 알탄훼아나를 조심스레 훑어보며 질문했다.

"네, 심각한 부상을 입고 있었지만, 정신만은 포기하지 않았습니다."

그렇게 대답한 빈우는 파트리샤에게 손을 내밀었다.

"뭐요? 내 가슴?"

"미친년아, 칼."

파트리샤가 진동 나이프를 건네주자 그걸 받아든 빈우는 전원을 켜지 않고 날 부분을 알탄훼아나의 눈앞에 들이댔다.

"어……."

뭔가 날카롭고 번뜩이는 것을 본 알탄훼아나는 작은 반응을 보였다.

"어어, 어어어! 아아악!"

그리고 비명을 지르더니 몸부림치기 시작했다. 그러나 온몸이 침대에 묶여 있는 터라 그 자리에서만 버둥거릴 뿐이다. 잠시의 발작이 끝나자 샤다이 여인은 눈물을 흘리며 침대에 파묻혔다.

"씨발, 깜빡이를 켜든가!"

파트리샤가 버럭 화를 내며 진동 나이프를 채갔다. 그녀의 뒤에는 히토미가 두 눈을 동그랗게 뜨고 겁에 질려 있었다.

"그냥 반응을 보려고 한 겁니다. 그런데 반응이 격렬했던 것뿐입니다."

빈우는 해명을 했지만, 히토미는 놀란 눈으로 째려봤다.

"이제 뭐 하려거든 말하고 해주세요. 제발요."

용감무쌍한 연방의 군인은 상원의원의 부탁에 그러겠다고 고개를 숙일 수밖에 없었다.

"쟤 뭐라 뭐라 말하던데 무슨 뜻이에요?"

파트리샤가 질문했다.

"그 비명?"

칼을 본 순간 알탄훼아나는 비명을 질렀다. 그것은 애원이고 부탁이었다.

"나를 죽여라. 동포들은 죄가 없다. 그들을 놓아주고 내게 와라. 뭐 이런 뜻."

빈우의 설명에 파트리샤는 이해한 듯 고개를 끄덕였지만, 히토미는 잘 못 알아들은 눈치였다. 그래서 빈우가 부연 설명을 했다.

"알탄훼아나 파벌은 비홀더 1전대에 붙잡혔다고 했습니다. 그리고 고문을 받았고, 생존자는 알탄훼아나 그녀뿐이죠. 아마 비홀더 전대는 그녀의 눈앞에서 그녀의 동료를 고문했을 겁니다. 산 채로 타르타르 스테이크로 만들며 말이죠. 흠, 색이 좀 퍼런 스테이크겠군요."

빈우의 설명에 히토미는 가벼운 헛구역질을 했고, 그걸 본 두 군인은 가볍게 호들갑을 떨었다.

"아니에요. 토하는 건 아니에요. 조금 기분이 그래서……. 이제 괜찮아요."

히토미는 손수건으로 입가를 훔쳤다. 그리고 파트리샤는 손바닥으로 팀장의 뒷통수를 훔쳤다.

"아마 저 샤다이는 마음의 상처가 큰 모양이네요. 나을 수 있을까요?"

그렇게 질문한 히토미는 빈우와 파트리샤의 시선이 자신에게 쏠리자 문득 자신이 말실수를 한 것 같아 서둘러 손사래를 쳤다.

"아, 아니에요. 샤다이를 걱정하는 게 아니라, 그녀의 정신이 돌아와야 도움이 되지 않겠어요? 다른 뜻이 있었던 것은 아니에요."

그녀의 필사적인 변명을 들은 빈우는 그저 어깨를 으쓱할 뿐이다.

"아니, 저희는 아무 말도 안 했습니다만. 또 샤다이가 저희들의 주적이라 한들 의원님께서 그런 생각을 하시는 것은 자유지요. 이런 것 가지고 걱정하실 필요 없습니다."

"네, 저도요."

"……아, 그런가요."

상원의원이 안심하며 그 큰 가슴을 쓸어내리자 빈우가 설명을 시작했다.

"정신이 돌아온다……라고 하셨지요. 일단 샤다이의 사고체계와 감정은 인간과 대단히 유사합니다. 그래서 외부의 자극에 대한 상호반응도 인간과 거의 일치하는 편이죠."

그러면서 빈우는 병실의 책장에서 메모지 한 장을 꺼냈다.

"저 샤다이가 보이는 것은 외상 후 스트레스 장애, 그러니까 PTSD의 전형적인 증상입니다. 치료 과정이라면……. 그전에 일단 이것으로 예를 들어보지요."

빈우는 메모지를 조금씩 뜯어서 팔다리가 달린 사람 모양을 만들었다.

"아시다시피 사람은 외부의 충격과 공격에 부상을 입습니다. 하지만 그 점은 내부, 즉 정신도 마찬가지입니다."

빈우가 손가락을 탁탁 튕겨 종이 인형을 때린다.

"이 인형을 인간의 정신이라고 가정하고, 보시다시피 가벼운 충격이라면 금세 회복합니다. 하지만 그게 심하면 이렇게 되지요."

손가락을 조금 세게 튕기자 인형의 팔 부분이 조금 찢어진다.

"이런 건 좀 큰 충격이겠죠. 이 인형은 사고로 인한 충격이나 어떠한 일의 좌절 등으로 상처를 입었을 겁니다. 몸이 그렇다면 마음도 마찬가지입니다. 치료해볼까요?"

그다음, 풀로 인형의 찢어진 팔을 도로 붙인다.

"짜잔, 고통을 이겨내고 좌절을 딛고 일어섰습니다. 그런데 말이죠."

이번엔 인형의 다리를 북 하고 찢어서 떼어냈다.

"충격이 크면 클수록 상처 또한 커지는 법입니다. 친구나 동료가 죽었을 경우, 혹은 자신이 큰 부상을 당한 경우라면 아마도 이렇게 될 겁니다."

그러면서 빈우는 찢은 종이를 돌돌 말아 탁 튕겨냈다.

"큰일이네, 다리가 없어."

장난스런 빈우의 말대로 다리가 없는 인형은 제대로 서지 못한다. 책상 위로 계속 넘어진다.

"이걸 못 이기면 사람은 넘어집니다. 하지만 말이죠. 인간은 어떻게든 회복하려 합니다."

빈우는 새로 메모지를 길게 찢어 다리를 만든 다음 인형에게 붙였다.

"자, 다시 일어서는 데 성공."

새로 다리가 생긴 인형은 책상 위에 삐뚤게나마 서 있다.

"그런데 알탄훼아나 같은 경우는 그 정도가 꽤나 심합니다. 저런 강도 높은 고문을 당하거나 눈앞에서 가족, 혹은 동료가 처참하게 죽었다면…….

누워 있던 인형이 빈우의 손가락에 잡혀 위로 올라간다. 그리고 북북 찢겨진다. 마지막으로 찢어진 종잇조각들이 책상 위로 떨어진다.

"그 상처가 꽤 클 겁니다. 그만큼 치료에도 시간이 걸리지요. 이렇게."

빈우가 접착제와 여분의 메모지를 가져와 인형을 수리하기 시작한다. 찢어진 종잇조각들이 다시 인형 모습을 갖춘다. 그러나 팔다리가 바뀌는 경우도 있고, 없는 부분은 새로 종이를 덧대 만든다.

"정신적 충격은 육체적 부상과도 일맥상통합니다. 결과는 두 가지죠. 재활해서 극복하고 일어서거나, 서지 못하고 넘어져 있거나."

인형을 수리한 빈우는 그것을 다시 책상 위에 세웠다. 모양은 이상해도 인간 모양 종잇조각은 어떻게 서 있긴 하다.

"저기, 팀장님. 이거 인형이 좀…….

히토미가 넝마주이가 된 인형을 보고 어색하게 웃었다. 이게 치료냐고 묻는 표정이다.

"원래 그렇습니다. 치료한다고 원래대로 돌아오지 않습니다. 흉터는 남고, 사람은 변하죠. 뭐, 사람은 변화하는 생물이긴 합니다만."

하지만 빈우의 대답은 냉혹했다.

"발달된 의료기술 덕분에 육체의 상처는 빨리 치료되고, 흉터 역시 금방 사라지지요. 하지만 마음의 상처는 그렇게 쉽게 안 됩니다. 그저 정신 상담과 치료로 다시 일어설 수 있을 뿐입니다. 게다가 그 흉터는 결코 지워지지 않아요. 결코."

그제야 히토미는 자신의 앞에 있는 두 사람의 직업을 다시금 떠올렸다. 군인. 폭력과 죽음에 항상 노출되어 있는 자들이다.

"아, 저……."

뭔가 죄책감을 느낀 히토미가 뭐라 말하려 할 때, 빈우가 선수를 쳤다.

"제가 마음이라고 했습니다만, PTSD는 실제 신경계에도 영향을 끼치는 병입니다. 갑작스런 폭발과 공격, 전투, 죽음. 이런 것들은 흥분과 공포를 유발하고 결국 뇌 속의 아드레날린을 솟구치게 만들죠. 종내에는 신경계가 피폐해집니다. 다행히 저희는 강화신경계와 두뇌칩 속의 전투용 OS 덕에 극단적인 경우까지는 가지 않지요. 또한 저희 연방군은 전투 피로에 지친 장병들을 위한 대응책과 치료법들을 다수 가지고 있습니다. 너무 걱정하지 않으셔도 됩니다."

여기까지 말한 빈우는 파트리샤를 돌아보았다. 그러자 말할 기회를 받은 실리콘 나이트 대원이 자기 경험을 얘기했다.

"뭐어, 대부분은 코일건 처음 쏴보면 거기서부터 놀라요. 그 소리와 파괴력. 그때까진 모르던 것들이죠. 의원님도 아시지만 영화와는 영 다르죠. 그리고 훈련받으면서도 이래저래 놀라지만…… 가장 큰 건 부조리입니다. 누군가를 지키기 위해 폭력을 휘두르는 존재가 되는 것. 그게 제일 힘들었어요.

하지만 의원님. 우린 우리가 원해서 이런 일을 하는 겁니다. 그리고 팀장님 말씀대로 우린 이겨내고 있어요. 걱정해주셔서 고마워요."

"그, 그래도……."

머뭇거리는 히토미에게 이번에는 빈우가 나섰다.

"네, 그렇다 한들 이겨내지 못하는 자들도 다수 있습니다. 그리고 제대하게 되지요. 그러나 이런 것은 비단 우리 군인들뿐만이 아닙니다. 위험한 직종에 종사하는 연방의 많은 사람들이 이런 증상에 노출되지요. 그만큼 치료 방법도 다양하지만. 흠, 글쎄요. 샤다이 상대로는 어떨지."

빈우도 명색이 장교라 부하들의 멘탈 케어에 대해서는 교육받은 바 있다. 하지만 외계종족을 상대로는 완전히 백지 상태다. 알탄훼아나를 대화가 가능한 수준까지 돌려놓기 위해선 어떤 방법을 써야 하는지는 지금부터 알아나가야 한다.

174

. . . ✦ . . .

보안국 국장인 다샤 쿠사키나 준장은 요즘 미칠 지경이다. A의 사건을 해결하려면 B, C 두 가지가 터지고, 고생고생해서 B, C 두 가지를 해결하면 이전에 해결해놨던 A가 다시 재발한다. 이제 혼자서는 해결하기 버거운 일이 되어버렸다. 이번 사건은 기밀도 기밀이지만 해결이 더 중요하다. 결국 그녀는 해결법을 찾아 여기까지 왔다.

"그래, 오늘은 또 갑작스레 무슨 일이신가."

책상에 앉아 있던 이노우에 고토가 일어나더니 다과를 주섬주섬 챙겼다. 쿠사키나 국장이 찾아간 곳은 바로 군사정보국의 국장실이었다.

"협력을 요청하러 왔어."

보안국이 군사정보국에 협력을 요청하는 것은 자주 있는 일이다. 그러나 국장과 국장이 직접 만난다는 점에서, 그리고 그 만남이 갑자기 이뤄졌단 점에서 그녀가 가져온 사건이 보통이 아님을 알 수 있었다.

"심각한가보군."

이노우에 국장이 차를 내오려 하지만, 쿠사키나 국장이 거절했다.

"울토르 중대에 문제가 생겼어."

그녀의 말에 이노우에 국장의 눈썹이 묘한 각도로 기울어진다.

"프리마의 샤다이와 협력자를 제거하기 위해 데려갔던 울토르 중대 말이지?"

현재 울토르 중대는 공식적으로 동결된 상태다. 그러나 보안국은 샤다이와 관련되어 급히 쓸 일이 있다고 했었고, 군사정보국은 이를 승인했었다.

"그래, 그곳의 개척민들은 이미 샤다이의 침략에 감염된 상태였다. 자료를 보면 알겠지만, 치료도 불가능할뿐더러 워프 비스트의 위험이 있어서 전원 소각할 수밖에 없었어."

"으흠."

고토도 프리마의 정보는 알고 있다. 산소 호흡을 위해 곰팡이와 공생을 선택한 개척지. 그런데 그곳에 샤다이의 손길이 닿아 있을 줄이야.

"문제긴 하군. 이런 개척지에 얼마나 많은 샤다이의 침략이 있을지. 그런데 이 일이 네가 이렇게 쳐들어올 만한 일인가?"

개척지의 감염과 샤다이의 침투는 중요한 일이긴 하지만 국장 급 만남이 필요한 일은 아니다. 있다면 그에 준하는 대형 사고가 터졌다는 거다.

"이걸 봐."

쿠사키나 국장이 보여주는 화면에는 프리마에서 자기끼리 싸우는 클론 장갑보병들의 모습이 나온다. 생각지도 못한 광경에 이노우에도 놀랐다.

"이건……."

"현장 지휘관 명령으로 각 분대를 적으로 설정해 싸우라고 되어 있어."

"뭣!"

이제 이노우에 국장은 경악했다.

그럴 수밖에 없는 게, 울토르 중대의 보안은 연방 최고 수준이다. 그런 클론들의 두뇌칩에 명령을 내리려면 정상적인 명령 루트가 아니면 안 된다. 그렇다면 저 명령은 내부자, 그것도 아주 막강한 권력을 가진 내부자의 소행이다. 이노우에 국장은 보안국장과의 예전 대화에서—특수전 사령부에서 그녀를 빼내올 때의 대화에서—용의자의 정체를 가늠할 수 있었다.

"참, 깜빡했군. 그전에 고토."

본론으로 들어가기 전에 다샤 국장이 질문을 시작했다.

"아를르캥이란 허수아비가 가진 워프 비스트 자료는 어찌 되었어?"

갑자기 주제와 엇나간 질문이다. 그러나 그 중요도를 보면 이해할 만하다. 원래 보안국에 있어야 할 피에르 라캉 중령의 자료와 그것이 들어간 안드로이드 아를르캥. 그러나 지금 그것은 태스크포스 373의 손에 있고, 안 좋은 일로 상원과 꼬여버린 군사정보국과 보안국은 근처에 가지도 못하고 있었다. 아차 하다간 상원의원의 철퇴에 박살이 날 것이다.

"아직 소식 없던데. 그런데 지금으로선 거기에만 목 매달 필요가 없지. 김 소령이 뭘 가져왔는지 알잖아."

실제로 빈우가 뉴 소노라에서 알탄훼아나란 샤다이로부터 얻은 정보는 어마어마한 것이었다. 먼저 워프 비스트와 점프 게이트의 정체가 실은 고대 샤다이의 유산이란 것을 밝힌 것부터 시작해서, 점프를 하면 할수록 인간이 워프 비스트가 될 위험성이 높다는 것과 연방 상층부에 샤다이가 숨어들어왔을 가능성까지 밝혀냈다. 때문에 이에 대한 대책 마련으로 연방 상층부에선 불이 날 지경이다.

"그래, 그 때문에 우리 보안국은 운신이 힘들어졌다."

쿠사키나 국장의 넋두리에 고토가 작게 고개를 끄덕였다. 보안국은 이전부터 태스크포스 373과 빈우를 노려왔다. 그러다 이번 사실이 밝혀지자, 보안국은 지금까지 대 샤다이 특수부대인 태스크포스 373을 들볶아왔던 행실로 인해 혹시 샤다이의 사주를 받고 있지 않나 하는 의심을 받게 된 것이다.

"뭐, 그럼 됐고. 다시 본론으로 돌아가지. 프리마는 곰팡이를 인간의 폐 속에 기생시켜 산소 호흡 효율을 높이는 방법을 쓴다. 문제는 이 곰팡이가 샤다이에 의해 만들어졌다는 점이었다. 그래서 우리 보안국은 이 사태 해결을 위해 울토르 중대를 요청, 급파했다."

엄밀히 말하자면 이건 보안국 관할이 아니다. 보안국은 군 내부의 보안과 외부로부터의 첩보 공작에 대응하기 위한 부서지, 밖으로 작전하는 것은 드문 부서다. 하지만 이해가 가는 게, 보안국은 아까 언급되었던 것처럼 지금 궁지에 몰려 있다. 그래서 뭔가 이 사태에서 벗어날, 누명을 벗을 만한 타개책이 필요했던 것이다. 샤다이의 마수가 뻗친 개척지라면 그만한 가치가 있는 전과다.

"흠, 개척지 기술력으로는 힘들다고 생각했는데 역시 그랬나. 그런데 그게 워프 비스트와 관련이 있나?"

하지만 이노우에 국장은 모르는 척 맞장구를 쳐줬다.

"상당히. 곰팡이의 분열 방식이 워프 비스트의 것과 동일하다."

분열 방식이 같다면 일단 같은 기술에서 나온 것일 가능성이 높다. 고토는 다음 질문을 던졌다.

"그렇다면 프리마의 개척민 중에 워프 비스트로 변한 케이스는?"

"아니, 울토르 중대의 재빠른 기습 덕에 변하지도 못하고 섬멸되었어."

고토는 그 대답에 납득한다는 듯이 고개를 끄덕이면서도 후에 자신이 따로 조사해보리라 마음먹었다.

"아무튼 울토르 중대는 프리마로 향했어. 그런데 수상한 것을 발견했지."

쿠사키나 국장은 이번에 하나의 전파 파형을 띄웠다.

"솔리드 베타가 돌입 직전에 이런 전파를 발견했다는 거다."

솔리드 베타가 채집한 전파는 프리마로부터 점프 게이트를 향해 날아간 통신이다. 그 통신을 본 군사정보국장의 미간이 날카롭게 좁혀졌다.

"……이건 군사정보국 주파수잖아. 하지만 우리 쪽에서 프리마에 작전하고 있는 요원은 없어."

"확실한가?"

쿠사키나 국장의 질문은 단순했지만, 그녀의 눈빛은 추궁하는 기색마저 느껴졌다.

"확실해. 군사정보국은 프리마에서 활동하고 있지 않다."

단호한 고토의 말에 쿠사키나 국장은 납득한 듯 눈빛을 풀었다.

"그래, 하지만 중요한 것은 그게 아니야. 그 내용이다."

화면에는 그 통신이 담고 있는 내용이 뜬다. 정확한 것은 해독할 수 없지만, 그 파형이 가지고 있는 패턴은 알아볼 수 있었다.

"이건…… 두뇌 동기화 패턴인데?"

이노우에 국장의 고개가 잠시 갸웃거린다.

화면에 잠깐 나타난 파형은 연방의 시민, 즉 연방의 하원의원들이 수면 중에 의정활동을 동기화할 때 쓰는 회선과도 상당히 유사했다. 하지만 주파수가 군사정보국의 기밀 주파수다. 군인은 의정활동을 할 수 없기 때문에 두뇌칩의 정보 동기화를 하지 못한다. 그저 두뇌 통신으로 정보를 주고받는 것만이 가능하다. 사용자와 그 내용이 모순된다.

"그래, 그리고 프리마에 연방 시민은 없어. 그래서 혹시나 우리가 모르는 요원이 있을까 싶어 한 번 더 조사했지. 하지만 이상한 점이 하나 있어. 이 전파는 숨겨져 있었다는 점이야."

고토의 의문에 대답한 다샤는 다음으로 이 전파가 발견된 시간과 위치를 표시했다.

"이 전파는 상당히 교묘하게 감춰져 있어서 발견하기 힘들었어. 점프 통신 사이사이 끼워서 노이즈나 검사용 신호로 위장되어 발신되더군. 그래서 우리는 이 동기화 통신을 발견하지 못했던 거야. 하지만 말이지."

화면에는 점프 게이트의 단절이 보인다. 뉴 소노라에서 점프 게이트가 소실되었던 시각이다. 그리고 끊어졌던 통신들이 다시 이어진다.

"이 사건으로 인해 점프 통신들이 사라지게 되자 그사이에 감춰져 있던 이 전파가 드러났어. 회선이 다시 연결되면서 정체가 드러난 거지. 자 봐, 고토."

화면에선 아까의 주파수가 사라졌다. 그리고 갑자기 다른 회선이 하나 더 발견되었다.

"음, 이번에는 보안국 회선 아닌가?"

"그래. 그쪽과 마찬가지로 우리 보안국에서도 프리마에서 작전하고 있지 않아. 이번에 울토르 중대가 간 것이 처음이다."

군사정보국과 보안국의 기밀 주파수를 자유자재로 번갈아 쓴다면 양쪽에 정통한 군 요원이다. 그러나 군인은 의정활동을 위한 두뇌 동기화를 할 수 없다. 퍼즐이 맞춰지자 용의자의 정체가 점차 드러난다.

"부끄럽군. 우리 쪽 회선이 이렇게 쓰이는 것을 몰랐다니."

이노우에 국장이 혀를 찼다. 점조직 활동이 많은 군사정보국이라 가끔 쓰이는 회선까지 모두 관리하지는 못한다. 그 문제점이 이렇게 드러났다.

"그건 이쪽도 마찬가지야. 설마하니 우리 보안국 회선을 훔쳐 쓰는 자가 있었다니. 등잔 밑이 어둡다는 건 이걸 두고 한 말이겠지."

시스템이 아무리 뛰어난들 그것을 운용하는 것은 인간이다. 이것은 우연이 아니다. 회선을 훔쳐 쓰던 자는 분명 이런 허점마저 꿰뚫어보는 자였다.

"자, 그럼 볼까. 이 통신들이 어디로 연결이 되는지."

쿠사키나 국장이 보여주는 동기화 전파의 송수신 위치는 치명적이었다. 한 곳은 당연히 프리마였다. 그리고 끊겼다가 다시 연결된 곳은 바로.

"뉴 소노라!"

이노우에 국장이 혀를 찼다. 뉴 소노라에서 군사정보국과 보안국의 주파수로 두뇌 동기화를 주고받는 사람은 과연 누구일까. 그게 가능한 사람은 누구일까. 답은 바로 나왔다.

"……김 소령이구먼."

용의자의 윤곽이 점차 뚜렷해짐에 따라 이노우에 국장의 가슴속도 타들어갔다.

"그래, 그리고 프리마에는 그의 클론이 있겠지. 하지만 말이야."

쿠사키나 국장이 아까의 영상을 다시 틀었다. 클론 중대원의 내분이다. 현장 지휘관 명령을 백도어로 집어넣고 오히려 이쪽의 정보마저 빼갔다.

그리고 그자는 클론 장갑보병을 죽이고 거기에 기록된 자신의 정체마저 삭제했다.

"이런 짓을 과연 클론이 할 수 있을까? 내 생각엔 오히려 프리마에 있는 게 김 소령 본인 아닐까 싶어."

쿠사키나 국장의 질문에 고토는 바로 대답할 수 없었다. 그녀의 말대로 일개 클론이 저런 고단수의 술수를 쓸 가능성은 낮다. 위은쏼납학에서 발견된 포드. 거기에 들어 있던 것은 김빈우 본인일까, 클론일까. 하지만 확실한 것은 뉴 소노라와 프리마에 그 둘이 있었단 거다.

여기까지 생각이 닿은 고토는 잠시 생각을 다듬었다.

'보안국이 프리마에 간 것이 과연 샤다이의 곰팡이 때문일까?'

왜 보안국이 자신의 일이 아님에도 위험한 울토르 중대를 끌고 프리마로 갔는지, 이노우에 국장은 이를 의심했다. 그리고 얘기 처음에 말머리를 돌려 갑자기 아를르캥에 대한 것을 질문한 것이 수상했다. 아를르캥은 지금 누구에게 있을까.

'처음부터 빈우나 클론이 목적이 아니었을까?'

보안국은 이전부터 빈우에게 상당히 집착했다. 디안머에는 쿠사키나 국장 본인이 갈 정도였다. 하지만 고토는 지금 당장 이 사실을 묻지 않았다. 오히려 긁어 부스럼이 될까 싶은 것이다.

'이건 내 쪽에서 조사하면 될 일.'

그렇게 생각을 마무리지은 고토는 질문했다.

"그 범인은 추적하지 못했나?"

"아쉽게도. 당시로선 놈의 정체를 파악하지 못했고, 때마침 클론들이 전투를 벌이는 바람에 추적할 여력이 없었다. 녀석은 소형 비행정을 타고 구 지하도를 이동해 극지방까지 간 다음 거기서 우주선을 타고 탈출한 것으로 추정된다. 그다음은 어디로 갔는지 추적 중이고. 지금까지 알아낸 정보는 작전 종료 후 진행 상황을 광범위하게 조사하다가 밝혀진 거야."

거기까지 듣고 잠시 침묵하던 고토가 말문을 열었다.

"프리마에 있던 샤다이는? 놈은 어떻게 되었지?"

"아쉽게도 샤다이의 흔적은 발견하지 못했다. 이미 오래전에 프리마를 뜬

듯해."

대답을 들은 고토는 점프 게이트를 오고 간 이 통신의 흔적을 추적했다.

"찾기가 힘들군."

점프 게이트 단절 이전의 것은 물론이고 게이트 복구 이후 다시 연결된 회선도 추적하기 힘들었다. 군사정보국과 보안국의 회선에 번갈아 기생하며 연결되는 것이다.

"그래, 놈은 정상적인 회선에 신호를 숨겨서 집어넣고 있다. 게다가 군사정보국과 보안국뿐만이 아냐. 과학기술국과 정보분석국의 회선들마저 훔쳐 쓰는 것으로 추정된다."

"그래서 날 찾아온 거군. 하지만 이건 우리 둘의 영역을 넘어섰어. 다른 두 부서까지 조사하려면 정보사령본부 차원에서 대대적인 조사를 해야 해."

이노우에 고토의 생각은 타당했다. 다른 정보부서의 회선까지 쓴다면 최상위 부서가 직접 나서서 조사해야 한다. 하지만 쿠사키나 국장의 생각은 그렇지 않은 듯했다.

"굳이 그럴 필요가 있을까? 우리 둘이면 해결 가능한 일이잖아."

"무슨 소릴 하는 거야, 다샤. 이대로 사건을 놔두다간 걷잡을 수 없이 커져. 호미로 막을 일을 가래로 막아야 한다고."

"워프 비스트."

쿠사키나 국장의 짧은 말 한마디에 이노우에 국장이 입을 다물었다. 그녀가 무엇을 의미하는지 알아들은 것이다.

"그렇군. 워프 비스트가 어디까지 있는지 확실치 않은 마당에 일을 크게 벌여 드러낼 순 없긴 하지."

지금 벌어지고 있는 일은 울토르 중대를 탈주한 클론, 혹은 김빈우 소령이 정보사령본부의 요인들을 암살하고 있는 사건이다. 대 외계인, 대 샤다이를 상정한 비장의 수 울토르 중대가 연방에 알려진다면 자연히 워프 비스트, 즉 고대 샤다이들의 귀에도 들어갈 것이다.

"그리고 최악의 경우 그가 워프 비스트일지도 몰라."

쿠사키나 국장의 말에 고토는 흠칫했다. 그녀의 말에도 일리가 있다. 만약 저 범인이 워프 비스트라면 이런 사건을 벌이는 이유도 납득이 간다.

"일단 빨리, 그리고 조용히 해결해야겠군. 다샤, 목표를 나눠서 추적하지."

이노우에 국장이 화면을 나누어 한쪽은 김빈우 소령을, 다른 한쪽에는 프리마 행성을 띄웠다.

"현재 42전단에 소속된 김빈우 소령을 코드네임 피자 타이거라고 명명한다. 이후 우리 군사정보국에서 조사하도록 하지. 어차피 원소속이 우리 쪽이니까 이쪽에서 공식적으로 접근하는 게 쉬워. 그리고 프리마에서 마지막으로 발견된 자는…… 클론인지 본인인지 모르겠지만 코드네임 스파게티 드래곤이라고 명명하도록 하지. 그리고 보안국에서 추적해줘."

"흠, 스파게티 드래곤이라……. 그리고 우리가 추적하라고?"

"그래, 여차하면 우리 쪽 탈주 요원이라고 입을 맞춰줄 테니까. 그걸 잡는 것은 그쪽 전문 아닌가."

"하긴."

그런 이유라면 보안국이 적극적으로 나설 수 있다. 그리고 피자 타이거와 스파게티 드래곤은 각각 군사정보국과 보안국의 위장회사다. 행여 드러난다 해도 여러 가지 변명으로 둘러댈 수 있는 코드네임이다.

"자, 그럼 시작해볼까. 놈들의 목적이 과연 무엇인지."

이노우에 고토는 우울한 표정으로 다샤 쿠사키나와 본격적인 회의를 시작했다.

600

175

· · · ✦ · · · ·

아나스타샤는 기뻤다.

"룰루루~."

자신도 모르게 콧노래가 나온다. 마치 인간처럼.

"랄라라~."

지금 자기가 키워왔던 도련님, 자신이 모셔왔던 주인님이 오는 것이다. 뉴 소노라에서 빈우는 지상으로, 그녀는 블랙 랜스로 가면서 둘은 잠시나마 헤어졌었다. 다시 재회했을 때 그녀의 주인인 빈우는 자신이 살리지 못한 자들에 대한 죄책감으로 괴로워했었다. 아나스타샤가 그 상처를 어루만져주고 달래주는 것도 잠시에 불과했다. 한숨 잔 그다음부터 그녀의 주인인 빈우는 정말로 바쁜 나날들을 보냈던 것이다. 그만큼 막중한 사태였다.

'가여운 우리 주인님.'

태스크포스 373이 통합작전사령부로 온 다음부터 빈우는 아예 블랙 랜스로 오지도 못했다. 근처 의자에서 수면 모드로 쪽잠을 자고, 전투 연료로 끼니를 때우며 여기저기로 불려다녔었다. 보다 못한 아나스타샤가 치킨 파이를 구워 전해주려고 해도 보안 구역이라 근처에 가지도 못했다. 부팀장인 아룸이 대신 전해주겠다면서 들고 갔지만 그조차도 만나지 못하고 돌아올 지경이었다. 그런데 사태가 처리되어가며 한고비 넘긴 덕분에 빈우가 이제는 블랙 랜스로, 그녀의 곁으로 온다고 하니 당연히 기쁠 수밖에.

문득 아나스타샤는 자신의 목덜미를 쓰다듬었다. 뉴 소노라에서 빈우가 키스했던 부분이다. 비록 미행하던 자를 유인하기 위해 했었던 연극이었지만 주인의 짙은 숨결을 느꼈을 때 그녀는 기분이 묘해지는 것을 느꼈다. 주인의 손길이 자신의 가슴과 엉덩이로 들어올 때는 더더욱.

평상시에도 가벼운 터치를 하곤 했지만, 그때는 전혀 달랐다. 꾸민 것이라곤 해도 감촉의 차이가 너무나도 달랐다. 그냥 애정 어린 손길과 목적이 담긴 손길은 달랐다. 지금의 자신은 그 '목적'을 이룰 순 없지만, 조금만 개조를 하면 할 수도 있다. 그 목적. 옛날 어린 빈우가 호기심으로 샀던 그것, 뉴 소노라에 들어가기 위해 꾸몄던 거짓 목적이었던 그 부품. 그동안 아나스타샤는 그것을 검색해봤다. 하지만 막상 찾아보고 구입하려고 하니 뭐랄까, 거부감도 아니고 무서움도 아닌 부끄러움에 사지 못했었다.

"앗! 주인님."

방에 들어온 빈우를 아나스타샤가 반갑게 맞이했다. 하지만 미소도 잠시, 그녀의 얼굴이 금세 어두워졌다. 빈우의 얼굴이 말이 아닌 것이다.

"많이 피곤하시죠. 일단 누워서 좀 쉬세요."

"……그래."

빈우는 한숨 섞인 대답과 함께 침대에 드러누웠다. 부드러운 침대에 누워보는 게 얼마 만일까. 그는 오히려 이런 포근함이 불안하기까지 하다.

"쮸인니임."

아나스타샤가 애교 섞인 목소리로 빈우 옆에 앉았다. 그리고 주인의 머리를 슥슥 쓰다듬었다. 부드러운 그녀의 손길에 빈우는 조금만 더 쓰다듬으면 잠들어버릴 것 같다고 생각했다.

"에헤헤."

그것을 눈치챈 메이드가 주인의 옆에 폴싹 같이 누웠다. 그리고 가슴에 기대어 계속 머리를 쓰다듬었다. 빈우는 대답 없이 그저 눈감고 멍하니 있을 뿐이다.

"저기, 또 수면 모드 하실 건가요?"

"아니, 그냥 잘 거야. 좀 잘 테니까 누가 호출하면 깨워줘."

"네에."

아나스타샤가 배시시 웃으며 빈우를 껴안아왔다.

*

"빈우야, 밥 먹자―."

스피커로 들려오는 엄마의 목소리. 저녁 시간이다. 농장 공터에서 공놀이를 하던 빈우는 신나게 집으로 달려갔다.

"엄마. 나 왔어요."

식당으로 가니 고소한 냄새가 난다. 빈우가 가장 좋아하는 음식이 식탁 위에 놓여 있다. 바로 치킨 파이다. 거기다 초코 쿠키도 있다.

"잘 먹겠습니다."

신이 나서 냉큼 식탁에 앉은 빈우는 치킨 파이를 잡고 한입 가득 베어 물었다. 짭짤하고 고소한 닭고기가 입안 가득 퍼진다. 그걸 우물우물 씹어 꿀꺽 삼킨 다음 이번엔 손이 초코 쿠키 쪽으로 간다.

"어허, 김빈우. 간식은 밥 먹고."

짐짓 엄한 엄마의 엄포가 들리자 빈우는 쿠키의 끝만 살짝 떼어 입에 넣고는 안 먹은 척 딴청을 피운다.

"넹, 밥 다 먹고 먹을게요."

그 모습을 본 엄마는 어이가 없어서 피식 웃었고, 엄마의 웃음을 본 빈우도 따라 웃었다. 그렇게 냠냠 씹고 있을 때 빈우는 문득 이상한 것을 보았다. 자신을 보고 있던 아나스타샤와 눈이 마주친 것이다. 그런데 뭔가가 좀 달랐다. 평소와 무언가가 달랐다.

"어! 엄마! 아나스타샤가 웃어요."

"어머, 정말이네."

친절하긴 해도 언제나 구입했을 때의 희미한 미소만 짓고 있던 아나스타샤가 지금은 환한 미소를 띠고 있었다. 엄마와 아들은 그 미소를 보고 자신들도 기뻐했다.

"제가, 웃고 있나요?"

안드로이드는 어리둥절해서 자신의 얼굴을 조물조물 만진다.

"그럼. 쿠델카 모델 길들이기 쉽지 않다던데, 보람이 있네."

호탕하게 웃은 엄마. 작게 웃다가 드디어 웃음보가 터진 아나스타샤.

빈우는 정말 행복했다.

빈우는 이 행복이 정말 좋았다.

아니, 이 행복과 추억이 정말로 싫다. 이제는 결코 가질 수 없는 것이기에.

"으아아아!"

빈우는 손안의 치킨 파이를 구겼다. 데이터 패드가 박살이 난다. 허겁지겁 의자에서 일어나려 하자 침대에서 구른다.

돌아갈 수 없는 과거다. 어머니는 죽었고, 다시 살아나지 못한다.

팔다리를 자른다 해도 다시 요람 속으로 돌아갈 수는 없다.

보다 나은 삶과 연방을 위해 앞으로 걸었지만, 빈우는 과연 무엇을 얻었을까. 인류와 연방을 지키기 위해 수많은 외계종족을 죽였다. 심지어 같은 인류마저도 죽였다.

"아아악! 아아!"

허둥대는 빈우에게 방 안의 풍경이 보인다. 침대, 책상, 탁자, 맹렬히 돌아가는 샤프트.

"빈우야! 스위치를 꺼!"

엄마가 샤프트에 끼어 돌아간다. 그저 한 걸음 다가가 스위치만 껐어도 엄마는 죽지 않았을 것이다. 겨우 한 걸음. 겨우 한 걸음이다. 그러나 빈우는 그러지 못했다.

"로보트야아아! 안아줘어!"

눈물을 뚝뚝 흘리면서 안아달라고 다가오는 아이를 그저 껴안았으면 될 일이다. 그러면 부모를 잃고 울던 그 아이는 살 수 있었다. 하지만 육중한 장갑복에 둘러싸인 겁쟁이는 그러지 못했다.

모두 부숴버리고 싶다. 모조리 자신의 눈앞에서 치우고 싶다.

그저 행복해지고 싶을 뿐이다.

다 필요 없다. 오직 아나스타샤만 자신의 옆에 있어주면 된다.

"아나스타샤!"

빈우는 아나스타샤를 소리쳐 불렀다.

"네, 주……인, 님."

아나스타샤가 목이 졸려 괴로운 표정을 하고 있다. 여기서 조금만 더 힘을 주면 안드로이드의 목관절 따위는 순식간에 으스러진다.

빈우는 행복해지고 싶었다. 아나스타샤와 함께 웃고 싶었다.

"아샤?"

빈우는 자신이 아나스타샤의 목을 조르고 있다는 것을 깨달았다. 침대 위에서 그녀를 깔아뭉갠 채 목을 조르고 있었다.

"아샤!"

놀란 빈우가 퍼뜩 손을 치우고 그녀의 상처를 살펴본다. 여기저기 얻어맞은 상처와 짓눌린 목이 눈에 들어온다.

"너…… 너, 괜찮……."

채 말을 맺지 못하는 빈우에게 아나스타샤의 손이 바들거리며 올라온다.

"괜찮아요, 주인님."

그렇게 말한 안드로이드 메이드는 꿈속에서 보았던 미소를 지으며 빈우의 머리를 쓰다듬었다.

"요즘 피곤하셔서 악몽을 꾸신 모양이에요. 전 정말 괜찮아요."

빈우는 떨리는 손으로 아나스타샤의 상처를 어루만졌다. 얼마나 아팠을까, 얼마나 무서웠을까.

"미안해. 정말 미안해."

"아니에요, 제가 미안하죠. 주인님이 얼마나 힘드신지도 모르고 어리광만 부렸네요."

쉬어버린 목소리. 그럼에도 힘겹게 손을 들어 주인의 머리를 쓰다듬는다. 빈우는 정말로 슬펐다. 자신이 부상한 다음 누렸던 잠깐 동안의 행복. 그것이 조만간 끝날 것이다. 머릿속의 트리니티 패턴이 풀릴 것이다. 반복되는 스트레스와 신경 자극을 모은 두뇌칩이 자극받고, 모여진 열쇠 조각들이 구멍 속으로 밀려들어가 메운다. 이제 돌아가기만 하면 열린다.

"아샤, 아샤아."

빈우는 힘겹게 아나스타샤를 껴안았다. 마치 떠나버릴 그녀를 놓칠까 싶어 꼭 껴안았다.

"네, 주인님. 전 여기 있어요."

아나스타샤도 빈우를 꼭 껴안았다.

하지만 정작 떠날 사람은 빈우 자신이다.

*

"팀장님은 언제 오신대요?"

파트리샤가 회의실 의자에 누워 건들거리고 있다.

"곧 오시겠지. 아마 한숨 주무실걸."

부팀장 아룹이 어깨를 으쓱하며 대답했다.

"우리가 이렇게 시달렸는데 팀장님은 오죽할까요."

위르겐이 짐짓 엄살을 떨었다. 태스크포스 373이 뉴 소노라에서 가져온 폭탄은 대폭발을 일으켜 연방을 뒤집어놓았다. 그리고 그것의 진화를 위해 대규모의 조사팀이 블랙 랜스로 쳐들어왔다. 당연하게도 기밀 엄수를 명하는 서류들에 서명하고 조사를 받았다. 그리고 그 조사에 대해 함구하라는 명령서에 서명을 하고 다른 검사를 받았다. 육체 검사, 정신 검사, 장비 검사, 사고 검사, 검사, 검사, 검사.

"씨발, 우리 애들한테 엄한 짓 하면 대가리 날아가니까 알아서 해라."

팀장인 빈우는 조사팀들에게 엄포를 놓았다. 그리고 계급이 높은 자들이 이 말에 어이없어하면.

"―라고 우리 사령관님께서 말씀하셨습니다."

이렇게 덧붙이며 레드우드 사령관과의 직통 회선을 열어주었다. 그러면 영상 속의 레드우드는 노발대발하면서 빈우에게 팀에 허튼수작 부리는 놈은 모조리 찢어죽이라면서 길길이 뛰었다. 이게 딱히 오버하는 것도 아닌 게, 지금 어디의 누구한테 샤다이가 들어가 있는지 모르는 상황이다. 그래서 조사는 여러 부서들의 감시의 손길과 의심의 시선이 닿은 상태에서 엄중히 행해졌다.

"아잉, 보고 싶어잉. 불쌍해라. 우리 팀장님."

파트리샤의 애교 섞인 목소리에 모니카가 질겁한다.

"무서워요. 언니. 그 모습 보고 팀장님 도망가겠는데요."

"어마 이년이."

그때 빈우가 회의실로 들어왔다. 그리고 우르르 모여드는 팀원들에게 손사래를 쳤다.

"오냐, 다들 오래간만이다. 자리에 앉아."

달려드는 팀원들을 밀어낸 빈우는 본론으로 들어갔다.

"일단 큰불은 껐다……라기보다는 넘어가기로 했다."

"설마 점프를 계속하는 겁니까?"

빈우의 말한 의미를 알아챈 아룹이 질문했다. 현재 연방이 쓰는 점프 항법. 그 점프 공간이 고대 샤다이의 유산이고 거기에 들어가면 갈수록 샤다이에 오염된다고 하니 위험하기 짝이 없다. 그러나 현재의 연방으로선 그 위험을 감수할 수밖에 없었다. 그럴 수밖에 없는 게 점프 항법을 쓰지 않으면 그 외의 성간 항법을 보유하지 못한 인류 연방은 갈갈이 단절되어 붕괴된다.

"뭐, 이래저래 예방을 한다고는 하지만 말입니다."

빈우가 어깨를 으쓱하면서 화면을 열었다. 워프 비스트로 변한 몇몇 사례들이다.

"알다시피 점프를 하면 할수록 인간은 샤다이의 정보에 오염된다. 그리고 충격이나 고통 등으로 정신적인 상처를 입게 되면 그곳을 통해 샤다이와의 연결되는 계단이 생기고, 결국 인간은 워프 비스트로 변하게 된다."

이해는 하지만 현재 인류의 기술로는 대비할 수 없는 방법이다.

"그 정신적인 상처, 우리들도 만만찮게 있지 말입니다?"

위르겐의 말에 팀원들이 고개를 끄덕인다. 죽음과 폭력으로 범벅된 지옥 일번지에서 살아온 이들이 정상적인 정신 상태를 유지할 리 없다. 누구나 한 번쯤은 넘어졌었고, 다시 일어났다. 그런 만큼 워프 비스트화로부터 가장 위험한 직업이다.

"그래, 문제는 그 상처를 이겨내고 극복해냈느냐가 관건이다. 이걸 봐라."

화면에 차례로 뜨는 워프 비스트 사례. 그중 첫 번째가 오스카 스테이션에서 발생한 스미스 일가 사건이다. 당시 가장이었던 콘래드 스미스를 비롯해 처 테레사 스미스, 아들 빈센트 스미스는 태스크포스 373의 눈앞에서 워프 비스트로 변했다.

"으음, 그 사람들이라면 우리와 샤다이의 전투 근처에 있었으니 그것 때문이 아닙니까?"

우지가 의견을 냈다. 당시 다른 팀원들과는 달리 거의 민간인에 가까웠던 우지는 레드우드 사령관이 보호해줘 간신히 살아남을 수 있었고, 당시의 충격도 꽤나 컸다.

"그럴 수도 있겠지. 하지만 더 큰 것이 있다. 스미스 일가는 원래 자치 행성에서 친 연방과 사람이었다. 그러다가 고향에서 반 연방 세력이 득세하자 터전을 잃고 연방 쪽으로 왔지."

"어허."

빈우의 설명에 우지가 나직하게 탄식한다. 그 역시 자치 행성 출신이라 그 쪽 동네가 어떻게 돌아가는지 대강 안다.

"꽤나……험한 일을 겪었겠군요."

우지의 말에 빈우가 말없이 고개를 끄덕였다. 반대되는 소수의견에 인간 은 상당히 잔인하다.

"직간접적인 폭행과 협박을 이기지 못한 스미스 일가는 연방으로 왔지만, 그때 심각한 수준의 정신치료를 받았다고 한다. 그래서 가족 전원 두뇌칩 삽 입 시술을 했었고, 아직 어렸던 빈센트 스미스도 치료의 일환으로 두뇌칩 시 술을 받았다."

보통 연방에서 두뇌칩은 15세는 지나야 시술받는다. 그런데도 어린 빈센 트에게 두뇌칩을 심어 정신치료용 프로그램을 돌릴 정도였다니 스미스 일가 가 받았던 충격이 짐작 간다.

"결국 스미스 일가는 연이은 정신적 충격에 못 이겨 궁지에 몰린 상황이었다. 그리고 이것이 마저 치료되기 전에 알탄훼아나 측과 전투가 일어나는 바람에 다시 상처가 재발, 샤다이의 계단이 완성된 것으로 추정된다."

그날의 광경을 떠올린 373 팀원들은 입맛이 조금 썼다. 스미스 일가는 바로 그들이 죽였기 때문이다.

"그렇다면 알탄훼아나 호민관은 왜 오스카 스테이션을 공격한 거죠? 게다가 피에르 라캉 중령과는 협력관계였는데 왜 죽였을까요?"

파트리샤가 질문했다. 몇 차례 협조를 하긴 했지만 알탄훼아나는 샤다이고 연방과 적대적인 종족이다. 또 실제로 태스크포스 373과 교전했다.

"그것은 당사자가 정신을 차려야 알아볼 수 있겠지만, 몇 가지 가능성 높은 추측이 있다. 첫째, 알탄훼아나는 고대 샤다이들의 귀환을 반대하는 파벌의 수장이다. 때문에 당시 스미스 일가의 몸에 있는 계단을 알아보고 행동했을 수 있지. 더불어 라캉 중령과의 일도 그런 맥락일 수도 있다."

"설마 라캉 중령도 계단이 생겼다는 말입니까?"

이어진 파트리샤의 질문에 빈우는 당시 오스카 스테이션에서 보았던 피에르 라캉 중령의 모습을 떠올렸다. 아내와 아들을 잃고 폐인이 된 모습. 그 망가진 정신이라면 계단이 충분히 생기고도 남는다.

"그렇겠지. 자세한 것은 앞서 말했듯이 당사자에게 물어보도록 하자. 그리고 그 계단의 조건이 문제다."

다음 빈우가 나열한 것은 몇몇 연방 시민들의 신상명세서다.

"지금까지 워프 비스트로 변한 사람들의 사례다. 마찬가지로 비슷한 경향의 PTSD를 겪은 사람들이다. 다만 이와 같은 상황에서도 아직 변이하지 않은 이들이 더 많기에, 이 부분에 관해선 좀 더 조사가 필요하단 결론이 나왔다. 다음은 24함대다."

이어지는 빈우의 설명에 팀원들은 긴장했다. 24함대는 변경함대라고는 하나 엄연히 두뇌칩이 있는 연방의 군인들이다. 전투를 하며 그에 대한 충격을 받아도, 두뇌칩의 전투OS를 통해 전투 피로를 관리받는다. 신체 내 신경망 또한 강화되어 있다. 지금 태스크포스 373과 똑같은 상황인 것이다.

"일단 공식적으로 24함대는 발 가르단 하스에서의 토끼몰이 작전 이후 순찰 임무 외에는 작전을 한 적이 없다."

최초로 발견한 리퍼는 연방이 추적해도 그다지 적대적인 반응을 보이지 않았고, 오히려 교전을 피하며 도망쳤다. 그래서 연방은 토끼몰이 작전으로 포위망을 펼쳐 리퍼의 움직임을 서서히 한 곳으로 몰았고, 그 결과 비홀더 전대와 마주친 리퍼들은 몰살당했다.

"당시 24함대원들의 통신과 신경 신호들이다."

변경의 2선 급 병력인 24함대는 샤다이를 상대하는 작전에 투입되어 초긴장 상태였다. 그러나 주력 부대는 전면으로 나서지 않고 오히려 24함대를 방패막이 삼는 듯한 움직임마저 보였다. 자세한 설명 없이 막무가내로 내려오는 명령에다 수상한 아군의 움직임까지 겹쳐지자 24함대원들의 정신 상태는 극도로 피폐해져갔다. 자신들을 정말로 방패, 버림말로 쓰지 않을까 걱정했던 것이다.

"이상한데? 아무리 변경의 병력이라 해도 이렇게까지 되나요?"

위르겐이 고개를 갸웃했다. 예상 이상으로 지쳐가는 24함대원들의 모습이 자신이 알고 있던 뱅가드 연대의 함대원들과는 너무나도 달랐던 것이다.

변경의 2선 급 병력과 베테랑 특수부대의 차이라 해도 이건 너무 심했다.

"잘 봤다, 위르겐. 함대원들의 감정 제어가 이상한 이유로는 몇 가지가 있지만, 그중 가장 영향을 주었다고 생각되는 것이 하나 있다. 여기 이것이 당시 24함대원들의 두뇌칩 OS의 프로세스다."

이번에 빈우는 당시 24함대원들의 두뇌칩에 들어 있던 전투OS의 작동 상황을 보여주었다.

"어라? 뭔가…… 조금 부자연스러운데? 이거 정규 OS가 아니고 커스텀 버전이에요."

OS의 작동 상황을 보던 모니카의 눈빛이 날카로워지며 지적했다.

"모니카의 말대로다. 조사 결과 24함대의 전투OS는 토끼몰이 작전 직전 과학기술국의 추천으로 새로 버전업되었다고 한다. 그리고 그 소스는 알려지지 않았지만……."

빈우는 그 안에서 몇 가지 작동 프로세스를 집어내어 강조했다.

"나는 알고 있다. 이건 울토르 중대에서 쓰던 OS에서 몇 가지 따온 게 확실하다."

금지된 클론 부대인 울토르 중대. 그 유전자 제공자는 바로 눈앞의 빈우이고, 울토르 중대는 해당 OS를 가지고 작전을 하다가 인간을 인간으로 보지 못하고 학살하는 사고를 쳤다.

"물론 사고를 낸 시점의 울토르 중대 전투OS는 여기저기에서 손을 댄 결과 넝마주이였고, 24함대는 해당 OS 중에서 몇 가지 기능만 뽑아 쓴 것이기 때문에 이 OS가 24함대원들에게 일어난 감정 불균형의 확실한 원인이라고 단정지을 수는 없다. 그러나 영향력이 가장 크다고 추측되기에 조사해볼 만한 가치가 있다."

이번에 빈우가 보여주는 것은 특수전 사령부에서 24함대원들이 워프 비스트로 변하던 당시의 신경 신호와 OS 작동 상태다.

"이날 24함대원이 느꼈던 감정들은 태스크포스 373 선발 실패로 인한 긴장을 비롯해 다양한 부정적인 감정들이다. 이어서 동료들이 워프 비스트로 변하는 광경을 보고 경악과 공포를 느꼈다. 그런데 OS의 관리가 제대로 들질 않는다. 정확히는 작동을 하는데 두뇌 쪽에 적절한 반응이 일어나질 않아. 자세한 것은 두뇌칩과 당시의 전투OS를 분석해봐야겠지만, 여기에 작은 문제가 있다."

화면에 중년 여성 한 명의 신상명세가 뜬다.

"24함대에 울토르 중대의 것을 바탕으로 한 새로운 전투OS를 넘겨준 것은 과학기술국의 응우옌 티 빈 중령이다. 울토르 클론 제작에 관여했지. 그리고 현재 행방불명 상태다."

여기까지만 들어도 팀원들은 이번 사건이 단순한 사고가 아님을 알 수 있었다. 스미스 일가는 우연히 일어난 사고라고 쳐도, 24함대가 변한 사건에는 분명히 누군가의 손길이 있었다.

"보다시피 워프 비스트로 변하는 메커니즘은 아직까지 명확하게 밝혀지지 않았다. 인간의 정신적 상처를 계단으로 삼아 점프 공간 안에서 샤다이들이 온다고 하지만, 그 과정들은 인류의 기술로는 측정하거나 증명할 수 없는 영역이다. 또한 발 가르단 하스와 알탄훼아나 덕에 계단을 부쉈다고는 해도, 이 또한 무작정 믿고 있을 수도 없는 노릇이지. 그래서 통합작전사령부는 뻐꾸기 사냥 작전을 재개하기로 결정했다."

"허어, 뻐꾸기."

작전명을 들은 아룹이 노골적으로 싫은 기색을 띠었다.

"그러고 보니 부팀장은 뻐꾸기 사냥 작전을 직접 해보셨다죠?"

빈우의 말에 팀원들의 시선이 부팀장에게로 집중된다.

"네, 메창이라고, 인간에게 감염, 기생하는 바이러스 생명체였습니다."

과거 한때 인류 연방을 시끄럽게 했던 메창은 인체에 무해한 바이러스 생명체였기 때문에 굳이 정밀검사를 하지 않는 이상 발견하기 쉽지 않았다. 그래서 메창 바이러스는 점차 인류 사회로 퍼져나갔다. 그리고 감염된 인류들이 일정 밀도를 이루게 되면 주변의 동족을 인식한 메창들은 지능을 가지게 되었고 인류는 자기도 모르는 사이에 바이러스 군체의 명령에 따르게 되었다. 그 결과 많은 수의 자치 행성들이 메창의 손에 넘어갔다. 그래서 당시의 인류는 점프 포인트를 중심으로 대규모 방역과 지상 소각, 의심되는 인물의 납치와 암살 등 다각도의 작전을 동시에 진행해 메창을 멸종시켜버렸다.

"이번의 뻐꾸기 작전은 전 연방의 인간들이 이미 샤다이에게 감염되었다는 전제로 진행된다."

빈우의 충격적인 말에 팀원들은 잠시 할 말을 잊었다. 그러나 어찌 보면 당연하다. 인류 연방이 생긴 이후 대체 얼마나 많은 점프가 이뤄졌을까.

"때문에 우선은 계단의 생성, 즉 샤다이의 발현을 막는 쪽으로 방향을 잡는다. 외상 후 스트레스 장애를 겪는 사람들을 상대로 한 집중치료, 두뇌칩의 보강 프로그램 개발, 이어서 수상한 행보를 보이는 인물의 감시와 수사, 체포 등이지."

원래 이런 일은 경찰이나 연방수사국이 맡는다. 그걸 군이 한다고 한 이상 상황이 대단히 안 좋다는 의미다.

"대위님, 과학기술국 쪽에선 판별법 같은 게 나오지 않았나요?"

우지의 질문에 모니카가 곤란한 표정으로 고개를 숙인다.

"으응, 그게 아직 개발 중이야."

그런 그녀의 머리를 킥킥대며 쓰다듬던 파트리샤가 뭔가 떠오른 듯 질문했다.

"그러고 보니 우리가 잡고 있는 샤다이, 그 알탄훼아나가 워프 비스트 판별 능력이 있다고 했죠? 게다가 꽤 중요한 인물일 텐데, 상부에서 달라는 얘기가 없네요?"

"아 그거? 하기야 했지. 하지만 샤다이의 호민관이 태스크포스 373과 함께 있겠다고 강력히 주장한다고 말해봤다."

빈우의 대답에 파트리샤가 기가 찬다는 표정을 지었다. 반송장 상태로 누위 있는 알탄훼아나를 감시했던 그녀다.

"뭐 상황이 상황이니 달란다고 넙죽 줄 수도 없는 노릇이지. 대신 자료가 나오면 바로 주기로 했다."

여기까지 말한 빈우가 화면을 바꿨다. 태스크포스 373의 앞으로의 작전지역을 나타낸 작전지도다.

"자, 그래서 우리 태스크포스 373은 기존의 작전을 신속하게 강행한다."

목적지는 연방 직할령 솔트 파이크, 그리고 정보분석국의 리처드 허드슨과 그의 딸 엘리자베트 허드슨의 살인사건을 조사한다고 한다.

"에, 지금 상황에서 말입니까?"

위르겐이 얼빠진 목소리로 질문한다. 워프 비스트가 나타나니 마니 하는 위급한 마당에 대 샤다이 전문부대인 태스크포스 373이 의문의 살인사건에 매달린다고 하다니 이상한 것이다.

"그래, 그 범인의 목적이 무엇이든 일단은 워프 비스트와 관련이 있다. 엘리자베트 허드슨은 워프 비스트로 변하다가 멈추었어. 만약 이게 우연히 멈춘 게 아니라 누군가의 간섭에 의한 것이라면 치료 방법이 있다는 얘기다."

빈우의 말에 팀원들은 납득했다. 워프 비스트의 치료법은 엄청나게 중요한 자료다.

"하지만 그곳은 이미 연방 중앙정보국이 싹쓸이해갔지 않나요?"

파트리샤의 말대로 정보분석국의 리처드 허드슨이 사망한 사건은 보안국과 연방 중앙정보국이 앞다투어 달려들어 진작에 쓸어담아 갔다. 이렇게 뒤늦게 전문 수사기관이 아닌 태스크포스 373이 가서 무슨 성과를 낼 수 있을지가 의문인 것이다.

"그래, 하지만 이번 사건에는 오직 나만이 찾을 수 있는, 그리고 나만이 풀 수 있는 퍼즐이 있을 것이다. 그래서 내가 발탁된 것이고."

다른 사람이 말했다면 근거 없는 자신감이라고 했겠지만, 팀장인 빈우가 말하니 상당히 그럴싸하게 들렸다. 그들의 팀장은 그만한 실력이 있었고, 실력이 없다면 별 수작을 써서라도 해낼 사람인 것이다. 팀원들의 신뢰를 한 몸에 받던 빈우는 솔트 파이크의 지도를 보여주었다.

"먼저 주의해야 할 것이 있다. 솔트 파이크는 연방의 직할령인 만큼 우리의 행동도 조심해야 한다. 마카로니처럼 마구잡이로 내려갈 수는 없고, 뉴 소노라처럼 사기 치고 들어갈 수도 없다. 현지 행정조직과는 이미 얘기가 되어 있지만 각별히 유념하도록."

빈우는 별다른 대답이 없는 팀원들을 물끄러미 둘러보더니 가벼운 힐난조로 다시금 말했다.

"그러니까, 솔트 파이크 가거든 조심히, 얌전히 있으란 얘기다. 괜히 사고 쳐서 일 크게 만들지 말고. 다들 알겠지?"

반응은 매우 격렬했다.

"아이 씨발. 우리 팀 중에서 제일 사고 치는 게 누군데!"

발칵해서 일어난 파트리샤가 시작을 끊자 뒤질세라 다른 팀원들도 마음속에 담아뒀던 말을 꺼내기 시작했다. 말뿐이 아니고 행동으로도 나타난다. 어어 하는 사이에 억울한 표정을 한 위르겐이 빈우의 멱살을 잡고 하소연을 한다.

"팀장님. 제에에발. 부탁드립니다. 부디 이번에는 사고 치지 말고 조용히 수사만 합시다. 제발요. 네?"

"어, 응. 알았어. 새끼야."

빈우는 떨떠름한 얼굴로 고개를 끄덕이더니 찜찜한 마음으로 작전회의를 계속했다.

177

• • • ✦ • • •

인류에게 점프 항법은 익숙하다. 일렁이는 점프 게이트과 그것을 관리하는 위성 점프 포인트. 그 게이트를 통과하면 다른 항성계로 바로 이동한다. 그러나 지금은 그 익숙했던 것이 경계의 대상이 되어버렸다. 점프를 하면 할수록 고대 종족의 정신에 빙의가 되고, 마음의 상처가 있으면 그것을 계단 삼아 샤다이가 몸을 차지한다고 하니 두렵기까지 하다. 하지만 점프를 하지 않으면 인류 사회는 유지되지 않는다. 때문에 2중, 3중의 안전과 보안절차가 신설되었고, 이 문제의 해결을 위해 뻐꾸기 작전을 비롯한 여러 작전들이 동시다발적으로 진행되기 시작했다. 그에 비해서, 아니면 그것 때문인지 태스크 포스 373의 솔트 파이크 수사 허가는 비교적 손쉽게 떨어졌다.

"윗선에선 미리 이야기가 다 된 듯싶군요."

그렇게 말한 오르 함장이 아래를 내려다보았다. 현재 블랙 랜스는 솔트 파이크의 궤도 엘리베이터 중궤도 우주항에 도킹해 있다. 궤도 상에서 본 솔트 파이크는 전형적인 연방 직할 행성의 모습을 띠고 있었다. 행성 궤도를 위아래로 빙 둘러싼 방어 포대와 역장방어막은 샤다이가 아닌 종족들은 뚫을 엄두조차 내지 못할 정도로 막강하다. 또한 자치 행성의 것과는 비교도 안 되는 거대한 정규 궤도 엘리베이터는 3만 km에 걸쳐 뻗어 있다. 행성의 지상 터미널과 그 끝부분 최상층까지 가려면 꼬박 하루가 걸리는 정규 시설이다. 이 궤도 엘리베이터 덕에 솔트 파이크는 해당 항성계 내에서의 자체적인 함선 운용 능력을 가지고 있다.

"사안이 사안이니까요."

빈우가 대답했다. 솔트 파이크의 리처드 허드슨 살인사건은 범인과 피해자와 목적에 이르기까지 하나하나 치명적이고 중요하다. 우선 범인에 대해서는 어렴풋이나마 짐작이 가지만 정확히 무슨 목적을 가지고 있는지, 또 워프 비스트와 무슨 관계인지는 좀 더 조사해봐야 한다.

"이번 수사 멤버는 어떻게 하실 겁니까?"

오르 함장의 질문에 빈우는 잠시 생각해봤다. 마카로니에선 파트리샤를 호위로 삼고 위르겐과 함께 수사했다. 다음 수색지인 뉴 소노라에는 아나스타샤를 데리고 갔었다. 하지만 이번에는 상황이 조금 다르다.

"글쎄요. 아마 혼자 가지 싶습니다만."

"혼자서요? 괜찮겠습니까?"

어차피 373팀 안에 전문 수사 인력은 없다. 흔적을 찾고 꼬리를 쫓는 수색, 탐색이라면 다른 팀원들도 한가락 하지만, 이런 수사를 할 만한 사람은 빈우뿐이다.

"지금 부팀장과 위르겐은 전투 교육을 위해 42전단으로 가 있습니다. 만약을 대비해 파트리샤는 함에 있어야겠지요."

"……피아프 대위가 함에 남는다라……. 걱정되십니까?"

오르 함장은 빈우가 무엇을 걱정하는지 잘 알고 있다.

"조심해야죠. 모니카가 올 때 그녀를 태운 셔틀이 블랙 랜스를 스캔한 적이 있었고, 사격 훈련을 할 때도 단검뿔 토끼로 추정되는 특수부대원들이 그 광경을 감시했다고 합니다. 이제 보안국만이 적이 아닐지도 모릅니다. 아니, 적은 보안국 외의 다른 방법을 쓸지도 모르지요."

워프 비스트가 연방의 어디까지 들어와 있는지는 아무도 모른다. 히토미가 속한 파벌이 조사를 계속하고는 있지만, 아직 확실한 결과가 나오지는 않았다. 태스크포스 373이 42전단으로부터 떨어져 단독행동을 하고 있는 현재로서는 조심해서 나쁠 게 없다.

"알탄훼아나란 샤다이가 제정신을 차리면 좋을 텐데요."

오르 함장의 말에 빈우도 고개를 끄덕였다. 샤다이인 그녀는 인간 안의 계단을 찾을 수 있으며, 그 계단을 타고 내려온 샤다이를 구분할 수 있다. 만약 알탄훼아나가 지금의 충격을 딛고 일어선다면 연방 내의 문제는 바로 해결될 것이다.

"보르자 대위 말로는 별다른 진척이 없다고 합니다만, 팀장님 쪽에선 다른 소식이 없습니까?"

"우리 본가 쪽도 서두르긴 하는데, 그쪽도 별 다를 바 없습니다."

빈우의 본가인 군사정보국은 대 외계종족 첩보 전문이다. 적대적 외계종족에 대한 정보가 가장 많은 그곳에서조차 소득이 없다고 하면 진짜 아무것도 없는 것이었다. 특히 대 샤다이에 관한 정보전이라면 그 연방중앙정보국조차도 군사정보국을 상대로는 한 수 접는 상황이다.

"하긴, 정신이니 뭐니 하는 개념들이 물리적으로 실현되는 마당이니까요. 이건 숫제 마법 아닙니까."

빈우의 푸념도 이해가 간다. 현재 인류가 직면한 난관은 인류의 영역 밖의 문제다.

"마법이라……. 틀린 말은 아니지요. 인간은 자신의 기술력을 넘어서는 현상에 대해서는 마법으로 보지 않습니까."

오르 함장이 쓴웃음과 함께 말을 이어간다.

"제가 노예 검투사였다는 얘기는 했었지요?"

"대강은 들었습니다만."

오르 함장의 고향은 아직도 피부색으로 인간의 등급을 나눈다고 했다.

"제 고향은 자치 행성 정부가 상당히…… 뭐랄까, 야만적이라고 할까요. 낙후된 곳입니다. 그곳에 연방 국세청의 징수 함대가 왔을 때, 지상의 사람들은 세상의 멸망이 도래했다고 믿을 정도였지요."

중세 언저리의 기술력을 지닌 인류의 앞에 현용 군사병기들이 육박한다면 정말 그렇게 생각할 것이다.

"그리고 징수 함대가 온 다음부터…… 제 삶은 마법과도 같았습니다."

하루하루 삶과 죽음에서 줄타기를 하다가 엄청난 과학력을 지닌 동족에게 구출되고 새로운 삶을 얻었으니 이거야말로 진짜 마법이다.

"'바뀌었다'보다는 '태어났다'겠죠."

오르 함장은 고향의 색을 그다지 좋아하지 않는다고 했다. 그만큼 좋은 기억이나 추억이 없었을 것이다.

"하지만 말입니다, 이렇게 다시 태어난 몸으로도 과거의 기억이 떠오르곤 합니다. 사자에게 물리던 팔이 간지럽습니다. 상대에게 찔리던 배가 아픕니다. 이렇게 그때의 고통이 가끔씩 제 뇌리를 스치고 지나가지요."

두뇌칩의 정신관리 프로그램 없이 그런 고통과 경험을 겪었다면 PTSD가 꽤나 심하게 남은 편이다.

"치료받지 않으실 겁니까?"

빈우의 질문에 오르 함장이 쓰게 웃으며 고개를 저었다.

"응우옌 중령이 말했습니다. '몸이 바뀌었어도 그 안에 바뀌지 않는 게 있다. 과거의 몸으로 겪었던 고통을 현재의 새로운 몸으로도 겪고 있다. 그러니 당신은 당신이다'라고요."

응우옌 티 빈. 과학기술국의 중령. 빈우의 울토르 프로젝트와 오르의 롱혹 프로젝트에 관여되어 있으며, 24함대의 전투OS를 버전업한 인물이기도 하다. 그리고 지금은 행방불명 상태다. 과연 무슨 이유로 행방불명이 되었을까.

"저는 수많은 점프를 했고, 마음의 상처 또한 깊습니다. 이런 저의 몸에도 과연 샤다이가 올까요? 그렇다면 헬레나 겔의 이 육체가 워프 비스트로 변할까요, 아니면 이 블랙 랜스가 변할까요?"

오르 함장은 어깨를 으쓱하며 대수롭지 않은 듯이 질문했지만 빈우는 대답할 수 없었다. 현재 지마 오르 소령은 법적으로 연방의 인간이다. 뇌와 두뇌칩이 있으며 육체는 전신 사이보그로 바뀐 상태. 하지만 그 사이보그 육체란 것이 사실은 구축함이란 게 밝혀지면 연방이 발칵 뒤집어지겠지.

"글쎄요. 일단 강화 육체를 가진 24함대원들과 장갑보병들조차 워프 비스트로 변했습니다. 즉 태어날 때의 육체가 아닌 몸도 변한다는 뜻입니다. 하지만 사이보그의 경우는…… 선례가 없군요."

두 소령은 잠시 그렇게 잡담을 나누다가 시간이 되자 헤어졌다.

*

"주인님, 저도 갈래요."

사복으로 갈아입은 아나스타샤가 빈우를 따라나섰다.

"안 돼. 넌 여기서 기다려."

빈우는 돌아보지도 않고 궤도 엘리베이터를 향해 걸었다.

"혼자 하시면 힘드실 거예요. 제가 도와드릴게요."

아나스타샤는 빈우의 비서로 되어 있기 때문에 솔트 파이크에 간다고 해도 아무런 문제가 없다.

"이번 일은 그리 힘들지 않아. 수사할 건 다른 부서가 다 수사해놔서 자료를 다 받은 상황이고, 내가 할 것은 현장 조사만 약간. 그것뿐이야."

"그렇지만……."

"그렇지만 뭐."

블랙 랜스와 궤도 엘리베이터가 연결된 도킹부의 문 앞에서 빈우가 돌아보며 물었다.

"……지금 주인님은 힘드시잖아요."

주인을 올려다보는 안드로이드의 눈에는 어느새 눈물이 맺혀 있었다. 빈우는 아까 그런 그녀를 올라타 목을 조르고 있었다.

"걱정해줘서 고맙지만 생각만큼 힘들지는 않아. 금방 끝내고 올 테니까 기

621

다려.”

그런 다음 빈우는 아나스타샤가 뭐라고 말하기도 전에 문을 열고 밖으로 나갔다. 등 뒤로 그녀가 애타게 주인을 불렀지만, 빈우는 못 들은 척 문을 닫았다.

여긴 솔트 파이크의 출입 관리국이다. 입성 절차는 이미 얘기가 되어 있던 터라 별도의 창구를 통해 빠르게 진행되었다. 빈우는 자신을 위해 마련된 엘리베이터를 타고 지상으로 내려갔다. 블랙 랜스는 중간 궤도에 정박해 있고, 엘리베이터도 군용 강화를 한 빈우의 육체에 맞춘 속도를 내어 지상에는 금방 도착했다. 지상의 터미널을 나간 빈우는 주차장에 도착해 물질 생성기에서 바이크 하나를 만들기로 했다. 핵심 부품들은 이미 준비되어 있고, 기타 프레임과 액세서리만 만들면 되기에 바이크는 금방 완성되었다.

‘이건…….’

완성된 바이크를 본 빈우는 옛 생각이 떠올랐다. 뉴 소노라에서 탔던 것과 비슷한 모델이다. 쓸데없는 버릇에 혀를 찬 빈우는 바이크를 몰아 목적지로 향했다. 그러고 보니 이런 민간 행성에 온 것은 정말 오래간만이었다. 그가 마카로니의 궤도에서 정신을 차린 다음에는 거의 군사시설이나 자치 행성만 전전했었다.

빈우는 주변 풍경을 감상하며 바이크를 몰았다. 푸른 하늘과 그 하늘로 솟구친 흰색 고층 건물들, 깨끗한 거리와 무성한 녹지에서 노는 웃음 가득한 사람들. 마치 연방의 행복이란 이런 것이라고 보여주는 풍경 같다.

공원을 지나는 사거리에서 신호에 걸린 빈우는 잠시 주변을 둘러보았다.

“거기 서~.”

마침 한 아이가 강아지 한 마리를 따라 달리며 해맑게 웃는다. 그 모습을 보는 빈우는 웃을 수 없었다. 현재의 상황으로 보면 저 아이의 미래가 어찌될지 상상하기 괴롭다.

앞서 달리던 강아지가 신나서 아이의 주변을 뱅글뱅글 돌았다. 그러자 아이의 발에 목줄이 칭칭 감기고, 급기야 아이가 풀밭에 고꾸라졌다.

"아앙."

넘어진 아이가 울음을 터트렸다. 아프기보다는 놀랐기 때문이다. 바닥은 잔디라 상처도 없다. 그래서 빈우는 우는 아이를 물끄러미 바라만 보고 있었다. 아이는 간신히 일어섰지만, 다시 줄을 밟고 넘어졌다.

"엄마아!"

마침내 아이가 엄마를 찾는다. 주변을 둘러보던 아이와 빈우가 눈이 마주친다. 그러나 빈우는 아이의 눈물을 그저 보고만 있다. 강아지는 자신 때문에 아이가 넘어진 것을 아는지 옆에 다가와 끙끙대며 어쩔 줄 몰라 하고 있다. 옆에 자기를 넘어뜨린 강아지가 다가오자 아이는 더 서럽게 울었다. 우는 아이의 얼굴을 강아지가 핥는다. 혀가 얼굴에 닿았다. 열린 입 안으로 하얀 이빨이 보인다. 순간 강아지에게 붉은색 강조선이 쳐졌다. 빈우의 전투OS가 그 개를 적으로 인식한 것이다.

'이런 미친.'

빈우는 급히 타깃을 풀고 시선을 돌렸다. 마침 신호가 바뀌었고 빈우는 우는 아이를 뒤로한 채 목적지로 달렸다.

'내가 왜 그랬을까.'

달리는 오토바이 안에서 빈우는 곰곰이 생각해봤다. 아이와 빈우의 거리는 별로 멀지 않았다. 넘어진 아이에게 다가가 줄을 풀고 일으켜줘도 될 일이었다. 하지만 빈우는 그러지 않았다.

'……내가 굳이 그럴 필요는 없지.'

아이는 다치지 않았고, 그저 울기만 했을 뿐이다. 어릴 때는 늘상 있는 일이다. 만약 개가 아이를 해친다면 그때 개를 죽이면 된다. 자신의 생각에 납득한 빈우는 다시 운전에 집중했다.

바이크는 집 앞에서 멈췄다. 허드슨 일가의 집은 지금 매물로 나온 상태다. 그러나 아직 거래되지 않는다. 사건의 수사와 은폐를 위해서 묶어놓은 위장이다.

'자료는 이게 다인가.'

빈우는 각 부서로부터 전달받은 수사자료를 다시 한 번 훑어보았다. 건물 내부는 이미 현지 경찰과 보안국, 연방중앙정보국이 싹싹 훑은 다음이라, 뒤늦게 지금 조사한들 더 이상 얻을 것은 없으리라. 그러나 빈우는 여기서 자신만이 찾을 수 있는 단서가 있을 것이라 확신하고 있었다. 만약 범인이 예상대로의 인물이라면.

'하지만 정말로 범인이 울토르 클론일까.'

오직 전투를 위해 만들어진 울토르 클론이 이런 암살을 할 수 있을 리 없다. 분명히 이런 종류의 훈련을 시키고 명령을 내린 자가 있다. 빈우는 문을 열고 들어갔다. 바로 탁 트인 거실이 나오며 좀 더 지나가자 부엌이 나온다. 그는 부엌의 가운데에 서서 주변을 둘러보았다.

'여기서 범인은 요리를 했다.'

범인은 출장 요리 서비스를 중간에 가로채 요리사로 위장하고 집에 들어왔다. 그렇다면 신분을 위장하고 연방의 네트워크에 잠입할 실력은 있다는 얘기다.

'보안 카메라들도 깨끗하다. 보통 실력이 아냐.'

거리와 허드슨 가 내부의 보안 카메라에는 아무것도 찍혀 있지 않았다. 범인이 미리 손을 써놓은 것이다. 게다가 조작한 흔적도 찾기 힘들다. 이걸로 미뤄보아 상당한 실력자이거나 외부에 협력자가 있다. 범인은 이곳 부엌에서 요리를 하다가 리처드 허드슨을 죽였고, 다음 2층의 엘리자베트 허드슨을 독살했다.

'이게 조금 이상하단 말이야.'

리처드의 시신은 음식물 처리기에 넣어 발효시킨 다음 비료로 만들었다고 했다. 이 정도로 해버리면 시신은 찾아도 사인이나 기타 증거를 찾기는 힘들다. 다만 이상한 것은 딸 엘리자베트의 시신에는 손도 대지 않았다는 점이다. 수면제와 호흡계 약물을 먹은 여자아이는 고통 없이 사망했다고 되어 있다. 그리고 시신은 그대로 내버려둔 채 현장을 떴다. 왜 둘의 처리에 차이가 있을까. 마리 라캉의 건을 보면 놈은 그녀를 마치 외계인 고문하듯 처참하게 만들어놓았다. 리처드도 마찬가지였을 것이다.

'클론이라면 이런 판단을 하지 않을 텐데. 명령인가?'

빈우는 부엌 바닥을 다시 살펴보았다. 그리고 당시의 영상을 여기에 덧씌웠다. 그러자 바닥에 의자가 움직인 흔적들이 보인다.

'리처드 허드슨이 꽤나 불편하게 앉았다.'

처음 식탁과 의자의 거리를 보면, 앉은 사람은 언제든 달아날 수 있게 약간의 거리를 두고 있었다는 것을 알 수 있었다. 즉 리처드는 이때 이미 요리사로 위장한 범인을 적으로 인식했다는 의미다. 그러나 얼마 지나지 않아 그는 아무런 저항도 하지 못하고 바닥에 짓눌러졌다. 전투용은 아니지만 나름 군용 육체를 한 리처드를 이렇게까지 밀어붙였다는 것은 상대방이 제대로 전투 강화를 한 군인이기 때문일 것이다.

'그리고 협박이 있었다.'

당시의 흔적을 보면 요리와 칼, 그리고 장난감 인형들이 있었다고 나온다.

'딸을 요리한다고 협박했나? 이 인형은······.'

증거품을 살펴보던 빈우는 멈칫했다. 그 인형이란 다름 아닌 마법 소녀 피스메이커였다. 빈우의 여동생이 가지고 놀던 것. 아나스타샤도 여동생과 함께 가지고 놀던 인형이었다. 그리고 빈우가 아나스타샤를 안고 넘어진 침대에도 저 인형이 있었다. 자신의 밑에 깔린 안드로이드 메이드. 그녀의 부드러운 가슴, 매끈한 허리, 말랑말랑한 엉덩이와 그 사이의······.

빈우는 고개를 세차게 흔든 다음 증거에 집중했다.

'딸을 대상으로 협박한 것은 확실하다. 그러나 무슨 정보를 얻었는가에 대해서는 알 수 없군.'

이어서 빈우는 2층으로 올라갔다. 그리고 범인의 발자국을 자세히 살펴봤다. 역시나 장갑보병 특유의 버릇이 있다. 계단을 올라간 그 흔적은 아주 냉정하고 확신에 찬 걸음걸이었다. 내려온 발걸음과는 달리. 그런데 2층에 다 올라가서는 발걸음 자국이 잠시 멈췄다.

'왜 멈췄지? 새로운 명령을 받았나? 아니면 누가 제지했나? 그 때문에 엘리자베트의 시신을 남겨둔 것일까?'

빈우는 다시 발자국을 따라 방으로 갔다. 범인은 여기서 노크를 하고 문을 열었다.

"와, 맛있겠다."

침대에 누운 엘리자베트가 빈우 손에 있는 쿠키를 보고 미소를 지었다. 빈우는 침대 옆의 탁자에 쿠키를 내려놓았다. 그러자 엘리자베스가 얼른 한입 베어 물더니, 조심스레 질문한다.

"아저씨, 아빠는요?"

"정원에 잠깐 나가셨어. 곧 만나게 될 거야."

엘리자베스는 작게 고개를 끄덕이더니 다시 쿠키를 먹기 시작했다. 빈우도 좋아하는 초코 쿠키다.

"맛있니?"

"네!"

얼굴에 아직 워프 비스트의 흔적이 남은 아이가 밝은 미소로 대답한다.

"곧 있으면 아빠와 저녁을 먹어야 하니 너무 먹지는 마."

빈우는 그렇게 말했지만, 그 아빠는 이미 죽었다. 자신의 손에.

"네에."

하지만 그것을 모르는 엘리자베트는 장난기 어린 대답을 했다. 그러다가 갑자기 화들짝 놀라 손으로 얼굴을 가렸다. 뒤틀린 회색의 각질이 있는 피부, 잘린 뿔이 있는 쪽의 얼굴이다. 바로 워프 비스트의 흔적이었다.

'어떻게 워프 비스트가 되다가 멈추었지?'

궁금해하는 빈우에게 아이의 목소리가 들려온다.

"이상하죠?"

"아니, 아저씨는 그런 걸 치료하러 다니는 사람이란다."

치료라⋯⋯. 병원균을 모조리 죽이고 태우는 것을 치료라 부른다면, 빈우는 우주의 슈바이처라 할 수 있다.

"진짜요? 그럼 저도 치료해줄 수 있어요? 아빠랑 치료를 받았는데 다 낫지 않았어요."

바짝 다가앉는 엘리자베트를 멍하니 보던 빈우가 떠듬떠듬 대답한다.

"그래, 그래⋯⋯. 치료해주마."

여기서 말한 치료는 진짜 치료를 의미한다. 하지만 어떻게?

"약속이에요."

엘리자베트가 쿠키 조각이 묻은 새끼손가락을 빈우에게 내밀었다.

"어, 약속."

빈우도 떨떠름하게나마 손가락을 들었다. 그리고 둘의 새끼손가락 걸기가 끝났다. 달콤한 쿠키는 어린 엘리자베스의 식욕 앞에 순식간에 사라졌다.

"너무⋯⋯ 졸려요."

쿠키를 다 먹은 엘리자베트는 졸린지 눈을 비비기 시작했다. 수면제가 먼저 듣기 시작한 것이다.

"배가 불러서 그런 거야. 좀 자는 게 좋겠네."

"안 되는데. 나중에 아빠랑 생일파티 해야 하는데."

하품을 하며 졸려서 휘청거리는 엘리자베스를 빈우가 조심스레 침대에 눕혀주었다.

"걱정 마. 자고 일어나면 아빠가 와 계실 거야."

빈우는 엘리자베트를 베개에 눕혀주었다. 그리고 아이가 잠들자 두 번째 약효가 돌기를 기다린 다음 맥을 확인했다.

"헉!"

빈우는 짧은 숨을 내쉬며 자리에서 일어났다. 지금 그는 빈 침대에 손을 대고 있었다.

'내가…… 뭘 하고 있는 거지? 방금 것은, 방금 영상은 뭐지?'

빈우는 서둘러 자신의 영상 기록을 검색해봤다. 그러나 해당하는 기록은 빈우의 두뇌칩에 존재하지 않았다. 다만 빈우 스스로가 이 광경을 기억하고 있었다.

> **자체 점검 실시.**

빈우는 자신의 육체와 두뇌칩에 부정접속이 있는지 빠르게 점검했다. 외부 보안 검체기를 꺼낸 그는 대상을 자신으로 하고 검사했다. 그러나 아무런 이상이 없다고 나온다.

'이게…… 도대체 어떻게 된 일이지.'

이런 일이 일어날 가장 가능성이 높은 것은 역시나 두뇌칩의 동기화다. 그 것도 같은 규격의 두뇌칩, 즉 클론들끼리의 동기화다. 일반적인 인간들끼리 는 이 정도로 불안정한 동기화가 일어나지 않는다. 범인은 울토르 클론일 가능성이 대단히 높다.

일단 빈우는 서둘러 방을 나섰다. 방을 조사해봐도 전파나 두뇌칩 해킹을 위한 준비는 없었다. 계단을 내려가려던 그의 눈에는 이제 내려가는 범인의 발자국이 보였다. 아까 올라올 때도 보았지만 지금 보니 새삼 달리 보인다. 올라갈 때의 걸음이 냉정하고 기계적이었다면, 내려갈 때의 걸음은 거칠고 서두르고 있었다. 뭔가의 이유로 평정을 잃었다.

'엘리자베트의 죽음 때문인가? 그 때문에 시신을 남겨두었나? 하지만 왜?'

빈우는 그 허둥대는 발자국에 자신의 발자국을 대어가며 천천히 내려갔다. 비슷한 체격에 체중이라, 당시 녀석의 몸놀림을 대충 예상할 수 있었다.

'당황하고 있다.'

범행에 무슨 실수가 있었던가, 아니면 목표물 선정이나 실행에 오차가 있었던 걸까. 그 당시의 범인은 상당히 당황하고 있었다. 자세한 것은 조사해보면 나올 일이다.

1층으로 내려온 범인은 다시 부엌으로 갔다. 이번에는 아주 빠르게 달려갔다. 그리고 오븐 안을 쓸어담았다. 증거 인멸일까 싶지만 그렇기엔 다른 요리는 말짱했다. 오븐을 청소한 범인은 허드슨 가 안을 마치 강도에 당한 것처럼 꾸몄다. 현지 경찰이라면 감쪽같이 속았을 것이다. 그러나 소속 요원을 잃은 정보분석국은 보안국에 조사를 의뢰했고, 결국 들통나게 되었다.

허드슨 가를 나선 빈우는 다시 범인의 흔적을 추적하려 했다. 그러나 감시 영상은 없고, 거리는 수차례 청소가 되어 더 이상 흔적을 찾기는 힘들었다. 그래서 빈우는 바이크를 내버려두고 되는 대로 거리를 걸어보기로 했다. 그저 걸어서 흔적을 찾기로 한 것이다.

그렇게 빈우는 솔트 파이크의 거리를 정처 없이 걸었다. 주택가를 누비고, 공원을 뒤지고, 마침내 푸드 트럭이 있는 구역까지 도달했다. 이제 저녁 시간이 되어 이곳에 위치한 여러 푸드 트럭들은 슬슬 장사할 준비를 하고 있었다.

"어이쿠, 오랜만이오."

그 목소리가 자신을 부르는 소리 같아 빈우는 소리가 난 방향으로 고개를 돌렸다. 거기엔 콘도그를 파는 푸드 트럭이 한 대 서 있었다.

"오늘은 좀 괜찮아 보이시네."

트럭에서 콘도그를 튀기던 가게 주인이 빈우를 보며 아는 척을 하고 있었다. 빈우는 그 푸드 트럭과 가게 주인을 유심히 살펴보며 접근했다. 그때 빈우의 시선을 사로잡는 것이 있었다. 메뉴판 옆의 있는 '이달의 손님' 란이다. 그 코르크 보드에는 지금까지 방문했던 손님들의 사진과 설명이 붙어 있었다. 그중 하나가 빈우 눈에 확 들어왔다.

'개점 이래 우리 가게 콘도그를 가장 맛없게 드신 손님.' 우스꽝스러운 글자 옆에는 사진이 하나 붙어 있었다. 그 사진 안에는 허무한 표정으로 콘도그를 먹는 김빈우가 찍혀 있다. 그러나 그자가 빈우일 리는 없다. 클론이다. 울토르 클론이 여기에 있었던 것이다.

'이노우에 고토, 이 새끼……!'

빈우는 마음속으로 이를 악물었다. 이 사실을 군사정보국과 보안국이 모를 리는 없다. 일부러 가르쳐주지 않은 게 분명하다. 클론이 이번 사건의 범인이란 게 거의 확실하다.

'고토 국장과 쿠사키나 국장은 왜 내게 이 사실을 알려주지 않았을까.'

클론의 탈주는 대사건이다. 애초에 독립적인 행동을 하는 전신 클론 자체가 연방에선 불법이다. 그래서 조심하느라 알리지 않았다고 볼 수도 있지만, 저 여우와 너구리는 분명히 다른 이유로 가르쳐주지 않은 게 뻔했다.

"그날 울상을 한 손님을 보내고 난 다음에 나도 얼마나 마음고생을 했는데. 자, 이거 한번 드셔보세요. 그리고 솔직한 감상 부탁합니다."

그리고 주인장은 갓 튀겨낸 콘도그를 하나 꺼내 소스를 뿌린 다음 빈우에게 내밀었다.

"자, 뜨거울 때 먹어봐요."

빈우는 주인장이 주는 콘도그를 받았다. 그리고 그것을 물끄러미 내려다보더니 한입 크게 베어 물었다.

- **낮은 영양, 낮은 열량, 무의미한 식사.**

다시 한 번 기시감이 빈우를 감쌌다. 먹어봤던 맛, 알고 있는 음식이다. 맛과 냄새와 촉감이 자극되자 당시의 기억이 되새김질된다.

"오늘은 어떻소?"

미소 반, 걱정 반으로 주인장이 물어보고 있다. 그러나 빈우에게 그 말은 제대로 들리지 않았다.

- 록산느.

그 당시의 오감이 자극되며, 그 당시의 기억이 떠올랐다.

정확히는 빈우에게 동기화된 클론의 기억이 분명하다.

"……좋아요, 아주 좋군요."

빈우는 미소를 지으며 콘도그를 퍽퍽 베어 물어 순식간에 다 먹었다.

"허허, 입에 맞아 다행이오. 그럼 사진 한 방 찍읍시다. 내가 얼마나 기다렸다고."

"좋지요."

빈우는 포즈를 취하며 준비를 했다. 자치 행성 록산느로 추적하기 위한 준비를.

- 록산느라, 거기 마약 만드는 곳 아닌가?

우지가 코일건을 조준하면서 팀의 다음 목적지에 대해 질문한다. 그 옆에서 위르겐이 다가와 조준을 보정해준다.

- **마약은 마약인데, 그게 조금 애매해. 록산느에서 파는 문제성 약물들이 신경계에 작용하는 약물이긴 한데, 그래봤자 두뇌칩이 있는 연방 시민들에겐 안 통하거든. 또 유통은 자치 행성 내부에서만 하니까 이쪽에서 건드릴 명분이 없지. 쏴봐.**

어벤저에서 발사된 텅스텐 탄자가 날아가 목표의 약간 옆에 명중한다. 사람 몸통만 한 바위가 박살이 났다.

- **우지, 이제 잘 쏘잖아. 여태 왜 그런 거야?**
- **전투기 몰면서 쏘니까 상대 속도를 재는 습관이 있었거든. 어쨌든, 그래서 연방이 자치정부인 록산느를 못 건드리는 건 그렇다 쳐도 그쪽 관할 자치정부 경찰은 뭐 하나?**

지금 둘은 록산느로 가는 점프 게이트 근처의 위성 지대에서 사격 연습을 하고 있었다. 게이트에는 블랙 랜스와 42전단 소속의 순양함들이 다른 함선의 합류를 기다리고 있는 중이다.

- **록산느의 지방경찰은 이미 각 범죄 세력들하고 결탁해서 얼굴마담을 하고 있어. 이쯤 되면 연방중앙수사국이 나설 법도 한데 손을 안 대더라.**

- 그런가. 하긴 우리가 모르는 뭐가 있겠지.

조준을 보정한 우지가 다시 발사했고, 이번에는 목표에 정확히 명중했다. 신난 두 어벤저가 낄낄대며 주먹을 마주쳤다.

- 참. 너 42전단에 갔던 일은 어땠어?

다음 목표를 조준하며 우지가 질문했다. 태스크포스 373의 부팀장 아룹과 위르겐은 지금까지 쌓아온 전투 경험과 정보를 공유하기 위해 42전단으로 잠시 갔다가 지금 다시 합류한 상황이다.

- 하이고, 숫제 눈에 불을 켜고 달려들더라. 고작 1개 분대로 어떻게 그런 전과를 올렸냐고 신기해하던데.

너스레를 떠는 위르겐과 총을 쏘는 우지. 이번에도 명중이다.

- 오호. 그렇다고?

우지는 전투기 파일럿이어서 샤다이와 직접 마주하며 싸운 적은 없기에, 지상팀이 실제 어느 정도의 실력인지는 제대로 파악하지 못하고 있었다.

- 근데 우리 지상팀 전부 특수부대원이잖아. 그 정도는 하지 않나?
- 실력보다는 쪽수지. 네 명이면 1개 분대다. 샤다이의 압도적인 화력 앞에서는 작전이고 뭐고 할 게 없어. 근데 우리 팀장님은 그걸 두 명씩 나눠서 요리조리 살살 돌려가며 껍질을 까다가 이때다 싶으면 바로 박살을 내버린단 말씀이야. 정말 대단한 거지. 우리도 끝나고 나면 귀신에 홀린 기분이라고.
- 그런가?
- 이 새끼가. 문제는 우리 지상팀보다 너야.

우지의 헬멧을 쥐어박은 위르겐이 때린 손으로 바로 삿대질을 한다.

- 네 전투기록 보고 42전단이 발칵 뒤집어졌다. 왜 그 정도 실력자가 이런 소규모 팀에 있냐고. 42전단으로 소속 옮기라고 성화더라.
- 그런가?
- 하이고, 누가 차치 촌놈 아니랄까 봐 세상 돌아가는 꼴 모르네. 42전단장이 너 일병이라고 길길이 뛰던데? 바로 소위로 전시 임관해서 징하게 돌린 다음

에 경험이 쌓이면 진급시키고 편대장 맡길 계획이더라.

따지고 보면 전과는 우지 쪽이 더 화려하다. 태스크포스 373의 지상팀은 같은 샤다이 지상 병력을 상대로 했지만, 우지는 롱소드 전투기 한 대 몰고 구축함 블랙 랜스와 함께 수많은 샤다이 전투함을 상대했던 것이다. 지상팀 전부 모여봤자 우지가 손가락 한 번 까닥하면 팝콘이 될 신세긴 하다.

- 어, 근데 나 지휘 같은 건 안 배워서. 할아버지도 대가리는 하지 말래. 나도 **딱히 그런 건 관심 없다.**

그런 우지의 대답에 위르겐이 어깨를 으쓱한다.

- 하긴 그런 사람들이 있지. 당장 우리 레드우드 사령관님만 해도 진급 안 하 **겠다고 버팅기다가 어쩔 수 없이 사령관 되셨으니까.**

둘은 다시 잡담을 하면서 무기를 교체했다. 그런데 그때, 이들의 시선을 끄는 게 있었다.

- 야야. 우지, 봐라. 소규모 운석군이다. 저걸 쏴볼까?

위르겐의 말에 우지가 고개를 돌리자, 거기엔 한 무리의 유성우가 이쪽을 향하고 있었다. 제법 큰 무리의 접근이라 우지도 탄성을 질렀다.

- 이야, 유성이잖아? 역시 대기가 없으니 선명하게 보이네. 옳지, 소원을 빌어 **볼까?**

- 소원? 아, 떨어지는 운석을 상대로 소원 비는 거 말이지. 흐음, 소원이 **라……**.

연방 직할령에선 근처에 깔짝대는 소행성들을 사전에 박살내놓기 때문에 유성을 볼 수 없었다.

- 하유, 역시 직할령 촌놈은 유성을 모르시는구나. 근데…… 운치가 없네.

일어서는 우지는 아쉬운 듯 그렇게 말했다. 원래 행성으로 떨어지는 유성들은 대기권에서 마찰하며 예쁜 꼬리를 만든다. 그러나 지금 두 사람의 눈앞에 떨어지는 유성우는 대기가 없는 위성으로 낙하하는 거라 그냥 돌덩이가 떨어지는 것과 별 다를 바가 없는 것이다. 흉악한 살상병기 어벤저가 일어나더니 떨어지는 유성을 향해 단정하게 묵념했다.

- 애인이 생기게 해주세요. 애인이 생기게—아깝! 떨어졌네.

실망하는 우지를 보고 위르겐이 낄낄댄다.

- 아이고, 인마. 빈다는 소원이 겨우 그거냐.

- 자식아, 남이 뭘 빌든.

연방의 주력 장갑복들이 서로 먹살 잡고 엎치락뒤치락한다.

- 자, 잘 봐라. 형님이 소원을 비는 모습을.

위르겐이 낙하하는 유성 중에서 그럴듯한 놈을 하나 골라잡고 소원을 빌 준비를 했다.

- 애인이생기게해주세요애인이생기—씨발.

유성이 벌써 떨어지는 바람에 투덜대는 위르겐의 뒤로 우지의 발차기가 작렬했다.

- 새끼야! 너도 똑같잖아!

- 얌마, 난 너하고 다르다고! 다르단 말이다.

모르는 사람이 들었다면 이게 무슨 소린가 하겠지만 이 둘은 이미 한솥밥을 먹은 지 꽤 된다. 위르겐이 어떤 애인을 원하는지 잘 아는 우지가 실실 비꼬기 시작했다.

- 로봇박이 새끼 본심 나오죠.

핵심을 꿰뚫는 말에 위르겐이 뜨겁게 벌컥한다.

- 얼씨구, 취향 존중 안 하지? 함 뜨자 이거지?

다시 싸움이 붙으려는 둘의 머리 위로 한 무리의 유성우가 지나가자 사태는 빠르게 진정되었다.

- 봐봐. 위르겐! 너야말로 잘 봐라. 내가 제대로 된 시범을 보이겠다.

그러면서 우지가 어벤저의 사격통제장치를 가동시켰다. 그리고 유성 중에서 낙하 시간이 넉넉해 보이는 놈 하나를 잡아서 타깃 지정했다. 그러자 유성의 속도와 입사각도, 지상 충돌 예상 시간까지 정확하게 뜬다. 우지는 이런 방법으로 될 법한 놈들만 고른 다음 위르겐에게 공유했다.

- 오, 이런 방법이! 각도 좋고. 근데 시간이 빠듯한데.

- 시간? 차고 넘친다. 섹스— 섹스—.

혈기왕성한 남아가 미사여구 다 떼고 본심을 토해낸다. 그걸 본 위르겐은 잠시 뭔가 싶어 멍하게 있더니 그 역시 크게 깨달은 바 있어 즉시 기도에 참여했다.

- 섹스— 세—.

하지만 그 기도가 끝을 맺는 일은 없었다. 놀랍고 슬프게도 떨어지던 유성이 낙하 도중 박살 나고 만 것이다. 두 청년은 자신들의 애틋한 염원이 향하던 돌덩이가 눈앞에서 산산조각이 나자 망연히 서 있었다.

- ⋯⋯뭐여 씨발!

황당함과 분노는 우지의 것이다. 놈은 소원을 빌던 유성이 사라지자 즉시 상황을 파악하지 못하고 주변을 두리번거렸다.

- 어떤 개새끼가 중간에 요격했다. 기다려. 바로 역추적한다.

차분함과 격노는 위르겐의 것이다. 녀석은 방금 유성을 쏜 물체가 연방의 코일건임을 확인하고 그 탄도를 즉시 역산했다.

- 잡았다 이 새끼. 저쪽 능선에 있다.

위르겐이 가리킨 곳에는 아군 반응이 하나 떴다. 소속이나 세부 정보는 가려놓은 채다. 이 말인즉슨 나 여기 있는데 뭔가를 하고 있으니 방해하지 말란 뜻이다. 그러나 저쪽이 먼저 사격을 했고 그 여파로 눈이 뒤집어진 두 청년은 전후 사정을 따질 틈도 없이 득달같이 몰려갔다.

- 42전단이다! 42전단에 있는 우리 뱅가드 새끼들이 분명해!

현재 42전단의 지상 병력은 뱅가드 연대에 파견 나가 있다. 그 덕에 위르겐은 교육할 때 본가 식구들의 덕을 톡톡히 봤었다.

- 뱅가드? 니네 본가잖아. 건드려도 되냐?

우지가 제트팩을 써서 날아가며 질문했다. 뱅가드라면 연방 3대 특수부대

중 하나다.

- 그래, 조져! 안 되면 여기 말뚝 박지 씨발.

역시나 뒤끝 없는 뱅가드다운 대답이 위르겐의 입에서 나왔다. 그리고 지금 꼭지가 돌아버린 둘은 상대가 누구인지는 전혀 신경도 쓰지 않고 있었다. 이런 혼란 속에도 저쪽의 유성 파괴자는 계속 유성을 박살 내는 중이었고, 날아가는 어벤저 둘의 혈압은 한계를 모르고 치솟고 있었다.

- 동작 그만! 씨발놈아. 손가락 접수다.

위르겐이 먼저 착지하며 으르렁거렸다. 우지도 뒤따라 도착하며 엄포를 놓는다.

- 너 이 새끼 오늘 잘 걸렸다. 안 그래도—.

- 미친놈들이 돌았나.

나직한 목소리에 우지와 위르겐의 피가 얼어붙었다. 지금 둘의 눈앞에는 컨커러가 있었다. 현재 연방에서 저 사람 모양 관짝을 입고 싸돌아다니는 미친놈은 한 사람뿐이다. 아니, 그보다 이놈들이 저 목소리를 모를 수가 없다. 어벤저 둘이 놀라서 도망가려다가 서로 부딪혀 바닥에 고꾸라진다.

- 티, 티, 팀장님, 여기서 뭐 하십니까?

위르겐이 어떻게든 살 궁리를 찾으려 발악했지만, 사람 모양의 관짝은 천천히 걸어와 둘을 짓밟았다.

- 부하한테 욕 처먹고 있다.

이후, 태스크포스 373 소속 어벤저 2기의 사격 연습은 졸지에 격투 훈련으로 변하고 말았다.

*

"이게 누구야. 김빈우 팀장, 드디어 우지를 우리에게 줄 마음이 들었나?"

빈우는 혈기 넘치는 두 부하들을 짓밟은 다음, 현재 42전단의 기함 이그젝틀리의 전투지휘실에 와 있다. 그리고 그의 앞에는 42전단의 최고 지휘관인 전단장 스베틀라나 스크로도프스카 중장이 싱긋 웃고 있었다.

"전단장님이 우지를 애타게 원하신다는 얘기는 들었습니다. 대신할 사람을 주신다면야 얼마든지 드리죠."

"으하하, 좋아. 내 비행전단 하나를 통째로 주지."

빈우의 말에 이 여걸은 호탕하게 웃었다. 그녀의 말인즉슨 우지 한 명이 비행전단 하나, 혹은 그 이상의 능력을 가지고 있단 의미다. 하지만 빈우는 그 제안을 부드럽게 거절했다.

"그렇게 많으면 블랙 랜스가 운용을 못 합니다. 롱소드 1기로 맞바꿔주십시오."

"끄응."

현실적인 한계에 부딪힌 스크로도프스카 전단장이 앓는 소리를 내었다. 온 연방에서 닥닥 긁어모은 에이스를 거느린 그녀지만, 아무래도 우지에 필적할 실력을 가진 사람은 없는 듯하다.

"그건 그렇다 치고, 전단장님께서 직접 오실 줄은 몰랐습니다."

빈우와 태스크포스 373이 수사를 위해 록산느로 간다고 하자, 스크로도프스카 전단장은 호위를 붙여주겠다고 했다. 태스크포스 373은 현재 42전단과 합동작전을 하고 있고, 앞으로 할 작전 또한 딱히 기밀을 요하는 것은 아니라 빈우는 흔쾌히 그 제안을 받아들였다. 그렇게 해서 점프해 온 42전단의 선발대를 통해 아룹과 위르겐이 373팀으로 돌아왔다. 그리고 빈우가 점프 게이트 근처에서 훈련 삼아 위르겐과 우지를 신나게 밟고 있을 때 드디어 후발대가 도착했다. 그런데 놀랍게도 이 후발대에 42전단의 기함까지 포함되어 있었다. 그래서 빈우는 산송장 둘을 업고 부랴부랴 인사하러 올라온 것이다.

"자네가 찾을 것이 이번 작전에 있어서 중요한 키이니, 내가 직접 올 수밖에 없지 않나?"

저번 회의 때는 이런 수사에 별로 관심을 보이지 않던 그녀였다. 게다가

42전단은 뻐꾸기 작전에 참가하지 않는다. 처음부터 샤다이 거점을 적극적으로 파괴하기 위한 함대다. 하지만 지금은 좀 달라 보였다.

"중요한 키라니. 42전단이 저희 작전에 관심이 있는 줄은 몰랐습니다."

"그건 그렇지. 하지만 일단 전단 순양함 몇 척에 신병기를 탑재하고 시험하느라 시간이 조금 났어. 이럴 땐 시야도 넓혀주는 게 좋겠지."

빈우가 비홀더 전대로부터 얻은 무기—입자빔포—는 실로 놀라웠다. 특수한 파장을 띤 이 입자빔포는 기존의 입자가속포에 비해 화력은 조금 위에 불과했지만, 샤다이의 방어막을 아예 무시하는 놀라운 특징을 지니고 있었다. 완전히 대 샤다이 전용 무기인 것이다. 아직 소형화가 힘들어 함포 크기밖에 제작이 안 되지만 샤다이를 상대하기 위한 42전단은 서둘러 신병기 탑재에 매달렸다. 그리고 이런 이유로 전단을 재편성하는 중이었다.

"놀면 뭐 하나. 해서 겸사겸사 따라나선 거라네."

스크로도프스카 전단장은 히죽 웃으며 빈우의 눈을 마주 들여다보았다.

180

. . . ✦ . . .

"그리고 내가 눈이 썩 맵다고는 못해도, 그럭저럭 옥석은 가리는 편이거든?"

빈우의 눈을 살펴보던 스크로도프스카 전단장이 말했다.

"자네 명성은 어깨너머로 익히 들었어. 외계인 학살자, 이종족 도살자, 피도 눈물도 없는 냉혹한 살상병기, 어쩌고저쩌고 기타 등등."

닉스 레벨 3의 빈우가 수행한 작전은 연방에서도 최고 기밀 레벨이고, 그가 태스크포스 373에 오기 전에는 '존재하지 않는' 울토르 중대에 있었다. 그런 베일 속의 인물인 빈우의 정체를 알고 평가를 했다는 것은, 평가자들이 연방 내에서도 상당히 고위층의 인물들이란 뜻이다. 그러고 보니 히토미 의원도 이와 비슷한 말을 한 적이 있었고, 그때도 딱히 좋은 의미들은 아니었다.

"직접 보니까 듣던 그대로군. 그런데 말이야."

스크로도프스카 전단장이 기울였던 몸을 바로 하며 말했다.

"내가 라마누잔 원사와는 안면이 있어. 그 양반한테 듣기로는 자네가 꽤 인간미 넘치는 팀장이라던데. 어느 게 진짜인가? 냉혹한 살상병기과 인간미 넘치는 군인."

그 질문에 빈우는 그저 어깨를 으쓱하고 말았다.

"사람이란 게 보는 관점에 따라 여러 가지로 보이는 거 아니겠습니까. 또 외계인 학살자라 해도 인간에겐 따뜻한 남자일 수 있잖습니까? 그런데 설마

하니 그게 궁금해서 저를 따라오시는 건 아니시겠죠?"

빈우의 농담에 스크로도프스카 전단장이 피식 웃었다.

"아무렴. 나도 바쁜 사람이야. 자네가 제출한 보고서 잘 봤네."

그러면서 그녀는 빈우의 보고서 사본을 화면에 띄웠다. 곳곳에 메모가 적혀 있었는데, 빈우가 중요하지 않아 생략한 부분은 넘어갔지만, 의도적으로 축약한 부분에 대해서는 밑줄까지 그어가며 강조를 해놨다. 그걸 보고 빈우는 스트로도프스카 전단장에 대한 자신의 평가를 대폭 수정했다.

"보고서를 보면 작성자가 보이는 법이지. 자넨 말이야, 옛말에 따르면, 그 뭐냐……. 음, 그래. 잘못된 장소에 있어야 할 잘못된 사람이야."

'잘못'이란 단어는 어떻게 봐도 긍정적인 의미는 아니다.

"부정의 부정은 긍정……은 아닌 것 같고. 살인자는 살인 장소에 있어야 한다는 뜻입니까?"

"비슷한데 조금 달라. 태평세월의 간적이요, 난세의 영웅이랄까."

"딱히 유부녀 취향은 아닙니다만."

"엥? 오다 의원은 자네에게 꽤 호감 있는 눈치던데."

"이혼녀지요."

"거 취향 하곤."

이때 둘 사이를 끼어드는 젊은 여자의 목소리가 있었다.

"전단장님, 김 팀장님은 전단장님 부하가 아니에요. 실례는 그쯤 하시죠."

부관인 인공지능 홀로그램이 나타나 전단장을 타박 준다.

"어머? 나 지금 칭찬하는 중인데?"

전단장과 인공지능은 꽤 살갑게 대화하고 있었다. 그런데 홀로그램의 인공지능 여인의 모습과 스크로도프스카 전단장의 모습은 어딘가 닮은 구석이 있었다.

"소개가 늦었군. 부관인 발렌티나야. 인사 나누게."

"만나게 되어 반갑습니다. 김빈우 팀장님."

꾸벅 고개를 숙이는 홀로그램에게 빈우도 옅은 미소와 함께 화답했다.

"나도 반가워. 앞으로 잘 부탁하지."

그때 빈우의 시선을 눈치챈 스크로도프스카 전단장이 불쑥 끼어들었다.

"발렌티나는 내 딸 발렌티나의 허수아비야. 쏙 빼닮았지."

개인용 인공지능을 군용으로 쓰는 것은 드물지 않다. 빈우의 아나스타샤도 그런 경우다. 하지만 가족의 허수아비를 군대에까지 끌고 오는 경우는 꽤 드물다.

"그렇습니까. 따님 사랑이 각별하시군요."

"그래, 목타하의 1차 사절단으로 갔었거든."

목타하로 파견된 1차 사절단은 모조리 죽었었다. 그것도 곱게 죽은 것은 아니다. 갈가리 찢겨져 놈들의 전리품이 되었다. 빈우는 즉시 자세를 바로 하며 고개를 숙였다.

"실례했습니다. 제가 괜한 얘기를 꺼냈습니다."

"아니야, 사과할 필요 없어. 자네가 잘못한 것은 없지."

딸을 잃은 어머니의 얼굴에 살기 어린 미소가 떠오른다. 하지만 그 살기는 빈우를 향한 것이 아니었다.

"내가 딸의 허수아비를 만들어 부관으로 쓰는 건 다 이유가 있어. 결코 그날의 일을, 내 딸아이의 죽음을 잊지 않기 위해서지."

원래 있던 허수아비를 데려온 게 아니라 아예 군용으로 가족의 허수아비를 만들었다니, 여기서 외계인에 대한 그녀의 증오를 대강 짐작할 수 있다.

"효과는 있었습니까?"

빈우의 질문에 스크로도프스카 전단장은 대답 대신 자신의 약장을 가리켰고, 그에 빈우는 옅은 미소로 답했다.

"전단장님의 부관이라면 꽤나 권한이 높겠군요."

"그렇지."

일반적인 인간 부관과 인공지능 부관은 여러모로 차이가 있다. 비서의 역할을 하며 명령을 전달만 하는 인간 부관과 달리, 인공지능은 주로 도구의 역할을 하며, 이를 위해 명령을 실행할 때 해당 부서의 하위 인공지능에게 직접 지시를 내리거나 자신이 직접 실행할 수 있다.

"실례가 안 된다면 이번 작전에 관해 발렌티나와 이야기를 나눠도 괜찮겠습니까?"

"오오, 닉스 레벨 3의 전훈을 들을 수 있다면야 내가 고맙지."

"겸사겸사 42전단에 대해서도 알고 싶기도 합니다."

"좋아, 아주 좋아. 발렌티나, 김 팀장을 자료실로 데려가서 얘기 나눠봐."

다음 함장을 비롯해 다른 간부들과도 인사를 나눈 빈우는 발렌티나와 함께 이그젝틀리의 자료실로 향했다.

"발렌티나."

빈우의 부름에 앞서 가던 인공지능의 홀로그램이 뒤돌아본다.

"예, 김빈우 팀장님."

"일이 적성에 맞나?"

"네?"

의외의 질문인지 인공지능인 발렌티나가 얼빠진 대답을 했다. 이렇게 인간의 행동을 잘 모사하는 것을 보면 인공지능의 등급을 알 수 있다.

"왜 그래?"

"아아. 이런 질문을 받은 건 처음이라서요. 전 군용 인공지능이라 당연히 적성에 맞죠. 이것을 위해 만들어졌는걸요."

"전단장 따님의 허수아비라면서? 고인의 성격을 따왔는데 그건 좀 어때?"

"으음, 성격에 따른 트러블이 조금 있었지만, 저야 인공지능이니 빠르게 적응했어요."

"감정을 제거한 채 수십 수백 번 시뮬레이션했겠군."

"잘 아시네요."

지금 인공지능의 표정은 아마 생전의 인간 발렌티나가 짓던 표정일 것이다. 그녀의 미소를 보며 빈우가 말을 이었다.

"많이 보기도 했고, 일하다가 어깨너머로 듣기도 했지. 처음부터 군용으로 만들어진 인공지능들과 민간에서 불려온 인공지능들은 차이가 있거든. 모순된 일에서 불합리함과 어색함을 느꼈지?"

"……네."

"또 다른 사람들한텐 말도 못 했을 테고."

"아니에요. 몇 번 하긴 했는데……."

"오류니까 수정하라고 했겠지. 뻔해. 하여간 엔지니어들이란."

빈우의 투덜거리는 목소리에 발렌티나가 또다시 배시시 웃는다.

"고속사고가 가능한 너희 인공지능들이 왜 대화 속도를 인간에게 맞출까? 인공지능끼리의 의견교환은 훨씬 빠른데 말이야. 또 불필요한 인간의 감정을 굳이 왜 흉내 내야 할까?"

인간이라면 정답은 아니더라도 자신의 생각은 말할 수 있다. 하지만 이 인공지능은 아무런 대답도 하지 못했다. 심지어 모른다는 대답조차. 이것은 등급도 높고, 권한도 높은 인공지능이 실제로는 경험해보지 못했던 일에 처음으로 마주쳤을 때 보이는 반응들이다.

"너희들은 인간의 새로운 동료이기 때문이야. 인류를 위해서 존재하고 인류와 함께 나아가기 위한 새로운 동료지. 그래서 이인삼각을 하듯 발걸음을 맞추는 거야."

빈우의 말에 발렌티나는 미소 대신 놀라운 표정을 지었다.

"어ㅡ. 팀장님 같은 분은 처음이에요."

예상했던 대답이다. 이제 발렌티나는 서서히 인간 흉내를 향한 한 발짝을 내디딘 것이다.

"그리고 생긴 것과는 참 다르시네요."

"내가 뭘."

인간의 반문에 인공지능이 우물쭈물 반응한다.

"아까 전단장님이 말씀하셨는데. 그러니까…… 음……."

"외계인 백정이니 피도 눈물도 없는 작자니 하던 거겠지."

"에에ㅡ. 맞아요."

자신의 대답에 인간이 킥킥거리며 웃자, 발렌티나도 안심한 듯 히죽 웃었다. 한 번 웃겼으면 한 번 놀라게 해야 한다. 빈우는 다음 질문을 던졌다.

"전단장님을 어머니라고 부르고 싶진 않아?"

이 질문에 발렌티나는 화들짝 놀랐다.

"아뇨! 제가 그런 실례를 할 순 없어요! 감히 전단장님의 따님 흉내를!"

인공지능 발렌티나의 반응은 아마 인간 발렌티나의 버릇이겠지. 인간의 흉내다. 그리고 모방이 계속되면 그것은 언젠가 자신만의 진짜가 된다.

"네 존재 이유를 생각해. 네가 왜 원본이 되는 인간의 모습과 행동을 흉내내는지."

발렌티나는 대답이 없었다. 인간의 사고 속도에 맞추는 것이 아니라 이번에도 역시 답을 찾지 못했기 때문이다. 아니면 답을 냈어도 이것을 말해야 되는지 생각하고 있는 중일 것이다.

"와신상담이란 말을 알겠지? 너는 스크로도프스카 전단장의 증오와 투쟁심을 꺼지지 않게 만드는 존재야. 그게 네 존재 이유란 말이야."

납득하며 고개를 끄덕이는 인공지능에게 빈우는 다시 덧붙였다.

"만약 전단장이 힘들어하거나 하면 슬쩍 말을 꺼내봐. 엄마 힘내세요. 이런 식으로."

"사령관, 아니 전단장님이 화내시면요?"

이번 발렌티나가 보인 반응은 빈우가 본 것 중 가장 놀란 반응이었다.

"화내면 기운 차렸단 거잖아. 네 일을 한 거야."

"아하아……."

인공지능이 감탄한다. 인간에 비해 고속 사고를 하지만 사고방식에 제한이 있기 때문에 이런 쪽으론 둔한 것이다. 이 정도 하면 일단 인공지능의 경계벽은 상당히 허문 셈이다. 이제부터 빈우는 본론으로 들어갔다.

"자, 본론으로 들어가서 네 권한이 어느 정도지?"

"유사시에 전단장님 대리를 할 수 있습니다."

억양을 들어보면 아까의 민간 인공지능일 때와는 미묘하게 다르다. 이번엔 군용 인공지능으로서 반응한 것이다. 그래도 상관없다. 틈은 생기기만 하면 번지는 법이다.

"그렇다면 연방의 네트워크 서버에 대한 독립성은?"

"전단장님의 허가가 없으면 저에게 명령 내릴 인공지능은 없습니다."

"그러면 네가 관리하는 전단의 자료를 함부로 빼앗기진 않겠군?"

"네."

"좋아. 기밀성이 보장되는군. 발렌티나 너, 워프 비스트에 대해 어느 정도까지 알고 있지?"

발렌티나가 대답한 내용은 피상적인 것이었다. 그녀는 부관으로서 여러 통신을 들었겠지만, 아마 보안상 인식 불가 필터가 걸린 것 같았다.

"음, 스크로도프스카 전단장님은 이런 쪽에 크게 신경을 안 쓰는 분이긴 하시지. 해야 하면 아예 전문가에게 맡기는 분이니까. 내가 지금부터 하는 이야기는 연방의 일급기밀이다. 잘 들어."

그리고 빈우는 태스크포스 373의 팀장 권한으로 42전단의 부관 인공지능인 발렌티나에게 자신이 가진 기밀을 정식으로 전달하려 했다.

"기다려주십시오, 팀장님. 그런 것을 저에게 가르쳐줘도 됩니까?"

"발렌티나, 42전단은 샤다이 공격부대이기 때문에 놈들에 대한 정보를 조금이라도 알아놓을 필요가 있어. 그리고 전단장님은 이런 쪽에 어둡기 때문에 네가 보좌해야 하는 부분이고. 또 유사시에 너의 기밀성으로 자료를 지켜야 해."

빈우는 고대 샤다이의 존재와 점프 게이트, 그리고 워프 비스트에 대한 관계를 아주 상세히 가르쳐주었다.

"이것 때문에 뻐꾸기 작전을 실시하게 되었군요. 이해했습니다."

"그래, 정보 관련 부서의 인공지능들이라면 다 알 거다. 너는 단지 전단장님이 말하지 않아서 몰랐던 거고, 알려고 해도 기밀등급이나 권한 때문에 알 수 없었겠지. 모른다 해도 명령이 떨어지면 인공지능의 특성상 그냥 납득했을 것이고."

애초에 뻐꾸기 작전은 인간을 지키기 위해 인간에게 위해를 가하는 작전이다. 이런 일을 자주 해보거나 전문적으로 제작되지 않은 인공지능이라면 논리적 결정장애가 생길 가능성이 상당히 높다.

"잘 들어. 넌 인공지능이야. 전단장님을 지켜야 해. 알겠어?"

"네. 그것이 제 임무입니다."

간단한 질문에는 즉시 대답이 나왔다.

"그리고 전단장은 인간을 위해 싸운다. 네 주인을 돕기 위해선 주인의 임무를 이해하고 보좌해야 해. 그냥 인간의 명령에 네네 하면서 납득하고 복종하지 마. 너에게 입력된 정보로, 인간에게 가장 이로운 정보를 출력해."

이번에는 바로 대답이 나오지 않았다. 빈우의 '제안'에 다방면으로 생각하는 중일 것이다. 이럴 때는 한 발 빠진다.

"뭐, 하루아침에는 힘들겠지. 어차피 나는 외부인이고, 네 전담 엔지니어가 아니니까. 그냥 참고사항으로 들어둬."

"네, 팀장님."

"그리고, 내가 가르쳐준 기밀에 대해서는 엄중히 지켜야 해. 연방 상층부 어디까지 워프 비스트들이 들어와 있는지 모른다. 놈들에게 이 비밀이 넘어가면 네 주인이, 인류가 위험해. 이해하겠어?"

"네, 이해했습니다."

빈우가 미리 살펴보기에 42전단의 데이터베이스에는 그가 가져온 워프 비스트에 대한 자료가 이미 있었다. 하지만 부관인 발렌티나는 인식을 할 수 없어서 가지고는 있지만 모르는 자료로 되어 있다. 주인의 버릇 때문에 벌어진 일이다. 그리고 방금 빈우는 그 정보에 대해 새로이 각인시키며 보안을 지키라고 했다. 나중에 상반된 명령이 떨어지면 이 인공지능은 과연 어떻게 반응할까. 보안이 확실시되지 않은 사람에게 워프 비스트에 대한 기밀 정보를 제공해야 할 경우에 어떤 선택을 할까.

　이렇게 논리 폭탄의 뇌관이 하나 심어진 셈이다.

181

• • • ✦ • • •

태스크포스 373의 모함 블랙 랜스와 42전단의 기함 이그젝틀리, 그리고 순양함 8척이 자치 행성 록산느의 궤도에 정지해 있었다.

"정말 혼자 가실 거예요?"

의자 위에 앉은 파트리샤가 다리를 건들거리며 물어본다. 373 팀원들은 블랙 랜스의 회의실에 모여서 이번 작전에 대해 브리핑을 받고 있었다.

"솔트 파이크는 직할령이라 그렇다고 쳐도, 록산느는 치안이 그리 좋지 않은데요?"

그녀 다음으로 위르겐도 거든다. 팀원들의 걱정도 당연한 것이, 록산느엔 범죄조직이 극성을 부리고 있기 때문이다. 그중에서도 특히 마약조직들의 힘이 굉장히 강해 현지 경찰들은 이들의 영향력에 상당히 잡아먹힌 상태고, 자치정부에게까지 놈들의 입김이 닿아 있는 실정이다. 이런 상태니 연방의 군인이 수사를 위해 들어간다고 하면 좋은 반응이 일어날 리 없는 것이다.

"그런데 갑자기 록산느로 가려는 이유가 뭔가요?"

갑자기 히토미가 질문했다. 팀원들도 궁금했는지 긍정의 눈빛을 보내고 있다. 여태 수사해왔던 마카로니, 뉴 소노라, 솔트 파이크까지는 정보국과 보안국에서 보내준 정보를 바탕으로 해서 추적해왔다. 그런데 범인을 쫓던 중 빈우가 갑자기 록산느로 간다고 하니 궁금한 것이다. 그러나 이곳 록산느는 빈우가 클론과의 동기화를 통해 알게 된 장소이기 때문에 그 이유에 대해 설명하기가 좀 껄끄럽다.

"솔트 파이크 현지에서 정보를 조금 수집했습니다. 범인은 이곳으로 갔을 가능성이 상당히 높습니다."

"정보를 수집한 게 어떤 루트인데요?"

히토미의 얼굴을 보니 추궁이라기보다는 단순한 호기심에서였다.

"그게 떳떳한 방법으로 얻은 게 아니라서요. 나중에 수사가 완료되면 알려드리겠습니다."

다행히 히토미는 이 정도 둘러댄 것으로도 납득해주었다. 이는 목적을 위해선 수단과 방법을 가리지 않았던 빈우의 평소 행실 덕이기도 하다. 그걸 증명하듯 주변의 팀원들도 작게 고개를 끄덕이고 있었다.

"그럼 이번엔 어떤 방법으로 들어가실 겁니까?"

아룹이 록산느의 지도를 띄우며 물었다. 빈우가 록산느로 내려가는 방법에는 크게 두 가지가 있다. 합법적이냐, 불법적이냐. 마카로니는 봉쇄된 곳이라 그냥 내려갔다. 뉴 소노라에선 수사를 위해서라지만 위조된 신분을 가지고 잠입했었다. 솔트 파이크의 경우는 현지 수사기관에 협조를 요청한 다음 정식 수사를 했다. 하지만 이곳 록산느는 연방 상층부와 아무런 얘기가 안 되어 있는 상황하에 내려가는 것이라 주의가 필요하다.

"록산느는 다행히 친 연방파죠."

빈우가 록산느의 지도 위에 몇 가지 정보를 덧붙였다.

"비록 마약 만들고 다른 자치 행성에 팔긴 하지만, 자치정부는 연방의 말을 잘 듣습니다. 세금도 제때 잘 내고, 대 외계인 정책에도 곧잘 찬성하죠."

"하지만 그건 자신들이 켕기는 구석이 있기 때문에 알아서 기는 거잖습니까. 연방이 저 쓰레기들을 싹 쓸어버려도 과연 지금처럼 굽실거릴지는 모르겠습니다."

우지가 볼멘소리로 불평한다. 녀석도 자치 행성 출신이라 록산느의 사태가 마음에 안 드는 것이다. 주민들이 범죄조직에 핍박받고 마약에 찌들어 사는데 정작 연방은 아무런 행동도 하지 않으니 불만스러울 수밖에.

"라는데요, 의원님?"

빈우가 뜬금없이 패스하자, 공을 꺼낸 우지나 패스받은 히토미나 화들짝 놀랐다.

"아아, 우지 일병의 마음은 알아요. 하지만 아무리 연방이라 해도 자치 행성의 독립된 행정권에 대해선 간섭할 수 없습니다. 세금이나 외계인 정책 같은 이미 사전에 합의된 항목이 아니고선 연방은 어떠한 영향력도 행사할 수 없고, 그 외의 경우엔 현지 정부의 요청이 없다면 나설 방법이 없어요."

"아, 네. 감사합니다. 이해했습니다."

친절한 상원의원의 설명에 우지가 굽실거리면서 감사를 표했다.

"하지만 말만 그렇지, 실제로는 연방의 여러 조직들이 자치 행성에서 암약하고 있다는 것은 공공연한 비밀이다. 연방 국세청의 징수과라든가."

빈우의 설명대로 연방의 정보조직들은 공식, 비공식적으로 자치 행성에서 활동하고 있으며, 그중 가장 활발하게 활동하고 있는 것은 역시나 돈, 세금 관련이다.

"과연. 마약조직이라면 탈세를 할 테고, 그걸 빌미로 조사하는 거군요."

우지는 방법을 찾았다는 듯이 화색을 띠었다.

"물론 연방은 행성 안에서 시민이나 조직이 탈세를 하건 말건 행성 대표 정부가 제때 세금만 내면 관여 안 한다. 하지만 조사를 안 하는 건 아니야. 사람 조사할 때 가장 효과 좋은 게 이성과 금전 관계거든."

빈우가 데이터 패드를 조작하자 록산느 지도 위에 올라간 정보 중에서 몇 가지가 확대되었다. 자료의 소제목은 '부뉴엘'이라고 되어 있다.

"이번 목표는 부뉴엘 가다."

가장 프란시스코 부뉴엘은 과거 자치 행성 록산느의 물류 유통 책임자였었다. 그러나 그가 부임 중일 때 록산느에 녹색 연맹의 입김이 닿아 독립의 기운이 퍼져버렸다. 하지만 때를 기다리지 못한 극성 분리파의 성급한 행동과 연방의 발 빠른 대처가 어우러져 궤도 엘리베이터는 완공되지 못했고, 그 결과 록산느의 물류비는 엄청나게 뛰어올랐다. 당연히 프란시스코 부뉴엘은 일자리를 잃었고, 지금은 과거의 커넥션을 살려 마약 유통판매상으로 전업한 상태이다.

아내인 신디 부뉴엘은 개척 당시 화학 및 식물학자로 왔었다. 개척민들을 배불리 먹이겠다는 꿈에 부풀어 온 것은 좋았지만, 예의 사태가 터지는 바람에 방향을 대폭 전환해야만 했다. 그녀는 식량 생산이 어느 정도 자급자족 궤도에 올라서자 록산느의 재정을 위해 환금성이 높은 작물 재배를 시도했지만, 현실은 그리 녹록지 않아 결국 마약 제조까지 가게 되었다.

장남 미겔 부뉴엘은 록산느가 다시 친 연방파로 돌아설 때 연방으로 갔던 유학파였다. 하지만 지금은 살인청부업자로 일하고 있는 상태다.

장녀 레오노르 부뉴엘 역시 연방 유학파였고, 가문 내에서 해커로 일하고 있다.

마지막 차남 하비에르 부뉴엘의 항목에서 빈우는 자료를 껐다. 갑자기 자료가 꺼지자 사람들의 시선은 팀장에게로 향했고, 빈우는 설명을 시작했다.

"내가 얻은 정보에 따르면 범인은 부뉴엘 가로 갔을 가능성이 대단히 높다고 한다. 그리고 지금까지 놈이 보인 행동방식으로 볼 때, 부뉴엘 가의 사람들이 살해당했을 가능성 역시 매우 높다."

팀원들은 빈우가 왜 자료를 중간에 닫았는지 이해가 갔다. 갓난아기의 죽음에 대해서 이야기하는 것은 썩 좋은 경험이 아니다. 아니나 다를까 히토미나 모니카의 표정이 영 좋지 않다.

"이번 작전은 꽤 더러울 거다. 나 혼자 비밀리에 내려간다."

태스크포스 373은 애초에 비밀리에 행동하는 팀이다. 그 팀의 팀장이 비밀이란 단어를 썼다는 것은 비공식적이며 불법적인 작전을 행한다는 의미다. 상원의원이 뻔히 눈을 뜨고 있는 자리에서. 팀원들의 시선이 자신에게 모이자 히토미가 설명을 시작했다.

"아아, 물론 이런 승인받지 않은 작전은 상당히 위험합니다. 다만 뻐꾸기 작전이 발동 중인 지금이라면 얘기가 다르죠. 373의 조사가 워프 비스트와 관계가 있는 만큼 사후 승인이 떨어질 겁니다. 물론 조사의 수확이 어느 정도 냐에 따라 다르죠."

즉 패를 까서 끗발이 좋으면 따는 거고, 안 좋으면 종친다는 얘기다.

"들었지? 아주 민감한 작전이 될 거다. 그리고 우리 팀에서 이런 일을 할 만한 사람은 나밖에 없다."

그 말에 팀원들 대부분이 고개를 끄덕였다.

"전 안 되나요?"

히토미에게 커피를 따라주던 아나스타샤가 조심스레 손을 들었다.

"전 이런 종류의 작전에 대해 교육받은 적이 있고, 저번에도……."

아나스타샤는 가정용 안드로이드였지만, 군사정보국에 오면서 여러 가지 개조를 받고, 적절한 프로그램을 집어넣어 이런 비밀작전의 보조를 충분히 할 수 있다.

"아니, 의원님 모시면서 대기해. 나 혼자 간다."

빈우는 어찌 보면 차갑고, 어찌 보면 딱딱한 대답을 하고 회의를 마무리지었다. 그는 이번 작전에서 보는 눈을 최소한으로 줄이고 싶었다. 그래서 그게 설령 자신과 가장 가까운 아나스타샤라고 해도 데려가지 않는 것이다.

아니, 아나스타샤이기 때문에 보여줄 수 없었다. 앞으로 자기가 보게 될 진실을.

*

"심한데."

현장 부근에 도착한 빈우의 솔직한 감상이었다. 록산느의 개척화는 중간에 난관을 겪어서 행성 단위의 대규모 작업을 할 수 없었다. 그래서 주거지 부근을 돔으로 둘러싸는 방식으로 소규모 개척화를 해왔다. 부뉴엘 가 역시 거대한 저택 주변으로 돔을 지어놨는데, 그중 한곳에 구멍이 뚫려 있었다. 정확히는 돔의 문이 열려 있고, 그쪽으로 압력이 유지되지 않는 바람에 서서히 붕괴된 것으로 추측된다. 게다가 그 기간이 오래되어 내부의 저택들은 엉망이 되어 있었다. 주변을 살펴봐도 사람이 오간 흔적 역시 없어 보였다. 이웃이나 경찰조차도.

- 근처에 감시자가 있군요. 경찰은 아닙니다.

상공에서 감시하고 있는 우지의 보고다.

- 나도 봤어. 완전 아마추어던데.

빈우는 우지의 롱소드를 타고 대기권을 강하한 다음 근처에 낙하해서 도보로 여기까지 왔다. 황량한 사막을 지나던 중에 자신을 감시하던 눈길을 눈치챘지만, 일부러 모른 척하고 부뉴엘 가까이 왔다.

- 내가 연락할 때까지는 손대지 마.

- 넵, 팀장님.

373의 팀장은 자신이 침입할 법한 루트를 계산한 다음 그곳을 통해 저택으로 침입했다. 그리고 들어간 지 얼마 지나지 않아 흔적을 하나 찾았다. 바닥에 떨어진 에너지바의 흔적이다. 손가락에 찍어 살펴본 다음 입에 넣자 즉시 계란 맛이 확 퍼진다. 내용물을 인식하자 두뇌칩이 반응한 것이다. 틀림없는 군용 식량이다.

'계란밥 맛 에너지바라…….'

만들라면 만들겠지만 누가 굳이 먹지는 않을 것이다. 빈우의 머릿속을 스쳐 지나가는 인물이 하나 있었다. 이케가미 소이치로. 계란밥을 소재로 현재 자신의 처지와 비밀을 빈우에게 알렸던 인물이다.

'이런 곳에서 계란밥이 나오는 것은 우연이 아니지.'

클론의 사고가 빈우에게 동기화되었다면, 마찬가지로 빈우의 기록이 클론에게 동기화되었을 수도 있다. 마치 올토르 클론들의 수면 동기화처럼, 그리고 연방 하원의원들의 의정활동 갱신처럼. 아마도 발 가르단 하스에서 겪었던 빈우의 강렬한 기억이 클론에게 넘어가 그 당시의 녀석이 이것을 만들어 먹었을 가능성이 높다.

빈우는 얼마 전 이 동기화 회선을 찾았다. 정말 교묘하게 숨겨진 이 회선은 연방 정보사령본부에서 쓰는 회선에 묻어가는 방식으로 수면 동기화를 하고 있었다. 하지만 빈우는 이 회선을 끊으려고 하지 않았다. 이 회선이 살아있으면 다른 부서에서 발견하고 추적할 위험이 있다. 그럼에도 끊지 않는 것은 이 동기화 회선이 범인을, 자신의 클론을 추적할 단서이기 때문이다. 물론 클론도 이쪽의 정보를 동기화받고 도망칠 수 있기에 되도록 정상 수면이 아닌 가수면 모드로 휴식을 취하고 있었다.

'여기군.'

빈우는 범행 현장을 발견했다. 부뉴엘 가의 식당에서 시신들을 발견한 것이다. 일교차가 심하고 건조한 기후 덕에 시신들은 부패하지 않고 미라화되어 있었다. 아내 신디 부뉴엘, 장남 미겔 부뉴엘, 장녀 레오노르 부뉴엘은 모두 화살총을 맞고 죽어 있었다. 현지에서 주로 쓰이는 무기다. 굳이 화살촉을 회수하지 않은 것은 아마 현지 조직의 범행으로 위장하려는 속셈이겠지. 아니나 다를까, 범행에 쓰인 것으로 추측되는 화살총이 바닥에 버려져 있었다.

'프란시스코 부뉴엘은 여기군.'

가장인 프란시스코 부뉴엘은 바로 죽지 않았다. 바닥에 널브러진 시신에는 고문의 흔적이 있었다. 애초에 왼쪽 어깨에 총을 쐈다는 것은 죽이지 않고 정보를 얻어내겠다는 뜻이다. 양쪽 어깨에는 검붉은 핏자국이 말라 있었다.

"엄마아아아 ─."

빈우의 귀에 갓난아기의 앳된 울음소리가 들린다.

"하비에르, 하비에르!"

이번에는 총을 맞은 아버지가 아들을 달래는 목소리다. 하지만 빈우는 무시하고 증거를 살폈다. 미라의 오른쪽 어깨의 상처는 총상이 아니다. 뭔가 둔탁한 것으로 억지로 꿰뚫은 자국이다.

'손가락.'

빈우는 흉기가 무엇인지 대번에 파악했다. 클론은 프란시스코의 어깨에 손가락을 박아 넣고 사람을 들어 올렸을 것이다. 다시 빈우의 귀에 아버지와 아들의 비명이 울려 퍼졌다. 이쯤에서 만족할 만한 성과가 나왔는지 더 이상의 고문은 없었다. 프란시스코의 머리에도 화살촉이 박혀 머리를 박살 내놨다. 하비에르의 시신에는 아무런 총상이나 고문의 흔적이 없었다. 그러나 발버둥 친 흔적이 역력했다. 기저귀는 불어터졌다가 다시 말라 있고, 바싹 마른 얼굴에는 어렴풋이 침과 눈물의 얼룩이 보인다. 손가락의 상처들은 아기 의자를 긁다가 난 것으로 보인다. 하비에르 부뉴엘은 모든 가족이 죽은 이 자리에서 방치되어 굶어 죽은 게 분명하다.

'왜?'

빈우는 아기의 미라를 면밀히 살폈다. 워프 비스트의 흔적은 없다. 이는 다른 가족들도 마찬가지였다. 좀 더 조사하려 할 때 우지로부터 통신이 들어왔다.

- **팀장님, 놈들이 움직입니다.**

빈우를 추적했던 놈들이 드디어 움직이기 시작한 것이다.

182

. . . ✦ . . .

빈우는 잠시 생각했다. 여기서 이대로 빠질 것인가, 아니면 저 추적자들을 잡아서 정보를 얻을 것인가. 하지만 우지가 보내준 영상을 볼 때, 놈들은 상대 조직의 사람인 듯하다. 잡아다가 물어봐야 별다른 성과가 없을 것이다. 차라리 여기서 클론으로부터 받은 기록을 되살리는 편이 나을 듯싶다. 현재 추적하고 있는 클론으로부터 받은 정보는 빈우 자신도 찾을 수 없을 정도로 모호하게 뒤섞여 있다. 하지만 이 기억들은 몇 가지 조건에 따라 빈우에게 보여질 수 있다.

'대강 패턴은 파악했는데…….'

빈우의 뇌에 동기화된 클론의 기억이 재생되는 계기에는 몇 가지가 있다. 그중 하나는 트리니티 패턴이 풀려가는 과정의 부작용인 악몽으로 나타나는 것이다. 빈우는 지금까지 꿨던 악몽들이 자신의 것이라 생각했지만, 사실은 자신도 모르는 사이에 뒤섞인 클론의 기억 또한 악몽으로 나타나고 있던 것이다. 다른 하나는 어떠한 행동을 하거나 장소에 갔을 때 기시감처럼 떠오르는 기억들이다. 방금 부뉴엘 가의 식당이나 저번의 허드슨 가의 집에서처럼 클론이 큰 충격을 받았던 일들은 빈우가 그 장소에서 비슷한 일을 겪을 때 강제로 재생된다.

'시험해볼까.'

빈우는 프란시스코의 시신에 자신의 손가락을 가져갔다. 그리고 말라비틀어진 미라의 어깨에, 거기에 난 구멍에 자신의 손가락을 밀어넣었다.

"사, 살려주세요, 살려주세요. 제발. 말하면 살려주실 거죠?"

미라가 비명을 지른다. 환각이 아니다. 클론의 기억이 뒤섞여 보이는 것이다.

"아들은 고통 없이 바로 죽여주지."

빈우의 목소리지만 빈우의 것이 아니다. 클론의 목소리다. 그 목소리가 차갑게 다그친다.

"마지막 질문이다. 워프 비스트로 변해가는 하비에르 부뉴엘을 어디서, 어떻게 고쳤지?"

"말하겠습니다. 말하겠습니다. 그러니 제발……."

미라가 대답했다. 개척 행성 프리마. 들어본 적이 있는 이름이다. 폐 속에 호흡 보조용 곰팡이를 기르는 개척지. 그리고 그 순간 빈우의 머릿속을 헤매던 기억들이 갑자기 뚜렷하게 모여 각인된다. 클론이 프란시스코로부터 들은 정보와 지금까지 자신이 모은 정보를 조합해 한 가지 해답을 찾아낸 것이다. 그리고 그것은 빈우에게도 보여졌다.

'자크 라캉, 엘리자베트 허드슨, 응우옌 반쫑, 하비에르 부뉴엘.'

모두 워프 비스트로 변하던 자들, 그리고 치료 목록들이다. 그리고 클론의 목표물들이다. 마카로니의 자크 라캉, 솔트 파이크의 엘리자베트 허드슨, 록산느의 하비에르 부뉴엘. 모두 빈우가 본 아이들이다. 그중에서 아직 만나지 못한 목표물 응우옌 반쫑. 하지만 빈우는 이 아이, 반쫑을 안다. 군사기술국의 응우옌 티 빈 중령의 조카다. 동생 부부가 사고로 죽은 다음에 홀로 남은 아이를 입양해서 키우고 있다고 들었다.

'목표물 넷 모두 아이. 거기다 정보사령본부와 연이 있는 사람이 셋.'

보안국의 자크 라캉, 정보분석국의 엘리자베트 허드슨, 군가기술국의 응우옌 반쫑. 이것은 우연이 아니다. 이들 사이에는 무언가의 연결고리나 법칙이 분명히 있다. 다만 하비에르 부뉴엘은 아직 그 연결고리를 찾지 못했다. 빈우는 다시금 클론의 기억을 더듬었다. 그 속에서 명령을 찾으려 했다. 미라의 시신을 손가락이 파헤칠 때마다 그 감촉이 두뇌칩을 자극해 기억을 일깨운다.

'울토르 클론을 만든 응우옌 티 빈 중령. 그녀는 블랙 랜스를 만드는 롱훅 프로젝트에 참가했고, 24함대원들의 전투OS에 울토르 중대 버전을 올리기도 했다. 일단 조사해볼 가치가 있다.'

다만 지금 응우옌 중령은 행방불명 상태다.

'그렇다면 본진을 쳐야지. 울토르 클론을 만드는 케트쿤이다.'

케트쿤은 연방의 동맹종족이며, 울토르 프로젝트는 연방의 법망을 피해 그곳에 클론 제조 시설을 만들었다. 응우옌 티 빈 중령이 클론 제작을 지휘했던 곳이며, 지금 상황에선 반드시 조사해야 할 곳이기도 하다. 이케가미 소이치로의 행적을 보았을 때 울토르 프로젝트와 워프 비스트는 모종의 관계가 있다. 그런데.

'내가 케트쿤을 떠올리게 되었다.'

지금까지 빈우는 클론 제조 시설이 있다고는 알고 있었지만, 군사정보국의 두뇌칩 조작으로 인해 그 시설이 어디 있는지는 모르고 있었다. 그런데 어떻게 이 사실을 알게 되었는지도 나름 문제다. 트리니티 패턴으로 묶인 것이라면 이해가 된다. 그러나 빈우가 점검해본 바로는 빈우의 두뇌칩 속에 있는 케트쿤에 대한 기록은 아직도 잠겨 있는 상태다. 빈우가 알 수 없다.

'설마 클론으로부터 들어온 것인가.'

도대체 이 클론은 어디까지 알고 있는 것일까 궁금하다. 대단히 위험한 녀석이다. 빨리 잡아서 정보를 캐내야 한다.

- **팀장님, 놈들이 돔 안으로 들어갑니다.**

- **……알았어.**

빈우의 대답은 우지에게 한 것이 아니었다. 자신에게 한 것이다. 클론에게 각인된 명령을 드디어 찾았다. 녀석의 목적은 정보사령본부의 사람들을 암살하는 것이 아니었다. 연방에 잠입한 워프 비스트를 제거하라는 명령을 받고 움직이는 것이다. 일단 지금까지 놈이 제거한 것은 워프 비스트가 맞았다.

'제거한 목표 넷 중에서 셋이 정보사령본부, 군인의 가족이라면 혹시 그 부모들이 워프 비스트일까? 그래서 제거한 것일까? 아니지, 클론이 얻은 정보의 소스가 한정되어 이런 편중된 결과가 나왔을 수 있다. 어쨌든 지금 연방의 사람들이라면 누구나 고대 샤다이들의 정보에 감염된 상태다. 그것이 발현이 되냐 안 되냐의 차이지.'

빈우는 더 이상 자신에게 자극을 주지 않는 시신을 바닥으로 던졌다.

'하지만 치료 중인 아이들은 왜 죽였을까. 워프 비스트를 제거하라는 명령이었기에 무작정 죽인 것일까? 치료법도 상당히 유효한 반격법일 텐데. 아니지, 이 클론은 아직 워프 비스트의 정체에 대해서는 모르고 있을 수도 있다.'

하지만 눈앞에 있는 하비에르 부뉴엘의 시신에선 아무런 흔적이, 워프 비스트의 변이 흔적이 보이지 않는다. 그전의 엘리자베트 허드슨에겐 아직 워프 비스트의 뿔과 피부가 있었다. 반면 마카로니에서 만난 자크 라캉은 로봇 몸체를 하고 있다. 게다가 그것은 뇌도 두뇌칩도 없는, 단지 허수아비 로봇이었다. 이들에게 과연 무슨 연관 관계가 있을까. 또 후에 보게 될 응우옌 반쯩은 어떤 상태일까. 일단 빈우는 아기의 미라를 챙겼다. 혹시 모르니 조직검사를 해볼 생각이었다.

- **팀장님!**

우지의 다급한 목소리가 들리지만 빈우는 지금 자신의 생각을 마무리짓는 게 더욱 중요하다. 마치 막 잠에서 깨어나 꿈을 떠올리는 듯한 기분이다.

'울토르 클론에게 누가 이런 명령을 내렸지?'

아마도 이 클론은 위은쏠납학에서 포드를 타고 도망친 클론일 가능성이 높다. 그렇다면 녀석에게 이런 명령을 넣고 발사한 사람은 도대체 누구란 말인가? 빈우는 당시 찰리하나팔로 위장한 상태라 권한이 없다. 불현듯 정체불명의 안드로이드가 떠오른다. 이거 믿지 말라는 메시지가 적힌 팬티의 주인, 아마도 그 안드로이드가 했을 가능성이 높다. 그렇다면 그 안드로이드와 그것을 보낸 부서는 워프 비스트의 정체를 알고 적대하는 단체일 것이다.

'일단 자료 수집은 끝났다. 블랙 랜스로 돌아가서 정리를 해야겠어.'

그때 빈우 주변에서 소란스러운 소리가 났다. 개척지용 야외작업복을 입은 사내들이 들이닥쳤다. 모두 손에 가스발사식 화살총을 들고 있었다.

*

페르난도는 부하들을 다그쳤다. 그는 부뉴엘 가와 경쟁하고 있는 프랑코 가의 중간보스였다.

- **야아! 서둘러 들어가!**

그의 명령에 부하들이 부뉴엘 가의 폐허 안으로 달려 들어간다.

- **이제 그 새끼 면상 한번 보자.**

록산느에서 고품질의 약을 엄청난 양으로 만들고, 그것을 유통할 탄탄한 판매 루트를 가진 부뉴엘 가가 어느 날 갑자기 행동을 멈췄다. 이를 수상하게 여긴 적대조직 프랑코 가에선 몇 번 정찰병을 보냈었지만, 모조리 소식이 끊겼었다. 그래서 페르난도는 혹시 또 다른 조직이 연루된 건가 싶어 부하들을 이끌고 근처에서 동향을 살펴보고 있었는데, 마침 오늘 이방인 한 놈이 부뉴엘 가로 들어가는 것을 보고 바로 행동에 나선 것이다. 부뉴엘 가로 들어간 프랑코의 조직원들은 불청객을 발견하고는 빙 둘러쌌다.

- **꼼짝 마.**

조직원들이 화살총을 겨누자, 놈은 그대로 서 있을 뿐이다.

- **워어, 저 새끼 맨몸인데요?**

부하가 놀랍다는 듯이 말했다. 록산느는 아직 개척화가 안 되어 맨몸으로 행동하기 힘들다. 아니, 대단히 위험하다. 그런데 저 사내는 아무런 생존 장비도 없이 저렇게 서 있는 것이다.

- **너 누구야. 뭐 하는 새끼야.**

페르난도가 외부 스피커로 질문했다. 그러나 대답은 없었다. 아니, 행동이 대답이라면 대답일 것이다. 그리고 그 대답은 대단히 폭력적이었다. 조직원들의 통신 회선으로부터 비명이 되지 못한 짧은 숨소리가 연속적으로 들려왔다. 반응할 틈도 없이 사내들이 바닥으로 고꾸라진다.

- 켁!

뱉은 숨소리 한 번에 또 하나가 쓰러진다. 조직원들이 서둘러 총을 쐈지만 맞출 수 있는 속도가 아니었다. 순식간에 일곱 명의 조직원들이 제대로 된 저항 한 번 해보지 못하고 모두 바닥에 쓰러져 빌빌거리고 있었다.

- 너, 너, 이 새끼 실수하는 거야.

페르난도가 엄포를 놓았지만, 상대는 아무런 관심이 없었다. 그냥 그를 향해 뚜벅뚜벅 걸어올 뿐이다. 그리고 말을 걸었다.

- 나를 아나?

청음기를 통해 들린 소리는 알아들을 수 있었지만, 이해할 수는 없었다. 사내는 페르난도가 대답이 없자 재촉했다. 그 재촉에 걷어차인 페르난도가 식당 벽으로 날아가 부딪혔다. 비명을 지를 틈도 없었다. 이건 인간의 힘이 아니었다.

'설마…… 군인인가? 연방의 군인? 록산느의 조직을 치려는 건가?'

바닥에 떨어진 페르난도는 몸을 가누며 정신을 다잡으려고 했다. 그때 그 목소리가 또다시 들려왔다.

- 나를 아나?

놀란 페르난도가 겁먹고 몸을 동글게 말았지만, 비명은 다른 곳에서 들렸다. 그놈이 다른 조직원을 짓밟은 것이다. 밟힌 놈은 다리 관절이 있어서는 안 될 방향으로 굽혀져 기절했다. 페르난도의 눈에 연방 군인으로 추정되는 놈이 기절한 부하를 내버려두고 다른 희생양을 찾는 게 보였다.

- 마리 라캉을 이렇게 했었나? 흐음, 다른 모양이군. 재생이 안 돼. 아니, 너무 오래되어서 안 떠오르는 걸지도.

저 미친놈은 다 죽어가는 부하들을 바닥에 패대기치거나 벽에 처박으면서 알 수 없는 혼잣말을 중얼거리고 있었다. 그리고 그 시선을 다시 페르난도에게 돌렸다.

- 네가 두목이군.

- 허억!

페르난도는 도망가려 했지만, 이미 붙잡혀서 대롱대롱 매달린 상태다. 녀석의 손이 야외작업복의 헬멧을 쥐고 들어 올린 것이다. 그리고 그 엄청난 악력으로 헬멧을 조이기 시작했다. 삐걱거리는 소리와 함께 뭔가 쩍쩍 갈라지는 소리가 들린다. 만약 헬멧이 깨지고 맨얼굴로 록산느의 대기에 노출되면 페르난도는 3분 안에 죽는다.

- 내 얼굴을 알고 있나? 본 적이 있어?

놈은 일체의 감정 없이, 마치 무생물을 보는 듯한 표정으로 페르난도를 응시했다. 책에서 문자를 읽듯, 바닥에서 쓰레기를 줍듯, 살아 있는 인간의 머리를 조이고 있었다. 공포에 질린 페르난도는 대답 대신에 비명을 질렀다.

*

- 팀장님, 그만두십시오. 지금 뭐 하시는 겁니까?

보다 못한 아룸의 만류가 빈우에게 들린다. 그 목소리에 빈우가 행동을 멈췄다. 그의 손에 들려 피투성이가 된 현지인 한 명이 바닥으로 떨어졌다.

- 뭐냐니요. 저를 습격한 범죄조직원을 추궁해 정보를 알아보는 중입니다.

방금 놈들은 빈우에게 총을 겨눴다. 하지만 저런 가스발사식 총으로 무장해봤자 맨몸의 인간이 연방의 강화 군인에게 이길 리는 만무했다.

- 이곳은 우리가 추적 중인 범인의 범행 현장입니다. 그리고 이놈들은 그 현장을 감시하다가 조사하러 온 저를 납치하려 했고요. 조사할 이유는 충분할 텐데요?

- 민간인을 굳이 그렇게까지 해서 말입니까?

아룹의 말대로 빈우는 군인이고, 저들은 연방의 시민들이다. 저들이 아무리 자치 행성의 범죄조직원이라 해도 엄연히 연방의 시민으로서 빈우가 보호해야 할 대상인 것이다.

- 부팀장이 그러시다면야.

빈우는 손을 털고 조직원들을 내버려둔 채 밖으로 나갔다. 평상시라면 모를까, 뻐꾸기 작전이 발동 중인 지금이라면 뒤처리하기가 쉽다. 현재로선 연방 군인에게 덤벼든 죄는 자칫 내란죄까지 엮을 수 있는 것이다. 증거품으로 쓸 아기의 미라를 챙긴 빈우가 박살 난 돔의 문으로 나가자 하늘에서 롱소드가 내려오는 게 보인다.

"지지, 지지."

뜬금없는 소리에 고개를 돌리니 품 안의 아기가 빈우를 가리키며 옹알이를 하고 있었다.

183

· · · ✦ · · ·

블랙 랜스로 올라온 빈우는 가지고 온 증거를 가지고 즉시 분석하러 갔다. 히토미는 그런 그에게 뭐라고 말을 붙여보려고 했지만, 빈우는 급히 해야 할 일이라면서 바로 조사하러 들어갔다.

"아나스타샤."

문 앞에서 히토미가 옆에 있던 안드로이드를 불렀다.

"네, 의원님."

"요즘…… 네 주인님 많이 피곤해?"

상원의원의 질문에 메이드가 머뭇거리면서 힘겹게 말문을 열었다. 롱소드에서 내린 빈우의 얼굴은 꽤 심각해 보였다.

"……네. 많이 지치신 것 같아요."

아나스타샤의 대답에 히토미가 고개를 끄덕였다. 그럴 만하다고 납득한 것이다. 지금 그에게 걸린 임무는 막중한 것인 반면, 이것을 나눠서 할 만한 사람이 없다. 오직 혼자서 매달려야 하는 것이다. 그러니 정신적으로 피폐해 질 수밖에.

"근데 조금 이상하긴 합니다."

빈우를 태우고 왕복한 우지가 말했다.

"원래 팀장님은 저렇게 반응하는 분이 아니셨는데 말이지요."

우지의 말대로 빈우는 이렇게 닥치는 대로 고문하는 성격은 아니다. 폭력을 가한다 해도 같은 군인이나 외계인에게나 그렇지, 민간인에게는 나름대로 부드러운 남자였다.

"상황이 상황이니까 그렇겠지."

우지의 말을 받은 것은 파트리샤였다.

"지금 뻐꾸기 작전 발동 중이야. 범죄조직 따까리들 붙잡고 굽신굽신할 시간이 어디 있어? 차라리 사고 치고 수습하는 게 빠르지. 그리고 저 양반, 생각보단 여린 마음을 가지고 있다고. 뉴 소노라에서는 시민들에게 폭력을 썼지만 그래도 선을 지켰었다? 오히려 부팀장님이 더 날뛰었단 말씀."

파트리샤의 말대로 부팀장인 아룹은 헛소리를 하는 웨이블의 시장에게 치과 치료를 해주었다. 무마취로 사랑니 4개를 전부 뽑아준 것이다. 팀장인 빈우는 그것을 긴박한 상황에서의 어쩔 수 없는 응급치료라고 보고서에 썼고, 또 인정까지 받았다.

"이년아, 너도 팀장님이 조금 이상하다고 했잖아."

어느새 신통방통한 치과의사 아룹이 나타나 자신의 뒷담화를 까는 파트리샤의 머리채를 잡아당겼다.

"아갸갹, 넹 그래요. 마카로니에서 팀장님이 조금 퀭해 보이긴 했어요."

마카로니에서 빈우와 위르겐의 호위로 따라간 그녀는 혼자 남은 빈우의 모습을 본 적이 있다. 그때의 빈우는 좀 힘들어 보였었다. 하지만 다시 농담 따먹기를 하고 목숨을 건 술래잡기까지 했었기에 그리 큰 문제는 아닐 거라 넘겼던 것이다.

"걱정 마세요. 주인님이 힘드시다면 제가 어떻게든 해볼게요."

아나스타샤가 나서자 팀원들의 시선이 그녀에게로 집중되었다.

"하긴 너라면."

파트리샤가 싱긋 웃었다. 다른 팀원들도 마찬가지다. 어릴 때부터 주인을 키워왔고 같이 자란 가족 같은 안드로이드다. 주인의 정신을 보듬어주는 데는 아마 그녀가 최고일 것이다.

"그럼 아나스타샤. 네 주인을 부탁할게."

히토미가 그렇게 말하며 떠나자 다른 사람들도 인사하며 문 앞을 떠났다.

"네, 제가, 뭐든지, 할 거예요."

아무도 없는 복도에서, 아나스타샤는 문 너머의 보이지 않는 주인을 향해 다짐했다.

*

빈우는 밖에서 무슨 일이 일어나든지 상관 않고 미라의 분석에 열중했다. 클론은 이 하비에르 부뉴엘이 워프 비스트화하던 중에 치료를 받았다고 했다. 워프 비스트의 발동 조건 중 첫 번째 단계는 샤다이의 정신감염이고, 두 번째 단계가 정신적 충격과 그에서 비롯된 상처다. 이 갓난아기는 대체 어디서 상처를 입었을까?

잠시 후, 미라의 분석 결과가 나왔다. 역시나 의심스러운 요소는 전혀 없었다. 하지만 워프 비스트화는 현재 연방의 기술력으로는 판별하거나 치료할 수 없다. 혹시나 했는데 역시나였을 뿐이다.

'일단 마커스에게 보고를 해야겠군.'

빈우가 보고하는 곳은 직속 상관인 조지 레드우드 사령관과 이노우에 고토 국장이다. 그러나 마커스 타이 정보국 차장과는 친우임과 동시에 동맹 관계다. 따라서 둘 사이에는 좀 더 은밀한 정보가 오간다. 마커스가 젊은 나이에 군사정보국의 차장까지 올라간 것은 그 자신의 실력과 배경도 있지만, 빈우의 도움이 상당히 컸다. 그리고 빈우는 지금 그 친구 덕을 톡톡히 보고 있는 중이다. 특수작전팀의 팀장과 정보부서의 차장은 그 권한과 능력에서 엄청난 차이가 있다. 하지만 지금 그 유능한 친구가 있는 현지는 한창 자고 있을 시간이다. 깨울 만큼 급한 일은 아니라 빈우는 발길을 병실 쪽으로 돌렸다. 알탄훼아나가 있는 곳이다. 그녀의 상태는 조금 나아져 파트리샤의 감시는 풀렸다. 대신 호위 겸으로 무인 어벤저를 옆에 붙여놓은 상태다.

빈우가 병실 문을 열고 들어가자 모니카가 반긴다.

"왓, 팀장님 오셨어요?"

그녀는 언제나처럼 샤다이를 점검하고 있었다. 자기는 의사 면허 없다고 울상을 짓던 그녀였지만 지금은 나름 익숙해진 듯싶다.

"좀 어때?"

빈우의 질문에 대답한 것은 모니카가 아니었다.

"덕분에 많이 나아졌어."

알탄훼아나가 몸을 일으키며 대답했다.

"앗, 잠깐. 그렇게 막 움직이면······."

모니카가 허둥지둥 만류해보지만, 샤다이는 억지로 일어나 앉았다. 그녀의 눈빛은 완전히는 아니지만 어느 정도 되살아난 것처럼 보였다.

"흠, 말을 할 수 있을 정도인가? 다행이네."

빈우가 침대 앞에 의자를 놓고 털썩 앉았다.

"일단 네 몸은 어떻게든 수리해놨다. 불편한 부분이 있으면 말해."

"수리라······. 고맙군."

알탄훼아나는 다시 만들어 붙인 자신의 귀를 만지작거리다가 시선을 빈우에게 돌렸다. 그리고 침대에 기대어 앉아서 그를 물끄러미 바라보았다. 빈우 역시 그녀를 마주 보았다. 먼저 입을 연 것은 알탄훼아나였다.

"안 보여."

빈우는 그녀의 말이 무슨 의미인지 대충 눈치챌 수 있었다.

"내 선택의 흔적이 안 보이는 건가?"

"아니, 그건 시도도 안 했어. 그보다 네 안의 계단이 보이지 않는다. 너뿐만이 아니라 모든 이들의 계단이 보이지 않아."

계단이라면 점프 게이트를 뜻하지만, 여기선 인간의 몸 안에 고대 샤다이들이 내려오기 위한 계기를 뜻한다. 모든 샤다이는 아니지만, 그녀 같은 직책이나 계급의 샤다이들은 이 계단을 볼 수 있다고 했다. 만약 이 능력을 손에 넣는다면 연방에 숨어든 샤다이들을 일소하는 것은 식은 죽 먹기다.

"이유는 역시 부상 때문인가?"

알탄훼아나는 지구제국의 비홀더 전대에게 극심한 고문을 당했다. 육체적 고문도 고문이지만, 눈앞에서 동료들을 찢어발기는 정신적 고문이 더 심각했다.

"그래."

애써 담담하게 대답하는 샤다이의 눈썹이 작게 떨린다. 지금 그녀는 어떻게든 그때의 상처를 딛고 일어난 것처럼 보이지만, 완전히 떨쳐버리진 못하고 있었다.

"그쪽도 수리, 아니, 치료를 해주지. 필요한 것이 있으면 말해."

그녀가 가진 능력은 대단히 중요하기에 빈우는 지원을 아끼지 않을 생각이었다.

"치료? 아아. 그래, 계단을 보는 나의 능력으로 너희 종족 안에 숨어든 우리 선조들을 밝혀내려는 거겠지?"

"물론. 어때, 치료를 받겠나?"

알탄훼아나는 뭔가 생각하는 것처럼 잠시 말없이 시선을 피했다.

"어차피 알탄훼아나, 너의 목적은 선조들의 귀환을 막는 것이잖아. 그렇다면 이미 귀환한 선조들도 배제해야겠지?"

그녀는 이어진 빈우의 질문에도 대답을 않고 머뭇거리고 있었다.

"설마 이미 돌아온 자들은 목표가 아닌가? 우리의 목적은 겹치는 부분이 있으니, 중간에서 마음에 들지 않는 부분이 있다면 조율이 가능하다."

빈우와 대화하고 있는 이 샤다이 호민관의 능력 중에는 거짓을 파악하는 능력도 있다. 고문의 후유증 때문에 이 능력도 못쓰게 되었을지도 모르지만, 빈우는 달리 거짓을 말하지 않았다. 그녀는 앞으로 있을 워프 비스트의 출현을 잠시나마 막아주었고, 과거에 이미 내려온 워프 비스트의 색출에도 필요한 존재다. 때문에 빈우는 꽤 높은 수준의 협조와 양보를 해줄 의향이 있었고, 그를 위해 상부와 협상을 할 생각도 있었다.

마침내 알탄훼아나가 어렵사리 입을 열었다.

"……내가 보지 못하는 것은 이 감각기관과 관련된 문제다."

그러고는 그녀의 손가락이 자신의 눈으로 향한다.

"너희의 단어로도 이것을 눈이라고 하지. 하지만 우리의 눈은 너희들처럼 단순히 빛만을 받아들이고 인식하는 기관이 아니다. 빛도 감지하지만, 중력파와 전자기파 또한 감지한다."

"과연! 그 수용기의 작용이 — 아차, 죄송합니다."

새로운 사실에 잠시 들떴던 모니카가 주변 상황을 파악하고는 흥분을 가라앉혔다.

"그래서 우리는 계단을 눈으로 직접 볼 수 있어. 물론 그것을 위한 훈련이 필요하지만 말이다. 모니카, 라고 했나? 그대의 치료 덕분에 눈은 다 나았다. 그 부분에는 감사를 표한다. 하지만 그것을 다시, 다시 보려면…… 연습, 그래, 연습을 해야 한다. 노력하면."

중간에 말을 잠시 끊는 알탄훼아나의 모습에서 익숙한 분위기를 느낀 빈우는 마음속으로 혀를 찼다. 부상 부위의 재활이 육체적 부분이 아니라 정신적 부분이라는 것을 깨달은 것이다. 일이 쉽게 풀리지는 않을 것 같다.

"그러니까 눈은 다 나았으니 달리 치료 방법이 없고, 보이지 않는 것은 네 마음에 달린 문제니까 거기서부터는 본인이 극복해야 한다는 얘기로군."

빈우의 지적에 알탄훼아나는 대답이 없다. 아예 시선을 피하고 있다. 그래서 빈우의 지적이 정답이란 것은 알 수 있었다.

"너희들은 그런 상처를 어떻게 극복하지? 우리 인류는……."

빈우가 조심스레 고쳐 앉으며 질문했다. 하지만 '그런 상처'란 말에 그 상처를 입힌 원인이 떠오르는 듯 알탄훼아나가 부르르 떨었다.

"어, 어어. 그래. 난 이겨내야 해. 나는 나의 사명이, 사명이 있어. 여기서 멈출. 으흑."

말을 더듬는 알탄훼아나의 몸에서 경련이 시작되었다. 푸른 눈 안의 금색 실타래가 엉켜 떨린다. 샤다이를 잘 모르는 인간이 봐도 평정을 잃은 것이 확실하다. 하지만 샤다이인 그녀에겐 이것을 진정시킬 두뇌칩이 없고, 인간 쪽은 이럴 때 투여할 진정제가 뭔지 모른다.

"알탄훼아나 씨, 진정하세요. 이제 더 이상 비홀더 전대는 없어요. 당신에게 해를 끼칠 사람은 없다고요."

모니카가 그녀의 팔을 잡고 진정시켜보려 하지만 여의치 않았다. 간신히 눌러 침대에 눕혔지만 알탄훼아나는 마치 오한이 든 것처럼 벌벌 떨고 있었다. 그 모습을 보던 빈우는 대기하고 있던 어벤저를 불렀고, 무인 어벤저는 다가와 명령대로 진동 나이프를 꺼냈다. 그것을 받아든 빈우는 일어서서 알탄훼아나에게로 다가갔다.

"와악! 팀장님! 알탄훼아나 씨는 진정했어요. 멈추세요!"

그 모습에 놀란 모니카가 말리려 했지만 빈우의 행동이 더 빨랐다. 그는 칼로 자신의 팔뚝을 찔렀다.

"꺅!"

모니카가 놀라서 비명을 질렀다. 지혈되지 않은 붉은 피가 알탄훼아나의 얼굴로 뚝뚝 떨어진다.

"이 상처가 보이나? 피차 마찬가지야."

알탄훼아나는 누운 채 자신의 얼굴로 떨어지는 빈우의 붉은 피를 보고 있었다.

"너희 종족이 죽는 광경을 나는 많이 보았어. 푸른 피와 살점이 튀는 모습들. 그날 네가 봤었던 모습들이지. 고통스럽다는 것은 알아. 아주 잘 알고말고."

빈우의 말에 알탄훼아나는 흠칫거리지만, 시선은 피에 집중되어 있었다.

"왜냐고? 나 역시 봐왔으니까. 이런 붉은 피가 난무하는 곳에서 살아왔으니까. 동료들이 피투성이가 되어 죽어가는 모습은 언제 봐도 익숙해지지 않아. 그래, 아주 괴롭지. 고통스러워. 하지만 말이야."

붉은 피가 범벅된 손이 내려와 알탄훼아나의 뺨을 어루만졌다.

"그게 자신의 의무를 팽개칠 만한 변명은 안 되지 않아?"

푸른 피부에 붉은 피가 묻은 샤다이가 움찔하고 몸을 크게 떨었다. 그리고 눈 안의 실타래가 평정을 되찾았다. 이어서 호흡과 몸도 차츰 가라앉았다.

"그래, 그대의 말이, 맞다. 내 사명을…… 포기할 순 없지."

알탄훼아나는 언뜻 진정된 것처럼 보인다. 적어도 겉으로는.

원래 이런 정신적인 상처를 입은 사람에게는 신경치료와 정신 상담을 병행한다. 그리고 시간 또한 많이 필요하다. 그러나 시간이 촉박했던 빈우는 이와 같은 극약처방, 충격요법을 쓴 것이다. 이 방법은 환자 내부에서 발작하는 충격을 외부에서 더 큰 충격을 주어 강제로 억누르는 것인데, 일시적으로 효과는 있을지언정 근원적인 치료는 되지 못해 장기적으로는 오히려 부작용이 심하다.

"왜 보지 못하는 거지?"

빈우는 팔에서 칼을 뽑아 지혈했다. 피는 금방 멈췄고, 상처 부위는 거품이 일며 재생하기 시작했다. 알탄훼아나는 그 모습을 찡그린 얼굴로 계속 보고만 있을 뿐, 대답은 없었다.

"무서워서? 계단을 보는 것이 무섭나?"

정곡을 찌른 지적에 알탄훼아나가 화들짝 놀랐다. 그리고 천천히 말문을 열었다.

"그래. 내가 너희들의 계단을 보면, 그 마지막 부분을 보면…… 그 마음속의 상처를 나도 보게 된다. 그리고 나도 느끼게 된다. 하지만 이제까지는 그게, 그게 그렇게까지 고통스러울 줄은 몰랐다. 지금까지는 그저 타인의, 아니, 다른 종족의 고통이었어. 하지만 이제 나는. 그것을 더 이상 멀리서 볼 수가 없다. 이제 볼 수가 없단 말이다!"

그리고 그녀는 다시 흐느끼기 시작했다. 즉, 계단을 보게 되면 그 계단이 생긴 상처와 고통을 알탄훼아나 본인도 느낀다는 이야기다. 지금까지는 다른 종족의 경험이라 마음속에 선을 그어놓을 수 있었던 모양인데, 비홀더 전대에게 받은 고문 때문에 정신적으로 피폐해진 지금의 그녀로서는 그게 안 되는 모양이다.

"그래? 알았다. 같이 치료해보도록 하자."

빈우가 흐느끼는 알탄훼아나를 보면서 말했다. 원인을 찾았으면 해결을 위해 방법을 찾으면 되는 일이다. 물론 쉽지는 않겠지만 말이다.

184

$$\cdots \, \blacklozenge \, \cdots$$

알탄훼아나를 진정시킨 빈우는 일단 자신의 방으로 갔다.

"주인님."

문을 열고 들어가자 아나스타샤가 반겨준다. 앉아 있던 그녀가 냉큼 달려와 빈우에게 달라붙었다.

"많이 피곤하시죠?"

미소와 함께 걱정스러운 눈빛을 한 그녀가 손을 들어 빈우의 뺨을 쓰다듬는다. 강화 군인이 피곤함을 느끼려면 진짜 심각하게 돌려야 한다. 아나스타샤가 말한 피곤은 정신 쪽을 말하는 것이다.

"요새 쉴 틈이 없지."

빈우가 한숨을 쉬며 침대에 앉자, 아나스타샤도 잠시 머뭇거리다가 앉았다. 바로 주인의 무릎 위에. 그러고는 조심스레 물어본다.

"저, 무거워요?"

그 질문에 빈우가 피식 웃었다. 제 몸무게의 절반도 안 되는 그녀가 무거울 리 없다.

"에헤헤, 웃었다."

주인의 웃음을 본 메이드도 배시시 마주 웃었다. 그리곤 자신의 가슴으로 주인의 얼굴을 꼭 껴안았다.

"죄송해요. 그동안 제가 주인님을 제대로 돌봐드리지 못했어요."

"아냐, 내가 바빴는데 뭘."

빈우의 손이 올라와 아나스타샤의 허리를 잡고 부드럽게 안았다. 잠시 그렇게 안고 있던 빈우가 말을 꺼냈다.

"그러고 보니 아샤, 너한테 부탁할 게 있어."

"어, 뭔데요, 뭔데요?"

부탁이란 말에 안드로이드 메이드가 눈이 동그래져서 주인을 재촉한다. 자신이 도울 수 있는 얘기가 나오자 바로 달려든다.

"알탄훼아나를 좀 봐줘."

낯선 이름에 잠시 고개를 갸웃하던 아나스타샤는 상대의 정체를 알고선 김이 팍 샌 표정을 지었다.

"어— 그, 샤다이 말이죠?"

"그래, 고문받았던 영향으로 PTSD가 온 것 같아. 그래서 치료가 필요해. 아샤, 넌 그런 상담을 위한 교육을 받았고 프로그램도 있잖아. 지금은 서둘러서 그녀의 정신적 상처를 치료할 필요가 있어."

일단 그녀를 치료하면 인류는 반격의 실마리를 얻게 된다. 인류 사회에 숨어든 샤다이를 색출할 수 있다. 때문에 무슨 수를 써서라도 그녀가 계단을 볼 수 있는 상태로 만들어야 하지만, 지금 같은 상황에선 함부로 다른 부서에 넘길 수가 없는 노릇이다. 최대한 가까운 곳에서 믿을 수 있는 사람에게 맡기는 것이 좋다.

"그치만 알탄훼아나는 샤다이잖아요. 전 샤다이 심리학에 대해선 몰라요."

아나스타샤가 대답하는 내용은 타당하지만, 말투나 얼굴에 드러나는 표정은 영 마뜩잖다. 마치 하기 싫은데 왜 그걸 억지로 시키느냐는 분위기다.

"샤다이는 감정이라든가 외부 자극에 대한 반응이 인간과 유사하니까 시도해볼 만한 가치는 있어."

"니예에에, 한번 해볼게요."

말은 하겠다고 하는데 왠지 볼멘 목소리다. 빈우의 머리를 쓰다듬던 손도 왠지 거칠게 움직인다.

"뭐야, 너 왜 그래?"

"치이, 기껏 주인님을 안고 분위기 좋았는데 다른 여자 이야기 나오니까 팍 식었어요."

아나스타샤는 꽤나 빈정이 상했는지 뾰로통한 표정으로 입술을 비죽 내밀고 있다. 그 모습을 올려다보던 빈우는 황당해서 말했다.

"알탄훼아나가 왜 여자야……."

"유방 달려 있고, 허리 잘록하고, 얼굴 예쁘장하고, 또 그쪽 성별로도 여자라면서요?"

"뭔 소리래. 그래 봤자 수렴진화잖아. 인간하고 샤다이는 거의 돌고래와 참치 정도의 관계라던데? 그리고 유방 달려 있으면 우리 여성 팀원들은?"

"어머나, 그건 좋죠."

아나스타샤의 툴툴거리던 표정이 대번에 생글거린다.

"특히 오다 의원님하고는 꽤 분위기 좋은 것 같던데요? 의원님도 주인님을 조금 개인적으로 신경 쓰시더라고요. 에헤헤, 어딜 봐도 업무 외적인 감정이 꽤 보였어요. 아, 제발 진도 잘 나가면 좋겠네요."

"이거 반응이 영 다르네. 너 아까는 다른 여자가 어쩌고 하면서 확 삐지더니 지금은 또 뭐냐. 완전 좋아 죽네."

"아니이, 주인님의 앞날에 꽃비가 날리니까 당연히 좋죠. 무슨 소릴 하는 거야."

그녀는 타박을 주듯 주인의 머리를 다시 거칠게 쓰다듬었다. 빈우는 아나스타샤가 저런 상반된 반응을 보이는 이유를 안다. 그녀는 결국 인공지능인 것이다. 인간에게 봉사하고 복종하기 위한. 아무리 주인을 모사하는 인공지능이라 해도 인간에게 시기와 질투 같은 부정적인 감정을 가지는 것은 허락되지 않는다.

'하지만 그때는…….'

빈우는 아나스타샤가 부정적인 감정으로 인간을 거슬렀던 적이 있었음을 안다. 정보국으로 들어오면서 인간으로선 해서 안 되는 짓들을 했을 때, 그리고 그것으로 인해 빈우 스스로가 상처 입고 괴로워했을 때, 아나스타샤는 분노해서 주변 사람들에게 날뛰었었다.

"어머."

아나스타샤는 갑자기 주인의 양팔이 자신의 등과 허리를 감아오자 작은 비명을 질렀다.

"할 거지?"

자신의 가슴에 얼굴을 파묻고 물어보는 주인의 질문에 그녀가 허둥댄다.

"네? 네? 뭘요?"

되묻는 질문도 더듬고 있다. 더듬는 단어 사이사이엔 뭔가의 기대감도 느껴진다.

"치료."

하지만 주인의 장난기 어린 대답에 그 기대는 무너져 분노가 되었다.

"야이씨."

아나스타샤가 빈우의 정수리를 손바닥으로 철썩 때렸다가 또 아파서 울상을 짓는다.

"할게요. 한다고요. 하면 되잖아. 이 돌머리 진짜. 씽. 나빠. 앗!"

빈우가 그녀를 안고 침대 위에 같이 누웠다. 짧은 비명 소리를 냈던 아나스타샤는 자신의 주인을 올려다보고 있다.

"……아이 참."

누워서 작은 소리로 투정을 부리는 아나스타샤의 이마에 빈우의 이마가 닿았다. 그리고 눈썹이, 이어서 코가 맞닿았다. 다음 입술끼리 마주쳐 살짝 열린 틈으로 혀끼리 잠깐 스쳤다.

"앗."

아나스타샤는 놀래서 두 손으로 입을 막았다.

"왜?"

"그……. 처, 첫키스으……."

빈우는 입을 가린 채 더듬대는 그 모습이 귀여워 옆머리를 쓰다듬었다.

"나도 그래. 그러고 보니 여기저기 만졌어도 키스는 처음이네."

"어? 진짜요. 불쌍한 우리 주인님."

놀리는 아나스타샤의 귀에서 떨어진 빈우의 손이 밑으로 내려가 목덜미를 간지럽힌다. 키득대는 그녀의 목을 더듬던 주인의 손이 멈칫한다.

"주인님?"

빈우의 손이 갑자기 멈추자 아나스타샤가 올려다보았다. 그리고 그의 시선이 자신의 목에 고정된 것을 보고선 멈추었던 손을 잡아 부드럽게 자신의 목 위로 가져갔다. 빈우는 자신도 모르게 손을 슬쩍 빼려 했지만, 아나스타샤는 주인의 손을 억지로 붙잡아 자신의 목에 올려다놓았다.

"자, 보세요. 괜찮죠?"

악몽에 눌린 빈우가 졸랐던 상처는 어느새 완전히 재생되어 있었다. 아나스타샤는 생글생글 웃으며 빈우를 달랬다.

"저도 명색이 군용인데, 그 정도야 껌이죠. 그러니까아. 스킨십이 부족하니까 그런 거예요. 좀 더듬더듬도 하고, 만지작만지작도 하고, 기회다 싶으면 인간분들의……."

설교하는 메이드의 가슴으로 빈우의 손이 다가간다. 손이 갈비뼈 부근을 지나 그녀의 심장 부근에서 멈췄다. 두근거리는 심장 박동 대신 쉬익 거리는 체액 순환 펌프의 진동이 느껴진다.

어릴 적 빈우는 그녀의 가슴에 얼굴을 파묻었다가 심장 소리가 안 나는 바람에 기겁을 한 적이 있었다. 아나스타샤가 죽었다고 대성통곡을 했던 것이다. 그때 엄마와 안드로이드 메이드는 심장 박동 소리는 수유용 유방에만 달려 있다는 것을 알려준다고 진땀을 뺐었다.

옛날 추억에 잠겨 쓰게 웃는 빈우의 얼굴을 아나스타샤의 손이 어루만진다. 그리고 그 손을 스치고 다시 아래로 내려가 아까보다 긴 키스를 했다. 오 갈 데를 몰라 잠시 허둥대던 아나스타샤의 손이 빈우의 머리를 포근히 감싸 안았다. 그리고 빈우는 손을 내려 아나스타샤의 치마 속으로 집어넣었다. 이 제까지와는 명백히 다른 의도를 가진 움직임이다.

"이야—! 잠깐만요! 잠깐만잠깐만!"

갑자기 아나스타샤가 비명을 질렀다. 놀라서 소리친 그녀의 무릎이 맞물 려서 오들오들 떨리고 있었다.

"저기, 나, 아직 없어요."

부끄러워서 시선을 피한 그녀의 양손은 속옷이 드러난 가슴이 아니라, 치 마폭을 붙잡고 자신의 다리 사이를 가리고 있었다.

"뭐가?"

알면서도 물어보는 빈우의 짓궂은 질문이다.

"아아안 달았다고요오. 달면 되는데, 이이잉."

울상을 짓는 아나스타샤는 어쩔 줄 몰라 입술을 잘근잘근 씹고 있고, 빈우 는 거기에 작게 입맞춤을 했다.

"설마, 뉴 소노라에서 달라고 한 게 진담이었어요?"

"아냐, 신경 쓰지 마."

그러면서 빈우는 아나스타샤의 옆으로 누워 그녀를 팔베개해줬다.

"난 이래도 충분히 좋은데?"

"⋯⋯주인님, 죄송해요."

"죄송하긴."

빈우는 자신의 품 안에서 미안해서 올려다보는 아나스타샤의 눈빛이 더 할 나위 없이 사랑스러웠다. 그녀는 빈우와 눈을 마주치고 있으면서도 아래 로는 움찔거리며 헝클어진 팬티와 스타킹을 다시 고쳐 입고 있었다. 그 모습 에 빈우가 키득대자 성난 그녀의 손바닥이 주인의 가슴을 세차게 두들겼다.

"아파아."

언제나 그렇듯이 아픔은 그녀의 몫이었다. 빈우는 킥킥거리면서도 실쭉샐쭉하는 아나스타샤를 달랬고, 그녀는 그녀대로 주인의 품 안에서 그를 위로했다.

"아샤, 너 옷 입고 그대로 자도 괜찮아?"

"전 익숙해요. 주인님은요?"

"나도 그래. 잘 자."

"네 주인님. 안녕히 주무세요."

하지만 아나스타샤는 말은 그렇게 하고선 잠들지 않았다. 올려다보는 그녀의 눈에는 웃음기가 가득했다. 또 장난을 칠 셈인가 싶었는데, 그녀의 웃음은 장난을 위한 것이 아니었다.

"주인님."

어느새 그녀의 옷은 프렌치 메이드복으로 바뀌어 있었다. 여러 군데가 자칫하면 위험해질, 위태위태한 의상이었다.

"야, 너 내가 그거 입지 말랬지."

메이드는 눈살을 찌푸리는 주인의 지적에도 아랑곳하지 않았다. 빈우가 프렌치 메이드 복을 싫어하는 것에는 나름 이유가 있었다. 그는 고향에서 머리가 조금 굵어졌을 때, 아나스타샤의 기종인 쿠델카 모델이 나오는 포르노 영상을 구한 적이 있었다. 엄청나게 짧아서 입은 게 더 야해 보이는 프렌치 메이드 복을 입은 쿠델카 모델—아나스타샤가 그려진 표지를 본 빈우는 한참을 망설이다가 그것을 구입했다.

그것을 구한 날, 빈우는 같이 자겠다는 아나스타샤를 물리치고 자기 방에서 홀로 밤이 깊어지길 기다렸다. 그리고 모두가 잠들었을 무렵, 빈우는 두근거리는 가슴을 부여잡고 그것을 봤다. 그리고 엄청난 충격을 받았다. 자신의 엄마이자 누나이자 첫사랑이었던 그녀가 영상에 등장함에 소년은 꽤 큰 정신적 충격을 입었다. 그것도 이만저만한 것이 아니었다. 때문에 그 다음 날부터 빈우는 아나스타샤의 얼굴을 제대로 보지 못하고 도망쳤고, 그 기간도 제법 되었다. 물론 시간이 지나며 그 상처는 아물어갔지만, 단 하나, 프렌치 메이드 복만큼은 그러지 못했다. 그래서 빈우는 아나스타샤가 프렌치 메이드 복을 입는 게 정말 싫었다.

"왜 입으면 안 되는데요? 주인님은 이게 싫어요? 왜 싫은데요?"

아나스타샤가 고개를 숙여 빈우의 코를 살짝 핥았다. 풀어헤친 머리카락이 내려와 빈우 옆으로 드리운다. 빈우의 손이 아나스타샤의 허리를 쓰다듬었다. 그리고 잡아당겨 자신의 품 안에 집어넣으려는 듯 꼭 껴안았다.

185

••••✦••••

빈우는 그저 이대로 있고 싶었다. 아나스타샤와 함께 고향으로 돌아가 편하게 살고 싶었다. 그녀도 계속해서 빈우에게 부탁했었다. 이런 위험한 일은 그만두고 고향으로 돌아가자고. 하지만 빈우는 그럴 수 없었다. 해야 할 일을 내버려두고 도망칠 수는 없었다. 더 이상 도망치기는 싫었다.

"왜 그렇게 심각해요?"

아나스타샤의 손가락이 빈우의 미간을 꾸욱 눌러 펴려고 한다. 그리고 찡그린 이마에 입맞춤을 했다.

"지금은 그냥 즐기세요. 편안히."

빈우는 그녀의 말대로 편해지고 싶었다. 그러나 그의 마음은 점점 불안해져만 갔다.

'어디서 봤더라⋯⋯.'

뭔가 섬뜩함을 느낀 빈우가 눈을 감았다. 뭔가 생각날 듯 말듯 아련하다. 기억에서인지 기록에서인지 기시감이 꿈틀거리고 있다. 그런 빈우의 목덜미에 아나스타샤의 입술이 스친다. 그의 가슴팍을 훑고, 마지막으로 배를 스쳐 지나가는 그녀의 머리에 빈우의 손이 다가갔다. 그리고 머리카락을 거세게 움켜쥐었다.

"앗!"

아파서 비명을 지르는 아나스타샤를 빈우가 내려다보았다. 그제야 과거의 기억이, 잊혔던 기억이, 잊고 싶어 했던 기억들이 스멀스멀 되살아난다.

"그래, 이런 적이 있었지. 내가 아나스타샤를 덮치고 얼마 지나지 않았을 거야."

여동생의 피스메이커 인형 덕에 그날의 일은 그냥저냥 넘어갔었다. 하지만 시간이 조금 흐른 다음, 아나스타샤가 빈우의 방에 찾아왔다. 그리고 웃는 얼굴로 사랑스러운 도련님의 몸 위로 올라와 여기저기를 핥았다. 빈우는 무서웠다. 그런 아나스타샤의 모습은 처음이었다.

밑바닥에 가라앉혔던 불쾌한 기억을 다시 떠올린 빈우는 머리를 거세게 흔들더니 아나스타샤의 모습을 한 존재를 붙잡고 자신의 침대에서 일어났다. 고향의 침대다. 유년기를 보냈던 고향의 방이다. 창밖으로는 고향의 보리밭이 바람을 받아 물결치고 있다. 그는 안드로이드를, 아나스타샤의 모습을 바닥으로 집어 던진 다음 발로 걷어찼다.

"아악!"

고통에 찬 비명 소리. 하지만 빈우는 차갑게 내려다볼 뿐이다.

"발 가르단 하스에게 빚을 졌네."

그 말에 아나스타샤의 형상이 경악해서 올려다본다.

"역시 그래. 발 가르단 하스와의 대화는 못 들었나 보군. 그럴 법도 하지. 그때는 놈이 내 머리를 직접 조작해서 한 대화였으니까. 그래도 알탄훼아나와의 대화는 들었으니 이렇게 직접 행동을 시작한 거겠지?"

일어나 도망치려는 그녀의 다리를 빈우가 걷어찼다. 그리고 나동그라지는 그 존재를 발로 짓밟았다.

"도망치려고? 그럴 바엔 아예 이 세계를 없애보시지? 이 꿈을 깨게 해보라고."

그 말에 아나스타샤는 뭔가를 시도하는 것처럼 보였다. 그리고 겁먹은 눈빛으로 빈우를 올려다보았다.

"잘 안 되냐? 당연히 안 되겠지 씨발, 내가 이런 훈련을 얼마나 X 같이 했는데. 내 안에 흙발로 들어온 건 좋아. 근데 이젠 어떻게 나갈래? 응?"

메창 같은 세뇌성 공격에 대응하기 위한 요원들의 정신방어 훈련은 매우 강력해서 심리 치료마저 거부할 정도다. 군사정보국에서도 이 과정을 끝까지 수료한 요원은 손에 꼽을 정도였고, 그것이 빈우가 울토르 프로젝트에 뽑힌 이유이기도 했다. 빈우의 손이 사랑스러운 금발을 잡고 들어 올린다. 비명 소리, 고통스러운 얼굴, 애원하는 목소리. 그러나 빈우는 전부 무시하고 그것을 창밖으로 집어 던졌다. 창틀을 통째로 부수고 바닥으로 떨어진 아나스타샤는 꿈틀거리고 있다.

"아아……. 아아아."

신음 소리를 내며 힘겹게 일어나는 아나스타샤의 옆으로 빈우가 뛰어내렸다. 그리고 겁에 질린 그녀를 차갑게 노려보았다.

"뛰어."

그 말에 아나스타샤가 겁에 질려. 부르르 떨었다.

"도, 도련님, 제가 잘못했어요. 다시는—."

"X까 씨발아. 살고 싶으면 도망쳐봐. 아니면 나를 공격해봐."

잠시 멍하니 있던 그녀가 달렸다. 허겁지겁 도망쳤다. 하지만 그것을 서서히 쫓아가는 빈우는 목적지가 어딘지 알고 있다. 창고다. 그 안으로 얼굴을 굳힌 빈우가 따라 들어갔다.

"그래, 그렇겠지."

엄마가 죽은 곳이다. 안으로 들어가니 털털거리며 돌아가는 샤프트에 엄마의 피와 살점이 묻어 사방으로 휘날리고 있다. 그리고 아나스타샤는 샤프트 너머에서 이쪽을 보고 있었다. 겁에 질린 얼굴, 하지만 나직한 승리의 미소. 그걸 본 연방의 군인은 실소했다.

"어디서 개지랄을……."

빈우는 성큼성큼 걸어가 샤프트를 뛰어넘었다. 그리고 경악하는 아나스타샤의 머리를 우악스럽게 움켜잡았다.

"어, 어떻게, 아악!"

아샤의 비명 소리는 언제 들어도 싫다. 결코 듣고 싶지 않은 소리다. 하지만 빈우는 아나스타샤를 들고 샤프트로 다가갔다.

"말해, 이번이 몇 번째야."

차가운 목소리와 함께 빈우가 아나스타샤의 머리를 아래로 내렸다. 맹렬히 돌아가는 샤프트에 머리카락 몇 가닥이 말려 후두둑 뽑힌다. 그걸 본 아나스타샤가 겁에 질려 애원한다.

"주인님, 도련님! 제발, 제발! 이러지 마세요."

눈물을 흘리며 주인에게 매달리는 아나스타샤의 얼굴이 샤프트에 닿았다. 불쾌한 소음과 함께 비명이 터져 나왔고, 사방으로 살점이 튀었다. 푸른색 피와 살점이다.

"크아아아—!"

샤다이가 비명을 지른다. 빈우의 안에서 상처를 헤집고 계단을 쌓으려던 놈이 되려 고문을 당하고 있다. 빈우는 면상이 박살 난 놈을 뒤로 집어 던졌다. 그리고 꿈틀거리는 놈을, 푸른 피투성이가 된 아나스타샤를 위에서 내려다보았다.

"말해, 이번이 몇 번째야."

그러나 대답은 없었다. 아나스타샤의 모습을 한 샤다이는 곧 모습을 멈췄고, 서서히 희미해졌다.

"헉!"

짧은 비명과 함께 빈우가 잠에서 깨었다. 팔에서 느껴지는 감촉에 급히 고개를 돌리니, 거기엔 아나스타샤가 곤히 자고 있었다. 빈우의 손이 조심스레 뻗어져 그녀의 머리로 향한다. 조금만 가면 닿을 수 있건만, 빈우는 차마 그녀의 머리를 만지지 못했다.

'아나스타샤, 아나스타샤, 아나스타샤……'

빈우는 떨리는 손으로 마침내 그녀의 머리를 만졌다. 그리고 조심스레, 부드럽게 쓰다듬었다. 잠든 그녀의 모습을 보니 목이 멘다. 불현듯 군사정보국 시절, 잠수하기 전의 자신의 영상 기록이 떠올랐다. 아나스타샤를 도구로도 보지 않고 매몰차게 대하던 자신의 모습. 자신의 행동이지만 기억하지 못하는 기록. 빈우는 그것을 보며 이유를 분석했다. 왜 자신이 어머니이자 누이, 그리고 연인이었던 그녀를 그렇게 대했는지.

"너만큼은 지켜주고 싶었어."

어느새 마음속의 생각이 말이 되어 새어 나온다. 행여 자는 그녀에게 들릴까 싶어 빈우는 급히 입술을 다물었다. 그때의 빈우는 자신이 하는 일이 무엇인지 알았다. 자신이 가는 목적지가 어디인지를 알았다. 그래서 거기까지는 그녀를 데려가고 싶지 않았다. 그녀만큼은 자신의 곁에서 떨어져 행복하게 살았으면 싶었던 것이다.

'겁쟁이 새끼.'

데려가고 싶지 않았다면 명령을 내리면 되었을 일이다. 고향으로 돌아가라고 했으면 그녀는 고향으로 돌아갔을 것이다. 하지만 빈우는 그러지 못했다. 어머니의 죽음을 그저 보고만 있었듯이, 아이를 지키지 못하고 내버려두었듯이, 그저 아나스타샤를 옆에 두었다. 그리고 그녀가 돌아갔으면 하는 마음에 알량한 투정을 부렸을 뿐이다. 그 사실을 알아낸 빈우는 자신을 경멸했었다. 겁쟁이에 결단을 내리지 못하는 쓰레기. 그는 과거에서 벗어나 좀 더 나은 자신이 되고 싶어 했지만 언제나 실패했다. 하지만 지금에 와서 새로운 사실을 알게 되자 또 다른 불안감이 생겨났다.

'정말 그것 때문에 내가 아샤를 거부했을까?'

새로운 불안감의 정체는, 혹시 군사정보국 시절의 자신에게 이미 워프 비스트가 오지 않았을까 하는 추측이다. 기억을 하지 못하는 군사정보국 요원들은 영상과 음성기록만을 가진다. 당연히 당시의 감정이나 생각은 남지 않고, 꿈도 기억하지 못한다. 만약 워프 비스트가 방금처럼 빈우의 꿈에 나타났다 해도 빈우는 그것을 알지 못한다.

'설마 악몽이, 샤다이의 계단 쌓기가 무의식에 작용해 내가 아샤를 밀어낸 건 아니었을까.'

알 수 없다. 예리하게 찾아낸 정답일 수도 있고, 증거 없는 억측일 수도 있다. 답을 찾기에는 단서가 너무나 부족하다. 이를 알아보려면 알탄훼아나가 제 능력을 되찾거나, 발 가르단 하스로 가야 한다.

'그러고 보니 발 가르단 하스에선 나에게 별다른 언급이 없었었지.'

여러 가지 가능성을 염두에 두고 이리저리 머리를 굴리던 빈우는 아나스타샤의 머리를 쓰다듬으며 밤을 지새웠다.

*

"안녕하세요, 알탄훼아나 씨. 저는 김빈우 소령님을 모시는 안드로이드 아나스타샤라고 합니다. 오늘부터 알탄훼아나 씨의 치료를 맡게 되었어요. 잘 부탁드리겠습니다."

걱정했던 것과는 달리 아나스타샤는 알탄훼아나의 치료에 아주 적극적이었다. 샤다이는 인간과 유사한 감정 체계를 가져 상담 치료는 꽤 효과적이었고, 조금 다른 부분이 있으면 아나스타샤가 즉석에서 새로운 방법을 고안해 치료에 도입했다.

"놀라워, 아나스타샤. 너 정말 다재자능하구나."

감탄하는 모니카.

"에헴, 이래 봬도 의사 자격증도 있답니다."

짐짓 거드름을 피우는 아나스타샤.

"닥치고 비켜봐."

틱틱거리는 빈우. 그의 뒤로 밀려난 두 여인에게서 야유가 쏟아진다. 하지만 빈우는 아랑곳하지 않고 알탄훼아나 앞에 앉았다.

"차도가 조금 있나?"

원래 이런 치료는 하루 이틀에 될 일이 아니다. 장기간을 보고 꾸준히 차근차근 진행해야 한다. 하지만 지금은 그것을 기다릴 상황이 아니었다.

"덕분에. 많이 나아졌다."

알탄훼아나의 눈빛도 많이 부드러워졌다.

"계단은 보이나?"

갑작스러운 질문에 알탄훼아나는 바로 대답을 하지 못하고 한 템포 늦게 입을 열었다.

"아니, 아직은."

"뭐야. 그럼 아직 제자리잖―억!"

시시하다는 듯이 콧방귀를 뀌는 빈우의 머리가 뒤로 벌컥 젖혀진다. 아나스타샤가 두 손으로 잡아당긴 것이다.

"치료 중인 환자에게 무슨 지랄이신가요. 좀 짜져주세요."

날 선 아나스타샤가 빈우를 질질 끌고 발로 밀어가며 기어이 침대에서 떨어트렸다.

"알탄훼아나 씨? 우리 주인님이 조금 싸가지가 없어요. 제가 사과할게요."

"응? 아, 괜찮아. 고마워."

미소 짓는 안드로이드와 역시 마주 미소 짓는 샤다이. 그 모습을 보며 빈우는 고개를 빼꼼 내밀었다.

"저기 아나스타샤 선생님, 친절한 질문은 가능합니까?"

"네에, 너무 자극적이지 않으면요."

다시 빈우의 시선이 침대에 앉은 샤다이에게 향했다.

"과거 네 행적에 대해서 물어볼 게 있는데, 괜찮겠어?"

"그런 거라면 내가 대답할 수 있는 선에서 얼마든지."

빈우가 밀려난 의자를 다시 끌고 와 가까이 앉았다.

"피에르 라캉과는 어떻게 알게 되었지?"

인류 연방군의 보안국 중령 피에르 라캉과 샤다이의 호민관 알탄훼아나는 이전부터 협력관계였다. 서로 워프 비스트에 대한 정보를 교환했고, 라캉 중령은 자신이 인정한 사람에 한해 그녀와의 정보를 공유하려고 했다. 물론 빈우에게도 신호를 주었지만 아쉽게도 빈우는 그것을 받지 못해 결국엔 물 건너간 일이 되고 말았다.

"아, 그 말인가. 그건 이야기가 조금 길어지는군. 너희들의 말로는…… 그래, 프리마라고 부르는 행성이었다. 거기서 시작되었지."

프리마. 빈우도 아는 곳이다. 폐 속에 호흡 보조용 곰팡이를 키우는 곳. 클론의 동기화된 기억으로부터 알아낸 다음 목적지 중 하나. 클론이 워프 비스트를 추적하는 임무를 띠고 있는 이상 알탄훼아나에게서 그 행성의 이름이 나와도 이상할 것은 없다.

"나는 선조들이 그대의 종족들에게 돌아오는 것을 막기 위해 다방면으로 손을 쓰던 중이었다. 그러던 중에 그대들 유에네스…… 흡."

무심코 유에네스란 단어를 입에 담은 알탄훼아나가 놀라서 입을 닫았다.

"왜 그래? 너흰 이전부터 우리 인류를 유에네스라고 불렀잖아. 사전에도 없던데, 그건 혹시 멸칭인가?"

그다지 신경 쓰지 않는다는 투의 빈우의 말에 알탄훼아나가 조심스레 다시 입을 열었다.

"으음, 딱히 나쁜 뜻을 가진 단어는 아니다. 원래는 고대 문학에서 쓰였던 합성어이고, 요즘에 와서 쓰는 용도가 단지 조금…… 아, 그리고 지금은 사어다. 그래서 그대들을 칭할 때만……."

"말해봐. 괜찮아."

거듭되는 빈우의 권유에 알탄훼아나는 마침내 입을 열었다.

"으음, 끝을 맺는 자. 종결하는 자. 대충 그런 뜻이다."

"터미네이터 이 씨발년아."

빈우는 무심코 솔직한 감상을 뱉은 대가로 앞으로는 겁먹은 여인 하나를, 뒤로는 분노한 여인 둘을 두게 되었다.

186

. . . ✦ . . .

"좋아, 종족명 그건 그렇다 치고. 프리마에 대해 말해봐."

알탄훼아나는 부하들에게 묵묵히 두들겨 맞는 빈우의 모습에 조금 놀랐으나, 이내 다시 설명을 시작했다.

"그래, 나는 너희들 종족과의 접촉에서 그 가능성을 높이려면 몇 가지 조건이 필요하다고 생각했다. 먼저 중앙정부의 손길로부터 먼 변경일 것, 그리고 아군 적군 가리지 않을 정도로 도움이 절실할 것 등이지."

하긴 그녀 말대로 살기 힘들고 연방 중앙의 도움이 닿기 힘든 곳이라면 찬밥 더운밥 가릴 처지가 아니다. 실제로 이와 유사한 경우엔 연방정부의 허가 없이 외계인과 접촉한다 해도 사후 허가란 형식으로 유연하게 넘어가준다. 그리고 프리마는 점프 게이트에서 상당히 떨어진 깡촌이고, 개척에 상당히 난항을 겪었기에 알탄훼아나의 조건에 부합되는 곳이었다.

"프리마를 접촉지로 고른 나는 정체를 숨기고 그들에게 접근했다. 그리고 개척민들의 문제를 파악한 다음, 그곳에서 원래부터 자생하고 있던 곰팡이들에게 부탁해 너희 종족의 폐 속에 살며 숨쉬는 것을 도와달라고 했지."

"잠깐, 곰팡이에게 부탁했다고? 개조한 것이 아닌가?"

빈우의 지적에 알탄훼아나가 고개를 좌우로 흔들었다. 그 제스처가 인간의 행동을 흉내 낸 건지 샤다이도 그런지는 모르겠지만, 일단 의미는 통했다.

"아니, 대화를 해서 삶을 바꾸어달라고 부탁했다. 인류의 폐에서 그들과

690

같이 살아달라고 말이지."

그 말을 듣고 이번에는 빈우가 고개를 절레절레 흔들었다.

"허어, 설마 그것들이 대화가 가능할 정도로 지능을 가진 생명체였던가?"

"아니. 너희 종족의 기준으로는 아닐 거야. 그저 곰팡이야. 하지만 우리 종족은 그게 가능해. 아, 지금 같은 중급 수준의 대화는 아니고, 그들만의 방식에 따라 우리가 맞춰주는 것이다. 하지만."

잠시 말을 끊은 그녀는 그 당시를 회상하는 듯했다.

"내가 어리석었다. 나는 프리마의 개척민들과 비밀리에 접촉하고 있었다고 생각했지만, 연방이 눈치를 채고 피에르 라캉이 수사를 하러 온 것이다."

이건 조금 이상하다. 외계인과의 접촉은 보안국의 영역이 아니다. 오히려 군사정보국의 일이다. 하지만 다른 수사를 하다가 겹쳤을 수도 있으니 빈우는 잠자코 들어보기로 했다.

"하지만 다행히 피에르 라캉은 너희 유에 — 흠흠, 인류와 내 종족 샤다이 간의 평화적인 교류를 바라는 사람이었고, 나 또한 그랬기에 우리 둘의 거래는 느리지만 긍정적인 방향으로 차근차근 진행되었다."

빈우가 아는 라캉 중령은 울토르 프로젝트에 자원할 정도로 외계인 척결에 열심인 사람이었다. 그런데 샤다이와 협상을 한다니 이상하다.

'임무라면 본심을 숨기거나 속이는 건 쉬운 일이긴 한데, 그게 본심이었을 가능성도 부정할 순 없지.'

그러고 보니 라캉 중령은 빈우가 자신의 클론에 쉬바를 주입하는 실험을 본 뒤로 약간 사람이 바뀌긴 했었다. 아니면 다른 뭔가가 계기가 되어 외계인을 대하는 태도가 바뀌었을 수도 있다. 예를 들어 가족이라거나.

"나는 라캉과 정보를 교환하면서 단순한 정보 거래를 넘어 협력관계까지 나아가게 되었지. 물론 그 과정을 서로 각자의 종족에게 비밀로 했음은 물론이다. 내 종족은 너희 인류를 공격하고, 너희 종족은 적대적인 종족에게 자비심이 없었으니까."

빈우는 말없이 듣고 있었지만, 머릿속은 맹렬하게 회전하고 있었다. 왜 보안국 소속의 피에르 라캉은 이런 고급정보를 얻고도 비밀로 감췄을까. 수상한 퍼즐들이 점차 맞춰질 기미가 보인다. 그는 빈우가 부상할 때조차 본인이 아닌 허수아비를 보냈었고, 결국 아내와 아들을 잃고 폐인 상태가 되어 보안국을 이탈, 태스크포스 373으로 오려고 했었다.

'게다가 그는 그때 이미 워프 비스트의 정체를 알고 있었다. 그리고 그날 나에게 가족의 행방에 대해 물어본 다음, 자신의 허수아비 아를르캉에게 만약을 대비한 계획을 입력해두었다. 라캉 중령은 자신에게 다가올 운명을 예측하고 있었다.'

하긴 그가 진실을 알았다 한들, 전 상원의장이었던 이케가미 소이치로조차 운신이 어려웠던 상황이다. 일개 중령인 그가 취할 수 있는 방법은 상당히 제한되었으리라. 라캉 중령이 속했던 보안국이 몹시 수상하긴 하지만 확증이 없어 난감하다.

그때 마침 알탄훼아나도 워프 비스트에 대한 이야기를 꺼내는 중이었다.

"그러다가 떠나간 우리 선조와 워프 비스트의 이야기까지 나오게 되었다. 설명을 듣던 피에르는 자신의 아들이 워프 비스트가 되어간다는 말을 했고, 나는 진실을 밝혔지. 그리고 치료법도 전해주었지만, 이미 늦었는지 그의 아들은 연방의 기밀 시설에서 치료라는 명목하에 실험체가 되었다는군. 아내도 그때부터 정신이 이상해졌다는 말을 했다."

치료법이란 말에 빈우는 물론이고 뒤에 있던 모니카마저 침을 꿀꺽 삼켰다. 워프 비스트의 치료법은 매우 중요한 사안임이 틀림없다. 하지만 빈우는 그전에 확인할 것이 있었다.

"그렇다면 협력관계에 있었던 라캉을 죽인 이유는 뭐지?"

빈우의 질문에 알탄훼아나는 그날을 떠올렸다. 자신이 라캉을 죽였던 날, 그리고 빈우에게 사로잡혔던 날.

"라캉은 자신 또한 적셔졌다는 것을 알고 있었지. 그는 가족의 일 때문에

서서히 계단이 생겨가다 그날 결국 마지막 단계까지 가게 되었다. 그래, 김빈우 그대와 처음 만났던 곳에서 말이다."

그 말을 들은 빈우는 저도 모르게 침을 꿀꺽 삼켰다. 그는 오스카 스테이션에서 피에르 라캉의 죽은 얼굴을 기억한다. 마치 자신의 죽음을 받아들이는 것처럼 평안한 얼굴을 하고 있었다. 이어서 피에르 라캉의 생전 마지막 모습도 떠올랐다. 아내 마리 라캉과 아들 자크 라캉의 마지막 행선지가 마카로니라는 것을 안 피에르 라캉은 빈우에게 그들의 생사를 물어보았고, 사망 가능성이 높다는 말을 듣고 휘적휘적 떠나갔다. 아마 빈우의 대답이 큰 원인이었을 것이다.

"피에르 라캉은 이전에 나에게 부탁을 했었다. 자신이 워프 비스트가 된다면 자신을 죽여달라고. 나는 그의 몸에 오는 선조들을 막으려고 갖은 방법을 썼지만 이미 피에르 본인이 의지를 잃어버린 판국이라 효과가 적었다. 그래서 그날 나는 동지를 내 손으로 죽일 수밖에 없었지."

그러면서 알탄휑아나는 자신의 손을 바라보았다. 서 있던 곳은 달랐지만, 한때나마 같은 곳을 바라보았던 협력자를 죽인 자신의 손을.

"흐음, 설마 그 약속 하나를 지키기 위해 오스카 스테이션까지 왔단 말인가?"

그날 알탄휑아나 일행이 끼쳤던 피해는 꽤 컸다. 소수의 샤다이였지만 전부 리퍼 무장을 하고 있었고, 함선도 없이 점프해 들어온 기습이라 스테이션 방위대는 속절없이 당했다.

"그곳에 있던 선조들을 처리할 겸 갔었다. 비교적 안전한 작전일 것이라 생각했지만, 그대들이 큰 변수였지."

그러고 보니 알탄휑아나는 스미스 일가를 집요하게 노렸었고, 이후 그 가족들은 전부 워프 비스트로 변했다.

"그렇다면 그날 죽은 사람들은 모두 워프 비스트였단 말인가?"

"그래, 대부분 워프 비스트가 되기 직전의 사람들이었다. 그게 아니더라도…… 위험하게 저항하는 자들에겐 어쩔 수 없이 반격했다.”

오스카 스테이션에서 있었던 일의 의문이 해결된 빈우는 오브리가도에서의 탈출극도 물어보고 싶었지만, 지금은 더 중요한 일이 있었다.

“아까 네가 알려줬다는 치료법 말인데. 그것은 설마 뉴 소노라처럼 인간의 신경계에 플라스마를 접속시키는 것인가?”

질문하는 빈우의 귀로 고온의 플라스마에 소멸하는 아이의 비명이 아련하게 들려온다.

“아니, 그건 이쪽 계단을 거슬러올라가 저쪽의 계단을 부수는 것이지. 치료는 다른 방법이야. 정확히는 치료라기보다는 이쪽 계단의 생성을 느리게 해서 적셔진 자의 면역체계가 스스로 이겨내도록 돕는 것이다. 게다가 이 치료법도 아직 자아가 확립되지 않은 어린이에게 선조들이 내려올 경우에만 그나마 효과가 있다.”

“어른과 어린이는 어떤 차이가 있지?”

“계단의 난이도가 다르지. 어린이들은 쉽게 상처를 받고, 또 쉽게 계단이 생기며, 그만큼 쉽게 사라지기도 한다. 음, 비유하자면 아직 토양이 물러 계단을 놓기 쉽지만, 동시에 무너지기도 쉽단 의미야. 성인의 경우엔 이미 생긴 계단을 되돌리긴 힘들어.”

즉 그녀의 치료법은 어린아이에게만 쓸 수 있다는 말이다. 그래서 피에르 라캉도 제대로 치료하지 못했던 것이다. 문득 치료 대상자 명단이 떠오른다. 자크 라캉, 엘리자베트 허드슨, 하비에르 부뉴엘, 응우옌 반쫑. 모두 아이들이다.

“알탄훼아나. 그 치료법을 다른 이들에게도 알려준 적 있나?”

“민감한 것이라 내가 일부러 퍼트리진 않았다. 피에르 라캉이 몇 다리 걸쳐 정보를 흘렸고, 이를 안 환자와 가족들이 내가 있던 프리마로 찾아와 치료법을 받아 갔다.”

그녀의 말은 클론이 얻은 정보와 일치한다. 아직 어린이에게만 효과가 있다고 하지만, 그래도 이를 연방에 가져갈 수만 있다면 대단한 성과다.

"그 치료법을 알려다오. 우리 종족에게 반드시 필요한 것이다."

빈우의 말에 알탄훼아나가 곤란한 표정으로 대답한다.

"너희 종족의 어린 생명에게 계단은 쉽게 생길 수 있다고는 하지만, 그 치료 방법은 고도의 기술을 요하는 것이다. 우리 샤다이 중에서도 나 같은 호민관은 되어야 쓸 수 있는 고급 기술이지."

"정확히 어떤 방법이지?"

빈우의 질문에 알탄훼아나가 굳은 표정으로 자신의 머리카락을 한 올 들어 보였다.

"이 부분을 떼어내 적져진 자의 주변에 두는 것이다."

그 대답을 듣고 잠시 알탄훼아나의 눈을 마주 보던 빈우는 조용히, 그리고 거칠게 말을 내뱉었다.

"씨발, 너 내가 우습지."

으르렁거리는 빈우의 말이 끝나기 무섭게, 모니카와 아나스타샤가 달려들어 필사적으로 팀장을 말렸다.

"잠깐만요, 주인님. 일단 들어봐요. 뭔가! 뭔가 있을 거예요."

"팀장님! 스토웁! 폭력은 안돼요. 그녀는 치료 중이에요."

"왜, 왜 그러나. 왜 화를 내는 건가."

빈우는 겁먹은 세 여인 사이에서 다시 평정을 되찾았다.

"머리카락을 떼서 놓는 게 고급 기술이냐?"

"으웅? 어째서? 이 방법은 별 심장의 불길을 다룰 때 쓰이는 기관을 사용해 아이 몸속에 있는 계단에 공명하는 것이다. 그리고 그 파장에 맞춰 생성을 방해한단 말이다. 물론 어른들의 단단한 계단에는 쓸 수 없는 방법이긴 하지만 시전자가 계속해서 정신을 집중해야 하기에 고급 기술임에는 틀림이 없다."

"맞아요, 저건 그냥 모발이 아니에요. 인간과는 다른 신경 기관이 분포한一"

알탄훼아나와 모니카의 설명에 빈우는 자신이 너무 성급했다는 것을 순순히 시인했다.

"아하, 그렇군. 이해했다. 아주 고급 기술이군. 그러면……."

납득한 빈우는 주제를 바꿔 다음에 질문할 내용들을 조심조심 골랐다. 알탄훼아나에게 물어볼 것은 산더미처럼 많지만, 간신히 제정신을 되찾고 치료 중인 그녀에게 무리를 시킬 수는 없는 노릇이다. 중요하지 않은 것은 나중으로 미루고 중요한 것부터 질문해야 한다. 대상이 한정적인 치료법은 중요도가 비교적 낮아 다른 질문을 하려고 할 때, 알탄훼아나가 먼저 말을 꺼냈다.

"하지만 이 치료만으로는 한계가 있어서 나는 발 가르단 하스로 갔다. 현자인 그라면, 별 심장 그 자체인 그라면 해결법을 알 수 있을 것이라 생각한 거지."

발 가르단 하스. 오브리가도에서 헤어진 빈우와 알탄훼아나가 각자 간 곳이며 둘은 거기서 재회했다. 그리고 빈우는 그녀와 헤어지기 전 잠깐 만나 몇 가지 새로운 사실을 겉핥기로나마 배우기도 했다. 워프 비스트는 적셔진 자라는 것, 그리고 알탄훼아나의 선택의 흔적을 자신도 본 것.

"알탄훼아나. 네가 오브리가도에서 탈출할 때 워프 비스트를 부른 것은 너였나?"

빈우가 특수전 사령부를 떠난 직후, 24함대원들은 워프 비스트로 변해 난동을 부렸고, 알탄훼아나는 그 틈을 타서 탈옥했다. 그 사건의 여파는 꽤 컸다. 또한 그날 일이 나비효과가 되어 연쇄 폭발을 터트린 사건이 한둘이 아니었다.

"아니, 내가 아냐. 내가 왜 선조를 부르겠나. 그건 십중팔구 망할 선친의 짓일 거다."

알탄훼아나가 얼굴을 일그러트리며 대답했다. 하긴 선조 귀환 반대파인 그녀가 굳이 워프 비스트를 불렀을 리는 없을 것이다. 그리고 선친이란 말 역시 그날 그녀에게서 들었던 단어이기도 하다. 샤다이 호민관 알탄훼아나는 자신의 아버지이자 샤다이의 집정관인 체메트디오프를 굉장히 싫어했다. 그리고 빈우 역시 놈을 싫어한다. 포말하우트 게이트에서 울토르 중대를 습격해 자신에게 한 방 먹인 놈이기 때문이다.

따지고 보면 체메트디오프는 빈우와 알탄훼아나에게 수많은 악영향을 끼친 공적이랄 수 있는 존재였었다.

• • • ✦ • • •

187

"어찌 되었건 아버지의 도움을 받았군."

"도움? 흥. 놈이 나를 도운 것은 결코 선의가 아니다. 뉴 소노라의 일을 모르나?"

알탄훼아나의 말에 빈우는 사건의 인과관계를 다시금 파악했다.

오브리가도를 탈출한 그녀는 발 가르단 하스로 갔고, 거기서 계단을 부수는 방법을 배웠다. 그다음 워프 비스트에 습격받는 뉴 소노라에 나타난 알탄훼아나는 빈우와 함께 계단을 부쉈다. 그리고 그 계단이 부서지는 광경은 체메트디오프의 계략에 의해 귀환 찬성파와 반대파들에게 드러났고, 이 충격적인 광경을—선조의 귀환에 결정적인 영향을 끼친 사건을—본 두 파벌은 동족상잔의 전투를 벌이다 난입한 지구제국에게 몰살당했다. 또 지구제국조차도 그날 자기들끼리 싸웠다. 놈은 대체 몇 가지 수를 가지고 몇 가지 음모를 꾸미고 있었을까.

"꽤나 치밀한 놈이로군."

빈우의 솔직한 감상에 알탄훼아나가 콧방귀를 뀐다.

"치밀이라고? 웃기는 소리. 빈우 그대는 놈의 악의를 아직 제대로 본 적이 없다. 겨우 그 정도로 치밀을 논하지 말라."

'아니, 본 적은 있는데 기억이 안 나.'

빈우는 놈의 다른 공격을 이미 겪었지만, 그 말은 차마 나오지 않고 목구

멍에서만 맴돌았다. 포말하우트에서 체메트디오프는 과연 무슨 수작을 부려
놨을까.

"어찌 되었건 놈은 죽었으니 안심할 수 있군."

빈우는 비홀더 1전대장의 손에 들린 체메트디오프의 머리를 보았다. 원흉
하나가 죽었으니 그나마 다행이다. 그러나 알탄훼아나는 그러지 못했다.

"죽어? 놈은 죽지 않아. 아니지, 정확히는 죽어도 죽어도 동족의 몸을 빌려
되살아난다. 마치 선조가 그대 종족의 몸을 훔치는 것처럼, 집정관은 자신이
죽어도 동족의 몸에서 다시 부활한다."

이건 듣던 중 X 같은 소리다.

"부활한다고? 놈이?"

"그래, 내가 아는 것만 적어도 네 번이다. 비홀더 전대장의 손에 꽤 죽
었…… 어엇."

거기까지 말하던 알탄훼아나가 말을 더듬었다. 깜빡하고 있었는데, 그녀
의 아버지 체메트디오프를 죽인 비홀더 1전대장 이 섬은 알탄훼아나 그녀도
고문했었다.

"괜찮아?"

"물론, 이다. 나는 괜찮다."

다가서며 물어보는 빈우에게 알탄훼아나는 이를 악물며 웃어 보였다. 그
때 빈우 옆으로 아나스타샤가 조심스레 나섰다.

"무리하지 마세요, 알탄훼아나 씨. 오늘은 여기까지 하시고 다음에 다시
얘기해요."

"아니, 정말로 나는 괜찮아. 더할 수 있어."

"알탄훼아나 씨가 입은 마음의 상처를 마주하는 것은 좋은 치료법이에요.
하지만 그건 시간을 두고 차근차근 진행해야 합니다. 너무 서두르시다간 오
히려 역효과에요."

"……조금만 더 하면 안 될까?"

오기를 부리는 그녀의 모습에 아나스타샤는 걱정스러운 얼굴로 빈우를 돌아보았다. 어떻게 할지 물어보는 것이다.

"중요한 것 한 가지만 물어보고 오늘은 여기서 마무리할게."

"알겠습니다, 주인님. 그런데 혹시……."

"괜찮아. 그녀의 상처와는 관계가 없는 일이야."

주인의 장담에 메이드는 고개를 숙이며 뒤로 물러났다. 그리고 빈우는 오늘의 마지막 질문을 조심스레 골랐다. 중요하면서도 부드러운 것으로.

"어쩌면 때늦은 질문일 수도 있겠는데. 너희 샤다이는 왜 우리를 공격하는 거야?"

고대의 샤다이는 워프 비스트란 존재로 현생 인류에게 돌아온다. 뉴 소노라에서 알탄훼아나는 그 과정에 대해 대략적으로 설명했다. 귀환 찬성파는 인류에게 고통을 주어 계단을 만들기 쉽도록 하고, 반대파는 아예 내려올 종족 자체를 없앤다는 분위기였다. 하지만 그전에 근본적인 이유는 따로 있을 것이란 느낌이 들었다.

"하긴, 그것에 대해선 알아볼 겨를이 없었죠."

모니카가 의외의 질문에 작게 고개를 끄덕였다. 샤다이는 인류의 앞에 나타나자마자 공격을 시작했고, 연방은 그럼에도 불구하고 역시나 세 번의 대화를 시도했다. 당연히 대화는 불발로 끝났고, 그 결과 사태는 이 지경에 이르렀다. 어차피 연방은 삼진아웃제를 도입하고 있는 만큼, 교섭이 안 되는 상대에겐 대화를 하지 않는다. 그때부턴 오직 피화 철의 대화만 강요할 뿐이다. 하지만 알탄훼아나 덕에 샤다이의 여러 가지 정보를 알게 된 지금은 싸우게 된 경위를 아는 것도 중요하다.

"그래, 드디어 그것에 대한 대답을 할 때가 왔군."

알탄훼아나는 올 것이 왔다는 표정을 하고 심호흡을 했다.

"이야기가 조금 길어질 텐데 괜찮겠나?"

빈우는 지체 없이 고개를 끄덕였고, 이에 알탄훼아나가 설명을 시작했다.

"우리 종족의 눈에 대해 이야기했었지?"

그녀는 손가락으로 자신의 눈을 가리켰다. 빈우를 바라보는 알탄훼아나의 눈에는 무언가 터부시하는 것에 대해서 이야기할 때 보이는 망설임과 혐오감마저 비쳐 보였다.

"그래. 가시광선뿐만이 아니라, 전자기장이나 중력파도 관측 가능한 기관이라고 말했지."

"맞아. 덕분에 우리는 별들의 소리를 듣고, 사물의 바람을 느낄 수 있으며, 우주의 흐름을 본다. 그래. 우리 샤다이는 태초의 파동이 우주의 끝에 부딪혀 돌아오는 메아리를 볼 수 있었다. 그러다가…… 그대의 종족 시간으로 만 년 정도 전의 일일 것이다."

말하고 있는 알탄훼아나의 손이 침대보를 만지작거리고 있다. 불안해한다는 의미다. 빈우가 슬쩍 아나스타샤를 돌아보니 그녀는 아직은 괜찮다는 사인을 보냈다.

"갑자기 메아리가 사라졌다. 그날 선조들은 메아리가 보이지 않는다고 기록했었고, 그 사건 이후에 태어난 우리 동포들 또한 메아리를 보지 못했다. 더 이상 우리 샤다이의 눈에 탄생의 메아리가 보이지 않게 된 것이다."

"메아리라고……."

알탄훼아나가 말한 것을 조합해보면 아마도 빅뱅의 우주배경복사일 가능성이 높다. 하지만 그런 것은 현 인류에게도 관측 가능한 영역이다.

"하지만 그 메아리는 우리 인류에게도 관측되고 있어."

빈우의 말에 알탄훼아나가 고개를 저었다. 이젠 턱 끝이 희미하게 떨리기 시작한다.

"피에르 라캉도 그런 말을 했지. 하지만 그 메아리는 단순한 전파가 아니야. 중력파를 포함한 좀 더 복잡한 것이다. 어쨌든 우리는 그 이유를 알았지. 간단했어. 메아리가 부딪혀 돌아올 끝이 사라져버렸던 거야. 그대들이 알기 쉽게 설명하자면, 우주라는 풍선이 팽창을 계속하다가 터져버린 셈이다."

그 말의 의미를 이해한 두 인류는 자신의 피가 싸늘하게 얼어붙는 기분을 느꼈다. 마치 우주의 미래가 에너지 소멸로 얼어붙는 것처럼.

"어 — 그거 우주 멸망 시나리오 중 하난데. 빅뱅 이후 팽창하던 우주가 그 반발되는 수축으로 멸망하는 게 빅 크런치, 팽창을 계속하다 양성자 붕괴까지 가서 멸망하는 게 빅 프리즈 아니에요?"

모니카가 말한 것은 보편적인 우주 멸망의 시나리오들이며, 모두 가설이지만 멸망이 온다는 점만큼은 확실히 설명하고 있다.

"그래, 하지만 어느 것 하나 지금의 인류에겐 시간적 의미가 없을 만큼 먼 미래지. 모든 물질들이 블랙홀화한 다음이니까. 근데 그게 만 년 전에 일어났다고? 벌써?"

빈우의 말대로 이 우주는 멸망한다. 그러나 그 시기는 억이나 조, 경, 해의 단위로도 계측이 불가능할 만큼 오랜 기간이 흐른 뒤다. 즉 지금으로선 의미 없는 이야기란 말이다. 하지만 샤다이인 그녀들에겐 달리 받아들여진 모양이다.

"피에르 라캉에게도 말한 내용이지만…… 그 멸망은 그대들 인류가 아는 것과 비슷하지만 다르다. 우주의 가장자리는 빛보다 빠른 속도로 늘어나기 때문에 그대들의 과학 기술로는 가늠하기가 곤란하지. 하지만 이 우주의 가장자리가 붕괴한 것은 사실이고, 멸망이 확정된 것 또한 사실이다."

"그렇다면 그 멸망은 언제지?"

만 년 전에 이미 징조가 보였다면 심상치 않은 사건이다. 그 빈우마저도 목소리에 긴장이 묻어나올 지경이다.

"너희들의 계산과 크게 다르지 않아. 장수하는 우리 샤다이에게도 종족의 멸망 후에나 올 먼 미래의 일이지. 하지만 선조들은 달랐다. 공포에 휩싸였어. 그래. 너희 종족들의 시선으론 이해할 수 없는 일이겠지. 하지만 선조들과 우리의 눈엔 이 우주가 멸망하는 것이 보인단 말이다. 메아리가 사라져 식어가는 우주가 보인다. 사방을 둘러봐도 죽음의 색이야! 이런 죽음이 실제로 보이는 세계에서 살아가는 것이 어떤 느낌일지 그대들은 결코 몰라! 때문에 선조들은 이 죽어가는 우주로부터, 멸망으로부터 도망친 것이다."

"계단을 만들어서 말이지."

빈우의 지적에 흥분하던 알탄훼아나가 약간 흠칫했다. 뉴 소노라에서는 선조들이 그저 멸망으로부터 도망쳤다고 했는데 이런 자세한 내막이 있었던 모양이다. 그런데 그녀의 경련이 심해지는 게 안 좋아 보인다. 뭔가 정신적 부담이 되고 있단 증거다. 광각시야로 보니 뒤쪽의 아나스타샤가 이야기를 이쯤에서 멈추라고 눈치를 주고 있었다. 하지만 알탄훼아나가 심호흡을 하더니 자기가 다시 말을 꺼냈다.

"그래, 선조들은 만 년 전 계단을 만들어 다른 우주로 도망갔다. 그리고 당시에 도망치지 못하고 남은 자들의 후손이 바로 우리들이지."

빈우는 이번 이야기를 끝맺기 전 지금이라도 점프에 대해 묻고 싶었다. 샤다이식 공간 항행법을 알면 인류는 보다 안전한 점프를 할 수 있고, 미래를 구할 수 있다.

"그러면 그때 도망치지 못한 자들은 왜 이 우주에 남은 거지? 운명을 받아들인 건가?"

"지금은 받아들였지만, 그 당시엔 남은 게 아냐! 버림받은 거다. 선조 중에서 선택받은 자들만 몸을 변형해 계단을 올라갔고, 그것을 할 수 없는 자들은 이 죽어가는 우주에 그대로 남았어. 그래, 많은 이들이 버림받았다. 기술과 문화의 전승이 끊기고, 사회가 붕괴되었다. 조각조각 나뉜 우리는 아무것도 할 수 없었어. 찬란했던 영광은 빛바래 사라졌고, 우주를 호령했던 기술은 실전되었다. 그것을 배우지 못하고 이해하지 못하는 후손들은 남은 부스러기들만 모아 이 죽음의 세계에서 하루하루 힘겹게 연명했지."

빈우의 질문에 알탄훼아나가 발작하듯 외쳤다. 그때가 샤다이의 쇠퇴기였을 거다. 기술등급이 9등급에서 8등급으로 1단계 하락했을 무렵이다. 무리도 아니다. 현재 연방의 군인에게도 자신이 쓰는 코일건을 만들어보라고 하면 만들지 못한다. 고도로 발달된 사회는 그만큼 분업화가 심해져 자신의 영역 외의 기술에는 문외한이나 다름없다.

"하지만 알탄훼아나, 넌 분명히 모든 선조들이 다 성공한 것은 아니라고 했었지?"

"그래. 계단을 통해 올라가던 선조 중 실패한 자들은 다시 내려왔고, 계단을 이동 수단으로 쓰던 후발종족의 몸을 훔쳐 썼지."

알탄훼아나의 설명에 나오는 종족은 뉴 소노라에서 봤다. 보고 싸우기까지 했다. 놈들은 이케가미 소이치로가 닫은 계단을 다시 만들기 위해 뉴 소노라의 개척민들을 제물로 삼았다.

"흥, 그렇게 계단을 내려온 자들은 괴물 그 자체였어. 후손들에게 비웃음이나 동정을 받는 괴물이었지. 하지만 지금으로부터 100여 년 전 그대의 종족이 약진을 시작하면서 문제가 커졌다."

알탄훼아나가 말한 시기는 지구제국의 건립일 것이다. 그날, 기업 연합체의 총수였던 자가 최초의 지구 통일정부의 초대 대통령으로 선출되었고, 스스로를 황제라 칭했다. 그러나 사람들은 그것을 그대로 받아들였다. 왜냐하면 황제라는 단어보다 그때부터 시작된 기술의 폭발이 더 충격적이었기 때문이다. 황제가 가려 뽑아낸 천재들, 빛을 보지 못하고 잠들어 있던 원석들은 적재적소에 배치되자마자 샘솟듯 발명과 발전의 격류를 뿜어냈고 거기에 밀린 사람들은 미래의 시대로 흘러갔다. 기록에 따르면 하루하루가 달랐다고 한다. 오늘의 신기술이 내일은 고고학에 들어갈 정도였다고 하며 그때까지 이뤘던 인류의 발전보다 제국 시절의 발전이 더 컸다고 한다. 고작 24년에 불과한데도 말이다.

"그대들의 황제가 이룬 업적은 실로 놀라웠다. 그리고 우주로 진출하려던 그는 우리 선조들이 만들어낸 계단을 발견했다. 그가 다른 우주로 가는 계단의 원래 목적을 파악했는지 어땠는지는 모르지만, 계단끼리의 이동은 순간적으로 이뤄진다는 것을 알아내곤 이동 수단으로 썼지. 그게 어떤 결과를 가

겨올지도 모르고 말이다. 거기까진 다른 종족들과 크게 다를 바 없었다.”

여기까진 뉴 소노라에서 했었던 이야기다. 그것을 다시 꺼내는 것을 보면 당시엔 미처 말하지 못했던 것들을 꺼내는 것일 가능성이 높았다.

“하지만 넌 그때 제국의 황제가 선조들의 귀환을 막았다고 하지 않았나?”

빈우의 말대로 그날 알탄훼아나는 그렇게 말했었다. 황제는 계단을 통해 고대 샤다이들이 내려온다는 것을 알았고, 또 막았다고 했다. 게다가 이 섬의 말에 의하면 비홀더 전대는 워프 비스트의 정체를 알고는 있지만 크게 신경을 쓰진 않는 분위기였다.

“맞아. 그때까지 다른 종족의 몸을 통해 뒤틀려 내려오던 선조들이 너희 종족의 몸으로는 정상적으로 내려왔다. 이것이 귀환 찬성파와 반대파가 격렬히 다투게 된 계기이기도 했고.”

그녀의 말대로라면 오늘날의 샤다이들은 선조들이 떠난 이후 과거의 영광을 잃은 채 독립적인 가문을 이뤄 살아왔다고 한다. 그러던 중 선조가 제대로 돌아올 수 있는 종족인 인간이 계단을 사용하자, 그때까진 그냥저냥 지내왔던 두 파벌의 다툼이 본격화되었으니 샤다이의 눈에는 인간이 좋게 비칠 리 없었을 것이다.

188

· · · ✦ · · ·

"몇몇 선조들이 그대들의 종족의 몸을 통해 정상적으로 내려오자, 동포들 사이에선 일대 소란이 일었지. 도망쳤던 선조들이 정상적으로 다시 돌아왔으니 당연한 일이야. 하지만 그것도 잠시, 계단을 내려온 자들은 대부분 제거당했다고 들었다. 황제가 눈치채고 손을 쓴 거지."

지구제국의 황제는 대체 어떤 방법으로 샤다이들의 귀환을 알 수 있었을까. 빈우는 궁금했다. 이러한 내용들은 현재 인류 연방에게 알려지지 않은 사실이다. 아마 당시에도 비밀리에 진행되었을 가능성이 높았다.

"그리고 얼마 지나지 않아 황제는 선조들의 귀환 그 자체를 막았다고 들었다. 저쪽 우주의 계단을 부순 기미는 없었는데 어떻게 막았는지는 모른다. 하지만 진정한 사건은 그때부터였다. 황제가 우리 종족에게 공격을 시작한 것이다. 그대들의 입장에선 반격이겠지."

거기까지 말한 알탄훼아나는 아나스타샤에게 물을 달라고 했다. 그리고 꽉 쥔 손으로 컵을 받아 조심스레 물을 마셨다. 긴장했는지 약간의 물이 입가를 타 흐른다. 알탄훼아나는 초조한 손길로 입가를 닦더니 다시 말을 이어나갔다.

"반격이 시작되면서부터 지구제국의 군대들은 우주로 퍼져나갔다. 수는 적지만 위력은 치명적이었지. 그리고 놈들은 우리 동포들을 사냥했다. 어떻게 손쓸 틈도 없었어. 부지불식간에 일어난 일이었으니까. 너희 제국과 같은 은하계에 있던 동포들로부터 어느 날 갑자기 모든 연락이 끊겼다. 방금까지만 해도 별 탈 없이 대화하고 있었는데 말이지. 남겨진 마지막 연락엔 유에네스란 단어만 있었다."

유에네스, 샤다이어로 종결자란 뜻이다. 샤다이가 그토록 당했다면 그런 이름이 붙을 만도 하다.

"그래서 각 가문에서 인원을 갹출해 조사단과 구조대가 편성되었다. 이들은 동포들의 연락이 끊긴 곳으로 파견되었다. 그리고 그들은 마주하고 말았지, 유에네스를. 왜 연락의 마지막에 그 단어만 있었는지, 그 사실을 알기 위해 구조대는 자신들의 목숨을 대가로 치렀다."

말을 하던 알탄훼아나는 무릎을 당겨서 꼭 끌어안았다. 그녀의 정신이 지금 어떤 상태인지 자세로 드러나고 있다.

"우리의 눈앞에 나타난 제국의 병사들은 공포 그 자체였다. 놈들은 멸망의 힘을 쓴다. 그대들은 타키온이라 부르던가? 빛보다 빠른 입자. 그것은 원래 3차원의 존재들은 만질 수 없는 것이다. 같은 공간에 있다 한들 시간축이 달라 접점이 없어. 그런데도 놈들은 그것을 쓴다. 우주의 가장자리에 반사되어 돌아오는 타키온을 잡아서 물질계에 쑤셔박는 것이다. 이미 터져버려 반사될 리가 없는 끝에서 온 입자를 말이다. 그것뿐만이 아냐. 그들이 쓰는 무기 하나하나가 물리법칙을 위배하고 있다. 기술의 차이가 아니다. 놈들은 3차원의 존재인 우리들이 맞서 싸울 수 있는 존재가 아니었던 거야."

비홀더 전대의 무기는 이해 불가능의 영역에 있었고, 그것은 샤다이 또한 마찬가지였다. 그러나 알탄훼아나의 말을 들어보면 샤다이의 기술은 이해할 수 없을지언정 어디까지나 같은 법칙 안에서 위에 있는 것이고, 비홀더 전대는 아예 법칙 바깥에 있다는 의미였다.

"그렇게 계속 학살이 진행되면 머지않아 우주에 퍼진 우리 종족은 멸망할 것이 뻔해 보였다. 그러나 천만다행이었어. 그대들의 황제가 어느 날 갑자기 모습을 감추었고, 놈의 부하들도 적극적인 학살을 멈추고 정해진 항로를 따라 이동하기 시작했으니까. 만약 그러지 않았다면 우리뿐만이 아니라 우주의 모든 종족들이 몰살당했을 거다. 빈우, 그대는 혹시 황제가 왜 모습을 감추었는지 알고 있나?"

빈우는 겁먹은 표정으로 물어보는 알탄훼아나에게 말없이 고개를 저었다. 그것은 2124년의 일일 것이다. 그날 지구제국의 황제는 갑자기 모습을 감추었고, 지도자를 잃은 인류는 한동안 방황하다 연방으로 재탄생했다. 그러나 그가 사라진 이유에 대해선 아무도 모른다.

"그런가. 역시 그대도 모르는군."

알탄훼아나는 한숨을 내쉬어 호흡을 고른 다음 자신의 무릎을 거세게 끌어안았다. 떨리는 다리를 억누르고 있었다.

"살아남은 우리는 겁에 질려 당분간은 이쪽 은하에 얼씬하지도 않았다. 그래도 시일이 조금 지난 다음 다시 조사대를 파견했었지. 아무리 그래도 위험은 감지해야 하니까. 그리고 그때 우리는 처음으로 너희들 종족의 민간인을 만났다. 지구제국의 병사가 아닌 연방의 일반 시민들을 말이야."

연방의 시민들이라면 지구제국의 살상 병기와는 천지 차이다. 비홀더 전대가 핵폭탄이라면 일반 시민은 식탁 위의 냅킨일 것이다. 그러나 알탄훼아나의 표정은 아까보다 더 심하게 굳어 있었다. 그 모습을 본 빈우는 왠지 불길한 기분이 들었다.

"아까 말했지? 우리의 눈은 사물의 바람을 볼 수 있다고. 우리가 연방의 시민을 보았을 때 무엇을 느꼈을까? 바로 공포였다. 그것도 제국의 병사를 봤을 때와 별반 다르지 않았다. 싸울 방법도 모르고, 싸울 무기와 육체도 없는 일반 시민들조차도 왜 그런 색깔로 보이는 거지? 너희들은 왜 그렇게까지 멸망을 갈구하냔 말이다!"

알탄훼아나의 말이 차츰 언성이 높아져간다. 빈우도 마찬가지였다.

"멸망? 우리가 멸망을 원한단 말이야? 도대체 왜?"

나름 공존을 원하는 연방의 시민들이 그렇게 보였다니 조금 충격적이다.

혹시나 알탄훼아나가 거짓이나 모함을 하고 있지 않을까 생각도 해봤지만, 지금 그렇게 함으로써 그녀가 얻을 수 있는 이익 따위 없었다.

"그래, 다른 이들은 모를 것이다. 그러나 보는 법을 단련한 샤다이라면 누구나 알아볼 수 있어. 멸망하는 우주의 색과 같은 색을 띤 너희 유에네스가 무엇을 바라는지, 네놈들이 걸어가는 종착지에 과연 무엇이 남아 있을지 말이다."

알탄훼아나는 마침내 오열하기 시작했다. 모니카와 아나스타샤가 달라붙었지만 진정되지 않았다. 샤다이의 호민관이 두 여인의 품에서 발악한다.

"그래! 너희들은 우주를 차지하고 결국 홀로 쓸쓸히 멸망할 것이다. 모든 것을 짓밟고, 모든 것을 씹어 삼키고, 황무지에서 홀로 남아 죽어갈 것이야! 그러나 우리는 달라! 남겨진 우리들은 이 죽어가는 우주와 함께하기로 했다. 그러나 네놈들에게는 아냐. 네놈들이 주는 멸망은 받아들이지 않겠다."

뉴 소노라에서 알탄훼아나는 샤다이의 각 파벌이 인류를 공격하는 이유에 대해 설명했었다. 어떤 파벌들은 계단을 쓰는 인류가 마음에 안 들어서 공격한다고 했고, 또 어떤 파벌은 선조의 귀환을 돕기 위해 인류를 공격한다고 설명했다. 물론 그럴 수도 있을 것이다. 하지만 그녀의 말에 따르면 이것은 표면적인 이유에 불과했다. 샤다이 지도부는 인류의 진면목을 알고 있었다. 아니, 정확히는 아주 부정적으로 평가하고 있었다. 자신들과 결코 양립할 수 없는 종족으로.

빈우는 문득 알탄훼아나가 측은해졌다. 그녀는 이러한 사실을 알면서도 프리마로 가서 인류와 접촉했고, 피에르 라캉을 통해 이런저런 도움을 주기도 했다. 물론 그녀가 했던 행동들은 자신의 종족을 위해서였고, 인류에게 도움이 된 것은 그 과정에서 부수적인 결과물들에 불가할 것이다. 그럼에도 알탄훼아나는 인류와의 협력 가능성을 포기하지 않았고, 절망 속에서도 희망을 찾으려는 노력 또한 포기하지 않았다.

"아냐, 아냐. 난 무섭지 않아. 무섭지 않아."

빈우의 눈에 눈물과 침을 흘리며 벌벌 떨고 있는 알타훼아나가 보인다. 그녀는 지금까지 그렇게나 위험하다는 멸망의 존재인 인간을 직접 눈으로 보고 마주 대했으며, 나아가 그 일원에게 잠시나마 마음까지 열었었다. 그랬던 알탄훼아나였건만 자신의 목적에 매달리다 결국 이 지경이 되고 말았다. 빈우는 이것이 마치 자신의 미래를 보는 것만 같았다. 빈우 자신도 저렇게 되지 않으리란 보장은 없는 것이다.

'그렇다고 포기할 순 없지.'

빈우는 약해지는 마음을 다잡았다. 앞으로 무슨 일이 닥치더라도 이겨내리라 결심해보지만, 이런 결심은 아무런 소용이 없다는 것은 빈우 스스로가 아주 잘 알고 있다.

"주인님, 얘기는 여기까지 할게요."

아나스타샤가 흐느끼는 알탄훼아나를 필사적으로 침대에 뉘며 말했다.

"알았어. 뒷일은 부탁할게. 아나스타샤."

그 말을 한 빈우는 병실을 나섰다. 비교적 알탄훼아나의 상처와 연관이 없는 주제를 골라 이야기를 마무리지으려 했건만 오히려 어마어마한 역효과가 나고 말았다. 이렇게 상처가 덧나면 그 흉터는 정말로 크게 남아 평생 따라다닐 수 있다. 이제부턴 아나스타샤에게 달려 있다.

터덜터덜 자신의 방으로 돌아간 빈우는 보고서를 쓰기 시작했다. 지금까지 모아놨던 정보를 대충 가공해 특수전 사령부와 군사정보국에 보냈다. 그리고 정성 들여 쓴 정밀 보고서는 마커스에게 보냈다. 그렇게 보고서를 보내고 커피 한잔하려고 자리에서 일어섰을 때, 아나스타샤가 돌아왔다.

"어땠어?"

빈우의 질문에 아나스타샤는 침대 위로 몸을 던졌다.

"안 좋아요. 본인에게 치료 의지가 너무 강해요. 그게 너무 강해서 역효과가 나고 있어요. 조금 차분히 마음을 가라앉힐 필요가 있는데, 저분은 두뇌칩도 없고, 샤다이에겐 어떤 약물이 통할지도 몰라서 힘드네요."

빈우는 한숨을 쉬는 그녀 곁에 앉아 머리를 어루만졌다. 그리고 그녀가 자신에게 해줬던 것처럼, 이번엔 주인이 메이드의 머리를 쓰다듬었다. 그 감촉에 아나스타샤는 히죽 행복하게 웃더니 슬슬 밀고 올라와 빈우의 허벅지를 베고 누웠다.

"그래요, 역시 이거예요. 이게 직빵이라고요."

아나스타샤는 실실 웃으면서 주인의 허벅지에 스킨십을 하고 있었다.

"거참."

그 모습을 보던 빈우가 한마디 하자 아나스타샤는 샐쭉하더니 바로 쏘아붙이기 시작했다.

"이잇, 뭐에요. 인간을 모방해서 행동하게 되면 저희들도 인간님들의 스트레스도 같이 모방해서 느낀단 말이에요. 그걸 치료하기 위해선 우리도 마찬가지로 마음의 안식을 얻어야 한단 말씀."

"마음의 안식이라……."

"그것도 모방이지만요."

주인의 허벅지에서 그 감촉을 음미하며 데굴데굴 뒹굴던 메이드가 자신의 주인을 올려다보았다.

"저기 주인님, 알탄훼아나 씨의 치료는 어디까지 해야 할까요?"

방금의 질문은 메이드인 아나스타샤가 아니라, 군사정보국의 비서 안드로이드의 입장에서 한 질문이었다. 그녀도 알탄훼아나가 가진 정보의 가치를 잘 알고 있으며, 그녀가 입은 마음의 상처 또한 아주 잘 알고 있다. 즉, 그 말은 지금 상황에서 알탄훼아나의 상처를 치료하면서 동시에 정보를 얻는 것은 힘들거나 자칫 불가능해질 수도 있기 때문에, 적당한 때에 치료를 중단하고 다른 방법으로 정보를 뽑아내는 게 어떠냐고 물어보는 것이다.

"골치 아프군. 일단 치료할 수 있는 데까지는 치료해보자. 안 되면 내가 해볼게."

"넹."

짧게 대답한 아나스타샤는 빈우의 허벅지에 엎드려 누웠다. 그리고 잠시 꼼지락꼼지락하더니 허벅지에 대고 우물우물 말을 걸었다.

"주인님, 심심해요."

"뭐 어쩌라고."

"놀아주세요."

"그냥 자."

빈우가 상대를 안 해주자 아나스타샤의 주먹이 주인의 옆구리를 푹푹 찌른다. 그리고 그때 마커스로부터의 통신이 들어왔다. 아나스타샤는 벌떡 일어나 주인의 옆에 다소곳이 섰고, 주인은 설렁설렁 통신을 켰다.

- 빈우야.

"마커스, 무슨 일이야?"

화면 너머의 마커스는 상기된 표정을 하고 있었다.

- 네가 보내준 보고서를 봤다. 이거 조금 골치 아픈데.

마커스는 한숨과 함께 옆머리를 긁적이고 있었다.

"골치 아픈 게 한두 개가 아닌 모양이네."

- 그래, 일단 하나씩 말할게. 먼저 아나스타샤를 수동이나 침묵 모드로 돌려.

그 말인즉슨 지금부터 할 이야기는 아주 민감한 기밀이란 뜻이다.

"아나스타샤. 침묵과 동시에 수동 모드."

"네, 주인님."

빈우의 명령과 동시에 방금까지 짓궂은 장난을 치던 안드로이드는 즉시 로봇이 되어 외부의 모든 입력을 차단했다. 그리고 나서야 마커스가 설명을 시작했다.

- 나중에 천천히 알려주려고 했는데, 네 보고서와 관련된 부분이 있더라. 우선 케트쿤에 있던 클론 제작 시설이 완전히 철거되었다.

비록 입 밖으로 나오지는 않았지만, 빈우는 조용히 욕을 구시렁거렸다. 케트쿤에 대한 정보는 록산느를 거친 클론에게서 얻은 정보다. 클론은 케트쿤으로 간 것이 분명해 보였고, 그 목적지가 클론 제작 시설일 가능성이 매우 높아 보였는데, 지금 그 단서가 사라졌다는 것이다.

"그거 등록은 동맹 종족을 위한 물자 생산 시설로 되어 있지?"

- 그래. 대외적으론 현지 케트쿤들의 폭동 때문에 철수했다고 나오지만, 실은 아니야. 누군가 공장에 침입한 자가 있다.

기밀 중의 기밀인 클론 시설인 만큼 보안은 보통이 아니다. 즉 거기에 침입했다는 놈도 보통이 아니란 뜻이다. 그리고 마커스나 빈우는 그 침입자의 정체를 대강 짐작하고 있다.

"내 클론이로군."

"그래, 울토르 클론이다. 아마 위은쏠납학에서 탈출한 놈이겠지."

189

이어서 마커스가 다른 자료들을 보여준다.

- 문제는 또 있어. 프리마에 보안국이 쳐들어가서 싹 쓸어버렸단다.

첩첩산중이다. 빈우가 쫓아야 할 장소들이 하나씩 차례로 사라진다고 하니 심각하다.

"잠깐, 보안국이 개척 행성인 프리마에는 왜 간 거야? 자기 업무 영역 바깥이잖아. 설마 대외공작조라도 있대냐?"

- 예전에 프리마의 곰팡이가 샤다이의 공작이란 정보가 들어와서 출동했다네. 굳이 동결 중인 울토르 중대를 끌고 가서 이상하긴 했지만, 요즘 보안국 상황이 위태위태하니까 실적을 올리려는 거라 생각하고 넘겼어. 하지만 네 보고를 받고 미심쩍은 데가 있어서 다시 조회해보니까 당시의 서류가 수정되어 있더라. 정보사령본부의 회선에 부정접속이 발견되어 울토르 중대가 출동했다고 바뀌어 있다.

정보사령본부의 부정접속이라면 빈우와 클론의 두뇌 동기화다. 놈들이 이걸 눈치챈 것이다. 거기까지 말한 군사정보국의 차장이 빈우를 마주 보았다.

- 이거, 이노우에 국장이 직접 수정했어. 시기는 쿠사키나 국장이 우리 쪽을 방문한 다음이야.

"씨발."

- 욕하는 것보다 먼저 클론과의 동기화를 끊어. 추적당하고 있을지도 몰라.

군인에게 두뇌 동기화는 금지되어 있다. 그리고 자아를 가진 클론 또한 금지되어 있다. 그것만으로도 위태위태한 마당에 군사정보국과 보안국이 함께 추적하고 있으니 이 회선은 지옥으로 가는 동아줄인 셈이다.

"너 이런 거 나에게 알려줘도 되냐?"

문득 빈우는 이런 고급 정보를 막 던져주는 친구가 걱정되어 질문했다.

- **어차피 난 모르는 일이야. 질러.**

"X 같은 씨발 새끼가."

이것도 골치 아픈 게 당사자인 빈우나 차장인 마커스에게도 알리지 않은 것을 보면, 쿠사키나 보안국장와 이노우에 군사정보국장 간에 모종의 짝짜꿍이 꽤 진하다는 의미다.

- **너 지금 나한테 욕한 거냐?**

"아니, 이노우에 고토한테. 하지만 이걸 끊으면 클론을 추적할 단서가 줄어든다고."

- **그러냐? 우리 영감님 오래 살겠네. 뭐, 어쩔 수 없어. 네 꼬리를 잡히는 것보다는 낫겠지. 아니면 주파수를 알려줘. 내가 더미 회선을 만들어서 그쪽으로 넘길게.**

빈우는 마커스의 권유대로 클론과의 두뇌 동기화를 끊었다. 그러자 뉴 소노라에서 느꼈던 상실감이 또다시 느껴졌다. 클론 또한 이것을 감지했을 것이다. 마커스는 회선을 새로이 만들어 그쪽으로 클론의 전파가 들어오도록 한 다음 말을 이었다.

- **일단 하나는 되었고…… 그런데 프리마의 사건은 한두 가지가 아냐. 거기 있던 탈주 클론이 지휘관 회선으로 접속해 클론들에게 명령을 내리는 바람에 자기들끼리 싸우는 대형사고가 터졌어. 탈주 클론은 그 틈을 타 도망쳤고 말이지.**

"가능해? 그게?"

클론이 지휘관 회선에 접속이라니. 물론 울토르 클론은 서로 두뇌 통신을 해서 누구나 분대장이나 소대장, 중대장까지 할 수 있다. 그러나 그건 어디까지나 클론에게 허용된 회선이고, 인간이 가지는 최고명령권 회선에는 접속하지 못한다. 두뇌칩에서 아예 기능을 막아놓았기 때문이다.

- **가능이고 나발이고 이미 벌어졌는데 뭘 어째.**

이걸로 보아 이 클론은 상당히 특제품인 듯하다. 받은 교육이나 머리에 든 칩. 전부 보통이 아니다.

- **빈우야.**

앞뒤 없이 이름만 부르는 친구의 말. 빈우는 그게 무슨 의미인지 안다.

"이런 것을 만들 사람은 나밖에 없어."

케트쿤의 클론 제조 시설은 대량이지만 보안국과 과학기술국이 직접 관리한다. 군사정보국이 끼어들 건덕지는 없었다. 반면 솔리드 베타에 있는 클론 제조 시설은, 작지만 현장 지휘관인 빈우의 직속이었다. 그런 클론을 만들고 교육할 만한 사람은 지금 빈우밖에 없는 것이다.

"내 트리니티 패턴을 뒤져보면 답이 나오겠지."

- **그럴 수도 있지. 하지만 팬티 주인이라면 어떨까?**

믿지 말라는 메시지가 적힌 팬티의 주인이라면, 솔리드 베타의 눈을 속이고 돌아다닌 그 안드로이드라면 가능할지도 모른다.

"그렇지. 아직 그쪽 단서 없냐?"

- **없어. 철저하게 없어. 오히려 팬티가 함정이 아닐까 의심스러울 정도야.**

군사정보국의 차장이 못 찾았다고 한다면 이건 정말로 없는 것과 다를 바 없다.

"인마, 그럼 말은 왜 꺼내는데."

- **밖으로 돌아다니는 너한텐 혹시 다른 단서가 없나 싶어서 말이지.**

"나도 없어. 난 내 앞가림하기도 바쁘다."

- **하긴.**

마커스는 뉴 소노라의 일로 거하게 쥐어짜인 빈우를 직접 보았다. 그땐 자신이 쥐어짜는 입장에 서서 탈탈 털리며 발악하는 녀석을 본 것이다.

"근데 마커스, 이번 건으로 이노우에 국장이 너에게 다른 말은 없었냐?"

빈우의 질문에 마커스가 쓴웃음과 함께 어깨를 으쓱했다.

- 기본적인 것뿐이야. 달리 중요한 사항은 없었어. 나하고 너의 관계를 아니까 클론 수사에선 서서히 제외시키는 분위기야. 아니지, 지금은 숫제 본인이 직접 맡고 있어.

빈우와 마커스는 서로를 아주 잘 알고, 자료 교류도 왕성하게 하고 있다. 빈우는 자신이 알게 된 정보들을 마커스에게만큼은 그대로 바로바로 넘겨주었고, 그것은 마커스도 마찬가지였다. 빈우는 마커스가 보내주는 자료 중에서 프리마의 지도를 꾹 눌렀다. 기본적인 정보론 아주 열악한 변경 식민지다.

"우연일까, 아니면 보안국들이 알고 프리마를 간 걸까."

- 글쎄. 일단 국장님은 보안국의 최초 목적이 무엇이었는지 조사하라고는 했어. 너와 클론이 보안국의 목적이었는지 알아보려는 거겠지. 그리고.

마커스가 내부 명령서를 들어 보였다.

- 본론이다. 두 괴물이 회의를 한 다음 나온 결과인데, 대충 내용은 빈우 널 피자 타이거로 명명해서 우리 군사정보국이 조사한다, 이어서 탈주한 클론을 스파게티 드래곤이라고 명명, 보안국이 추적한다는 거다. 너 X 됐어 인마.

"하아아."

빈우가 의자 뒤로 푹 파묻혀 마른세수를 했다. 지금 그는 보안국과 군사정보국 둘 다 상대하고 있으며, 지금 이 순간 그게 아주 확실하게 되어버렸다.

'일이 더럽게 꼬이네.'

빈우는 눈앞에 놓인 사건을 해결하려고 발버둥을 쳐봤지만, 사건은 마치 모래지옥과 같아서 발버둥을 치면 칠수록 그를 바닥 없는 밑으로 끌고 내려가고 있다.

'잠시 정리해보자.'

일단 빈우 자신은 잠수에서 돌아온 후 본인이 결백하다고 하지만, 정황상 주변의 미심쩍은 눈초리를 받고 있다. 또 그의 두뇌칩에 감춰진 정보는 대단히 위험함과 동시에 중요하며 날이 갈수록 이 두 가지 요소의 가치는 더더욱 높아지고 있는 상황이다. 그리고 현재 상황으로 미루어보아 빈우가 잠수한 것에는, 그리고 그의 머릿속의 트리니티 패턴에는 샤다이의 집정관인 체메트디오프가 관련되어 있는 것이 거의 확실하다. 이놈은 인류와 동족을 가지고 온갖 음모를 꾸미는 존재이며 그 위험도는 상당히 높다.

또 군사정보국은 빈우가 부상한 직후에는 그를 뜨거운 감자 취급하며 처음에는 바깥으로 돌렸다가, 뒤늦게야 그 가치를 알아보고 입맛을 다시는 중이다. 보안국은 피에르 라캉 중령이 가진 워프 비스트의 자료를 통해 빈우와 엮이기 시작했고, 그 배후에는 샤다이와의 연결점이 매우 의심된다. 물론 정보부서가 적대 종족과 거래를 한다는 것은 잘못된 것이 아니다. 오히려 그런 행동으로 연방의 이익이 되도록 활동하는 부서다. 문제는 보안국이 고대 샤다이에게 넘어갔을지 모른다는 점이다. 특히 체메트디오프에게. 아마 그런 이유로 당시의 빈우는 이중 삼중의 술수를 쓰며 잠수했던 것이다. 이것 때문에 빈우는 자신이 속했던 부서에게, 그리고 그 부서들은 부하인 빈우에게, 서로서로 눈치를 보며 수 싸움을 벌이는 중이다. 서로 신용할 수 없기에 일어나는 일이다. 차라리 마커스가 군사정보국장이거나, 이노우에 고토의 신용도가 마커스의 절반만 되었더라도 사건은 초기에 해결되었을 것이다.

'그렇다면 그 탈주 클론은? 놈은 누가 만들었을까? 워프 비스트를 처리하라는 명령을 받은 그놈을.'

역시나 가장 가능성이 높은 것은 빈우 자신이었다. 하지만 그 정도 클론은 하루 이틀 만에 만들어지는 것이 아니다. 꽤 오랜 시간을 들여 정성스레 만든 놈이 분명하다.

시선을 화면으로 돌리니 마커스가 쓰게 웃고 있었다.

- 어쩔래? 차라리 군사정보국으로 다시 돌아올래?

마커스의 제안은 나름 일리가 있다. 군사정보국이 빈우를 노리는 마당에

718

제발로 놈들의 아가리로 들어간다는 것은 자살행위로 보이겠지만, 어차피 호랑이를 잡으려면 호랑이 굴로 들어가야 한다.

"지금 호랑이 아가리로 들어가기엔 내가 가진 무기가 아직 부족해."

현재 빈우는 태스크포스 373의 팀장으로서 혁혁한 공로를 세웠다. 덕분에 연방의 고위부서들이 빈우를 주목하고 있고, 태스크포스 373은 특수전 사령부의 자랑거리가 되어 있다. 하지만 반격하기엔 아직 무기가 너무 적다. 보안국이 샤다이와 연관이 있다는 것만 제대로 밝혀도 대세는 순식간에 역전될 것이다. 그러나 자칫 잘못 건드리면 보안국에 줄을 놓고 있는 샤다이들이 눈치채고 꼬리를 감출 수 있다. 이러면 다시 제자리다. 그래서 빈우는 기다리는 중이다. 알탄훼아나가 샤다이를 판별할 정도로만 회복된다면 그것을 무기로 삼아 반격이 가능하다.

- 그러면 더 가져야지. 너 다음 수사 루트가 케트쿤과 프리마지?

"그래."

- 지금 가면 두 국장들이 의심할 거다. 당장은 가지 마.

"일단은 나보고 살인사건의 범인을 추적하라고 했잖아."

- 나도 알아. 하지만 록산느에 간 것에도 눈에 불을 켜던데. 클론을 어떻게 추적했냐고.

빈우가 록산느의 단서를 얻게 된 것은, 다른 수사에서 찾은 것이 아니라 솔트 파이크에서 클론의 기억에 접속하면서부터다. 만약 추적하고 있는 클론과 빈우 간의 동기화가 드러나면 그의 입장이 상당히 곤란해진다.

- 게다가 지금 케트쿤과 프리마는 위험해. 지금은 좋은 시기가 아니야. 증거라면 내가 수집해놓을 테니 너는 때를 기다리며 참아.

그렇게 말한 마커스는 극비자료를 하나 꺼냈다. 그러나 지금 빈우는 볼 수 없는 상태다. 그가 볼 수 없다고 하면 상당한 기밀자료다.

"이거 내 필터로 안 보이는데? 무슨 엄한 자료냐."

- 어? 아, 시각 필터 바꿔. 태스크포스 373에서 42전단으로.

그러자 마커스가 보여주는 자료가 빈우에게 인식이 되었다. 그것은 다름 아닌 42전단의 작전계획표였다.

"야야, 너 인마, 이거 어디서 났어."

- 내 책상 위에.

하긴 샤다이를 조지는 드림팀 42전단의 작전이라면 대 외계인 전담부서인 군사정보국과 밀접한 관계를 가지게 된다. 그러니 수립 단계에서부터 협력하는 것은 당연하다. 빈우는 42전단이 앞으로 이동할 성계들과 세부 작전, 무장 등에 대해서 살펴봤다.

"……드디어 조지기 시작하는 건가."

42전단에 순양함이 많은 것은 순양함의 점프 엔진을 연동해 게이트를 만드는 신기술이 개발되었기 때문이다. 이 덕분에 42전단은 점프 게이트의 위치에 영향을 적게 받으며 장거리 성계 간 이동이 가능해졌다. 그런 이유로 전단 내엔 보급함이나 공작함의 수가 적었다. 한 번 때린 다음에는 전진기지로 돌아와 보급하고 다시 떠나는 식의 작전들이었다.

- 그래, 늦은 감이 있어. 하지만 네가 가져온 신병기가 샤다이에게 특화된 병기다 보니 안 달 수도 없었지. 조율 끝나는 대로 작전 시작할 거다.

자료를 차근차근 살펴본 빈우는 마커스의 의도를 알아차렸다.

"42전단에 뼈를 묻으란 거냐?"

- 그럴 필요까진 없지. 어차피 태스크포스 373은 샤다이의 기술과 병기를 회수하기 위한 부대야. 그 때문에 대 샤다이 전담 함대인 42전단에 내가 가겠다고 했을 때도 주변에선 다들 납득했고 말이야. 네가 거기서 네 할 일만 하고 있으면 널 건드릴 놈은 없다. 클론이 가진 정보가 중요하겠지만 지금은 42전단에서 얌전히 샤다이나 잡고 있어. 오다 의원이 경고했던 그 비밀결사도 42전단은 제대로 건드리지 못하고 있으니 안전하기도 할 거야.

즉 한 번 웅크린 다음에 뛰어오르란 뜻이다. 군사정보국과 보안국이 합심해서 빈우의 뒤를 밟겠다고 한 판국이니 안전한 곳에서 상황을 지켜보는 것도 나쁘진 않다.

"알았어. 당분간은 조용히 살생이나 하련다. 그동안 바깥일 좀 부탁할게. 참, 바깥일 하니까 생각났다. 프리마의 곰팡이에 대해서 조사해서 보내줘. 알 탄훼아나와 쿠사키나 보안국장의 말이 달라. 누가 맞는지 알아봐야겠다."

― 흠…… 그래, 네 보고서엔 프리마의 곰팡이가 협력을 위한 것이었다고 했지? 그게 샤다이의 감염 방법이라는 보안국의 말과는 좀 다르군. 라캉 중령의 건 을 보면 보안국도 제대로 조사해봐야겠어. 왜 그가 보안국으로부터 도망쳐 야 했는지 말이야.

이어서 앞으로의 향방에 대해 자세한 조율을 한 다음 통신이 끝났다. 빈우 는 문득 아나스타샤를 보았다. 그녀는 무표정한 얼굴로 빈우의 명령을 기다 리고 있었다.

'차라리 마커스에게 보낼까.'

그렇다면 앞으로 더 이상 아나스타샤가 상처 입을 일은 없을 것이다. 빈우 는 손을 들어 그녀의 머리를 쓰다듬고는 조심스럽게 껴안았다. 그리고 이마 에 가볍게 입을 맞췄다. 그렇게 잠시 있던 빈우는 아나스타샤로부터 떨어져 의자에 앉았다.

"수동 및 침묵 모드 해제."

빈우의 명령에 아나스타샤가 다시 정상적으로 돌아왔다.

"주인님, 볼일은 잘 보셨나요?"

"그래. 내 일은 조금 남았어. 커피."

"네, 주인님."

아나스타샤는 요즘 주인인 빈우의 행동이 조금 이상하다고 생각했지만, 크게 신경 쓰지 않기로 했다. 지금은 자신의 주인에게 커피를 가져다주는 게 제일 중요한 것이다.

"장관이군요."

블랙 랜스의 식당, 히토미가 거대한 전망창 밖에 펼쳐진 광경을 보며 감탄사를 터트리고 있다.

"정말 그렇네요."

옆에선 넋 나간 표정의 우지가 맞장구를 치며 자신도 눈을 이리저리 돌리고 있다. 지금 태스크포스 373 팀원들의 앞에는 42전단의 모든 함선들이 관함식처럼 모여 있다. 히토미와 우지는 이 정도 규모의 함대를 본 것은 이번이 처음이라 감탄하고 있었다. 다만 다른 팀원들의 표정은 조금 심각했다.

"함선 편성 꼬라지 하고는. 이거 X 돼봐라 하고 찔렀는데 안 되면 우리가 X 되는 거잖습니까?"

이런 말을 하는 위르겐의 표정은 웃음 반 황당함 반이다.

"그렇겠지?"

대답하는 파트리샤도 질린 듯한 표정이다. 42전단은 함대의 구성이 꽤나 기형적이라, 눈썰미 좋은 자라면 그 구성을 보는 순간 대번에 전단의 작전 목적이나 전투 방식을 유추할 수 있을 정도다.

우선 함대의 결전병기랄 수 있는 전함은 단 1척뿐이다. 그것도 뱅가드 연대의 기함인 원더풀뷰티풀인데, 이놈은 화력보다는 장갑을 믿고 적진을 돌파해 장갑보병을 투사하는 놈이라 원래부터 거대한 상륙정 취급을 한다. 이어서 함대의 핵심 공격력을 담당하게 될 구축함은 고작 8척에 불과하다. 그것도 함축 코일건 대신에 중력충각을 장비하고 무장들도 방어적이라 숫제 호위 구축함인 셈이다. 또 항모도 정규항모라기보다는 고속의 호위항모 2척에, 함대를 먹여살리고 뒷바라지할 군수지원함은 4척에 불과하다. 군수지원함 4척이 적은 것은 아니지만, 42전단의 주력이랄 수 있는 순양함은 무려 38척이다. 보급 한계를 넘어서는 편성이다.

그러니까 42전단은 처음부터 보급은 신경도 안 쓰고, 아예 순양함을 주축으로 해서 신기술인 연동 점프 게이트 생성으로 장거리 침투, 이어지는 집중타격으로 적을 소멸시키거나 목표 행성 자체를 날려버린다는 작전 목적을 가지고 있었다. 즉 위르겐의 말대로 적진까지 깊숙이 침투해서 적의 중심을 한 번에 날려버리면 좋은데, 그게 안 되면 오히려 이쪽이 위험해지는 구성인 것이다. 그러나 그걸 모르는 사람들로서는 그저 거대한 함선들로 눈호강하는 것이다.

"순양함은 정말 크구나."

히토미는 눈앞에 있는 순양함들을 이리저리 살펴보고 있었다. 그 거대한 크기에 비하면 지금까지 꽤 크다 싶었던 블랙 랜스가 꼬마처럼 보일 지경이다. 순양함들은 어찌나 큰지 그들이 타고 있던 탄호이저 급 구축함이 조금 가까이 다가가자 함 전체가 시야에 다 안 들어올 지경이다.

"그야 저쪽은 정규 순양함이니까요."

"아핫! 훗!"

바닥에서 갑자기 솟아오른 오르 함장의 등장에 히토미가 괴상한 기합을 지르며 뒤로 물러섰다. 제법 오랜 시간 동안 지냈지만 이런 갑작스러운 등장은 도무지 익숙해지질 않는 그녀였다. 녹색의 헬레나 겔은 사람의 형체를 갖추고는 계면쩍은 표정을 지었다.

"실례했습니다. 제가 무례했군요. 앞으로는 조금 더 거리를 띄우고 의체를 만들겠습니다."

"아니에요, 오히려 제가 죄송합니다. 함장님."

히토미는 이 어색한 분위기를 돌리기 위해 서둘러 질문을 던졌다.

"저기, 함장님. 순양함들은 원래 이 정도 크기인가요?"

그녀의 의도를 파악한 오르가 싱긋 미소를 지으며 화면을 띄웠다.

"네, 장거리 항해를 위한 주력 함선들이니 현재의 기술로는 이게 최적의 크기입니다. 단순히 전장만 따져도 본 함의 세 배가 넘습니다."

오르가 띄운 화면에는 중앙의 블랙 랜스를 기준으로 해서 그 주위에 연방의 각종 함선들이 나열되고 있었다. 이렇게 비교를 해보니 지금 타고 있는 블랙 랜스가 전투함 중에선 비교적 작은 편이란 것을 바로 알 수 있었다.

"어머, 이렇게 차이가 큰가요."

영상을 본 히토미가 탄성을 터트렸다. 블랙 랜스의 영상 옆에 있는 것이 바로 42전단의 기함 이그젝틀리인데 길이만 봐도 벌써 세 배 차이다. 블랙 랜스는 구형 탄호이저 급을 전면 개수한 함선으로서, 그 와중에 선체가 제법 커졌지만 함체 자체가 구형이라 크기가 작다. 전장 916m면 현용 구축함 중에서도 비교적 경량 급인 호위구축함 급이다. 반면 눈앞에 있는 순양함들은 전부 연방의 주력 순양함들로서 전장 3km는 우습게 넘는 헤비 급들이다.

"덕분에 적들과 싸울 때 함대의 척추 역할을 톡톡히 해왔습니다. 다만 이 순양함 급은 샤다이 함선과 비교하면 크기는 조금 컸지만 화력과 방어 면에선 상당히 열세였지요. 그래서 아군은 대 샤다이 전에 한해선 고속의 구축함을 주력으로 썼습니다. 하지만 그것도 김 팀장님이 지구제국과 거래를 해 신병기를 얻어옴으로써 옛날 이야기가 되어버렸지요."

그 얘기는 히토미도 잘 안다. 빈우가 몇 마디 정보를 건네준 대가로 지구제국은 지금 연방에게 꼭 필요한 선물을 내주었다. 샤다이의 방어막을 무시하는 이 선물, 입자빔포는 연방함대 지휘관들의 눈을 발칵 뒤집어놓았다. 빈우는 선물 타이밍이 좀 수상하다고 찜찜해했지만 샤다이 거점을 공격할 42전단에는 필수적인 무기라 서둘러 장착하게 되었다. 그리고 이런 무장변경 작업 덕분에 42전단의 출동은 조금 늦춰져 그 시기는 오늘이 되었다.

"그런데 블랙 랜스에는 그 입자빔포를 달지 않나요?"

히토미가 오르에게 물어봤다. 이 무기는 샤다이를 잡기 위한 특효약인데 대 샤다이 전문부대인 태스크포스 373의 모함 블랙 랜스에는 장착하지 않은 것이다. 이 질문에 오르 함장이 쓴웃음을 지었다.

"그건 본 함의 특징 때문입니다. 다른 함들은 포를 장착하고 화기 제어 시스템을 변경한 다음 포격 담당 인원에게 교육만 하면 됩니다. 하지만 본 함 블랙 랜스는 함체가 저의 신경계와 연결되어 있기 때문에 이런 무장의 변경은 담당자의 조율하에 이뤄져야 합니다."

블랙 랜스와 함장 지마 오르 소령을 연결하는 신경계 작업은 응우옌 티 빈 중령이 했고, 그녀는 지금 행방불명이다.

"그렇군요."

고개를 끄덕이던 히토미가 시선을 다시 창밖으로 돌렸다. 이어지는 거대한 무기의 모습들은 언제 봐도 사람을 몽롱하게 만든다.

"의원님, 이 정도로 놀라시기엔 이릅니다. 전함들은 더 크지요."

방금 오르 함장이 보여준 자료에서 전함들은 보통 5km 내외였다. 이들이 타고 있는 블랙 랜스보다 다섯 배, 눈앞 순양함의 두 배나 큰 것이다. 그리고 크기를 따져보던 중에 히토미의 머릿속에서 떠오르는 거함이 있었다.

"그러고 보니 그리폰은 굉장히 크던데요. 그게 순양함이었죠? 사람들도 많이 타겠네요."

그녀가 언급한 것은 지구제국의 순양함, 비홀더 전대의 그리폰이었다. 뉴 소노라에선 그녀를 태운 블랙 랜스가 도망치기에 바빴던 바람에 제대로 볼 수 없었지만, 마지막에 봤을 때는 정말 압도적인 존재감을 뿜어내며 다가왔었다.

"그것은 지구제국 시절의 함선이라 분류법이 연방과는 다릅니다. 크기라면 그리폰은 전장만 17km에 달합니다. 어지간한 도시보다 큽니다만, 대부분 전투 구역이라 탑승 인원은 그리 많지 않다고 합니다."

"17km! 정말 엄청난 크기군요. 그런데 그게 왜 순양함이죠?"

"정확히는 돌격순양함입니다. 크기나 무장보다는 장거리 항해 임무를 맡았기에 순양함 분류에 들어갔다고 합니다. 그리고 단지 크기만 따진다면, 뉴 소노라에서 처음 보였던 카이사르 급 전함들은 25km 정도였습니다. 비록 그 리폰과의 전투에선 졌지만 말입니다."

당시 뉴 소노라의 궤도에선 비홀더 전대끼리의 싸움이 벌어졌었고, 지구 귀환파는 신형 전함인 카이사르 급을 몰고 왔으나 이들은 순양함과의 전투에서 지고 말았다. 나중에 분석한 빈우의 말로는 귀환파의 함선들은 어딘가 미완성이라고 했었다.

"이제까지 전투함들은 제대로 보지 못했는데, 실제로 보게 되니 정말 놀라워요. 전투력도 어마어마하겠죠?"

"물론입니다. 42전단의 기함 이그젝틀리만 해도 표준형 행성은 단독으로 황폐화 가능합니다."

처음 듣는 단어에 히토미의 고개가 갸우뚱해진다.

"황폐화요?"

"행성에 존재하는 건축물 및 거주민들을 완전히 말소하는 것입니다."

약간 질린 듯한 상원의원의 표정을 본 오르 함장이 웃으면서 덧붙였다.

"실제로 하는 것이 아닙니다. 함선의 화력을 측정하기 위한 한 가지 방법일 뿐이죠. 아, 참고로 우리 태스크포스 373 대원들의 작전 수행 능력은 개개인 한 사람이 순양함 1척과 맞먹습니다."

"어머, 그게 사실인가요?"

의외의 사실에 히토미가 깜짝 놀란 표정을 지었다. 장갑보병 개인이 저런 무지막지한 화력을 지닌 전투함과 같은 취급이라니 놀라울 수밖에.

"네, 물론 단순히 화력이 아니라 작전을 수행하는 능력을 가지고 평가하면요. 실제 통합작전사령부에선 특수전 사령부 소속 정예 요원들의 위험도를 그 정도로 평가하고 있습니다. 닉스 레벨 3의 팀장님은 특히 더하죠."

히토미가 고개를 돌려 파트리샤를 보았다.

"저, 피아프 중위."

"엥, 파트리샤라고 부르라니깐요. 말씀하세요."

실실 웃는 파트리샤와는 달리 히토미는 약간 주저하듯 질문을 했다.

"팀원들의 그, 전투력이라고 하나요? 그게 실제론 어느 정도인가요?"

"에에? 글쎄요오. 솔직히 전투력만 따진다면야 부팀장님이나 저는 섬세한 편이라 그리 높진 않아요. 저흰 정밀 타격이 주 임무라……."

거기까지 말한 파트리샤는 뒤에서 '섬세한 방탄찌찌' 어쩌구 하던 위르겐의 턱을 걸어찬 다음 바닥에 나뒹구는 녀석을 신나게 짓밟았다.

"개놈이! 오히려 행성 박살 내는 건 여기 이 위르겐 전문이죠."

히토미는 짓밟히는 위르겐을 말릴까 말까, 걱정하듯 보다가 방금 파트리샤의 말에 시선이 바뀌었다.

"도른베르거 상사……가요? 행성 박살 전문이라고요?"

"니들 생화학 무장하고 들어가면 표준형 행성 하나 순식간에 작살내잖아."

"예? 어, 표준형 행성이면 인구 40억이잖습니까. 제타 장비로 들어가도 2주에서 한 달은 걸려요. 뭐가 순식간이에요. 행성 공격이면 팀장님이 나 같은 놈보다 더할걸요?"

뭔가 무시무시한 이야기를 듣던 히토미가 불쑥 끼어들었다.

"저, 그 팀장님이 혹시 우리 김 팀장님인가요?"

히토미의 질문에 파트리샤의 눈이 장난스레 휘어졌다.

"어머, 의원님이 궁금하셨구나? 여보세요, 팀장니임."

파트리샤는 바로 태스크포스 373의 팀장인 빈우를 호출했다. 놀란 주변 사람들이 말릴 새도 없이.

- 왜 인마.

퉁명스러운 빈우의 말이 들려온다. 뭔가 작업 중인지 영상은 없이 음성만 연결되었다.

"에잇, 쌀쌀하시긴. 바빠요?"

- **바쁘다.**

"그럼 저랑 농담 따먹기 해요."

- **꺼져.**

"팀장님, 표준형 행성 얼마 만에 작살 낼 수 있어요?"

- **인구수 40억에 복합 정치체계 가진 곳? 분류는 자치령이냐, 직할령이냐?**

바쁘다더니 저런 뻘질문에도 꼬박꼬박 대답해주는 친절한 빈우다.

"자치령요."

- **흐음, 표준 행성이라면 개척화 끝나서 환경 테러해도 큰 의미 없고…… 일단 신분 위장하고 좀 강력한 국가의 대통령이 된 다음 내전을 일으켜야지. 사회 전반에 인간 불신 팍팍 심고 핵이나 생화학전으로 몰아가는 게 좋지 싶은데. 추종 세력 만들고 대통령 되려면 연 단위는 잡아야 하겠네. 야야, 근데 그런 대량학살은 나보단 위르겐 그 새끼 전문 아니냐? 뱅가드에 제타 장비 아직 폐기 안 한 거 있던데, 그거 쓰면 일주일에 10억씩 팍팍 녹아날걸?**

졸지에 일주일에 10억 명을 죽이는 사나이가 된 위르겐이 상원의원의 부담스러운 시선을 받으며 어쩔 줄 몰라 하고 있다.

"저기, 위르겐 상사. 아까도 그랬는데 제타 장비가 뭐예요?"

- **오 씨발 깜짝이야. 의원님이 왜 거기 있어요.**

빈우는 회선 너머에 히토미가 있는 것을 알고 기겁한 목소리를 터트렸다. 저 어깨너머로 아룹의 목소리로 '파트리샤 그년이 또 장난질 부렸겠죠' 하는 푸념이 들려온다.

191

$\cdots\; \blacklozenge \;\cdots$

"팀장님, 제타 장비가 도대체 뭔가요?"

이제 히토미의 질문은 빈우를 향하고 있었다. 서서히 날 서는 질문에 대답이 멈칫거린다.

- 그 뭐시냐. 연방에서 폐기한 생화학 무기입니다. 좀 연식이 된 겁니다. 이제 안 만들어요.

"폐기했다면서 그걸 왜 아직 가지고 있지요?"

- 동맹종족인 스퀴테르에게 준겁니다. 그러니까 연방에는 없는 물건이죠.

"그런데 아직 뱅가드에는 있다면서요?"

- 스퀴테르에게서 빌려온 겁니다. 그러니까 연방 물건은 아니고 동맹군 물자를 보관하고 있는 겁니다. 무료로요.

내막을 들은 히토미가 하아, 하고 한숨을 내쉬었다. 그 한숨에 빈우가 서둘러 변명 같은 해명을 시작했다.

- 그런데 의원님, 이러시면 곤란합니다. 이 안건은 상원에서 내려온 거라서 뱅가드 연대에선 하라는 대로 한 것뿐입니다.

그 말에 눈 감고 있던 히토미의 눈이 버럭 떠졌다. 목소리도 함께.

"그런 협잡질을 한 사람이 대체 누굽니까?"

약간 노기마저 서려 있는 히토미의 말에 빈우가 대답을 못 하고 우물쭈물하고 있다. 빈우와 지금까지 지내와 그에 대해서 좀 알게 된 히토미는 빈우가 왜 말을 못 하고 있는지에 대해 생각해보았다. 그리고 그 예상 답안 중 하나를 자기가 직접 꺼냈다.

"……설마 이케가미 전 상원의장인가요?"

- 그러게 왜 그걸 또 굳이 꺼내셔가지고선…….

졸지에 죽은 아버지에게 피폭당한 오다 히토미 상원의원이 더 큰 한숨과 함께 의자에 주저앉았다.

*

"이제 난 몰라, 씨발."

시끌거리기 시작하는 회선을 끊은 빈우가 다시 아룹 앞에 앉았다.

"팀원들이 심심한 모양이군요."

아룹은 이 촌극을 들으며 쓴웃음을 짓고 있었다.

"안 심심하게 만들어줘야 하는데 제가 좀 바빠서 말이죠. 부팀장님은 어떻습니까?"

한숨 섞인 대답을 한 빈우는 요 근래 앞뒤, 위아래로 치이느라 팀에 신경 쓸 겨를이 없었다. 그리고 팀장 부재 시에 그 업무 대리를 해야 할 부팀장 아룹 또한 빈우가 부탁한 모종의 임무로 제법 바빴었다.

"말씀하신 그 인원들 말입니다."

아룹이 말한 그 인원들이란, 예전 오브리가도의 특수전 사령부에서 태스크포스 373이 훈련하는 것을 훔쳐본 놈들을 말한다. 당시 아룹은 그들의 흔적을 보고 같은 단검뿔 토끼의 대원일 것이라 추측했었다.

"42전단의 주임원사가 제 동기라서 넌지시 물어봤습니다."

아룹과 파트리샤는 다른 팀원들보다 먼저 42전단에 가서 태스크포스 373이 그동안 샤다이와 싸웠던 전훈을 전해주었다. 그리고 빈우는 두 사람에게 거기 가서 실리콘 나이트나 단검뿔 토끼 출신 대원이 있으면 정보를 좀 수집해보라고 넌지시 일렀는데, 아룹은 그 보고를 하고 있는 중이었다.

"제가 속았습니다. 당시 태양광 발전시설에서 우리 팀 훈련을 살펴봤던 놈들은 단검뿔 토끼가 아니라 보안국 소속 특수작전팀이었다고 합니다."

"그거 골치 아프네요."

빈우는 자신의 오판을 자책했다. 보안국도 명색이 정보사령본부 산하기관이라 비밀작전을 위한 부대쯤은 당연히 있다. 다만 단검뿔 토끼 소속의 아룹 원사가 자기 팀 같아 보인다길래 당연히 그럴 것이라 생각했었고, 당시 특수전 사령관인 캐서린 시슬 대장의 입김이 제대로 닿지 않는 단검뿔 토끼는 상원의장 경호대와 연방 국세청 징세 부대에 파견되는 놈들뿐이라 이 두 부대를 중점적으로 살폈었다. 그런데 영 엉뚱한 곳으로 타깃이 잡히니 골치가 아플 수밖에.

'그런데 어찌 보면 나을 수도 있다. 보안국이 적일 가능성이 더욱 높아진 것이니까.'

생각을 정리하는 빈우의 앞에서 아룹이 그 보안국 부대에 대해 간략한 설명을 했다.

"당시 쿠사키나 국장의 강한 건의로 보안국 특수팀 중 몇몇을 선발해 단검뿔 토끼의 훈련 과정을 이수시켰다 합니다. 그 결과 정규팀원에 비해 손색이 없는 실력을 가지게 되었다는군요."

단검뿔 토끼는 명실공히 연방 최강의 특수부대다. 그 정도의 실력을 가진 놈들이 적이라면 상대하기 상당히 까다롭다.

"으음, 규모는 어떻답니까?"

"확실히 밝혀진 것만 네 명입니다."

단검뿔 토끼 1개 분대면 어지간한 파괴 공작은 손쉽게 벌인다.

"그런데 부팀장, 그날 놈들은 왜 일부러 흔적을 남겼을까요?"

단검뿔 토끼나 실리콘 나이트 정도 되면 왔다 간 흔적은 마음먹은 대로 지울 수 있으며, 조작할 수도 있다.

"저도 그게 궁금합니다. 처음에는 우리에게 경고를 보낸 것이라고 생각했는데, 보안국 소속의 팀이라면 굳이 그럴 필요가 있을까요?"

아룹은 자기 본가에서 태스크포스 373에게 무언가 위험을 알리기 위해 그런 흔적을 남겼으리라 생각했다. 빈우는 비슷하지만 달랐다.

"경고일 수도 있죠. 내용은 협박이겠지만."

즉, 우리가 근처에 있으니 함부로 까불지 말라는 경고란 의미다.

"그럴 수도 있겠군요. 그런데 팀장님, 그 샤다이 호민관은 어쩌실 생각이십니까?"

"알탄훼아나 말이군요."

그녀는 모종의 이유로 태스크포스 373에 협조하고 있으며, 그녀가 가진 정보나 능력이 제대로 발휘된다면 연방이 현재 처한 위기 중 몇 가지는 대번에 해결된다.

"네, 42전단이 가는 곳은 샤다이 본거지들입니다. 그런 곳을 가는데 샤다이를 같이 데리고 간다니 괜찮겠습니까?"

"하지만 지금으로선 딱히 그녀를 두고 올 곳이 없어요."

알탄훼아나는 고대 샤다이들의 귀환 반대파임과 동시에 그들을 감지할 수 있는 능력이 있다. 그 때문에 연방에 잠입한 샤다이들에게는 어떻게든 제거해야 할 위험 대상일 것이다. 그러나 빈우의 본가인 군사정보국은 애초에 탐탁지 않은 곳인 데다가 보안국과 수상한 행보를 보이고 있으며, 믿을 수 있는 특수전 사령부는 예전에 알탄훼아나가 사고를 친 적이 있어서—정확히는 그녀의 아버지인 체메트디오프지만—맡기기 껄끄럽다.

"일단은 우리가 데리고 다니는 게 나을 수 있습니다. 다만 42전단에는 되도록 비밀로 하지요."

"알겠습니다."

다음으로 빈우는 마커스의 권유를 떠올렸다. 녀석의 말에 따르면 현재 케트쿤과 프리마는 가기 곤란한 상황이다. 지금의 빈우로선 적과 싸울 무기를 늘릴 필요가 있었다.

"그리고 팀의 향후 행방에 관해서인데, 타이 차장의 권유도 있고 하니, 사건 수사는 당분간 미룹시다."

"그러면 이제 어쩌실 겁니까?"

"당장은 42전단과 함께 움직여야겠습니다."

원래 태스크포스 373은 적대 세력의 방해를 피해 42전단으로 잠시 피한 상황이라 명목상 같이 행동할 뿐 실제론 전혀 상관없는 독립작전을 하고 있었다. 지금 빈우의 말은 앞으로 42전단의 작전에 합류하겠다는 의미다.

"흐음, 우리는 소규모 팀인데 제대로 도움이 되겠습니까?"

태스크포스 373은 구축함 1척, 전투기 1대, 장갑보병 네 명에 기술장교 한 명이다. 수십 척의 군함을 거느린 42전단에 비하면 비교 대상조차 되지 않는다.

"지상 병력을 조금 달라고 해볼까요? 장갑보병 쪽 지휘관인 데이먼 중령하곤 조금 알긴 아는데 말입니다."

데이먼 중령은 뱅가드 연대에서 온 사람으로, 현재 42전단 장갑보병 전대의 전대장을 맡고 있다.

"허, 그 양반하고요? 어떻게 알게 되었습니까?"

"위은쏠납학에서 같이 작전한 적이 있습니다."

그 말을 들은 아룹이 고개를 갸웃하며 기억을 더듬어보았다. 위은쏠납학에서 빈우가 활약할 만한 전장이 어딘지 알아보는 것이다.

"혹시 그놈들 보육원에 쉬바 터트린 것 말입니까?"

"어라? 아시네요."

"그야 저도 이것저것 주워들었으니까요."

아룹의 군 경력은 빈우의 세 배가 넘는다. 게다가 단검뿔 토끼로 살아왔으니 별별 이야기를 다 들어봤다. 그때, 스크로도프스카 전단장으로부터 연락이 왔다.

"김 팀장, 잠시 시간 되나?"

*

"역시 대단해."

이그젝틀리의 전단장실에서 스크로도프스카 전단장이 감탄 섞인 탄식을 토해낸다. 그녀는 지금 태스크포스 373의 지상 전투 기록을 보고 있었다. 처음엔 우주전에만 관심이 있었던 그녀여서 태스크포스 373의 전투는 블랙 랜스와 롱소드의 우주전만 주로 보았고, 지상전은 문서로만 대강 훑어보았었다. 그러다가 출진을 하루 앞둔 오늘 심심해서 이 기록을 보았다가 자신의 애꿎은 무릎만 치게 되었다.

"아깝군."

스크로도프스카 전단장은 다시금 탄식과 함께 팔짱을 끼었다.

"갑자기 왜 그런 생각이 드시나요? 분명 그날 제대로 판단 못 한 것 때문이겠죠."

부관인 발렌티나가 핀잔 섞인 웃음과 함께 홍차와 과일잼 몇 가지를 내왔다. 인공지능 홀로그램인 그녀지만 이 정도는 할 수 있다.

"그래. 또 부끄럽기도 하고 말야."

잼을 한 스푼 입에 넣은 스크로도프스카 전단장은 찻잔을 들었다.

"뭐가요? 취향이 유부녀보단 이혼녀라고 한 것 때문에요?"

부관의 말은 잼와 차를 음미할 시간을 주지 않았다. 전단장은 입안의 것을 냉큼 마신 다음 대답했다.

"크흠, 아니 아니, 내 눈이 옥석은 가린다고 한 것 말이야."

저번에 빈우와 만났을 때 스크로도프스카 전단장은 그렇게 평가하며 말했었다. 그녀가 보기에 빈우는 자신의 목적을 위해서는 무엇이든 희생할 각오가 된 자였다. 또 지금까지 보기 싫어도 숱하게 봐왔던 눈을 하고 있었다.

아군의 퇴각 시간을 벌기 위해 후미를 자처한 동료들의 눈, 승기를 잡기 위해 사지로 달려간 부하들의 눈, 연방의 평화를 위해 사절로 파견된 딸의 눈이 그랬었다. 물론 스크로도스프카 전단장은 그런 평가를 거둘 생각은 없었다. 다만 빈우가 주로 지상 화력 팀을 맡았기에 함대를 다루는 그녀의 입장으로서는 그 실력을 평가절하했던 것이다.

처음에 그녀가 눈독을 들인 것은 블랙 랜스와 우지였다. 저 구축함과 전투기가 보였던 혁혁한 전공은 스베틀라냐의 눈을 번뜩이게 하는 데 충분했다. 구형함을 개조하는 롱훅 프로젝트는 함대를 지휘하는 그녀에게 기쁜 소식이었지만, 아쉽게도 블랙 랜스는 실험용 프로토타입에다 태스크포스 373의 모함이라 그녀의 손 밖에 있었다. 그래서 다음으로 우지 쪽으로 눈을 돌렸건만 이쪽도 딱히 여의치 않았다. 그와 맞바꿀 만한 인재가 이쪽엔 없었던 것이다. 그래서 손을 놓고 있었는데 태스크포스 373의 다른 기록, 그중에서도 라출노그에서의 기록을 보던 중 전단장은 재미있는 것을 발견했다. 빈우가 롱소드를 몰고 나가 전투하는 것을 봤던 것이다. 싸우기도 제법 잘 싸운다. 하긴 닉스 레벨 3이면 연방의 무기는 다 다룰 줄 안다. 그렇게 빈우의 실력에 흥미가 생긴 그녀는 그가 행했던 전투 기록을 다시 한 번 살펴봤다. 결과뿐만이 아니라 자세한 진행 상황을. 그리고 지금 이렇게 감탄과 후회를 하고 있다.

"이걸 봐. 김 팀장의 지상 작전이야."

화면에는 장갑보병 4기가 각각 2기로 나뉜 상태로 적과 교전하는 영상이 나오고 있다.

"전형적인 망치와 모루네요. 그런데 아주 능숙하신데요."

망치와 모루는 인류가 고대에서부터 써오던 우회포위 전술이며, 현대에서도 여러 방면에서 쓰인다. 장갑보병의 지상전은 물론이고, 우주에서의 함대전에서조차도.

"그래, 김 팀장은 이걸 신들린 듯이 쓰는군."

뉴 소노라의 시가지에서 그라인더와 중무장 어벤저가 워프 비스트 무리와 교전을 하고 있는 사이에, 컨커러와 인필트레이터가 적의 측면으로 돌아가 빈약한 옆구리를 찌르고 있다. 다음 영상에선 컨커러 팀이 적에게 공격을 시도했다가 거센 반격을 받는 게 보였다. 정확히는 모습을 드러내고 유인하는 것에 가까웠다. 컨커러 팀은 달려드는 워프 비스트의 기세에 미처 전진하지 못하는 척 서서히 뒤로 빠졌고, 그걸 본 괴물들은 진형을 무너트리고 돌격한다. 그리고 대형이 조금 늘어지자, 그 사이로 원래 대치하고 있던 그라인더와 어벤저가 제트팩으로 돌입해서 적 진형을 분산했다.

"와아……."

이어지는 장면에서 인공지능 발렌티나가 감탄했다. 그라인더 팀은 적 무리를 반으로 갈라버렸고, 반전한 컨커러 팀과 함께 나뉜 적들을 각개격파했다. 한 번 교전한 다음 그라인더 팀은 즉시 후퇴했고, 그쪽을 따라가려던 워프 비스트들은 빈틈을 채우는 컨커러 팀의 사격에 흠씬 두들겨 맞았다.

"타이밍을 잘 잡아. 타이밍을."

빈우가 주로 쓰는 것은 망치와 모루였다. 그것도 고작 네 명으로도 잘만 쓴다. 게다가 쓰는 게 마술 같다. 처음 보면 왼손엔 모루, 오른손엔 망치를 들었다 싶었는데, 어느새 보면 바뀌어 있다. 또 적들이 거세게 달려들면 두 개조 모두 모루가 되어 지연전을 펼치고, 조금 약해졌다 싶으면 둘 다 망치가 되어 신나게 다지기 시작한다.

"대단한 실력이네요."

부관 발렌티나가 맞장구를 친다.

같은 장갑복에 같은 훈련을 한다 해도 저렇게까지 할 만한 사람은 드물다. 발 가르단 하스의 기록에서는 상대적으로 무장이나 병력 면에서 열세인 상황이었지만, 반드시 이쪽이 우세인 상황을 만들어 교전했고, 불리해지기 시작하면 그전에 미리 눈치를 채고 빠져나갔다.

192

"고작 네 명으로, 장갑보병 1개 분대만으로 저 정도 규모의 샤다이에 맞서 유리하게 싸우다니, 놀라워요. 제가 알고 있는 장갑보병 지휘관들과 비교해 상당한 차이가 있네요. 아, 물론 그분들을 폄하할 의도가 있는 건 아니지만."

발렌티나의 감탄에 스크로도프스카 전단장이 맞장구를 친다.

"그래, 똑같은 계란으로 오믈렛으로 만든다 해도 나 같은 년하고 전문 주방장은 엄청난 차이가 있지. 그런 거야."

"역시 닉스 레벨 3이란…… 참 대단하군요."

"물론이지. 연방 최고의 지휘관을 만들기 위한 과정이니까. 그들은—."

스크로도스프가 전단장은 거기까지 말한 다음, '이렇게 현장에서 구르는 게 아냐'란 뒤의 말을 잼을 먹어 삼켰다. 하지만 부관인 인공지능에겐 감출 수 없었다.

"어지간히도 탐이 나시나 봐요?"

발렌티나는 42전단을 꾸리기 위해 인재란 인재는 다 긁어모은 스베틀라나를 옆에서 봐왔다. 지금 전단장은 인재를 빼앗아올 때 했던 표정을 짓고 있는 것이다. 빈우의 지상전 지휘 실력은 검증되었고, 전투기 조종 실력 또한 뛰어나다. 다음은 함선 지휘인데, 닉스 레벨 3인 이상 당연히 잘 해낼 것이다.

"전단장님, 혹시나 함장 자리 하나 물색하는 것은 아니길 바라요. 함장이 되기 위해선 어떤 과정을 거쳐야 하는지 잘 아시죠?"

"그게 하루아침에 뚝딱 되는 자리는 아니잖아. 그래서 지상군을 맡겨볼까 하는데. 어때?"

부관의 잔소리에도 느긋하게 차를 마신 스크로도프스카 전단장이 의견을 말했다. 역시나 빈우에게 러브콜을 날릴 셈이다.

"뱅가드 연대를요? 데이먼 중령님은 어쩌시라고요."

뱅가드 연대의 제1대대장인 브릭스 데이먼 중령은, 전우인 스베틀라냐 스크로도프스카의 부름을 듣고선 뱅가드 상부에 사정사정해서 기함인 원더풀 뷰티풀까지 끌고 왔다. 그런 그에게 병력을 바로 빼달라고 할 수는 없는 노릇이다.

"아니, 전부 다 맡긴다는 게 아냐, 지상팀 하나를 맡겨보자는 거지."

"김 소령님은 지금 태스크포스 373의 팀장이세요. 그런 분이 단순한 지상전을 맡으시려 할까요?"

태스크포스 373은 그 능력을 인정받아 42전단에 와 있으며 현재 모종의 암살사건 수사를 맡고 있다고 했다. 말하자면 42전단과는 독립적인 부대다. 거기까지 사고가 닿은 발렌티나는 빈우가 담당하고 있는 사건의 진짜 내막, 그리고 그와 예전에 했던 대화들을 떠올렸다. 그것은 누구에게도 알려져선 안 되는 연방의 기밀, 그리고 인류를 지키기 위해 빈우가 짊어지고 있는 의무들이다. 하지만 표정으로는 내색하지 않았다.

"말은 해볼 수 있잖아."

스크로도프스카 전단장은 끈질겼다.

"그렇죠. 해볼 순 있죠."

피식 웃은 부관 발렌티나는 태스크포스 373과의 회선을 열 준비를 했다.

"제가 연락할까요? 아니면 전단장님이 직접 하실 건가요?"

빈우는 계급은 낮아도 태스크포스 373의 팀장이다. 굳이 지휘체계를 따진다면 특수전 사령부의 독립팀으로서 42전단의 전단장인 스크로도스프가 중장과 비슷한 선에 놓인다.

"역시 내가 하는 게 낫겠지."

회선이 열리자 스크로도스프가 전단장은 싱긋 웃으며 말을 꺼냈다.

"김 팀장, 잠시 시간 되나?"

- **말씀하십시오.**

이쪽으로 돌아보며 대답하는 빈우의 뒤로 부팀장인 아룹이 보인다. 그러고 보니 그도 42전단의 주임원사와 동기라고 했었다.

"자네, 우리 전단에서 지상팀을 맡아볼 생각은 없나?"

의외로 대답은 바로 나왔다.

- **그거라면 제 쪽에서 미리 말씀을 드릴 참이었습니다.**

생각보다 일이 잘 풀릴 기미가 보이자 스크로도프스카 전단장이 속으로 쾌재를 불렀다.

"오, 그랬나? 마음이 맞아 다행이군."

- **네, 어차피 제 팀은 샤다이의 기술과 장비를 탈취하는 팀이고, 현재의 임무인 암살사건 수사는 잠시 담보 상태입니다. 멍하니 밥만 축내느니 앞으로 42전단에서 민감한 작전이 필요하다면 저희 팀이 맡겠습니다.**

"하하, 비싼 밥값이구만. 실은 자네 팀 말고도 더 병력을 더 맡겨볼까 해. 아, 물론 신설팀의 작전권은 자네에게 주고 말이야."

금이야 옥이야 애지중지하는 특수전 부대라 해도 야전에 뿌려지면 일반 장갑보병과 다를 바 없다. 까놓고 말해서 아룹의 그라인더나 여타 어벤저나 전선에서 싸우면 포격 한 방에 날아가는 일개 장갑보병에 불과하다. 이들이 제 실력을 발휘할 만한 곳은 그에 걸맞은 작전이 있는 곳이다.

- **저야 감사합니다만, 작전 시작을 하루 앞두고 괜찮으시겠습니까?**

내일 샤다이를 조지러 떠나는 마당에 지상팀 재편성은 무리가 있다.

"당장 이번 작전부터가 아니야. 일단 말이나 꺼내본 거지. 차차 진행할 일이야."

- **그러면야 좋습니다만, 데이먼 전대장과는 얘기가 되었습니까?**

기함까지 끌고 온 뱅가드의 전대장에게 자신의 부하를 다른 팀으로 보내자고 하는 것은 조금 눈치가 보이는 일이다.

"그에 관해선 내가 전대장과 얘기를 해보지."

- 실은 저도 그분과 안면이 조금 있습니다. 괜찮다면 여기서 같이 얘기하는 게 어떻겠습니까?

"정말인가? 그거 다행이군."

스크로도프스카 전단장은 즉시 데이먼 전대장을 회선에 추가했다.

- 부르셨습니까, 전단장님.

탄탄한 체구의 뱅가드 대원이 화면에 나타났다.

"데이먼 전대장, 이쪽은 태스크포스 373의 김빈우 소령이야. 구면이지?"

전단장의 소개에 빈우가 먼저 경례를 한다.

- 오랜만입니다. 중령님.

그런데 마주 보는 데이먼 전대장의 표정이 썩 좋지 않았다.

- 그래. 오랜만이야, 소령.

그리고 아주 절도있게 답례하는 그의 모습을 본 스크로도스프카 전단장은 둘 사이에서 묘한 거리감을 느꼈다. 그러고 보니 데이먼 전대장이나 김 팀장이나 서로 알고 있는 사이임에도 불구하고 지금까지 만나지 않은 것을 보면 뭔가 사연이 있는 듯싶다.

'이거 애매한데…….'

스크로도프스카 전단장은 일이 잘 풀리나 싶다가 뜻밖의 곳에서 암초에 부딪히자 마음속으로 침을 삼켰다.

전단장은 전단의 최고지휘관이다. 그러나 장갑보병전대의 지휘관은 어디까지나 전대장인 데이먼 중령이기에, 장갑보병의 일에 전단장이 직접 관여할 수는 없다. 작전 지휘라면 모를까 이런 장갑보병 간 병력의 이동이나 편제 같은 것은 전대장 고유의 일이라, 설령 전단장이라 할지라도 회의를 거쳐야 한다. 스크로도프스카 전단장이 어떻게 운을 떼면 좋을까 하고 단어를 고르고 있을 때, 데이먼 전대장이 먼저 말문을 열었다.

- 자네는 요즘도 그런 비인간적인 작전을 하는가.

막나가기로 연방 둘째가라면 서러울 뱅가드에게 비인간적이란 단어를 들을 정도면 보통 행실로는 안 된다.

- 인간이 아닌 적들에게 인간이 아닌 방법을 쓰는 것뿐입니다. 정당한 목적에 알맞은 수단을 고르는 거죠.

김빈우는 원래 외계종족을 상대하는 군사정보국 소속이었고, 동시에 닉스 레벨 3 과정을 수료했다. 스베틀라냐는 빈우의 과거가 어땠는지 대강 짐작이 갔다.

- 그렇게 싸우면 싸우는 쪽도 인간이 아니게 되는 것을 알고 있어야지.

- 적어도 지켜야 하는 쪽이 인간으로는 남아 있어야 하는 것 아닙니까.

지금 빈우와 데이먼 전대장이 하고 있는 대화는 연방군의 오랜 딜레마다. 적대적인 외계종족에게 어디까지 복수해야 하는가, 복수하기 위해 드는 무기는 어느 정도여야 하는가. 어차피 연방이 싸우는 적들은 삼진 아웃을 맞은 놈들이라 봐주는 것 없이 갈아버린다. 하지만 그러기엔 어릴 적부터 배워온 교육, 우주에서 마주한 종족들은 모두 미래의 친구란 연방의 슬로건이 전장에서 방아쇠를 당기는 병사들에게 적잖은 부담을 준다. 정확하게는 당길 때는 마음껏 당기지만, 돌아와서는 과거 자신이 했던 일의 그림자에 서서히 휘감기는 것이다.

스크로도프스카 전단장이 두 사람 이야기를 가만히 들어보니 조금 묘하다. 데이먼 전대장은 김 팀장을 꺼리기도 하지만, 더불어 걱정하는 것처럼도 보였다.

"어흠, 내가 말 좀 해도 될까?"

대충 분위기를 파악한 스크로도프스카 전단장이 나서자 두 사람은 대화를 멈추고 이쪽을 보았다.

- 실례했습니다.

스크로도프스카 전단장은 자신에게 고개를 숙이는 데이먼 중령을 잘 안다. 전투가 벌어지면 가장 먼저 출동하는 것은 뱅가드 연대고, 거기서 수습이 안 되면 중앙 함대가 출동한다. 그래서 중앙 함대 출신인 그녀는 데이먼 중령과 함께 싸워본 적이 제법 있다. 그의 전투 방식은 정석적이고 교과서적이어서, 기교나 잔수작은 그리 선호하지 않았다. 그리고 이야기는 본론부터 꺼내는 것을 좋아했다.

"출동을 하루 앞둔 지금 상황에서 이런 이야기를 꺼내는 것은 조금 그렇긴 한데, 내가 또 참을성이 없어서 말이야. 단도직입적으로 말하지. 데이먼 전대장, 자네 휘하 대원 중 몇 명을 김 팀장 쪽으로 보내 별동대를 꾸릴 수 있도록 도와 있겠나? 물론 태스크포스 373 소속이 아니야, 김 팀장이 42전단으로 와서 지상팀을 맡아주기로 했어."

- **그런 일이라면 저도 좋습니다.**

"어……? 그런가?"

예상과 다른 시원한 대답에 오히려 말을 꺼낸 스크로도프스카 전단장이 머뭇거렸다. 이어서 데이먼 전대장이 편성표까지 작성한다.

- **규모는…… 흠, 별동대라면 차라리 독립중대 하나 편성해서 맡기는 것은 어떻겠습니까?**

42전단에 있는 뱅가드 대원들은 2개 대대 규모를 재편성해 1개 전대를 구성하고 있으며, 1대대장이었던 데이먼 중령이 전대장을 맡고 있다. 자기 자식이나 다를 바 없는 부하들을 척척 넘기는 것을 보면 빈우의 실력에 대해선 확실한 믿음이 있어 보였다.

- **단, 당장은 조금 무리고 이번 작전이 끝나고 편성을 하는 게 나을 듯싶습니다.**

"그야 물론이지. 일단 대략적인 구상만 잡아보잔 것이었는데 일이 이렇게 빨리 진행되다니 오히려 말을 꺼낸 내가 당황스럽군."

- **독립중대라면 규모가 어떻게 됩니까? 병력이 너무 많거나 적으면 큰 의미가 없지 싶습니다만.**

일이 잘 풀리나 싶더니 이번에는 빈우가 태클을 걸어왔다.

- 그거야 자네가 원하는 만큼 꾸려주지. 지휘체계는 내 밑이 아니라 전단장님 밑으로 될 테니까 혼선은 걱정하지 말고.

이렇게 같은 병과에 두 가지 지휘체계를 둔다는 것은 이 둘을 쓸 방법이 아예 다르다는 것을 의미한다. 데이먼 중령의 뱅가드 전대는 정석적인 강하 작전을 위주로 하고, 빈우가 맡을 규모 미정의 부대는 비정규전을 담당할 모양이다. 당장 빈우에게 떠오르는 것만 해도 순양함대의 점프 전에 미리 파견되어 정찰을 하거나, 위험 목표를 미리 타격하거나, 요인을 암살하는 것 등등 무궁무진하다.

- 보아하니 제가 맡을 부대는 특수작전팀이겠군요.

"그렇지."

빈우의 말에 스크로도프스카 전단장이 웃으며 고개를 끄덕였다. 42전단이 신속타격팀이라 해도 이런 부대는 있으면 좋다. 전함이 갈 수 없는 곳에는 전함보다 더한 개새끼를 보낸다는 게 연방의 특수작전이다.

- 그러면 독립중대라고 해봐야 서른 명 정도 되는 팀이 되겠습니다만…….

말을 하는 빈우의 시선은 스크로도프스카 전당장에서 데이먼 전대장 쪽으로 서서히 옮겨갔다.

- 실례지만 지금 42전단의 뱅가드에 그런 일을 할 만한 인재가 있을까요?

빈우의 질문에 전단장의 가슴이 철렁한다. 하겠다고 해놓고서 어깃장을 놓으니, 부하들을 내줄 데이먼 중령이 어떤 반응을 보일지 겁난 것이다. 하지만 데이먼 전대장은 대수롭지 않은 듯 대답했다.

- 그야 이제부터 자네가 뽑아가서 훈련시켜야지.

단검뿔 토끼나 실리콘 나이트의 인원들은 대부분 뱅가드에서 지원하기에 뱅가드에선 저 부대들로 대원들이 넘어가는 것에 큰 부담감이 없다.

- 훈련을 한다 해도 시간이 꽤 걸릴 텐데요. 단순한 별동타격대인 줄 알았더니 일이 꽤 커졌잖습니까.

- 그런 부대라면 애초에 대원들 줄 생각도 안 했어. 빡세게 굴려서 돌려줘. 아 잠깐, 그전에.

시원시원하게 부하들을 떠넘길 기세의 데이먼 전대장이 잠시 제동을 걸었다.

- 훈련을 시킨다 해도 위은쏠납학에서처럼은 안 돼.

빈우의 눈을 뚫어져라 노려보는 데이먼 전대장의 시선은 단호함을 담고 있었다.

- 그야 물론이죠. 풋내 나는 애송이의 토사물을 닦아줄 마음은 없습니다.

토사물이란 단어에 데이먼 전대장의 눈썹이 잠깐 꿈틀했지만, 다행히도 아무 일 없이 넘어갔다. 적어도 두 장갑보병 사이에선.

"웅? 위은쏠납학에서 무슨 일이 있었는데?"

스크로도프스카 전단장은 당시에 있었던 함대전 기록은 빠짐없이 샅샅이 훑어봤지만, 지상전 임무는 대충 결과만 보고 넘겼었다. 그런데 지금 두 사람의 말을 보면 이 둘은 위은쏠납학에서 인연이 있었던 것처럼 보인다. 그러니 호기심이 생길 수밖에. 질문한 스크로도프스카 전단장은 대답을 기다렸고, 빈우는 선임인 데이먼 전대장에게 기회를 넘겼으며, 데이먼 전대장은 그날의 주역이었던 빈우가 말하길 기다렸다.

"웅? 무슨 일이냐니까?"

일견 순진무구해 보이는 스베틀라냐 스크로도프스카 중장의 시선이 두 장갑보병을 번갈아 훑자, 이 두 사람은 꽤 곤란해졌다.

- 김 소령, 자네가 말하게.

- 어휴, 오늘도 접니까.

드디어 42전단의 출동 시간이 다가왔다. 순양함들은 조를 짜 연동 게이트를 만들고 있었다.

"이거 생각보다 불안한데요?"

게이트를 분석하던 모니카가 말했다.

"정규 게이트에 점프 포인트가 있는 것도 아니고, 억지로 틈을 비틀어 열어서 빠져들어가는 거잖아요. 자칫 잘못하다간 게이트가 닫히면서 중력붕괴 여파를 뒤집어쓸 수 있어요."

"그러니까 순양함 급은 되어야죠."

아룹의 말에 모니카가 입을 다물었다. 그 말인즉슨, 위험한 것은 아니까 그것을 때울 만한 몸빵이 되는 놈들에게 시킨다는 이야기다. 옆에서 위르겐이 끼어들어 맞장구를 친다.

"하긴 순양함이 제격이긴 하죠. 전함은 덩치가 너무 크고, 구축함의 출력으론 게이트 생성이 힘든 데다 유사시에 버틸 수도 없으니까요."

그러면서 위르겐은 42전단 소속 순양함들의 추진부를 보았다. 장거리 항행을 위한 이온 드라이브가 없고, 전부 핵추진 로켓들뿐이다. 척 봐도 게이트 열고 들어가 쑥을 심겠다는 심보다.

"부팀장님, 우리 지금 구축함 타고 있어요."

모니카가 질린 듯한 목소리로 돌아보자 아룹이 어깨를 으쓱한다.

"괜찮습니다. 우리 배는 튼튼하니까요."

그의 말대로 블랙 랜스는 짧은 시간 동안 죽을 고비를 숱하게 넘겼다. 어지간한 전함이라도 격침되었을 궁지에서 악착같이 기어올라온 배다.

"아니이, 공격을 버티는 거하고 중력붕괴에 날아가는 거하곤 다르다고요."

모니카는 애가 타서 발을 동동 굴렀다. 그러자 그녀가 입고 있는 육중한 부머도 발을 쿵쿵 구른다.

"악, 진정하세요, 대위님."

놀란 위르겐이 부머의 발을 잡고 말린다. 여기에 빈우가 있으면 뭐라고 한마디 하겠는데, 아쉽게도 그는 지금 우지와 함께 롱소드를 타고 격납고에서 출격 대기 중이었다. 태스크포스 373은 42전단과 개별 행동을 하고 있지만, 요청이 있으면 언제든지 응할 수 있도록 준비 중이었다. 그 외 나머지 지상팀들은 각자의 장갑복을 입고 격납고의 셔틀 옆에서 기다리고 있었다. 참고로 파트리샤는 알탄훼아나의 감시, 아나스타샤는 히토미 의원을 보좌하고 있는 중이다.

"지상팀이 좀 시끄러운데요?"

소란스러운 격납고 저편을 보며 우지가 말했다. 그는 꽉 죄어오는 롱소드의 조종석에 들어오면 고향의 추억이 떠올라 마음이 편해졌지만, 오늘은 좀 달랐다. 다른 부대와 함께 대규모 작전을 한다고 하니 긴장이 되는 것이다.

- 저러는 게 하루 이틀이냐. 신경 꺼라 체리보이.

빈우의 마지막 말에 우지가 한숨을 쉬었다.

"아 진짜, 개인적인 일 들추기 있습니까."

- 요즘 밤마다 악몽을 꿔. 아다 새끼들이 칼 들고 나에게 달려드는 꿈을.

슬슬 우지의 부아가 치밀어오른다.

"그만하십쇼."

- 오냐, 숫총각 새끼가 짜증은.

"아, 진짜 이거 확 당기는 수가 있습니다."

지금 빈우의 롱소드는 앞 레일에 선 상태고, 우지의 롱소드는 뒤에서 발진 대기 중이다. 우지가 방아쇠를 당기면 빈우는 아무것도 못 하고 터져나갈 상황이다.

- 좀 낫네.

빈우의 콧방귀에 우지는 팀장이 왜 그랬는지 알 수 있었다. 출격 전부터 긴장해서 버벅이는 모습을 보이자 풀어주기 위해 농담을 던진 것이다.

"아, 저기……."

- 어차피 우리는 별도의 명령체계로 움직인다. 저쪽에서 요청하면 내가 명령을 내릴 테니 너는 내 명령만 따르면 돼. 지금처럼 말이다. 알겠냐?

"네, 팀장님."

긴장이 한 차례 풀린 우지는 궁금했던 것을 질문했다.

"그런데 팀장님, 우리가 가는 목적지들에 대해서는 어떻게 알아낸 거랍니까?"

42전단이 첫 출동해서 박살 낼 목적지는 시에라 1이라 이름 붙인 행성이다. 샤다이들이 살고 있는 행성이며 주둔하고 있는 병력도 적다고 했다. 이에 대해 어제 브리핑으로 정보를 듣긴 했었지만, 설명하는 빈우도 목적지에 대해서 자세한 분석을 했다기보단 그냥 들은 것을 그대로 들려준다는 분위기였다. 애초에 행성으로 강하할 일도 없고, 태스크포스 373이 맡은 임무는 적극적 전투 임무가 아니기 때문에 이 정도만 알아도 충분하다고 했었다.

- 글쎄다. 이번엔 군사정보국의 정보를 토대로 함대 사령부 장거리 정찰부대가 알아낸 거라서 우리 쪽도 한 단계 건너 들은 거야.

지금까지 샤다이의 거주지에 대해선 별다른 정보가 없었다. 그런데 갑자기 떡하고 작전 목표가 떠오르니 우지는 이게 이상한 것이다.

- 네가 뭔 생각하는지는 짐작이 간다. 하지만 이제까지는 우리 연방이 열세였어. 기존의 무기로 함대전은 답이 없었거든. 그래서 함부로 쳐들어갔다가는 오히려 반격당할까봐 몸 사리면서 차근차근 놈들을 공격할 준비를 하고 있

었던 거지. 울토르 프로젝트나 롱훅 프로젝트가 그걸 위한 계획이었다. 그런데 워프 비스트의 정체가 밝혀진 이 마당에는 더 기다릴 여유가 없어. 그래서 지금 42전단을 부랴부랴 꾸려 처들어가는 거야. 대략적인 위치 정보는 군사정보국에도 있었고, 이번 것은 한 번 더 정밀 정찰을 한 거지.

"그렇군요."

우지는 고개를 끄덕이며 자신의 롱소드에 달린 신병기, 입자빔포를 보았다. 기존의 입자가속포에 비해 화력이나 연비가 그다지 높아지진 않았지만, 샤다이의 방어막을 뚫을 수 있다는 점에선 대단히 매력적인 병기였다.

"그리고 타이밍 좋게도 팀장님께서 이 무기를 가져오셨고요."

빈우가 가져온 무기에 연방군 상층부는 환호했지만, 정작 당사자인 빈우는 시큰둥했다.

- 글쎄다. 하필 그 타이밍에, 그리고 화력이 뛰어난 것이 아니라 오직 샤다이를 위한 무기를 주다니……. 하지만 덕분에 42전단의 대 샤다이 전투력은 엄청나게 올라갔지.

물론 이 신병기는 뉴 소노라에서 노획한 샤다이 배의 방어막을 작동시켜 거기에 쏴봤을 뿐이다. 아직 실전에서 사용해본 적은 없는 것이다.

그때 함장의 통신이 들어왔다.

- 이제부터 본 함 블랙 랜스는 시에라 1 게이트로 점프합니다.

오르 함장의 말과 함께 블랙 랜스가 게이트 쪽으로 다가갔다.

- 점프.

순양함 사이로 들어간 블랙 랜스는 점프 게이트로 들어갔고, 바로 게이트로 나왔다. 저 멀리 샤다이가 살고 있는 것으로 추정되는 행성, 시에라 1이 보인다. 몇 개의 게이트로 42전단의 순양함들이 점프해 나타난다.

- 빠르군.

빈우는 솔직히 감탄했다. 다수의 게이트로 동시에 점프한 함대들이 순식간에 대형을 만들어 정렬한다. 그것도 기존의 함대가 아닌 이번에 신설된

42전단의 움직임임을 감안하면 전단장이 얼마나 훈련을 잘 시켰는지 알 수 있는 부분이다.

- 별다른 요청은 없군요.

식객 노릇을 하게 될 블랙 랜스의 함장 오르 소령이 말했다.

- 하긴, 그쪽에선 나름 우릴 아끼겠죠.

빈우는 어제 스크로도프스카 전단장, 데이먼 전대장과 나누었던 대화를 팀원들에게도 알려주었다. 물론 지금 블랙 랜스가 끼어들어봤자 구축함 1척이 뭘 하겠냐 싶지만, 이제부터 태스크포스 373은 조금 특별한 임무를 맡게 된 것이다.

*

"전 구축함 어뢰 발사."

스크로도프스카 전단장의 명령에 전단의 모든 구축함들이 사이클론 어뢰를 발사했다. 8척에서 4발씩 모두 32발, 질량 가속 병기인 이 어뢰들은 샤다이에게 비교적 효과적인 무기다. 그녀는 처음부터 신병기인 입자빔포를 드러낼 생각은 없었다. 저편의 샤다이들은 전열함 4척에 모니터함 1척이다. 어뢰 명중까지는 1분 남짓, 놈들은 갑자기 나타난 42전단에 놀란 듯 허둥지둥 대형을 짜고 있다. 아예 한 전열함은 함체를 돌리는 과정에서 벌써 포격을 시작해버렸다. 연방 전함의 주포를 능가하는 플라스마 포격이 엉뚱한 곳으로 뿜어져 옆에 있는 모니터함에 맞았지만, 놈들은 플라스마 공격에는 면역이라 아쉽게도 별 탈은 없었다.

"언제나처럼 실력은 엉망진창이네요."

부관 발렌티나가 말했다. 단순히 화력만 따진다면 저 샤다이들의 화력은 42전단을 압도한다. 방어력 또한 대단해서 연방은 샤다이 상대로는 기존의 주력 무기였던 플라스마 포를 포기할 수밖에 없었다. 다만 지금 눈앞에 보이는 실력 덕에 연방은 놈들과 싸울 수 있었다.

"그래, 실력이 말이지."

대답하는 스크로도프스카 전단장은 머릿속으로 리퍼를 떠올리고 있었다. 놈들은 저들과 같은 샤다이에 비슷한 무기를 쓰지만, 그것을 제대로 다룰 줄 안다. 만약 리퍼 위주의 적함이 나오면 전투는 상당히 위험해질 것이다.

공격받은 샤다이들은 날아오는 사이클론 어뢰를 보고 요격하기 시작했다. 전함 주포의 일격이 대공포마냥 퍼부어지지만 형편없는 실력 탓에 명중탄은 그다지 없었다. 그리고 어뢰들도 각자 역장방어막과 대공포를 사용해 적의 요격 사격에 대응했다. 중구난방의 포격들은 어떤 것은 어뢰로, 어떤 것은 42전단 쪽으로 날아왔다. 어뢰가 가까이 갈수록 샤다이의 대공 포격은 더욱 치열해져서, 놈들에게 명중한 어뢰는 32발 중에 고작 2발이었다. 그러나 그 정도면 충분했다.

"각 함의 포격 정보 갱신했습니다."

기함 이그젝틀리의 함장인 리술 대령이 보고했다. 어뢰들이 수집한 정보를 함대의 링크로 갱신한 것이다. 애초에 방금 발사한 어뢰들에게 있어 공격은 부가적인 목표였고, 주 목표는 제대로 된 정보가 없는 시에라 1과 샤다이 함선 주변의 중력장 및 기타 포격에 영향을 주는 요소들을 수집하는 것이었다. 그래서 최초의 어뢰 공격 다음으로 연계되는 미사일이나 코일건 포격이 없었다.

"목표 배정."

전단장의 명령에 따라 선두에 나선 순양함들의 입자빔포가 샤다이 함들을 조준한다. 조준이 완료되자 재차 명령이 내려졌다.

"입자빔포 발사!"

발포 명령이 떨어지자마자 아광속의 화선이 일제히 그어져 샤다이 함선에 명중한다. 그 광경에 연방의 승조원들은 어색함을 느꼈다. 샤다이 특유의 방어막 반응이, 그 지긋지긋한 푸른색 섬광이 보이지 않는 것이다. 장갑에 직격한 입자 공격은 아광속의 운동에너지와 열에너지를 흩뿌려 파괴를 일으켰다. 42전단의 연이은 사격에 벌써 전열함 1척이 대파되었고, 모니터함은 아예 함체와 포신이 분리되어 떠돌다가 폭발한다. 전투지휘실에선 환호성이 터져 나온다.

"롱소드를 출격시켜."

명령을 내리는 스크로도프스카 전단장의 시야에 이쪽으로 날아오는 플라스마 포격이 보인다. 그러나 중력충각을 작동한 2척의 구축함이 나서 포격을 튕겨냈다. 나머지 구축함들은 대형을 짜 샤다이를 향해 돌진했고, 그 뒤로 호위 항모들이 고속으로 가속해 나아간다. 이어서 모함의 가속력을 이어받은 롱소드들이 일제히 발사되어 날아오른다.

"373 쪽에도 출격 요청을 할까요?"

발렌티나가 물어봤다. 태스크포스 373에도 롱소드는 있다. 그것도 연방 최고 실력을 가진 에이스가 둘이나 있는 것이다.

"아니, 373 쪽에 통신 연결해. 팀장 쪽으로."

전단장의 앞에 빈우의 통신 화면이 연결되었다.

- 무슨 일입니까, 전단장님.

"김 팀장, 태스크포스 373은 앞으로 어쩔 생각이야?"

빈우는 예상을 넘어서는 압도적인 전세에 생각했던 계획을 대폭 수정했다. 42전단의 입자빔 포격에 샤다이 함대는 속절없이 무너져내렸고, 이런 상황에 블랙 랜스나 롱소드들이 끼어봤자 별 볼 일 없을 것이다.

- 지원은 필요 없을 것 같고, 궤도포격을 바로 하지 않는다면 시에라 1의 정찰을 하겠습니다.

"고맙네. 하지만 그런 것은 우리 전단 정찰기들에게 맡기면 돼. 굳이 자네 팀이 나설 필요 없어."

시에라 1의 정찰은 샤다이들에게 들키지 않게 장거리에서 행해졌다. 그래서 정확한 정보는 적은 편이다.

- 아닙니다. 궤도포격이 시작되기 전에 저희 팀이 강하해서 요인이나 중요 자료를 가져올 계획입니다.

"……응, 아니 뭐라고?"

의외의 말에 스크로도프스카 전단장이 잠시 말을 잊었다.

- 궤도 상의 적함이 모두 제거된 것 같으니 태스크포스 373의 지상팀이 내려가서 지상에 있는 중요 샤다이나 장비, 자료들을 가져오는 겁니다.

샤다이의 장비와 자료는 언제나 환영이다. 그것을 위해서라면 궤도포격은 조금 늦출 수도 있다.

"괜찮겠나, 김 소령?"

42전단의 주목적은 어디까지나 작전 목표의 황폐화다. 빈우가 말한 목표물은 가치가 높아도 부목적인 셈이다.

- 저희 팀은 그걸 위해 생긴 겁니다.

빈우의 말마따나 애초에 태스크포스 373은 이런 작전을 위해 만들어진 팀이다. 스크로도프스카 전단장은 잠시 고민을 하다가 입을 열었다.

"좋아, 김 팀장. 포격 시간 전까지 작전을 완료하도록. 건투를 빌지."

- 감사합니다.

통신이 끊기고 블랙 랜스가 부스러져가는 샤다이 함대를 향해 나아갔다.

"언제나 하던 거네요. 시간제한 있는 곳에 내려가서 목표물 들고 튀기."

모니카는 롱소드에서 내리는 빈우에게 컨커러를 가져왔다. 예전 같았으면 거치대에 실린 채로 몰고 왔을 텐데, 지금은 부머의 손에 장갑복 목덜미를 잡고 대롱대롱 들고 온다.

'그러고 보니 얘도 많이 바뀌었구나.'

빈우는 처음에 만났을 때의 모니카가 납치되듯 끌려와 어쩔 줄 몰라 하던 모습을 떠올렸다. 지금은 나름대로 태스크포스 373에 적응한 모습이다.

"그래, 하지만 이번 시간제한은 아군 것이다."

지금 태스크포스 373이 강하하는 곳은 샤다이가 사는 행성이고, 궤도 상의 적을 정리한 42전단은 궤도포격으로 지상의 샤다이와 건축물을 제거할 예정이다. 그리고 그런 대파괴 전에 중요한 물건을 먼저 빼돌릴 수만 있다면야 좋지만, 이는 어디까지나 부차적인 임무다. 샤다이들이 도망치거나 아군의 궤도포격에 반격하기 전에 작전을 마쳐 황폐화가 제대로 이뤄질 수 있도록 하는 게 중요하다.

"저도 내려가나요?"

모니카의 질문에 빈우는 잠시 생각했다. 현재 샤다이 기술을 가장 잘 알고 있는 것은 모니카다. 그러나 이번 작전은 제대로 된 사전 정보 없이 궤도 상에서 정찰하고 바로 투입되는 위험한 임무다. 다른 지상팀이라면 익숙하겠지만 모니카는 어떨지 걱정되는 것이다. 게다가 지금 파트리샤도 알탄훼아나를 감시하느라 뺄 수도 없는 상황이다.

"기다려봐, 파트리샤."

빈우는 병실에 있는 파트리샤를 호출했다.

- 네, 팀장님.

"알탄훼아나의 현재 상태는?"

- 조용합니다. 별다른 이상 없이 자고 있어요.

지금은 샤다이의 행성을 공격하는 중이다. 샤다이 호민관인 그녀에게 들킨다면 좋은 꼴 못 볼 것은 확실하기 때문에 그녀에게 이번 작전은 철저히 비밀로 했고, 행여 다른 방법으로 눈치채게 되면 알려달라고 말해둔 상황이다. 그리고 알탄훼아나의 정신 케어를 담당한 아나스타샤는 지금 오다 상원의원을 경호하고 있다.

결국 빈우와 아룹, 위르겐, 모니카 세 명이 지상에 내려가야 하는데, 이건 좋은 선택이 아니었다. 모니카는 오브리가도에서 빈우에게 코일건을 쏜 다음부터 직접적인 전투 행동에는 약간의 거부감을 가지게 되었다. 이를 상담해서 치료하고는 있지만 아직은 시간이 더 필요하다.

"모니카, 넌 이번엔 대기다. 우리가 선물꾸러미 가득 들고 올라올 테니까 나중에 조사 부탁한다."

"그런가요. 헤헤, 그럼 어쩔 수 없지요."

모니카는 순순히 수긍하며 컨커러를 바닥에 내렸다.

"참, 컨커러의 입자포를 손봤으니 출격 전에 확인해주세요."

빈우는 그녀의 말을 듣고 등 뒤에 달린 입자포를 흘깃 보았다. 그리고 조용히 감상을 말했다.

"……씨발."

빈우의 욕을 들은 모니카가 부끄러운 듯 고개를 돌리며 배시시 웃는다.

"야이 씨발아."

빈우가 모니카를 돌아보며 한 번 더 높은 톤으로 욕하자 그녀의 얼굴에 핀 미소가 소리에 맞춰 더욱 짙어진다.

"씨발아아아!"

모니카의 가증스러운 미소를 본 빈우는 분기탱천해서 욕을 뱉었고, 그에 답하듯 홍조를 띤 기술 대위는 방긋 웃어 보였다.

"뭡니까, 팀장님. 무슨 일입니까."

저기서 빈우의 고성에 놀란 지상 팀원들이 헐레벌떡 뛰어온다. 자기들끼리 팀장에게 욕먹으면 '어이쿠, 저 등신 오래 살겠네'라면서 실실거리겠지만, 비전투원인 모니카에겐 특별취급이었다. 그러나 달려온 팀원들은 어리둥절했다. 정작 욕먹은 모니카는 웃고 있고, 욕을 한 빈우가 지금 두 손으로 머리를 감싸 쥐고 고통스러워하고 있는 것이다. 팀원들은 두 사람을 둘러싸고 상황을 살폈다.

"어? 이거?"

위르겐은 이상한 것을 보았다. 컨커러의 등 뒤에 달린 입자가속포가 예전 것과는 달리 조금 이상하게 생긴 것이다.

"이거 이번에 온 신형 아닙니까?"

지금 컨커러의 등에 접혀서 장착된 것은 이번에 새로이 얻게 된 입자가속 빔포였다. 모니카는 그것을 얻고 기뻐하며 롱소드에 달았고, 열심히 자료를 뽑았으며, 블랙 랜스에는 달 수 없다는 사실에 슬퍼했었다. 그 신병기가 제대로 테스트도 안 된 채 지금 당장 출격할 컨커러에 업혀 있으니 욕이 안 나오려야 안 나올 수가 없는 것이다.

빈우는 문득 지난번 회의에서 레드우드 사령관과 했던 대화가 떠올랐다. 사령관이 모니카의 안부를 묻길래 빈우는 그냥 잘 적응하고 있다고 대답했다. 그때 레드우드 사령관은 경고를 했었다. 태스크포스 373에서 빈우가 감당하지 못할 애는 모니카라고. 유일하게 비전투원이었던 그녀였기에 빈우도 대충 그것 때문이라 어림짐작하고 잘 신경 쓰겠다고 하면서 이야기를 마무리 지었다. 그런데 '감당 못한다'가 그런 의미가 아니었다.

'징조는 있었지.'

빈우는 모니카의 기록을 떠올렸다. 태스크포스 373의 인원들은 역전의 용사인 조지 레드우드가 선별해서 뽑아온 엘리트들임과 동시에 저마다 자기본가에서 사고를 친 경력이 있다. 부팀장 아룹이나 파트리샤, 위르겐들은 상부의 부조리에 반해 각자가 나름 확고한 의사 표현을 한 다음 찍혀버렸고, 그것이 마음에 든 레드우드는 이들을 눈여겨봤다가 팀 창설 때 뽑아온 것이다. 그래서 대원들의 인사기록을 살펴봤던 빈우는 자기 나름대로 열심히 몸 사리며 최대한 예의 바르게 팀원들을 대접했었다. 그런데 모니카의 경우는 애매했다. 사고는 있지만 대부분 실험사고였다. 정확히는 실적은 좋지만, 그것에 비례해 실험사고가 많은 편이었다. 게다가 팀에 합류한 다음부터는 그런일이 없어서 빈우는 크게 신경을 쓰지 않았다.

'이년이 숨기고 있었구나.'

그녀는 태스크포스 373에 어울릴 똘끼를 충분히 가지고 있었다. 단지 그것이 처음에 드러나지 않았을 뿐이다. 그래서 레드우드가 경고를 했지만 빈우는 비전투원인 그녀를 그저 보호 대상으로만 보고 설렁설렁 넘어갔기에 이런 사달이 터진 것이다.

"에이, 팀장님 왜 이러세요. 약한 모습. 이 입자가속빔포는 42전단이나 롱소드에서 충분히 실사격을 거친 물건이에요. 즉, 충분히 데이터를 모아 안정성이 검증되었다고요."

"접어서 장갑복에 다는 것은 처음이지."

입자가속포를 컨커러에 달겠다고 한 사람은 빈우 본인이다. 하지만 그것은 어디까지나 실험에서의 이야기고, 검증 안 되고 실전에 들어가는 것은 빈우도 질색하는 일이다. 처음 컨커러를 보급받았을 때도 싫어한 것은 팀장인빈우였다.

"히힛, 그럼 이전 것으로 다시 달아드릴까요?"

모니카는 이런 사태를 미리 예상했는지 생글생글 웃으며 예전에 쓰던 입자가속포를 들고 왔다.

"아오, 이 미친놈이 이거 모듈화했네."

그것을 본 빈우는 어이가 없어서 또 한소리 했다. 제식무기도 아닌 창고에서 만든 급조무기 주제에 바로바로 탈착과 교환이 가능하도록 접합부에 개선이 이뤄진 것이다. 두 가지 입자무기를 눈앞에 둔 빈우는 잠시 고민에 빠졌다. 바로 선택을 하기엔 방금 보았던 광경이 아직 빈우의 뇌리에 선명한 것이다. 그 X 같은 샤다이 방어막을 무시하고 들어가 놈들의 장갑을 박살 내는 꿈 같은 광경이. 포기하기엔 너무나 매력적인 무기였다.

"……그냥 신형 들고 나갈게."

"역시, 그러실 줄 알았어요."

웃고 있는 모니카와 반대로 울상을 한 빈우는 주섬주섬 장갑복을 입었다. 그리고 아룹과 위르겐은 그 모습을 측은하다는 듯이 쳐다봤다.

- 시에라 1의 궤도 상으로 들어갑니다.

오르 함장의 말에 지상팀원들의 체온은 다시금 식었다. 빈우와 아룹, 위르겐은 말없이 두뇌 통신을 연결하며 그라디우스에 탑승했다.

- 정찰 내용입니다.

지상팀의 회선으로 블랙 랜스가 촬영한 지상 영상과 여러 스펙트럼의 조사자료들이 들어온다.

- 대부분 황무지군요.

위르겐은 식생 온도 지표를 분리해 샤다이의 거주 구역을 추정하고 있었다. 알탄훼아나와 지내보면서 알게 된 것인데, 샤다이는 인류가 먹는 음식물을 그대로 먹을 수 있었다. 아니, 그 대역대가 훨씬 넓어 이들은 조리한 동식물뿐만이 아니라 광물도 섭취할 수 있는 치아와 소화기관을 가지고 있었다. 그럼에도 샤다이는 인류와 비슷한 식습관을 선호했다. 곡물류를 재배하고, 기타 가축을 길러 그것을 요리해 먹는 것이다.

- 이쪽이군.

빈우는 샤다이 주거지역을 분리했다. 행성 표면에 크게 드러난 곳만 해도 17곳이다. 빈우는 그중에서 규모가 크면서도 다른 곳과 거리가 멀리 떨어진 곳을 골랐다.

- 부팀장, 여긴 어떻습니까?

- 흠. 이건 공장이나 생산 시설로 보이는군요. 특히 여기를 보십시오.

아룹이 가리킨 곳은 거대한 지상용 선거, 독 같은 곳이었다. 어째서 그것을 알 수 있냐면 거기에 만들어지고 있는 전열함이 있었기 때문이다.

- 저걸 지상에서 만든다고? 대단한 새끼들이네.

미완성된 전열함을 본 위르겐이 감탄 반, 탄식 반의 한숨을 내쉬었다. 그도 그럴 것이 연방은 거대한 우주 전투함을 궤도나 무중력 공간에서 만든다. 그게 제작이 편리하기도 하고, 완성된 다음 우주로 쏘아 보낼 때의 과정도 만만찮게 힘들기 때문이다.

- 대 궤도 공격 시설은 딱히 없어 보입니다.

빈우가 살펴본 정찰 영상에는 대형 함포류는 딱히 보이지 않았다. 그저 여기저기 흩어지는 샤다이들만 보일 뿐이다. 하지만 방심할 수 없는 것이 샤다이가 쓰는 개인화기 시즐러는 연방 전차포를 아슬아슬하게 능가한다. 바꿔 말하면 저 밑에는 유사시에 궤도를 타격할 수 있는 전차포들이 우글거린다는 의미다. 다만 명중률이 엉망이라 궤도 상에서 고속으로 이동하는 블랙 랜스를 맞출 확률은 없다.

- 먼저 블랙 랜스로 궤도포격 후 지상팀은 그라디우스로 강하한다. 롱소드는 이를 엄호. 목표 상공에 돌입한 다음 그라디우스와 롱소드는 근처의 고위험 목표를 제거한다. 이후 지상팀은 그라디우스로 목표 지점에 착륙, 롱소드는 상공에서 대기하며 엄호한다. 지상팀은 고가치 목표를 확보하고 이탈, 블랙 랜스에 착함한 다음 궤도에서 벗어난다. 다만 42전단의 궤도포격이 시에라 1을 황폐화할 예정이니 작전은 최대한 빨리 진행되어야 한다. 이상이다. 질

문 있나?

이번 작전의 대략적인 설명과 함께 자세한 작전도가 팀원들의 머릿속으로 들어온다. 그 와중에 빈우는 방금 수집한 정보와 작전 내용에 대해서도 42전단에 알렸다.

- 이번에도 시간이 빠듯하군요.

덤덤한 아룹의 말이다. 아무것도 모르는 샤다이 본거지에 쳐들어가 번갯불로 콩 볶아먹는 일이지만 이걸 하기 위해 만든 게 태스크포스 373이다.

- 태양 두 개 사이에 끼이는 것보단 낫지 말입니다.

그걸 또 위르겐이 넉살 좋게 받았다.

- 섬세하게 할 필요 없어. 내려간 다음엔 우리 빼고 다 죽여. 그리고 좀 있어 보인다 싶은 거면 일단 쓸어담아. 부수는 건 나중에 전문가들이 할 거다.

빈우의 말에 팀원들이 킬킬대며 웃었다. 어차피 있으면 좋고, 없으면 그만인 임시 작전이다. 뭐라도 들고 오면 그게 작전 성공인 셈이다.

- 강하 궤도로 진입합니다.

블랙 랜스가 대기권으로 진입한다. 그럼에도 지상에서는 아무런 반응이 없었다. 이어서 목표 지점 주변에 블랙 랜스가 궤도포격을 시작했다. 역시나 지상의 공장에선 방어막 반응이 있었다. 섬광과 함께 텅스텐 탄자들이 폭발하며 튕겨져나온다. 그러자 블랙 랜스가 서서히 함수를 아래로 기울였다. 함축 코일건을 쏠 생각인 것이다.

- 지상팀과 롱소드는 출격해주십시오.

그러자 지상팀을 태운 그라디우스와 우지의 롱소드가 격납고에서 사출되었다. 이어 블랙 랜스가 함축 코일건을 연사했다. 대기권과 마찰해 붉게 타오르는 텅스텐 탄자들이 아래로 쏟아져 방어막을 깎아냈다. 샤다이의 방어막은 재생을 하곤 있지만, 이쪽의 연사 속도가 그 재생 속도를 앞질렀다. 마침내 방어막이 부서졌고, 고속 고중량의 탄자들이 지상과 건축물에 부딪혀 섬광과 함께 폭발한다. 그사이 그라디우스와 롱소드가 진입 각도를 잡았다. 선두에 나선 롱소드가 신형 입자빔포를 난사해 수상쩍다 싶은 곳은 모조리 쓸어버렸다. 방어막을 무시하고 날아간 아광속의 입자들 중 운 나쁜 몇몇은 대기권의 입자들과 반응해 번개를 일으켰고, 목표에 명중한 포격들은 철저한 파괴를 행했다.

- 강하!

빈우의 짧은 호령과 함께 태스크포스 373의 지상팀원들이 그라디우스에서 뛰어내렸다. 그리고 각자의 제트팩으로 자세를 잡으며 빠르게 낙하했다.

195

"대단하군."

태스크포스 373의 작전을 보는 42전단의 장갑보병 전대장 데이먼 중령의 입에서 솔직한 감상이 나왔다. 태스크포스 373의 모함인 블랙 랜스는 궤도포격을 했다가 지상의 방어막에 막히자 즉시 함축포로 전환했다. 그러면서도 함은 등속도로 측면을 향해 날아가는 중이다. 옆으로 이동하면서 쏘는 함축코일건의 포격들은 정확히 목표물로 빨려들어가 방어막과 적 시설을 무력화했다. 그사이 사각으로 빠져들어간 그라디우스와 롱소드는 적 기지의 취약부분으로 진입해서 지상팀을 강하시켰고, 이어서 롱소드가 상대적으로 추력이 약한 그라디우스를 뒤에서 밀어붙이며 고속으로 빠져나갔다. 마치 최고의 요리사들이 모여 하나의 풀코스 요리를 낸 것 같은, 멋진 흐름이었다.

"롱소드도 보통이 아닌데요? 전단장님이 욕심내는 이유를 알겠습니다."

부전대장인 요한 비트겐슈타인 소령이 다가와 말을 건다.

"아룹 라마누잔 원사에 위르겐 그 자식까지 있다면서요?"

아룹 라마누잔이라면 단검뿔 토끼뿐만이 아니더라도 특수전 사령부 내에선 꽤나 유명인사고, 위르겐 도른베르거는 뱅가드에서도 아주 모범적인 대원이었다. 물론 그 모범이란 뱅가드에서의 기준이다.

"또 373팀엔 파트리샤 피아프 중위도 있다."

"그 인필트레이터 말입니까?"

부전대장이 대답은 했지만, 자세한 것까지는 잘 모르는 눈치라 전대장이 말을 덧붙였다.

"그 왜 있잖아. 행성 총독 똥구멍에 수류탄을 박은—."

"그 미친놈이 개였습니까?"

내막을 들은 부전대장이 고개를 휘휘 내저었다. 파트리샤는 적대 종족과 내통하여 개척민과 연방의 영토를 팔아먹으려는 총독을 '개인적으로' 응징했던 적이 있었다. 그 절차의 문제 때문에 특수전 사령부 전체에 군기 및 민간인 폭행에 관한 공문이 내려와서 분위기가 조금 흉흉해졌다. 물론 전임 사령관인 시슬 사령관이 관계자의 사무실로 쳐들어가 뒤집어엎고, 현 사령관인 조지 레드우드가 균형에 맞게끔 총독 놈의 입에도 수류탄을 먹여주는 덕분에 일은 부드럽게 처리되었다.

"그런데, 전대장님께선 저쪽 팀장님과 아는 눈치입디다?"

"닉스 레벨 3 과정에서 만난 적이 있어."

"오호."

닉스 레벨 3은 지원이나 선발이 아니라 실제 작전 도중에 평가된다. 그렇게 뽑힌 최고의 요원들은 다시 여러 실전을 거치며 교육받고 단련된다. 눈앞의 데이먼 중령은 비록 닉스 레벨 3에서 탈락했지만, 그것은 결코 부끄러운 것이 아니다. 오히려 3레벨에 도전할 수 있었다는 것만으로 그의 출중한 실력을 가늠할 수 있는 것이다. 부전대장은 자신의 상관이 했던 작전들을 떠올려보았다.

"어딥니까, 목타하? 아니면…… 혹시 위은쓸납학?"

"위은쓸납학."

전대장의 짧은 대답에 부전대장은 더 이상 묻지 않았다. 대신 전대장이 말했다.

"그 친구, 위험해."

다시 돌아온 부전대장의 시선은 다음 이야기를 듣고 싶어 하는 눈치였고,

전대장은 그에 응했다.

"김 소령은 남이 가지 않은 길을 먼저 가려는 버릇이 있어."

"선구자는 괴롭지요."

그 말에 데이먼 중령은 저도 모르게 고개를 끄덕였다.

"……그럴지도."

"얼핏 듣기론 강한 자엔 강하고, 약한 자엔 약하다면서요?"

부전대장의 말은 딱히 틀린 것은 아니었지만 데이먼 전대장은 자세히 정정해주었다.

"적에겐 강하고 아군에겐 약하다, 겠지. 흥, 그래봤자 주변의 강한 놈은 다 적으로 만드는 놈이니까."

왠지 전대장의 심기가 불편해지려 하자 부전대장 클림트 소령이 화제를 돌렸다.

"이번에 우리 기회는 없어 보이는군요."

지금 373의 지상팀이 하는 작전은 솔직히 뱅가드엔 무리인 작전이다. 기동 강습이 장기인 뱅가드가 이런 작전을 못 한다고 해서 자존심이 상할 필요는 없다. 뱅가드는 전선에 가장 일찍 투입되지만, 동시에 가장 늦게 철수하는 부대기 때문이다. 부대 특성상 후퇴란 개념이 희박하고, 신속한 철수나 뒤쪽으로 전진이란 단어도 생소하다.

"어차피 조금 있으면 궤도포격이 시작될 거다."

전대장의 말에 답하듯 42전단은 샤다이의 잔당처리를 하며 시에라 1로 나아가고 있었다. 롱소드들은 생존자와 남은 샤다이 기체를 처리하고 있었으며 순양함들은 행성 공격용 폭탄들을 준비하고 있었다. 42전단이 폭격 위치로 갈 때까지 373 지상팀은 목표를 회수해서 탈출해야 하는 것이다.

그때 뱅가드 무리에서 와 하는 탄성이 터져나온다.

"오, 저놈들 지상팀과 회선을 연결해서 보고 있군요."

무리 지은 대원들 위로 위르겐의 어벤저가 촬영하는 영상이 나온다. 373

지상팀이 사격을 하며 돌진하자 스팸 셋이 순식간에 쓰러졌다. 신형 입자포로 무장한 함대와는 달리 태스크포스 373의 지상팀은 코일건을 쓰고 있다. 그런데 만나자마자 스팸 셋을, 아니, 이젠 벌써 다섯을 쓰러트리는 묘기를 보여주고 있었다. 세 명이 번갈아가며 한 목표를 집중 사격해 방어막과 장갑을 순식간에 깎아먹고 마무리로 대가리를 날려버리는 것이다. 샤다이의 지상 부대 한 무리는 제대로 저항해보지 못하고 전멸했다. 거대한 다리를 제트팩으로 뛰어넘어 착지한 373팀은 거기로 달려오는 또 다른 스팸들을 맞이했다. 위르겐의 중화기 사양 어벤저가 화력을 쏟아 스팸들의 발을 묶어놓자, 그때 신형 장갑복이 하나 튀어나갔다.

"저거 컨커러 아닙니까? 우리 애들이 시험 상대 해준 거."

장갑복의 정체를 알아본 부전대장이 혀를 찼다. 그는 컨커러의 기동 실험에 차출되었다가 개고생한 부대원들의 경험담을 들은 적이 있었다. 당시 참가했던 인원들은 상대하는 컨커러들이 움직이다가 갑자기 멈추는 이상 작동을 보였다고 했다.

"움직이는 관짝이라던데요."

"과학기술국이 바보도 아니니까 그사이 개량을 했겠지."

데이먼 중령의 말에 비트겐슈타인 소령은 문득 발밑을 내려다보았다. 과학기술국은 위은쏠납학에서 지상으로 강하한 뱅가드의 두 전함을 합쳐 원더풀뷰티풀이란 기상천외한 쌍동 전함을 만들어주었던 것이다. 바로 지금 뱅가드 대원들이 타고 있는 배다.

"방어막이다!"

대원들의 소리에 비트겐슈타인 부전대장의 시선이 다시 화면으로 돌아갔다. 거기엔 373 팀원들의 앞길을 가로막은 샤다이 방어막이 보였다. 지상팀원은 가진 화력을 쏟아부었지만, 어지간히도 단단한 방어막인지 개인화기를 모아서는 답이 없어 보였다.

"다른 곳으로 가지 않는군. 하긴 방어막이 있다면 중요 시설이란 의미일 테니까."

데이먼 전대장의 말마따나 373 팀원은 막힌 방어막을 뚫을 궁리를 하고 있었다. 방법이 없는 것은 아니다. 상공의 롱소드나 궤도 상의 블랙 랜스에게 지원을 요청하면 신형 입자포로 뚫어줄 것이다.

그때 컨커러가 등에서 무언가를 꺼냈다. 길쭉한 포신이 세 개로 분리되어 접혀 있던 것이 하나로 연결된다. 완성되고 컨커러의 어깨에 걸쳐진 그게 뭔지 알아본 비트겐슈타인 부전대장은 나지막히 비명을 질렀다.

"……씨발."

포신을 전개한 컨커러는 그것을 어깨에 견착하고 바로 발사했다. 함포나 롱소드에 달 신형 입자빔포가 장갑복에서 발사되는 진귀한 광경에 뱅가드 대원들은 잠시 넋을 잃었고, 곧이어 환성을 질렀다.

"조오오오올라 멋져!"

대번에 대원들 무리에서 환호성과 함께 꽤 큰 소란, 난동이 일었지만, 장교들도 그들과 같은 마음이라 딱히 제재를 하진 않았다.

"발사 섬광이 너무 큰데, 소형화의 부작용일까요?"

부전대장이 걱정스러운 감상을 말했다. 보통 입자빔포는 발사 때 저런 반응이 나질 않는다.

"너 무슨 소리를 하는 거야. 저기 대기 중의 입자와 반응해서 터진 거잖아?"

"네에?"

전대장의 설명에 놀란 비트겐슈타인 소령이 다시 화면을 살폈다. 저쪽 샤다이 건물이 붕괴되어 몰랐는데, 자세히 보니 발사한 컨커러도 스파크를 뿜어내며 뒤로 자빠져 있었다. 포구 앞에서 터진 폭발에 휩쓸린 것이다. 전차나 전투기라면 어찌저찌 버틸 수 있는 부작용이지만, 장갑복에겐 꽤나 치명적이다.

"회선 연결해봐."

데이먼 전대장은 한때 전우였던 빈우의 안위가 걱정돼 통신을 연결했다. 그리고 그때,

- 개애애애애애애애씨이이이이이이이바아아아아아아알!

빈우의 우렁찬 목소리가 뱅가드의 머리 위에서 터져나온다.

- 내가 씨발! 내가, 이럴 줄 씨발! 모니카 이 씨발. 알았어! 알고 단 내가 미친 놈이지!

"……회선 꺼."

화면 속에서 조용해진 컨커러는 비틀거리며 일어서서 날아갔다. 그리고 넘어진 샤다이를 짓이기고 그 등에 진동 나이프를 천천히 박아 넣었다. 상대적으로 느린 속도에 방어막은 작동하지 않았고, 느리지만 강한 힘으로 짓이긴 나이프는 척추부터 시작해서 골반까지 서서히 발골했다. 그리고 죽은 스팸을 그대로 들고 방패 삼아 약진한다. 날아오는 플라스마를 스팸의 시신으로 막으며 나아가는 컨커러의 위로 그라인더가 날아서 뛰어넘었다.

이어서 백병전이 벌어졌다. 전차를 썰어버리는 플라스마 대검이 날아오지만 맞지 않으면 의미가 없다. 그라인더와 컨커러는 스팸들에게 몰려 뒤로 빠지나 싶더니 잔해 모퉁이 뒤로 돌아갔다. 그와 동시에 반대편에서 어벤저의 중포 사격이 쏟아져 스팸들의 뒤통수를 갈겼고, 방어막이 소실되고 넘어진 스팸들은 돌아온 두 장갑보병의 마무리에 숨통이 끊어졌다.

*

- 너무 많습니다.

아룹의 말대로 샤다이가 너무 많다. 이런 상황에서 리퍼가 한둘만 섞여 있어도 위험해진다.

- 중요한 시설이란 반증이죠.

현재 지상팀이 강하한 곳은 샤다이의 전함이 생산되고 있는 공장이다. 이

생산 시설의 기술력이나 자료, 정보들을 뽑아갈 수 있다면 엄청난 수확이다.

- 또 방어막입니다.

위르겐이 날린 포격이 저쪽에서 노란 섬광과 함께 사라졌다.

- 모두 비켜. 입자포 쏜다.

- 괜찮겠습니까?

나서는 빈우를 아룹이 만류한다. 방금 전의 포구 반응에 빈우의 컨커러가 휩쓸린 것이다.

- 이번에는 스핑크스를 방패로 하고 쏠 겁니다. 아까는 동력이 모자라서 방어막도 제대로 없는 상황이었으니까 그랬지, 이젠 괜찮을 겁니다.

그러면서 빈우는 다시 입자포를 조립해서 어깨에 걸쳤다. 스핑크스도 방패 형태가 되어 방어막을 전개한다. 다른 두 팀원이 엄폐물 뒤로 숨은 것을 확인한 빈우는 다시 입자포를 발사했다. 이번에는 여러 대비가 무색하게 아무런 부작용 없이 포가 발사되었다. 원래 방어막의 노란 섬광이 있어야 할 곳에선 아무런 반응이 없었고, 그 뒤로 엄청난 폭발이 일어났다. 그 주변이 날아가며 방어막도 사라지는 게 보였다.

- 화력 한번 끝내주네.

위르겐이 휘파람을 불면서 걸어나왔다. 지금 컨커러에 쓰는 입자가속빔포는 원래 함선의 부포로 쓰이는 놈이니만큼 위력 또한 발군이다. 다만 컨커러 정도의 동력이 확보되지 않으면 쓰지 못한다.

- 미친, 포를 쐈는데 장갑복 캐패시터가 터지는 건 무슨 경우야.

빈우의 투덜거림에 어벤저가 달려와 컨커러를 일으켜 세운다.

- 팀장님, 움직일 수 있겠습니까?

- 보다시피 여차저차 되는데, 포는 더 이상 못 쏘겠다.

373팀은 다시 주변의 적들을 소탕하며 앞으로 나갔다.

- 이거 잘하면 앞으로 전차의 시대가 올지도 모르겠는데.

뜬금없이 나온 빈우의 말에 아룹이 뒤돌아봤다.

- 교리가 바뀐다는 말씀입니까?

- 적어도 샤다이에 한해서는요. 이 입자빔포가 너무 매력적입니다.

지금도 연방에 전차는 있다. 다만 쓰임새가 애매해서 나설 기회가 적을 뿐이다. 현재 연방은 적이 있으면 먼저 전함들이 나서서 공격하고, 지상의 적과 고위험군은 궤도포격으로 박살 낸다. 다음은 전투기와 폭격기들이 내려가 정밀타격을 한다. 최후의 섬세한 작업은 장갑보병들이 내려가 마무리짓는다. 물론 여기엔 지상의 정복자인 전차도 있다. 다만 전차는 외계종족을 상대할 때 수지가 맞질 않았다. 위은쏠납학 상대로는 제법 재미를 봤지만 스퀵테르 상대로는 고전을 했고, 샤다이 상대로는 전혀 쓸모가 없었다. 놈들의 개인 장갑복인 스팸이 연방의 주력 전차를 상대로 비등하거나 우수한 공방 능력을 가진 것이다.

- 저쪽에 먼지구름!

아룹이 발견한 표적이 두뇌 통신을 통해 팀원들에게 공유된다. 투명 상태로 접근하던 놈이 주변에 날리는 먼지를 신경 쓰지 못하는 바람에 들통난 것이다. 곧바로 날아간 팀원들의 사격에 스팸 하나가 데굴데굴 구르더니 파랗게 터졌다. 이렇듯 전차 급의 능력을 가지고 모습까지 감추는 샤다이를 상대로 연방이 내민 카드는 장갑보병이었다. 유인기와 무인기를 섞어서 투입된 장갑보병들은 언제나처럼 새로운 전장에 잘 적응했고, 훌륭한 전과를 올렸다. 그러나 상대에게 특효약이 있다면 바로바로 처방해주는 것이 인간의 도리다. 놈들의 방어막을 무력화할 입자가속빔포가 있으니 다음에 필요한 것은 그것을 운용할 지상 플랫폼이다. 바로 넉넉한 전력을 지닌 전차다.

- 여기가 목적지인 것 같습니다.

위르겐의 말대로 373 지상팀원 앞에는 거대한 함선이 있었다. 그 거체의 크기에 어울리는 독에 올려진 샤다이 전열함은 지금 만드는 중이었다.

- 이렇게 만든다고?

생산 과정을 본 빈우가 어이없다는 듯 허탈하게 말했다.

196

···✦···

지금 빈우의 앞에서는 전열함 1척이 만들어지고 있었다. 빈우는 전함이 만들어지는 광경을 몇 번 본 적 있다. 영상으로든 직접으로든. 그러나 그 어느 것도 지금의 상황과는 비슷하지 않았다.

- 이게 뭡니까.

위르겐이 넋 나간 표정으로 빈우의 옆에 섰다.

- 거대한 물질 생성기…… 같은데.

따라온 아룸의 말도 약간 어이없다는 투였다. 지금 독 안에선 전열함이 나타나고 있었다. 허공에 희미한 부품이 보여지더니 차츰 또렷해져서 물체를 이루고 있다.

연방도 대부분의 제품을 물질 생성기로 만든다. 과거에 있었던 입체 프린터의 다음 세대랄 수 있는 이 기기는 다종다양한 입자를 분사한 다음에 그 구조를 변형, 결합해 음식이나 사무용품, 기계들을 생성한다. 다만 내구성이 필요하거나 정밀도가 필요한 것들은 직접 제작한다. 그리고 이런 과정에는 재료와 작동을 위한 에너지가 필요하다. 그러나 눈앞의 샤다이 전열함은 허공에서 그냥 생성되고 있었다. 장갑복의 센서로 보니 에너지도 질량도 없는 곳에서 부품들이 저절로 나타나고 있는 것이다.

- 무에서 유를 창조하는 건가? 대체 뭐야 이건?

허탈한 빈우의 넋두리에 아무도 대답할 수 없었다. 그리고 그런 빈우에게 급히 통신이 들어왔다. 잠시 통신을 하던 빈우가 팀원들을 돌아보았다.

- 전단 사령부도 난리가 났네. 이거 들고 간다.

- 네에?

놀란 두 사람에게 빈우는 그저 어깨를 으쓱했다.

- 왜 놀라? 블랙 랜스로 독 주변을 포격으로 갈아서 지반과 분리한 다음에 견인빔으로 들어 올리라고 하지. 안 되면 지원 부르란다. 그전에 일단 자료부터 빼자.

장갑보병들은 즉시 이동했다. 리퍼함이나 전열함 등 샤다이 구조물에 침입했던 적이 있는 태스크포스 373 대원들은 즉시 목표물로 추정되는 곳을 찾았다. 30m 정도 떨어진 곳의 건물인데 거기선 독의 진행 상황을 한눈에 볼 수 있는 곳이다.

- 목표물 주변에 스팸은 없어 보입니다.

위르겐이 원거리에서 저출력 레이저를 광범위로 훑었다. 여기저기서 먼지들이 불타 사라질 뿐 모습을 감춘 스팸은 없었다.

- 건물 내부에 샤다이는 일곱, 전원 맨몸이다. 무장은 시즐러와 클레이모어.

샤다이의 눈이 전파나 자기장을 볼 수 있다는 것을 안 빈우는 능동센서 대신에 반향음으로 건물 안의 샤다이 숫자를 추정했다.

- 위르겐 지정된 위치에서 엄호. 부팀장은 문으로, 나는 창문으로.

위르겐은 주변에 동작 감지로 설정된 지뢰들을 뿌리며 자리를 잡았고, 아룸은 벽을 따라 몸을 숨긴 채 문 쪽으로, 빈우는 모습을 드러내며 창문 바깥으로 서서히 다가갔다. 건물 안에 빼내야 할 자료가 있는 이상 강력한 공격은 되도록 삼가야 한다.

그때 창문 바깥으로 시즐러가 불쑥 나왔다.

"다로!"

그리고 샤다이 하나가 바깥으로 시즐러를 갈겼다. 전차포에 필적하는 플라스마 포격이 날아오지만 빈우는 미리 스핑크스 방패를 들고 대비하고 있었다. 플라스마는 자기장 방어막에 튕겨 나갔고, 그사이 아룹이 안으로 들어갔다. 핑음과 함께 비명이 터져나왔다. 빈우도 즉시 안으로 뛰어 들어갔다.

진압은 순식간에 끝났다. 스팸을 입지 않은 샤다이는 매우 연약해서, 건물 안은 순식간에 푸른 안개로 물들었다. 다만 중요 인물이 있을지도 몰라 다 죽이지는 않았다. 모두 크고 작은 상처를 입고 바닥에 쓰려져 있을 뿐이다.

- 부팀장, 자료 회수하세요.

- 네.

팀원들 전원은 모니카로부터 샤다이 기기에 접속하는 방법을 배웠다. 아룹은 즉시 샤다이 컴퓨터에 다가가 데이터베이스에 접속하고 자료를 빼내기 시작했다. 그때 빈우의 시선을 끄는 게 있었다. 아까 창밖으로 시즐러를 쐈던 샤다이가 다시 무기를 들려고 하는 것이다. 빈우는 걸어가서 놈의 팔을 걸어 찼다. 허리 위만 남아 바닥에서 헐떡이는 놈의 손에서 시즐러가 날아갔다. 빈우는 놈의 배를 밟고 머리에 코일건을 겨눴다. 딱히 다 죽일 생각은 없었지만, 이놈은 저항을 하는 데다 계급도 높아 보이지 않으니 살려둘 필요는 없다. 인간으로 치면 십 대쯤 되어 보이는 푸른 얼굴의 샤다이는 몽롱해진 눈으로 자신을 겨누는 코일건을 보았다.

빈우가 방아쇠를 당기려는 순간 방해가 들어왔다. 서 있는 빈우가 겨누는 코일건의 총구와 누워 있는 샤다이의 머리 사이에 다른 샤다이의 손이 끼어든 것이다. 죽어가는 소년 샤다이의 옆에는 나이가 좀 들어 보이는 여성 샤다이가 다리가 꺾인 채 기어와 자신의 손으로 총구를 막고 있었다. 얼핏 보면 이 둘은 엄마와 아들 같아 보였다. 빈우는 관심이 없다는 듯 총신으로 그녀의 손을 쳐내고 다시 총구를 겨눴다. 짧은 비명과 함께 밀려났던 중년의 샤다이는 악착같이 기어와 다시 총구를 막았다. 다시 쳐내도 마찬가지로 총을 막는다. 어차피 방아쇠를 당기면 저 연약한 손 따위는 막는 의미 없이 지키려는 자와 함께 박살이 난다. 하지만 빈우는 방아쇠를 당기는 대신 코일건을 거두고 질문했다.

- 두빈욤 요히나?

빈우의 말에 여성 샤다이는 흠칫 놀랐다. 떨고 있는 그녀의 눈에선 금빛 실타래가 일렁이며 눈물이 뚝뚝 떨어지고 있다.

- 두빈 나르 요히나.

재차 떨어진 질문에 그녀는 고개를 끄덕임으로써 자기가 이 죽어가는 소년의 어머니임을 긍정했다.

- 두젠카.

컨커러가 고개를 끄덕였다. 위아래로 흔들리는 헬멧의 움직임이 어쩐지 흥겹다.

- 베로 두젠카 난.

연방의 장갑복이 고개를 돌려 구석으로 도망쳐 옹기종기 모인 부상자 샤다이들을 보았다. 방금 빈우가 한 말로 인해 그들의 얼굴에 실낱같은 희망이 보인다. 빈우는 허리를 숙여 사경을 헤매는 아들 샤다이를 잡아 올린 다음 그것으로 어미 샤다이를 패 죽였다. 둔탁한 소리와 함께 푸른 피와 살점이 사방으로 날렸고, 공포가 희망을 잡아먹으며 절망이 되었다.

- X 까.

차가운 욕설과 함께 어미와 아들이 들러붙은 시체 뭉치가 구석으로 날아갔다. 비명과 함께 샤다이들이 울부짖는다.

- 닥쳐, 개새끼들아.

빈우가 달려가서 구석 벽을 거세게 걷어차자, 굉음이 비명을 덮었고, 정적이 찾아왔다. 잔혹하다면 잔혹한 광경이지만, 그걸 보는 태스크포스 373들이나 42전단의 어느 누구에게도 측은함이나 동정심이 들지 않았다. 현재 샤다이와 인류는 양립이 불가능한 존재인 것이다. 애초부터 교섭이 불가능할 정도로 공격해 온 쪽이 샤다이였고, 그 내막이 밝혀진 다음은 더더욱 그렇게 되었다. 빈우가 뒤돌아 한걸음 내디뎠을 때 오르 함장의 통신이 들려왔다.

- 팀장님, 주변 도시의 샤다이들이 이쪽으로 모이고 있습니다.

태스크포스 373은 이곳 공장이 있는 도시를 목표로 삼은 다음 공장 외의 주거지는 궤도포격이나 롱소드의 폭격으로 쓸어버렸다. 그러자 멀리 떨어져 있는 샤다이 도시에서 증원병력이 온다고 한다. 리퍼 몇 기가 날아오고 있고, 샤다이의 소형 전투기들도 있었다.

- 알겠습니다. 서둘러야겠군요. 함장님, 여기 독만 잘라내 들어 올릴 수 있겠습니까?

- 네, 가능합니다. 다만 분리 작업을 서두르려면 롱소드와 팀장님의 도움이 필요합니다.

오르 함장이 보내준 견인 계획을 보니 독 부근까지는 블랙 랜스의 포격으로 잘라낼 순 있지만, 그 안의 세부적인 곳은 롱소드와 빈우의 입자빔포가 필요하다고 한다.

- 즉시 작업하지요.

통신을 닫은 빈우는 위르겐을 돌아보았다.

- 너 핵탄두 몇 기 남았나.

- 2기 그대로 있습니다.

샤다이의 방어막은 플라스마와 레이저 등 열에너지 병기에 상당한 방어력을 가져서 핵탄두의 직격조차 무의미할 정도다. 그러나 진공의 우주 공간이 아닌 이런 대기권 내에선 폭압으로 날려버리면 된다.

- 우지, 내가 지시한 좌표에 포격해, 지상팀은 날 따라와. 공장 지반 밑에 탄두를 심는다.

- 저건 어떻게 할까요?

위르겐이 가리킨 곳에는 두려움에 떨고 있는 샤다이 부상자 무리가 있었다. 애초에 빈우는 이들 중 기술자가 있을 가능성 때문에 생포하기로 했었다. 그런데 지금은 시간이 너무 촉박하다. 태스크포스 373이 강하한 도시 주변으로 리퍼들이 날아오고 있는 것이다.

- 접착액 뿌려서 묶어.

어벤저와 그라인더가 응급처치용 접착액을 분사해 샤다이들을 벽에 붙여놓았다. 말이 접착액이지 장갑복의 보수나 장비의 응급 수리에 쓰이는 놈이라 제법 강도와 탄성이 높다. 강화 군인의 근력으로도 벗어나려면 힘들기에 맨몸의 샤다이라면 풀 수 없다.

다시 공장 쪽을 보니 전열함의 생산은 정지되어 있었다. 만들다 만 전열함은 희한한 모습으로 독에 묶여 있다. 아마 이 건물의 샤다이들이 제작자들인 듯싶었다. 포로를 억류한 태스크포스 373은 분리 작업을 서둘렀다. 상공의 롱소드가 미사일을 쏴서 암반을 깎아내고, 입자빔포를 쏴서 공장의 지지대를 잘라낸다. 지상팀도 지정된 위치에 핵탄두를 매설해 지반을 무너뜨리고, 입자빔포를 쏴서 공장의 지지대와 컨커러가 함께 날아간다.

- ……죽겠다.

빈우가 바닥에서 벌벌 떨면서 일어났다. 본체의 동력이 달려서 어벤저와 전력을 연결해서 쐈는데 또 포구에서 폭발이 일어난 것이다.

- 위르겐, 넌 괜찮냐?

- 저야 괜찮습니다만 팀장님은요? 이게 몇 번쨉니까?

파트리샤가 대기권에서 절대 입자포 안 쓴다고 노래를 부른 이유가 있었다. 빈우의 장비가 컨커러와 스핑크스가 아니었다면 예전에 2계급 특진했을 정도다.

- 몰라 씨발. 다음, 다음 가자.

- 스팸입니다.

빈우가 다음 지점으로 이동하려 할 때 아룹이 스팸을 발견하고 경고했다. 놈들에게 별다른 전술 지식이 없어서 정말 다행이었다. 스팸들은 대형이나 팀을 이루지 않고 개개인이 따로 떨어져 지상팀을 공격해 왔다. 그 덕분에 각개 격파할 수 있어서 정말 고마웠다.

- 이런 개활지에서 축차 투입해주다니 친절하기도 하지.

위르겐이 살벌한 미소를 띠며 중형 코일건을 쏘자, 스팸이 방어막 섬광과 함께 뒤로 자빠진다. 이어서 아룹의 코일건이 맞은 자리를 그대로 저격해 장갑을 깎고, 빈우가 난사해서 바닥에 푸른 얼룩으로 만들어준다.

- **빨리 처리하고 뜨자. 주변 도시뿐만이 아니라 이 안에서도 우리 쪽으로 몰려온다.**

빈우는 틈날 때마다 수류탄을 지뢰로 설정해 곳곳에 뿌렸고, 그게 폭발하는 타이밍이 점점 빨라지고 있었다.

- **역시나 건물도 튼튼하네요.**

아룹이 부러진 진동 나이프를 던졌다. 샤다이의 건축물은 실로 어마어마한 내구도를 갖추고 있었다. 아무리 장갑보병용에다 지반 저 아래쪽에서 터졌다 해도, 두 발의 핵폭발에 지진만 일어났을 뿐 건물에는 별다른 붕괴가 없었다. 그만큼 태스크포스 373은 개고생을 해야 한다는 얘기다. 궤도포격의 시간은 계속 다가오고, 도시 주변으로 리퍼들도 날아서 다가온다. 상공에선 블랙 랜스가 강하해 견인 준비와 함께 궤도포격을 해서 리퍼들을 요격한다. 그 주변으론 42전단의 순양함 2척이 지원차 와 있다.

- **이게 마지막이다! 타이밍 맞춰서 쏴!**

지상팀이 마지막 지지대를 파괴했고, 롱소드도 동시에 반대편의 지지대를 쏴서 부쉈다. 기우뚱하던 공장이 상공에서 블랙 랜스가 쏜 견인빔에 잡혀 멈칫했다. 그리고 서서히 위로 떠오르기 시작한다.

- **됐다!**

위르겐이 환호성을 질렀다. 임시 땜빵으로 진행했던 작전이 예상보다 훨씬 큰 성과를 이루며 대성공한 것이다. 그러나 빈우는 이어서 명령을 내렸다.

- **부팀장, 건물에 있는 포로를 감시하세요. 위르겐과 나는 한 번 더 공장 내부를 수색하겠습니다. 아니지, 42전단 뱅가드에게 지원 요청합시다.**

- **기다리고 있었어.**

통신에 데이먼 전대장이 끼어들었다. 그리고 어느새 뱅가드 대원들을 태운 그라디우스들이 날아오고 있었다.

- 정말 수고했어. 나머지는 우리가 맡지.

공장 상공을 지나가는 그라디우스에서 어벤저 무리가 쏟아져내렸고, 이들이 밟게 된 밑으로는 순양함의 함포 사격이 쏟아져내려갔다. 마침내 42전단의 궤도포격이 시작된 것이다.

- 쩐다.

한숨 돌리던 위르겐이 그 위력에 놀라 다시 한 번 한숨을 쉬었다. 그는 궤도포격을 쏘는 입장에도 있어봤고, 맞는 입장에도 있어봤다. 그러나 그 사이에 있게 된 것은 이번이 처음이다. 대지 공격용 미사일과 폭격용 고화력 폭탄, 코일건, 그리고 신형 입자빔포들이 죽음의 비가 되어 시에라 1의 대지를 적셨다. 행성 곳곳에 흩어져 살던 샤다이들이 죽음의 홍수에 익사한다. 이들이 타야 할 방주는 이미 태스크포스 373이 부수고 훔쳤다. 이제 그들에게 남은 길은 죽음뿐이다. 설령 이번 공격에 살아남는다 해도 황폐화된 대지에서 살아남을 길은 없다.

"좋아, 아주 좋아."

이그젝틀리의 전투지휘실에서 스크로도프스카 전단장은 흡족한 미소를 짓고 있었다. 궤도 상에서의 함대전은 아군의 압도적인 승리로 끝났다. 이는 샤다이에게 먹히는 신병기, 입자빔포 덕이다. 아직 방어력 측면에 있어선 열세지만, 적에게 통하는 무기를 가졌다는 사실만으로도 전투는 수월하게, 예상보다 훨씬 수월하게 흘러갔다.

이어지는 태스크포스 373의 활약 또한 눈부셨다. 팀장인 김빈우 소령은 42전단이 시에라 1에 궤도포격을 하기 전의 짧은 시간만이라도 괜찮으니 자신의 팀이 강하해 작전을 할 수 있도록 해달라고 말했다. 물론 그녀는 흔쾌히 허락했고, 시간을 더 줄 생각도 있었다. 어차피 던져보는 그물이니 선심을 쓴 것이다. 그러나 생각 없이 던진 그물에 너무나도 월척이 걸렸다. 샤다이의 함선 생산 방식은 이쪽의 상식을 초월하고 있었다. 놈들은 배를 '생산'하는 것이 아니라 '창조'하고 있었다. 이 기술을 모두 소화하기엔 힘들겠지만, 그 도중에 떨어지는 부스러기만 해도 인류 연방에겐 엄청난 도움이 될 것은 확실하다.

"공장은 태스크포스 373이 가져가는 겁니까?"

이그젝틀리의 몬타나 리술 함장이 질문했다. 그의 시선은 지금 블랙 랜스와 순양함들이 견인하고 있는 것을 보고 있었다. 저 안에는 샤다이의 공장과 자료, 장비, 기술자들이 있다고 한다. 실로 어마어마한 전과인 것이다.

"그야 당연하지. 애초에 김 팀장이 발안한 작전이고, 또 이런 일은 그쪽 전문이 아닌가. 우리는 우리 일에 전념하면 되는 거지."

스크로도프스카 전단장의 심드렁한 대답에 리술 함장은 그럴 줄 알았다는 듯이 고개를 끄덕였다. 스베틀라나 스크로도프스카는 예전부터 이런 사람이었다. 자신의 영역을 확고하게 그어놓고 집중해서 일하는 반면, 그 밖의 일은 해당 전문가에게 전적으로 일임하는 스타일이었다. 좋게 말하면 자신의 일에 자부심을 가진 전문가이고, 나쁘게 말하면 자신의 일 외엔 무관심한 사람이었다. 하지만 원하는 위치에 알맞은 인재를 꽂아 넣는 용인술이나 사람 보는 눈 또한 뛰어난 편이라 딱히 이 단점이 문제가 되는 경우는 없었다.

"행성 바깥으로 통신이 흘러나간 것은 없겠지?"

42전단의 목적은 기습적으로 점프해서 목표가 도주하거나 연락할 틈을 주지 않고 말살하는 것이다. 지금까지 샤다이가 주로 썼던 전술을 그대로 돌려주는 셈이다.

"통신은 물론 차단했고, 점프로 도망간 놈도 없습니다. 다만……."

리술 함장은 끝을 흐린 대답 덕에 전단장의 시선을 받게 되었다.

"우리 기술력으로는 감지할 수 없는 통신이 있었을지도 모릅니다."

함장의 나머지 대답에 전단장의 시선은 다시 앞으로 되돌아갔다.

"알 수 없는 것에 신경 써봐야 뭐하나. 그리고 샤다이의 통신 기술은 우리보다 처진다고 하지 않았나."

"통신의 전술적 사용에 서툴다는 겁니다. 게이트도 없이 점프하는 놈들의 통신 체계가 허술할 리가 없지요."

인류 연방은 장거리 통신에 점프 게이트를 이용한다. 물건을 보내듯 전파를 점프시키는 것이다. 그래서 지금 42전단은 다른 연방 구역과 통신이 두절된 상태. 통신을 재개하려면 순양함끼리 연동해서 게이트를 열어야 한다.

반면 게이트를 쓰지 않는 샤다이는 자신만의 독자적인 통신 체계가 있을 가능성이 높다. 인류가 샤다이의 점프에 대해 탐지나 파악이 불가능한 만큼, 놈들의 통신도 감지하지 못할 수도 있는 것이다.

"그러면 증원이 오기 전에 일 마치고 돌아가야지."

스크로도프스카 전단장은 불타는 시에라 1을 보았다. 몇몇 곳에선 탈출하려는 비행체들이 지표를 날아오르고 있었으나 빠짐없이 격추되었고, 군데군데 생겨났던 방어막들은 얼마 버티지 못하고 사라졌다. 하늘에서 쏟아져내리는 압도적인 화력에 지상은 속절없이 유린당하고 있다.

*

"아아아……."

나지막한 탄성이 히토미의 입에서 새어나왔다. 시에라 1이 궤도포격을 받고 황폐화되는 과정을 본 감상이다. 30척에 달하는 연방의 순양함들이 지상을 향해 공격을 퍼부어 모든 것을 파괴하고 녹이고 있다.

"부담스러우시면 보지 않으셔도 돼요."

아나스타샤가 걱정스러운 목소리로 만류하지만, 히토미는 고개를 저었다.

"아니, 괜찮아. 저들은 지금 자신이 했던 짓을 그대로 돌려받는 거니까."

히토미는 아버지인 이케가미 소이치로처럼 극단적인 호전파나 주전론자는 아니었다. 비교적 온건 노선이긴 해도 받은 만큼은 돌려줘야 한다는 정도의 생각은 가지고 있었다. 하지만 지금 그녀의 눈앞에 펼쳐진 광경은 그런 사상이나 주의를 떠나서 '정말 인간이 행성에 이런 짓을 해도 되나'란 생각이 들 정도로 엄청난 파괴였다. 함대의 포격과 폭격에 바다가 끓어오르고 땅이 녹는다. 이런 상황에서 생명체들이 살아남을 수는 없을 것이다. 연방의 상원의원은 문득 든 생각에 더듬더듬 입을 열었다.

"샤다이들은…… 훨씬 빠르게 했다면서?"

"네, 전열함 3척이면 표준형 행성은 30분 내로 황폐화됩니다."

징조 없이 갑자기 점프해서 나타난 샤다이 전투함은 압도적인 성능으로 연방의 방어함대를 무력화시키고 게이트를 파괴한다. 행성의 방어포대도 놈들에겐 큰 위협이 되지 못한다. 운이 좋아 게이트가 파괴되기 전에 증원 함대가 점프해 온다면 모를까, 모든 방어 수단이 무력화된 행성에는 샤다이의 궤도포격이 쏟아진다.

샤다이의 플라스마 포는 강력하면서도 끝없이 뿜어져 나온다. 폭포처럼 쏟아져내리는 플라스마의 격류는 행성을 감싸고 모든 생명을 불사른 다음 지표마저 녹여버린다. 구조 신호를 받은 함대가 근처의 게이트로 점프해서 서둘러 통상 항해로 간다 해도 이미 늦었다. 그들이 도착해서 보게 되는 것은 거대한 암석 구슬이다. 서두른다면 아직 녹아서 붉게 일렁이는 용암이고, 늦었다면 식어서 자전 속도에 따라 물결무늬가 생긴 대지가 구조대를 반긴다.

"30분이라……."

표준형 행성은 보통 둘레가 4~5만km이고, 표면적은 5억km^2 이상이다. 그것을 단 3척이서 30분 만에 녹여버린다니, 연방과는 차원이 다른 화력이다.

"우리도 그렇게 하는 거야?"

히토미의 질문에 아나스타샤가 쓰게 웃으며 고개를 가로저었다.

"아니요. 현재 42전단에 함선이 10배 넘게 있다고 해도 그건 무리예요. 또 그럴 시간도 없고요. 그저 포격으로 행성 표면에 있는 모든 것을 파괴할 뿐입니다."

그때 전단장으로부터 통신이 들어왔다.

- 오다 의원님, 전단장 스베틀라나 스크로도프스카입니다. 작전 중에 불편한 점은 없으셨습니까?

"신경 써주셔서 고마워요. 하지만 이런 작전을 몇 번 따라다녀봐서 놀라지는 않았습니다."

- 그것 참 다행입니다. 본 전단은 작전을 성공적으로 마쳤습니다. 이후 시에라 1을 황폐화시킨 다음, 지정된 좌표로 점프할 예정입니다.

현재 42전단은 연방과 통신이 물리적으로 두절된 상황이라, 점프를 해서 연방의 영역권 안으로 가야 통신이 가능하다.

"수고 많으셨습니다, 전단장님. 42전단의 분투는 잘 보았습니다. 덕분에 연방의 모든 이들이 안심할 수 있게 되었습니다. 점프한 다음의 예정은 어떤지 알 수 있을까요?"

- **본래는 전단의 보급과 재정비 후 대기할 계획이었습니다만, 이번 전투가 너무 손쉽게 끝난 데다가 태스크포스 373의 작전이 뜻밖의 대성공을 이루는 바람에 사령부와 얘기를 해봐야겠습니다.**

원래 42전단은 시에라 1의 전투 후 지정된 위치로 점프해서 보급과 수리, 그리고 손실한 전력을 보충하기로 되어 있었다. 그리고 이후 혹시라도 있을지 모를 샤다이의 반격에 대비해 출동 상태로 대기하기로 했다. 그러나 42전단의 첫 전투는 단 하나의 손실도 없는 압도적인 승리로 끝난 덕분에 재정비 시간은 짧게 끝날 것이다. 다만 태스크포스 373이 샤다이의 공장을 통째로 뜯어오는 전과가 있어서 이에 대한 처리도 필요했다.

"그렇습니까, 알겠습니다."

- **그럼 차후에 진행되는 사항이 있으면 알려드리겠습니다.**

통신이 꺼진 다음 히토미는 기지개를 켰다. 그녀가 태스크포스 373을 대할 때와 42전단을 대할 때는 다르다. 태스크포스 373은 조사를 목적으로 왔기에 이것저것 시시콜콜 캐물을 수 있었다. 또 서로 속내를 드러내고 협력하기로 한 다음에는 서로 정보 교환도 있었다. 그러나 42전단은 그저 저쪽에서 선의로 보내주는 정보에 만족해야 한다.

- **아나스타샤, 의원님은 어떠셔?**

그때 마침 빈우로부터 통신이 들어왔다. 개방형 통신이라 아나스타샤와 히토미 둘 다 볼 수 있었다.

"……보시다시피 잘 계세요."

아나스타샤가 화면을 돌리자 히토미는 싱긋 미소를 지었다. 그러나 그 미소는 금방 사라졌다. 화면 속 빈우의 모습이 영 말이 아닌 것이다. 아나스타샤의 목소리가 좋지 않았을 때 눈치 챘어야 했다.

"팀장님, 그 상처는 어찌 된 건가요?"

- **작전 중에 입은 겁니다. 큰 상처는 아니니까 신경 쓰지 마십시오.**

하지만 신경 쓰지 않으려야 않을 수가 없다. 빈우는 지금 그라디우스에 타고 있는데 치료를 위해서 컨커러를 벗은 상태다. 어지간한 부상은 장갑복 안에서 응급처치한 다음 귀환해서 치료하는데, 그라디우스 안에서 치료를 하고 있다면 꽤 중상이다. 그걸 다 떠나서 눈으로 봐도 상처가 심해 보였다. 군데군데 피부가 떨어져 나가고 근육이 눌어붙은 화상들이 있다.

"도른베르거 상사나 라마누잔 부팀장은요?"

히토미가 화면 너머를 봐도 빈우 주변에는 다른 지상팀원은 없고 혼자서 자신을 치료하는 중이었다.

- **화물실에 있는 샤다이 포로를 감시하고 있는 중입니다.**

빈우는 그렇게 말한 다음 왼쪽 어깨의 상처에 봉합기를 들이밀고 상처를 조였다. 드륵거리는 소리와 함께 인공 근육이 접합되며 재생 시 보이는 거품이 마구 일어났다. 치료보다는 숫제 수리에 가깝다.

- **의원님?**

의아해하는 빈우의 목소리에 히토미가 화들짝 놀랐다.

"예, 예. 무슨 일인가요?"

- **……의원님의 신체 개조를 봐서 이런 응급 시술은 시험해보셨을 것이라 생각했는데, 아니었던 모양이군요. 흉한 모습 보여드려서 죄송합니다.**

히토미는 태스크포스 373에서 생활하기 위해 몇 군데 신체 강화를 했다. 이런 강화를 하고 나면 해당 부위에 관련된 적응 훈련을 하는데, 히토미는 그런 것들을 다 건너뛴 상태였다.

"아니에요, 저는 괜찮으니까 신경 쓰지 마세요."

손사래를 치는 히토미의 모습에 빈우는 힐끔힐끔 눈치를 보면서 다시 치료용 무언가를 들어 올렸다. 그것은 의료기기라기보다는 작업 공구에 가까웠다.

- 제가 이렇게 급하게 연락을 드린 것은 다름이 아니라 스크로도프스카 전단장에 관해 몇 가지 여쭤볼 게 있어섭니다.

"전단장이요? 방금 통신을 했는데요?"

그 말에 공구를 박아넣던 빈우의 눈빛이 잠시 반짝였다.

- 그랬습니까? 혹시 우리 팀이 회수하는 샤다이 공장에 대해서 별다른 말은 없었습니까?

"으음, 먼저 제 안부를 물었고, 방금 끝난 작전에 대한 보고와 앞으로의 계획에 대해 말씀해주셨어요. 엄청 단순하지만요. 공장에 관한 얘기는 없었어요. 그런데 그건 왜죠?"

- 별것 아닙니다. 그저…… 부대 간의 파워 게임이랄까요.

은근슬쩍 말을 돌리는 빈우였지만 히토미는 그 속내를 파악했다.

"42전단은 예의 그 비밀결사와는 관계가 없을 겁니다. 아니, 없다고 봐도 무방합니다. 또 전단장의 사람 됨됨이도 믿을 만하고요. 조지 레드우드 사령관 같은 전형적인 무인이니까 팀장님은 그런 건 걱정하지 않으셔도 돼요."

- 의원님은 못 속이겠군요.

자신의 속내를 파악당한 빈우가 화면 너머에서 쓴웃음을 짓는다.

"쓸데없는 걱정 말고 어서 돌아오세요. 그리고 아나스타샤한테 마저 치료 받으시고요."

- 알겠습니다. 그럼 나중에 귀환해서 뵙지요.

통신이 꺼진 다음 히토미는 아나스타샤를 돌아보았다.

"이제 작전도 끝났으니까 난 괜찮아. 어서 네 주인에게 가봐. 방금 다친 거 봤지? 잘 치료해드려."

"알겠습니다, 의원님. 그럼 먼저 가보겠습니다."

아나스타샤는 꾸벅 인사를 한 다음 방을 나섰다. 하지만 발걸음을 서두르는 그녀는 약간 불안했다. 방금 빈우는 처음 통신 외에는 그녀에게 달리 시선을 주거나 말하지 않았다. 간단한 인사도 없었다. 그런 모습들이 안드로이드의 칩에서 스멀스멀 기시감이 떠오르게 한다. 요즘 빈우가 보이는 언행이 과거 그녀를 차갑게 대했던 때와 점점 닮아가는 것이다.

'아냐, 아냐, 아냐. 그럴 리 없어.'

안드로이드 메이드는 자신을 달래며 주인에게로 달려갔다.

"전단 내 모든 함선의 보급이 완료되었습니다."

발렌티나의 보고에 스크로도스프카 전단장은 함대를 둘러보았다. 42전단은 이곳 아퀼라 게이트에서 보급을 받고 있었다. 그러나 시에라 1의 전투에서 전투함 1척, 전투기 1기의 손실도 없었던 덕에 시간이 많이 남았다. 그것도 예상보다 하루 이상이나. 모든 무장을 점검하고 탄약과 연료, 기타 소모품을 보급받은 42전단은 언제라도 출동할 수 있다.

"자, 그럼 어쩔까."

전단장이 전투지휘실에서 참모와 전단 간부진들을 둘러보았다. 몇몇은 직접 와 있고, 몇몇은 홀로그램 영상으로 와 있다.

"요는 작전대로 대기하느냐, 아니면 바로 다음 단계로 넘어가느냐군요. 참 성질머리하고는."

먼저 말을 꺼낸 것은 부전단장인 지노 보타지 준장이다. 그는 예비대를 이끌고 이곳 아퀼라 게이트에서 대기 중이었다. 이 예비대는 귀환한 본대에 전력을 보충하는 것도 있지만, 유사시에 본대에 지원을 가거나 샤다이의 반격에 대비해 출동하도록 되어 있었다.

"아직 샤다이의 반응이 나오지 않았는데 너무 성급한 게 아닐까요? 또 사령부로부터 이번 보고에 대한 지시도 내려오지 않았습니다."

전단 주임원사 오드리 게이츠의 말에 이어 간부들도 저마다 각자의 의견을 냈다. 주된 요지는 하루 이상 남은 시간에 다시 출격을 하느냐, 대기하느냐다.

"그래, 반응이 없지. 사령부나 샤다이 둘 다. 내 생각엔 적이 제대로 된 대처를 하기 전에 한 번은 더 기습을 할 수 있을 것 같아."

시에라 1의 전투 이후 샤다이의 대처는 반격 공세로 나오든가 병력을 모아 방어하는 수세로 들어가든가 둘 중 하나다. 스크로도프스카 전단장의 생각은 그러기 전에 지금 당장 다음 목표를 치자는 것이다.

42전단은 샤다이를 공격하는 창이다. 그것도 연방 중앙 함대에서 최정예만을 뽑아 구성한 최강의 창이다. 그 대가로 전단 편성 후에 중앙 함대들에는 전력의 공백이 생겼다. 때문에 42전단은 동시에 샤다이를 막는 방패이기도 하다. 연방은 중앙 함대의 빈틈에 대비해서 유사시에 연방 곳곳으로 출동할 수 있는 방어용 신규 함대를 편성해놓았다. 모두 장거리 항행이 가능한 순양함들로 이뤄진 기동함대이고, 신기술인 연동 게이트를 쓸 수 있어서 설령 목적지에 게이트가 없다 해도 빠른 증원이 가능하다. 하지만 이 방어 함대들은 아직 완전히 편성되지 않아서, 이번 작전으로 인한 샤다이의 보복이 있을 경우, 그리고 그 정도가 심할 경우엔 42전단이 가세하도록 되어 있었다.

"자칫 샤다이가 대규모 공세로 나올 경우, 우리 전단은 기동 방어에만 끌려다닐 수도 있어. 그전에 적을 하나라도 더 줄이는 게 좋지 않을까?"

전단장은 공격이 최선의 방어란 입장이다. 애초에 기동전의 달인이었으니 당연한 의견이다.

"일단 찔러봤으니 반응을 보고 대처하는 것도 늦지 않습니다. 상대는 샤다이입니다. 무턱대고 들이밀어 좋을 건 없습니다."

부전단장인 보타지 준장은 맷돌이란 별명에 걸맞게 방어전에 일가견이 있다. 또한 전단장의 보좌 겸 브레이크란 역할을 제대로 하고 있는 중이다.

"하긴, 시에라 1에서의 기습은 대단히 성공적이었습니다. 전단장님의 말씀도 일리가 있어요."

참모장인 디에고 페레로 대령은 귀환한 본대로부터 전투 상황을 건네받고선 그 흥분을 아직까지 감추지 못하고 있었다. 현재까지 간부진의 의견은 재공격 쪽으로 기울어져가고 있었다. 원래대로라면 42전단은 보급 후 이곳 아퀼라 게이트에서 대기해야겠지만, 방금 있었던 시에라 1의 전투가 너무나도 손쉽게 끝나는 바람에 아군의 손실이 전무한 데다 승조원들의 사기마저 끝을 모르고 치솟고 있는 것이다. 또 42전단은 통신이 두절된 상태에서 적진 깊숙이 침투하는 함대의 특성상 상당한 자율성이 보장되어 있는 탓에 이렇게 독단적인 작전을 펼칠 수 있는 권한이 있다.

"김 팀장."

전단장이 태스크포스 373의 팀장을 불렀다. 비록 다른 팀이긴 해도 대 샤다이전을 전문으로 한 팀인 데다, 팀장인 김빈우 소령은 닉스 레벨 3이다.

- 죄송합니다. 잠시 딴생각을 하느라.

홀로그램 속의 빈우는 회의에 한발 물러선 채 간부들의 이야기를 듣고만 있었다. 그런 그가 딴생각을 했다면 정말로 뻘짓하고 있는 것은 아니다. 이번 일을 다른 각도로 보고 있단 뜻이다.

"말해보게."

- 실은 방금의 전투로 인해 아군의 전투 교리가 송두리째 바뀌지 않을까 생각해보았습니다.

지금 전단의 출동 시기에 대해 이야기하고 있는 상황에선 너무나 먼 이야기 같아 보였지만, 여기 있는 어느 누구도 빈우의 말을 흘려듣지 않았다. 그만큼 전단의 모든 이들에게 방금 전투에서의 충격은 컸다.

"정확히는 어떻게?"

- 으음, 제가 주제넘게 말을 꺼내도 될는지요.

"닉스 레벨 3의 말이 주제넘다면 우린 전부 모가지야."

스크로도프스카 전단장의 말에 간부들이 씨익 웃는다. 이들 모두가 닉스 레벨 3의 전략적 가치와 위험도에 대해서 아주 잘 알고 있는 사람들이다.

- 지금까지 아군의 대 샤다이 전투 교리는 '사자 사냥은 늑대가, 늑대 사냥은 사자'였습니다.

빈우의 말은 고급스러운 표현이었지만, 결국엔 일종의 비대칭 전력으로 대응하자는 것이다. 얼마 전까지 연방의 함대 주전력이었던 전함들은 샤다이를 상대로는 무용지물이었다. 전함의 플라스마 포격은 샤다이 함선의 방어막에 어떠한 피해도 주지 못했고, 이쪽이 10발을 쏘면 저쪽에서 80발이 날아온다. 물론 명중률이 처참하지만 그게 끊이지 않고 날아오면 결국엔 참혹한 꼴이 벌어진다. 그래서 연방은 잃어도 비교적 손해가 적은 구축함에 샤다이에게 통용되는 무기인 사이클론 어뢰와 코일건 등을 무장시켜 집단 전술도 대응했다. 구축함끼리 사격 제원을 교류해 TOT 공격을 해서 샤다이의 방어막이 재생되기 전에 깎아먹는 것이다.

- 하지만 이번 입자빔포가 있으면 굳이 그럴 필요가 없지요.

빈우가 띄운 것은 연방이 주로 쓰는 기동포격전 대형이다. 함대들이 수만 km 떨어진 포격 거리를 두고, 적의 취약 지점을 찾아 이동하며 아광속의 주포를 쏴 적을 깎아먹는 게 목적이다. 수많은 적들을 상대로 그 효과를 입증했지만 아쉽게도 샤다이를 상대로는 이빨이 안 들어가 사장된 전술이다. 전함이란 사자의 이로 샤다이를 깎아먹기엔 무리였던 것이다. 그래서 늑대를 풀어서 가까이 붙여 물고 늘어지는 게 오늘날 대 샤다이 전술이다.

"과연. 입자빔포가 있으면 예전처럼 거리를 둘 수 있지."

속도가 느린 어뢰와 미사일은 그래도 사거리가 길었지만, 코일건은 그렇지 못했다. 묵직한 펀치력에 비해 속도와 사거리가 엉망이라 이를 쓰기 위해 연방의 함선은 적에게 접근할 필요가 있었다.

"거리를 두면 필연적으로 공간 확보를 위한 싸움이 일어나고, 전술적으로 우세인 아군의 장점을 살릴 수 있습니다."

참모장 페레로 대령의 말대로 거리를 두게 되면, 그리고 적과 나 사이에 3차원이란 공간이 생기게 되면 이쪽이 꺼낼 수 있는 카드는 무궁무진하다.

지금까지 쓸 수 없었던 카드들이다.

- **하지만 여전히 방어력이 열세인 터라 예전 것 그대로 바로 사용할 수는 없을 겁니다.**

빈우의 말대로 과거의 이 함대 전술들은 전함과 순양함이 원거리에서 주포로 적을 도륙낸 다음, 구축함들이 돌입해 마무리를 짓는 게 주요 골자다. 이때 후방의 포격진은 사격의 밀도를 높이고 역장방어막의 공유를 위해 밀집 대형을 취했었지만, 요즘도 이랬다간 샤다이의 포격에 줄초상이 난다. 또 구축함은 과거엔 산개해서 돌입했지만 샤다이 상대로는 조밀한 플라스마를 막기 위해 한쪽은 중력충각, 다른 한쪽은 코일건으로 무장해서 진형을 짜 연계한다.

"으음. 새로운 것과 옛 것, 두 가지 전법의 융합인가."

스크로도프스카 전단장의 머릿속이 맹렬히 회전한다. 어찌 보면 당연한 의견이다. 적이 바뀌면 전법이 바뀌고, 무기가 바뀌어도 전법은 바뀐다.

- **그리고 예비대를 후방에 둘 필요는 없다고 봅니다.**

다음으로 빈우는 예비대의 순양함들을 화면에 띄웠다.

- **순양함의 점프 엔진을 연동한 게이트 생성이 가능하니 함께 움직이는 게 낫지 않을까 하는 게 제 생각입니다. 본대가 적을 상대하는 동안 예비대는 전투에는 가담하지 않고 후방에서 게이트를 만들고 있는 겁니다.**

화면에는 전방의 본대가 기동전으로 상대를 유린할 동안, 후방의 예비대는 구축함의 호위 하에서 게이트를 만드는 시뮬레이션이 나오고 있었다. 그때 보타지 부전단장이 나섰다.

"순양함 5척이면 분함대 하나야. 그것을 전장에 그대로 둔다고? 투입하지도 않고?"

전함에 비해 한 수 처진다지만 순양함의 화력은 어마어마하다. 구축함 따윈 비비지도 못한다. 그런 분함대를 뒤로 돌릴 예비대도 아니고 아예 게이트를 위해 놀린다니 이런 반응이 나올 수밖에.

- 게이트의 전략적 가치는 분함대와 비교할 수 없지요.

이 또한 맞는 말이다. 연방에게 있어 점프 게이트는 최우선 전략자원이다. 아직까지 성계를 넘어서는 항해는 연방에게 물리적으로 불가능한 거리다.

"하지만 게이트 생성에는 엄청난 에너지가 소비됩니다."

게이츠 원사 말마따나 게이트 하나를 생성하기 위해선 순양함들이 모여 서로 보유한 동력의 절반 가량을 소비해야 한다. 차라리 그것을 전투로 돌린 다면 엄청난 화력이 된다.

- 과학기술국의 모니카 보르자 기술대위의 말에 의하면, 연동 게이트는 계속 해서 개량되어 생성 시간과 소비 에너지가 줄어들고 있다고 합니다. 더구나 42전단에게 가장 중요시되는 것은 화력보다는 기동성입니다. 적이 예상치 못한 곳을 가장 먼저 찌르고, 아군이 위험에 빠지면 가장 먼저 가는 거지요. 그게 설령 작전 중이어도 말입니다.

"마치 샤다이 같군."

스크로도프스카 전단장의 소감에 화면 너머의 빈우가 고개를 끄덕인다.

- 맞습니다. 점프로 돌입, 행성 소각, 점프로 후퇴.

심연을 들여다보면 심연도 마주 본다고 했던가. 스크로도프스카 전단장은 샤다이를 상대로 싸우다가 샤다이가 되는 걸까 하고 상상해봤지만, 상관없 었다. 그녀에겐 샤다이를 죽일 수만 있다면 어떠한 방법이라도 상관없었다.

"자네가 제시한 전술은 상당히 매력적이군. 아주 새로운 것도 아니고 지금 까지 연방이 써온, 그리고 타 종족을 상대로는 아직까지 쓰고 있는 전술의 재 사용이야."

전단장의 말에 간부들이 고개를 끄덕이며 긍정적인 반응을 보였다. 군은 신기술을 반기면서도 동시에 꺼리는 보수적인 집단이다. 폭력을 막기 위해 폭력을 쓰는 모순을 안고 있는 이상 그럴 수밖에 없다. 그래서 신무기를 원하 면서도 막상 새로운 아이디어가 나오면 일단 꺼린다. 실패의 대가가 무엇인 지 알기 때문이다. 그래서 빈우가 말한 꺼낸 전술의 재활용은, 오랜 기간 써왔기에 위험부담이 적으면서도 사용자들의 뇌리에 직관적으로 박혀 있는 터라 부담아 적었다.

"일단은 조금 더 다듬고 검증을 해봐야겠어."

전단장의 미소가 참모장을 향하자 페레로 대령이 알겠다는 듯이 고개를 끄덕인다. 이제 그의 지시 아래 전단 참모들이 갈려가며 새로운 전술을 짤 것이다.

- 굳이 그럴 필요 있습니까? 다 뇌에 굳은살 박이도록 굴려본 작전 아닙니까?

빈우의 말에 간부들의 시선이 그에게로 모인다. 그 말을 한 발 앞서 이해한 스크로도프스카 전단장이 질문했다.

"실전에 바로 써보자는 건가?"

- 적당한 곳이 있지요.

빈우가 화면에 띄운 곳은 전단의 작전 목표 중 시에라 7이라 명명된 곳이었다.

"갑자기 시에라 7을?"

보타지 부전단장의 말은 다른 간부들의 놀람을 대변하고 있었다. 정보에 의하면 시에라 7은 꽤 높은 수준의 전력을 보유하고 있다고 했다. 갓 첫걸음을 뗀 42전단에겐 조금 버거운 목표다.

- 네. 시에라 7에는 제법 많은 수의 샤다이가 있다고 합니다. 그리고 현재 놈
들이 어떤 상태인지조차도 모르지요.

시에라 1을 공격한 사실이 놈들에게 전해졌을까, 전해졌다면 어떤 반응을 보일까. 시에라 1으로 구원을 갈까, 자신들의 방어를 굳힐까, 그것도 아니면 연방에게 보복을 할까. 간부들의 머릿속이 복잡해진다. 공격 전에 정찰은 필수다. 그러나 전단장은 단순한 대답을 내었다.

"일단 때려보면 알겠지."

황당해하는 간부들과 달리 빈우는 다음 자료를 보여주었다.

- 네. 말씀대로 일단 쳐보고 안 되겠다 싶으면 도망치면 되지요. 또 시에라

7은 케트콘 게이트와 가깝습니다. 덕분에 연동 게이트를 생성할 때 소비되는 시간과 에너지도 적지요. 전황이 불리하면 바로 후퇴할 수 있습니다.

스크로도프스카 전단장은 빈우의 화면 속으로 빨려들어갈 것만 같았다. 브레이크 역할을 맡은 보타지 부전단장마저 자신의 예비대를 어디서 어떻게 배치해야 게이트를 잘 만들 수 있을까 생각하고 있는 마당이니, 이미 42전단의 재출진은 기정가실이었다.

199

· · · ✦ · · ·

42전단의 출격 준비는 일사천리로 진행되었다. 보급이 완료된 상태에 작전 목표도 명확하고 대원들의 사기 또한 폭발하니 거리낄 게 없었다. 정작 문제는 이를 펌프질한 태스크포스 373쪽에 있었다. 전단의 여론을 출격 쪽으로 돌린 빈우가 오히려 여러 가지 트러블에 휩싸이게 된 것이다.

"이거 빨리 넘겨야 하는데……."

빈우는 지금 블랙 랜스의 격납고에서 이번 전리품의 영상을 보며 보고서를 쓰는 중이다. 블랙 랜스는 샤다이 공장을 지반째로 들어올려 견인해 왔다. 덤으로 포로들도. 이것들의 중요도는 이루 말할 수 없을 정도다. 그 때문에 함부로 아무에게나 넘겨줄 수는 없는 노릇이다. 주려면 정보사령본부 산하 과학기술국에 직접 전해줘야 한다.

"그래서. 너희 국장이 뭐라고 하던?"

빈우가 모니카에게 질문했다. 그런데 어째 대답할 사람이 안 보인다. 졸지에 격납고의 허공에 대고 질문한 빈우가 주변을 두리번거렸다.

"……애 어디 갔어?"

그러자 옆에 있던 위르겐이 손가락을 들어 가리킨다.

"저기요."

손가락이 향한 곳은 블랙 랜스 뒤쪽에 견인된 샤다이 공장이다. 대답해야 할 모니카는 아까 부머를 입고 할딱거리며 돌아다니더니 결국엔 혼자 날아간 모양이다.

"내 이럴 줄 알았다."

빈우는 한숨과 함께 쓰던 보고서를 집어 던졌다. 징조는 있었다. 모니카는 아까 지상팀이 귀환했을 때 빈우가 열변을 토했던 입자빔포의 부작용에 대해 건성으로 들었다. 평상시라면 빈우의 부상에 대해 걱정하며, 자신의 실수를 탓한 다음에, 장비의 보완에 매달렸을 것이다. 그러나 샤다이 공장이라는 보물섬의 등장이 그녀로 하여금 아예 정신줄을 놓게 만들었다. 이어서 이번 작전의 수확을 과학기술국에 넘겨야겠다는 빈우의 말을 듣고선 그전에 목록 표와 보고서를 작성하겠다면서 공장으로 가겠다고 방방 뛰었다. 하지만 빈우는 흥분한 그녀를 말렸고, 웬일인지 모니카는 순순히 따랐다. 그러나 그것은 눈속임이었다. 보다시피 결국 장갑복을 입고 자기 스스로 날아가고야 만 것이다.

"위르겐 이 새끼야. 너 왜 뻔히 보고만 있었냐."

팀장의 지목을 받은 뱅가드의 모범생은 서둘러 변명을 시작했다.

"에엑, 왜 저한테 그러십니까. 팀장님도 아시잖습니까. 대위님 눈 한번 돌아가면 못 말린다는 거. 처음에 어리바리했던 거 다 내숭이었다니까요."

"그게 아니라 인마, 넌 개 안 따라가고 여기서 뭐 하고 있어."

"아까 우리가 그렇게 싹싹 훑었는데 위험한 게 어디 있습니까."

태스크포스 373은 시에라 1의 지상에서 공장 주변을 샅샅이 긁어가며 싸웠고, 견인한 다음에도 이중삼중으로 검사했다.

"야이! 거기서 제일 위험한 게 모니카라고!"

그제야 폭발물 속으로 핀 떨어진 뇌관 하나가 날아갔음을 깨달은 위르겐이 서둘러 장갑복을 입었다.

"빨리 가서 허튼짓 못 하게 해! 무슨 수를 써서라도 잡아 뜯어! 말리란 말이다."

샤다이 물건을 봤다 하면 머릿속에 꽃피는 처녀가 샤다이 공장으로 들어갔으니 무슨 일이 일어날지는 아무도 모른다. 하지만 통신 날려봤자 소귀에 경 읽기니까 누가 한 사람 직접 가서 말려야 한다.

- 말려요? 출력은 제가 딸리는데요. 뒤지고 오란 겁니까.

어벤저를 입은 위르겐이 투덜거리며 격납고를 나가 공장 쪽으로 향했다.

"주인님."

아나스타샤가 커피를 내온다. 군용이 아니라 빈우의 방에 있는 기계로 직접 내린 커피다.

"응, 고마워."

빈우는 커피를 마시며 마카롱을 삼켰다. 그 모습이 마치 입으로 연료를 주입하는 것 같다. 피부에 붙여놓은 영양팩들은 이미 쪽쪽 빨려 바닥에 떨어져 있다. 아나스타샤는 그것들을 치우며 주인을 조심스레 올려다보았다.

"상처는 좀 어떠세요?"

"다 재생되었어. 알탄훼아나는 어때?"

이렇게 가까이 있는데도 빈우의 시선은 아나스타샤가 아닌 보고서에 가 있다. 원래 이런 줄은 알지만, 그리고 지금이 중요한 시기란 것도 알지만 안드로이드는 조금 서운했다.

"약물 치료는 힘들어서 주로 정신상담 쪽으로 하고 있어요. 그리고 음식 쪽으로도 조금씩 시도하고 있습니다."

PTSD는 단순히 정신적인 문제가 아니다. 심리적 충격이 너무나 심해 그 영향으로 신경계가 물리적인 손상을 입은 것이다. 신경계가 이미 손상을 입은 이상 정신력으로는 어떻게 해볼 수 없다. 잘린 팔다리가 정신력으로 붙지 않듯이, 이런 상처에는 직접적인 치료가 필요하다. 물론 연방의 군인들은 이런 상태에 대비해서 신경계를 보강해놓고, 두뇌칩과 전투용 OS가 신경 전달물질과 감정에 관련된 호르몬에 손을 쓴다. 설령 일이 벌어진다 해도 이런 증상에 특효약인 약물 칵테일들이 여러 종류가 있다.

문제는 알탄훼아나가 샤다이라 이런 치료법들을 쓰기 힘들다는 거다. 비홀더 전대에서 고문당했던 상처도 외과 수리만 했을 뿐, 나머지는 자연 치유에 맡겼다. 하지만 이번 PTSD도 상담과 자연 치유를 하기엔 그녀가 가진 능력이 너무나 중요한 것이다.

"경과는?"

"……느립니다."

태스크포스 373의 팀장은 비서의 말에 보고서를 쓰던 손을 잠시 멈췄다.

"다른 방법은 없나?"

"아직 샤다이에 대해선 모르는 게 더 많습니다. 차라리 시간을 두고 연구를 해가며 치료하는 게 나을 수도 있어요. 물론 주인님께서 안 된다고 하시면 어쩔 수 없지만요."

보고서를 다 쓴 빈우는 마른세수를 했다. 아나스타샤는 이것이 갑갑할 때 하는 주인의 버릇임을 안다.

"좋아, 계속해서 맡길게. 아나스타샤."

그 말에 안드로이드 메이드는 환한 미소를 지었다. 마치 주인이 자신을 봐주길 바라며.

"네, 주인님. 그런데 보고서가 다 끝나……."

- 지금부터 본 함은 점프에 들어갑니다.

아나스타샤가 채 말을 끝내기도 전에 오르 함장의 함내 방송이 들려온다. 빈우는 그녀의 말을 듣지 못했는지 오르 함장에게 통신을 걸었다. 이어서 점프를 잠시 미루겠다는 방송이 나왔고, 빈우는 아무 말 없이 자신의 롱소드 쪽으로 걸어갔다.

"주인님……."

아나스타샤는 불길한 기시감에 자신의 치마를 꽉 쥐었다. 그러나 걸어가는 주인의 등을 향해 소곤거리는 게 그녀가 할 수 있는 최선이었다.

"으음, 전투 후 하루도 휴식하지 않고 바로 재출격이라니요."

우지가 자신의 롱소드에서 투덜댄다. 그러자 빈우가 대답했다.

- 쇠는 뜨거울 때 두드리는 법 아니냐.

두들기는 게 샤다이 쪽인지, 아군 쪽인지 모르겠지만 상황이 뜨겁다는 것에는 우지도 동의했다. 그는 잠시 말이 없는 빈우가 자신의 롱소드의 계기판을 보면서도 동시에 블랙 랜스 쪽과 통신을 하고 있다는 것을 알 수 있었다. 시에라 7 공격을 앞둔 지금 빈우는 지상팀을 편성하고, 오르 함장과 작전 회의를 하고, 42전단과 전술에 관한 조율을 하면서도 우지 자신을 이끌고 있는 것이다.

"정말 대단하시다니까."

- 뭐가?

"아뇨, 모니카 대위님은 아직 거기 계신다면서요?"

- 아니, 위르겐이 잡아갔어.

계속 조사하겠다고 버팅기는 부머는 자기보다 작은 어벤저에 제압당해 바둥거리면서 블랙 랜스로 끌려갔다. 샤다이 공장과 포로들은 방금 전 도착한 과학기술국 함선이 견인해 갔고, 모니카는 눈물을 줄줄 흘리며 배웅했다.

"대단합니다. 미들 급 장갑복으로 헤비 급을 잡아가다니."

우지도 어벤저를 입고 여러 가지 훈련을 했었고, 모니카와도 대련을 한 적이 있다. 그는 당시의 자신이 출력 차이에 아무것도 못 하고 이리저리 휘둘리기만 했었던 것을 기억해냈다.

- 위르겐이 명색이 그래도 뱅가드인데, 그 정도도 못 하면 안 되지.

이런저런 잡담을 나누면서도 블랙 랜스는 다시금 순양함의 연동 게이트로 다가갔다. 그리고 순서대로 점프했다. 주변 풍경이 순식간에 바뀌었다.

- 도착했습니다. 시에라 7입니다.

오르 함장의 통신을 들으며 우지는 롱소드의 HUD를 살폈다. 현재 좌표는 연방의 일반적인 항법 자료에는 없는 곳이다. 방금 42전단이 있었던 아퀼라 게이트도 위치가 기밀이긴 했지만, 그래도 자료는 있었다. 하지만 이곳 시에라 7은 말 그대로 미답보의 지역이었다. 연방의 영역 바깥, 즉 샤다이의 영역인 것이다.

- 적 행성과 함대의 정보입니다.

오르 함장의 통신 다음으로, 먼저 도착했던 구축함들이 정찰했던 정보가 속속 입력된다. 시에라 7의 행성 정보는 시에라 1과 비슷하다. 원래부터 이랬는지, 아니면 샤다이가 개조를 했는지는 몰라도 저 녹색과 청색이 뒤얽힌 행성은 인류가 살기에도 대단히 이상적인 기후를 가지고 있음을 한눈에 알 수 있었다. 그 아름다운 행성 위에는 작은, 그리고 위험한 점들이 있었다. 그리고 그 점들은 점점 커지기 시작했다. 샤다이 함선들이 이쪽으로 다가오는 것이다.

- 전열함 17에 모니터함 8, 리퍼 함선이 4!

빈우의 말에 우지도 긴장했다. 시에라 1에선 전열함 4척에 모니터함 1척이었다. 그때에 비교하면 거의 여섯 배에 달하는 숫자다. 문제는 리퍼 함선이 4척이나 있다는 것이다. 저놈들의 성능은 전열함과 모니터함을 합친 다음 평균을 낸 정도다. 물론 함선의 성능 자체는 뛰어난 편이긴 해도 그게 치명적으로 위험할 수준은 아니다. 정작 놈들이 위험한 것은 전술이다. 리퍼들은 제대로 싸울 줄 아는 놈인 것이다.

"정석적으로 나가는군."

42전단의 움직임을 본 빈우의 감상이다. 점프를 마친 42전단은 진형을 정비하는가 싶더니, 바로 기동 사격 대형으로 재편성했다. 그리고 예비대로 편성된 순양함들은 후방으로 물러서서 게이트를 만들 준비를 한다. 오른쪽이 큰 비대칭 V자를 짠 함대 진형은 후방의 예비대가 제 역할을 한다면 학익진으로 볼 수 있다.

- 포격 개시!

통신으로 전단장의 명령이 들린다. 포격은 오른쪽의 순양함들이 먼저 시작했다. 아까처럼 어뢰를 먼저 쏘지도 않았다. 아광속의 입자빔이 날아가 전열함에 명중했고, 이를 시작으로 포격 제원이 실시간으로 업데이트되어 공격은 점차 정확해져간다. 쏟아지는 입자빔 공격으로 전열함 1척을 순식간에 격침시켰지만, 그 이후로 시에라 1에서처럼 쾌진격을 하진 못했다. 바로 리퍼함들이 앞으로 나서서 방패막이를 자처한 것이다. 리퍼함들의 방어막도 입자빔포에 꿰뚫리긴 마찬가지였지만 함체를 회전하며 장갑의 피해를 줄이려 했다. 그와 동시에 리퍼들이 반격하기 시작했다.

리퍼들이 쏜 정확한 포격에 순양함들의 방어막이 일시에 날아갔고, 전열과 후열이 자리를 바꾼다. 그사이에 입자빔포의 사격이 늦춰졌지만, 기동은 멈추지 않았다. 우익의 순양함들은 샤다이 함선의 좌측으로 들어가며 포격을 계속했다. 그때 좌익에 위치했던 항모들은 구축함의 호위를 받으며 시계 방향으로 원을 그리며 시에라 7의 샤다이 함선 쪽으로 우회해 접근했다. 그쪽에 위치한 소행성대를 방패 삼아 접근하려는 것이다. 이를 눈치챘는지 모니터함에서 강력한 포격이 날아온다. 이 엄청난 플라스마는 암석군 따위는 통째로 지워버리며 뻗어나와 항모들을 위협했다.

- 김 팀장님, 태스크포스 373은 좌익의 항모 쪽에 가세해주십시오.

전단장 부관인 발렌티나로부터 협력 요청이 들어온다. 지금 당장은 태스크포스 373의 지상팀이 활약할 일은 없으니 따르기로 했다.

블랙 랜스는 급히 가속해 우회하는 항모들에 다가갔지만, 안타깝게도 블랙 랜스는 이 거리에선 유효한 공격 수단이 없다. 코일건은 사거리 바깥이고, 신형 입자빔포는 블랙 랜스의 특성상 장비하지 못했다. 하지만 오르 함장은 방어 드론을 살포하며 항모의 호위에 나섰다. 물론 모니터함의 공격은 일격에 연방의 전함을 소멸시킬 정도다. 방어 드론 따위론 답이 안 나오는 위력이지만 오르 함장은 이 드론들을 거리를 두고 몇 겹씩 겹쳐 운용했고, 주변에 암석군이 많은 덕에 모니터함의 포격 위력을 상당히 줄이는 데는 성공했다.

- 42전단 쪽 함재기들이 출격합니다.

좌익의 호위 항모에서 롱소드와 할버드들이 발진한다. 저마다 사이클론 어뢰를 장비한 것이, 폭격을 쏟아내는 것이 목표인 듯싶다.

"항모를 미끼 삼아 모니터함의 포격을 이쪽으로 돌린 건가?"

빈우는 아군의 진형을 다시금 살폈다. 공격은 우익의 순양함들이 먼저 했지만, 순양함들은 포격대형으로 거리를 둔 채 이동할 뿐, 샤다이 쪽으로 접근하지는 않았다. 그리고 공격도 모니터함보다는 전열함과 리퍼함에게 가했다. 반면 좌익은 약간의 순양함, 구축함, 그리고 호위항모 2척으로 이뤄져 있다. 호위항모들은 소행성대를 방패 삼아 접근하려는 움직임을 보여 모니터함의 시선을 끌었고, 모니터함의 거포가 이쪽으로 쏟아지자 재빨리 함재기를 사출한 다음 뒤로 물러섰다.

"모니터함의 공격은 포격 대형을 순식간에 지워버리죠."

현재 전황을 본 발렌티나의 말이다. 샤다이의 플라스마 함포는 모두 치명적이긴 해도 연방의 기술로 한두 번은 방어가 가능한 수준이다. 하지만 모니터함의 공격은 상상을 초월한다. 저 거대한 플라스마의 줄기는 어떠한 방법으로도 막을 수 없다. 오직 샤다이의 엉망인 사격 실력을 믿고 회피 기동을 해 피하는 게 최선이다.

"일단은 낚였군."

전단의 움직임에 맞춰 움직이는 샤다이의 반응을 본 스크로도프스카 전단장의 말이다. 42전단의 우익은 먼저 전열함과 리퍼들을 건드려 그 공격을 자신 쪽으로 돌렸다. 그리고 전단 좌익의 항모들은 자신을 미끼로 삼아 돌격해 모니터함의 시선을 끌어 놈들의 거포가 우익으로 향하지 못하게 했다. 원래 함대를 이렇게 산개를 하는 것은 그리 좋지 않은 방법이다. 자칫 잘못하다간 적을 포위하기 전에 방어막의 연계를 하지 못한 함들이 각개 격파를 당할 수 있다.

하지만 리퍼들은 후방의 예비대를 의식했는지 아니면 아군을 지키려는지 더 이상 거리를 좁히지 않았고 함대의 방패 역할을 하면서 원거리 포격으로 반격하고 있었다. 샤다이의 방어막은 연방과는 달리 연계를 하지 못해서 모인다 해도 그리 큰 효과를 보지 못하지만, 상당한 정확도를 가진 리퍼의 포격은 위협적이었다.

"함재기들이 모두 출격했습니다. 2분 후에 적 함대에 도착 예정입니다."

발렌티나의 보고에 스크로도프스카 전단장이 다시 명령을 내렸다.

"좋아, 우익은 어뢰를 발사한 다음 거리를 유지하며 순환포격 대형으로 전환한다. 그리고 아군기들이 공격 범위에 들어갈 때쯤 포격을 멈춘다."

이전 같았으면 상상할 수 없었던 전법이다. 입자빔포가 없었다면 구축함들이 코일건을 쏴서 박기 위해 가까이 돌격했을 것이고, 순양함들은 후방에서 어뢰와 미사일, 부포인 입자가속포만 쐈을 것이다. 그리고 피해는 꽤 컸을 게 확실하다.

우익의 순양함들은 서로 전후좌우로 8자를 그리며 이동하며 포격하기 시작했다. 단순히 이동만 하는 것이 아니라 후열로 들어간 순양함들은 잠시 포격을 쉬면서 그 동력으로 방어막을 충전했고, 전열로 나선 함들은 방어막을 적진으로만 집중한 채 공격에만 전념했다. 이러면 화력의 집중도는 떨어지지만 지속력은 훨씬 올라간다. 어느새 샤다이 전열함 2척이 더 격침되었다. 하지만 이쪽도 피해가 만만치 않다. 아무리 순환 포격을 한다 해도 압도적인 화력 탓에 피해는 점차 누적되었고, 마침내 좌현이 녹아내린 순양함 1척이 후방으로 빠졌다.

"올버니가 빠지는군."

전투 지속이 불가능하면 바로 빠지라고 했었기에 피해가 심각한 순양함 올버니가 바로 대형 바깥으로 나온다. 예비대와 함께 후방에 있던 이그젝틀리에서 그 모습을 본 전단장이 혀를 찼다.

"발레아레스와 교대시켜. 올버니의 동력로와 점프엔진은 무사한가?"

발렌티나가 즉시 중파된 순양함의 피해를 점검한다.

"네, 좌현의 장갑과 무장에 심각한 피해를 입었지만 항해에는 지장이 없습니다."

"좋아. 예비대로 돌려. 게이트 생성은 가능하겠지."

그사이 암석 지대를 돌파한 롱소드와 할버드들이 샤다이 함대에 도착했다. 모니터함의 거포 공격은 항모를 노렸지만 먼 거리와 암석군, 블랙 랜스의 방어 드론과 회피 기동의 조화 탓에 별다른 효과가 없었다. 그리고 이 강력하지만 느린 포격은 작은 전투기들을 상대로는 맞지 않았다. 마침내 모니터함이 공격을 연방의 순양함 진형으로 돌리려 할 때쯤, 연방의 전투기들이 공격해 왔다.

- **전편대 사이클론 발사.**

전대장 나빌 마수드 대령의 명령에 42전단의 전투기와 폭격기들이 어뢰를 발사했다. 이전이었다면 사이클론 어뢰를 발사하지 않은 채 로켓만 점화하고, 그 추진력과 기체의 추진력을 더해 함께 날아가 어뢰를 꽂아 넣었을 것이다. 그러나 지금은 달랐다. 자체 방어 시스템을 갖춘 어뢰들이 편대들의 앞으로 날아가 샤다이의 포격으로부터 미끼와 방패가 되어주었다.

- **공격 개시.**

전대장의 명령에 각 전투기들이 입자빔포를 쐈다. 아군 함선 포격에 샤다이의 방어막이 속절없이 뚫리는 것은 봤지만 정작 자신이 직접 방아쇠를 당기자 몇몇 파일럿은 긴장했다.

- **······먹힌다! 먹혀!**

롱소드에 달린 입자빔포가 방어막을 관통해 모니터함에 명중하자 파일럿들은 환호성을 질렀다. 빈우 역시 편대에 합류해 모니터함 주변을 돌며 입자빔포를 쏘고 있었다. 하지만 그는 다른 편대원과는 달리 조금 묘한 감상을 느꼈다. 지상에서 목숨 걸고 쐈던 것에 비하면 지금은 안전하게—샤다이의 대공포를 피해가며—쏘고 있으니 그럴 법도 하다.

- **이렇게나 쉬운 놈들이었다니.**

우지는 허탈해하면서 방아쇠를 당겼다. 블랙 랜스와 자신의 롱소드로 샤다이 함대와 싸웠을 때는 그야말로 악전고투였다. 어뢰와 미사일, 코일건 등의 무기를 총동원해 방어막을 갉아내고 장갑을 뚫어내면, 샤다이의 공격으로 이쪽도 너덜너덜해졌다. 그러나 지금 코일건 대신 달린 입자빔포는 샤다이를 문자 그대로 바보로 만들고 있었다.

- 또 하나 접수.

통신으로 감탄사가 내달린다. 롱소드와 할버드의 집중 공격에 모니터함 하나가 격침당한 것이다. 거포가 달린 모니터함은 별다른 무장이 없어서 롱소드 무리의 공격에 일방적으로 당하고 있다. 오죽했으면 스팸 몇몇이 시즐러를 들고 바깥으로 나와 대응 사격을 해봤지만, 거기에 맞을 롱소드는 없다. 오히려 나오는 족족 입자빔포의 일격에 소멸되는 중이다.

- 조심해, 리퍼가 온다.

마수드 전대장이 경고대로 보다 못한 리퍼 전투함 1척이 이쪽으로 이동해 오고 있었다. 놈이 쏘는 대공포는 정확도가 대단해서 상당히 위험했다.

- 산개해. 모니터함의 뒤로 숨는다.

전대장의 명령에 롱소드들은 전투를 멈추고 리퍼의 플라스마 포격을 피했다. 하지만 마치 칼처럼 휘두르는 플라스마 공격에 선회하던 롱소드 2기가 순식간에 녹아 증발했다. 거기다 다른 몇몇 기도 스쳤지만, 전투 불능이 되어 아군기의 견인을 받아 전장에서 이탈한다.

- 아군 어뢰가 온다. 이탈해라. 어뢰를 끼고 반전한다.

롱소드들과 모니터함이 전투할 동안 우익의 순양함들이 쐈던 사이클론 어뢰들이 날아왔다. 속도가 느린 할버드들은 어뢰들을 발사한 뒤 모함으로 귀환했고, 롱소드들은 계속 대함 전투를 하다가 타이밍에 맞춰 날아온 아군의 어뢰 쪽으로 마주 날아갔다.

- 각자 목표 잡아.

뒤쫓는 플라스마 다발을 피해 롱소드들이 사이클론 어뢰로 스쳐 지나갔다. 그리고 어뢰의 방어막 뒤로 숨음과 동시에 각자 목표로 잡은 어뢰에 견인빔을 걸고 반전했다. 엄청난 반동과 급격한 중력가속도에 기체가 비명을 지르고 파일럿들이 이를 악문다. 롱소드의 관성제어장치가 최대한도로 작동해 기체의 분해를 막고, 파일럿들의 겔화된 혈액이 주인의 몸에 영양과 산소를 공급한다.

"죽—겠!"

빈우는 두뇌칩의 경고를 받으며 조종간을 당겼다. 파일럿 전용이 아닌 일반 강화를 한 그에겐 이런 급기동은 상당히 부담스러웠다.

도망치던 롱소드들은 어뢰를 잡고 방향을 급격히 틀었다. 뒤쫓던 리퍼의 플라스마는 사이클론 어뢰들이 막아주었다. 폭발광 사이로 롱소드들이 다시 쳐들어가 이번에는 리퍼에게 공격을 퍼부었다. 미사일이 날아들고 입자빔포가 쏟아진다. 역시 리퍼들은 싸울 줄 알았다. 조밀한 대공포화는 롱소드들에게 치명적이었고, 놈은 포위를 피하기 위해, 그리고 아군을 지키기 위해 모니터함 곁에서 대공 사격을 했다. 하지만 그게 실수였다. 리퍼 전투함이 모니터함을 지키기 위해 거리를 좁힌 것은 좋았지만, 문제는 모니터함에게는 대공 전투능력이 전무한 탓이었다. 롱소드들은 오히려 모니터함에 견인빔을 쏴 기체를 묶어놓고 이 거포가 달린 샤다이 함을 방패 삼아 리퍼를 공격했다.

- 또 온다. 이번엔 전열함이다.

후방으로 빠졌던 할버드들에서 경고가 날아왔다. 작지만 위력적인 공격을 하는 전투기들을 위협적으로 느꼈는지 이번엔 전열함 2척이 대형을 짜 이쪽으로 오고 있었다.

- 골치 아픈데, 아군 포격은 언제지?

마수드 전대장이 혀를 찼다. 전열함의 대공포는 명중률이 그리 높지 않다. 하지만 2척이나 대형을 짜 화망을 형성하면 전투기에 불과한 롱소드들에겐 치명적이다. 이런 마수드 전대장의 마음을 읽었는지 갑자기 각 전투기들에게 경고창이 뜬다. 아군 함대가 포격을 이쪽으로 돌린다는 것이다. 이어서 조종석의 HUD와 헬멧의 HMD에 포격 예상 궤도와 시간이 나온다. 포격 날아오기 전에 시간 끌고 빠지란 뜻이다.

- 순양함의 포격이 시작된다. 아군기는 사선에서 벗어나라.

전단장의 목소리가 전투기 파일럿들의 회선에 울려 퍼진다.

- 이분 타이밍 잘 잡네.

명령을 들은 빈우가 감탄했다. 그녀는 이쪽과 별다른 통신 없이 전투 상황만 보고서 정확한 타이밍을 잡아낸 것이다. 우익의 포격으로 전열함을, 좌익의 전투기로 모니터함을 공격하다가 리퍼함과 전열함이 모니터함 쪽으로 증원을 오자 쐐기를 박을 속셈인 듯싶다. 아니나 다를까 롱소드들이 후퇴하자 순양함들이 일제 포격을 가했다. 리퍼함과 전열함이 이동한다고 포격이 잠시 약해진 틈을 타 대형을 바꾸고 집중 포격을 날린 것이다. 순식간에 모니터함과 전열함, 리퍼함이 격침되고 대파된다. 그리고 이 타이밍에 롱소드들이 다시 물고 늘어졌다.

- 모니터함만 노려. 저놈들 숨통만 끊고 바로 빠진다.

마수드 전대장의 명령은 일견 이해하기 어렵다. 아직 숨이 붙어 있는 전열함과 리퍼함은 대공사격이 가능하다. 그럼에도 불구하고 전투기 편대에 전혀 위협이 되지 않는 모니터함을 우선적으로 공격하라는 것은 지금이 공격의 전환점이란 의미다. 다 죽어가는 거체에 자그마한 날벌레들이 달라붙어 끈질기게 독침을 쏜다. 주변에 전열함과 리퍼함이 다가와 대공사격으로 쫓아내려 해도 롱소드 편대는 이에 아랑곳하지 않고 악착같이 물고 늘어졌다. 후방의 할버드들도 가세해 마무리를 지으려 한다. 그렇게 1척, 또 1척의 모니터함이 폭발한다. 함포사격에 너덜너덜해진 모니터함에 롱소드들이 쐐기를 꽂는 것이다. 마침내 8척이었던 모니터함이 모두 격침되었다.

- 급가속! 각기 가속해서 바로 빠져라!

마지막 1척의 모니터함이 두 동강이 나는 것과 동시에 마수드 전대장의 명령이 울려 퍼졌다. 그리고 그 명령의 마지막 말이 들리기도 전에 모든 전투기와 폭격기들이 최고 속력으로 도망쳤다.

"전단 전진. 숨통을 끊는다."

그와 동시에 스크로도프스카 전단장도 명령을 내렸다. 모든 모니터함이 사라진 지금, 전단에 치명적 위험이 될 존재는 없다. 원거리에서 포격만 하던 순양함들이 서로 방어막을 연동하고 진형을 짜 전진하기 시작했다. 붙으면서 포격해 마무리를 지으려는 것이다.

"전투기 전단은 어떻게 할까요?"

부관인 발렌티나의 물음에 스크로도프스카 전단장이 전술 정보 화면을 지긋이 훑었다.

"항모를 가까이 보내서 착함시켜. 호위로는 원더풀뷰티풀을 붙인다."

치열한 전투 끝에 롱소드와 할버드의 상당수가 너덜너덜해졌다. 다시 불러들여 재정비할 타이밍이긴 하다. 하지만 이를 후방이 아니라 전단의 움직임에 맞춰 전진하며 하려는 것을 보면, 게다가 뱅가드의 전함을 앞으로 내세운 것을 보면 스크로도프스카 전단장은 아직 공격의 고삐를 늦출 생각이 없어 보였다.

모니터함이 사라진 다음, 순양함들의 공격은 적극적으로 바뀌었다. 3척씩 대형을 이루고 대각선으로 회전하는 리볼버 대형이다. 아까 했던 순환 포격 대형의 소규모 이동 버전으로 공방과 기동의 밸런스가 적절하다. 하지만 만약에 아직까지 모니터함이 있었더라면 한 방에 3척이 증발하는 사태가 벌어질 것이다.

순양함들은 점차 접근하며 상하좌우로 펼쳐졌고, 거대한 깔때기 형태가 되어 샤다이 함선들을 안에 가두려 했다. 상하좌우로 쏟아지는 입체적 교차 사격에 샤다이들은 어찌할 바를 몰라 허둥대다 격침되었다. 그나마 리퍼들은 침착하게 대응하는 편이었지만, 이미 수적 열세에 처한 데다가 연방에는 놈들의 방어막을 무시하는 입자빔포가 있었다.

결국 마지막 리퍼 전투함이 격침되며 시에라 7에서의 전투도 연방의 압승으로 끝났다.

흥적 ───────

게임 회사 개발자로 일하다가 우여곡절 끝에 창작의 길로 들어섰다. 첫 작품 『피자 타이거 스파게티 드래곤』으로 웹소설 등단을 하였다. 네이버 시리즈(NAVER SERIES)에서 연재를 개시하였으며, 이후에도 지속적인 인기에 힘입어 '2020 SF 어워드' 웹소설부문 대상을 수상하며 SF 작품의 새로운 활로를 제시하였다.

피자 타이거 스파게티 드래곤 2

© 흥적, 2021

초판 1쇄 인쇄일 2021년 6월 10일
초판 1쇄 발행일 2021년 6월 24일

지은이	흥적
표지그림	볼키드
펴낸이	강병철
주간	배주영
기획편집	박진희 손창민 권도민 이현지
디자인	서은영 김혜원
마케팅	최금순 오세미 박지혜 김하은 김도현
제작	홍동근

펴낸곳	이지북
출판등록	1997년 11월 15일 제105-09-06199호
주소	(04047) 서울시 마포구 양화로6길 49
전화	편집부 (02)324-2347, 경영지원부 (02)325-6047
팩스	편집부 (02)324-2348, 경영지원부 (02)2648-1311
이메일	ezbook@jamobook.com

ISBN 978-89-5707-911-9 (04810)
　　　978-89-5707-909-6 (set)

잘못된 책은 교환해드립니다.

"콘텐츠로 만나는 새로운 세상, 콘텐츠를 만나는 새로운 방법, 책에 대한 새로운 생각"
이지북 출판사는 세상 모든 것에 대한 여러분의 소중한 콘텐츠를 기다립니다.
ezbook@jamobook.com